LO VILLANO EN EL TEATRO DEL SIGLO DE ORO

LITERATURA  Y SOCIEDAD

DIRECTOR
ANDRÉS AMORÓS

Colaboradores de los volúmenes publicados

NOËL SALOMON

Lo villano en el teatro del Siglo de Oro

Editorial CASTALIA

Título original: Le thème paysan dans la «comedia» au temps de Lope de Vega.

Traducción de Beatriz Chenot.

Copyright © Editorial Castalia, 1985
Zurbano, 39 - 28010 Madrid - Tel. 419 58 57

Cubierta de Víctor Sanz

Impreso en España - Printed in Spain
Unigraf, S. A. Fuenlabrada (Madrid)

I.S.B.N.: 84-7039-449-5
Depósito legal: M-18.248-1985

SUMARIO

PRÓLOGO A NOËL SALOMON

Veinte años después —como en el título de la novela— llega a los lectores españoles este libro, considerado ya, con toda justicia, como un clásico de nuestros estudios literarios.

No es hora de cantar los méritos ni presentar un libro que ha sido elogiado por los mayores especialistas. Como sucede sólo en casos muy especiales, el trabajo de Noël Salomon posee una trascendencia que rebasa su objetivo específico. Además de estudiar, con gran erudición y finura interpretativa, un tema concreto, ilumina el mundo de nuestra comedia clásica y plantea de modo ejemplar no pocos problemas generales de la metodología de los estudios literarios.

Muchas veces, en efecto, se ha criticado la superficialidad que puede aquejar a los estudios de sociología literaria o la ortodoxia monolítica que puede paralizar a los que se acercan a los fenómenos estéticos desde el pensamiento marxista. La experiencia, por desgracia, proporciona ejemplos de una y otra cosa. Sin embargo, no tiene por qué ser así, forzosamente. En este tipo de polémicas, el libro de Noël Salomon que hoy publica Castalia es buena muestra de rigor y comprensión crítica.

Planteé a su autor la posibilidad de traducirlo en Madrid, en la primavera de 1972, con motivo de unos coloquios hispano-franceses, en la Casa de Velázquez, que dieron lugar al libro *Creación y público en la literatura española,* publicado también por Castalia. El trabajo de Salomon que abre el volumen, «Algunos problemas de sociología de las literaturas de lengua española» me parece uno de los más claros y penetrantes que sobre estos temas, tan vidriosos, se han escrito entre nosotros.

De aquellos días, recuerdo especialmente algunas de sus intervenciones, que suscitaron no pequeña polémica. Por ejemplo, su advertencia contra el riesgo del esquematismo que acecha al sociólogo. Partiendo de un texto de Bakhtine, subraya cómo los textos literarios son «polifónicos desde el punto de vista de la ideología y no pueden reducirse sólo a la práctica de clase de los autores». Del mismo modo, a partir de una ponencia sobre subliteratura, advertía Salomon que el presunto «tradicionalismo cultural» no sólo se debe a la imposición de la clases dominantes sino que «puede responder a motivaciones profundas, arraigadas en la mentalidad y la mitología del pueblo español, en su sentido más lato».

Desde su reconocida autoridad —científica y personal—, moderaba así Salomon los excesos dogmáticos de algunos estudiosos españoles, obsesionados quizá por la resistencia cultural contra el franquismo... Al que entonces no lo viera claro, el simple transcurso del tiempo le habrá mostrado quién tenía la razón.

Recuerdo a Salomon en las tertulias de la hora del café, frente a las veladuras velazqueñas —el tópico inevitable— de la sierra madrileña. Allí había estado él —me contó— en muy otras circunstancias, durante nuestra guerra.

Hablabla converdadera ilusión de la traducción de este libro. Eligió a la profesora Beatriz Chenot como la persona más adecuada para realizar este trabajo, que él supervisó personalmente. Varios años han sido precisos para llevar a buen término esta empresa, que se suman a los que dedicó su autor a esta investigación: muchos años, pues, para que llegue a tus manos, lector, este libro.

Los especialistas conocen de sobra sus méritos. Para muchos estudiantes y profesores —y para nuestro mundo cultural— puede ser importante que se difunda ahora en castellano. Comprobarán sus lectores cómo lleva a la práctica Salomon su «defensa del trabajo positivo», sin perder por ello agudeza crítica.

No ha podido ver Noël Salomon esta edición, que esperaba «con gran deseo». Le recuerdo, ahora: su figura pequeña, viva, nerviosa, inteligente, con algo de ardilla y algo de águila. Un verdadero maestro.

Andrés Amorós

INTRODUCCION

Al leer la larga *Historia de la literatura y arte dramática* de Adolfo Federico Von Schack, soprende el escaso lugar que este autor le otorga al motivo rústico en la comedia española. Ahora bien, hay que reconocer como un hecho la importancia de lo villano en la comedia en tiempos de Lope de Vega. En ningún otro teatro europeo, en ninguna otra época, encontramos un ejemplo de tal insistencia, por parte de los dramaturgos, en poner en escena al campo y a sus gentes, sus canciones, sus trajes, sus costumbres y hábitos, sus personajes folklóricos. Shakespeare saca a unos campesinos en los tablados de la época isabelina[1] pero esta aparición, por más colorida o poética que sea, no puede compararse en cantidad con la de aldeanos y seudo-aldeanos de la comedia. En comparación con aquéllos, éstos suman legión. Lope de Vega echa —sólo él— a los tablados de su época, entre 1580 y 1635, a más de mil personajes rústicos o seudorrústicos. Un escrutinio de las comedias atribuidas (con razón o sin ella) a quien contemporáneos suyos llamaron el Fénix, editadas en las dos grandes colecciones de *Obras de Lope de Vega publicadas por la Real Academia*, permite llegar a cifras asombrosas: aproximadamente 200 de estas comedias presentan en escena, ya al pasar, ya más detenidamente, a unos tipos rústicos variados, concebidos como campesinos o pastores auténticos. En más de 80 comedias —las cuales no figuran en su totalidad dentro del grupo anterior— se encuentra igualmente el motivo del noble que adopta por un tiempo la vida o el traje del hombre de campo. Si recordamos que muchas comedias de Lope no llegaron hasta nuestros días, cabe imaginar con qué vigor corre la savia rústica por la obra dramática de quien se presentó a menudo a sí mismo, en escena, bajo los rasgos de un villano, labrador o segador, hortelano o jardinero: Belardo. Con el creador de la comedia, por esos años decisivos en los que el género se constituyó, y luego triunfó, el motivo villanesco se instituyó como uno de los temas mayores de la literatura dramática.

La tradición peninsular incitaba, es cierto, a este acento bucólico. A fines del siglo XV, el primer teatro laico castellano, al pasar de la iglesia al palacio, en tiempos de Encina y de su escuela, había recordado muy especialmente el motivo de los pastores del «Officium pastorum»; por sus acciones, llamadas églogas, pasaba el aire fresco del campo leonés y el sabor del terruño permanecía muy vivaz. Algo más tarde, a principios del siglo XVI, Torres Naharro y Gil Vicente también habían abierto su escenario a las brisas agrestes de las campiñas españolas o portuguesas. Hacia mediados del si-

---

[1] Cf. *The Winter's Tale,* acto IV.

glo XVI, Lope de Rueda, en quien más tarde el Fénix vería algo así como un Teócrito castellano, ofreció también a la literatura dramática castellana algunos coloquios pastoriles e insertó en no pocas acciones al tipo del villano o de la villana. En el mismo momento numerosos autos volvían a tratar a lo divino, alegóricamente, el motivo villanesco. En resumen, cuando, hacia 1580-1590, el Fénix empezó a componer espectáculos en los cuales resonaba la nota bucólica, se integró a una corriente ya antigua, y puede suponerse que algunas maneras de ver al campo, algunos tipos rústicos propios de su teatro, ya habían sido más o menos elaborados antes que él

No obstante, la originalidad y el papel de Lope de Vega a este respecto, así como en tantos otros, no dejan de ser deslumbrantes. Resulta difícil, en efecto, no ver que *lo villano en la comedia en tiempos de Lope*, es a menudo *lo villano en la comedia de Lope y su escuela*. No lo disimulemos: hemos vacilado entre ambos títulos para el estudio que iniciamos. En compañía del Fénix, sobre todo quienes pueden considerarse como discípulos suyos, en razón de su estilo dramático y de las leyes generales en su dramaturgia, son quienes gustan de introducir tipos rústicos en sus acciones. Tirso de Molina, Luis Vélez de Guevara, Pérez de Montalbán, por no citar sino a los más conocidos, manifestaron en una notable proporción idéntica afición a los perfumes agrestes. En Tirso de Molina, de 82 comedias editadas en las colecciones de la B.A.E. y de la N.B.A.E., contamos 39 que presentan tipos rústicos; 25 ofrecen el motivo del noble que adopta la vida o el traje del campesino. En la obra de Luis Vélez de Guevara, en 46 comedias examinadas en distintas colecciones antiguas o modernas, descubrimos 14 con villanos. En Montalbán, de 44 comedias atribuidas al autor en las ediciones antiguas o modernas, contamos 10 en las que interviene el motivo rústico. Claro está, estas cifras no han de tomarse al pie de la letra, ya que las atribuciones de las piezas a los distintos autores son a veces discutibles. No obstante, reflejan una tendencia que no se puede negar: la de los autores de la escuela lopesca de introducir personajes rústicos en sus obras.

Desde luego, la noción de escuela, así como todas las nociones modernas de este estilo, es harto imperfecta. No debe interpretarse, en nuestra pluma, en un sentido estricto y limitado. Caben, al fin y al cabo, otras clasificaciones de los dramaturgos de la comedia: verbigracia, por grupo regional.[2] Esa es la razón por la cual adoptamos por fin este título más elástico y más amplio: *Lo villano en el teatro del Siglo de Oro*. Tiene por ventaja el permitirnos citar a autores que, sin merecer ser incluidos en lo que puede entenderse realmente por la expresión «la escuela de Lope» en sentido estricto, tratan sin embargo de lo villano. Los mencionados como autores de comedias más o menos contemporáneos de Lope. Más o menos contemporáneos, decimos, ya que tampoco quisimos limitar nuestra pesquisa, esquemáticamente, a la fecha fatídica de 1635, año de la muerte del gran dramaturgo. Contemporáneos de Lope son, a nuestro parecer, quienes habiendo vivido y empezado a escribir en sus tiempos, siguieron haciéndolo también en los decenios inmediatamente posteriores. Así ocurre con Cubillo de Aragón (1596?-1661), en cuya obra, en 19 piezas examinadas, descubrimos —interesante proporción— 5 con villanos. No podíamos dejar de lado al autor (que tal vez no sea Rojas Zorrilla, fallecido en 1640) de la célebre comedia *Del rey abajo, ninguno: el labrador más honrado García del Castañar*. Así también incluimos a Calde-

---

[2] Se distinguen a menudo tres grupos regionales: *a*) el grupo madrileño, *b*) el grupo valenciano, *c*) el grupo andaluz. Esta es la perspectiva que dirigió los análisis tan claros de Henri Mérimée en *L'art dramatique à Valencia depuis les origines jusqu'au commencement du XVIIe siècle*, Toulouse, 1913, 734 p.

rón, que empezó a escribir hacia 1630 y cuyo magistral *El alcalde Zalamea*, auténtica apoteosis del tema villano, tal vez escrito en este momento, tampoco quisimos dejar de lado.[3]

Así y todo, el ser la época en la que produce Lope de Vega el centro de nuestro estudio, queda cierto que la nota rústica resuena principalmente entre los dramaturgos de su escuela. Ruíz de Alarcón (1581?-1639), quien sitúa la mayor parte de sus intrigas en un ámbito urbano, no nos proporciona ejemplos de comedia en la que intervenga un motivo villano: apenas puede citarse de él, y solamente para algunos efectos secundarios, *El dueño de las estrellas* y *Los pechos privilegiados*. Todo transcurre como si el mejicano hubiese ignorado totalmente el campo español. Un examen de la obra de Guillén de Castro (1569-1631) nos lleva a la misma comprobación: el tema villanesco parece haberle interesado. De 32 comedias atribuidas a este autor, sólo encontramos 5 en las que interviene algo un tema rústico; y eso que se trata únicamente del tema del falso villano, y los villanos auténticos que salen en la acción, al lado del noble disfrazado de villano, no reciben nombre más que en una sola pieza.[4] De una manera más general, ésta parece ser la tendencia del grupo valenciano. No encontramos personajes aldeanos en cuanto pudimos consultar de Ricardo de Turia (1578-1638) ni de Carlos Boil (1577-1617). De las diez piezas que pudimos examinar de Francisco Tárrega (1556-1602), sólo en una pieza intervienen rústicos. Gaspar de Aguilar (1561-1623) es quizás el único valenciano que se sintió atraído por el motivo rústico: de ocho piezas examinadas, en dos presenta, efectivamente, a algunos villanos.

Sin pretender examinar en todos sus resquicios el campo inmenso de la comedia producida en tiempos de Lope de Vega —¿acaso no cita Montalbán, en 1632, a sesenta y cuatro autores dramáticos?— en las páginas que siguen nos proponemos esbozar las líneas esenciales de lo villano como tema de gran éxito en esta forma teatral. En otros términos, nuestro propósito es aplicar muy especialmente nuestro análisis a las piezas en las cuales el motivo nos parece haber sido elaborado de la manera más lograda y más significativa. Escudriñar, una tras otra, las innumerables comedias en las cuales intervienen personajes rústicos sería una empresa vana y la rechazaremos, ya que sólo nos llevaría a un resultado: agobiarnos bajo su peso, haciéndonos perder de vista las líneas esenciales. Así como no se admira la catedral de Burgos con una lupa, tampoco ha de considerarse la inagotable arquitectura de la comedia sin una mínima perspectiva y sin una previa elección de los elementos a observar. Por lo tanto, fuera de algunas piezas privilegiadas —la obra maestra del género *Peribáñez y el Comendador de Ocaña*, por ejemplo— excluiremos la coquetería de la erudición miope o de la atención otorgada a hechos nimios. Tampoco alegaremos el descubrimiento de textos raros o de escritos laterales, de poca monta, de los autores, de significado meramente personal y anecdótico. De todas maneras, si bien existen tales elementos nuevos, muy poco nos explicarían acerca de la génesis y del significado de un tema que ha de captarse, primero, en cuanto tema de un público. Otra cosa es el nacimiento de un soneto o de un romance autobiográfico de Lope, otra cosa es la floración de un género que se desarrolló dentro de condiciones económicas y sociales de creación que no pueden compararse sino con la producción cinematográfica de nuestros días. Algunas piezas de ambiente rústico y más especialmente pastoril —*La pastoral de Jacinto, Belardo el furioso* de Lope— algunos personajes rústicos —Belardo para Lope, Tirso o Tarso para

---

[3] Esta es la hipótesis de A. Valbuena Prat, in *Historia del Teatro español*, Barcelona, 1956, p. 271.
[4] Cf. *La humildad soberbia*.

Tirso de Molina—, bien tuvieron un significado personal y autobiográfico para sus autores y, siendo una evidencia requetedemostrada, no cabe negarla aquí. Lo que pretendemos decir, es que, dedicándonos a captar lo villano en la comedia como tema concebido para unos oyentes, estas cuestiones de significado personal no serán centro de nuestro examen. Al evocarlas ocasionalmente, las insertaremos siempre dentro del contexto más amplio de los distintos aspectos de la creación teatral. La ley del éxito, la del encargo, lo son de cualquier teatro,[5] y queremos definir lo villano en la comedia como tema de éxito, incluso a veces como moda. Para ello, en repetidas ocasiones, no nos negaremos a salir del ámbito estricto de la comedia. Nada más falso que el concepto de una comedia considerada como género perfectamente delimitado y definido. Resultado de una absorción glotona de toda la literatura teatral y no teatral que la había precedido (el romancero, por ejemplo), la comedia comparte a menudo temas y formas con el entremés o el auto sacramental. El motivo rústico, en particular, es común a la comedia y a esas dos formas teatrales, ya que la transposición alegórica o mística que conlleva el auto sacramental no impide entidades de estructura. Iremos, pues, a buscar en él, a menudo, puntos de referencia y comparaciones útiles.

En definitiva, ¿cuál es nuestra meta? Arrojar luz sobre la manera en que se vincula con su época lo villano en la comedia del siglo de oro. Sistematización simplista derivada de las teorías del «Zeitgeist», nos dirán algunos... Pensamos obviar esta condena esforzándonos por demostrar constantemente, en el transcurso de nuestro estudio, el papel creador decisivo de Lope de Vega en el desarrollo del tema villano en el teatro. Además, la historia literaria marxista (o sea dialéctica), desde el punto de vista en el cual intentamos situarnos, no debe confundirse con los esquemas mecanicistas de un determinado 'cientificismo', presentado a veces en su lugar mientras no es más que su caricatura. No será el marxismo como método abierto el que negará el papel de la individualidad creadora. Por el contrario, ayuda a ver cómo sólo una personalidad rica y pujante fue capaz de vivir plenamente su tiempo, de identificarse lo mejor posible con lo que la conciencia social tenía de activo y creador, de traducir estéticamente lo que encerraba en sí de antiguo y novedoso. Proclamémoslo antes que nadie: de haber muerto Lope de Vega en tierna edad, no habría existido fatalmente otro gigante de su estatura para crear la comedia lopesca y expresar teatralmente su época como él lo hizo. Dicho esto, no es menos cierto que Lope, dramaturgo, escribió, *en* y *para* su época; al dirigirse a determinados oyentes, provenientes por lo general de clases determinadas, o que compartían su ideología dominante, reflejaba dramáticamente sus preferencias sentimentales, estéticas, políticas o afectivas. Hace tiempo ya, R. Menéndez Pidal subrayó la importancia de una costumbre de Lope de Vega indicada por Ricardo de Turia en 1616:

> Lope de Vega suele, oyendo así comedias suyas como ajenas, advertir los pasos que hazen maravilla y granjean aplauso, y aquéllos aunque sean impropios, imita en todo, buscando ocasiones en nuevas comedias.[6]

---

[5] Cervantes subrayó particularmente la presión del encargo en los dramaturgos de su época en un célebre párrafo crítico del *Quijote* (cap. 48):

> no tienen la culpa de esto, dice, los poetas que las [comedias] componen... pero como las comedias se han hecho mercadería vendible, dicen, y dicen verdad, que los representantes no se las comprarían si no fuesen de aquel jaez; y así el poeta procura acomodarse con lo que el representante que le ha de pagar su obra pide...»

[6] Este texto de Ricardo de Turia fue reeditado por Morel-Fatio in *B. Hi.*, IV, p. 50. R. Menéndez Pidal cita el pasaje antes mencionado in *Lope de Vega, el arte nuevo y la nueva biografía, R.F.E.*, XII, p. 360-361.

El hecho de que el Fénix haya prestado tal atención a las reacciones del público de las comedias no prueba hasta qué punto sería errado un estudio del tema que no plantease como esencial el problema del público. Al tratar del tema rústico en la comedia, tema cuyo éxito masivo está documentado, nos esmeraremos a aquilatarlo como superestructura vinculada por complejos y contradictorios lazos con la infraestructura de la sociedad monárquico-señorial, denominada «Siglo de Oro». En otros términos, intentaremos situarla en el medio social diferenciado por la lucha de clases de la época. Esto nos llevará a menudo —en oposición con el método de mera crítica interna vigente hoy bajo diversas formas— a buscar puntos de referencia históricos, externos a las obras, pero que presentan la ventaja de arrojar luz en ellas objetivamente. En particular, no pensamos que sea posible apreciar de manera valedera la génesis y el significado de lo villano en la comedia sin plantearse el problema del mundo campesino real en ese momento. En la época en la que se desarrolla la comedia, a fines del siglo XVI, el campo y la ciudad se interpenetraban en España. Buen símbolo de esto es el texto citado por Casiano Pellicer, en el cual nos dicen que el primer teatro permanente en Madrid, instalado en la calle de la Cruz, el 12 de octubre de 1579, lindaba con un terreno que pertenecía a un campesino:

> ... un solar cercado y un aposento dentro de dicho solar que por la una parte alinda con el horno de Pedro Ventero y con el solar de Antonio González, labrador, y por delante la calle pública que dicen de la Cruz, donde es la cárcel de la Corona, en la parroquia de Santa Cruz...[7]

Estamos convencidos de que el teatro tiene sus leyes propias, pero su ámbito no carece de vínculos con la realidad. Una de nuestras preocupaciones será, precisamente, la de preguntarnos cuáles fueron las correlaciones inteligibles entre las imágenes rústicas, difundidas profusamente por la comedia, y el campo concreto de los siglos XVI y XVII. ¿En qué aspecto fueron fieles a la realidad tales imágenes? ¿En cuál no lo fueron y por qué razón? La distancia que media (el «décalage») entre la visión teatral y la vida rural concreta, tanto como su coincidencia, no deja de ser aleccionadora por lo que atañe a las tendencias y los gustos de la sociedad para la cual inventaban sus intrigas los dramaturgos. También es posible, la inversa, que tales imágenes de la vida rústica propuesta por la comedia hayan tenido por misión influir a su vez sobre la propia sociedad. El intercambio de la literatura con su medio ambiente está constituído por un doble movimiento complejo y éste es el que intentaremos captar.

De lo que acabamos de escribir ¿habrá que deducir que no consideramos a la comedia como técnica del espectáculo y de entretenimiento? Nada de eso. Nuestro propósito de llegar a una explicación genética de lo villano como tema, vinculándolo con la conciencia de una época y hasta de una o de varias clases, jamás nos vedará definir las estructuras dramáticas en cuanto tales. Estudiaremos cómo algunos motivos rústicos provenientes a veces de fuentes literarias se plasmaron poco a poco como lugares comunes escénicos, como situaciones, hechas de antemano, como fragmentos exitosos esperados por el público (un determinado público). Un género en el teatro es, entre otras cosas, un logro técnico estabilizado luego como institución literaria, como procedimiento. Tantas veces como sea preciso, habremos de subrayar en los motivos rús-

---

[7] Cf. Casiano Pellicer, *Tratado histórico sobre el origen y progresos de la comedia y del historicismo en España*, Madrid, 1804, p. 59.

ticos que aparezcan en nuestra pesquisa la evolución que le corresponde al procedimiento. Es más, nos dedicaremos a seguir cronológicamente el andar de los tipos o de los «morceaux de bravoure» más característicos, remontando, en la medida de lo posible, a sus fuentes probables. Esbozaremos así una historia de las formas de este subgénero de la comedia que viene a ser la comedia de ambiente rústico. Pero siempre recordaremos —no queremos dejarlo de lado— que estas formas no cobraron significado en el público sino por el contenido con el que las lastraba la época. Aceptamos la morfología literaria con la condición de que no se convierta en una biología literaria que se baste a sí misma, al estilo de Brunetière.

Tras haber planteado nuestro método de trabajo, nos toca circunscribir con precisión el concepto de «lo villano» que colocamos en el centro de nuestro trabajo. Entendemos no confundir «tema pastoril» con «tema villano». Desde luego lo rústico y lo pastoril tienen fronteras comunes y, como lo veremos en determinadas ocasiones, se pasa insensiblemente de un ámbito a otro. Ocurre que obras que calificamos de pastoriles contienen elementos rústicos y que, a la inversa, obras rústicas encierran, engarzadas en ellas, motivos pastoriles. Sin embargo, lo que a nuestro parecer caracteriza la literatura pastoril, es que no hace de la vida de los pastores sino un decorado convencional, reducido a unos pocos elementos abstractos y sin precisión. Esta literatura no se arraiga en la vida rústica real para idealizarla o poetizarla; arranca de un ideal sentimental al cual prados y bosques inconcretos proporcionan sólo un marco. Al fin y al cabo, el decorado podría ser cualquier otro, y esto es lo que pasa con la literatura morisca de fines del siglo XVI. Un pasaje del principio del cuarto libre del *Pastor de Filida* de Montalvo nos dice a las claras que el autor pastoril no se interesa por la vida campestre como tal:

> Posible cosa será que, mientras yo canto las amorosas églogas que sobre las aguas del Tajo resonaron, algún curioso me pregunte: entre estos amores y desdenes, lágrimas, canciones ¿Cómo por montes y prados tan poco balan cabras, ladran perros, aúllan lobos? ¿Dónde pacen las ovejas? ¿A qué hora se ordeñan? ¿Quién les cura la roña? ¿Cómo se regalan las paridas? Y finalmente todas las importancias del ganado. A esso digo que como todos se incluyen en el nombre pastoral, los rabadanes tenían mayorales, los mayorales pastores, y los pastores zagales que bastantemente los descuidaban.

En oposición con la literatura pastoril, la literatura rústica —así nos parece— es la que no se niega a captar en la vida campestre elementos de realidad por los que se interesa y a los que transpone estéticamente. Así sabe encontrar notas cómicas, burlescas, trágicas, poéticas, morales, líricas o pintorescas, aun cuando, al modo de la literatura pastoril hace del amor el gran asunto y del disfraz de los personajes aristocráticos en pastores o campesinos una idea maestra. Además, lo que denominamos género rústico parece haber triunfado progresivamente del género pastoril, en España, a partir del año 1600 aproximadamente, como si, pasado ya el siglo XVI, las falsas bucólicas al estilo de la novela y del romance pastoril hubieran cansado por su irrealismo y sus tópicos. El estudio cronológico del romancero de la época permite ver esta evolución[8] y la confirman algunas observaciones de autores. Según Lope de Vega ha-

---

[8] Si bien *Las Fuentes del Romancero General* editadas por Antonio Rodríguez Moñino (Madrid, Real Academia, a partir de 1957) no permiten siempre llegar a una cronología rigurosa en el detalle de cada pieza, nos ayudan sin embargo a destacar las tendencias de orden general.

cia 1620-1621, los modelos recomendados en materia bucólica parecen haber sido, junto con Virgilio, Teócrito y su mejor discípulo castellano en materia teatral: Lope de Rueda. Pero ¿qué idea tiene el Fénix de esos modelos? Precisamente, esa idea no es la que tenemos a veces, especialmente tratándose de Teócrito. Al citar unos pocos versos de una égloga perdida de Lope de Rueda, *Gila*, en donde ve manifestarse en su propia pureza el bucolismo al estilo de Teócrito, el Fénix escribe en la *Introducción a la justa poética de San Isidro*, en 1621:

> Y pues «id genus poematis rusticorum mores scribit» y se deleita en el mismo lenguaje y estilo, como Teócrito, en el idilion III.[9]

El análisis de los versos de Lope de Rueda, así como el estudio del Idilio III de Teócrito («la visita galante») demuestran en qué consistía exactamente el ideal de Lope de Vega sobre el particular: una poesía rústica que siendo galante, no desdeña los detalles concretos de la existencia diaria de los pastores y de los rebaños. Si bien el cabrero de la tercera égloga es, según expresión de Philippe Legrand,[10] «une sorte de bel esprit», contrariamente a la opinión de este autor, estimamos que el personaje conserva rasgos rústicos y es importante, a nuestro parecer, que la gruta de la pastora Amarilis, estrado de enamorados, esté tapizada con helechos. Tales detalles nos permiten comprender el sentido de la expresión «id genus poematis rusticorum mores scribit» bajo la pluma de Lope de Vega; nos muestran que el Fénix alabó al Sevillano por haber sabido cultivar un género de égloga en el cual el amor y la preciosidad dejan lugar a un tanto de realismo campestre y en el cual la fantasía poética no prohibe del todo la rusticidad auténtica. Este tipo de égloga, que no está totalmente desconectada de la realidad campestre, se manifestó por otra parte con fuerza (mucho más que en el griego Teócrito) en tiempos de Encina, antes de que Sannazaro diera a la España de Carlos Quinto el modelo de su Arcadia depurada en sumo grado. Pasada ya la ola de influencia italiana que traían las obras maestras pastoriles de Garcilaso y de Montemayor, el gusto por el terruño del cual R. Menéndez Pidal pudo afirmar que es una de las tendencias nacionales de la literatura castellana, no podía dejar de manifestarse otra vez y contribuyó seguramente a este retorno del tema pastoril hacia el tema económico-social (e ideológico) fue determinante, como ya lo veremos, para mantener o reafirmar en los temas campestres el tradicional gusto por la realidad (o cuando menos por la impresión de la realidad).

Considerando a vuelo de pájaro la comedia producida en tiempos de Lope de Vega, podemos distinguir cuatro grandes aspectos de lo villano tal como acabamos de definirlo: el villano cómico, el villano útil y ejemplar, el villano pintoresco y lírico, el villano libre y digno. A cada uno de éstos corresponderá una parte de nuestro estudio. El carácter del villano en el teatro no es idéntico en todas sus manifestaciones, y nada sería más engañoso que el creer, como lo hizo Katleen Gouldson en un estudio,[11] que es posible esbozar el retrato psicológico medio del villano peculiar de tal o cual dra-

---

[9] Cf. B.A.E., XXXVIII, p. 146.

[10] Cf. *Bucoliques grecs; I: Théocrite*, edición y notas por Ph. E. Legrand, París, Colection des Universités de France, 1925, p. 30.

[11] Kathleen Gouldson, *The spanish peasant in the drama of Lope de Vega*, in *Spanish Golden Age Poetry and Drama*, Liverpool Studies in Spanish literature, second series. Edited by E. Allison Peers, Institute of Hispanic Studies, 1946.

maturgo. Los tipos rústicos varían según la función que desempeñan en las piezas, según los géneros y según la clase social; también cambian cronológicamente en relación con la evolución del gusto y las tendencias del público. Son contradictorios en algunos de sus aspectos, porque las preocupaciones ideológicas y estéticas de los autores y del público los obligaron a ser contradictorios. El villano cómico aparece cronológicamente el primero en el teatro castellano y por esta razón empezamos por él, yendo a buscar sus orígenes en los dramaturgos primitivos; pero a veces ocurre que este villano lleve en sí, envuelto en su comicidad, el germen de lo que en otras piezas lo convierte en personaje trágico. La idea del villano útil y ejemplar se desarrolló en la literatura española a partir de 1530 aproximadamente, relacionada con la corriente llamada de «menosprecio de corte y alabanza de aldea»; justo es hablar de ella en segundo término. El gusto folklórico, el interés por el colorido rústico, fueron preparados por esta idea del significado moral de la vida de campo pero, la vida campesina fue promovida estéticamente más tarde al nivel de vida pintoresca y lírica; entonces, mientras se desprendía de la comedia pastoril, como de una crisálida, un cierto género de comedia de ambiente rústico, se multiplicó infinidad de veces la situación del noble que vive en el campo y adopta, en parte, el comportamiento del auténtico campesino. Fue también entonces cuando los dramaturgos se complacieron en bosquejar cuadros de festejos aldeanos, en insertar detalles sobre los trajes, en explotar lírica y coralmente las canciones populares del campo. Trataremos esta visión colorista del campo en tercer lugar. El tipo del villano libre y digno, preparado él también por la idea de un campo incorrupto, no aparece, a decir verdad, más que en contadas piezas; pero la excepción que cifra merece, por esta misma razón, un análisis ahondado; además las piezas en las cuales se yergue con entereza el campesino para reivindicar, frente al noble que se lo niega, el derecho al honor, se cuentan entre las más célebres del repertorio dramático español: *Fuenteovejuna, Peribañez y el Comendador de Ocaña, El mejor alcalde el rey, El alcalde de Zalamea*. Se comprenderá fácilmente por qué quisimos dedicarle la cuarta parte y colocarla así como remate de nuestro trabajo. Por muchas razones, el villano digno y trágico, sobre todo si se le confronta con el villano cómico que está a su lado en las acciones, representa una promoción humana y una promesa.

Primera Parte

EL VILLANO CÓMICO

EL VILLANO CÓMICO

Una visión de conjunto sobre las comedias en las que intervienen gentes de aldea, pronto convence de que el tipo más corriente es aquel del villano o de la villana cómicos. De modo que para desentrañar el tema villano en la comedia, nos importa empezar por el estudio del villano cómico, no sólo por ser el primero en aparecer históricamente en el teatro castellano, sino también porque representa cuantitativamente el tipo más común de dicho teatro.[1]

¿Qué papel desempeñan en la arquitectura de las obras las salidas del villano y la villana cómicos? ¿Cuál es la esencia de la comicidad villana? ¿Cuál su significado ideológico y social? ¿Cuáles son las figuras exitosas más repetidas del rústico cómico y cuál fue su génesis? A estas preguntas, distintas pero complementarias, intentaremos dar una respuesta si queremos «comprender» en el sentido etimológico y fuerte del término, el primer aspecto villano en la comedia. Si alcanzamos a echar luz de forma satisfactoria sobre el problema, tal vez contribuyamos al mismo tiempo a situar mejor el problema de lo cómico en la comedia en general.

---

[1] Los españoles del siglo XVII percibían claramente la importancia del elemento rústico cómico en la comedia nueva, en especial en su creador Lope de Vega. Un cronista del reinado de Felipe IV, Alfonso Núñez de Castro, subrayó tal importancia. Cf. *Libro Histórico Político. Sólo Madrid es Corte y el Cortesano en Madrid*, 3.ª ed., 1675 (B. N. Madrid, 3-21519), fol. 27: «Dio punto a la graciosidad, singularmente en los aldeanos, donde fue tan singular que aún no han podido tener discípulo sus enseñanzas...»

CAPITULO I

LA TRADICIÓN DEL INTERMEDIO RÚSTICO-CÓMICO

Introitos, loas y pasos rústico-cómicos anteriores a la comedia. Los intermedios aldeanos de la comedia.

Para que fuera menos adusto y severo su desarrollo, los antiguos acostumbraban introducir en sus tragedias a sátiros y silenos. Como lo notó Karl Vossler,[1] en los pueblos latinos este uso pasó a las tablas medievales y llegó hasta las formas del arte popular del siglo XVI, Así por ejemplo, los «intermedi lazzi» de la «commedia dell'arte» no son sino productos tardíos de tal costumbre dramática. Ante los innumerables episodios rústico-cómicos que se encuentran en el teatro español del siglo XVI, y luego en la comedia (hasta la formación del gusto neoclásico en el siglo XVIII), podemos preguntarnos si no se trata de una práctica del mismo tipo.

* * *

El primer ejemplo conocido en un texto castellano es el que nos ofrece el *Vita Christi*[2] de Iñigo de Mendoza, a fines del siglo XV. Ya en esta primera aparición, los villanos intervienen en forma de entreacto para distraer con las que el autor llama sus «razones pastoriles provocantes a risa», porque, según dice, los arcos no pueden quedar siempre tensos.

El introito del teatro castellano primitivo es también un intermedio. En un como prólogo de introducción, un autor intenta preparar la atención del auditorio, lo invita al silencio,[3] lo divierte con payasadas, y resume el tema de la representación. A menudo en la península, a principios del siglo XVI, el papel del presentador quedaba reservado a un personaje rústico. El teatro de Encina y su émulo Lucas Fernández no nos ofrece ejemplo de ello;[4] sin embargo, Torres Naharro parece haber sistematizado el uso del villano cómico presentador del espectáculo. En efecto, todas las obras que

---

[1] Karl Vossler, *La antigüedad clásica y la poesía dramática de los pueblos románicos.* Buenos Aires, «Austral», 1928, p. 56-57.

[2] Iñigo de Mendoza, *Vita christi fecho por coplas* (1.ª ed., Zamora, 1482), reimpreso por Fouché-Delbosc, I, *Cancionero castellano del siglo XV*, N.B.A.E., XIX.

[3] La necesidad de conseguir el silencio del público queda comprobada en el ritual «Silete, silete!» del teatro de lengua latina.

[4] Podría verse en la tirada del pastor Juan de la primera égloga de Encina (ed. Kohler, *Bibl. Románica*, p. 19) un atisbo de introito pero, en verdad, no se trata en este caso de un auténtico introito.

poseemos de este autor van precedidas por un texto de introducción, externo a la representación, en el cual un pastor divertido echa su rollo según un plan que siempre es el mismo: un saludo al auditorio, payasadas o chistes verdes,[5] y después el resumen del enredo que sigue. Diego Sánchez de Badajoz, cuya producción dramática se sitúa aproximadamente entre 1525 y 1547, siguió fiel a la tradición del pastor divertido en el introito. Rara mezcla de ingenuidad rústica y ciencia teológica, la del personaje que alterna entre el payaso y el teólogo; enaltece su propia destreza, narra sus aventuras conyugales con hartos detalles.[7]

De creer en el testimonio de la colección de los autos viejos,[7] las representaciones de los autos hacia mediados del siglo XVI vieron desaparecer los introitos donde se desempeñaba con gracia un pastor cómico. Pero este pastor bobo entró entonces en el cuerpo de la obra, pasando a ser un elemento ritual, imprescindible en una representación en regla.[8] A fines de siglo, con la comedia clásica, el introito rústico-cómico tradicional fue sustituido por la loa, que es una introducción a la pieza. Entonces el efecto de no pocas loas siguió estribando en los temas rústico-cómicos,[9] probando así la fuerza de la tradición del pastor prologador y entretenido en el concepto que se tenía del espectáculo.

En realidad lo cómico villano llegado hasta la comedia clásica no se ha de buscar tanto al exterior de la pieza, bajo la forma del introito o de la loa, sino más bien en el interior de ella, por medio de un episodio al estilo del «mimus» antiguo. El teatro de Lope y Tirso nos ofrece repetidos ejemplos de inserciones rústico-cómicas en acciones que,en sí, nada tienen de rústicas. Nos parece que hay que buscar el origen inmediato de ese tipo de interpolación en el teatro de Gil Vicente. En el *Auto da Feira* (representado probablemente ante el rey Joâo III, en Lisboa, en Nochebuena del año de 1527[10]) aparecen unos campesinos en una feria alegórica del Tiempo, en donde se desempeñan personajes tales como el Diablo, Mercurio, un eclesiástico. Con el tema de «todo se vende y se compra» —incluso indulgencias y grados eclesiásticos— Gil Vicente invita a la Iglesia católica a la reforma. La aparición súbita de dos campesinos en la feria tiene por misión introducir en el «enxiemplo» religioso una variación viva: estos rústicos no son meras abstracciones y llevan nombre.[11] Ambos se quejan de la mujer, por ser huraña la una y la otra demasiado asequible. Deciden intercambiarlas, pero como buenos aldeanos en feria, regatean con maña antes de concluir el negocio. Al llegar sus mujeres, ellas también tienen no poco que decir de sus maridos. Mientras que un Serafín, detrás del mostrador, les ofrece conciencia para vestir sus almas, las

---

[5] Cf. «Introito» del *Diálogo de nascimiento*, in J. E. Gillet, *Propalladia and other works of Bartolomé de Torres Naharro*, Bryn Mawr (Pennsylvania), 1943, vol. I.

[6] Cf. *Farsa militar. Farsa teologal* in *Recopilación en metro*, ed. Barrantes, 1882-1886, 2 vol. *(Libros de Antaño*, XI-XII).

[7] *Colección de autos, farsas y coloquios del siglo XVI*, ed. de L. Rouanet, Barcelona, 1904, 4 vol.

[8] Véase para más detalles el artículo de J.P. Crawford, *The pastor and the bobo in the spanish religious drama of the sixteenth century*, R.R., 1911, II, p. 376-401.

[9] Cf. Acad., II, p. 139-141. La loa, también ella, tiene por función preparar al auditorio. Cf. Agustín de Rojas en *El viaje entretenido* (1603). Algo más tarde (1617) Cristóbal Suárez de Figueroa escribía, a propósito de la técnica de los prólogos, en *El pasajero*: «sirve para preparar el ánimo de los oyentes a que tengan atención y silencio» (ed. Aguilar, Madrid, 1945, p. 117).

[10] Una alusión al saco de Roma vuelve verosímil esta fecha. Cf. *Clás. Sá da Costa*, vol. I, p. 195.

[11] Cf. la acotación escénica: «Depois de ida Roma, entrâo dous lavradores, hum per nome Amancio Vaz, e outro Deniz Lourenço.» *Ibid.*, p. 221.

campesinas replican que quieren sombreros de palma para la siega.[12] Acaban declarando terminantemente que se aburren en esa feria donde no hay panderos ni gaitas para entretener a la gente.[13] En suma, Gil Vicente introdujo aquí un intermedio rústico-cómico que refresca la convención de la alegoría moral con una brisa de campiña portuguesa viva. El *Auto da Morfina Mendes* (representado en Evora, delante de D. Joâo, en Nochebuena del año de 1534) también hace intervenir campesinos, para crear un contrapunto divertido, en una pieza cuyo tema no es rústico. El espectáculo, relacionado a la vez con el género de las moralidades y de los «autos de Navidad», consta por decirlo así, de dos partes: primero, los anuncios de la Virgen, según los Profetas, y la Anunciación según el Evangelio de San Lucas; luego la Natividad y su celebración. Lo esencial del «ludus scenicus» de los pastores se sitúa entre estos dos actos, al estilo de un entremés en la comedia evolucionada. Cuando el ángel Gabriel, al terminar su anuncio, sale del escenario, cae el telón y esta vez delante de él, los aldeanos vienen sucesivamente a representar su papel.[14] La separación del tema principal va marcada materialmente y puede decirse que tenemos así un entremés en el sentido propio del término. Para cerrar el desfile de personajes rústico-cómicos, el dramaturgo se vale de un recurso fácil, haciendo llegar en último término a unos pastores quienes dicen estar cansados y se instalan para dormir: entonces ya puede empezar lo que el texto de la «Copilaçao» llama la segunda parte del espectáculo.[15] El hecho de que los pastores salgan de su pesado sueño, al llamarlos el ángel, para entrar en la acción, conforme a la liturgia de la Natividad, no alcanza a borrar la impresión de estar fuera del tema que nos produce el episodio rústico-cómico del *Auto de Mofina Mendes*.

La costumbre de insertar escenas rústico-cómicas también está patente en las comedias de Lope de Rueda en donde resulta fácil descubrir verdaderos pasos autónomos.[16] De ello deriva el que, sin solución de continuidad, la tradición de las payasadas rústico-cómicas prosiguiera hasta el momento en el que Lope de Vega escribió sus primeras comedias. De este autor poseemos numerosas piezas en las que el motivo va como yuxtapuesto a los motivos principales de la intriga. Parece que cada uno está totalmente elaborado de antemano y podría desprenderse del conjunto para ser representado aparte. Este es el caso de las escenas clásicas en donde dos villanos enamorados se dan guerra, o en las que es burlado un campesino, al venir a la ciudad. Pero

---

[12]   «Ser.:   Conciencia quereis comprar
                          de que vistais vossa alma?
             «Mar.:   Tendes sombreiros de palma
                          muito bôs pera segar,
                          e tapados pera a calma?»
[13]   «Mar.:   Eu nâo vejo aqui cantar,
                          nem gaita, nem tamboril,
                          e outros folgares mil,
                          que nas feiras soem d'estar.»

La observación de la villana corresponde a lo que sabemos acerca de la realidad de las ferias peninsulares.

[14] La acotación de la *Copilaçao* de 1582 nos da, a este respecto una valiosa indicación escenográfica:

«Em este passo se vai o Anjo Gabriel, e os anjos á sua partida tocao seus instrumentos, e cerra-se a cortina» (*Ibid.*, p. 141).

[15]

«Em este passo se deitao a dormir os pastores; e logo se segue a segunda parte, que he hûa breve contemplação sobre o Nacimento.» (*Ibid.*, p. 152).

[16] Cf. *Comedia Armelina* (dos «pasos»), *Comedia Medora, Coloquio de Timbria*, in *Obras de Lope de Rueda*, ed. Acad. Esp. 1908, 2 vol.

el caso es quizá más patente en las escenas muy reiteradas de alcaldes villanos. Algunas comedias de la juventud de Lope nos brindan este tipos de pasos interpolados donde intervienen tales personajes. En *El verdadero amante* (quizás la primera pieza de Lope), los alcaldes aparecen en el tercer acto, en dos oportunidades, en el seno de una acción sentimental y trágica. Su primera aparición constituye un verdadero intermedio rústico-cómico, intercalado en la atmósfera trágico-pastoril de la obra. Al acabar su número desaparecen en los entretelones. La segunda aparición también tiene por finalidad crear un contraste: acerca de una situación grave se dedican a hacer comentarios absurdos y divertidos. Si bien su intervención tiene alguna relación con el enredo, el lazo es tenue y los alcaldes llevan, de hecho, una trayectoria cómica situada totalmente fuera del universo trágico-sentimental de la pieza (nada simboliza mejor esta heterogeneidad de dos mundos dramáticos yuxtapuestos, mas no mezclados, sino el silencio opuesto por la heroína trágica Belarda a las preguntas de los pastores y de los alcaldes cómicos).[17] En *Belardo el furioso* (probablemente 1586-1595), otra comedia pastoril, las intervenciones de los alcaldes constituyen otros tantos «morceaux de genre» que casi poseen autonomía. Sus reacciones simplonas introducen dentro del universo amoroso de los pastores sentimentales y trágicos un elemento alógeno y bruto, con sus propias leyes dramáticas; ambos mundos cohabitan un instante, por voluntad del dramaturgo, pero no se interpenetran. Tirso, Luis Vélez de Guevara, Montalbán, más aún que Lope, nos dan la impresión de encajar en sus piezas escenas rústico-cómicas prefabricadas de este tipo que casi podrían ser representadas aparte. Así es como tenemos numerosas escenas de boda aldeana cómica que no tienen otra intención sino la de traer una variante de tono, y una nota del terruño, en una acción a menudo trágica. Entre una multitud de ejemplos posibles, citemos dos comedias de Luis Vélez de Guevara donde esta técnica aparece bien clara: *La obligación en las mujeres* y *La rosa de Alejandría*. La primera, de ambiente dramático, transcurre en Alemania. La segunda, de ambiente religioso, cuenta la vida y el martirio de Santa Catalina. Sin embargo, en ambas vemos irrumpir en medio de la acción, una entretenida boda aldeana, con sabor a terruño español y un sonido cómico y alegre.[18]

* * *

Así, desde la *Vita Christi* de Iñigo de Mendoza hasta las comedias de Lope y sus discípulos, parece que existiera un lazo indisoluble (en una cierta forma de intermedio) entre lo rústico y lo cómico. De hecho, del siglo XV al siglo XVII, una tradición continua hace de los «rustici» unos personajes destinados a lo cómico a la manera de los sátiros y los silenos de la Antigüedad.[19] Para determinados dramaturgos del siglo

---

[17] B.A.E., XXIV, p. 19 c.

[18] Luis Vélez de Guevara, *La obligación en las mujeres*, in *Comed. escog. de los mej. ing. de Esp., 1652-1704*, II, acto II, fol. 225; *La rosa de Alexandría*, Ibid., acto II, fol. 189.

[19] El vínculo que va desde los intermedios de sátiros hasta los entremeses del siglo XVI parece haber sido vislumbrado por López Pinciano en su *Philosophia Antigua Poética;* cf. *Epístola quinta.* Ed. A. Carballo Picazo, Madrid, 1953, II, p. 23) «[Pinciano]... Veo yo, que los entremeses, según vuestra definición, son episodios; y tan fuera de la fábula algunas vezes, q[ue] ninguna cosa más.

«Fad[rique] dixo: y aun los sátiros que los antiguos solían usar en las tragedias para adulçar la melancolía dellas. Eran estos sátiros unos mo[n]struos co[n] pies de cabras y frente cornuda, los quales salían, fuera de todo propósito de la tragedia, a solicitar las nimphas con canastillos de fruta.»

XVII, la alianza entre lo cómico y lo rústico ingenuo es casi tan normal como lo era para Juan del Encina, Torres Naharro o Gil Vicente a principios del siglo XVI. Esto llega a ser tan cierto que a algunos, como por ejemplo Tirso, les ocurre escribir «gracioso» pensando en «pastor» o a la inversa.[20] Puede afirmarse que el intermedio rústico-cómico en la comedia clásica es como un cordón umbilical que liga a ésta con el teatro castellano primitivo.

---

[20] Al comentar en el Cigarral IV de *Los cigarrales de Toledo*, uno de los errores que empañan el éxito de las comedias, Tirso escribe el siguiente párrafo, que bien revela la equivalencia, en su opinión, de «pastor» y «gracioso»:

«... Yo conozco uno de los más corpulentos y no de los más dignos, que en una comedia sacada de un «Flos «sanctorum» en romance, cuyo argumento fue la vida de uno de los jueces de Israel, se dejó decir promesas que el *gracioso* hacía a no sé quién, que le traería el turbante del gran Sofí. ¡Mirad qué gentil necedad profetizar un *pastor* los Sofíes que vinieron a Persia más de mil años después del nacimiento de Cristo!...»

CAPITULO II

EL VILLANO BOBO

*La bestialidad. La credulidad. El miedo. El enharinamiento. El amor.
La boda y la dote rústicas.*

El principio de la comicidad rústica está basado esencialmente en la tontería y la ignorancia, o en el mejor de los casos, en la ingenuidad del villano. Por lo general el teatro en el que interviene así el rústico, tiende a «estupidizar» y a «imbecilizar» al personaje. Construidas sobre este principio, un cierto número de situaciones teatrales se repiten y se vuelven rituales, hasta constituir escenas de género donde lo cómico adquiere un matiz propiamente campesino. Esta esencia realmente rústica de lo cómico es la que nos dedicamos a captar ahora. Por cierto, J. P. Crawford mencionó ya algunos de los rasgos de la bobería villana en el drama religioso del siglo XVI,[1] y el estudio de este autor sigue siendo válido para quien quiera tener una idea del pastor bobo en el incipiente teatro español. Sin embargo, cabe un estudio cuyo propósito esencial sea la comedia y en el que el teatro del siglo XVI no sea considerado sino como prologando al del siglo XVI. Este es el estudio que intentamos aquí, al proponernos definir la especificidad de lo cómico villano.

Un procedimiento inagotable de lo cómico, desde Aristófanes hasta hoy, consiste en recalcar en algunos tipos lo que puede haber de excesivo en el aspecto fisiológico de su ser. La comicidad villana le debe mucho a tal procedimiento, y es posible afirmar que, desde Encina hasta Lope y sus discípulos, hay una tradición del rústico atado a su naturaleza fisiológica. Esta falta de espiritualidad lo vuelve, a veces, un ser muy semejante a los animales que le rodean, y no es exagerado hablar de la bestialidad del rústico presentado en el teatro.

Hasta se puede decir en algunos casos —retomando el término forjado por Courteline—, que el teatro español de los siglos XVI y XVII «asnifica» al villano. A menudo, sea el amo, sea otra persona, tratan al villano de burro. Ya en su *Farsa de Inês Pereira*

---

[1] J. P. W. Crawford, *op. cit.* También puede verse el estudio de W. S. Hendrix, *Some native comic types in the early spanish drama*, Columbus (Ohio), 1924. Se encontrarán algunas indicaciones escuetas sobre los villanos del entremés en Helmut Heidenreich, *Figuren und Komik in den Spanischen «Entremeses» des goldenen Zeitalters*, tesis de doctorado de la Universidad de Munich, 1962.

(probablemente de 1523), Gil Vicente asemejaba un «vilhanziño», marido ridículo, a un burro: el borrico en cuyo lomo estaba montada su mujer («é o asno que a leva»); es más, la idea iba plasmada, en el escenario, con la ocasión del paso de un río. En los pasos de Lope de Rueda, el título de «Don Asno» es otorgado a menudo al villano (véase pasos III y IV de la *Comedia Armelina;* paso VI de la *Comedia Medora);* en el paso II de *El registro de representantes,* el villano reconoce que sólo sirve para ser engañado y que la propia ignorancia lo transforma en un asno; en el *Auto de Nabal y Abigail,* el bobo Jordán, para evitar ser descubierto, se echa a pastar como si fuera un asno[2]; en resumidas cuentas, la asnería en el villano es un leit-motiv en Lope de Rueda. En *El auto del sacrificio de Abraham,* aparece el mismo tema: a Recuenco, villano bobo, le dicen «asnazo» y «asnejón». Incluso una muchacha le coloca cascabeles y le carga con leña como si fuera un animal de verdad. Es de creer que el villano que se convierte en cabalgadura constituía un 'gag' exitoso en la tradición teatral, puesto que Luis Vélez de Guevara lo trató de manera bastante extensa en *La serrana de la Vera.* En la sierra el pésimo animal de carga que le prestara el boticario a Mingo, villano gracioso, se tira al suelo con la carga. Para aliviar al animal, y con la esperanza de que se vuelva a levantar, Mingo se coloca la silla en los hombros, el freno, etc. Ridículamente aparejado con ello sale al escenario;[3] y al toparse de repente con Gila, la serrana que siembra el terror en la comarca, el villano decide seguir fingiendo que es cuadrúpedo, con la esperanza de que será confundido con un animal de verdad.

Hemos hablado de 'gag' teatral con el tema de la bobería; pero quizás también haya en la raíz, una vieja idea medieval que consideraba al campesino que vivía entre sus animales como un animal más.[4] Existía en la vida del campesino, transcurrida en la familiaridad con el ganado, una posibilidad específica de estilización cómica en el sentido de la «bobería» y los autores la aprovecharon ampliamente. Lugar común de la comicidad villana, en Lope y sus discípulos, es esta visión del mundo rebajado al nivel de la animalidad. En *La serrana de la Vera* (Lope), el carbonero Elenco, que acaba de enamorarse de la seudo-serrana Diana, tiene la intención de casarse con ella; expresa muy brutalmente ese sentimiento; véase si no: ¡le dará hijos a su mujer como un asno borriquitos a la burra de Martín![5] Asimismo, en *Los trabajos de Job* (de Felipe Godínez), Celfa expresa la alegría que tendrá al casarse, diciendo que se refocilará como una burra en el prado; y su marido la tendrá como a un animal más al que hay que domar.[6] Uno de los leit-motiv de Pelayo, porquerizo gracioso de *El mejor alcalde el rey* (Lope), es el del puerco; considera a todo el universo a partir de ello. Una ver-

---

[2] Cf. *Obras de Lope de Rueda,* ed, Acad. Esp., 1908, II, p. 365.

[3] Cf. ed. Teatro antiguo español, p. 84.

[4] El villano, —dice un poema francés del siglo XII— «tendría que comer cardos, zarzas, espinas y pajas; tendría que quedarse en los eriales, paciendo con los bueyes cornudos, ir desnudo en cuatro pies...»

[5] Cf. Acad. N., IX, p. 456 a. Al oir tal asimilación de la mujer con la bestia, por boca de su compañero, Chamizo suelta una exclamación significativa, que es como la definición del procedimiento cómico puesto en práctica:

«¡Calla insensato! ¿Así eres
De torpe y rebusto engeño?
Que no tienen un termeño
las bestias y las mujeres.»

[6] Felipe Godinez, *Los trabajos de Job,* in *Comed. escog. de los mej. ing. de Esp., 1652-1704,* XVIII, acte I, fol. 63.

dadera intimidad vincula a estos villanos cómicos, gañanes o pastores todos, con los animales que cuidan, por lo que los dramaturgos aprovechan esta intimidad para sacar efectos graciosos. Y esto no sólo se encuentra en el teatro profano. En el auto sacramental *La siega*, de Lope, el villano alegórico llamado Ignorancia les dirige a sus bueyes un verdadero discurso, mientras les está colocando el yugo.[7] También Valdivielso emplea el procedimiento en su auto *El hijo pródigo*: Chaparro, un villano, porquerizo al servicio del Diablo, les habla en sayagués a los cerdos que cuida.[8] La misma vena cómica aparece en Tirso de Molina con verdaderos pequeños «morceaux de bravoure» paródicos. En *El pretendiente al revés*, la campesina Fenisa habla largo y tendido acerca del genio caprichoso de su mula.[9] Bartolo, en *Antona García*, evoca, en un tono elegíaco, a su animal de carga que se llevaron los portugueses y enumera, lamentándose, sus magníficas cualidades: el coletazo con que mataba diez moscas de una vez, lo sonoro del rebuzno.[10] En *La luna de la sierra*, Luis Vélez de Guevara asimila Bartola a una burra, sea por las propias palabras de la interesada, sea porque su marido la compare con este animal por una serie de metáforas cómicas, sacadas todas del reino animal o de la vida diaria del villano llevada en contacto íntimo con el ganado[11].» El autor de *La mujer de Peribáñez* «animaliza» al villano cómico presentando a un marido quien, al pelearse con su mujer, echa mano de una interjección habitualmente usada para dirigirse a los animales: «arre!».[12]

Nombrado o no como animal, el villano cómico del teatro va animalizado también por su gusto excesivo por la alimentación y la bebida, y su eterno deseo de dormir, su holgazanería. Estos no son rasgos exclusivos de lo cómico villano y se encuentran en

---

[7] Cf. B. A. E., LVIII, p. 171.

[8] Cf. B. A. E., LVIII, p. 225.

[9] Cf. B. A. E., V, p. 22.

[10] Cf. N. B. A. E., IV, p. 628 b-630 a: «Mas lo que me da pena / es mi burra la berrueca / la mitad del alma mía / .. / con una colada sola / mataba diez moscas juntas. / Pues, que cuando rebuznaba / ¡cuatro barrios atronaba!»

Esta elegía al burro puede compararse con la del villano a quien le robaron el pollino en *La tragedia del rey D. Sebastián* (in Acad., XII, p. 543): «Ay mi amado burro!». En la elegía al burro de *Antona García*, el campesino está tan desesperado que concluye en dilema: o colgarse de una rama o vender la albarda («Ahorcarme... o vender la albarda»). Esta parodia de la desesperación trágica que lleva al suicidio, desarrollada junto con el motivo del burro, vuelve a usarla a menudo el villano de Tirso. Véase, por ejemplo, la despedida cómico-rústica del pastor Coriolín que piensa suicidarse en *La mujer que anda en casa*. El lamento del villano que perdió su burro era un tema clásico. Sancho explicando en la segunda parte del Quijote cómo le robaron el jumento declara:

> «... miré por el jumento, y no le vi; acudiéronme lágrimas a los ojos, y hice una lamentación que si no la puso el autor de nuestra historia, puede hacer cuenta que no hizo cosa buena...»

(ed. *La Lectura*, 1951, V, IIª parte, cap. IV, p. 86).

[11] *La luna de la sierra*, in *Flor de las doce mejores comedias*, 1652, acte I, fol. 5.

[12] Acte II, fol. B 4, in *Suelta*, sin año, B. N. Madrid, T 19445:

> «*Benita*:   Harre allà.
> «*Gil*:   ¿Soy yo borrico?»

Es procedimiento corriente usar estas interjecciones. Cf. Luis Vélez de Guevara, *La luna de la sierra*, *op. cit.*, 1652, acto I, fol. 5:

> «*Mengo*:   Pues burra donzella
> que parece que trotáis.»

varios tipos teatrales fuera del pastor bobo. La «voluptas abdominis», en el teatro latino o en las «soties» y moralidades medievales, es un motivo constante para provocar
la risa y, en la comedia, los encargados de la payasada, cualquiera sea su ambiente de
origen, villano o no, contadas veces no entonan un himno al buen beber y al buen
comer o a la blandura del sueño. El rasgo de la glotonería villana nos parece tanto
más teatral cuanto que tiene pocas posibilidades de corresponder a una realidad concreta de la vida de campo en los siglos XVI y XVII. En aquella época, a los campesinos
españoles situados en lo más bajo de la escala social aldeana —medio al que siempre
pertenecen los graciosos— mucho les faltaba para estar tan bien alimentados como lo
hace creer la ficción teatral del histrión tripudo, con cara rubicunda de hombre que
gusta de la vida. Las *Relaciones topográficas* escritas en tiempos de Felipe II
(1575-1580) no ocultan que, para la mayoría, a fines del siglo XVI, la situación alimenticia real se aproximaba a la hambruna.[13] Después de 1600, por hacerse frecuente la
escasez de trigo, los pobres en las aldeas sufrieron a menudo el hambre, un hambre de
verdad que mataba.[14]

De haber algún reflejo de la realidad en esta voracidad tragona del villano cómico
no es sino el gesto muy comprensible de gente hambrienta que se echa sobre el pasto
con tanto mayor afán, cuanto que, por lo común, se les escatima.

Sea lo que fuere de ello, parece sin embargo, que para algunos españoles de los
siglos XVI y XVII existió una íntima relación entre el comer bien o el beber mucho y
la rusticidad. Todos conocen la apología de los manjares montañeses hecha por Antonio de Guevara en una de sus *Epístolas familiares*. Igualmente resulta sorprendente
el juego verbal al que cita G. Correas a propósito de la palabra «bucólica» en su *Vocabulario de refranes y frases proverbiales*:

> «Bucólica, por lo que toca a comer, por lo que tiene de boca.»[15]

No se trata aquí, desde luego, de una etimología (ni que decir tiene, G. Correas lo
sabe), pero quizás la asimilación nos revela una confusión semántica interesante ya
que parece transformar al mundo bucólico en un mundo en el que se come. También
Covarrubias atestigua el vínculo que une a la rusticidad con la glotonería, al citar la
expresión «comer como un gañán» *(Tesoro*, 627 a, 21) dice:

> «... de ordinario son muy grosseros y grandes comedores de rústicos mantenimientos...
> y por esso al que come cosas grosseras y con excesso y poca policía dezimos que come
> como un gañán».

---

[13] Véase nuestro estudio: *La vida rural castellana en tiempos de Felipe II*, p. pp. 269-274.

[14] Cf. *Actas de las Cortes de Castilla*. El acta de la sesión de las Cortes del 16 de setiembre de 1623 da
testimonio de la hambruna que afecta a los campesinos pobres de Castilla la Vieja y Galicia:

> «... y ya se a visto por experiencia en años de carestía de pan muchas personas de lugares de Castilla la Vieja
> y del Reino de Galicia an dejado sus casas y venídose perdidos a la corte y morir de hambre...»

[15] Gonzalo Correas, *Vocabulario de refranes y frases proverbiales y otras fórmulas comunes a la lengua
castellana*, impreso por Acad. esp., 2ª ed., 1924, p. 26 a.
A propósito de la expresión «al buen callar llaman Sancho» encontramos esta definición:

> ... en la lengua española usamos mucho la figura paronomasia que es semejanza de un nombre a otro, porque
> para dar gracia con la alusión y ambigüedad a lo que decimos, nos contentamos y nos basta parecerse en algo
> un nombre a otro para usarlo por él; y así decimos... bucólica, por lo que toca al comer, por lo que tiene de
> boca.

El mundo rústico del teatro —en su capa social más baja—, no es distinto de este mundo de la bucólica visto por G. Correas, o de los gañanes según Covarrubias.

El prototipo del campesino glotón y bebedor en el escenario se encuentra en el teatro de Encina. Es la *Egloga de Carnaval* la que nos proporciona la primera imagen risible, por una transposición del célebre versículo de Isaías:

> Comamos y bebamos
> que mañana moriremos.
> (Isaías, XXI, 13)

versículo que se vuelve, en un ambiente leonés de jolgorio y festejos de Témporas:

> Hoy comamos y bebamos
> y cantemos y holguemos
> que mañana ayunaremos.[16]

El campesino coloreado a la Brueghel, buen comensal, esbozado así por Encina, más o menos por los mismos años en los que el autor de la Celestina plasmaba el tipo del lacayo glotón en contraste realista con las ensoñaciones amorosas del amo, debía reproducirse en numerosos ejemplares a lo largo del siglo XVI; con los rasgos de un pastor grosero y basto, su misión iba a ser la de hacer resaltar otros personajes, a menudo menos pedestres (quienes podían ser a veces otros pastores). En los autos viejos, a menudo se instala sobre el estrado con el morral relleno de víveres,[17] y cuando llega al tiempo de Lope de Vega ya es heredero de una larga tradición de glotonería. Lo interesante con este dramaturgo, reside en el carácter aldeano dado a las comilonas, y al tomar mucho con alegría, de su gracioso villano. A menudo une las alegrías digestivas de su rústico festejo campesino: boda, bautizo, romería... El motivo de las clásicas torrijas de un bautizo, por ejemplo, se encuentra reiteradas veces. En *San Isidro labrador de Madrid* (antes de septiembre de 1598) los tres jornaleros Tomás, Perote y Bartolo, se alegran con el bautizo del hijo de Isidoro ya que, según dicen, tendrán ocasión de deleitarse con las torrijas fritas en aceite que se suelen convidar: lo cómico de la gula no excluye aquí la verdad psicológica, ya que por medio del relato de los sueños alimenticios que hicieron durmiendo, sale a relucir la glotonería en acecho de estos patanes.[18] Unos veinte años más tarde, al escribir *La niñez de San Isidro* (1622), Lope mantiene el motivo de las torrijas desplazándolo al bautizo del propio Isidro, ya que la obra evoca solamente la infancia del santo; están presentes los mismos jornaleros cómicos: Antón, Helipe y Bato; como en la obra precedente, manifiestan su

---

[16] El «comamos y bebamos» del versículo de Isaías se cantó, y volviéndose proverbial ya que G. Correas cita *(op. cit.*, p. 357):

> «Comamos y bebamos
> y nunca más valgamos.»

[17] Véase, por ejemplo, *La Dança de la muerte* de Juan de Pedraza, escrita e impresa en 1551 para la fiesta del Corpus de Segovia (B. A. E., LVIII).

[18] Acad., IV, p. 578 ab. El cuento del concurso de sueños (para saber quien comerá más y mejor), que se acaba con una farsa, parece ligado al motivo folklórico. Juan B. Rael, in *Spanish Tales from Colorado and New Mexico*, Stanford, s. f., vol. I, pp. 144-145, señala una tradición similar en el folklore de Nuevo México.

alegría al pensar que van a comer la golosina acostumbrada;[19] cuando están listas las torrijas, las llevan al escenario, y vemos a los tres jornaleros pelearse glotonamente alrededor del plato.[20] Entre la primera y la segunda obra isidoriana, Lope había aprovechado otra vez la virtualidad cómica del elemento costumbrista de las torrijas de bautizo en *El cuerdo en su casa* (1606-1612) donde también se ve a tres gañanes, dos hombres y una mujer, pelearse por un plato (parecería que el número tres está relacionado con este tipo de pelea por comida ante un plato).[21] El villano cómico es tan báquico como los graciosos, pero al estilo villano, con un perfume de rusticidad dentro de la legítima tradición de los pastores de la égloga enciniana de Carnaval. Antón, Helipe y Bato, gañanes de *La niñez de San Isidro*, le piden de beber al amo: están segando, a orillas del Manzanares, con calor, y el pedido, después de todo, nada tiene de cómico. El tema de la sed se vuelve cómico en este caso porque los hombres, apretados por la sed, se atropellan unos a otros, precipitándose sobre el matorral donde está escondida una bota; pero otro rasgo de comicidad está en la evocación pintoresca, antes de beber, del glu-glu del líquido pasando por el garguero;[22] la estilización realista y levemente caricaturesca es determinante para darle relieve teatral al tema.

Otro tanto podemos decir de la inflexión en el sentido de la simpleza dada al motivo del sueño. A menudo, el gusto por el sueño atribuido a algunos villanos teatrales no tiene nada de cómico, si no es olvidando la vida del campesino. Asi en *Peribáñez y el comendador de Ocaña*, un segador, acostado debajo de un alero, por la noche, después de la faena, declara que quisiera dormir largo rato, no ver el alba sino cuatro veces al año.[23] La broma está presente para provocar la risa, es cierto; pero lo logra sólo en la medida en que ya no es expresión del cansancio de los trabajadores tras una jornada de sol a sol, sino, por un a-priori teatral e ideológico, la expresión de una suerte de pereza absoluta de un cuerpo inerte y grosero que no es más que esto. En efecto tal tema del rústico dormilón está vinculado aquí, en trasfondo, a una idea moral y metafísica. Para captarlo mejor, no hay sino considerar a este mismo motivo del sueño de los villanos cómicos en el teatro religioso: en ellos, gracias a la alegoría, la idea se ilumina. El sueño es sinónimo de olvido. Símbolo del abandono elemental es el sig-

---

[19] Cf. Acad., IV, p. 515 b:

«Bato:	¡Oh, cómo huele el aceite!
«Antón:	Aquí suena la cuchara
	con que se baten los huevos.
«Bato:	Parece que se levanta
	la espuma, y que con el pan
	se embebe, Antón, y se baja.
	Tragando estoy las torrijas.»

[20] Cf. Acad., IV, p. 516 a.
[21] Cf. B. A. E., XLI, p. 457, fin del segundo acto.
[22] Cf. Acad., IV, p. 508 b:

«Bato:	Ya me escomienza a sonar
	el clo, clo, por el garguero.»

[23] Ed. Aubrun-Montesinos, p. 80-81, v. 1440-1443:

«Bartolo:	¿Tan dormido estáis Llorente?
«Llorente:	Pardiez, Bartolo, que quisiera
	que en un año amaneciera
	cuatro veces solamente.»

no de una materialiad cuyo peso vence al Alma. Sirva de ejemplo el sueño del pastor cómico de *La danza de la muerte* de Juan de Pedraza, quien se duerme a la sombra, sin preocuparse por su rebaño. El mismo significado tiene el sueño de los segadores en el auto sacramental *La siega* de Lope de Vega.[24]

En realidad, se trata del viejo motivo de la *Psychomaquia* del hispano-latino Prudencio, tan repetido en la iconografía y la literatura del siglo XII y siglos posteriores: nos proporciona aquí un cuadro ideológico en donde se sitúa la comicidad de la bobería rústica. Esta bobería, al ser sinónimo de grosería, de animalidad, representa a los Sentidos frente al Espíritu, los bajos instintos fisiológicos en brega con las aspiraciones espirituales.[25] Entregado a los placeres fáciles y elementales el villano simple es el Cuerpo (y religiosamente el Pecado) antítesis del Alma. Deleite es el nombre simbólico de aquél que, en la *Farsa del Sacramento del Entendimiento niño*, enumera así sus placeres:

> Son andarme a pata llana
> comer, dormir y holgar
> bailar, tañer y cantar.[26]

Otro, llamado «el Gusto», en *El villano en su rincón,* auto sacramental de Valdivielso, es el criado más grosero de Juan Labrador, por ser «el Gusto» el más bajo de todos los sentidos: su papel consiste en hacerse el bufón y el loco, comer mucho, beber más, mostrarse miedoso.

Esto que denominamos la animalidad del campesino en el teatro proviene de una estilización estética decidida a priori. Esta animalidad es uno de los rasgos rituales de no pocos personajes, villanos o no, destinados a lo cómico. Pero barruntamos algo más: también entra en la concepción animal del rústico algo específicamente villano y algo relacionado con la ideología de una época. Volveremos a encontrar estos distintos componentes en los motivos de la credulidad, el miedo y la superstición, que son los más reiterados en lo cómico villano.

Por refuerzo caricaturesco de la ingenuidad, de la credulidad, de la superstición, y del miedo, los autores también logran la bobería del campesino cómico. Allí no hay nada que no sea específicamente campesino, dirán algunos. Es cierto. Resorte archirepetido de los tipos cómicos, desde el teatro griego o latino, es este refuerzo caricatu-

---

[24] Cf. B. A. E., LVIII, p. 177.

[25] Un villano prometido a la santidad, cual Isidro, el labrador madrileño, confiesa cuán pesada es su calidad de villano, y cuánta traba significa para sus vuelos espirituales en el villano parece que el Cuerpo pesa más que en los otros y retiene el vuelo del Alma: Cf. Acad., IV, p. 585 a:

> «Tenedme de vuestra mano
> soberano autor del cielo,
> ¡qué por la parte del suelo
> soy un grosero villano!
> El alma, que es celestial
> resiste; el cuerpo no quiere.»

En el auto sacramental de Lope *Del pan y del palo,* Acad., II, p. 231, celebran las bodas del Rey eterno y de su esposa (es decir el Alma), bajo el aspecto de una boda aldeana. Las potencias del alma son los hidalgos presentes, los sentidos corporales los villanos.

[26] L. Rouanet, *Colección de autos...,* III, p. 432.

ral de los defectos.[27] A pesar de ello —allí reside el interés— los dramaturgos han sabido darles a estas torpezas un auténtico perfume de rusticidad española, sea por las circunstancias en los que los han ubicado, sea por su expresión. Y en especial, insistieron en lo que algunos autores llaman ritualmente la «ignorancia» del campesino.

Unos super-patanes de las Batuecas de Extremadura, en *Las Batuecas del Duque de Alba* (1598-1603) de Lope, logran hacer reir por un colmo de ignorancia. Una muchacha huraña, Taurina, les cuenta alborotada a sus semejantes de las Batuecas una persona —una dama del palacio de Alba— que ellos piensan ser hombre de otro mundo, ha dado a luz a un niño. ¿Acaso un ser «de otro mundo» puede parir? En torno a esta pregunta grotesca, basada sobre la idea de inepcia y credulidad de los villanos que viven en el campo alejado de Madrid, Lope arma una serie de exclamaciones de extrañamiento cómico.[28] Uno de los aspectos de esta inagotable credulidad campesina, según el teatro, es atañadero al consabido mito del país de Jauja. Aquí no cabe duda de que el folklore alimentó el tema. En *La tierra de Jauja*[29] de Lope de Rueda, al villano Mendrugo le roban su canasta, mientras dos ladrones evocan delante del bobazo las maravillas ilusorias del país de Jauja, donde la miel y la leche corren por los ríos. Y de aquí que el porquerizo-gracioso Pelayo, de *El mejor alcalde el rey*, contentísimo de ir a la corte de León, cuenta que en su aldea se cree que en la capital existen maravillosas calles de ensueño, adoquinadas con huevos y torrezno.[30] Creencia bien arraigada es la del paraíso alimenticio, por lo menos en el escenario, ya que Quiñones de Benavente la aprovecha otra vez en su entremés *El talego-niño*,[31] en donde se ve a un criado a quien le están robando el talego de escudos, que debía custodiar, por estar asombrado frente a las yemas, el azúcar, la canela, que le estaban contando para desviarle la atención.

El creer fácilmente en maravillas no es sólo lo que caracteriza la credulidad de nuestros villanos cómicos. También lo es la superstición, la creencia poco tranquilizadora en fantasmas y ánimas. Ya Lope de Rueda, en el paso II de *El deleitoso (La Carátula)* supo sacar un efecto divertido de la superstición del rústico primitivo, al presentar en escena al «simple» Alameda, a quien asusta el amo con un cuento de alma en pena. Con Lope y sus discípulos, este resorte cómico es frecuente. En *El vaquero de Moraña* de Lope, Tirreno tiembla como hojita de chopo porque su amo, que ha matado a un soldado que merodeaba, le manda tirar el cuerpo al fondo de un barranco.[32] Es que le tiene miedo al muerto. Sin embargo, por la noche, por codicia, vuelve al lugar del crimen para saquear al soldado. Casualmente en ese momento, y cerca de allí, un prisionero fugado intenta romper sus cadenas golpeándolas contra el suelo. Ello basta para que, siendo la superstición mayor que la codicia, el campesino se figure habérselas con el alma en pena del soldado. En *El labrador venturoso*, del mismo Lope, Fi-

---

[27] En España, verbigracia, con los lacayos fanfarrones de *La Celestina*, hallamos un primer ejemplo del miedo estilizado con un fin cómico.

[28] Acad., XI, p. 536 a.

[29] Cf. «paso» V de *El deleitoso*, p. 194 ss., de *Obras de Lope de Rueda* (E. Cotarelo) t. II, se trata efectivamente de un villano, ya que el ladrón Monzigera declara al principio:

«Estoy aguardando aquí un villano que lleva de comer a su mujer...»

[30] Cf. Acad., VIII, p. 313 b. Para el tema de la credulidad villana, véase también la loa *El villano que quería volar* in *El viaje entretenido* de Agustín de Rojas (1603).

[31] La fecha de este entremés puede situarse antes de 1639-1640.

[32] Acad., VII, p. 556 b.

leno vuelve una noche del mercado de Toledo con algunos compañeros: cuando deciden descansar en un lugar desierto, Fileno no se duerme antes de haber recitado una oración pintoresca que le enseñará su abuela para apartar espíritus y demonios.[33] Tirso, a su vez, basa una escena comiquísima de *La ventura con el nombre* en la pueblerina creencia de las ánimas: Ventura, a quien todos creen muerto, reaparece y con ello alborota al pueblo entero; algunos aldeanos tratan de conjurar a esta alma en pena —bien viva y bromista en realidad— por medio de aspersiones de agua bendita.[34] En fin, Luis Vélez de Guevara, en *El diablo está en Cantillana,* pone en escena a un grupo de campesinos ridículamente armados en pos de un fantasma, y que tiemblan al menor ruido que pueda parecerse al de una cadena.[35]

Lo interesante en la mayor parte de las escenas en donde los autores ponen en juego el pavor villano, reside en que hayan sabido darle un sello de rusticidad que lo volvía sabroso para un público aristocrático o ciudadano. Por ejemplo la nota cómica basada en el miedo queda realzada por la rusticidad en las escenas bastante repetidas en las que interviene un toro. La frecuencia de las novilladas en las fiestas pueblerinas permite allí una situación cómica bien aldeana. Lope utilizó este recurso bastante pronto. Ya se encuentra en *El verdadero amante* (1588-1595) para proporcionar un contrapunto de realismo cómico a una escena de juegos de sociedad que reúnen a una mayoría de pastores sentimentales; uno de los pastores, sin embargo, el viejo Pelayo, es más rústico que los demás; cuando un toro escapado irrumpe en medio del juego de sociedad, él es quien va delante del animal: claro está, maltratado y enastado por los fundillos de sus bragas pasadas de moda (unas botargas).[36] En *Con su pan se lo coma* (1612-1615), es Tomé, quien aterrorizado, deja caer dos platos porque los toros de un tradicional encierro pasan por la calle del pueblo.[37] En *Peribáñez y el Comendador de Ocaña,* Bartolo evoca con muchas exclamaciones los destrozos cometidos en la calle por el novillo traído del prado para celebrar las bodas de Peribáñez:

> ... que a Tomás
> quitándole los calzones
> no ha quedado en opiniones
> aunque no barbe jamás.[38]

---

[33] Acad., VIII, p. 8 b.
[34] B. A. E., V, p.p. 530-531.
[35] B. A. E., XLV, acto III, p. 171.
[36] Cf., al fin del primer acto, las exclamaciones de Peloro:

> «¡Qué me muero!
> ¡Ay! ¡que me rompe el braguero!
> ¡No me lo rompas, torito!»

[37] Acad., N., IV, p. 297:

> «Hay novillo negro y hosco
> que, si antiayer no me embosco
> y me subo en un taray,
> le pareciera cambray
> mi paño grosero y tosco.»

[38] Ed. Aubrun y Montesinos, p. 9, v. 182-185.

Este motivo del villano gracioso en postura ridícula por las astas del toro, motivo digno del circo de hoy, debía de ser un aspecto de lo cómico campesino apreciado por el público,[39] ya que lo hallamos escenificado largamente en *La serrana de la Vera* (1613) de Luis Vélez de Guevara. Con ocasión de una corrida organizada en Plasencia, el pánico cunde al escapar un toro; a Mingo, rústico del pueblo de Gargantalaolla, le maltratan las posaderas, y sale de los entretelones con las bragas caídas; según una acotación escénica, pasa en tal estado por el escenario, para huir luego, echando algunas palabras de nivel poco elevado.[40]

Motivo de circo, decimos, éste del campesino enastado por los fundillos. El recurso del villano enharinado, que aparece con frecuencia en los intermedios rústico-cómicos, incita, él también, a pensar en los payasos del circo de hoy, y quizás, en varios casos, alguna relación con el miedo. El procedimiento viene desde hace tiempo en la historia de la farsa y, en la comedia dell'arte italiana, la blancura de la harina simboliza a menudo el miedo de un personaje: los sustos de Gilio, por ejemplo, que es enharinado tradicionalmente.[41] El procedimiento del enharinamiento podía hallar en el cuadro de las acciones rústicas una inserción fácil, por sencillas razones de habitat (la existencia de un horno o de un harinero en el corral); las escenas de molino, numerosas, se prestaban también para la broma del enharinamiento. Independientemente del miedo, claro está, quedaba lugar para lo cómico del enharinamiento en sí, y esta comicidad la hallamos también en el entremés y la comedia de ambiente rústico.[42]

En *El vaquero de Moraña*, Tireno, el mozo de labranza, para escapar a la batida de los sargentos reclutadores, se ha escondido en un harinero y lo sacan de allí totalmente blanco. Una indicación escénica precisa: «Sale el alférez y trae a Tireno lleno de harina.»[43] Aquí el motivo del enharinamiento y el del miedo aparecen vinculados. Al contrario en otras obras se trata de un enharinamiento divertido de por sí y sim-

---

[39] Sabido es que este motivo persiste en nuestros días en algunas becerradas de pueblo en las que intervienen payasos. La situación ridícula del villano enastado por los fundillos podría tener alguna relación con algunas escenas de burla gruesa a la italiana. La poesía burlesca *Parió Marina en Orgaz* de las famosas *Coplas de disparates* evoca así el final de una novillada:

> «Pero lo que mejor es
> que a Ganasa y a Trastulo
> el toro descubrió el culo
> ....»

Cf. M. Chevalier y R. Jammes, *Supplément aux «Coplas de disparates»*, in *Mélanges offerts à Marcel Bataillon*, Bordeaux, 1962, p. 373.

[40] El motivo de las bragas perdidas o caídas era también una payasada tradicional del villano bobo. Mengo, en *La luna de la sierra* de Luis Vélez de Guevara, pierde los pantalones mientras participa de una ronda nocturna (in *Flor de las doce mejores comedias*, acto II, fol. 16). En *El mejor rey del mundo y templo de Salomón* de A. Cubillo de Aragón, el pastor Momo pasa por el escenario con las bragas en mano. Cf. acotación escénica: «Sale Momo dando coces, las bragas en la mano» (in *Suelta* sin año, B. N. Madrid, t 4566, acto III, fol. D 2).

[41] Recuérdese también a *Jean Farine*, personaje del teatro de feria, que ostentaba una cara enharinada y tenía alguna relación con el *Pierrot* y el *Gilles*.

[42] El tema de «los sacristanes enharinados», verbigracia, era ya tradicional antes de 1605, ya que leemos en *La pícara Justina*, ed. Barcelona, 1605, p. 125 (in cap. IV «Del fullero burlado»), a propósito de las fiestas de León:

> «También traya el entremés de los sacristanes enarinados q̄ parecían puramēte torrija...»

[43] Acad., VII, p. 583.

plemente expresión de bobería. En *San Isidro labrador de Madrid* (antes de setiembre de 1598) le hacen soplar a Bartolo en una dulzaina llena en un extremo de hollín y en el otro con harina. Es fácil adivinar lo que sigue: Bartolo pasa del negro al blanco.[44] Unos veinte años más tarde, Lope vuelve a tomar el motivo en *La niñez de San Isidro* (1622) donde Bato es víctima de la burla.[45] En *Los novios de Hornachuelos* (de Luis Vélez de Guevara), Marina, villana boba, para escaparse de los casamenteros, se esconde en una jarra llena de harina y la sacan de allí con la cara empolvada.[46] Este motivo de la harina parece haber sido tan unido a los temas aldeanos que persistió curiosamente en la tragicomedia de *Peribáñez y el comendador de Ocaña*, pero, claro está, sin llegar a lo cómico tradicional de la burla gorda, ya que surge en lo más patético de un drama de honor villano. En el momento en el que Peribáñez vuelve en secreto, y de noche, a su casa de Ocaña, en el mismo instante en el que el Comendador va a tratar de arrebatarle su honra con su mujer Casilda, oye un ruido: es el Comendador; para disimularse, Peribáñez utiliza un saco de harina que está a su alcance:

> ... aquí siento hablar.
> En esta saca de harina
> me podré encubrir mejor,
> que si es el Comendador
> lejos de aquí me imagina.

> (Ed. Aubrun y Montesinos, v. 2799-2803)

Resulta difícil rozar harina sin conservar alguna mancha blanca, y Lope demostró que él no lo creía posible;[47] cabe preguntarnos si no es con algunas manchas empolvadas como Peribáñez matará luego al Comendador. El hecho de que algunos vestigios de farsa se mezclen así al gesto trágico de la venganza de honor de un villano subvalorado por el noble, quizás añada algo a la conmovedora grandeza humana de aquel momento y, tal vez justifique plenamente el título de «tragicomedia», dado intencio-

---

[44] Acad., IV, p. 579 a.

[45] No cabe duda de que, en estas escenas de burla, la comicidad está en relación con el contraste de los colores, como en las comedias en las que un negro o una negra se cubre de harina (cf. *La victoria de la honra*, Acad., N., X, p. 449): tanto en *San Isidro labrador de Madrid* como en *La niñez de San Isidro*, en el primer momento de la escena cómica el villano es asimilado a un negro. Cf. *San Isidro...*, Acad., IV, p. 579 a:

> *Perote:* Bartolo, tañe el guineo;
> que a fe que estás bien tiznado.»

Cf. *La niñez...*, Acad., IV, p. 518 b:

> *Bato:* Convirtióme en monicongo.»

[46] Acad., X, p. 53 b. Cf. la acotación escénica:

> «Sale Marina de villana simple con zapato de vaca y cabello corto y enharinada la cabeza...»

[47] En *El molino*, una duquesa se adelanta para abrazar a un conde disfrazado de lacayo de molino, y este le dice: «No aprietes tanto los brazos / que te pegarás la harina» (B. A. E., XXIV, acto II, escena 13). En *La quinta de Florencia*, (Acad., XV, p. 388 b) el molinero Lucindo declara: «Mirad bien como pasáis / que os teñiréis con la harina.» Señalemos al pasar que C. Bruerton, in *La quinta de Florencia y Peribáñezz* (N. R. F. H., IV, enero-marzo 1950, nº 1, pp. 25-39) considera *La quinta de Florencia* como prototipo de las comedias de comendadores, y en particular de *Peribáñez y el comendador de Ocaña*).

nalmente a la obra.[48] Peribáñez persigue a su rival con la espada en la mano y le mata. No sabemos por qué motivo no pocas ediciones modernas (incluída la de Menéndez Pelayo) suprimieron el detalle del enharinamiento. La indicación escénica de la *Parte IV* de Madrid, 1614 (B. N. M., R 14097) está clara, sin embargo. En el folio 100, leemos: «Luxán enharinado, Ynés, Peribáñez, Casilda.» Señalemos también que, en *La mujer de Peribáñez*, sosa refundición de la obra maestra lopesca, debida a tres ingenios anónimos, se habla de un horno, precisamente antes de la escena de la venganza de la honra. Gilote (criado cómico que acompaña a Peribáñez en la refundición) sale de este horno. ¿Estará enharinado? Dice la indicación escénica: «Sale Peribáñez por otra puerta y Gilote con él como que sale de un horno».[49] Si llega Gilote enharinado, no puede ser sino por un retorno al viejo motivo de la farsa, y henos aquí, otra vez, en presencia de un significado del enharinamiento que no está sin relación con el miedo. En cuanto al propio Peribáñez, en la obra lopesca, si lleva algunas marcas polvorientas, esto significa que se afirma como hombre de honor, sin por ello abandonar los rasgos de un personaje todavía ridículo por algunos aspectos rituales; dicho sea en otros términos, se eleva a lo trágico a través de lo cómico tradicional del villano burlado y escarnecido.

El procedimiento del enharinamiento, sumado a los demás procedimientos antes mencionados, nos confirma que el refuerzo caricaturesco es el recurso fundamental de la comicidad villana en el teatro. Por el espesamiento de rasgos, el pastor bobo hace reír al público, y el echar mano de la harina no es sino el caso límite, más concreto y visible, de esta búsqueda sistemática de la caricatura villana por los dramaturgos. Aristóteles había hecho de la mueca el fundamento de la risa y sus comentaristas del siglo XVI, verbigracia el español Lopez Pinciano, no dejaron de subrayarlo.[50] Por esto se podría pensar que lo cómico villano no ofrece nada de particular en cuanto a su estructura. Pero esto no es cierto sino en alguna medida; la caricatura teatral se inserta aquí en un contexto propiamente rústico y tal contexto no puede considerarse mero accidente. A medida que prosigamos en nuestro análisis se hará más patente el hecho de que el villano es sobrecargado con necedades enormes, sin grandeza ni impulso que lo distingan del animal, por ser precisamente un villano. Según la ideología corriente de la época, la enormidad de sus ridiculeces está en relación estrecha con su condición social. Daremos mayor precisión a este concepto al estudiar el modo que tiene el villano de ser bobo en el amor y el matrimonio.

Un ámbito donde la torpeza cómica del «villano simple» puede manifestarse, es, sin lugar a dudas, el del amor. La concepción del amor en la sociedad aristocrática española de los siglos XVI y XVII, deriva, sabido es, de la del amor cortés, y más tarde del amor petrarquizante. En aquel momento, los nobles sitúan al amor entre los vi-

---

[48] Cf. «Parte IV», año 1614, en Madrid, por Miguel Serrano de Vargas, fol. 77. El título exacto es: *La famosa / Tragicomedia / de Peribáñez / y el comendador de Ocaña*. La comedia siguiente (fol. 102 rº) lleva el título de *La famosa / comedia del Genovés liberal*, de modo que las denominaciones «comedia» o «tragicomedia» no se aplicaban indiferentemente. Cf. E. S. Morby, *Some observations on «tragedia» and «tragicomedia» in Lope*, in *H. R.*, XI, 1943, 185-209.

[49] Acto III, in *Libro nuebo extrabagante de comedias escogidas de diferentes autores*, Toledo, 1667 (B. N. Madrid, R. 11781).

[50] López Pinciano, *op. cit.*, III, Epístola nona, p. 33-34:

«... Sea, pues, el fundamento principal que la risa tiene su assiento en fealdad y torpeza...
«... De las obras ridículas trae por exemplo Aristóteles la cara torzida de alguna persona...
«... Olor de fealdad y torpeza ha de aver necessariamente en la cosa ridícula...»

llanos en las antípodas de este concepto refinado y elevadamente idealizado. En esos, según los cortesanos, no cabe obra cosa si no es la brutalidad de costumbres y el primitivismo. En realidad, la idea de que el amor no pueda ser el mismo entre los cortesanos y los villanos, fue afirmada antes de que la influencia italiana y neoplatónica hubiera refinado espiritùalmente el sentimiento de los nobles castellanos. Ya en el siglo XIV, el Arcipreste de Hita, al definir un «Buen Amor» que aún no es —y dista mucho de serlo— el Amor de los lectores cortesanos de Bembo, Castiglione o León Hebreo, postula que el amor en cuanto arte («ars amandi»), queda reservado a la Nobleza. Una villana, por ejemplo, es una ignorante en ciencia amorosa y ésta es la razón por la cual no hay que dirigirse a ella:

> Sy podieres, nos quieras amar muger villana,
> ca de amor non sabe é es como bausana.
>
> (Estrofa 431)

Al hacer del amor un impulso del alma reservadò a una élite aristocrática —en todos los sentidos de la palabra—, los neoplatónicos del siglo XVI ahondaron más aún la zanja existente entre el concepto de amor refinado propio de los cortesanos y el del amor primitivo y sin arte, atribuido a los palurdos. El teatro, con sus dos planos netamente distintos de lo cómico y de lo trágico-sentimental, no hizo sino reforzar esta dualidad ideológica dándole lenguaje estético.

Ya con el teatro de Encina, la idea de que el rústico no posee del amor sino una noción muy rudimentaria y animal es motivo de risa. *La representación de Amor*, representada en Alba de Tormes o en Salamanca, en 1597, ridiculiza en escena al pastor Pelayo por su falta de capacidad en captar las palpitaciones sutiles del corazón. Al encontrarse con Cupido armado con el arco, le pregunta con qué permiso caza en coto reservado; Cupido le advierte de que podría herirle peligrosamente, pero Pelayo no lo cree y helo aquí, yacente, en el suelo, incapaz de captar la naturaleza de su herida; la palabra «Amor» no suscita en él sino una asociación de ideas con «morder» o «mortaja». Este motivo del pastor pasmón («stupidus») al enfrentarse con un sentimiento que supera sus posibilidades sensibles y mentales, fue repetido indefinidamente en el teatro español y portugués de la primera mitad del siglo XVI,[51] así como en otras ramas de la literatura[52] y el rasgo se mantiene en no pocas escenas rústicas de la comedia que apareció después. La situación del villano que no sabe cómo expresar lo que siente, o mejor, que no tiene nada que decirle a su prometida fuera de algunas banalida-

---

[51] En la *Farsa o cuasi comedia del soldado* (hacia 1509) de Lucas Fernández, Pascual, el pastor, no entiende nada acerca del tipo de mal que aqueja a su compañero Pravos. Véase también: *a*) *Egloga de Torino* (incluída en la *Question de Amor* impresa en Valencia en 1513); *b*) *Egloga de Breno y otros compañeros* de Salazar (diciembre de 1511, según Crawford, *The Spanish Drama before Lope de Vega*, Philadelphia, 1922, p. 71); *c*) *Egloga pastoril* anónima (cf. Crawford, *Ibid.* p. 71) en donde un pastor se dirige a un curandero del pueblo; *d*) *Egloga de Juan de París* (la edición más antigua conocida es de 1536) (cf. Crawford, *Ibid.*, p. 72). En el *Auto dos reis magos* (1503?) de Gil Vicente, un pastor le hace preguntas incongruentes a un ermitaño sobre el amor. En la *Farsa de la hechicera* de Diego Sánchez de Badajoz, un pastor, al hallar a un compañero desmayado en el momento de suicidarse por amor, le aplica un remedio bien concreto: un diente de ajo en la boca. En general, de contrapunto con el tema trágico del suicidio por causa sentimental, se introduce el motivo incomprensión del amor por parte del rudo pastor.

[52] Cf. el romance *Canción de una gentil dama y un rústico pastor*, in *Flor nueva de romances viejos* (R. Menéndez Pidal, Espasa Calpe, 1943), en el cual el «villano vil» es incapaz de comprender el llamado amoroso de la «gentil dama».

des bien prosaicas, es de lo más corriente. Un hermoso ejemplo es el de Mengo en *La montañesa de Asturias* de Luis Vélez de Guevara. En presencia de Pelayo, con quien ha de casarse, dice él no estar maduro para ello y está muy molesto por no saber de qué hablar:

> Fabralla de amores quiero,
> pues hemos fincado assí.
> Mas quiero esperar aquí
> que ella me fabre primero
> que finco con tal empacho
> que no puedo más conmigo.

Después de vacilar un momento, el buen hombre se decide y habla... de los gansos:

> *Mengo*   ¿Dónde los gansos están?
> *Pelaya:*   En la llaguna están.
> *Mengo:*   Non lo acertaré en un mes,
>   porfiar es necedad
>   que para novio no soy.[53]

Aquí se ve de qué manera la incapacidad campesina para el lirismo amoroso puede ser un instrumento de comicidad.

En los introitos de Torres Naharro, lo que constituye el objeto de la estilización cómica no es tanto la idea de incomprensión de un sentimiento elevado sino la de la animalidad bruta del amor en la aldea. El pastor de tales prólogos, sofaldero y atrevido, evoca con no pocos detalles impúdicos sus aventuras, o más exactamente, sus luchas con las mujeres mal paradas en el henil u otro sitio. Véanse sobre el particular los introitos de las comedias *Seraphina*,[54] *Trophea, Himwenea, Aquilana*, o del *Diálogo de Nascimiento*, sazonados con cuentos verdes.

Acaso el ambiente italiano (napolitano o romano), disoluto y gustoso de relatos de tono subido, fuera el que favoreció en Torres Naharro la aparición de una vena cómica de un género que no se halla en los otros dramaturgos peninsulares de la primera mitad del siglo XVI, exceptuando a Diego Sánchez de Badajoz?[55] Puede ser, pero, repitámoslo, el tema de la ruda animalidad de los amores rústicos era un viejo tema

---

[53] *La montañesa de Asturias*, in *Comed. escog. de los mej. ing. de Esp.*, XXX, acte II, p. 61.
[54] Citemos este principio del introito de la *Comedia Seraphina* que indica el tono:

> «Al demoño do el garçón
> qu'en topando con la moça
> no s'aburre y la retoça
> como rocín garañón.
> Todas ellas quantas son,
> m'an dicho qu'esto les praze
> y al hombre que no lo haze
> lo tienen por maricón.»

> (Ed. Gillet, p. 4.)

[55] En los introitos de Diego Sánchez de Badajoz, a veces ocurre que el pastor prologador cuente sus aventuras conyugales con hartos detalles: véase *Farsa militar, Farsa teologal*.

ideológico de la literatura castellana. El Arcipreste de Hita (hacia 1330) con sus Cantigas de serrana, localizadas en su mayor parte en la sierra de Guadarrama, ya había tratado el motivo de la «lucha» de amor rústico. El combate físico que las fornidas serranas entablan con el viajero perdido en un puerto de Guadarrama tienen un carácter equívoco, y termina en la cabaña con el abrazo y el ayuntamiento. Hace tiempo ya que R. Menéndez Pidal ha señalado el sentido particular, erótico, de la palabra «lucha» en dichas cantigas.[56] Un siglo después del Arcipreste de Hita, el marqués de Santillana aún conserva el rasgo de la «lucha» en una de sus serranillas elegantes e idealizadas: la hermosa Menga de Manzanares, al encontrarse con el caballero, le obliga, también ella, a «luchar» en los matorrales. Existía entonces anteriormente al siglo XVI, una tradición literaria de amoríos salvajes y primitivos en el campo —tal vez reflejo en parte de una situación real de los hábitos rurales— paralela a la tradición poética del amor refinado, según los Cancioneros de la élite aristocrática. Por ello los introitos de Torres Naharro, que basan una parte de su comicidad en el relato que hace un pastor de unas prácticas del amor más próximas a las de los animales que de las expresiones petrarquizantes, se nos aparecen como un eslabón en una serie temática que va a llevarnos hasta los duos amorosos de los villanos de la comedia cuando son criados y criadas.

Allí, también, luchas a brazo partido, mordiscos, puñetazos, violencias de todo tipo, son las pruebas corrientes del amor. La diferencia con los introitos de Torres Naharro —interviene, tal vez, una censura de tipo moral que impide que la comedia incurra en la lascivia— consiste en la atenuación de la nota erótica. Pero la estilización prosaica de los gestos amorosos permanece esencial. Respecto a Lope de Vega, se puede hablar de un verdadero «sistema» de la representación teatral de las manifestaciones amorosas del villano de nivel social inferior. Nos lo revela el dramaturgo en una de sus primeras obras donde hace intervenir temas rústicos en forma de intermedio dentro de un enredo pastoril: *Belardo el furioso* (1586-1595). Para servir de contrapunto al clima de drama sentimental que caracteriza a la intriga desarrollada entre pastores de una categoría social superior (uno de ellos es un rico mayoral), una boda campesina con características propiamente aldeanas invade el tablado: es la boda cómica de Amarilis, simple pastora, y del villano Bato. Ambos recién casados intercambian galanterías más bien rudas, pero —lo dicen ellos— no es sino el modo acostumbrado entre ellos de cortejarse. En efecto, de respuesta al primer requiebro que le espetó Bato por el agujero de la chimenea.[57] Lo que nos interesa son las palabras de los pastores de categoría social superior quienes presencian el esparcimiento campesino como si

---

[56] Cf. *De primitiva lírica española y antigua épica*, Buenos Aires, «Austral», 1951, pp. 125-126. R. Menéndez Pidal menciona los ejemplos en los cuales «lucha» cobra bajo la pluma del arcipreste, o del marqués de Santillana, un sentido erótico. También indica que se encuentra el verbo «luitier» en la pastorela francesa con idéntico valor.

[57]

«Bato:	Desde el requiebro primero
	que os dije con afición,
	tenéis esa condición:
	buen testigo es el humero,
	que un ladrillo me tirastes
	todo aforrado en hollín,
	que pensé que era mi fin.
«Amarilis:	Mal haya que no os finastes.»

(Acad., V, p. 687 b.)

se tratara de un espectáculo y emiten juicios, desde el exterior como si enunciaran la teoría de los amores cómicos puestos en escena.

> *Nemoroso:* Mi Jacinta, ¿no os agradan
> los requiebros de esta gente?
> *Jacinta:* Es su afición diferente;
> cuando se quieren se enfadan,
> cuando se dicen regalos
> se dan pellizcos y coces
> [hacen el am][58] o a voces
> y que en fin acaba en palos.[59]

El código de amores rústicos así definido es aplicado de inmediato en el escenario: vemos a los novios llegar a las manos, insultarse, lanzarse epítetos como «tonta», «ladrona», «villano» y el todo va rematado por un abrazo final.

Estas coces, pellizcos, zarpazos, y otras manifestaciones primitivas de la galantería rústica[60] vuelven a encontrarse en el siglo XVI en una literatura de intención caricaturesca, irónica, respecto del villano.[61] Sobre el particular, Lope no hace sino condensar escénicamente unos elementos dispersos sin dejar de seguir fiel a un concepto animal

---

[58] La edición Menéndez y Pelayo indica aquí: «roto el manuscrito».

[59] Acad., V, p. 687. En *Ya anda la de Mazagatos* se encuentra expresada una teoría parecida de las manifestaciones del amor rústico. Al señor que intenta seducirla, la villana Elvira le contesta con el clásico «desdén villano» agregándole explicaciones:

> «Caballero cortesano,
> esas retóricas finas
> en la aldea se malogran;
> id con Dios, que estas campiñas
> dan a esperanzas rigores
> y por alagos, las iras;
> por favores, los desdenes,
> y la espalda a las porfías.»
> (Ed. S. G. Morley, B. hi., 1923-24, p. 28.)

Entonces el lacayo del señor, Tronera, subraya la acostumbrada idea del primitivismo animal de la villana en materia de amor:

> Señor, que son montaraces,
> y los requiebros que estilan
> son a coces y bocados.»
> *(Ibid.)*

[60] Entre éstas, hay que mencionar también las riñas amorosas en las que se tiran con harina. Por ejemplo, en *La juventud de San Isidro* (1622) de Lope, en respuesta a los pellizcos del aldeano Tirso, Bartola le echa en cara un puñado de harina. Cf. la acotación escénica: «Salen Tirso y Bartola, ella con un puñado de harina» (Acad., IV, p. 548 b).

[61] Una composición de Boscán que puede hallarse en la serie definida «obras provocantes a risa» del *Cancionero general de obras nuevas* de Esteban de Nájera, Zaragoza, 1554 (in A. Morel-Fatio, *L'Espagna au XVIe et au XVIIe siècle*), menciona, por ejemplo, los pellizcos:

> «Halagóle y pellizcóle,
> la moçuela al asnejón;
> allególe y enamoróle
> y el estávase al rincón.»

del amor rural que, según vimos, venía de lejos. De todas maneras podemos decir que este motivo de los gestos amorosos en la aldea se convirtió en su teatro, y en el de sus discípulos, en un verdadero tópico. En *Los Tellos de Meneses* están los dos gañanes Mendo y Sancho recordando los favores que recibieron de Inés; quieren saber cuál es el más aventajado: es el viejo cañamazo del concurso de prendas amorosas, que Lope de Rueda había llevado ya al teatro en uno de sus *Coloquios pastoriles (Coloquio llamado prendas de amor,* in E. Cotarelo, *Obras de Lope de Rueda,* II, p. 311). Lo característico está en el estilo rústico burlesco que adopta Lope, transformando coces, pellizcos, zarpazos, golpes de cucharón, en otras tantas pruebas de amor.[62] Si nos ate-

---

Las coces de la villana son evocadas en un pasaje de las *Cartas de Eugenio de Salazar, vecino y natural de Madrid, escritas a muy particulares suyos* (publicadas por la Sociedad de Bibliófilos Españoles, Madrid, 1866) escritas en la segunda mitad del siglo XVI, con ocasión de un viaje del autor a la montaña asturiana; hablando de las suelas del calzado de las asturianas, dice: «... y cuando es menester para dar una coz, suplen por herraduras, porque son herrados por bajo, de tal manera que cuando alguna de las damas anda más menudico, parece frisón recién herrado que corre por calle empedrada.» Tal motivo de coces de la villana, dadas de respuesta a las insinuaciones amorosas, vuelve a encontrarse en una epístola de Baltasar de León dirigida a Gutierre de Cetina (in *Obras de Gutierre de Cetina...,* ed. de Joaquín Hazañas y la Rúa, Sevilla, 1896, II, p. 126-139):

> «Decilde, por mi vida, una blandura
> a la más avisada que hallares,
> luego os ha de pagar con gran usura:
> daros ha un par de coces tan mulares,
> que os deje de maltrecho y dolorido,
> que vuestro seso en vano lo buscares.»

[62] Cf. Acad., VII, p. 303 b-304 a:

> «*Sancho:*   Amor me dice que crea
>   que me favorece a mí
>   ....
>   con esto, en sala, en cocina,
>   donde quiera que la veo,
>   se ríe, y muestra el deseo
>   que a tenerme amor la inclina.
>   Antiayer la pellizqué,
>   y tal mojicón me dio,
>   que sin seso me dejó.
> *Mendo:*   Y ¿es favor?
> *Sancho:*   Pues ¿no lo fue,
>   si brazo y mano tenía
>   más limpios que están las frores?
> *Mendo:*   Sancho, de tales favores
>   tengo yo muchos al día.
>   No tiene hacienda señor
>   para comprar cucharones,
>   con que me dé coscorrones,
>   sin tenello por favor
>   ¡Oh qué mal, Sancho, conoces
>   estas ninfas del fregado,
>   que, como yeguas en prado,
>   retozan tirando coces!
>   Yo te la doy, pues estás
>   desos favores contento.»

nemos a un relato de Pelayo, el porquerizo truhán de *El mejor alcalde el rey* (Lope de Vega), los favores que otorga la villana Juana son del mismo estilo: puñetazos y cucharonazos bien asestados que lo dejan a uno apabullado para dos meses.[63] Naturalmente, esta idea tradicional de la villana con fuerzas físicas excepcionales, idea ya interpretada literariamente en las cantigas de serrana medievales y retomada en el siglo XVI,[64] es la que nutre este género de comicidad. Pero la violencia de las reacciones galantes no es, claro está, privilegio exclusivo de las villanas; verbigracia, en *La se-*

---

[63] Cf. Acad., VIII, p. 304 b-305 a:

> «. . . . .
> Si las pecilga un garzón,
> le suele pegar un cabe
> que le aturde los sentidos;
> que una vez, porque llegué
> a la olla, los saqué
> por dos meses atordidos.»

[64] Véase, verbigracia, el texto que mencionamos, en la nota 61, *Cartas de Eugenio de Salazar, vecino y natural de Madrid, escritas a muy particulares amigos suyos* (Madrid, Sociedad de Bibliófilos Españoles, 1866). El autor presenta a las muchachas aldeanas de Tornaleo con una corpulencia y un físico muy dentro de la tradición de los retratos de serranas:

> «... son, pues, estas damas mal sacadas de cuerpo, levantadas de hombros, cortas de cuello, grandes de cabeza, angostas de frente, ceñudas de cejas, hendidas de ojos, anchas de narices, largas de boca, copiosísimas de tetas, abundantísimas de nalgas, levantadas de barriga, espaciosas de cintura, gruesas de pelo, toscas de manos y abiertas de pata. El color de la cara es muy gracioso y de buen lustre, entre verde y morenico, y un poquito de amarillo que se mete a perfilar; la tez muy linda y asentada como de rocín sarnoso... hacen las basquiñas angostas, porque se señale la copia nalgar, y no pasan de media pierna, porque descubran las pantorrillazas que son como timones de haceñas...»

Sobre el mismo tema de las formas copiosas del cuerpo de la villana, hacia la primera mitad del siglo XVI, en el teatro, puede citarse este fragmento de la *Comedia Tesorina* (1551) (Jayne de Güete):

> «Ve en mal ora,
> doña golosa, traydora,
>
> tiñosa, suzia, bellaca,
> sobacuda, cardadora,
> pedorra, tetas de vaca.»
>
> (*Comedia Tesorina*, Jorn. I.)

Góngora también trató con ironía el motivo de la serrana prosaica en sus décimas: «¡Oh! montañas de Galicia», fechadas en 1609 (cf. Luis de Góngora y Argote, *Obras completas*, ed. Juan e Isabel Millé y Giménez, Madrid, Aguilar, 1956, nº 135):

> «¡Oh labrante mujeriego
> de tierras, de holandas non,
> cuyas aguijadas son
> flechas de amor gallego!
> Vuestra castidad no os niego,
> antes digo será eterna,
> pues descalza la más tierna
> lleva, la que menos ara,
> pierna que guarda su cara,
> cara que guarda su pierna.»

rrana de la Vera de Luis Vélez de Guevara, Mingo, un rústico cómico concluye una larga tirada con una declación amorosa: afirma su deseo de morderle las orejas a la hermosa serrana a quien le dedica sus piropos, pues dice tener un instinto canino.[65] En Tirso de Molina la deformación caricaturesca y burlesca del amor rústico aparece también con las señas teatrales acostumbradas: por ejemplo, en *Antona García* (1623) donde el jocoso Bartolo nos da cuenta de una pasión totalmente fisiológica, por lo menos en sus manifestaciones externas, ya que su turbación se traduce por fiebres y sudores; para él, el mal de amor es comparable con el gusano destructor de la viña, la cuca que harto conocían los villanos castellanos del siglo XVI;[66] ¡qué caricias gatunas las que intercambia con la villana a quien requiebra! zarpazos, ni más ni menos, son los que se brindan mutuamente con el ritmo de una conocida canción:

> Y como la vi burlar,
> las manos la así y beséslas,
> y aruñómelas y aruñéselas
> y volvióme las a aruñar.[67]

---

[65] Cf. ed. *Teatro antiguo*, v. 1253-1262:

> «Pero lo que más me agrada,
> Gila, en ti, son las orexas,
> que cada vez que te pinto
> acá en la imaginación,
> no las hallo, porque son,
> Gila, orexas de corinto;
> y si mordellas me dexas,
> será favor soberano,
> porque tengo el gusto alano
> que se me va a las orexas.»

[66] N. B. A. E., IV. p. 620. Acerca de la cuca destructora de la vid, se encontrarán numerosos testimonios en las *Relaciones topográficas*.

[67] Cf. N. B. A. E., IV, p. 620 b. Resulta evidente que tenemos con estos versos una parodia rústico-cómica de una canción muy difundida a principios del siglo XVII y que Gallardo copió en sus extractos de los *Tonos castellanos* del siglo XVI:

> «Arrojome las naranjicas
> con las ramas del blanco azahar;
> arrojómelas y arrojéselas,
> y volviómelas a arrojar.»

En una *Ensaladilla para Navidad* del *Romancero espiritual* de Valdivieso, tenemos a lo divino un juego de serafines en honor de la Virgen. Los participantes se tiran huevos llenos con agua perfumada y los ángeles cantan:

> «Arrojóme las naranjitas
> con el ramo del verde azahar;
> arrojómelas y arrojéselas,
> y volviómelas a arrojar.»

Señalemos que en 1931 todavía se cantaban y bailaban, en Hoyocaseros (provincia de Avila) los cuatro versos:

> «Y arrojaba la Portuguesilla
> naranjillas de su naranjal.
> Arrójamelas y arrójamelas,
> y vuélvemelas a arrojar.»

Por lo demás, arrumacos enamorados van a la medida de las que ya hemos encontrado en los villanos cómicos de Lope de Vega:

> Tiróme una coz después,
> pronóstico de una potra,
> y yo tirándola otra,
> jugamos ambos de pies.
> Y durando el retozar,
> volvióme dos y aparéselas,
> y tirómelas y tiréselas
> y volviómelas a tirar.[68]

La puesta en escena o el relato de estos amores rústicos sin refinamiento alguno fue a menudo, para los dramaturgos de la comedia, una especie de fragmento prefabricado que insertaron como aplicando una receta infalible para provocar la risa. Lo prueba el hecho de que, en algunas piezas, la inserción se opera en detrimento de la coherencia psicológica de los personajes, o de la verosimilitud. En *El villano en su rincón* de Lope, por ejemplo, la villana Belisa sale por momentos distinguida, capaz de seguir los gustos aristocráticos (al imitar a Lisarda, la hija de Juan Labrador) y en otros, huraña y tosca al estilo de villanas menos civilizadas. Así es como la pintan los dos rústicos Bruno y Salvano, cuando repitiéndose el tópico de la rivalidad en favores galantes, ambos evocan los horquetazos en las costillas que les dio o las artesadas de lejía hirviente que les ha echado.[69] Aquí el papel, el signo teatral de la comicidad, le

---

(Música n.º 101, movimiento n.º 4, in Kurt Schundler, *Folk Music and Poetry of Spain and Portugal*, New York, 1931). El tema de estos versos tradicionales desde el siglo XVI por lo menos, se explica teniendo en cuenta la práctica de batallas galantes «a naranjazos» en algunas fiestas de la época. Barthélémy Joly, in *Voyage...*, p. 517, al hablar de las fiestas de Cuaresma en Valencia: «... le peuple s'esbat à getter des oranges, par les rues qui en sont pavées, estans aussy bon pris que les casteignes en France».

[68] Estos versos (así como toda la escena rústica en la que están) se encuentran, con pocas diferencias, en *La vida de Herodes*, igualmente de Tirso; cf. N. B. A. E., IX, p. 180 a):

«Pachón:	Yo, como la vi burlar,
	las manos la así y beséselas,
	y apartómelas y apartéselas,
	y volviómelas a apartar;
	tiróme una coz después,
	pronóstico de una potra,
	y yo tornándole otra
	jugamos ambos de pies.»
	Y volviendo a porfiar,
	volvióme dos y aparéselas,
	y tirómelas y tiréselas,
	y volviómelas a tirar.
«Tirso:	¿Qué más quieres si conoces
	que te hace tanto favor?
«Pachón:	Dad al diablo, tío, el amor
	que entra a pellizcos y coces.»

[69] Acad., XV, p. 292 a-b:

«Bruno:	A mí me dio por Diciembre.
	estando al sol en el cerro,

lleva la ventaja a la verosimilitud. Llegamos a la misma idea al presenciar escenas en las que una infanta, metamorfoseada por la intriga novelesca en moza de alquería, reproduce fielmente los gestos consagrados por la tradición rústico-cómica de la galantería aldeana. Sirva de ejemplo la falsa villana Marina (la infanta Elvira) en *El vaquero de Moraña*, de Lope, al amenazar con sartenazos a los galanes demasiado atrevidos;[70] gestos bruscos, asperezas cuando se acerca un pretendiente, definen de pronto al personaje, quien poco tiempo antes resultaba refinado y educado;[71] en realidad, Lope se dedica a un «ludus scenicus» de tipo muy repetido, que consistía en renovar el efecto cómico de los amoríos villanos gracias al contraste entre la calidad social del personaje y el papel con el que se identifica de pronto. Tirso, más que Lope, utilizó este procedimiento de desdoblamiento. El motivo de los golpes, o coces, interpretados como otros tantos favores amorosos, se volvió un tópico muy familiar de los dramaturgos dedicados a armar escenas rústico-cómicas. Se encuentra en casi todos los au-

	seis bellotas de su mano
	y me dijo: «toma puerco».
«Salvano:	Me dio en aquestas costillas
	cuatro palos con un bieldo.
«Fileto:	Ese sí que fue favor,
	¡qué le sintieron los huesos!
«Salvano:	Mejor le diré yo agora.
	Toda una noche de enero
	estuve al hielo a su puerta,
	y al amanecer, abriendo
	la ventana, me echó encima,
	viéndome con tanto hielo,
	una artesa de lejía.
«Fileto:	¿Muy caliente?
«Salvano:	Estaba ardiendo.
«Bruno:	Todo es risa ese favor.
	Yendo al soto por Febrero
	Belisa con su borrica,
	parió del pueblo tan lejos,
	que topándome allí junto,
	me mandó alegre que luego
	tomase el pollino en brazos
	y se le llevase al pueblo.
	Dos leguas y más le truje,
	diciéndole mil requiebros,
	como si hablara con ella,
	y aun él me dio algunos besos.»

[70] Cf. Acad., VII, p. 567 b:

«Marina:	Suelte, o daréle, ¡por Dios!
	. . . .
	El no debe saber
	lo que llaman sartenazo.»

[71] Cf. Acad., VII, p. 569 a. Estos cambios puramente teatrales traen esta reflexión de otro personaje que es de algún modo, la confesión de Lope de que está usando tal procedimiento:

«D. Ana:	¿Qué es aquesto?
	está loca esta villana!
	¿tan presto fue cortesana,
	y bárbara fue tan presto?»

tores contemporáneos de Lope o posteriores. En *El bandolero de Flandes* de Cubillo de Aragón (1596-1661), por ejemplo, el palurdo Llorente considera los puñetazos recibidos de Gila como otros tantos signos favorables de los sentimientos que alberga para con él:

> Bien me debe de querer
> que el otro día me dio
> un favor...
> ¿Qué fue? Un beso le pedí
> y sin quitarme de allí
> me hizo escupir un diente,
> porque sin mostrar desdén
> con mis dientes arremete
> y me da un lindo puñete;
> mira si me quiere bien.
> Estoy tan enternecido
> deste endiablado favor
> que a puñetes el amor,
> como dizen, me ha metido.[72]

La villana que contesta con coces a las galanterías, también se había vuelto un lugar común ritual; tan ritual que subsistió de modo interesante en *Peribáñez y el comendador de Ocaña,* con un enfoque ideológico y estético totalmente distinto; en tal obra el motivo se convierte en una reacción de dignidad, partiendo el dramaturgo del principio de que el amor de una villana puede conmover nuestra simpatía, las coces cobran otro colorido dramático; se elevan por encima de la animalidad cómica y del gesto mecánico, y pasan a ser un patético gesto de resistencia femenina.[73]

No se puede aislar el tema tradicional de los gestos amorosos en la aldea del tema de la boda y la dote rústica interpretada cómicamente. Ya vimos cómo, a propósito de *Belardo el furioso,* la boda aldeana se prestaba a una estilización divertida, subrayada por la comicidad de los golpes. No cabe duda de que, mucho antes de escribir Lope sus primeras obras pastoriles con intermedios rústico-cómicos, la boda aldeana ya estaba constituida en cuanto espectáculo cómico, autónomo, a la manera de un entremés. Tenemos, con un relato de festejos ofrecidos en Toledo, en 1555, con motivo de la 'conversión' de Inglaterra, un testimonio muy interesante sobre este tema así como otros de los cuales volveremos a hablar; se trata del espectáculo del domingo 17 de febrero, organizado por la hermandad de zapateros, que consistió en presentar a los vecinos de la ciudad una boda «a fuer de la Moraña de Avila»; dejaremos la palabra al cronista, nada menos que Sebastián de Orozco:

> Este día salió una máxcara muy graciosa y muy mirada y aun muy loada de toda
> la cibdad, por ir tan al natural como yva, y era una boda de aldea a fuer de la Moraña

---

[72] In *Suelta*, sin año (B. N. Madrid, T 10955), acto II, p. 12.

[73] Cf. ed. Aubrun y Montesinos, v. 2840-2842. Casilda le avisa al Comendador, quien acaba de entrar en su aposento, que lo rechazará por todos los medios:

> «Y no os acerquéis a mí,
> porque a bocados y a coces
> os haré. . . . .»

de Avila, de labradores, todos en asnos, en que yvan muchos. Delante yva un tambi-
rilero disfrazado en su asno, tañendo muy bien, y luego venían muchos hombres y mugeres muy aldeanos y de camino, con sus sudarios al pescuéço y con mochachos delante de sí, y algunas de las mugeres con criaturas como que yvan paridas, como acon-
teçe quando van a las bodas de unas aldeas a otras, y muchos de ellos traían la redoma
para la novia en unas mançanas puestas en unos palos, y las mançanas llenas de reales
hincados en ellas hechos de lata, y otro llevava un plato para en que ofrecer, con dineros de la ofrenda, y jugava de palo quando alguno le metía la mano. Detrás venián
los padrinos y los novios, besándose de rato a rato, y el cura del lugar con un gesto y
un bonete harto de notar y de reir, y el alguazil y el alcalde del lugar, todos tan al
propio y al natural en todo, que regozijó mucho este entremés, aunque en asnos, porque imitavan mucho a lo verdadero.[74]

La mascarada rústica recibió una exitosa acogida por parte del público toledano
ya que, dos días más tarde, el 19 de febrero, el espectáculo fue sacado otra vez por las
calles; en esta ocasión, estando presente el arzobispo de Toledo, detalles poco refinados subrayaron el realismo de la representación:

> Este día tornó a salir la boda de aldea a pie con su tanboril, y con el virgo de la
> novia, que era una sábana ensangrentada en un gran plato. Baylavan muy gentilmen-
> te, y así bailaron delante del reverendísimo señor arçobispo, de que se holgó mucho,
> y el alcalde llamava al escribano para que diese testimonio del virgo, y con esto y otras
> cosas donosas que hazían dava mucho placer.[75]

Entre otras ventajas, estos textos tienen la de establecer que, a mediados del siglo
XVI, la boda aldeana era objeto de una estilización cómica para la gente de ciudad.
Este espectáculo obtuvo después un éxito prolongado en las fiestas urbanas y, hacia
1600, las hermandades que organizaban festejos públicos se los encargaban a las compañías teatrales.[76] Por ello, no nos extrañe hallar en las comedias repetidas veces, el
intercambio de la boda rústica bajo una perspectiva divertida.[77] Citemos, de ejemplo,

---

[74] El manuscrito de la relación de Sebastián de Orozco se halla en la Biblioteca Nacional de Madrid.
Fue publicado por Santiago Alvarez Gamero, *R. Hi.*, XXXI, 1914, pp. 392-485, junto con otra relación de
fiestas toledanas de 1555. Cf. p. 400 para el pasaje citado.

[75] *Ibid.*, p. 405.

[76] El motivo de la boda cómica seguía gustando a la gente de la ciudad hacia 1600; cf. C. Pérez Pastor,
Nuevos datos acerca del histrionismo español en los siglos XVI y XVII, Madrid, 1901, p. 50, documento del
15 de abril de 1599. La hermandad de los herreros de Madrid encarga una «Boda a lo sayagués»: «Concierto
de la danza *La Boda a lo sayagués* que por orden de los herreros ha de hacer Juan de Granada. Madrid, 15
de Abril 1599» (Francisco de Monzón, 1589 a 1600).

[77] También se encuentra el motivo de la boda rústica burlesca y ridícula en la literatura no teatral por
los años de 1600. Gabriel Laso de la Vega nos ofrece ejemplo de ello en *Manojuelo de romances nuevos y
otras obras*, Barcelona, 1601 (B. N. Madrid, R 12940). Cf., fol. 105 rº-110 rº, la obra que lleva por título *La
boda de Llorente y Dominga*. Bástenos citar los primeros versos:

> «Quiere casar Llorente,
> con Dominga del Pedroso
> ella es puerca, y él mocoso,
> baboso y con solo un diente
> . . . .»

Del mismo autor, aunque menos representativa, es la composición del folio 126 v.º, «La boda de hermano Perico con hermana Marica».

la escena de *El hijo de los leones* (1620-1622) de Lope, en la que encontramos en la comitiva nupcial, junto a los novios, la tradicional figura del cura cómico, así como la del compadre que le dirige piropos imprevistos a la novia.[78] Además la comicidad se ve reforzada a menudo por el hecho de que la boda no es aceptada de buena gana por los contrayentes como en la boda de la Moraña de Avila, sino por la fuerza. A los besos que divertían a los toledanos de 1555, los novios sustituyen —o por lo menos uno de ellos— la cara de pocos amigos. Esto ocurre en *El conde Fernán González* (1602-1612), probablemente (1610-1612) de Lope, en la que se le impone a la villana Fenisa casarse con el estúpido Bertol, a quien no puede ni ver. Por muchos bailes y cantos que haya, la novia pone cara avinagrada, se niega a mirar al marido quien, hay que reconocerlo, es tonto y ridículo en demasía. Resulta boda tan poco seria que acaba con el rapto de la novia, planeado y preparado por la propia interesada: en efecto, ésta había solicitado a otro, elegido por su corazón, que se vistiera de moro con unos amigos y que irrumpiera durante la ceremonia. Al aparecer en las tablas, la mascarada morisca resulta tan graciosa como la boda,[79] así como lo es la fingida resistencia, aunque breve, que la novia aparenta oponer a los raptores. La obra en la que el tema de la boda villana está mejor desarrollado es la de *Los novios de Hornachuelos*, la que probablemente ha de atribuirse a Luis Vélez de Guevara,[80] y fechar en 1627 o poco antes.[81] Gran parte de esta comedia estriba en el dato de los dos novios rústicos a quienes quieren casar terceros, contra su voluntad; ambos son tan feos que no quieren mirarse el uno al otro; durante la ceremonia de la boda, se vuelven las espaldas, cumplen de mala gana con los gestos rituales y esto de forma muy caricaturesca. Antes de que la comitiva salga al escenario, una criada del castillo del pueblo la describe detalladamente a su señora: esta comitiva reúne a la mayor parte de los personajes que vimos desfilar por las calles de Toledo en 1555, pero los vuelve más ridículos aún, por la búsqueda sistemática de un efecto deformante;[82] basta detenerse en este detalle: ¡al

---

En fin, un ejemplo de novios rústicos con defectos físicos, cómicos y ridículos, se encuentra en una canción de la *Flor de varios romances y canciones*, recopilados por Pedro de Moncayo (Huesca, 1589), fol. 117. Su estribillo es:

> «Casóse Toribio Bras
> con Benita de Pantoxa,
> él es tuerto y ella coxa,
> él baboso y ella más.»

Un rastreo de los manuscritos inéditos de la Biblioteca Nacional de Madrid, así como de la Biblioteca del Palacio Real permite descubrir más bodas ridículas por estos años. Cf. B. N. Ms. 3168. Cf. «Biblioteca de Palacio», Ms. 1577, fol. 156 v.º-157 r.º Ms. 1581, fol. 206. Ms. 1587 (dos bodas).

[78] Cf. Acad. N., XII, p. 273 b.

[79] Cf. Acad., N., VII, p. 431 b. La rúbrica escénica subraya la nota cómica: «Salen Mendo, Sancho, Berrueco y otros, de moros graciosamente vestidos con espadas y lanzas y unas tocas en la cara.»

[80] Tal es la opinión de J. M. Hill, in *R. Hi*, LIX (1923), retomada por Hill y Reed en su edición de New York, 1929.

[81] Existe en la Biblioteca Nacional de Madrid un manuscrito de los dos primeros actos, fechado en 1627, y atribuido a Luis Vélez de Guevara.

[82] Acad., X, p. 57 b:

> «. . . . .
> Iba en esta procesión,
> por estandarte o por guía,
> Antón el tamborilero,
> tocándoles las folías.

llegar a la puerta de la ermita, la novia no pudo entrar sino en cuclillas, como un ganso, por culpa de su tocado, tan alto como un campanario! Son de imaginar las risas al llegar la comitiva al escenario, con los consabidos alcaldes[83] y los novios que se miran como perro y gato, se insultan y por poco se pegan, si no fuera por la intervención de la señora del castillo. Tal casamiento no puede sino preparar desavenencias matrimoniales en el futuro, y es lo que nos presenta el tercer acto, en donde Marina, la mujer, persigue a su marido, Berrueco, empuñando un leño hasta que por un revés de la situación, Berrueco coge el palo y golpea a Marina.[84] El motivo de la boda aldeana cómica es aquí el resultado del encuentro entre la tradición de las escenas aldeanas divertidas, tales como se presenciaban en algunos desfiles urbanos, y la tradición folklórica de los «Novios de Hornachuelos», documentada en los siglos XVI y XVII por Juan de Mal Lara y Covarrubias;[85] para imaginar las escenas paródicas o

---

El barbero y el albéitar,
preciados de guitarristas,
pidieron al sacristán
les hiciese una letrilla
de la historia de los novios,
que cantando tan bien iban
en un bajo y un falsete,
que pudiera ser de alquimia.
Entre Mencía y Centeno,
el Alcalde, que apadrinan
los novios, como parientes
de su alcuña y de su línea,
dadas al revés las manos,
haciendo raya, venían
Marina y Berrueco, Estrella:
¡mira cuál será Mencía!
Iba la novia compuesta
de mano de la madrina,
entre aldea y caballera,
entre palaciega y villa;
que no quisieron los deudos,
por gusto o costumbre antigua
del lugar, que tus criadas
le pusiesen mano, encima.
Tocáronla, en almirante
tan alta, que parecía
el copete campanario,
y la Campana Marina,
porque llevava, más ancho
que una conciencia en las Indias,
un verdugado sin saya
encima de la camisa.
Rogaron a Pedro Crespo
los ayudase Dominga
su mujer, y despidió
por tiple una chirimía.»

---

[83] Cf. la indicación escénica, *Ibid.*, p. 58 b: «Fiesta, y sale Marina, de la suerte que la pintaron, y Berrueco a lo gracioso, dadas las manos al revés, y los alcaldes.»

[84] *Ibid.*, p. 65 a-66 a.

[85] Cf. Juan de Mal Lara, *Philosophia vulgar* (1568): «Los novios de Hornachuelos que él lloró por no

caricaturescas de la boda, le bastó al dramaturgo desarrollar elementos ya muy elaborados.

Entre las razones que permiten atribuir *Los novios de Hornachuelos* a Luis Vélez de Guevara, podría indicarse la marcada inclinación que parece haber tenido este autor para con el tema de la boda aldeana cómica o grotesca. En *La obligación de las mujeres,* nos presenta, en un enredo a veces trágico, a una boda aldeana en la que el novio, Bato, debe provocar la risa. En efecto, dice una acotación escénica: «Vato vestido de desposado a lo gracioso».[86] También en *La rosa de Alejandría* del mismo dramaturgo, una boda villana alegra el desarrollo de un enredo de contenido religioso: el novio le toca el papel divertido y la acotación lo indica sin equívocos: «Lupino vestido de novio a lo gracioso».[87] Sin embargo, ya lo hemos visto, la boda aldeana cómica no es genuina del teatro de Luis Vélez de Guevara y se encuentra prácticamente en todos los dramaturgos de la primera mitad del siglo XVII. El andaluz Diego Jiménez de Enciso (1595-1624) nos proporciona un ejemplo de ello con *Santa Margarita*[88] y Cubillo de Aragón nos ofrece otro con *El bandolero de Flandes.*[89] En esta última comedia hasta se encuentra el motivo bien determinado de la novia villana, casada a pesar suyo, y que va refunfuñando a la ceremonia.

En algunas piezas, en donde la interpretación de la boda rústica ha dejado de ser cómica, persiste así y todo algún vestigio de tal o cual elemento del motivo cómico tradicional. Este hecho parece indicar hasta qué punto la boda rústica fue captada primeramente por los dramaturgos como escena esencialmente divertida. El caso está patente al principio de *Peribáñez y el comendador de Ocaña,* en donde el personaje del cura aparece bajo los rasgos estereotipados del cura gracioso en la boda aldeana, que ya vimos en la fiesta toledana de 1555, y que se halla en buen número de comedias. Una acotación de la edición princeps de la obra, en la *Parte IV,* no deja dudas acerca del carácter de este cura de boda, quien expresa extensamente sus votos de felicidad a Peribáñez y a Casilda: lo define como «cura a lo gracioso».[90]

---

llevarla, y ella por no ir con él.»— Covarrubias, *Tesoro de la lengua castellana, o española,* Madrid, M. DC. XI., artículo *Hornachuelos:*

> «Los desposados de Hornachuelos; quando los novios no se conciertan, y el uno aborrece al otro igualmente. Dizen aver passado en hecho de verdad, que en Hornachuelos, lugar en Estremadura, los padres de dos moços, hijo y hija, trataron de casarlos, y otorgáronse antes que se viessen el uno al otro; pero ambos eran tan feos y abominables que quando los carearon para darles las manos, ni el uno quiso ni el otro tampoco; casáronse en fin por dar contento a sus padres pero quedó el refrán: «Los novios de Hornachuelos, él llora por no llevarla y ella por no ir con él.»

[86] *La obligación en las mujeres,* in *Comed. escog. de los mej. ing. de Esp.,* 1652-1704, II, acto II, fol. 225.
[87] *La rosa de Alexandría, ibid.,* II, acto II, fol. 181.
[87] *Santa Margarita,* in *Parte XXXIII de doce comedias famosas de varios autores, 1642,* acto I, fol. 223.
[89] *Suelta,* sin año, Sevilla (B. N. Madrid, T. 10955), acto II.
[90] Cf. in *Parte IV,* ed. Madrid, 1614, fol. 77, o ed. Barcelona, fol. 76, el cuadro de la distribución de los papeles en el primer acto:

> «Figuras del primer acto:
> —un cura a lo gracioso,
> —Ynés madrina,
> —Costanza labradora,
> —Casilda desposada,
> —Peribáñez nobio, etc.»

El motivo de la dote rústica interpretada cómicamente no es menos ritual. Este también es muy viejo y probablemente salió al escenario por una intención paródica de mentalidad aristocrática. No cabe duda, de que, al principio en la poesía castellana, el tema de la enumeración de los bienes de la dote es definidamente aristocrático. A fines de la Edad Media, las casas nobles solían presentar los regalos ofrecidos con ocasión del desposorio o de la boda con cantos rituales. *El libro de Buen Amor* del Arcipreste de Hita, en sus coplas 999-1005 y 1035-1038, nos proporciona informes bien precisos acerca de estos cantos. También tenemos en el *Cancionero musical* de A. Barbieri, en el n.º 383, una composición de Encina que enumera los regalos que recibe una novia. Ahora bien, a fines del siglo XV y principios del siglo XVI, el teatro incipiente de Encina, Lucas Fernández, Diego de Avila, Gil Vicente, nos brinda varios ejemplos de la transposición del tema de la dote en una gama rústica; en ese periodo, claro está, la transposición es irónica e implica un escarnio de los obsequios aldeanos. En la primera égloga *«en recuesta de unos amores»* de Encina, un pastor enamorado promete mil «cosicas» del campo; su ofrecimiento de regalos recuerda situaciones semejantes en la tradición bucólica grecolatina;[91] pero lo que nos interesa aquí es el aspecto ridículo de la enumeración: un escudero rival no tiene empacho en proclamar:

> Calla, calla, que es grosero
> todo cuanto tú le des.[92]

Las listas de obsequios, en la *Comedia de Bras, Gil y Beringuella* de Lucas Fernández, se vinculan, más claramente que en la égloga de Encina con el propio tema de la boda; un abuelo enumera cuáles son los utensilios y bienes rurales que recibirá la novia, y el futuro esposo presenta en detalle lo que le trae a su prometida: también es una variación burlesca de inspiración aristocrática.[93] Se vuelven a encontrar más o

---

Ediciones modernas muy buenas —empezando por la M. Menéndez y Pelayo— no reproducen exactamente este reparto y suprimen lo que se refiere al cura. ¿Esta supresión no tendrá una explicación, en su origen, en la preocupación del buen pensar característico del neo-catolicismo denunciado por Galdós? La acotación suprimida corresponde a una tradición bien definida del motivo de la boda aldeana; tiene importancia desde el punto de vista de la historia de los temas rústicos y es menester restablecerla.

[91] Cf. Teócrito, *Idilios III* y *XI*. Véase también a Ovidio, canto de Polifemo a Galatea, libro XIII de las *Metamorfosis*, v. 789-869.

[92] Ed. E. Kohler, *Representaciones de Juan del Encina*, Strasburgo, Biblioteca románica p. 70.

[93] Cf. *Farsas y églogas al modo y estilo pastoril y castellano fechas por Lucas Fernández*, ed. Real Academia Esp. (Manuel Cañete), Madrid, 1867, p. 30-31:

> «Juan Benito: Yo les mando un tomillar
> de buen tomillo salsero,
> y cortijo y chivitero,
> y una casa y un pajar,
> y un arado para arar;
> dos vacas con añojales,
> y dos yeguas cadañales,
> y un burro muy singular.
> Tenme punto en lo pasado,
> cuatro machorras y un perro,
> y el manso con su cencerro,
> y el cabrón barbillambrado
> y el morueco tresquilado
> Y darl'he una res porcuna,

menos los mismos motivos en el *Auto pastoril castellano* de Gil Vicente. El haber campesino que trae Teresuela, prometida de Silvestre, es enumerado para provocar la risa: la burra preñada y por parir, un vasar,[94] una espetera, la ropa de domingo de Teresuela, la cerda que ha parido, pero que está muy flaca; en cuanto a la vaca, ni hablar ya que la vendieron tres meses ha... La estela de la *Comedia de Bras Gil y Beringuella* también es perceptible en la *Egloga interlocutoria* de Diego de Avila (impresa en 1511, o antes) cuyo tema es la boda del villano Tenorio y la villana Turpina: en esta obra se da un paso más hacia una elaboración más completa del tema de la boda rústica, ya que aparece la figura del cura en la escena del casamiento.[95]

No nos faltan ejemplos, en la comedia nueva de fines del siglo XVI o principios del XVII, en donde el tema de la dote rústica interviene con la misma coloración cómico-rústica. Hacia 1600, la misma ironía que en 1500 impregna fragmentos de este género, en dónde desfilan, ingenuamente, en un ensamblaje heterogéneo, los enseres de cocina, la ropa de cama transmitida de generación en generación, los animales domésticos, los árboles y los campos. Fray Benito Peñalosa y Mondragón, en años anteriores a 1629, indica que para los nobles y la gente de la ciudad, las dotes aldeanas, el mobiliario rústico y las bodas campesinas son a menudo objeto de mofa facilona:

> Y los menajes y ajuares de sus casas son de risa y entretenimiento a los cortesanos...[96]

En efecto, como confirmación he aquí, en uno de los intermedios rústicos que ofrece *El conde Fernán González* de Lope, la dote que promete el villano Aparicio, padre de la novia:

> Dárele un buey y una burra,
> que por más que el prado escurra,
> dudo que tal la topéis;

> y aun otra alguna ovejuna,
> y el buey bermejo bragado.
> Darl'he vasar y espetera,
> y mortero y majadero,
> y su rallo y tajadero,
> y asadores y caldera,
> y gamella y rolladera,
> cuencas, barreñas, cuchares,
> duernas, dornajos y llares,
> encella, tarro y quesera,
> y un recel todo llistado,
> y un buen almadraque viejo,
> y un alfamare bermejo,
> y un arquibanco pintado,
> cama y escaño llabrado,
> y aun si quieres más alhajas
> también les daré las pajas.»

[94] La platería, claro está, no tiene cabida en casa del aldeano. El vasar es la antítesis rústica del aparador de los palacios. Cf. Covarrubias, *Tesoro...*, p. 995 b, 21: «el vasar o vasera lugar donde se ponen los platos y escudillas de barro».

[95] Cf. E. Kohler, *Sieben spanische dramatische Eklogen*, Dresden, 1911.

[96] Cf. F. Benito de Peñalosa y Mondragón, *Libro de las Cinco excelencias del español que despueblan a España para su mayor potencia y dilatación*, Pamplona, 1629 (B. N. Madrid, R. 21013).

> y daréle seis ovejas,
> dos sábanas y un jergón,
> dos mantas, que porque son
> de Palencia, no son viejas;
> su espetera limpia asaz,
> cuchar, sartén, y perol.[97]

De la misma manera en *La Santa Juana* (IIIª parte) de Tirso, un labriego enumera los haberes de los cuales habría podido heredar su hija:

> Ella heredaba un mastín,
> seis gallinas y otros seis
> pollos, un majuelo, un banco,
> un barbecho y un rastrojo,
> un buey aunque torto y cojo,
> una cama, un arambel
> con la historia de Tobías
> cuando al gigante Golías
> mató junto a Peñafiel,
> otras cosas que so rico.[98]

En *La Dama del Olivar* del mismo Tirso, el campesino Niso promete para su hija, a quien quiere casar ·con Maroto, una rica dote en tierras, ganado y muebles.

> Rico dote se os dará,
> que aunque es mi hija la menor,
> por vella con vos casada,
> vos prometo dar, Maroto,
> un pedazo desde soto
> y media fanega arada
> de tierra, catorce ovejas
> y seis cabras, con el perro,
> la barrosa y el becerro,
> una casa con sus tejas
> que no de techo pajizo,
> una cama con su ajuar,
> un San Miguel, que pintar
> en una sábana hizo
> mi abuela, que Dios perdone
> y dos calderas también,
> con su cuchar y sartén
> que rojas las migas pone.[99]

En esos inventarios meticulosos donde vuelven a aparecer los mismos rasgos (el ahorrar las sábanas, el apego a la pequeña heredad, etc.), lo que el dramaturgo entiende

---

[97] Acad., VII, p. 427 a.

[98] N. B. A. E., IX, p. 328 a. El motivo de la colgadura en la que se ve a Tobías matando a Goliat, el gigante, «cerca de Peñafiel», parece sacado de la tradición burlesca de las coplas de disparates; Tirso se vale con frecuencia de esta fuente seudo-folklórica.

[99] N. B. A. E., p. 210 a.

subrayar es, ante todo, lo divertido del candor y de la ingenuidad rurales. En algunos casos, el autor no quiere hacer ridículos a los campesinos quienes enumeran los elementos de la dote rústica: éste es el caso, nos parece, en el poema del *Isidro*, y en primera comedia sobre San Isidro de Madrid, ambas obras del mismo Lope. Por estar dedicadas estas obras a la exaltación del labriego, no hay intención de ridiculizarle sino sencillamente de atraer la atención, de manera simpática, sobre su sencillez ingenua.[100] En tales himnos al campesino, una orientación ideológica inversa a la que señala fray Benito Peñalosa le confiere al tema ritual de la dote rústica un nuevo contenido, distinto del que tenía hacia 1500 en las creaciones de Encina, Lucas Fernández, Diego de Avila o Gil Vicente: la intención paródica es dejada de lado, en provecho de una valoración de la ingenuidad rústica encarada como un estilo ejemplar de vida sencilla. Lo cómico resulta más liviano y brota de un benévolo humorismo poético y no de la ironía que impregnaba el tema en sus orígenes.

* * *

Ya vemos en qué consiste la comicidad rústica desde el teatro de Encina hasta el de Lope y su escuela. El villano 'bobo' es divertido por la pesadez de pensamiento, la falta de urbanidad, la inaptitud para los refinamientos de la vida intelectual o sentimental, su apego terco a la tierra. En una palabra, es cómico por ser rústico. Así, nada ilustra mejor lo cómico villano sino el significado de este vocablo «rústico», en los siglos XVI y XVII. El término es sinónimo a la vez (como «rusticus» en latín) de campesino y de grosero. Cervantes y Lope de Vega introducen ambos en sus novelas pastoriles, *La Galatea* y *La Arcadia*, a un personaje al que llaman precisamente «El Rústico». Es una especie de contrafigura de los otros pastores dedicados en los prados que orillan el Tajo o el Erymantes, a los clásicos juegos de palillos sentimentales de la aristocrática novela pastoril. No le pidamos a Erasto, el rústico de *La Galatea* cervantina, que se dedique con refinamientos a algún entretenimiento amoroso con una dama; este pastor robusto y rechoncho no podría seguir intelectualmente los meandros caprichosos del amor, ni experimentar en el corazón, con todos sus matices, los efectos felices o infelices de la pasión:

---

[100] Cf. *San Isidro labrador de Madrid*, Acad., IV, p. 562 a. Juan de la Cabeza, padre de María de la Cabeza, enuncia así el dote:

> «Sin esto, te pienso dar
> dos colchones y un jergón;
> y advierte que nuevos son,
> que no te quiero engañar:
> no ha diez años que se hicieron,
> ni seis veces se han lavado;
> seis sábanas de delgado
> lienzo, que en dote me dieron.
> Cuatro almohadas y un banco,
> una silla de costillas,
> trébedes, sartén, parrillas,
> y un paño de manos blanco
> . . . . etc.»

Puede compararse con el pasaje del *Isidro*, fol. 32 (ed. princeps).

... no era tal su entendimiento que diese lugar al alma a que sintiese los desdenes o favores de Galatea...[101]

¿Se inicia una discusión sobre el amor? Erasto es incapaz de llevarla con serenidad y por ello, violento, intenta dirimirla a palos. Aunque distinto de aquél de Cervantes, el «Rústico» de Lope, Cardenio, posee en común con él la «inocencia». Como aquél, es blanco de los escarnios de otros pastores más discretos que él. Cuando se encarecen sus ocurrencias, es por lo que tienen de inconsciente e ingenuo.[102]

Este tipo de pastor pesado y tosco, destinado a la función cómica, tanto en la literatura pastoril como en la comedia, es verdaderamente, como se dice en francés, el 'paisano' (el «paysan») en el sentido etimológico, en otros términos «el que no sabe», «el no iniciado» (paganus o pagano).[103] Como el tal pagano, ignora los secretos, los ritos de un cierto grupo social, y por ello provoca a risa. Veremos ahora más detalladamente estas condiciones sociológicas de la comicidad villana.

[101] In ed. Espasa-Calpe, Madrid, 1946, I. p. 24.

[102] Cf. La Arcadia, B. A. E., XXXIII, p. 66: 'Sus donaires e inocencias se celebran por únicas».

[103] Señalemos que Torres Naharro, en su *Comedia Jacinta*, designa al villano cómico con el nombre de «pagano».

CAPITULO III

LA PERSPECTIVA ARISTOCRÁTICA Y URBANA

Tradición del desprecio irónico por el villano—Las consideraciones sociales e ideológicas de lo cómico villano en Juan del Encina, Lucas Fernández, Torres Naharro y Gil Vicente—Estas condiciones en Diego Sánchez de Badajoz, Lope de Rueda y en tiempos de Lope de Vega y su escuela—La perspectiva de clase y la distinción de lo trágico y de lo cómico—El esquema del Auto del Repelón *desde Encina hasta Lope y Tirso—El villano grotesco frente al noble—El rústico y los vestidos cortesanos—El villano en armas.*

Para captar bien el significado de la comicidad villana en el teatro español, es menester buscar lo que está conlleva socialmente. Bergson insistió repetidas veces sobre el aspecto social de la risa: «Notre rire est toujours le rire d'un groupe.» «Pour comprendre le rire, il faut le replacer dans son milieu naturel, qui est la société; il faut surtout en détérminer la fonction utile, que est une fonction sociale... Le rire doit dépendre de certaines exigences de la vie en commun. Le rire doit avoir une signification sociale.[2]» De hecho, no pocos efectos cómicos del villano, en el escenario, están vinculados con las costumbres y las ideas dominantes en la sociedad española en los siglos XV, XVI, y XVII: las más veces el villano provoca a risa en la medida en que el espectador se sitúa en la perspectiva de la ideología y de los sentimientos de las clases pudientes de ese tiempo (las clases de la nobleza) así como de los medios urbanos.

* * *

Conocida es la tradición aristocrática del desprecio irónico para con los villanos durante la Edad Media. En Francia, en la literatura cómica de los *Fabliaux*,[3] el villano «hediondo» tiene por destino ser molido a palos, engañado por su mujer, ridiculiza-

---

[1] H. Bergson, *Le rie, essai sur la signification du comique*, 103 a ed., Paris, Presses Universitaires de France, 1956, p. 5.

[2] *Ibid.*, p. 6.

[3] A de Montaiglon et G. Raynaud, *Recueil général et complet des fabliaux des XIII et XIVe siècles*, Paris, 1872-1890, 6 vol.

do. En los relatos de los siglos XII y XIII, los villanos de ese país tienen la reputación de ser estúpidos: «Tant ils ont dure la toison, tant ils ont sotte la cervelle que nul bien 'ne peut entrer en elle», éstas son palabras de uno en presencia de un noble.[4] En Italia, los «contadini» de los «novelleri» vienen representados como seres groseros, maridos grotescos: un eco de esta tradición llega hasta el siglo XVI en una «novella» de Bandello, en la que el montañés de Brescia, caricaturizado, es motivo de mofa de parte de la ciudad de Verona. España también compartió esta idea del rústico. Es más, la ignorancia del villano ha sido propuesta como un hecho que merece reconocimiento jurídico en el código de las *Partidas*. En efecto, en varias oportunidades, esta legislación instituye la ingenuidad o la bobería villanas como categorías jurídicas perfectamene deslindadas y las transforma en una inferioridad de tipo civil tan definida como lo es ser del sexo débil o menor de edad.[5] Hasta el siglo XVI, el folklore, la lengua, la literatura, contienen numerosos testimonios en los que se manifiesta, como un legado medieval, la perspectiva desfavorable hacia el villano. *El menosprecio de Corte y alabanza de Aldea* de A. de Guevara, pese a su punto de vista favorable para con la aldea, no logra disimular el desprecio de los cortesanos por los aldeanos; les espetan a éstos todo tipo de calificativo despreciativo, les reprochan la falta de aliño en el vestir, la mala crianza, el habla grosera:

> ... Mucho me cae a mí en gracia en que si uno ha estado en la corte y agora bive en la villa o en el aldea, llama a todos patacos, moñacos, toscos, grosseros y mal criados, motejándolos de muy desaliñados en el vestir y de muy grosseros en el hablar...
> Hemos querido dezir esto para avisar a los cortesanos a que no duren de mofar y motejar a los aldeanos diziéndoles que son nescios y mal criados... (in cap. XIV).

Una epístola de un poeta casi desconocido del siglo XVI, Baltasar de León, dirigida a Gutierre de Cetina, se entretiene en tratar a la inversa el tema literario de la «alabanza de aldea».[6] Nos revela acusaciones que podían achacarse al villano y nos informa de la que al noble de corte se le antojaba «miserable vida de aldea». El poeta evoca

---

[4] Sobre el tema, véase: Bédier, *Les fabliaux*, 1893, y en especial Ch-V.Langlois, *La société du Moyen Age d'après les fabliaux*, en *Revue Bleue*, agosto-setiembre 1891, t. XLVIII, p. 227-236. Un texto presenta a un villano que pasa en Montpellier por la calle de los Especieros: el perfume de las especias, al que no está acostumbrado, le provoca una síncope. Para reanimarlo, un burgués sugiere que le pongan debajo de las narices una palada de estiércol: «Quand il sent du fumier le parfum, il ouvre les yeux, se dresse d'un bond et dit qu'il est estièrement guéri».

[5] Cf. por ejemplo, *Partida V, título XIV, ley XXIV*: «... Et este departimiento que fecimos en esta ley ha lograr entre todos los homes, fueras ende en el menor de veinte et cinco años et en la mujer, et en el labrador simple...» Así mismo, *Partida III, título XIV, ley VI*, vuelve a aparecer el «privilegio de ignorancia» del villano: «... Pero si que dice que fizo paga a otri como debie, es caballero que viva en servicio del rey o de otro grant señor trabajándose en fecho de armas o de caballería o home simple labrador de tierra que viva fuera en aldeas et non es sabidor de fuero, o mozo menor de catorce años o muger, qualquier destos non serie tenudo de probar lo que dice en el caso sobredicho...»

También vuelve a encontrarse en *Partida VI, título VII, ley XIII*: «... pero si non lo sopiese o fuese aldeano necio, entonces non perderie la herencia por esta razón...»

La inferioridad jurídica del villano también era proclamada en Cataluña. En el Concilio de Tarragona, en 1370, la iglesia prohibe el entrar en las órdenes a gente de origen «remensa». Cf. P. Vilar, *La Catalogue dans l'Espagne moderne*, París, 1962, I. p. 470.

[6] Fue publicada por Joaquín Hazañas y la Rúa, in *Obras de Gutierre de Cetina*, Sevilla, 1895 (B. N. Madrid, 2-36728), II, p. 126-139.

la impudicia de las aldeanas y su mugre,[7] los malos olores,[8] la grosería de su mente,[9] la falta de armonía y el desorden de sus bailes sin arte.[10] Tampoco es halagüeña la visión del labrador en el *Guzmán* de Mateo Alemán. En las escasas líneas que dedica a un aldeano de Olías, cerca de Toledo, sólo destaca una idea; el aldeano no sirve sino para enristrar disparates; es un ser tosco; está muy lejos de poseer esta 'fineza del sentir' que, según la visión idealizante de fray Luis de León, sería un atributo peculiar del «campo»[11]. En la lengua, ¡cuántas expresiones o proverbios hay, anotados por Covarrubias en 1611, en los cuales la palabra «villano» es tomada en mal sentido![12] De creer al propio Covarrubias, a principios del siglo XVII, obedeciendo a una antigua costumbre, los viajeros seguían burlándose de los labriegos, a quienes veían trabajar

---

[7]
«La saya trae tan corta y tan pequeña,
que descubre el botín de tantos años,
y aun mucho más, si más queréis, enseñar,
lleno el gesto de tizne y mil araños.»

[8]
«Pues si queréis llegar un poco adentro,
tendréis por muy livianos estos daños.
Daros ha en las narices un encuentro
el olor de humo o del villano ajo,
que el hierro de la lanza os llegue al centro.»

[9]
«Decildes un donaire y en respuesta,
os dirán una pulla más delgada
que un amolado dardo sobre apuesta.»

[10]
«Veréis la cuadrillera entrar guiando
y la chusma tras ella, que la sigue
como locas sin son todas bailando.»

[11] Mateo Alemán, *Guzmán de Alfarache,* ed. Gili y Gaya, in «Clásicos castellanos», La lectura, 1942 (lib. I, cap. V), pp. 139-140: «No sé si os diga un error de lengua gracioso que sucedió a un labrador que yo conocí en Olías, aldea de Toledo. Dirélo por no ser escandaloso y haber salido de pecho sencillo y cristiano viejo. Estaba con otros jugando a la primera y habiéndose el tercero descartado, dijo el segundo: «Tengo primera, bendito sea Dios, que he hecho una mano». Pues, como iba el labrador viendo sus naipes hallólos todos con un linaje y con la alegría de ganar la mano, dijo en el mismo punto: «No muy bendito que tengo flux». Si tal disparate se puede traer a cuento, es éste su lugar, por lo que me aconteció». Unas pocas líneas más allá (p. 141) aparece dibujado con fuertes trazos el desprecio por los aldeanos, según la manera dura y acre propia del *Guzmán de Alfarache:* «De mi compañero no hay tratar dél, porque nació entre salvajes, de padres brutos, y lo paladearon con un diente de ajo; y la gente rústica, grosera, no tocando a su bondad y limpieza, en materia de gusto pocas veces distingue lo malo de lo bueno. Fáltales a lo más la perfección en los sentidos...»
[12] Citemos:

«Burlas de manos, burlas de villanos»; «Costumbre buena, costumbre mala, el villano quiere que vala»; «Al conejo y al villano despedaçalle con la mano»; «Juego de manos, juego de villanos».

Señalemos en particular, en el *Tesoro* (cf. p. 348, a, 21), art. *«conejo»:*

«... Al conejo y al villano despedaçalle con la mano; dando a entender que con el rústico no se han de usar términos muy cortesanos ni agudos sino tratarle caseramente como se haze cuando despedaçamos un conejo»; art. *«avellano»* (167, b, 25): «Al villano con la vara de avellano»; art. *«tomar»* (966, a, 23): «Al villano, dalde el pie y tomarse ha la mano.»

en los campos al borde del camino.[13] Según el mismo Covarrubias, hay un adjetivo dedicado en especial al villano para designar su silueta y sus modales ridículos: «patán»

> ... por esta razón llamamos patán al villano que trae grandes patas y las haze mayores con el calçado tosco.

Oudin nos revela que la palabra «capote», que designaba la capa del aldeano, era además una injuria que le solían gastar.[14] Ese «¡villano harto de ajos!» que le echa en cara el delicado don Quijote al rústico Sancho, ¡qué bien condensa el prejuicio aristocrático de su tiempo![15] Un defensor de los villanos, Lope de Deza, enumera en su *Gobierno político de agricultura...* (1618) los puntos a cuyo propósito el «citadino» español abruma con su desprecio al villano, a principios del siglo XVII. El hombre de la ciudad se sonríe precisamente de aquello por lo cual tendría que tener en alto aprecio al villano, la modestia en el vestir, la tez curtida por el viento o el sol, las manos encallecidas por las herramientas, las comidas agrestes, el lenguaje basto:

> ... pues es cierto causalles menosprecio a los labradores lo que es causa de su estimación: la modestia de su vestido, la tez menospreciadora del frío, y del sol, las manos duras, a quien teme el hierro, el sustento agreste, sazonado y diferenciado solamente con su buena gana, la sencillez del lenguaje causan risa, y mofa a los que, perdido el verdadero conocimiento de la virtud, siguen con sus delicadezas la hypocresía del vicio. Este a quien tienes en poco, a quien hablas con imperio, y palabras serviles, holgazán y valiente a la sombra, y a la lumbre, acaba con facilidad lo que tú no te atreves a emprender...[16]

Unos diez años más tarde, hacia 1625-1628, otro defensor de los campesinos, F. Benito de Peñalosa y Mondragón, atestigua aún del desdén irónico profesado por los no-campesinos para con la gente de campo en conjunto. Como si no bastara el desmoronamiento económico en el cual zozobró el campo español después de treinta o cuarenta años de crisis, a la ruina económica se sumaba el desprestigio moral. Citemos el texto de F. Benito que es como una antología de la miseria económica y moral del campesino a principios del siglo XVII:

> ... El estado de los labradores de España en estos tiempos está el más pobre y acabado miserable y abatido de todos los demás estados, que parece que todos ellos juntos se han aunado, y conjugado a destruirlo, y arruinarlo: y a tanto ha llegado, que suena tan mal el nombre de labrador lo mismo que pechero villano, grosero, los ajos, y cebollas, las migas y cecina dura, la carne mortecina, el pan de cebada y centeno, las abarcas, los sayos gironados, y caperuzas de bobo, los bastos cuellos, y camisas de es-

---

[13]
    Covarrubias, *Tesoro...* art. *«pulla»:* «Es un dicho gracioso, aunque algo obsceno, de que comunmente usan los caminantes quando topan a los villanos que están labrando los campos especialmente en tiempo de siega...»

[14]
    Oudin, art. *«capote»:* «capot, habillement de villageois, c'est aussi une injure qu'on leur dit».
[15] Acerca de la alianza del ajo, la cebolla y la condición villana, puede citarse en el *Quijote:* «No comas ajos ni cebollas, porque no saquen por el olor la villanería» (in «Parte Segunda», cap. XLIII: «Delos consejos segundos que dio Don Quijote a Sancho»).
[16] Lope de Deza, *Gobierno político de agricultura*, Madrid, 1618 (B. N. Madrid, R 12716), fol. 8.

topa, los zurrones y toscos pellicos, y zamarros adobados con miera, las chozas y cabañas, las casas de tapias desmoronadas y caídas, y algunas mal aderezadas tierras, y
algunos flacos y siempre hambrientos hatos.[17]

También existe una variante de los sentimientos antivillanos que aparecieron en
el siglo XVI, en la época de las migraciones provinciales en dirección de las grandes
ciudades castellanas, bajo forma de una burla del ciudadano hacia el rústico llegado
de lejos, especialmente si es gallego o vizcaíno. Son frecuentes las bromas a cuenta de
estos villanos provinciales, mal desbastados, y la literatura de apotegmas ha conservado gran número de ellos.[18] La literatura más culta también presenta abundantes
ejemplos.[19] En resumidas cuentas, tal imagen risible del villano es un lugar común
en España, hacia 1600-1630.

Así, de la Edad Media al siglo XVII, una tradición continua de subestima del campesino, cuando no es una burla netamente anti-villana, existe en España, en los medios aristocráticos y urbanos, lo mismo que en otros países europeos. La documentan
numerosos textos jurídicos, literarios u otros, claros y expresivos. La comicidad en el
escenario ha de relacionarse con este horizonte ideológico, desde Encina hasta Lope
de Vega, si queremos poner al descubierto su raíz social. En efecto, es bastante característico el ámbito dentro del cual se desarrolla el teatro español. Tal teatro es aristocrático en sus orígenes y esencialmente urbano en su desarrollo: nace a fines del siglo
XV en la micro-sociedad de algunos palacios y no se desprende, sino poco a poco, del
ambiente noble a lo largo del siglo XVI; cuando a fines del siglo XVI, triunfa la comedia que se abre a públicos más amplios, ésta sigue unida por múltiples adherencias
al mundo de la nobleza, y sobre todo, es ciudadana, es decir no aldeana.

Lo cómico villano en Juan del Encina, Lucas Fernández, Torres Naharro y Gil Vicente surge las más veces a partir de las propias condiciones del espectáculo. Uno de
los procedimientos —¿acaso no será sino un simple resultado de las condiciones materiales de la representación?— consiste en echar a unos villanos palurdos, con pesadas almadreñas, en medio de un elegante auditorio de salón. Lo que sabemos con mayor certeza acerca de las primeras representaciones de Encina, es que tuvieron por marco el palacio del duque de Alba.[20] Ahora bien, el dramaturgo se valió, a menudo, de
ese marco. He aquí el principio de la segunda égloga «en recuesta de unos amores»:
un antiguo cortesano, que se ha hecho pastor bajo el nombre de Gil, decide volver al
palacio; quiere traer consigo al villano Mengo: cuando llega el momento de entrar en
medio de la impresionante asamblea en donde se hallan el duque y la duquesa, Men-

---

[17] *Op. cit.* Cf. fol. 169: *Segunda parte de quan caído y menospreciado está en España el estado de los labradores y quan insuficientes son los privilegios que les están concedidos.*

[18] Véase, por ejemplo, Melchor de Santa Cruz, *Floresta española de apotegmas y sentencias*, Bruselas, 1598, que le dedica toda una parte de su colección a los cuentecillos de vizcaínos.

[19] Sobre el prejuicio anti-gallego y anti-vizcaíno (que no afectaba solamente a los campesinos) en la literatura del Siglo de Oro, se encuentran numerosas indicaciones en el libro de Herrero García, *Ideas de los españoles del siglo XVII*, Madrid, 1928, 669 p. Citemos, por nuestra parte, el entremés de Lope de Rueda *Los vizcaínos*.

[20] Las dos églogas «de Antruejo» fueron representadas posiblemente en el palacio de los Duques para el martes de carnaval de 1494. La primera égloga «en recuesta de unos amores», quizás fue representada para Nochebuena de 1494; la segunda un año después, ante el duque y la duquesa, rodeados por toda la corte; la *Representación de amor* debió de ser representada en Alba de Tormes o en Salamanca, en 1497, siempre en el mismo ambiente aristocrático. En cuanto al *Auto del repelón*, Crawford opina (*The Spanish Drama...*, pp. 22-23) que fue representado en el palacio del duque de Alba, etc...

go se turba al ver a sus amos,[21] titubea en el discurso, se persigna; el antiguo cortesano, Gil, quien sí se halla en su ambiente normal, y por lo tanto está a sus anchas,
termina por sacar del brazo al paleto. Aquí hallamos, en el modo de entrar en la sala
«per plateas» —por el patio— una herencia técnica del teatro medieval, de tiempos
en los que el escenario no estaba tan nítidamente separado del auditorio; lo que interesa es el efecto cómico de contrastes que saca Encina de este dato material de la representación. El *Auto del Repelón* se inicia más o menos de la misma manera: asus-
tado y sin aliento —lo acaban de correr unos estudiantes— dos aldeanos irrumpen en
la mansión de un caballero: hemos de comprender evidentemente que es allí donde
tiene lugar el espectáculo. Gil Vicente, cuyas obras fueron representadas con brillo en
numerosas ocasiones en la corte de Lisboa y otros sitios refinados,[22] también saca parte de su comicidad de las condiciones materiales y sociales del espectáculo. El *Monólogo del Vaquero* (o *Auto da Visitaçao*) fue representado el 7 u 8 de junio de 1502, en
las habitaciones de la reina María por el nacimiento del príncipe Juan.[23] Es un cumplido a la reina, al rey y a la familia real. Cuando entra en los aposentos regios para
presentar su cumplido, el vaquero está huyendo, como los rústicos del *Auto del Repelón*, de las manos de gentes que lo persiguen por su melena. Le maravillan la belleza y el esplendor del sitio que descubre, belleza y esplendor cuyo lustre es nocivo
para el villano, según agrega el propio rústico (aflora aquí de manera nítida la ideología feudal).[24] Para expresar su alegría, el vaquero brinca en el medio del salón[25] o

---

[21] Cf. éd. E. Kohler, p. 73:

> «Entra, entra, melenudo,
> si quieres que no riñamos.»

Ibid., p. 74:

> «En me ver ante mis amos
> me perturbo y me demudo.»

[22] Esto puede deducirse de las indicaciones de la *Copilação* de 1562, debida a Luis Vicente, hijo del dramaturgo. Si bien puede volver a ponerse en cuestión la cronología que se basó en estas indicaciones en algunos casos (cf. el estudio de I. S. Révah, in *Recherches sur les oeuvres de Gil Vicente*, Lisbonne, 1951, II,
pp. 1-20), no parece dudoso de que siguen siendo válidos no pocos datos que atañen a los sitios de representación de Gil Vicente en lugares aristocráticos, con ocasión de fiestas, otros datos que los proporcionados por Luis Vicente (verbigracia, véase la relación de Andrés Resende en la que describe las fiestas ofrecidas en Bruselas en 1531, por el embajador portugués, para celebrar el nacimiento del príncipe heredero). El
propio Gil Vicente se presentó como dramaturgo titular del rey en un prólogo del *Auto pastoril portugués*
(Ed. Marqués Braga, I, p. 166).

[23] Por lo menos esto es lo que afirma Luis Vicente en la *Copilação*:

> «Porquanto a obra de devaçao seguinte procedeu de hua visita ao, que o autor fez ao parto
> da muito esclarecida Rainha Dona María, e nacimento do muito alto e excelente Principe Dom
> João, o terceiro em Portugal deste nome; se põe aqui primeiramente a dita Visitação por ser a
> primeira coisa, que o autor fez, e que em Portugal se representou, estando o mui poderosa Rei
> Dom Manoel, e a Rainha Dona Beatriz sua mãe, e a Senhora Duqueza de Bragança, sua filha,
> na segunda noite do nacimento do dito Senhor. E estando esta companhia assim junta, entrou
> hum vaqueiro, dizendo...»

[24]

> «Rehuélgome en ver estas cosas, tan hermosas
> qu'está hombre bobo en vellas:
> Véolas yo; pero ellas de lustrosas
> a nosotros son dañosas,»

[25]

> «¡Nunca tal placer se vio!
> mi fe, saltar quiero yo

traduce sus extrañamientos en la gama rústica.[26] En el fondo de la comicidad se encuentra, tal como en Encina, la disonancia social, la inadaptación al medio. Idéntica idea se encuentra, aunque transpuesta litúrgicamente, al principio del *Auto dos reis magos* (de 1503): el pastor Gregorio entra en el escenario con ese gesto de personaje perdido, trastornado (está perdido desde trece días), que parece estar relacionado con la entrada en el juego escénico del pastor desde Encina.[27] El también está en alerta, siempre bajo el temor de verse burlado. El *Auto da Fe* (representado probablemente para Nochebuena del año de 1510) saca efectos divertidos del maravillarse estupefacto de dos pastores «simples» que descubren el esplendor y el misterio de la misa de Nochebuena[28]: en medio de la pompa de esta capilla, iluminada con velas, hacen payasadas, en especial cuando, al entrar una señora, intentan imitar su genuflexión.

Descubrimos el mismo lazo entre lo cómico villano y las condiciones aristocráticas del espectáculo en el teatro de Torres Naharro. El público refinado, de Nápoles o de Roma (a menudo el alto clero), constituye el telón de fondo sobre el cual el rústico y y sus introitos —concebidos a partir de recuerdos del terruño extremeño— vienen a provocar un contraste cómico. La presencia de este público es fundamental para el pastor prologuista. Y sus cuentos no adquieren valor sino en relación con esta presencia. El pastor del introito de la *Comedia Tinellaria* —obra que fue representada ante León X y la corte papal— dice que está en honrosa compañía pero su saludo[29] desentona

---

¡He, zagal!
¿Digo, dice, salté mal?»

[26] A propósito del aposento regio: «Nunca vi cabaña tal, en especial tan notable de memoria!»
[27] C. Clás. *Sá da Costa*, I, p. 33:

«Dios plegue, ¿quién me dirá
a dó está
este niño que es nacido?
Que ando bobo, perdido,
sin sentido,
trece días per habrá,
que no sé que haga ya.»

[28] Cf. el texto de la introducción de la *Copilação*.
[29] Es obvio que Torres Naharro detentaba con el saludo del pastor prologuista una receta para la fabricación en serie de los efectos graciosos. El de la *Comedia Seraphina* encomia su propio saludo rústico:

«Dezíme, en vuestra concencia
¿quién havrá n'este lugar
que so sopiesse saludar
con tanta pernicotencia?»

El de la *Comedia Trophea* saluda con un «[D]ios mantenga de rondón». El de la *Comedia Aquilana* es consciente del resorte cómico utilizado ya que declara:

«Dios, qu'estó por arrojar
un Dios salve tan cumplido,
que abarque medio lugar,
un pedazo del exido.
Mas non quiero,
que me ternán por grossero
si por zagal[e]s me rijo
son habrar por escudero.»

Aquel de la *Comedia Calamita* también usa una transposición aldeana familiar:

«Norabuena esté el concejo,
las moças, y todo el hato.»

por el arcaísmo y la fuerza. El pastor del introito de la *Comedia Jacinta* —como algunos villanos de Encina— vacila en adelantarse entre gente noble reunida para el espectáculo y dice sentirse todo encogido de estar allí: tratándose a sí mismo de bobo, se estimula valiéndose del «harracá» y el «hariallá», probablemente usados por los campesinos para arrear sus animales.[30] El de la *Comedia Ymenea*, tomando conciencia del contraste entre sus cuentos verdes y el ambiente selecto en donde se desempeña, se condena a sí mismo por haber puesto los pies en un sitio tan pulcro.[31]

Otro aspecto sociológico de la comicidad campesina en el teatro español en sus orígenes radica en la relación entre esta comicidad y la condición económico-social del poeta. Sobre este punto, el régimen del mecenazgo no carece de importancia. Encina, Lucas Fernández, Gil Vicente, Torres Naharro lo debían todo a la Nobleza: fueron sus clientes paniaguados de estilo feudal. La comicidad campesina constituía a veces una manera cómoda de dirigirles al mecenas alabanzas y halagos, cuando no pedidos de subsidios o prebendas. Suele ocurrir que, en la misma obra en donde se desempeñan villanos cómicos, la exaltación de las «virtudes del amo» intervenga algo así como un movimiento ideológico complementario. Este es el caso de la égloga «de Antruejo» de Encina, en la que los pastores Bras y Beneto, antes de dedicarse a comilonas glotonas, hacen el elogio de don Fadrique Alvarez de Toledo, mecenas del poeta. En la segunda égloga, *«en recuesta de unos amores»* la risa a expensas del villano se une al homenaje rendido a los amos feudales: Mingo, quien vacilaba en adelantarse, llegando por fin ante el duque y la duquesa, les ofrece humildemente, como un tributo anual, «el esquilmo del ganado.» En realidad, «el esquilmo del ganado» es sencillamente la producción del poeta.[32] De esa manera aflora, en el propio simbolismo elegido por Encina, el carácter vasálico de las relaciones sociales que, en un doble plano (poeta-mecenas, villano-señor) constituye una de las condiciones de la comicidad. En la primera

---

[30] *Ibid.*, 325:

> «Rebentado muera yo
> como la burra dell otro,
> si lugo no m'aquestotro
> co[mo] entre gentes estó.
> . . . .
> Juri a mí, no sé c'os diga
> si no's digo huriallá.»

[31] *Ibid.*, p. 274-275:

> «¡Puto sea
> el más cuerdo dell aldea!
> y aunque vergüenza traía
> de meter mis sucios pies
> en un tan limpio lugar,
> soprico a la compañía
> perdone, pues que ansí es,
> lo que se puede enmendar.»

[32] Ed. Kohler, p. 75-77. Cf. p. 76:

> «Miefé, vengo juro a ños
> a traeros de buen grado
> el esquilmo del ganado
> no tal cual merescéis vos.»

égloga y sobre todo en la *Egloga de las grandes lluvias* la comicidad villana es un velo detrás del cual se esconde el poeta al disputarle a su rival, Lucas Fernández, los favores del mecenas por un puesto de maestro de capilla. Gil Vicente actúa de la misma manera cuando le hace recitar a un campesino de la Beira el introito del *Auto pastoril portugues* (representado probablemente hacia 1523), en Evora, ante el Rey D. Joâo III, para Nochebuena):[33] en la simpleza ridícula del rústico envuelve el poeta algunos pedidos alimenticios.[34] También Torres Naharro conoció la situación de poeta-cliente y, bajo la envoltura rústico-cómica, se presentó como un fiel y obediente criado aldeano al servicio de sus amos,[35] no sin sumar a la humildad el tono pedigüeño. En el introito de la *Comedia Trophea*, es en efecto él quien, bajo la máscara del pastor ingenuo, parece reclamar dádivas al público ante el cual será representada la obra.[36] También un pasaje del introito de la *Tinellaria* subraya que el poeta es un criado.

 Las condiciones ideológico-sociales de la representación no sufrieron variación sustanciosa en el transcurso del siglo XVI si no es en lo que atañe al desarrollo de las fies-

----

[33] Cf. *Copilação.*

[34] *Clas. Sá da Costa,* I, p. 166:

> «E hum Gil... hum Gil... hum Gil
> que má retentiva ey,
> hum gil... ha não direi:
> hum que não tem nem ceitil,
> que faz os aitos a el rei,
> elle me fèz,
> e tirou de minha aquella,
> muito inda em que me pez,
> que entrasse ca na capella
> previcar hum antremez.
> Aito cuido que dezia,
> e assi cuido que he:
> mas não ja aito, bofé,
> como os aitos que fazia,
> quando elle tinha com que.
> Mas o mundo
> he já de gorgomelado;
> todo bem se vai ó fundo:
> o dinheiro anda acossado,
> e o prazer vagabundo.»

[35] Mas que «criado» es «siervo» de tipo señorial lo que aparenta ser Torres Naharro, si se le otorga a la palabra «siervo» que él usa para definirse, en el «Prohemio» de la *Propalladia*, el sentido medieval hispánico. Comparándose con un «pobre labradorcillo» escribe: «No sé agora yo si quanta bondad puede haber en una sana intención, como es la mía, será bastante a hazer grata y aceptable a los discretos lectores, esta mi pobre y rústica côposición, como sea obra de mis manos, toda mi vida siervo, ordinariamente pobre y, lo que peor es «ipse semipaganus»... E. Gillet no parece elegir entre el sentido de sirviente y el de siervo.

[36] Ed. Gillet, II, p. 83:

> «Mas avéisme dófreçer,
> como a los hazéis,
> buenas tortas, ya sabéis,
> lo primero;
> ¡gallinas, cera y dinero
> que todo lo tomaré!
> Y aun será bueno a la fe
> para Pascua, algún cordero.»

tas públicas (el Corpus, por ejemplo) organizadas en las calles y plazas por los municipios y las hermandades de artesanos. El teatro de corte o palaciego perduró en cuanto uso social de la aristocracia y hay que tener en cuenta este hecho para un estudio de la comicidad villana. Así cabe preguntarse *para qué público* escribía Lope de Rueda, en cuyas comedias y coloquios persiste la tradición del villano cómico. Mucho es lo que ignoramos de la biografía del gran dramaturgo, pero por lo poco que sabemos lo vemos actuando, a mediados del siglo, en el ambiente de corte y grandes casas de la aristocracia. Es razonable barruntar que su auditorio fue mayormente palaciego. Hacia 1551, ya actor y director de compañía, lo vemos contratado para celebrar en Valladolid (julio de 1551) la vuelta de Flandes del príncipe Felipe.[37] A partir de esta fecha y hasta 1559, no parece que se alejara de Valladolid y su comarca. Una de sus salidas por los alrededores de esta ciudad lo lleva, en 1551, a Benavente para un espectáculo, en honor de Felipe II camino de Inglaterra adonde iba a casarse con la reina María. Un pasaje del cronista Andrés Muñoz nos informa acerca de la platea acendradamente aristocrática que asistió aquel día al auto y los entremeses presentados por Lope de Rueda.[38] Lo menos que se puede decir es que la comicidad de Lope de Rueda, calificada tan a menudo de popular en los manuales de literatura, le gustaba a un público que podemos imaginar, al leer que, en 1561, Lope de Rueda recibe dinero del tesoro real, por obras representadas probablemente a pedido de la Reina.[39]

Como lo decíamos antes, los auditorios teatrales no se ampliaron sino con las fiestas públicas y la práctica callejera del espectáculo, especialmente merced al uso de carros que se desplazaban.[40] Entonces los gremios urbanos fueron los que empezaron a costear los gastos del espectáculo. Por este hecho intervino una valorización teatral de los tipos sociales no-nobles que atañó esencialmente a los oficios que solventaban los gastos de la representación.[41] Así como el tipo del villano «stupidus», a la manera de Encina, no desaparece de las *Farsas* de Diego Sánchez de Badajoz, cuya producción dramática se sitúa aproximadamente entre 1525 y 1547, y que escribe en varias oportunidades para las representaciones del Corpus: lo encontramos, por ejemplo, en la *Farsa*

---

[37] J. P. Crawford, *The Spanish Drama...*, p. 109.

[38] Cf. *Viaje de Felipe II a Inglaterra*. Por Andrés Muñoz, Zaragoza, 1554. El texto fue editado por los «Bibliófilos españoles», Madrid, 1817. Del espectáculo del 8 de junio de 1554, dice el cronista:

> «... y estando algún tanto despejado el patio salió Lope de Rueda con sus representantes y representó un auto de la Sagrada Escritura, muy sentido, con muy regocijados y graciosos entremeses, de que el Príncipe gustó muy mucho, y el Infante Don Carlos, con los grandes y caballeros que al presente estaban: Duque de Alba (D. Fernando el grande), Duque de Nájera (D. Juan Manrique de Lara), Duque de Medinaceli (D. Juan de la Cerda), condestable de Castilla (D. Pedro Fernández de Velasco), Almirante (D. Fernando Enríquez), conde de Luna, conde de Chinchón, conde de Monterrey, conde de Ahamón, marqués de Pescara (D. Francisco Dávalos de Aquinos), con otros grandes que de su nombre no me acuerdo...»

[39] Cf. la nota 2 de Cotarelo, p. XXV, de su «Prólogo» a la edición de Lope de Rueda según un documento hallado en Simancas por Julián Paz y Espeso.

[40] Este uso de los carros empieza a aparecer hacia 1535; Sevilla nos proporciona el primer ejemplo conocido de tal práctica, cuando en 1535 una compañía de italianos de un tal Mutio apareció con dos carros en las fiestas del Corpus. (Cf. José Sánchez-Arjona, *El teatro en Sevilla en los siglos XVI y XVII*, Madrid, 1887, in. 8.º, p. 37 y ss.).

[41] La alabanza de los oficios empieza a introducirse en las representaciones de Diego Sánchez de Badajoz. Véanse los dos introitos: *Pescadores de tierra de Badajoz* y *Herradores*. Véanse también las últimas líneas de la *Farsa de la muerte* en las que el pastor moralizador encomia a los albañiles.

[42] Contrato con el municipio de Sevilla en 1559. Cf. E. Cotarelo, *op. cit.*, XX.

hechicera. De igual modo, las representaciones merced a las cuales Lope de Rueda pudo establecer contactos con un público realmente popular fueron las de las grandes ciudades, como Toledo y Sevilla, con las que firmó contratos.[42] Pero precisamente estas representaciones parecen haberle llevado a retomar el tópico del villano ingenuo quien llegando a la ciudad, sufre alguna desventura.[43] El villano simple que aparece en el *Coloquio de Camila* vino a mirar los carros del Corpus: mientras boquiabierto veía el del *Hijo Pródigo,*[44] su burra se espantó; pero el palurdo estaba de tal modo embelesado que no oyó los gritos de los que le advertían: «Válete Dios, hombre, válete Dios...» y nuestro paleto se encontró en el arroyo.

En tiempos de Lope de Vega y de su escuela, la apertura de corrales donde podían representarse comedias todo el año, o por temporadas, así como el desarrollo de las giras, trajeron para los poetas dramaturgos nuevas condiciones económicas y sociales. Al trabajar para una clientela cada vez más heterogénea (en donde incluso entraban, a veces, campesinos), preocupados por alcanzar a este público que les aseguraba aproximadamente 300 a 400 reales por comedia, los dramaturgos trataron, a veces, sus temas villanos en un sentido menos irónico. En especial la creciente importancia de una corriente ideológica urbana favorable al campo (la del menosprecio de corte y alabanza de aldea) los llevó hacia esa nueva vía. Sin embargo la actitud ideológica medieval de burla hacia el villano, así como algunos aspectos de la condición social anterior del poeta, no desaparecieron por ello y coexistieron de una manera híbrida y más o menos contradictoria con las nuevas condiciones. Para los ciudadanos españoles de fines del siglo XVI y principios del siglo XVII —muchos eran nobles o dueños de tierras y vasallos— el villano seguía siendo en lo hondo, un ser inferior y ridículo, según el concepto plasmado desde siglos atrás por el prejuicio feudal. Las capas sociales bajas de la población urbana, así como la clase media de los hidalgos ciudadanos o quienes pretendían a la hidalguía, eran partícipes de este estado de espíritu, aunque no fuera por el hecho de que los recién llegados del campo a la ciudad, sentían la necesidad de afirmarse frente a los que habían dejado en el pueblo. Atraídos a la ciudad por el ejercicio de un oficio urbano, los hijos de los villanos no se quedaban a la zaga al reírse de los vestidos o comidas de sus semejantes que vivían en el campo. Lope de Deza, en 1618, en su *Gobierno político de agricultura,* evoca a aquéllos que, ya letrados, se burlan de las costumbres de sus padres:

> ... quitan muchos moços robustos a la Agricultura las universidades de leyes donde son muchos los que acuden, y siendo sus padres labradores ellos se crían allí afeminadamente, riéndose ellos después de las comidas, y trages de sus casas, pareciéndoles a ellos que han medrado en salir de aquella virtuosa rusticidad...[45]

Adivinamos de qué parte podían estar aquéllos cuando asistiendo al espectáculo de algún corral, veían agitarse en el tablado la silueta ritual del villano bobo. Ningún

---

[43] Un sustantivo especial designa en los siglos XVI y XVII al aldeano ingenuo admirado por lo que descubre en la ciudad: «pájaro». Cf. Covarrubias, *Tesoro...,* p. 851 b 10-14:

> «Páparo. El aldeano simple, que viniendo à la ciudad está maravillado y abobado de lo que vee en ella; y assí se dixo de «papae», que es voz admirativa...»

[44] Cf. Ed. E. Cotarelo, p. 68. Crawford, *The Spanish Drama...,* p. 117, estima posible que haya en ello una alusión a la representación de *El hijo pródigo,* de Lope de Rueda, en Sevilla, en 1559.

[45] Fol. 26 rº-vº.

obstáculo psicológico en el público diversificado de los corrales[46] vino a oponerse fundamentalmente a que los poetas siguieran con la serie ya clásica de las imágenes cómicas del villano. F. Benito de Peñalosa y Mondragón, cuyo testimonio vimos acerca del desprecio antivillano hacia 1625-1628, nos permite atisbar el vínculo entre la actitud ideológica de burla ciudadana, y la visión del villano ridículo «sub specie theatri»; tras un pasaje en el que evoca la gran miseria moral y material del campo, nos dice:

> ... y estas comedias y entremeses de agora los pintan y remedan haciéndoles aún más incapaces, contrahaciendo sus toscas acciones por más ricas del pueblo...[47]

También es evidente que la perduración de la práctica del mecenazgo contribuyó a mantener en no pocas obras algunos aspectos del personaje rústico-cómico. Sobre el particular algunas comedias lopescas del periodo albino resultan significativas. Lope, con la figura del villano cómico Belardo —como lo hiciera un siglo atrás su predecesor Juan del Encina, al servicio de la misma casa de Alba— se dedica en estas obras, sea a la alabanza del amo, sea a la solicitud pedigüeña. Una escena de *Las Batuecas del Duque de Alba* pone frente a frente a Belardo-Lope y al duque de Alba. Belardo, quien provoca la risa con sus réplicas, ha sido presentado al duque por otro villano, llamado Lucindo, como siendo un aldeano letrado, que ha leído el *Flos sanctorum*, compone villancicos y canta en la tribuna el domingo.[48] Es el procedimiento de la transposición rústico-cómica usado ya por Encina y Gil Vicente en presencia de sus amos. El duque se interesa por este Belardo compositor y decide hacerlo entrar a su servicio; Belardo contesta con un sí de conformidad pero no se le olvida insinuar unas pocas palabras sobre el salario que pretende.[49] Ahora bien, ocurre que, en efecto, Lope fue poeta asalariado de don Antonio Alvarez de Toledo y Beaumont, nieto del duque de Alba, a quien pone en escena en *Las Batuecas del Duque de Alba*. Por un recibo sabemos que una comedia le era retribuída con 400 reales en 1592; también sabemos merced a un atestado del tesorero-pagador del duque que el poeta percibió por el año 1591 un salario fijo.[50] Tales informes nos permiten ver el lazo que existió entre la con-

---

[46] Dos inventarios del Archivo del Ayuntamiento de Madrid (3-134-8), del año 1642 y respecto del *Corral del Príncipe* y del *Corral de la Cruz,* nos informan muy exactamente acerca de la porción más aristocrática del público de los corrales. Los palcos eran alquilados en permanencia por quienes conocemos, como los grandes señores de vasallos de ese tiempo. Citemos, en el *Corral del Príncipe:* Duque de Pastrana; Marqués del Carpio; Conde de Monterrey; condesa de Villama; Conde de Oñate; Conde de Villafranqueça; Conde de Molina, Duquesa de Peñaranda y Marquesa de Velada; Conde de Altamira; Marqués de Pomar; Conde de Monterrey; Marques de Pomar; Conde de Medelín; Conde de la Puebla; Conde de Montalvo; en el *Corral de la Cruz:* Conde de Monterrey; Marqués de Pomar; Marqués de El Carpio; Duque de Sesa; Conde de la Puebla de Montalbán; Conde de Orgaz... El texto de estos inventarios fue publicado por N. D. Shergold, *Nuevos documentos sobre los corrales de las comedias de Madrid en el siglo XVII, Revista de la Biblioteca, Archivo y Museo* (Ayuntamiento de Madrid), I-II, 1951, p. 415-418.

[47] *Op. cit.,* fol. 169.

[48] Cf. Acad., XI, p. 535 a, b. Puede ser que el último detalle sea francamente fantasioso, aunque A. Barbieri se ha planteado la cuestión de los conocimientos musicales de Lope. *La Dorotea* permitiría suponer que Lope era capaz de ponerle música a algunas de sus composiciones.

[49] Cf. Acad., XI, p. 535 b:

> «Duque: En mi servicio recibiros quiero.
> «Belardo: Si ha de pagarme en lo que suelen otros,
>   Mejor es que me valga por mi pico.»

[50] Cf. A. Castro, *Lope de Vega y la Casa de Alba,* in R. F. E., 1918, V, p. 403-404.

dición del poeta-cliente y algunos rasgos del Belardo rústico-cómico en las comedias escritas para la casa de Alba.[51]

Empezó no sólo por las relaciones económicas mantenidas por los dramaturgos con los nobles, desde el siglo XV hasta el siglo XVII, es como la comicidad villana está vinculada con las condiciones sociales o ideológicas del tiempo; se presupone también a cada instante, un determinado punto de vista de clase, dentro de la estructura misma de las obras. Por lo común, en las piezas, desde el siglo XV hsta el siglo XVII, se acata una distinción tradicional de lo cómico y de lo trágico que corresponde en parte a la distinción de las clases.

Que la tragedia y la comedia no dejan de tener relación, en cuanto género, con el estado social de los personajes, tal es la idea expresada por algunos comentaristas aristotélicos del Renacimiento.[52] Se encuentra en Robertello. El español López Pinciano también la introduce en varios pasajes de su diálogo *Philosophía antigua poética*, publicado en Madrid en 1596. La tragedia, dice, por boca de uno de los personajes, presenta en escena a «los mejores», es decir a la «aristocracia» tanto en el sentido social como en el sentido moral.[53] Ninguna duda puede subsistir acerca del hecho de que, para el comentarista del maestro griego, lo trágico y lo cómico van unidos a la división de la sociedad en clases. Al vacilar uno de los contertulios, don Fadrique, sobre el sentido a darle a «los mejores», el autor interviene en el debate para dirimirlo y recalca que los mejores lo son primero socialmente.[54] Esta teoría de la distinción de lo

---

[51] Efectivamente, por varias señas, nos parece que la comedia *Las Batuecas del Duque de Alba* fue escrita para el Duque de Alba. Esto se trasluce especialmente en el panegírico de la casa de Alba que interviene al principio de la obra (cf. Acad., XI, p. 512 a). Quizás haya en estos vínculos de la pieza con la casa de Alba una indicación que destacar para la fecha. Morley y Bruerton *(Chronology*, p. 174) basándose únicamente en la métrica sitúan la pieza en 1598-1603, probablemente 1598-1600. Merecería, tal vez, recordarse la presencia de un villano comparsa llamado *Lucindo*, en la escena en donde interviene Belardo. ¿Acaso no se tratará de la transposición masculina de *Lucinda?* Ahora bien, como se sabe (cf. A. Castro, *R. F. E.,* 1918, p. 262-281) (y Courtney Bruerton, *H. R.,* V, 1937, p. 314), las comedias en las que aparece Lucinda tienen 1599 como *terminus a quo.* Por otra parte, las piezas en las que hemos notado la presencia de un personaje aldeano llamado Lucindo, bien parecen pertenecer a un periodo situado en los alrededores de 1600. Son: *La quinta de Florencia* («play of vague spread», según Morley y Bruerton, 1598-1603, «probably 1600»); *El Rey sin reino* («Authentic undated», 1597-1612); *El ejemplo de las casadas* («Authentic undated», 1598-1608, «probably 1599-1603»); *Los prados de León* («Authentic undated», 1597-1608, «probably 1604-1606»).

Todo esto nos incita a pensar que Ricardo del Arco y Garay *(La sociedad española en las obras dramáticas de Lope de Vega,* Madrid, 1942, p. 212-213) erró el camino al suponer que la pieza fue escrita en 1613-1614, a causa de la alusión de Belardo a la tribuna en la que canta el domingo: «... parece que debió escribirla hacia 1613, o principios de 1614, cuando Lope estaba ordenado de Menores, y de ahí la alusión a que Belardo había leído el *Flos sanctorum* y cantaba en la tribuna los domingos». Nada prueba que la alusión a la tribuna y al *Flos sanctorum* tenga que ser explicada por la ordenación de Lope en 1613. Además ¿estos detalles tienen que tomarse al pie de la letra? Por nuestra parte, bástenos con recordar que la pieza se hace el eco de los vínculos que unieron a Lope con la casa de Alba y por esta razón, amén de algunas otras, suponemos que la pieza pudo ser escrita hacia 1598-1599, en una época en la que Lope estaba aún al servicio del duque (cf. A. Castro, *Lope de Vega y la casa de Alba,* R. F. E., 1918, V, p. 403).

[52] Un estudio queda por hacer acerca del origen de esta idea que no figura explícitamente en la *Poética* de Aristóteles. Cf. Cascales, *Tablas poéticas*, Madrid, 1799, p. 178.

[53] Cf. p. 338, ed. Madrid, 1596, en donde Ugo, uno de los participantes del diálogo precisa: «Yo no entiendo por mejores mejoría en las costumbres, sino en estado de vida».

La relación entre lo ético y lo social no aparecen claramente a todos por lo que Ugo subraya: «A mi ver es, porque las personas graves y principales son mejores en las cotumbres y las comunes y baxas peores».

[54] *Ibid.,* p. 339 [D. Fadrique]: «... Pregunto, qué quiere dezir (digo en palabras propias, y no metaphóricas) quãdo un hombre dize a otro, que es mejor que él: y quãdo se dize, Fulano es de buena cepa ¿Por ventura quiere dezir en costumbres, o en nobleza de sangre y gravedad de antepassados?».

cómico y lo trágico en relación con las clases sociales impregnó a todos los dramaturgos españoles[55] de los siglos XVI y XVII; si, ocasionalmente, la contradicen en una obra, merece ser señalado tal caso por su novedad y escasez;[56] ya lo veremos, cuando la distinción estética vinculada con la jerarquía tradicional de las clases queda abolida, y hasta invertida, en algunas comedias excepcionales, se puede considerar que estas reflejan un inicio de revisión de los valores feudales hacia 1600. Pero la regla general, en el teatro español, es la de respetar estéticamente la división de clases tal como lo entendían los comentaristas aristotélicos.

En lo que atañe particularmente a los temas villanos, esta distinción es o bien la distinción «noble» —«no noble», o bien la distinción «villano propietario»— «villano jornalero». Esto queda patente ya en el teatro de Encina y de Gil Vicente. Las dos églogas *en recuesta de unos amores* demuestran, en efecto, que confrontado al noble en una acción, el villano no tiene más remedio que ser blanco de la risa. Un escudero interrumpe los galanteos del pastor Mingo a la pastora Pascuala y se burla de sus pretensiones amorosas; entra en concurrencia galante con el rústico y lo aparta en el acto de la competición, rebajándolo con calificativos donde se desahoga el desprecio aris-

---

En este momento interviene el Pinciano para asegurar de una manera definitiva:
    «Claro está, dixo el Pinciano, que quiere dezir lo postrero».
Sobre el mismo tema, citemos aún en el tratado de López Pinciano:
    «... haze también la dignidad y estado de vida: porque más mueve, como está dicho un Príncipe que un popular» (p. 345). «Y ansí conviene para que la costumbre sea en tales conveniente que el siervo se pinte siempre astuto por la necesidad, traydor por el miedo, infiel por la sugeción...» (p. 357)

[55] Lope alude a esto muy claramente en los versos 58-61 de su *Arte nuevo de hacer comedias*.
[56] Ruiz de Alarcón, por ejemplo, en su comedia *Ganar amigos*, puso en boca del criado Encinas una interesante protesta contra la costumbre dramática que consiste en rebajar el valor humano del criado para hacer reir a los oyentes y subrayar mejor, por contraste, las cualidades del amo:

> «... Señor,
> tienen los pobres criados
> opinión de interesados,
> de poco peso y valor.
> ¡Pese a quien lo piensa! ¿Andamos
> de cabeza los sirvientes?
> ¿Tienen almas diferentes
> en especie nuestros amos?
> ¿Muchos criados no han sido
> tan nobles como sus dueños?
> El ser grandes o pequeños,
> el servir o ser servido,
> en más o menos riqueza
> consiste sin duda alguna,
> y es distancia de fortuna,
> que no de naturaleza.
> Por esto me cansa el ver
> en la comedia afrentados
> siempre a los pobres criados
> ....
> Y por Dios que ha visto Encinas,
> en más de cuatro ocasiones,
> muchos criados leones
> y muchos amos gallinas.»
>   (B. A. E., XX, p. 354 c.)

tocrático por el villano;[57] la pastora no tarda en abandonar a su semejante y en escoger al escudero; éste —¡señor magnánimo!— le ofrece entonces su amistad al pastor vencido quien, sin chistar, se resigna con la derrota. La solución dada al pequeño drama (victoria del noble y derrota del villano) resume bien la orientación ideológica de esta égloga cómica; la condición exigida por la pastora —a saber, que el escudero se vuelva pastor— no alcanza a disimular el contenido esencial.[58] La segunda égloga «en recuesta de unos amores», continuación de la primera, completa el significado que hay que otorgarle a la confrontación cómica de las clases; cansado de llevar con Pascuala durante todo un año una tosca existencia aldeana, el escudero Gil convence a su compañera de que abandonen esa vida.[59] Mingo, impaciente él también de entrar en la vida de palacio, se deja arrastrar, seguido por su esposa, Menga.[60] Pero, a pesar de los divertidos esfuerzos que hacen para despojarse de su rusticidad, éstos conservarán su habla aldeana, su ingenuidad, su torpeza y harán el ridículo: les falta, siempre les faltará, el abolengo.[61] También es el determinismo social del origen el que ha impulsado al escudero a abandonar la vida aldeana.[62]

En el *Auto dos reis magos* de Gil Vicente, lo cómico de la rusticidad se encuentra vinculado también con la oposición de clases. Un «cavalleiro» que acompaña a los reyes magos vitupera contra la especie animal del «linaje villano», representado en

---

[57] Cf. ed. Kohler, p. 67: «Hideputa avillanado, / grosero, lanudo, brusco /». El epíteto de *lanudo* que hace alusión a la pelambre del villano es tradicional en los retratos del pastor cómico en el siglo XVI y corresponde a la realidad de las largas cabelleras campesinas en aquel momento.

[58] Sabido es que la tradición de la pastorela ofrece dos soluciones posibles a la recuesta amorosa del caballero dirigida a la pastora: o ella acepta sus propuestas o las rechaza. Tenemos en el teatro primitivo español un ejemplo de derrota del no-villano, el que nos ofrece la *Egloga nueva,* anónima (cf. Crawford, *The Spanish Drama...* p. 72-73) que debe ser de 1519-1520. Resulta sintomático que el rival del campesino sea un fraile mendicante y no un noble. ¿Aparece aquí un anticlericalismo de la época? La pastora rechaza con indignación las invitaciones galantes del fraile. Al final de la pieza, el enamorado de la pastora llega con otro pastor y amenaza de golpes al eclesiástico. Por fin, le vencen en el juego.

[59]
«Dejemos aquesta vida
qu'es muy grosera y muy mala.»

[60]
«Dejemos de ser pastores
qu'es hato de mal aseo.
....
Probemos ambos a dos
esta vida y este trato.»

[61] Menga, antes de dejarse llevar al palacio, declara (ed. Kohler, p. 8):

«Ya de Gil no es maravilla;
que Gil ha sido escudero
y viénle de generacio:
primero fue del palacio
que pastor ni que vaquero.»

[62] Ed. Kohler, p. 80:

«Gil   Miafe, no quiero que sea
ya mi Pascuala pastora
ni yo pastor desde agora,
pues no me vien de ralea.»

este caso por unos pastores llamados Gregorio y Valerio quienes se muestran incapaces de indicar el camino por el que pregunta el noble. Como Valerio amenaza al hombre de palacio, un ermitaño para la discusión, disculpando la «descortesía» por la «villanía».[63] Nuestros villanos se someten, con bastante rapidez, y escuchan respetuosamente las explicaciones que el «cavalleiro» da sobre la comitiva de los reyes magos, arrepintiéndose de haber hablado de tan mala manera a un noble. Este les perdona con magnanimidad.[64] Como vemos, el cañamazo litúrgico no es óbice a que se manifieste, en el reparto de los papeles, la principal división feudal de clases (nobles por una parte, no-nobles por otra) con el paternalismo que le es inherente.

Cuando la acción está circunscrita a un ámbito aldeano sin nobles la distinción de clases es llevada al interior de tal ámbito, y la comicidad les toca a los villanos de la clase inferior, a quienes el dramaturgo opone unos villanos de clase superior promovidos a la dignidad dramática. El teatro de Encina y de Gil Vicente ya tendía a situar a sus villanos bobos en lo bajo de la escala social aldeana; los que deben hacer reír en el *Auto del repelón* (Encina) están en el mundo de los criados;[65] los del *Auto da Fé* (Gil Vicente) tampoco son villanos ricos, sino gañanes.[66] No obstante, nos parece que Lope de Rueda fue el primero en llevar a las tablas la confrontación de las

---

[63]

«Cav.:	¡Qué linaje tan bestial!
	¡Animal
	este bruto pastoriego!
«Val.:	Doy a rabia el palaciego;
	por San Pego,
	que quizás por vuestro mal...
«Erm.:	Toda la descortesía
	es villanía...»

(*Clas. Sá da Costa*, I, p. 44.)

[64]

«Greg.:	Cavallero relator,
	yo pecador,
	villano necio, bestia,
	non pensé que érades tal
	y hablé mal,
	de que tengo gran dolor.
«Cav.:	Yo te perdono pastor.»

(*Ibid.*, p. 47.)

[65] Aluden al amo, a quien le tendrán que pagar el precio de la burra extraviada.

[66] Hacen repetidas alusiones a sus amos, quienes podrían reprocharles el haberse retrasado en la ciudad (Cf. *Clás. Sá da Costa*, I, p. 86-88-99):

a)	«Ben.:	¡Ha! no plaga a nuestros amos,
		y no pese no de nos.»
b)	«Ben.:	Vamos a ver nuestros amos.»
c)	«Ben.:	Vámonos; anda ca, Bras,
		ya gran rato que aquí estamos,
		bien coñoces nuestros amos,
		anda, no cures de más.»

Hasta la canción que entonan estos villanos ayuda a situarlos socialmente. Es una canción de gañanes o sirvientas, con un innegable fondo de reivindicación; claro está, el espíritu de reivindicación no pasa a

clases villanas, al poner poner frente a frente gañanes cómicos y villanos ricos no ridículos. En los dos *Coloquios* pastoriles que, merced a la edición de Timoneda (1567), llegaron hasta nuestros días, los personajes llamados «simples» están situados socialmente por debajo de los otros villanos. En el *Coloquio de Camila,* éstos son Pablos Lorenzo («simple») y Ginesa de Bolaños («mujer del simple»), pareja cómica al servicio del rico ganadero Sócrato. En el *Coloquio de Tymbria,* se trata de Leno («simple») y de Violeta («criada») quienes sirven a Sulco. A estos gañanes o vaqueros, mas no a los campesinos propietarios, les toca pelearse, amenazarse con palos, poner por delante las necesidades del estómago, reprocharse una ascendencia poco limpia, soltar disparates. También detentan el privilegio de las formas dialectales y de las deformaciones caricaturescas de las palabras. De esa manera la distinción de los significados teatrales (ridiculez por una parte, gravedad por otra) se mantiene en relación con la distinción de clases, aun cuando la acción no haga intervenir a los nobles.

De tal separación de las funciones ético-estéticas, relacionada con la división social de la sociedad villana real, encontramos no pocos ejemplos en las comedias de la escuela lopesca. El mejor es tal vez el que nos ofrece *Fuenteovejuna;* en esta pieza heroica, el humilde villano Mengo, a quien es atribuida la función cómica, no manifiesta ningún gusto por el riesgo; cuando los habitantes de la aldea de Fuenteovejuna, reunidos en concejo abierto, deciden atacar al señor y a sus gentes para vengarse de los ultrajes recibidos, Mengo no demuestra ningún entusiasmo en participar de la refriega que se prepara: al llamado a la acción del alcalde Esteban, quien dirige una exhortación de valentía a los denominados «labradores honrados», Mengo opone el llamamiento de su miedo, hablando, dice, en nombre de los «simples labradores»:

Mirad, señores,
que vais en estas cosas con recelo.
Puesto que por los simples labradores
estoy aquí, que más injurias pasan,
más cuerdo represento sus temores.[27]

De resultas de tal reflexión de Mengo, bien parece que en el pueblo se reconocen dos categorías mentales de labradores que son, al mismo tiempo, en la realidad viva,

la comedia, ya que la estilización es cómica y basada en un «a-priori», como lo subrayamos antes:

«no no no no no no
no no no
que no, que no,
que no quiero estar en casa;
no me pagan mi soldada
no no no, que no que no.
No me pagan mi soldada,
no tengo sayo ni saya,
no no no, que no que no.»

[67] *Acad.,* X, p. 551 b. Es interesante observar el comportamiento de Mengo en lo que sigue de la acción. El unanimismo de la colectividad campesina de Fuenteovejuna exige que el gracioso, se eleve, él también, hasta el heroísmo, resistiendo a su manera a la tortura: es decir permaneciendo cómico y miedoso.

Este es un ejemplo de esta admirable ambigüedad tragicómica (ambigüedad vinculada con la promoción humana del villano) a la que alcanzó Lope en algunas de sus comedias aldeanas. *Vide supra,* cap. II, n. 48. Véase también más adelante, cap. III, n. 136.

dos categorías sociales. Por una parte están los labradores honrados, los más ricos y más dignos, por la otra, los simples labradores, los más humildes y más ingenuos: la comedia transpone, tanto ética como estéticamente, la distinción social conforme a sus exigencias estructurales. De una manera general en la comedia española, el miedo es un fenómeno de clase al par que un reflejo fisiológico o psicológico susceptible de hallarse en todos los hombres, a todos los niveles de la sociedad. El miedo se da, según el teatro, entre los «no-nobles» y esta costumbre estética, que consiste en hacer asumir el miedo común a todos por los villanos, corresponde a una perspectiva social. De esta teoría teatral de la relación que existe entre el miedo y la clase, tenemos una nítida traducción escénica con *Las Mocedades de Bernardo del Carpio* (¿de Lope de Vega?). Un alcalde rural y dos aldeanos llegan a quejarse a su señor, don Rubio, de los desaguisados del joven Bernardo del Carpio, quien, de cacería, destroza sus tierras. Mientras están hablando, los villanos tiemblan como hojas, temiendo la llegada de Bernardo del Carpio; apenas distinguen a lo lejos al terror de la aldea, cuando huyen cómicamente; entonces un diálogo entre el señor y uno de sus acompañantes esclarece ideológicamente el contenido social del miedo villano, presentado como gracioso para el público:

> Criado: Señor, de miedo están casi difuntos,
> como viene Bernardo.
> Rubio: Son villanos.[68]

Queda claro también que algunas situaciones villanas «cómicas» del teatro primitivo español o portugués no lo son sino en relación con la perspectiva adoptada en ellas.

El *Auto del Repelón* escenifica la mala fortuna de dos charros[69] quienes, viniendo de su aldea asentada cerca de Ledesma, habían ido al mercado de Salamanca. Allí fueron víctimas de las bromas —no inventadas por Encina sino sacadas de la realidad salmantina— de un grupo de estudiantes. Los muchachos la emprendieron con sus melenas, los golpearon de lo lindo. Maltratados, escarnecidos, nuestros villanos tuvieron que abandonar en el mercado a sus burros y sus productos. Los daños no son únicamente corporales: a uno le arrancaron los cabellos, el otro tiene machucones en el trasero; también es económico el perjuicio si no vuelven a encontrar la burra y el aparejo casi nuevo, uno de los villanos deberá pagárselo al amo: representa la ganancia de todo un año.[70] En suma, semejante situación sería conmovedora, o sea nada divertida,[71] si el público se colocase, por un momento, desde el punto de vista del villano

---

[68] Acad., VII, p. 233 a.
[69] Algunos sentidos de la palabra 'charro' no dejan de ser reveladores del desprecio hacia el aldeano: *basto, grosero.*
[70] Cf. ed. Kohler, p. 118:

> «No, la paga ño se escusa.
> Hi de puta ¿Pues cuál otro?
> Hora débele un quellotro
> y verás como te acusa.
> ....
> ¡que me ha él de querer llevar
> lo que ogaño he de ganar!»

[71] Aristóteles notó en su *Poética* que la compasión es enemiga de la risa, y López Pinciano vuelve a ex-

burlado. Pero, precisamente, el público para quien Encina escribió su farsa no se colocaba desde el punto de vista del villano, y por esto no veía en ella una situación cruel y desgraciada. Uno de los motivos rústico-cómicos del *Auto de Morfina Mendes* de Gil Vicente nos lleva a las mismas reflexiones. El pastor Andrés, busca lamentándose, la burra de su padre que ha perdido: iba aparejada con cacharros, instrumentos, ropa, puerros, cebollas, ajos, es decir todo el cargamento de herramientas y víveres necesarios para los labriegos que se van al campo para un día de trabajo.[72] Para un villano es una verdadera desgracia. Pero, ya lo sabemos, no existe lo cómico en sí, y la convención, el rito convenido, en este caso, es reírse del villano. Para que cesara la risa, hubiera sido necesario que acabara el espíritu anti-villano legado del medioevo y que cambiase la perspectiva; pero no iba a cambiar de inmediato: todavía encontramos en el teatro de la primera mitad del siglo XVII cuentos cómicos en los que el tema de la risa es una pequeña tragedia villana. Un entremés de Quiñones de Benavente, *Los testimonios de los criados*,[73] pone en escena a dos criadas y a un criado, quienes,

---

presar la idea en una simple frase del diálogo consagrado a la definición de la comedia, *op. cit.*, III, Epístola nona, p. 34:

> «Y éste basta, por exemplo, de las obras ridículas, las quales son muchas, y que se pueden mal poner en orden y concierto, porque todas las que son disparatadas y necias, como no vengan en daño notable de alguno, son ridículas; que quando traen consigo daño notable, venze la compassión a lo ridículo y piérdese del todo la risa...»

Hegel y Bergson, como se sabe, desarrollaron la idea aristotélica de que la insensibilidad es una condición de la risa. Cf. Bergson, *op. cit.*, p. 3:

> «... Signalons maintenant comme un symptome non moins digne de remarque l'insensibilité qui accompagne d'ordinaire le rire. Il semble que le comique ne puisse produire son ébranlement qu'à la condition de tomber sur une surface d'âme bien calme, bien unie. L'indâfférence est son milieu naturel. Le rire n'a pas de plus grand ennemi que l'émotion.»

[72] *Clas. Sa da Costa*, I, p. 141:

> «And.:   Eu perdi, se s'acontece,
> a asna ruça de meu pae.
> O rasto por aqui vai,
> mas a burra não parece,
> nem sei em que valle cai.
> Leva os tarros e apeiros,
> e o çurrão co'os chocalhos,
> os çamarros dos vaqueiros,
> dois sacos de pães inteiros,
> porros, cebolas e alhos.
> Leva as peas da boiada,
> as carrancas dos rafeiros,
> e foi-se a pascer folhada;
> porque bêsta despeada
> não pace nos sovereiros,
> e s'ella não parecer
> atás pernoite fechada,
> não temos hoje prazer;
> que na festa sem comer
> não ha hi gaita temperada.»

[73] Cf. E. Cotarelo, *Colección de entremeses, loas, bailes, jácaras y mojigangas desde fines del siglo XVI a mediados del XVII*, Madrid, 1911, I, vol. 2, p. 735. Este entremés ha de ser de 1620-1630 así como lo demás del mismo autor.

despedidos injustamente por sus amos, deciden reclamar su salario; pero al villano que presenta esta solicitud sólo le contestan con insultos;[74] a pesar de lo fundamentado de sus quejas, el pelado es echado ridículamente de patitas a la calle, y ambas criadas tienen la misma suerte. Al querer vengarse, los rústicos aparecen de pronto interesados, glotones, fanfarrones, miedosos. Cuando el amo les suelte los perros, harán reír el público por su inmenso miedo. No cabe duda, aquí hay que hacer abstracción del punto de vista del villano para que surja la risa.

En las comedias de Lope de Vega y su escuela, la confrontación cómica de clases y ambientes no se encuentra enfocada con luz tan cruel, pero tal confrontación sigue siendo fundamental. El dato del *Auto del Repelón*,[75] o sea el del villano que, bajando a la ciudad, es objeto de bromas y pullas, es usado con frecuencia. Tal tema, en suma, correspondía a los hábitos sociales ciudadanos muy anclados y que no desaparecieron sino muy al contrario, cuando se inició el gran crecimiento urbano de los años 1590-1630. Es más, en un sentido, nacieron entonces nuevas posibilidades cómicas basadas en la confrontación de la ciudad y el campo.[76] Para saber en qué consiste la tradición de las bromas ciudadanas gastadas al aldeano, no hay sino, otra vez ir a buscar en el folklore, los dichos, los proverbios. En comparación con los testimonios que se hacen el eco de las burlas antivillanas, prácticamente no existen las que presentarían la situación inversa del rústico que se reiría a expensas del hombre de la ciudad.[77] Ló-

---

[74] Citemos:

«mentecato — simplote — dromedario — simplón — villano — mazacote — majadero — importuno».

[75] En el teatro primitivo español, el esquema del *Auto del Repelón* no queda limitado a la pieza del mismo nombre, debida a Juan del Encina. También se encuentra en Gil Vicente, en el *Monólogo del vaquero* o *Auto da visitação* (fecha posible: 7 u 8 de junio de 1502, de creer la indicación de la *Copilação*). Cf. las palabras del «vaqueiro» al entrar en el salón:

«¡Pardiez! siete arrepelones
me pegaron a la entrada,
mas di yo una puñada
a uno de los rascones.»

Vuelve el motivo cuando el «vaqueiro» llama a sus treinta compañeros:

«Quiérolos ir a llamar
mas según yo vi las señas
hanles de mesar las greñas
los rascones al entrar.»
(Ed. Marqués Braga, I, pp. 1-2)

Constituye un pequeño problema el saber si Gil Vicente imitó aquí el esquema del *Auto de Repelón* enciniano, o si sencillamente, ambos trataron un motivo de la vida urbana. Cf. «Antes que el repelón esto era antaño», in Fouché-Delbosc, *237 sonnets*, R. Hi., XVIII 1908, p. 592.

[76] En los periodos de crecimiento urbano, los temas de confrontación cómica, humorística o paródica del campo y de la ciudad, parecen siempre haber gozado de un desarrollo peculiar. Se encuentra en el *Fausto* de Estanislao del Campo, en la Argentina del siglo XIX, en el momento en el cual Buenos Aires deja de ser una gran aldea para llegar a ciudad, un ejemplo típico de humor y de comicidad obtenidos por la confrontación ciudad-campo (se trata del espectáculo de *Fausto* de Gounod, en el teatro Colón de Buenos Aires, contado y comentado por un gaucho).

[77] No conocemos más que un cuentecillo en el que la ventaja sea dada al campesino: *Cómo un rústico labrador engañó a unos mercaderes*, impreso en 1516, quizás por Federico de Basilea, en Burgos (cf. *Catá-*

pez Pinciano, al querer dar un ejemplo en su *Philosophia antigua poética*(1596), para ilustrar su teoría del ridículo fundado en la «fealdad» y la «torpeza», cita (¿será mera casualidad?) una burla estudiantil cuya víctima es un villano:

> ... Estaba un labrador encima de un pollino, comiendo un pastel, y dos estudiantes se pusieron en medio; el uno de los quales le preguntó cierta cosa, y, en tanto que el labrador respo[n]dió al uno, el otro le sacó la carne del pastel sutilmente, y se la metió en una escarcela que trahía; el labrador passó adelante dos o tres passos y, quando vió la cáxcara sin meollo, se quedó mirando al cielo, como que algún páxaro se la hubiera llevado. El robador y encubridor se fuer[n] de risa finados, y finados de risa lo vieron los circunstantes, y los estudiantes se tragaron su carne a medias.[78]

Por su parte Melchor de Santa Cruz en su *Floresta de apotegmas...*, nos cuenta un «chiste» que demuestra que los villanos, yendo a Toledo para asistir a las procesiones de la fiesta del Sagrario, el 15 de agosto, eran el objeto de chistes provocados por su ignorancia y su admiración.[79] Asimismo Covarrubias, en su *Tesoro...*, publicado en 1611, señala que una de las bromas rituales de los días de Corpus, en la ciudad, era la de utilizar las fauces de la tarasca para agarrar los gorros y caperuzas de los aldeanos pasmados al aparecer el monstruo.[80] También puede encontrarse en una interesante descripción de la fiesta del Corpus en Sevilla, en 1614, un testimonio del mismo estado de espíritu.[81] «Juan Labrador», cuando se aventuraba por la urbe, sin lugar a dudas, y sin poderlo remediar, era una cabeza de turco,[82] y se comprende por qué, ha-

---

logo de la Biblioteca de Salvá, II, núm. 1779) (ejemplar en el British Museum). Fue editado por J. E. Gillet, in *R. Hi.*, 1926, LXVIII, pp. 174-192 (Bibliografía, texto y variantes). Véase también a H. Thomas, *The crafty farmer. A spanish folk-tale entitled «How a crafty farmer with the advice of his wife deceived some merchants»*, London, 1938, 31 p. (traducción inglesa con una introducción).

Tal como lo demostró Gillet, este cuentecillo no es específicamente español y vuelve a hallarse en numerosos países a fines de la Edad Media. (La versión más antigua, conocida bajo el nombre de *Unibos*), se debe a un clérigo lorenés, belga o francés. El origen del cuento puede ser italiano).

[78] Ed. Alfredo Carballo Picazo, III, Epístola nona, pp. 36-37.

[79] Melchor de Santa Cruz, *op. cit.*, III parte, fol. 97:

> «Mirando un labrador la processiõ que se haze el día de nuestra Señora de agosto, en la Sãcta Yglesia de Toledo, preguntó quién era aquel que llevaba el báculo delante del arçobispo. Diziẽdole que se llamava Capiscol respondió,: no le llamaran mejor capis verça, pues es todo uno...»

[80]

> Covarrubias, *Tesoro...*, article *tarasca*: «Los labradores, quando van a las ciudades, el día del Señor, están abovados de ver la tarasca, y se descuydan suelen los que la llevan alargar el pescueço y quitarles las caperuças, y de allí quedó un proverbio de los que no se hartan de alguna cosa que no es más echarla en ellos que echar caperuças a la tarasca.»

[81] Cf. *La fiesta del Corpus en Sevilla en 1614*, in *Memorias de la Real Academia Española*, 1914, XI, pp. 399-411. La ironía frente al rústico maravillado por las procesiones del Corpus se suma a la que se esgrimía, en la misma ocasión, para con los negros. Véase, a este respecto, *Mañana sá corpus christa...*, Góngora, poesía fechada de 1609 (ed. Millé y Giménez, núm. 138).

[82] Covarrubias, in *Tesoro...*, indica dos adjetivos aplicados al villano que va a la ciudad y es escarnecido por el ciudadano: *Páparo* (851, b, 10) (vide supra, n. 43). *Pausán* (858, a, 37):

> «Pausán. Corruptamente bausán, el nombre tardo y abobado, como es el villano, quando viene a la ciudad y vee las cosas que no se usan en su aldea».

El motivo del embelesamiento cómico del campesino en la ciudad es uno de los que trata con facundia la obra de Liñán y Verdugo, *Guía y avisos de forasteros que vienen a la corte* (1620). Forastero es, en efecto,

cia 1620-1627, su defensor, F. Benito Peñalosa y Mondragón, en su *Libro de las cinco excelencias del español que despueblan a España para su mayor potencia y dilatación* (edición en 1629) le compadece de tener que ir a la ciudad, especialmente para los juicios:

> ... Pues ya quando un labrador viene a la ciudad y más quando viene a algún pleito ¿quien podrá ponderar las desventuras que padece, y los engaños que todos le hacen, burlando de sus vestidos y lenguaje... (Fol. 169)

Para hacer reir a los auditorios en los espectáculos encargados por los ayuntamientos urbanos, los poetas hallaban en las tradiciones antivillanas un motivo ya listo de antemano con éxito seguro. Véase, por ejemplo, la loa que precede *El nombre de Jesús*, auto sacramental de Lope de Vega.[83] Lleva por título *Loa entre un villano y una labradora* y desarrolla el tema muy sencillo del villano que ha perdido a su mujer en la procesión del Corpus. También en una loa de las *Fiestas Sacramentales* de Villena,[84] hay un villano, quien, llegando para las fiestas del Corpus, se extraña con todo.

El motivo del villano en la ciudad ha sido insertado en varias comedias de Lope y de Tirso. *Las ferias de Madrid* (probablemente 1585-1589) de Lope, cuyo ambiente es esencialmente urbano, presenta a tres villanos, tocados con su sombrero típico («con sombreros hilvanados»), que van a Madrid, a la feria de San Mateo, a comprar paño. Dos pajes, con sendos palos, se divierten en dar a los rústicos por la espalda. Estos, en el hormigueo humano de la feria, no alcanzan a distinguir de donde vienen los golpes. No bien se acercan a un puesto y quieren discutir el precio, cuando reciben de improviso otros golpes que los atontan; los socarrones autores de la burla se esconden muy bien, y para reirse so capa, tienen de parte suya a todos los ciudadanos presentes, honrados o deshonestos, pícaros o caballeros.[86] Nuestros villanos se escapan pronto de la feria maldiciendo a Madrid, no sin haber sido antes víctimas de una nueva broma: alfilerazos con perversidad aplicados en buen sitio.[87] En *La serrana de Tormes* (1590?-1595) del mismo Lope, volvemos a encontrar muy precisamente el espíritu del *Auto del Repelón* salmantino de Encina. El tema no está representado en el escenario sino desarrollado por relato. El carbonero Elenco, quien ha venido repetidas veces a traer carbón a Salamanca en su carreta de bueyes, cuenta sus altercados por las calles

---

un provinciano. Aún a principios del siglo XVIII, el tema seguía siendo actual. Léase la obra de Antonio Muñoz, *Morir viviendo en el aldea, y vivir muriendo en la corte*, 1737 (B. N. Madrid, 3-52282), en la que el aldeano Don Pascual se extraña cómicamente de ver coches, se confunde con las fórmulas de tratamiento, etc.

[83] Cf. Acad., II, pp. 139-141. Puede deducirse que esta loa precedía el auto *El nombre de Jesús*, por las pocas palabras del villano que anuncian precisamente este auto (Cf. p. 141 b).

[84] Cf. Villena, *Fiestas sacramentales*, 1644. *Loa sacramental*, V.

[85] Cf. Acad. N., V, pp. 589-590.

[86] El caballero Roberto declara, por ejemplo: «De risa estoy reventado».

[87] Acad. N., V, p. 590 b:

> «*Villano 2º:*» Un alfiler me han metido
> de estos de dos a la blanca.
> ¿Esto llaman feria franca?
> «*Villano 3º:*» Su alcabala se ha tenido;
> no vengamos a Madrid
> hasta ....

con las pandillas de estudiantes. Con sus gorras y sus capas, al villano estos le parecen vuelos de estorninos que caen aquí y allá. Para escapárselos, ha tenido que refugiarse, corriendo, en una iglesia, pero allí, mientras estaba mirando maravillado la extraña ceremonia de consagración de un clérigo, recibió de pronto un porrazo en la nariz que le hundió —dice él—, la nuez de Adán hasta el estómago.[88] Por su parte el villano carbonero Chamizo, en la misma comedia, conserva él también un amargo recuerdo de las agarradas con los estudiantes salmantinos, y en especial de sus embadurnamientos con carbón u hollín, en días de Carnaval: cuando tiene a uno entre manos ¡cómo le comprendemos sus deseos de venganza![89]

Tirso no hizo sino proseguir con una tradición salmantina de lo cómico villano, ya fuertemente fijada, cuando, en *La Peña de Francia* (1610-1611) puso a su vez en el escenario a los carboneros de las montañas de Salamanca quienes se quejan de las malas pasadas sufridas en la ciudad. Cuando traían carbón, Domingo y Payo, como sus antepasados encinianos o sus hermanos lopescos en *La serrana de Tormes*, fueron perseguidos por unos estudiantes: nos cuentan esta persecución con no pocas exclamaciones. Esta vez, la burla consistía en alfilerazos en las nalgas (volvemos a hallar aquí el detalle cómico de *Las ferias de Madrid*) o bofetones en la cara; los dos serranos huyeron de la ciudad inhóspita, pero juran ahora vengarse si algún estudiante se aventura por la Peña de Francia.[90] También en *La rosa de Alexandria* de Luis Vélez de Guevara, hallamos una variante del viejo esquema del *Auto del Repelón* enciniano. El villano Lupino está buscando a su novia Tirrena. En eso está cuando se mete por equivocación en una aula, en medio de los estudiantes, los cuales de inmediato empiezan a apalearle en regla.[91]

El villano robado en la feria o en la ciudad es un motivo paralelo. Seguramente hay que buscar sus lejanos orígenes en realidades y relatos medievales, de ninguna manera limitados a España;[92] pero el origen teatral inmediato del tema está bien visible en «escenetas» de Gil Vicente y de Lope de Rueda. *El clérigo da Beira* de Gil Vicente (probablemente representado en Navidad del año de 1526, ante D. Joam III, en Almeirim) presenta a Gonzalo, hijo de un villano, que viene a la Corte con una cesta para vender una liebre y unos capones. También trae fruta en un cenacho. Simplón se ve burlado por los pícaros de la capital, dejándose robar sucesivamente por dos «moços de Paço», un negro, etc. Se trata del personaje del «vilanzinho» caro a Gil Vicente; pero no es específicamente portugués ya que el sevillano Lope de Rueda pone en el escenario a un villano idéntico con su cenacho y sus productos para vender. El motivo del robo del villano ingenuo era demasiado ritual como para no aflorar en la come-

---

[88] Cf. Acad. N., p. 462.

[89] Acad. N., IX, p. 473:

> «Esta vez ha de pagarme
> las veces que por burlarme
> me han hurtado algunas prendas,
> y muchas Carnestolendas
> que han sabido bien tiznarme.»

[90] Cf. N. B. A. E., t. I, p. 668.

[91] In *Comed. esc. de los mej. ing. de Esp.*, 1652-1704, II, fol. 185, A. I.

[92] Un texto medieval francés presenta a un campesino yendo al mercado para vender la tela que hiló su mujer; se la escamotean en el gentío; es más, se lo agradece al ladrón. ¿Está visitando París? Mientras admira las estatuas de la catedral, un ratero le roba su escarcela (Cf. la pieza titulada *Des XXIII manières de vilains*, Paris, ed. Jubinal, 1834).

dia. Helo aquí en un intermedio de la *Tragedia del rey don Sebastián* (1595-1603) de Lope de Vega. El villano Alonso quien ha ido a la romería de la Virgen de la Cabeza, cerca de Andújar, en Andalucía, está rezándole con fervor a la Virgen. Este es el momento escogido por tres ladrones mañosos para entrar en acción: logran desatar las ataduras que unen la albarda al cuerpo de su burro y se llevan el animal. El villano está tan ensimismado en sus oraciones que no se percata del hurto sino después de un buen rato. Es más, el dramaturgo lleva el ridículo del villano hasta el extremo de hacer que se dirija al asno, cuando ya se lo han llevado, como si creyera que por pereza el animal se ha acostado debajo de la albarda, quedada en el mismo sitio.[93] Este motivo del burro robado al villano era un tópico de la comicidad villana española, tal como lo hizo notar W. S. Hendrix, y Cervantes lo empleó en el Quijote.[94] Pero por lo general, el robo se lleva a cabo mientras duerme el villano: la originalidad de la *Tragedia del Rey Don Sebastián* consiste en la renovación del «clisé» enlazándolo con el motivo del villano en la feria, o en la ciudad, burlado por granujas.

La comedia no sólo confronta al villano con la ciudad o el gentío de una feria o de una romería. Con mayor frecuencia, lo coloca frente a un noble en la tradicional situación de inferioridad del villano ridículo y grotesco. Ya vimos de qué manera Encina fue el primero en plantear escénicamente los elementos de esta confrontación cómica en los dos églogas *«en recuesta de unos amores»*. *El Aldegüela*, comedia que probablemente es de Lope de Vega,[95] apoya con mayor intensidad la idea feudal de que el villano tiene por destino ser burlado, engañado, cuernipuesto por su superior social. Primeramente enfrenta a Benito, el molinero del pueblo de El Aldegüela, cerca de Piedrahíta, con un joven duque de Alba, de paso por la comarca. El brioso jinete quiere seducir a María, la hija del molinero, cuyo porte le encantó. El villano bufón es escarnecido por el noble que lo llama con ironía paternalista «hombre honrado»,[96] mientras piensa deshonrarlo en la persona de la hija. ¿Cómo alejar a este padre molesto? Nada más fácil: le mandarán venir a Piedrahíta para ver al duque, quien, naturalmente, no se encontrará en aquella por estar en ese momento preciso en el molino. Resultará inútil la precaución del padre quien, para proteger a su hija de las galanterías de los jóvenes aldeanos, le había pedido que se encerrase con llave. En el camino de vuelta, el rústico, que ha tenido mala suerte —se cayó de la mula—[97] presiente que le están haciendo una mala jugada y despotrica contra los señores de pa-

---

[93] Acad., XII, p. 543.

[94]. W. S. Hendrix, *Sancho Pança and the comic types*, in *Hom. a Menéndez Pidal*, t. II, 1924, pp. 485-494. Cf. p. 491: «Apparently connected with the device of sleep in the scene is chapter twenty three, part one (II, 226-227) in which Sancho's donkey is stolen while he is asleep. In Lope de Rueda's Camila *(Obras*, II, 112) the «simple» loses his donkey while asleep... In a play of Jayme de Güete *Comedia intitulada Tesorina* 1551, the shepherd dreams he has lost his donkey while asleep...»

[95] Fue atribuida ya sea a Francisco de Villegas, ya sea a Lope de Vega. Menéndez y Pelayo no pone en duda su autenticidad. Morley y Bruerton *(Chronology*, p. 252) estiman que la versificación presenta todas las características de la auténtica. Varios signos —en especial algunos detalles que atañen a la comicidad aldeana que señalamos más adelante— nos permiten pensar que se debe, en efecto, a la pluma del Fénix.

[96] Acad., XII, p. 238 a: «Una palabra, hombre honrado». «Honrado» se usa aquí por antifrasis, exactamente como «bueno» en la expresión clásica «buen hombre». Cf. Covarrubias, *Tesoro...*, art. *bueno:* «... Esta palabra buen hombre, algunas veces vale tanto como cornudo, y buena muger, puta; sólo consiste en dezirse con el sonsonete, en ocasión y a persona que le quadre...»

[97] El caerse de la montura es una aventura que los dramaturgos le prestan frecuentemente al campesino ridículo. Siempre es más o menos símbolo de la necedad de un personaje a quien no pueden ocurrirle sino

lacio que se ríen de la pobre gente.[98] Vuelve a protestar cuando un ingenioso auxiliar del duque trata de explicarle que ha debido de caminar de prisa y pasar al duque en camino.[99] Pero ¡para qué! El villano es demasiado necio para no ser burlado. El du-

---

desventuras. Cf., por ejemplo, el campesino cómico Brito in *La lealtad en el agravio* (Lope de Vega) (Acad., VIII, p. 507 a):

> «Y bajando de una cuesta
> me deshice las narices
> cayendo de mi jumenta.»

[98] Cf. Acad., XII, p. 240 b:

> «Diz que el duque me llamaba,
> y no ha vuelto a Piedrahíta.
> ¡Burláos con la gentecita!
> y ¡qué priesa que me daba!
> ¡Oh, rebrame el diablo en ellos!
> Nunca hablé de buena gana
> con la gente cortesana,
> todos bigotes y cuellos.
> Aquél es ¡qué bien así,
> así disimule y calle!
> ¡Voto al sol, que estoy, por dalle
> dos pedradas desde aquí!»

El miedo de los campesinos de que se burlen de ellos ya había sido captado cómicamente por Encina: «Esos que sois de ciudad / ¿Perchufáis fuerte de nos? «(*Egloga en recuesta de unos amores*, ed. Kohler, p. 67). Gil Vicente, in *Auto dos reis magos*, lo había notado cuando presentaba a su pastor Gregorio desconfiado de un ermita del desierto:

> «*Erm.*:   Pastor no tomes enojos,
> que tu ojos
> verán quien todos buscáis.
> *Greg.*:   He miedo que me burláis.»
> (*Clas. Sá da Costa*, I, p. 36.)

Este miedo característico subsiste, con una perspectiva menos cómica, en algunas comedias que ponen en escena al villano rico frente al noble. Así en *La serena de la Vera* de Luis Vélez de Guevara, en primer movimiento, el campesino Giraldo, el más rico de Gargantalaolla, tiene miedo que lo burle el capitán Lucas de Carvajal, cuando éste le pide de manera inesperada, la mano de su hija:

> «*Giraldo*:   Agora
> digo, señor Lucas, perdonadme
> que no venís a onrarme, sino sólo
> a burlaros de mí.»
> (Vers 1480-1483, éd. «Teatro Antiguo español».)

[99] Acad., XII, p. 240 b:

> «Váyase con Barrabás,
> cortesano palaciego:
> ¿No tenía más que her
> que burlarme el muy tacaño?»

Poco después, nuestro campesino, siempre a la defensiva, vuelve a preguntar:

> «¿No se burla?»

que, tras haber gozado la bella molinera, sale del molino, y le hacen creer a Benito que el señor ha vuelto sobre sus pasos, buscándole; el bendito —en suma, ¿no es tal su nombre?— no atina sino a echarse a los pies del duque. Pero el padre ridículo no es más que el primer villano burlado en esta comedia. Antón, el marido que el duque se apresura a dar a María para disimular la consecuencia de sus actos, lo releva como marido cornudo y contento, ignorando durante mucho tiempo que su hijo es un bastardo ducal. Es una situación clásica del repertorio cómico, esta del marido «contento y cornudo»;[100] aquí, se ve remozada por las divertidas afirmaciones de paternidad del seudo-padre, y sobre todo por la vuelta periódica, bajo la forma de un leit-motiv irónico, de la expresión proverbial. «Más mal hay en el Aldegüela, de lo que suena» que viene a subrayar la ilusión de la cual es víctima el aldeano. [101] Hasta el final, marido conciliante y vasallo sometido, Antón pondrá a mal tiempo buena cara; al descubrir el pastel, dirá de epílogo:

> ¡Oh, qué bien que me decían:
> «Más mal hay en la Aldegüela»,
> aunque yo no lo entendía![102]

Innegables en esta obra la intención irónica a expensas del villano. Tampoco lo es en *Santa Margarita* de Diego Jiménez de Enciso (1585-1634) que pone en escena al villano Tirso, marido Grotesco, haciendo él mismo de tercero entre su mujer y un noble.[103]

Las más veces, la confrontación cómica entre el noble y el villano consiste en dar a este último el papel, tradicional y real en la sociedad feudal, de «hazmerreir» o de «hombre de placer» encargado de divertir al noble. Cubillo de Aragón nos presenta claramente esta situación en *El amor como ha de ser*. Al conde Claros y al caballero don Beltrán les ha gustado el espíritu simplón de Bras, a quien encontraron en el pueblo; por ello deciden llevárselo a la corte en donde su misión consistirá en distraer con sus «bobadas» a una infanta que se está consumiendo de tristeza.[104] Puesto en presencia de un superior social, el villano —a menudo un alcalde o un gañán— suelta disparates y palabras que poseen implicaciones no sospechadas por él. Hace reir sin quererlo. Sus palabras que pueden parecernos irreverentes para el noble, no lo son en la medida exacta en que son inconscientes e involuntarias. Además el superior social (señor o Rey) las recibe siempre con una bonachonería y una jovialidad apacibles, un modo ameno de tratar al rústico como si fuera compañero que dejan ver que el superior no se siente afectado. El más corriente de los efectos de esta bufonería villana consiste gracias a una respuesta poco avispada, en colocar al amo al nivel de los animales

---

[100] Señalemos, como ejemplo entresacado de una galería muy rica, la figura del «cornudo y contento» del paso núm. 3 de *El Deleitoso* de Lope de Rueda.

[101] Un uso de la expresión «más bien ay en el aldegüela / que se suena» como estribillo ya se encuentra 'a lo divino' en el romance *Al nacimiento* de la *Segunda parte de los conceptos espirituales y morales*,de Alonso de Ledesma, 1607, p. 41 (B. N. Madrid R. 12448). Una letrilla atribuida a Góngora (apócrifa verosímilmente) lleva de estribillo: «Más mal hay en el aldegüela» (Cf. J. Millé y Giménez, *Luis de Góngora... Obras completas*, Madrid, 1956, p. 2274). El romance *Ya la tierra y la aurora* (*Primavera y flor de los mejores romances*, Madrid, 1621, in J. Montesinos, *Floresta...*, 1954) usa también el estribillo, etc.

[102] Acad., XII, p. 274 b.

[103] In *Parte XXXIII de Doce comedias famosas de varios autores*, Madrid, 1642, fol. 224. A. I.

[104] In *Comedias escogidas* de Cubillo de Aragón, 1826, I, pp. 340-344, pp. 370-372.

que tiene a su cargo el villano. En *El Aldegüela*, el molinero Benito al enumerar ante el duque de Alba los pequeños bienes que está dispuesto a ofrecer a su señor, dirá, por ejemplo:

> En mí no hallaréis engaños:
> arrendado por tres años,
> ese molino que veis,
> seis costales, un jumento,
> con perdón, cuatro cochinos
> como vos[105]

En *El mejor alcalde el Rey* (Lope), el mismo papel le toca al porquerizo Pelayo, quien le declara al Rey (ignora que está en presencia del Rey, pero de saberlo igual se lo diría):

> A fe que de presentalle,
> si salimos con el pleito,
> un puerco de su tamaño.[106]

En *Con su pan se lo coma* (Lope), el porquerizo Damón dialoga con su amo, Celio, quien le pregunta por los puercos que cuida, y esto da el siguiente intercambio de palabras:

> *Celio*   ¿Aprovechan el pasto? ¿Engordan? ¿Medran?
> *Damón* Así cual su mercé; tal más, tal menos.[107]

Notamos en este modo de utilizar el ganado como término de la comparación, un procedimiento casi automático de la comicidad villana. Mirándolo bien, se trata de captar como un rasgo ridículo el fijarse siempre en el ganado, la obsesión por los animales, así como la asociación de ideas incongruentes a la que se dedica el villano. A ello se debe el hecho de que el superior social no se sienta jamás afectado por estos desaciertos aldeanos.[108] No enturbian en lo más mínimo esta satisfacción infinita y esta «seguridad de alma», imprescindibles según Hegel, para que haya conciencia de lo cómico.

A menudo, la necedad del villano frente al superior se manifiesta, a la inversa, por una variante divertida basada en el concepto del carácter casi sobrenatural del jefe social en la sociedad monárquico-señorial. En *El Aldegüela*, el pastor Nuflo, que ve al duque de Alba por vez primera, le palpa la cara a fin de cerciorarse de que se trata, efectivamente, de un simple mortal: creía encontrarse con un ángel y no con un hombre de carne y hueso. También el «simple» Pelayo, de *El mejor alcalde el Rey* (Lope)

---

[105] Acad., XII, p. 241 a.

[106] Acad., VIII, p. 324 a. Una broma de tal tipo ya se encuentra en *El villano en su rincón*, en donde el rey es llamado «Su porquería» por la villana Belisa (verso 1961).

[107] Acad., N., IV, p. 301 b.

[108] Puede notarse además que por lo general una exclamación del tipo de «¡qué bestia!» o «¡qué simplicidad!» viene a orientar nuesta interpretación de la incongruencia villana. En *El aldegüela* (Acad., XII, p. 241 a.), el acompañante del duque Floro exclama: «¡Qué desatinos!». En *El mejor alcalde el Rey* (Acad., VIII, p. 324 a) Sancho, el compañero del bufón, grita: «¡Calla, bestia!», etc.

se imaginaba a los reyes con rasgos de ángeles, hasta el día en que llegó ante Alfonso VII en el palacio de León; de su soberano tenía una visión infantil, de imaginería de Aleluyas, formada por el recuerdo de una tapicería de tema bíblico.[109] De igual modo, en *El villano en su rincón* (Lope), los mozos Fileto, Bruno y Salvano se extrañan mucho de ver al Rey en su iglesia parroquial, humano con barba y no rapado como lo estaban César, Tito, Vespasiano o Trajano, a quienes habían visto en pinturas.[110] El caballero Otón debe explicarles entonces a estos villanos, necios e incultos, que pueden acercarse al rey sin temor.[111] En esta visión puramente angelical o pictórica de los reyes o de los señores se repetía, evidentemente, un clisé estereotipado y tradicional de la bobería rústica. Por ello resulta curioso ver cómo aflora tal visión en un diálogo de villanas, a quienes seguramente Lope no quiso presentar grotesca, sino divertidamente: en *Peribáñez y el comendador de Ocaña*, sino de carne y hueso[112] Tirso, como suele

---

[109] Resulta interesante el cotejar los efectos cómicos de *El Aldegüela* y de *El mejor alcalde el Rey:*

a) *El Aldegüela:*

«*Nuflo:*   ¡Hombre es el Duque, par Dios!
«*Uno:*   ¿Un ángel pensaba ver?
«*Nuflo:*   Pues ¿por qué el Duque ha de ser
                    tal como yo y como vos?
                    Quiero tentalle la cara,
                    que aún no estoy bien satisfecho.»

                                        (Acad., VII, p. 249 b.)

b) *El mejor alcalde el Rey:*

«*Pelayo:*   Los reyes castellanos
                     deben ser ángeles.
«*Sancho:*   ¿Vestidos no los ves como hombres llanos?
«*Pelayo:*   De otra manera había
                     un rey que Tello en un tapiz tenía...»

                                        (Acad., VII, p. 315 b.)

[110] Acad., XV, p. 283 a:

«*Salvano:*   ¿Este es el rey?
«*Fileto:*   Aquel mancebo rojo.
Salvano: ¡Válgame Dios! ¿Los reyes tienen barbas?
«*Fileto:*   Pues ¿cómo piensas tú que son los reyes?
«*Salvano:*   Yo he visto en un jardín pintado al César,
                       a Tito, a Vespasiano y a Trajano;
                       pero estaban rapados como frailes.»

[111] *Ibid.*, p. 284 a:

«*Otón:*   ¿Cómo turbar? ¿No veis cuán apacible,
                   cuán humano es el Rey?.....................

[112] Cf. éd. Aubrun Montesinos, vers 986-990:

«*Casilda:*   ¿Que son
                        los reyes de carne y hueso?
«*Costanza:*   Pues, ¿de qué pensabas tú?
«*Casilda:*   De damasco o terciopelo.
«*Costanza:*   Sí que eres boba de verdad.»

ocurrir en él, cuaja el procedimiento lopesco y al confrontar al Rey y a un rústico, turbado por la emoción, no deja de poner inepcias en boca de este último. En *Antona García,* por ejemplo, el ingenuo Bartolo, que apacienta sus ovejas a orillas del Duero, no alcanza a creer que tiene ante sí, en carne y hueso, al rey Fernando: se lo imaginaba «grande como un buey». Con la emoción, lo llama «el rébede» (el rey) y dice «Su altura» por «Su Alteza».

Una de las maneras más certeras de provocar la risa a expensas del villano fue la de transportarle en el medio cortesano o de hacerle tomar actitudes que no eran las suyas de ordinario. La ruptura con la costumbre social, la brusca solución de continuidad en el estilo de vida, por el hecho mismo de que ello conlleva inadaptación y gestos inadecuados, siempre poseyeron la capacidad de hacer reir. En esta inadaptación enraiza la comicidad del disfraz, lo cual no es sino un caso particular de calco artificial de lo vivo por la mecánico, del que nos habla Bergson en su estudio sobre la risa. Los dramaturgos españoles captaron cuánto provecho escénico podían sacar de los cambios de indumentaria de un villano transplantado en la ciudad o en el palacio, y la comedia nos ofrece innumerables ejemplos de esta situación. Es preciso observar que tal situación no fue puramente imaginaria y teatral, si se considera el gran movimiento de éxodo rural que, a partir de la segunda mitad del siglo XVI, impulsó hacia las ciudades a apretadas filas de villanos e hijos de villanos en busca de un oficio o un trabajo.[114] El personaje del villano poco despabilado, recién llegado a la ciudad, fue una realidad hacia los años 1600. Se concibe que su representación haya podido hacer reir a los verdaderos ciudadanos, al noble educado, como también a más

En la P. XLIII de su introducción, Aubrun y Montesinos señalan cuán próximos están estos versos de los de un romance burlesco en lengua rústica, de Quevedo:

«El rey que a mí me mostraron
de carne y de güeso era:
debiéronme de engañar,
que el rey dicen que es de seda.»

(B. A. E., LXIX, 261 a.)

[113] Cf. N. B. A. E., I. pp. 641 b-642 a:

«Fernán:	Ya estamos solos, ¿qué dices?
«Bartol.:	¿Es el rébede?
«Fernán:	Acaba, di
«Bartol.:	¿Con sus ojos y narices?
	¿Qué no más aquesto es rey?
	Por volverme al hato estó;
	imaginábalo yo
	del tamaño de un gran buey.»

[114] Cf. *Actas de las Cortes de Castilla* (t. XXI, p. 326). Sesión del 5 de mayo de 1603:

«... lo cual es causa de que todos procuren huir el cuerpo a la labrança, dejando los hijos a los padres, que es el principal caudal del labrador el trabajo del hijo, siguiendo el estado de eclesiásticos, religión, milicia, o procurando otros menos trabajosos en la corte y en lugares populosos, sirviendo o entreteniéndose en diferentes oficios de escribanos, solicitadores, sastres, zapateros, y otros que hay en la república...»

No citaremos de ejemplo más que este texto, pero hay otros de idéntico tono y con el mismo tema, en las *Actas de las Cortes de Castilla* que se refieren a los años 1580-1635.

de un mosquetero quien, a menudo, era hijo de un villano urbanizado desde hacía poco tiempo y gustoso de burlarse de su primo que aún no había perdido el pelo de la dehesa.

Encina ya había empleado el procedimiento de la transformación indumentaria del rústico. En la segunda égloga *«en recuesta de unos amores«*, vemos a Mengo y a su esposa, Menga, con ropas palaciegas: se pavonean, pero ya lo sabemos, pese a su afán por despojarse de la rusticidad, no alcanzan más que el ridículo.[115] Acaso este Mengo y su compañera no habían de ser ridículos y torpes en la nueva librea para seguir fieles a la expresión tradicional algo burlona: «Más galán que Mingo»?[116] Cervantes, en efecto, parece señalarnos el sentido irónico dentro del cual hay que interpretarla al escribir: «Venid muchachos, y veréis el asno de Sancho Panza más galán que Mingo».[117] Sea lo que fuere, la comedia nos presenta a menudo al villano cómico transformado en lacayo o aun en escudero o cortesano. En *El villano en su rincón* (Lope), Bruno y Fileto son metamorfoseados en «lacayos graciosos» en la escena final.[118] De forma semejante, en *La inocente Laura* (Lope), Belardo se vuelve criado en la corte.[119] En *La firmeza en la desdicha* (Lope), Fabio sale de «lacayo gracioso».[120] En *Amán y Mardoqueo* (Felipe Godínez), Alfaxad y su mujer Balda, llevados a la corte, desean vestirse de seda: de pronto salen al escenario disfrazados como polichinelas: «Sale Alfaxad vestido de cortesano ridículo», «... Balda de cortesana ridícula».[121] Las más veces, la intención caricaturesca del nuevo atuendo va centrada en las calzas. Esto se explica fácilmente si se tiene en cuenta el hecho de que, en los reinados de Felipe II y Felipe III, los villanos castellanos aún seguían usando medias de paño y gregüescos.[122]

Las nuevas modas de calzas urbanas —en especial la de las calzas afolladas— daban pie, de por sí, a burlas teatrales, tal como lo prueban el *Diálogo sobre la invención de las calças que se usan agora...* de Lope de Rueda[123] y no pocos pasajes de co-

---

[115] La confesión de esta inferioridad de casta, que no es sino inferioridad social, está en boca de la pastora Menga, en el momento en que el escudero Gil les propone a los campesinos el traje cortesano:

«Mingo:	Pues si decimos de Gil,
	juro a diez que está gentil.
«Mengo:	Ya de Gil no es maravilla;
	que Gil ha sido escudero
	y vienle de gerenacio.»
	(Ed. Kohler, p. 81.)

[116] Cf. *Diccionario de la lengua española*, Real Academia española, 18a ed., 1956, art. «Mingo. Expresión fig. y fam. Dícese del hombre muy compuesto y ataviado». Ya se lee en las coplas de Mingo Revulgo:

«¡Ah Mingo Revulgo! ¡Oh! ¡Ah!
¿Qué es de tu sayo de blao?
¿No te vistes en domingo?»

[117] *Quijote*, IIª parte, cap. LXXIII.
[118] Acad., XV, p. 311 a.
[119] Acad., N., XII, p. 361 a.
[120] Acad. N., V, p. 632 b.

«Sale Fabio, villano, de escudero gracioso.»

[121] In *Suelta*, sin año (B. N. Madrid, T 20822), p. 14.
[122] Cf. M. Herrero, *Cervantes y la moda*, Revista de ideas estéticas, Madrid, 1948, Abril-septiembre, VI, p. 193 et sq.
[123] Cf. ed. Cotarelo, *Obras de Lope de Rueda*, t. II, p. 139 et sq.

media de Lope o de Tirso.[124] Resulta fácil comprender que el efecto cómico redoblara al tocarles a unos villanos nada desenvueltos meterse en aparejo tan complicado. Por ejemplo, Luis Vélez de Guevara construyó una escena cómica de *Los hijos de la Barbuda* (a más tardar de 1613) sobre la turbación del villano Sancho ante las calzas que ha de vestir:

> Yo quisiera saber
> éstas cómo han de fincar;
> que en tan estrecho lugar
> non sé cómo he de caber.
> Emparedado me han puesto,
> y en dos embudos metido;
> ¿contra el Rey qué he cometido
> que ansí me finca? ¿Qué es esto?
> Calzas, calzas combas dos,
> que ya el mi letigio veis,
> por la virtud que tenéis,
> y vos ha donado Dios,
> que me digáis de qué guisa
> os tengo de ataviar;
> que non vos puedo pasar
> a cobrirme la camisa.[125]

Asimismo una comedia en la que el motivo se halla muy usado es *El vergonzoso en palacio* de Tirso: vuelve en no menos de cuatro oportunidades.[126]

En efecto, más que a otros, a Tirso parece haberle gustado jugar con la ignorancia villana en presencia de piezas de vestidos urbanos. En *Los lagos de San Vicente* (1606?-1607?), el pastor Pascual, «villano muy a lo grosero», queda boquiabierto ante los guantes del rey Fernando con quien se ha encontrado: como nunca vio mano enguantada el pastor se imagina —tanta es su inepcia— que el cortesano se despelleja las manos cuando las deja descubiertas. En *Las quinas de Portugal* (8 de marzo de 1638), cuyo inicio está copiado casi palabra a palabra sobre el de la pieza precedente, el pastor Brito manifiesta una ignorancia idéntica al ver los guantes del conde Alfonso Enríquez, encontrado en la sierra de Braga. También este pastor cree, en su «rustiqueza», que los guantes y la piel son una sola cosa.[127] En *La ventura con el nombre*

---

[124] Véase de Lope, por ejemplo, *El hombre de bien* (1604-1606), en donde el gracioso Gabino, que tiene que ser lacayo en la ciudad, evoca con facundia lo pintoresco de las calzas (Acad. N., XII, p. 305).

[125] *3.ª parte de las comedias de Lope de Vega y otros autores*, Madrid, 1613, fol. A 5.

[126] Cf. B. A. E., V, pp. 207 b, 212 c, 208 a-b, 213 a.

[127] En la semejanza, casi palabra por palabra, del principio de *Los lagos de San Vicente* y *Las Quinas de Portugal*, tenemos un caso admirable de este «self-plagiarism» siguiendo la expresión de Gerald E. Wade, que caracteriza a veces el teatro de Tirso (Cf. Gerald E. Wade, *Tirso's self-plagiarism in plot*, H. R., 1936, IV). Valdría la pena, sólo en lo que atañe al motivo cómico de los guantes, poner en paralelo ambos textos. Nos contentaremos con citar alguno versos que pasan completamente de una pieza a otra:

> «Fernán: ¿Nunca viste guantes?
> Pascual: ¿Qué?
> Fernán: Estos; ¡simple es el villano!
>   (*Vase descalzando el guante.*)
> Pascual: Hao, que os desolláis la mano
>   ¿Estáis borracho? a la he

(obra tardía de Tirso) el rústico «gracioso», Balón, se sitúa en el mismo nivel de ingenuidad increíble, ya que él confunde pie y calzado. Está extrañadísimo cuando Basilia, calzada con chapines, se los saca y vuelve a poner, sin daño alguno, para probarle que efectivamente no forman parte de su cuerpo.[128] Ingenuidad increíble, acabamos de escribir. No obstante, en la primera mitad del siglo XVII, tal ignorancia se explica por el hecho de que algunos villanos no llevaban zapatos e incluso iban a menudo descalzos. El rasgo cómico, que nos parece hoy demasiado fuerte, no se salía de los límites de lo verosímil y lo justificaba un nivel de civilización.[129]

El disfraz dijimos, puede ser motivo de risa; el llevar armas, un uniforme militar, o el adoptar un aire marcial (falso por parte de un villano) son interpretados en la comedia como un tipo de encuentro insólito e incongruente de dos universos heterogéneos, excluidos el uno del otro. Es que, en lo hondo de lo risible late, más o menos, la idea aristocrática y feudal de que únicamente un noble sabe llevar las armas con la buena figura y el estilo requeridos. Para una mente feudal, la idea de que el villano pueda convertirse en un soldado no constituye una posibilidad seria. Abrid los *Carmina burana*, Serie de poemas en latín medieval, obra de goliardos franceses y alemanes de los siglos XII y XIII. Los villanos, transformados en militares, son precisamente uno de esos «impossibilia» divertidos que presenta una de las composiciones cómicas de la colección: allí el labrador armado es cosa absurda, tan contraria al orden normal de las cosas, como lo serían el buey que bailara, el burro que tocara laúd o el Padre de la Iglesia instalado en la taberna.[130] El concepto feudal del compartimentado de las funciones según las clases, reflejado por este ejemplo, también existió en España y el código de las *Partidas* del siglo XIII lo atestigua jurídicamente. Este texto lo dice con claridad: los «labradores y los defensores» forman dos estados bien distintos en la sociedad.[131] Tal manera de ver subsistía todavía en muchas mentes del siglo XVI y XVII,

---

que debéis ser hechicero.
El pellejo se ha quitado
y la mano le ha quedado
sana, apartada del cuero.
Las mías el azadón
les ha enforrado de callos;
pues que sabéis desollallos
hedme alguna encantación,
o endilgadme vos el cómo
se quitan, que Marí Pabros
se suele dar a los diabros
cuando la barba la tomo.

«Fernán: ¡Sazonada rustiqueza! etc.»

Para comparar, Cf. N.B.A.E., II, pp. 27-28 y pp. 568-569.

[128] Cf. B. A. E., V, p. 532 b.

[129] Cf. Covarrubias, *Tesoro*... p. 268, art. *Calçador:* «... Algunos andan descalços porque no tienen con qué comprar zapatos, otros por no romperlos como hazen en algunas aldeas assí los hombres como las mugeres...»

[130] *Carmina Burana*, mit Benutzung der Vorarjeiten Wilhelm Meyers, kristisch herausgegeben von Alfons Hilka und Otto Schumann (Text. I, núm. 6, p. 7-8), Heidelberg, 1930.

[131] Cf. *Partidas*, tit. XXI, prólogo: «Defensores son uno de los tres estados por que Dios quiso mantuviesse el mundo. Ca bien assí como los que ruegan a Dios por el pueblo, son dichos Oradores: e otrosí los que labran la tierra, e fazen en ella aquellas cosas, porque los omes an de bivir e de mantenerse, son dichos Labradores; otrosí los que han de defender a todos, son dichos Defensores.»

Esta noción de estado es más amplia, menos precisa que la noción de clase. Cada estado englobaba a su vez varias clases y capas sociales divididas entre sí por contradicciones que la economía feudal aún no había

y contribuía a alimentar la visión cómica de la asociación inesperada entre un atuendo militar y un cuerpo villano. El villano armado «a lo gracioso» fue un verdadero tópico, retomado incansablemente por los dramaturgos, tanto después de 1600 como antes. Nos contentaremos con citar comedias donde lo hemos hallado, sin detenernos especialmente en ninguna, por lo automático del efecto, apenas variado de una comedia a otra.

a) *Comedias de Lope de Vega:*

Los muertos vivos (1599-1602) «datable» , según M. B. Cf. N. Acad., p. 679: «Sale Doristo de soldado a lo gracioso con una espada mohosa» (Doristo es jardinero).

El primer rey de Castilla (1598-1603, «vague spread», según M. B.). Cf. Acad., VIII, p. 61 a: «Sale Mendo, montañés, a lo soldado gracioso» (Mendo no es un villano, ya que es un hidalgo de la Montaña; sin embargo es un hombre de campo).

Las Batuecas del Duque de Alba (1598-1603, probablemente 1598-1600. «authentic undated», según M. B.). Cf. Acad., XI, p. 532 b: «Salen con caja y bandera los labradores que pudieren. Belardo, Lucindo, Valerio, y el Alcalde, armados graciosamente.»

Los Guzmanes de Toral (1599-1603, «vague spread», según M. B.). Cf. N. Acad., XI, p. 26: «... y Varveco y Mireno armados a lo gracioso con espada».

La nueva victoria (1604, «datable» según M. B.). Cf. Acad., XIII, p. 125: «Salen Bulpin, villano, armado graciosamente y Sabina, villana.»

Las grandezas de Alejandro (1604-1612, probablemente 1604-1608, «authentic undated» según M. B.). Cf. Acad., VI, p. 332: «... entra Vitelo ya de soldado gracioso con cuera, plumas y espada».

El conde Fernán González (1606-1612, probablemente 1610-1612, «authentic undated» según M. B.). Cf. Acad., VII, p. 457 b: «Salen Bertol, Aparicio, Mendo y villanos con banderas, caja y lanzones, armados graciosamente.»

La villana de Getafe (1620-1622, «datable» según M. B.). Cf. N. B. A. E., X, p. 377 a.

Peribáñez y el comendador de Ocaña (1609-1612), probablemente 1610, «authentic undated», según M. B.). Cf. ed. Aubrun y Montesinos, p. 124: «Entra una compañía de labradores, armados graciosamente y detrás Peribáñez con espada y daga».

El labrador venturoso (1620-1622, «authentic undated», según M. B.). Cf. Acad., VIII, p. 30 a.

La carbonera (1620-1626, «authentic undated», según M. B.). Cf. Acad. N., X, p. 724.

b) *Comedias de Tirso de Molina:*

La mujer que manda en casa (1611-1612, según Dª María Blanca de los Ríos). Cf. N. B. A. E., p. 483 a: «Salen Zabulón, Dorbán, y Lisarina pastores, y a lo soldado gracioso Coriolín.»

El árbol del mejor fruto (impresa en la 1.ª Parte, 1627). Cf. N. B. A. E., I, p.47.

Privar con gusto (impresa en la 4.ª Parte, 1635). Cf. B. A. E., p. 448: «Tres pastores armados a lo gracioso.»

---

madurado. las mayores contradicciones de la sociedad monárquico-señorial eran las que oponían entre sí los distintos grupos de clases llamados *estados*, y por esta razón las definiciones jurídicas y los debates políticos de aquel tiempo dan cuenta de ello con insistencia.

c) *Comedias de otros autores:*

Contra valor no hay desdichas, atribuida a Lope de Vega, pero de atribución dudosa (cf. M. B., *Chronology,* p. 269). Cf. Acad., VI, p. 306: «Flora y Bato de soldado a lo gracioso.»

El diablo está en Cantillana, de Luis Vélez de Guevara. Cf. B. A. E., XLV, p. 169: «Salen todos los que pudieren, armados graciosamente, y Rodrigo, de sacristán; Carrasca, alcalde labrador, y sacan caja de guerra.»

Ya anda la de Mazagatos, atribuida a Lope de Vega, pero muy alterada en la forma bajo la cual llegó hasta nosotros. Cf. Ed. de G. Morley, extracto del *B. Hi.,* Burdeos, 1923-1924, p. 41: «Saldrá Nuño con espada antigua en la mano y dos billanos con palos, y otra puerta Elbira con un huzo y D.ª Elbira y Teresa con luzes.»

La muger de Peribáñez, in *Libro extrabagante de comedias escogidas de diferentes autores,* Toledo, 1667 (B. N. Madrid, R. 11781).

Resulta fácil imaginar la estilización cómica de los villanos armados. Se centra a menudo en el carácter vetusto de las armas o el uso inesperado de algún objeto rústico para completar el armamento, la postura grotesca, o simplemente divertida, de los cuerpos. Las espadas, por lo general, están herrumbradas y suele ocurrir que en lugar del broquel, el villano esgrima la tapa de una tinaja.[132] Para acentuar lo ridículo, el dramaturgo puede darles a los aldeanos armados un atuendo caricaturesco: verbigracia, cuando, por la noche, los villanos salen precipitadamente a la calle bajo la dirección de un alcalde, porque han oido ruídos insólitos. En *Ya anda la de Mazagatos,* toda una partida irrumpe así en el escenario, blandiendo espadas viejas, palos, picas: algunos, despertados de sobresalto, han salido tan aprisa que ni tuvieron tiempo para terminar de vestirse.[133] En este tipo de escenas, el dramaturgo siempre intenta subrayar merced a algún rasgo, la carencia de vocación militar por parte del villano. En el acto III de *La muger de Peribáñez,* el gañán Gilote aparece armado hasta los dientes: en presencia de su mujer, se dedica a hacer grandes ejercicios con una espada, expresando acerca de la guerra una idea muy simplista; pero, como es muy torpe, en lo mejor de la demostración, se mete la funda de la espada en la boca.

La costumbre de traer al lugar común del villano armado a lo gracioso a llevó a Lope a conservar en un villano concebido y querido como digno, su Peribáñez de *Peribáñez y el comendador de Ocaña,* parte de este cómico ritual. Peribáñez desfila por la plaza del pueblo de Ocaña encabezando a los labradores alistados para la guerra de Granada. Sin caer en el ridículo (sería contrario al enfoque de la pieza) el capitán vi-

---

[132] Cf. *La villana de Getafe* de Lope, Acad., N., X, p. 377 a: «Hernando y Bartolomé con tapadores de tinajas y espadas desnudas». Cf. el entremés de Cervantes, *La guarda cuidadosa,* en la que también se ve a un aldeano armado con un «tapador de tinaja y espada muy mohosa». Este era un procedimiento de estilización cómica harto repetido, de juzgar por los primeros versos del romance: *«Ensíllenme el asno rucio* de Góngora que Millé fecha en 1585:

«Ensíllenme el asno rucio
del Alcalde Antón Llorente,
denme el tapador de corcho

....

[133] Puede deducirse el detalle escénico del traje incompleto por la pregunta de Nuño: «Todos os abéis bestido? (verso 921 de la ed. S. Griswold Morley, *B. Hi.,* Bordeaux, 1923-1924).

llano, con la espada y la daga al costado, tiene gracia y es divertido, casi tanto como sus gentes armadas con lanza rústica (el lanzón para guardar las viñas).[134]

En realidad, con el atuendo militar del villano, cabían dos efectos teatrales: el uno era la elegancia reservada al villano rico y sobre todo al falso villano (noble bajo apariencias villanas); el otro, la ridiculez reservada al villano de nivel social inferior. Citemos como ejemplo *El labrador venturoso* (1620-1622) de Lope, en donde los azares del enredo llevan a la guerra contra los moros a un villano (de origen noble) quien encabeza una compañía villana, como Peribáñez. Entre los villanos está su gañán. Tal situación da lugar a la siguiente indicación escénica: «Sale Alfonso muy bizarro y los labradores todos con espadas y plumas, y Fileno de soldado a lo gracioso».[135] Ni que decir tiene, Fileno es el gañán y Alfonso el amo «villano»: la distinción de trajes y estilos corresponde, como siempre, a una distinción de clases. En relación con este acostumbrado esquematismo estructural de la comedia, una de las originalidades de *Peribáñez y el comendador de Ocaña* estriba en que, en este punto, así como en otros, Lope ha mezclado los matices en el personaje de Peribáñez, llegando así a una sabrosa media tinta tragi-cómica; en suma, introdujo en esta obra una categoría de la estética propia de más de una obra maestra: la ambigüedad.[136]

* * *

Ahora captamos en qué consiste la raíz social de la comicidad villana en la comedia española. Toda situación teatral puede cobrar tintes cómicos o trágicos, según el enfoque, y la risa no es posible si el autor y el público no han convenido previamente en reir juntos. Pero este pacto sellado secretamente entre ambos, lo firmaron fuera del corral y, a menudo, sin saberlo. La ideología dominante dentro de la que bañan es determinante para saldar su acuerdo en el plano estético. La tontería, la inepcia, la candidez absoluta, la humanidad primitiva, el horizonte estrechado, la torpeza en los gestos atribuidos a la figura del rústico, considerados en sí, no son rasgos cómicos. Esos defectos se vuelven tales por un decreto estético condicionado por la orientación ideológica de una época o de un medio.

Así vemos al descubierto lo que constituye a menudo el rasgo fundamental del villano cómico en el teatro español y que precisaremos con motivo de los alcaldes aldeanos: a saber que este personaje es el el *objeto* de una risa ajena a sí mismo; en otros términos, de una risa de la que no participa él mismo, como *sujeto*.

---

[134] Cf. las indicaciones escénicas que subrayan la entrada y la salida de la compañía villana en el escenario:

> «Entra una compañía de labradores, armados graciosamente y detrás Peribáñez con espada y daga» (éd. Aubrun y Montesinos, p. 124); «Entrese, marchando detrás [se trata de Peribáñez] con graciosa arrogancia» (Ibid., p. 129).

[135] Acad., VIII, p. 30 a.

[136] Son conocidos los versos de *El arte nuevo de hacer comedias:*

> «*Lo trágico y lo cómico mezclado / Y Terencio con Séneca, aunque sea / Como otro Minotauro de Pasifae, / Harán grave una parte, otra ridícula; / Otra aquesta variedad deleita mucho. / Buen ejemplo nos da naturaleza, / Que por tal variedad tiene belleza.*»

En un personaje como el de Peribáñez, no se trata sólo de una simple yuxtaposición de elementos cómicos y trágicos, sino de una verdadera mezcla orgánica.

CAPITULO IV

LOS ALCALDES

Comedias y entremeses con alcaldes cómicos. La ironía tradicional hacia los alcaldes aldeanos. La trayectoria teatral del tipo en el siglo XVI. El casamentero. El organizador de las fiestas y recibimientos. Su falsa gravedad y su sentido de la función de magistrado. Su ferocidad grotesca. Su ineficacia. La ridícula limpieza de sangre. Juan Rana. La oposición histórica «campo-ciudad».

Muy a menudo, el villano cómico de la comedia aparece con rasgos de alcalde de pueblo. Se puede afirmar que éste constituye un tipo fijo o casi. Las más veces, cuando aparece el alcalde sobre el escenario, lo hace para provocar la risa: algunas señas exteriores, ademanes cuajados, un atributo convencional llevado solemnemente (la vara tradicional para la compostura, «pour faire gravité», como dice Barthélémy Joly[1]) van dando de antemano el tono del personaje. Es cosa convenida entre el autor, los actores y el público: cuando aparece el alcalde aldeano, haga lo que haga, diga lo que diga, está presente para divertir con sus expresiones consabidas y trilladas, sus posturas rígidas, sus sentencias grotescas. Viene a ser, por decirlo así, un tipo de Polichinela de la comedia española, con personalidad dramática fijada de antemano.

* * *

Se lo encuentra, más o menos acentuado en sus rasgos cómicos, en Lope, Tirso, Luis Vélez de Guevara, Montalbán, etc., y numerosos entremesistas. Sin afirmar el haber agotado la lista, no obstante podemos proporcionar una nutrida enumeración de comedias lopescas o seudolopescas en las que interviene un alcalde aldeano gracioso, ya sea solo, ya sea acompañado por un doble. Al intentar clasificarlos cronológicamente pronto nos percatamos de que el tipo fue puesto en escena por Lope durante toda su larga carrera. Empero fue sobre todo antes de 1610-1615, y más particularmente antes de 1605, cuando tendió a utilizarlo para divertir a los espectadores. Estas comedias, ordenadas cronológicamente y respetando las categorías establecidas por Morney y Bruerton en su *Chronology...*, son las siguientes:

---

[1] B. Joly, *op. cit.*

a) *Comedias clasificadas «Authentic datables» por M. B.:*

1588-1595 *Urson y Valentín* (Acad., XIII, p. 509).
1590-1595 *Los amores de Albanio y Ismenia* (Acad. VI., p. 30).
1602 *El príncipe despeñado* (Acad., VIII, pp. 131-133 ss.).
1599-1603 *La mocedad de Roldán* (Acad., XIII, pp. 226-227).
1603 *La corona merecida* (Acad., VIII, p. 565).
¿1605? *El rústico del cielo* (Acad., V, p. 252).
1613 *San Diego de Alcalá* (Acad., III, pp. 35-36).
1624 *Lo que ha de ser* (Acad., N., XII, pp. 386-387).
1626 *El piadoso aragonés* (Acad., X, p. 262).

b) *Comedias clasificadas «Of vague spread» por M. B.:*

Antes de 1596 El verdadero amante (B. A. E., XXIV, pp. 16-20).
1586-1595 *Belardo el furioso* (Acad., V, p. 622).
1590?-1595 *La serrana de Tormes* (Acad., N., IX, p. 471).
¿1588?-septiembre de 1598 *El galán escarmentado* (Acad., N., I, p. 30).
1595-1598 *La serrana de la Vera* (Acad., XII, pp. 34-35).
1597-1598 *Vida y muerte del rey Bamba* (Acad., VII, p. 48).
1598-1603 *El tirano castigado* (Acad., N., IX, pp. 746-747-750-752).
1608-1612 *El Hamete de Toledo* (Acad., N., pp. 171-185 a.).

c) *Comedias clasificadas «Authentic undated» por M. B.:*

1597-1603 La reina Juana de Nápoles (Acad., VI, p. 538-539-540).
1599-1605 *El halcón de Federico* (Acad., XIV, pp. 466-467).
1597-1608 *La doncella Teodor* (Acad., XIV, p. 146).
1604-1610 *La hermosura aborrecida* (Acad. N., VI, p. 267).
1608-1615 *Los hidalgos de aldea* (Acad., N., VI, p. 288).
1608-1612 *El animal de Hungría* (Acad., N., III, p. 224).

d) *Comedias atribuidas a Lope de Vega, pero cuya atribución no es segura:*

1599-1608 Las mocedades de Bernardo del Carpio (Acad., VII, pp. 232-233).
1612-1614 *El Aldegüela* (Acad., XII, pp. 252-253-255).
    Santa Casilda? (Acad. N., II, pp. 589-591-593).
    ¿El sastre del Campillo? (Acad. N., IX, pp. 251-260-261).
    ¿La Orden de Redención y Virgen de los Remedios? (Acad. N., VIII, p. 677).
    ¿El engaño en la verdad? (Acad. N., X, pp. 224-234-245).
    ¿Ya anda la de Mazagatos? (Acad. N., X, p. 514).

Asimismo, entre las comedias de Tirso en las que aparece la figura del alcalde aldeano cómico, pueden citarse:

¿1611-1612? *El vergonzoso en palacio* (B. A. E., V, p. 207 c).
1613 *La Santa Juana*, II (N. B. A. E., IX, (II), p. 280).
1614-1615 *La Dama del Olivar* (N. B. A. E., IX, (II), p. 217 n).

Antes de 1627 *El pretendiente al revés* (B. A. E., V, pp. 29-30).

Antes de 1634 *La prudencia en la mujer* (B. A. E., V, p. 303).

También a otros autores de la escuela de Lope se les deben comedias en las que el personaje del alcalde villano interviene con su carácter de títere cómico; sin pretender tampoco agotar la lista, indicaremos:

de Luis Vélez de Guevara:

Los novios de Hornachuelos (Acad., «Comedias de Lope de Vega», X, pp. 52 y ss.).

El diablo está en Cantillana (B. A. E., XLV, pp. 169 y ss.).

El lego de Alcalá (Comed. de los mej. ing. de España, IV, fol. 55).

La luna de la sierra (B. A. E., XLV, p. 180).

El pleito que tuvo el diablo con el cura de Madrilejos (en colaboración con Francisco de Rojas y Mira de Amescua) (in «Flor de las doce mej. comed.» 1652, fol. 128).

de Castillo Solórzano:

El Marqués del Cigarral (B. A. E., XLV, pp. 310-312).

de Montalbán:

El Segundo Séneca de España Don Felipe (in «Comedias de Pérez de Montalbán», 1658, fol. 25-28).

de Matías de los Reyes:

Di mentiras y sacarás verdad (in «Seis comedias», Jaén, 1629 (B. A. E. Madrid, fol. 8-9 R. 23962).

de Cubillo de Aragón:

El amor como ha de ser (in «Comed. escog. de Cubillo de Aragón» 1856, I, pp. 319 y ss.).

El bandolero de Flandes (in «Suelta», sin año, B. N. Madrid, T. 10955).

Por fin, para no considerar más que a la más accesible de las colecciones de entremeses de la primera mitad del siglo XVII, señalaremos que el tipo del alcalde cómico se encuentra en numerosas obras.[2] Pero es probable que no quede allí sino una mínima proporción de una multitud de producciones semejantes. La palabra misma «alcalde» interviene en el título de una decena de éstas, y este mero detalle demuestra hasta qué punto el personaje se había vuelto un tipo teatral vulgarísimo por el cartel y aguardado por el público. He aquí la lista de algunas de estas piezas, con, en algunos casos, una indicación de fecha aproximada a la que se puede llegar:

a) Cervantes:

El retablo de las maravillas (entre 1603 y 1615).[3]

La elección de los alcaldes de Daganzo (antes de 1615).

(Señalemos que, fuera de los entremeses, Cervantes vuelve a presentar el tipo del

---

[2] Emilio Cotarelo y Mori, *op. cit.* No consideramos más que el caso de los entremeses en sentido estricto, pero también hay bailes en los que interviene el tipo del alcalde. Por ejemplo, de Quiñones de Benavente; *Baile del alcalde del corral, Baile cantado de Al cabo de los bailes mil.*

[3] Se admite generalmente que una alusión a la crecida del Guadalquivir, de diciembre de 1603, proporciona un *terminus a quo.*

alcalde en su comedia *Pedro de Urdemalas*. antes de 1611, fecha de la muerte del actor Nicolás de los Ríos).

b) Tirso de Molina o Quiñones de Benavente:
Los alcaldes encontrados (serie de seis entremeses) (antes de 1635 para los cuatro primeros).[4]

c) Quiñones de Benavente:
El retablo de las maravillas (antes de 1635).[5]
La visita de la cárcel (antes de 1635).[6]
El guarda-infante (hacia 1635).[7]
El mago (antes de 1638-1640).[8]
Entremés famoso de Turrada (poco antes de agosto de 1644).[9]
El alcalde de Sacas (antes de 1651).[10]
Las alforjas (antes de 1651).[11]
La ronda (antes de 1651).[12]

d) Julio de la Torre
El alcalde de Burguillos (antes de 1640).[13]

e) Anónimos:
Entremés de la sacristía de Mocejón (principios del siglo XVII).[14]
La inocente enredadora (antes de 1640).[15]
El empedrador (primera mitad del siglo XVII).[16]
El alcalde registrador (antes de 1658-primera mitad del siglo XVII).[17]

---

[4] Los alcaldes encontrados fueron publicados por primera vez en la *Segunda parte* de las comedias de Tirso de Molina (1635) sin nombre de autor y bajo el título de *Los alcaldes*. La serie no comportaba entonces más de cuatro comedias. E. Cotarelo y Mori, apoyándose en la *Flor de entremeses y sainetes de diferentes autores de Madrid (1657)*, hizo atribuir esos entremeses a Benavente. María Blanca de los Ríos, en su edición de las comedias de Tirso (Aguilar, 1946, I, pp. 963-964), pone en duda esta atribución. Sus argumentos en favor de Tirso no nos parecen decisivos. Sería necesario volver a considerar el problema en su conjunto.

[5] La muerte del actor Cristóbal de Avendaño (en 1635) que actuó en las piezas, constituye un *terminus ad quem*.

[6] Cf. la nota anterior.

[7] 1635 es una fecha que puede deducirse de las modas ridiculizadas en el entremés. Pero nos orienta sobre todo el hecho de que *El guarda-infante* se presenta como la continuación de *La visita de la cárcel* (antes de 1635). La muerte del actor Fernández de Cabredo, en 1638-1640, fija un *terminus ad quem*.

[8] La fecha del fallecimiento del actor Fernández de Cabredo fija un *terminus ad quem*.

[9] Una aprobación de Luis Vélez de Guevara lleva la fecha de agosto de 1644.

[10] 1651 es fecha de la muerte de Quiñones de Benavente.

[11] Cf. la nota anterior.

[12] Cf. la nota 10.

[13] Publicado en la colección *Entremeses nuevos de diversos autores* de Pedro Lanaja, Zaragoza, 1640. Esta colección de entremeses es la más antigua que hayamos encontrado en la B. N. de Madrid.

[14] E. Cotarelo y Mori estima que la factura rudimentaria de este entremés lo sitúa en fecha temprana. Cf. *Colección* I, vol. I, p. 60 y p. LXVII.

[15] Cf. la nota anterior.

[16] Cf. E. Cotarelo y Mori, *Ibid.*, I, vol. I, p. CXXVI a-b. Puede leerse esta pieza in *Teatro poético en veintiuno entremeses nuevos escogidos de los mejores ingenios de España*, Zaragoza, enero 1658.

[17] Cf. E. Cotarelo y Mori, *Colección*, I, vol. I, p. CXXVIII b. Este entremés figura también en el *Teatro poético*, señalado ya en la nota precedente.

Estas listas de ningún modo exhaustivas, bastan ampliamente para demostrar que el tipo del alcalde cómico fue repetido hasta la saciedad por los escritores teatrales y que fue un tipo exitoso. Tal florecer de alcaldes teatrales no puede explicarse únicamente por las leyes del escenario: si al público le gustó el tipo, si nunca se sintió cansado por la repetición indefinida de las mismas payasadas, de los mismos gestos irrisorios, de las mismas palabras estereotipadas, es que el títere teatral fue sobre el escenario la proyección de ideas o de sentimientos que estaban en la sala. Como el Comisario o Pandora en las «guiñoladas» de hoy, el alcalde aldeano de la comedia española no se explica sin las reacciones afectivas del público y sus raíces ideológico-sociales profundas.

Una explicación del éxito de tipos tales como el comisario o Pandora en el «guiñol» de hoy consiste en decir que sus desventuras en el escenario (a menudo Pandora recibe una paliza de Guignol y el Comisario se ve engañado) satisfacen al espíritu de rebeldía contra el poder que duerme en el fondo de cada uno de los miembros de una sociedad de fuertes coacciones estatales. Desde este punto de vista el espectáculo del «Guignol» desempeñaría el papel de una suerte de psicodrama, permitiendo al espectador «desahogarse» inconscientemente; tendría, como otros tantos espectáculos, una función de catarsis. Puede verse en el éxito del personaje del alcalde ridículo en el teatro español el reflejo de una rebelión del mismo tipo. Sin duda, el alcalde y sus «alcaldadas» (aún hoy se designan con este nombre los actos de autoridad despótica y arbitraria) constituyeron un blanco irremediable para no pocas gentes y cabe imaginar que, a veces, las escenas con alcaldes cómicos actuaron sobre ciertas personas a la manera de los psicodramas modernos que, por medio de la representación teatral, ofrecen un derivativo para antipatías y hostilidades reales. No obstante, lo que nos parece fundamental en el alcalde cómico del teatro rústico es el hecho de ser aldeano. Todo ocurre como si su calidad rústica fuese la que realmente volviera ridícula en él la función de alcalde. Lo escarnecido no es el poder sino el hecho de que sea ejercido por un aldeano. Una vez más, la ideología aristocrática y urbana del desprecio, del recelo y de la ironía para con los aldeanos, es determinante para conferirle a lo cómico su verdadero contenido. Como ya veremos, la corriente de pensamiento hostil a la «justicia ordinaria» de las aldeas es la que nutre esencialmente lo ridículo.

Efectivamente, a lo largo del siglo XVI y principios del siglo XVII, cada vez más numerosos son los pueblos del reino de Castilla y León que intentan obtener o reforzar la que llaman «jurisdicción de por sí»,[18] es decir el viejo derecho medieval que tiene cada comunidad organizada de poseer estructuras municipales (concejo, justicia, policía, mercado, etc...). Tales instituciones les permitían una relativa autonomía administrativa, judicial y política, incluso económica. Este movimiento se acentúa a fines del siglo XVI, en relación con las dificultades de la hacienda, por la rápida transformación de numerosas aldeas en villas y la distribución de los cargos aldeanos por dinero a villanos lo suficientemente ricos como para comprarlos. En contra de esta multiplicación de villas, se desarrolla paralelamente una doble resistencia: una, de tipo feudal, por parte de los señores de vasallos, nada deseosos de ver escapárseles lo que les quedaba de poder jurisdiccional. La otra, de tipo más moderno, es la de las grandes ciudades, dueñas de aldeas a las que querían dominar administrativamente y fiscalmente, y de los letrados y otros funcionarios reales, partidarios de un poder unificado y centralizado. De esta doble resistencia de los medios aristocráticos y urbanos, hosti-

---

[18] La expresión «jurisdicción de por sí» es constante en las *Relaciones topográficas* (1575-1580).

les a la concesión de los poderes judiciales o administrativos a colectividades rurales, se hallan repetidos ejemplos en los siglos XVI y XVII. En su tratado *Política para corregidores y señores de vasallos* (1597), el jurista Castillo de Bobadilla, partidario del poder centralizado, no es favorable a los «alcaldes ordinarios». En varias oportunidades, habla de ellos con severidad, reprochándoles su ignorancia y su idiotez, indignándose por el hecho de que un noble o cualquier otra persona principal vecina de una ciudad, pueda verse obligada, eventualmente, a rendir cuentas ante jueces tan elementales. Por lo demás revela que, en la práctica, se recurría lo menos posible a la justicia de estos alcaldes rurales:

> ... A lo menos no se puede negar la indecendencia [*sic*] que esto tiene, porque aviendo en las ciudades y pueblos comarcanos Corregidores, y Tenientes, y otras personas de ciencia y término político, parece absurdo que salga a executar al Grande, al titulado, a la ciudad, o concejo, a las personas graves y a otras qualesquier, el alcalde idiota y rústico de la villa eximida, atenido en todo a lo que le ordenare el escrivano caro, o el assessor barato (con cuya sentencia se disculparía, si fuese persona de aprovación) y assí lo practica ya el consejo como lo vi ayer en una comissión para la ciudad de Guadalajara, que por más cercano se dirigió al Teniente de Atienza, y no a ningun Alcalde de las villas eximidas que están mas cerca...[19]

También en las *Actas de Cortes,* en donde están consignadas las intervenciones en las cortes de los procuradores urbanos (nobles todos), podemos espigar frecuentes ataques contra la «justicia ordinaria» de las aldeas. Estos procuradores esgrimen en contra de ella reproches, a los cuales, como toda justicia española en ese tiempo, daba pie, a veces. Hacen notar que muchos alcaldes aldeanos usan sus cargos en interés personal, y no en el de la justicia o de la administración municipal. Las capitulaciones de las Cortes de Madrid de 1611-1612 mencionan que los magistrados locales ejercen a menudo sus rigores sobre los jornaleros y la gente pobre de los pueblos: los condenan a multas, los encarcelan a pesar de sus demandas o apelaciones a otra justicia, y se quedan con el tercio de las multas cobradas:

> ... Porque muchas veces proceden los jueces y justicias ordinarias contra oficiales y otras personas pobres por transgresión de ordenanzas por denunciaciones injustas, y prenden a los tales denunciados, y habiéndoles condenado en algunas penas pecuniarias, aunque apelan de ellas, los tales jueces como tienen la tercia parte de dichas condenaciones, sin embargo que las depositan para poder seguir las dichas apelaciones, no quieren soltarles de la cárcel a fin que por salir de ella consientan las sentencias y se aparten de las apelaciones, de que se les siguen grandes vejaciones y molestias; y para su remedio suplicamos a V. M. que, depositando los que así fueren condenados el dinero de la pena pecuniaria, no puedan estar presos y sean sueltos, y en las dichas ordenanzas, pesos y posturas de bastimentos en grado de apelación conozcan los ayuntamientos hasta en la cantidad que tienen juridición en las otras causas civiles...[20]

---

[19] Castillo de Bovadilla, *Política para corregidores y señores de vasallos, en tiempos de paz, y de guerra...,* Madrid, Luis Sánchez, 1597, 2 vol., lib. II, cap. XX, núm. 7 (B. N. Madrid, R 26202-2). Se conocen varias reediciones de esta obra: Medina del Campo, 1608; Barcelona, 1624.

[20] Cf. *Actas de las Cortes de Castilla,* XXVII, p. 369.

En base a hechos así, recogidos con una mentalidad sistemática de escarnio y condena, se desarrolla en las ciudades de los siglos XVI y XVII la actitud de hostilidad y derisión para con las instituciones municipales de los pueblos. La literatura, los sermones de los predicadores, las obras jurídicas, coinciden al brindarnos testimonios del descrédito más o menos acentuado de los alcaldes aldeanos en determinado sector de la opinión. Nos revelan nítidamente que eran objeto de burla. En el *Vocabulario de refranes... de G.* Correas leemos estos dos proverbios: «Alcalde de aldea, el que lo quiere, éste lo sea», «Alcalde de aldea, séase quien quiera». Por sí solos dicen mucho. A expensas de los magistrados de aldea circulaban chascarrillos y cuentecillos en los que se daba rienda suelta al gusto español por el chiste. Si algunos los presentaban como unos Salomones ingeniosos, capaces de emitir sentencias inesperadas, no pocos los hacían simples y ridículos.[21] En una palabra, independientemente del teatro, el alcalde rústico fue un tipo divertido de la que podría denominarse sátira «en estado bruto», elaborada colectivamente en algunas capas sociales del pueblo español de los siglos XVI y XVII. No nos parece posible negar la trabazón entre la caricatura teatral y esta sátira en «estado bruto» practicada dentro del marco de una ideología dominante de inspiración aristocrática y urbana. Además vamos a ver que desde su nacimiento mismo, el tipo teatral del alcalde aldeano cómico está marcado con el sello de la ironía aristocrática y urbana.

El tipo no aparece ni en J. del Encina ni con Lucas Fernández. Tampoco existe en Torres Naharro, exceptuando una breve alusión en el «introito» recitado por el pastor presentador de la *Comedia Aquilana*.[22] En realidad, hay que ir a buscar en obras del portugués Gil Vicente la primera creación peninsular de un alcalde aldeano cómico. En algunas piezas de este dramaturgo —verbigracia el *Auto da Festa*— unos villanos mencionan al pasar «o juiz da nossa aldea»,[23] pero el personaje no aparece en carne y hueso sino en la *Farsa do Juiz da Beira,* que es quizás de 1525. Pero Márques, villano ridículo de la Beira a quien Gil Vicente ya había puesto en escena en la *Farsa de Ines Pereira,* se ha vuelto magistrado municipal. En su aldea, dicta sentencias de hombre «simprez» que le han dado fama; para divertir la corte, deciden hacerle celebrar una audiencia ante el rey D. Joam III.[24] Nuestro hombre suma una cierta astucia

---

[21] En una invectiva contra el libro de Fr. Cristóbal de Fonseca *(Discursos para todos los Evangelios de la Quaresma* compuestos por el P. Cristóbal de Fonseca de la orden de nuestro P. S. Agustín, año 1614) espigamos la siguiente:

«Aora quiero contarle un quento, y ha de saber que un perro se comió una vez un cuero de azeite, y el dueño dél puso pleito al dueño del perro, y dio por sentencia el alcalde que le pusiesen al perro une mecha en el salvohonor y se alumbrase con ella el dueño del azeite hasta que se acabase...» (in C. Pérez Pastor, *Bibliografía madrileña o descripción de las obras impresas en Madrid (1566-1625),* Madrid, 1907, II, núm. 1278, p. 284).

[22] *Comedia Aquilana,* Introito, ed. Gillet, vol. II, p. 460:

«Juri al ciego
wque en la boda del Borrego,
quando yo estava baylando
d'este modo palaciego
habró ell alcalde en llegando.»

[23] Cf. *Clás. Sá da Costa,* vol. VI, p. 134.
[24] Cf. *Copilação:*

«... Diz o Autor que este Pero Márquez, como foi casado com Ines Pereira, se foram morar onde elle tinha sua fazenda, que era lá na Beira, onde o fizeram juiz. E porque dava algumas sentenças

villana a su simpleza. Para contestar a las demandas de una alcahueta, de un judío y un «escudeiro», enuncia una serie de sentencias que son a la vez sagaces y divertidas. Lo más saliente de la farsa es el juicio que debe emitir. Pero Márquez en presencia de cuatro herederos de un único burro al que reivindican con idénticos derechos por haberse olvidado el padre de nombrar al beneficiario. Pero Márquez sale del apuro declarando que convoca al burro para la próxima sesión. Para destacar mejor el significado de esta primera aparición teatral del alcalde cómico, sirvan de ejemplo las palabras pronunciadas por un portero de palacio:

> Tal juiz en tal lugar
> parece cousa de riso.[25]

Como en otras tantas producciones de principios del siglo XVI, la idea de la confrontación bufona entre el campo y la ciudad, entre los villanos y los nobles, es la que nutre la comicidad en la pieza de Gil Vicente.

El tipo teatral, pues, ante un público aristocrático y según una perspectiva palaciega. En la medida en la que podemos seguir la carrera dramática posterior del alcalde villano, observamos que sigue desarrollándose en el cuadro urbano y aristocrático. El alcalde aldeano figura entre los tipos aldeanos que, para mayor regocijo de los espectadores de la ciudad, desfilan por las calles de Toledo en 1555.[26] Resulta extraño no descubrirlo en la rica galería cómica debida a Lope de Rueda, concebida principalmente, como ya vimos, para auditorios aristocráticos o urbanos; en cambio, el alcalde aldeano divertido está presente en numerosas piezas de la juventud de Lope, y es interesante notar que algunas de ellas son comedias pastoriles (*El verdadero amante, Belardo el furioso*), es decir obras impregnadas de espíritu aristocrático neo-platónico, dirigidas al parecer a públicos palaciegos. Algunas piezas con alcaldes ridículos de Tirso de Molina —verbigracia *El vergonzoso en palacio*— también nos parecen haber sido concebidas para públicos selectos: creemos poder deducirlo de la representación de la obra imaginada en el Cigarral de Buenavista, ante una platea de las más escogidas, en *Los cigarrales de Toledo*.[27] Consideraciones semejantes caben a propósito de los en-

---

disformes por ser homem simprez, foi chamado á Corte, e mandaram-lhe que fizesse hũa audencia diante d'El Rei. Foi representata ao mui nobre e christianissimo Rei D. João, o terceiro em Portugal desde nome, em Almeirim na era do Senhor de 1525.»

[25] Cf. *Clás Sá da Costa*, V, p. 277.

[26] Cf. relación de Sebastián de Horozco, in *R. Hi.*, XXXI, 1914, p. 400. *Vide supra*

[27] Cf. principio del *Cigarral primero* (p. 117 de la ed. V. Said Armesto, Renacimiento, Madrid, 1913) que evoca el lujoso ambiente en el cual se representa la pieza. La flor y nata de la aristocracia toledana asiste a la representación:

«... Ocupava los estrados, tribunal de la hermosura, toda la que era consideración en la imperial ciudad y se realçava con la nobleza. A otro lado, el valor de sus cavalleros honraban las sillas, en cuyos diversos semblantes hazía el tiempo alarde de sus edades, en unos echando censos a la juventud, de oro, y en otros cobrando réditos de la vejez, en plata.»

La continuación del texto dice que la comedia había sido representada en los teatros italianos y de ambos mundos y que, en especial, uno de los mayores señores de Castilla había desempeñado un papel en ella:

«... Intitulávase la comedia *El vergonzoso en Palacio* celebrada con general aplauso (años havía) no sólo entre todos los teatros de España, pero en los más célebres de Italia, con alabanças de su autor, pues mereció uno de los mayores potentados de Castilla honrasse sus musas y ennobleciesse esta facultad con hazer la persona del «Vergonçoso» él mismo.»

tremeses de alcaldes. Por ejemplo, parece que *El Mago*, entremés de Quiñones de Benavente, que pone en escena a dos alcaldes villanos ridículos, fue escrito con miras a un espectáculo de la noche de San Juan, en el ambiente aristocrático de las fiestas del Buen Retiro, hacia 1630-1638.[28]

Basta considerar en detalle los rasgos atribuidos las más veces a los alcaldes graciosos de la comedia y del entremés, para ver como la mofa del hombre de la ciudad hacia las instituciones pueblerinas alimenta la comicidad. Estos rasgos son sacados en su mayoría de la realidad aldeana contemporánea pero el dramaturgo los lleva hasta el límite de la caricatura en una actitud de irrisión urbana o aristocrática.

Un primer aspecto, muy repetido, del alcalde teatral, es el de casamentero. Con este papel, ya lo vimos, aparece al lado del cura de la boda divertida de la Moraña de Avila, presentada a los toledanos en 1555.[29] La comedia sigue con la tradición de este género de escenas al hacer intervenir al magistrado municipal en muchos cuadros de boda rústica. Y siempre lo hace con la misma gracia burlesca. En *El verdadero amante* (Lope), un alcalde forma rápidamente parejas de pastores para poner remedio a la injusticia que él y su colega estaban a punto de cometer en la persona de un pastor condenado a muerte sin motivo; es cómico por su precipitación.[30] No lo es menos aquél que, en *Los novios de Hornachuelos* (Luis Vélez de Guevara), se empecina en unir a María y Berrueco, que se rechazan mutuamente; una rúbrica del dramaturgo lo subraya, por si lo pasáramos por alto.[31] La misma estilización decidida «a priori» por el escritor vuelve a aparecer, sin mucha variante, en los alcaldes casamenteros de *El sastre de Campillo* (Lope),[32] de *El engaño en la verdad*[33] (Lope), etc..., y vislumbramos fácilmente que, para este tipo de escena, el papel del magistrado al unir los novios o al desearles felicidad, descansaba en algunos ademanes y mímicas consagradas, de inagotable éxito, que los autores retomaban de una pieza a otra.

---

[28] Cf. E. Cotarelo y Mori, *Colección...* I, vol. II, *El Mago* (Quiñones de Benavente). Puesto que Fernández de Cabredo, quien actuó en la pieza, falleció hacia 1639-1640, hay que situar su creación en años anteriores. Puede sacarse del diálogo la indicación de que el entremés pudo ser estrenado para la fiesta de San Juana en el Buen Retiro:

> «*Josefa:*   Oíd, alcaldes, oíd
> que hoy es San Juan en Madrid.
> *Los dos:*   Pus, señora, errado se han,
> que en nueso puebro es San Juan.»

Otro personaje, Salvador, llega para ayudar a los alcaldes a transportar al Retiro los bailes y juegos programados:

> «No quiero
> sino llevaros a ver
> lo más notable y más nuevo
> de las ciudades de España,
> para que carguéis con ello
> y lo llevéis al Retiro
> en menos de cuarto y medio
> de hora..................................»

[29] *Vide supra,* p. anterior.
[30] B. A. E., XXIV, p. 20.
[31] Acad., X, p. 51 b: «Salen Berrueco y el alcalde, de villanos graciosos...»
[32] Acad. N., IX, pp. 260-261.
[33] Cf. Acad. N., V, p. 245.

Con frecuencia aparecen también en las tablas las sesiones de concejo en las que el alcalde sale en sus funciones de encargado de organizar fiestas, novilladas, romerías, etc., y los espectáculos del pueblo. También en estos casos una gracia decidida «a priori» es la que caracteriza al personaje. En *El galán escarmentado* (Lope), el alcalde expresa el deseo de que la fiesta del Corpus sea lucida y se vea realzada por representaciones teatrales y bailes. Este motivo podría no resultar cómico ya que los alcaldes aldeanos de la realidad solían hacia 1600, encargar tales espectáculos a los autores de compañías.[34] Pero Lope elabora este rasgo para divertir al público siempre dispuesto a reir de las pretensiones de los aldeanos quienes se precian de contar para su Corpus con representaciones y procesiones a semejanza de las que se estilan en las ciudades. Esto da el siguiente diálogo:

> *Armaento.*

Armento.	¿Ha de haber hogaño autor?
Alcalde.	¿Cómo? ¿Esas cosas tenemos?
	Es tanta mi devoción
	en los autos que, si fuera
	pusible, al lugar trujera
	un auto de Inquisición
Armento.	¿Habrá tarasca?
Alcalde.	¡y qué tal!
	No ha de quedar caperuza
Pinardo	¿y comedia?
Alcalde	La de Muza
	cuando entró en Ciudad Real.[35]

---

[34] Remitimos, a este respecto, a los documentos notariales publicados por F. de B. San Román y Pérez Pastor. Cf. F. de San Román, *Lope de Vega, los cómicos toledanos y el poeta sastre, serie de documentos inéditos de los años de 1590 a 1615*, Madrid, 1935. Pérez Pastor, *Nuevos datos acerca del histrionismo español en los siglos XVI y XVII* (la serie), Madrid, y *Nuevos datos...* (.ª serie), Bordeaux, 1914.

[35] Se sabe que Muza fue junto con Tarik uno de los conquistadores musulmanes de España. Pero no podemos tomar al pie de la letra todas las alusiones al Moro Muza y, en ese caso que nos ocupa, se trata evidentemente de una broma. Como lo explica Luis Montoto y Rautenstrauch, in *Personajes, personas y personillas que corren por las tierras de ambas Castillas*, 2.ª ed., Sevilla, 1921, vol. II, p. 216: «El Moro Muza» es una expresión consagrada:

> «Cítase en sentido indeterminado y también respondiendo con vaguedad a la pregunta: ¿Quién hizo esto? ¿o aquello?

La broma basada en la alusión al Moro Muza fue retomada por Lope en *San Diego de Alcalá*. Cf. Acad. V, p. 37 , en donde Lope la pone en boca de una campesina y más o menos de la misma manera que en *El galán escarmentado*:

«*Lorenza:*	Que no hay fiesta con ventaja
	sin sonajas y pandero.
«*Juana:*	En todo San Nicolás
	no hay quien mejor le repique
	que Pascuala, ni que aplique
	mejores letras jamás.
	Un romance canta agora
	del Moro Muza, que hará
	llorar una piedra.»

> *Galerio*   ¿La historia no era mejor
> del Pródigo y La serrana
> de Plasencia..........?[36]

La misma inflexión cómica puede volver a hallarse en escenas bastante semejantes de *La hermosura aborrecida*,[37] *El animal de Hungría* ,[38] *El Hamete de Toledo*[39] de Lope de Vega. Pero el procedimiento y la situación sobre los cuales se ejerce dicha inflexión no son peculiares de Lope. También se encuentran en *Santa Casilda* (que, probablemente, no es de Lope)[40] y en *El lego de Alcalá* (Luis Vélez de Guevara).[41] En esta última pieza, precisamente, volvemos a encontrar el motivo de la emulación cómica entre los lugares que quieren ser los primeros por la magnificencia de sus festejos.

Otra actitud clásica del alcalde aldeano en el teatro está ligada con las escenas de recibimiento de un señor noble o del mismo Rey, en el pueblo. El alcalde pronuncia un discurso en el que se embrolla y que siembra de formas sayaguesas; a menudo dice disparates. Lope nos ofrece un ejemplo de esta situación en *La corona merecida* (1603), en donde se ve al alcalde Belardo, de un pueblo de las cercanías de Burgos, espetarse, de hinojos en honor de la nueva reina que llega de Inglaterra, un discurso sincero pero descosido; plagada de perogrulladas y evocaciones prosaicas, su alocución es escuchada con afabilidad por la reina, pero es evidente que tal benevolencia no es óbice a la sonrisa.[42] Idéntico motivo del recibimiento del soberano por parte del alcalde aldeano divertido es tratado por Lope en *El animal de Hungría* (1608-1612).[43] Tirso, de manera muy especial, gustó de este tipo de acogida graciosa. En *La Santa Juana* II (1613), con motivo de la llegada del nuevo comendador de Cubas (en la Sagra toledana) oímos un discurso de alcalde encogido y embarazado; se pierde en largos rodeos, salpicados de neologismos aldeanos y de esas formaciones de palabras o de títulos rústico-cómicos, de los que da algún ejemplo Lope en *La corona merecida*.[44] En *La prudencia en la mujer* (antes de 1634), Tirso carga las tintas en el procedimiento y éste

---

Se sabe que el nombre de Muza aparece como nombre convencional de caballero moro en numerosos romances de fines del siglo XVI. Esto explica los siguientes versos en una composición satírica escrita contra la moda del disfraz morisco en literatura:

> «Haçe Muça sus buñuelos,
> dize el otro aparta, aparta,
> que entra el valeroso Muça,
> quadrillero de unas cañas.»

(In *Quarta y Quinta parte de flor de romances*, recopilados por Sebastián de Guevara, Burgos, 1592, fol. 158 rº.)

[36] En este caso, por oposición, el diálogo marca una vuelta a títulos verdaderos. *La serrana de Plasencia* mencionada no es probablemente otra sino *La serrana de la Vera* de Lope, y de esta mención pudo colegirse una indicación para fechar *La serrana de la Vera* lopesca (*El Galán escarmentado*, fue efectivamente escrito antes de la muerte de Felipe II. Cf. J. F. Montesinos, R. F. E., XI, 1924, p. 304, y, por ello, puede mantenerse el mismo *terminus ad quem* para *La serrana de la Vera*).

[37] Cf. Acad. N., VI, p. 267.

[38] Cf. Acad. N., III, p. 224.

[39] Cf. Acad. N., VI, pp. 171-185.

[40] Cf. Acad., N., II, p. 589.

[41] Cf. *Comed. escog. de los mej. ing. de España*, 1652-1704, IV, acto I, fol. 55.

[42] Cf. Ed. *Teatro antiguo*, p. 33-34.

[43] Cf. Acad., III, p. 427.

[44] Cf. N. B. A. E., IX, p. 280 a.

alcanza un encarecimiento caricaturesco de los efectos que no tenía con Lope. El alcalde Berrocal, en la entrada de Becerril, al recibir a la reina de España, habla en un super-sayagués. Adelantándose para ofrecerle su discurso encomiástico, se trata a sí mismo de tonto y escupe para aclararse la voz; sus razones abundan en insolencias involuntarias. Este alcalde de Becerril no es más que un payaso burlesco colocado por el dramaturgo, un instante, en el camino de la comitiva real para divertirla. Así lo entiende la reina quien para recompensar al truhán, le concede la vara a perpetuidad. Pero éste debe quedarse con la última palabra, y para agradecerle a la reina la merced recibida, encomia las excelencias de la justicia en su pueblo, excelencia que quiere probar, proponiéndose colgar a la reina «para serle agradable».[45] Es evidente que Tirso lleva hasta la burla —una burla casi goyesca— el consagrado motivo del recibimiento del soberano por el alcalde aldeano. Basta consultar las relaciones de viajes de la corte por los pueblos peninsulares[46] para comprender el recargo caricaturesco llevado al escenario en esta búsqueda estética de un estilo cómico, alimentado con prejuicios antipopulares y cortesanos.

El prejuicio cortesano y antipopular también aparece al considerar el modo de tratar el motivo de la dignidad y de la gravedad que se otorgan a sí mismos los alcaldes aldeanos. En las *Relaciones topográficas* (1575-1580) efectivamente, es patente que los villanos de la realidad le concedían gran importancia a sus instituciones municipales. Al contestar a los comisarios de Felipe II, siempre son elocuentes acerca de la organización de su concejo, el número de sus magistrados, las prerrogativas de éstos (importe de las multas permitidas, derecho de encarcelar, etc.), la manera de elegir y nombrar a los alcaldes. Y precisamente, la importancia acordada a toda esta vida del municipio es lo burlado en el teatro.

El alcalde villano en el escenario, bien orgulloso de la parcela de poder que detenta, ya no es un hombre sino una función administrativa, un reglamento. La importancia que cobra para él la pluma de ganso es tanto mayor cuanto que este iletrado no sabe siquiera manejarla con sus dedos torpes. Por ejemplo, los alcaldes de *El verdadero amante* (Lope) demuestran veneración por partes y atestados, actas escritas y cuanto atañe a fórmulas y formas. Para condenar a un «criminal envenenador» —que en realidad, no es tal— tendrán pruebas enormes: dos testimonios gordos como el puño y una declaración que ocupa nada menos que dos resmas de papel.[47] Esta misma gravedad formalista vuelve a encontrarse en Peruétano,, el alcalde de *Belardo el Furioso*. Al recibir una declaración, lo hace con una seriedad acompasada, acentuada pomposamente por un recurso a los tercetos («para cosas graves», según dice Lope en su *Arte nuevo de hacer comedias*). De manera general, no queda alcalde aldeano que no articule con la gravedad solemne de un asno, y estropeándolo, el jurídico; así es como suele ocurrir que nos encontremos con expresiones graciosas atribuidas ritualmente al personaje.[48]

Lo que vuelve ridículo al alcalde aldeano, más precisamente, es la terquedad del

45 Cf. B. A. E., V, p. 304.

46 Cf. Henrique Cock, *Relación del viaje hecho por Felipe II en 1585 a Zaragoza, Barcelona y Valencia* (publicado por A. Morel-Fatio y Antonio Rodríguez Villa, Madrid, 1876).

47 Cf. B. A. E., XXIV, p. 16 a.

48 Entre estas palabras, citemos la deformación clásica de «premática» en «flemática». En *La Maestra de Gracias*, entremés de Belmonte publicado in *Flor de entremes y sainetes de diferentes autores* (1657), he aquí los consejos dirigidos a los actores que deben encarnar los papeles de alcalde; resumen el estilo seudo-jurídico del personaje:

autómata inexorable con la que se afirma como magistrado: «Yo soy alcalde» (o «so alcalde») es la frase convencional[49] que repite a menudo como por manía. En *Belardo el Furioso* (Lope), Cornado, que no entiende algunas palabras extrañas o seudo-doctas que acaban de ser pronunciadas en su presencia supera su perplejidad afirmando que es alcalde, que no puede dudarse de ello y que ya lo van a ver:

> Yo soy alcalde, como dice el testo.
> ¡Yo os voto al sol, Peruétano compadre,
> que tengo aquesta vez de echar el resto![50]

Así también, en la *Comedia de Bamba*, Cardencho quien detuvo la vara el año pasado y ha de ser reemplazado, se agarra a sus funciones; hasta el último momento, afirma sus prerrogativas repitiendo maquinalmente que es alcalde:

> O soy bestia, o soy alcalde.[51]

En *El pretendiente al revés* (de Tirso), Corbacho, despertado durante la noche por el ruido de una carroza, en una calle de la aldea, se levanta sobresaltado; su reacción inmediata es así mismo la de afirmar su existencia como alcalde:

> ¿Quién diabro voces da?
> ¡Arre allá! ¿soy, o no soy
> alcalde?[52]

> «Si hace algún alcalde simple
> que haya sobrado a Juan Rana,
> a quien ciertos entremeses
> perpetuaron la vara,
> digan ansí ¡juro a Dios,
> que es mal hecho! y esto basta
> por tres razones: la una
> ellos lo saben bien clara;
> la segunda no se dice;
> la tercera, se calla;
> y basta que yo lo diga
> y lo mande la Flemática.»

En un cuentecillo de alcalde de la *Floresta española de apotegmas o sentencias sabia y graciosamente dichas de algunos españoles colegidas por Melchor de Santa Cruz de Dueñas, vezino de la ciudad de Toledo,* Bruselas, 1598, fol. 69 rº-vº, ya se encuentra el juego sobre «Premática»:

> «... siendo alcalde, queriendo castigar a uno conforme las leyes del reyno, dixo: Traygan la flemática...»

[49] Cf. G. Correas, in *Vocabulario...* (ed. 1924), p. 374 a:

> «O so alcalde, o no so alcalde.
> O so bestia, o so alcalde.»

Dice que ha de hacer conforme a su cargo, y valer lo que manda.
[50] Cf. Acad., V, p. 692 b.
[51] Cf. Acad., VII, p. 48.
[52] Cf. B. A. E., V, p. 30 a.

En fin, en *El vergonzoso en palacio* (Tirso), Doristo repite igualmente, cual fórmula de incantación mágica, su condición de alcalde:

> Regidero
> no os metáis en eso vos;
> que no empuño yo de balde
> el palillo. ¿No so alcalde?[53]

Estas afirmaciones mecánicas de existencia y de autoridad de los alcaldes teatrales —afirmaciones cuyos ejemplos podrían repetirse en una larga serie— son tanto más frecuentes cuanto que se trata, para los dramaturgos, de sugerir la idea de un poder irrisorio e inoperante.

En la práctica, a fines del siglo XVII y en el siglo XVIII, no parece, en efecto, que los alcaldes ordinarios rurales hayan detentado el poder que en teoría les concedía el derecho tradicional de «mero y mixto imperio», ni que hayan podido como en tiempos pasados condenar a penas mayores. Coinciden en esto el testimonio de los juristas y los de las *Relaciones topográficas*.[54] Pero, según la visión teatral de las cosas, inspirada en el espíritu de escarnio aristocrático y urbano, el alcalde villano aparece dotado de poderes de justicia excepcionales, para cuyo uso siempre está dispuesto, a tuertas o a derechas. Para Cardencho de la *Comedia de Bamba* (Lope) la vara, insignia simbólica de su «imperium», posee el valor concreto de una férula con la que se puede golpear a los aldeanos administrados, y este hombre, irascible como ninguno, dice que ahorcará a cualquiera que se atreva a contradecirle.[55] Maníacos peligrosos de la horca o del garrote, esto es lo que resultan ser, en su mayoría, los alcaldes aldeanos de la comedia o del entremés, dentro de una perspectiva macabra y cómica juntamente.[56] Vicente en *El Aldegüela* le promete, para el día siguiente, el garrote a un joven villano enamorado a quien ha cogido con las manos en la masa, en una aventura galante en la habitación de su propia hija Elvira; por más que le repitan que la niña y el joven se quieren y no aspiran sino a casarse, no deja de repetir con obcecación mecánica que quiere ajusticiarlo.[57] Un alcalde de *Ya anda la de Mazagatos* que acaba de pescar a un presunto ladrón, tampoco tarda en prometerle la muerte para que el pueblo pase por lo menos un buen día:[58]

> «Que soi alcalde este año,
> y porque el aldea tenga
> un buen día, e de aorcarte.»

---

[53] Ed. A. Castro, La Lectura, 1910, p. 30.

[54] Por ejemplo, un estudio sistemático de las *Relaciones Topográficas* permite observar que hacia 1575-1580, los alcaldes rurales de Castilla la Nueva no podían cobrar por lo general multas superiores a los 100 maravedís.

[55] Acad., VII, p. 48 a.

[56] La manía de la ejecución es indicada como un rasgo característico del alcalde aldeano en el escenario, según Lope , en un diálogo de *Los amores de Albanio y Ismenia* (1590-1595).

Dos alcaldes que se oponen en antítesis, llegan a decir, llevados por la dialéctica verbal de la oposición:

> «Bertol: Alcalde soy.
> «Albanego: Ahorcado soy.»
>   (In Acad. N., I, p. 30.)

[57] Acad., XII, p. 253 a-254 a.

[58] Ed. S. Griswold Morley, versos 1479-1481.

Chamizo y Batavo, los dos jueces serranos de *La serrana de Tormes* (Lope), que han apresado a un estudiante, insisten en la importancia de actuar conforme al reglamento; pero su justicia salomónica —según las palabras de uno— consiste en ahorcar bien apretado. Al hacer comparecer al prisionero ante el tribunal, dictan una sentencia que no es más que un tejido de absurdos sanguinarios y «ubuescos»: el condenado será colgado por los pies, acribillado de flechas, privado de alimentos, su cuerpo será despedazado en la carnicería municipal... y tras estos horrores, el infeliz deberá cumplir diez años de galeras.[60] Niso, alcalde de *La dama del Olivar* (Tirso) no hace más que una breve aportación en la calle del pueblo, cuando, por la noche, le despierta el grito de «¡Ladrón!», y sólo repite maquinalmente, como una manía, que va a ahorcar a estos ladrones.[61] Doristo, el alcalde de *El vergonzoso en palacio*, no cabe en sí de ganas de coger a dos criminales a quienes busca por la sierra, encabezando un grupo de pastores; antes de capturar a los culpables, piensa en el galardón que solicitará, por el servicio, al duque de Avero ante quien ha de llevar a los cautivos, con el cepo al cuello, encadenados de pies y manos:[62] este premio con que sueña consiste nada menos que en un rollo nuevo, o sea el signo mismo de los derechos de justicia otorgados a los pueblos que tienen «jurisdicción de por sí».[63] Tirso hizo de este rollo un «leitmotiv» cómico que se reitera en cada salida del alcalde al escenario. Hay que ver en ello, llevada hasta la exageración caricaturesca, una reivindicación real de los aldea-

---

[59] Cf. Acad. N., IX, p. 472 b:

«Batavo: Dejad todos a mi cargo
          la sentencia deste injusto,
          que de ahorcalle me encargo,
          en justo y en verenjusto,
          sin testigo ni descargo

«Chamizo: Pardiez, que traigo en la cholla
          ser otro Salamelón
          si el seso no se me abolla,
          y poner ese ladrón
          en un palo y una argolla.»

[60] *Ibid.*, p. 473.
[61] Cf. N. B. A. E., IX, p. 217 b:

«Niso: ¿En casa de la justicia
          ladrones? ¿Adónde están?
«Ardenio: Téngase al rey los ladrones.
«Niso: Por Dios, que los he de ahorcar.»

[62] Cf. éd. A. Castro, «La Lectura», 1910, p. 29:

«Doristo: Por Dios
          que si los cojo a los dos
          y el diabro no los esconde,
          que he de llevarlos a Avero
          con cepo y grillos.»

[63] Cf. *Ibid.*, p. 30:

«Si los prendemos, por paga
diré al Duque que nos haga,
par el olmo, un rollo nuevo.»

nos de aquella época. Se mostraban siempre orgullosos de proclamar públicamente, por un rollo o una picota erigida simbólicamente en la plaza del pueblo, los privilegios del villazgo detentados en su comunidad municipal.[64]

De una manera más general, al hacer del tormento una obsesión del alcalde villano, los dramaturgos deformaban en una mueca macabra la manía de autoridad judicial que el público aristocrático y urbano condenaba y escarnecía en los villanos. Determinado folklore, que denominamos antes «la sátira en estado bruto», incitaba a la presentación escénica de esta imagen del alcalde autoritario, expeditivo y sangriento. Se encuentran en el *Vocabulario de refranes*, de G. Correas, expresiones basadas en anécdotas (reales o míticas) que bien demuestran que la figura del magistrado pueblerino, obcecado o sanguinario, existía fuera del teatro. A propósito de *Alcalde sin embargo*, G. Correas explica:

> *Alcalde sin embargo.* Un alcalde sentenció a muerte a uno; el reo apeló de la sentencia, y notificando al alcalde la apelación dijo «Ejecútese sin embargo»; y se ejecutó. Los parientes del muerto se querellaron del alcalde en Granada, y le hicieron ir y venir y gastar, hasta que le empobrecieron, y el caso fue muy sonado, y le llamaron el «alcalde sin embargo», y quedó por refrán en casos de resolución y fuerzas de jueces que no admiten réplica.[65]

---

[64] Cf. vers 778-779 et 789-790 de l'acte I; *Ibid.*, p. 40:

«*Doristo:*   Rollo tendrá nuesa aldea.
«*Denio:*   Cuando bajo el olmo le hagas,
                en él haremos concejo

                ....

                en la picota del rollo
                un reloj he de poner.»

Cf. también versos 1101-1105 del Acto I:

«*Doristo:*   Señor: por este cuidado
                haga un rollo en mi lugar
                tal que se pueda ahorcar
                en él cualquier hombre honrado.»

De estos rollos campesinos, quedan aún hermosos ejemplos en los pueblos castellanos. A. Castro en una nota, p. 31, de su edición cita los de *Madridejos y Barbadejo del Mercado*. Dice: «... además era el rollo instrumento de suplicio; así lo atestiguan los garfios y argollas conservados aún en Madridejos y en Barbadillo del Mercado». Subsisten, en realidad, gran cantidad de rollos y picotas en Castilla la Nueva, Citemos: Lillo, Maqueda, Mora, Casarrubios del Monte, Puente del Arzobispo, Yepes, Ocaña, San Román de los Montes, Fuensalida, Méntrida, Castillo de Bayuela, Ajofrín, Tembleque, Navamorcuende, Montesclaros, Alcabón, Cebolla, Velada, Cabezamesada, Nombela, Madridejos, Almorox, Huecas, Espinoso del Rey, los Navamorales, Pelahustán, Mazarambroz, Malpica, Otero, Cuerva... únicamente para la provincia de Toledo. Véase a este respecto el Conde de Cedillo *Rollos y picotas en la provincia de Toledo*, in *Boletín de la Sociedad española de excursiones*, 1917 (XXV), pp. 238-260. Sobre la burla a propósito de rollos y picotas de las aldeanos , cf. G. Correas, *Vocabulario...*, p. 38:

> «Al ruin lugar, la horca al ojo. Burla de algunos lugarejos de señorío, que llaman villas, que están muy cumplidos de horca y picota y muy faltos de casas, y lo que más se ve es la horca y picota, o rollo,»

[65] Cf. *Vocabulario...*, p. 27 a.

Así mismo, a propósito de *Alcalde de Moscas*, leemos bajo la pluma de este autor:

> *Alcalde de Moscas*. Por alcalde resuelto, que no admite apelación; quedó porque un alcalde de un lugar, llamado Moscas, sentenció a unos ladrones a ahorcar, y lo ejecutó no obstante que apelaron.[66]

En la época de la comedia o del entremés, parece que estas anécdotas, basadas o no en un hecho real, no correspondían a una realidad contemporánea. Repitámoslo, a fines del siglo XVI, los poderes de los alcaldes ordinarios eran, por lo general, limitados. Ya a principios de siglo, bajo el reinado de Carlos quinto había surgido en las obras jurídicas la corriente de desconfianza para con los jueces locales y la tendencia a menguar sus prerrogativas. Se suelen encontrar resabios de esta actitud bajo la pluma de escritores comprometidos con los medios aristocráticos. En una de sus cartas, verbigracia, Antonio de Guevara pone en guardia al conde de Buendía contra los jueces quienes abusan de poder y le aconsejan que cuide que en su feudo no se cometan excesos en la persona de sus vasallos. Apoya sus decires relatando la altercación que tuvo con el alcalde de Arévalo, en Castilla la Vieja: aquél, en realidad, no era menos iracundo ni menos sanguinario de lo que serían los alcaldes del gran guiñol del teatro castellano, setenta y cinco o cien años más tarde.[67]

La imagen del alcalde aldeano, hartas veces propenso a «her justicia» (como lo dice él mismo, ritualmente, en una fórmula fija) de una manera expeditiva y sanguinariamente absurda, no constituye ua crítica contra la justicia en general, sino esencialmente contra la justicia aldeana; lo deja ver claramente la oposición entre la justicia urbana o señorial y la justicia aldeana que a veces viene a apoyar lo cómico. Mientras van presentando alcaldes ordinarios, que sólo sueñan con jalonar el campo español con cuerpos de atormentados, los dramaturgos dejan entender que existe otro tipo de justicia. En *El verdadero amante*, los alcaldes aldeanos van a mandar a la hoguera al pastor Jacinto, acusado falsamente del homicidio de otro pastor. Pero, en el momento oportuno, se descubre que Jacinto es la víctima de falsos testimonios levantados por celos. En contra de los pésimos magistrados rurales, quienes sin pestañear se preparaban a cometer un mostruoso error judicial, uno de los personajes larga entonces palabras que se suman a las acusaciones de los letrados y de las ciudades contra la «justica ordinaria»:

> ¡A buen tiempo!
> ¿qué justicia es aquésta inadvertida?[68]

---

[66] *Ibid.*, p. 27 a.

[67] Cf. A. de Guevara, carta al conde de Buendía, in *Epístolas familiares* (epístola XXV, B. A. E., XIII, p. 116 a):

> «Guardaos de jueces mancebos, locos, osados, temerarios y sanguinolentos, los cuales, a fin que suene en la corte su fama y les den allí una vara, harán mil crueldades en vuestra tierra y darán mil enojos a vuestra persona: por manera que a las veces hay más que remediar en los desatinos que ellos hacen, que no en los excesos que los vasallos cometen. Miento, si no me aconteció en Arévalo, siendo yo guardián, con un juez nuevo y inexperto, al cual como riñese por qué era tan furioso y cruel, él me respondió estas palabras: Andad Cuerpo de Dios, Padre Guardián, ganáis de comer a predicar, y yo tengo de ganar a ahorcar; y por nuestra Señora Guadalupe, precio más poner un pie o una mano en la picota, que ser señor de Ventosilla. Como oí mentar a Ventosilla, repliquéle esta palabra: A la mi verdad Sr. Alcalde, justamente os pertenece el señorío de la Ventosa, porque vos no cabríades en Ventosilla.»

[68] B. A. E., XXIV, p. 20 c. Véanse las acusaciones, in *Actas de Cortes* (Madrid, 1571, 3º, 359).

El primer alcalde, sin mayor apuro, explica entonces que más vale arreglar el asunto rápidamente, en familia, sin tener que apelar a la justicia de la ciudad,[69] y forma parejas para las bodas que rematan felizmente la obra. Esta desconfianza de los alcaldes aldeanos ante una justicia urbana susceptible de poner en tela de juicio sus decisiones o pedirles cuentas, se vuelve a encontrar en *La serrana de Tormes* (Lope). Batavo y Chamizo han apresado a un estudiante quien hirió a uno de los suyos y tampoco quieren entregar al cautivo a la justicia urbana. Al sugerir un villano que el culpable sea enviado a Salamanca, nuestros alcaldes replican que en el pueblo hay jueces y también plumas, capaces de llevar el juicio.[70] No obstante ambos temen que un pesquisidor, enviado por la ciudad, llegue para investigar su actuación (acaba de sentenciar al estudiante a penas horribles) y que ello les cueste caro.[71] El talento del dramaturgo está en jugar con un estado de ánimo auténticamente aldeano. Luego hace intervenir, como un «Deux ex machina» a un amigo del estudiante preso, disfrazado de alguacil urbano. Vino de pesquisidor, dice él, para comprobar el funcionamiento de la justicia ejercida. Natualmente el seudopesquisidor descubre que la justicia local está mal ejercida: amenaza a los alcaldes con detenerles y llevarles a la ciudad, confiscarles sus bienes, etc. La burla se basa así en una psicología villana auténtica, escarnecida desde una perspectiva ciudadana.[72] En *El Aldegüela* (Lope?) es el poder señorial el que permite al condenado escapar de manos del juez aldeano. Vicente, por ser alcalde de un pueblo de señorío, que pertenece al pueblo de Alba, no puede sentenciar a muerte sin el consentimiento del señor.[73] Se persona pues ante la duquesa de Alba para re-

---

[69] B. A. E., XXIIB. A. E., XXIV, p. 20 a:

«No más; este negocio está encontrado;
y si pedís los unos y los otros,
habemos de gastar nuestras haciendas,
y más si de ciudad viene justicia.»

[70] Acad., N., IX, p. 471 b:

«Cueto: ¿Irá a Salamanca preso?
«Batavo: ¿Cuál diabros? Vaya al lugar,
               varas hay para juzgar
               y plumas para el proceso.»

[71] *Ibid.*, p. 477 a:

«Batavo: Que de la ciudad ¿quién duda
               que algún alguacil acuda
               a saber cómo se hizo?
               y podría ser, Chamizo...
«Chamizo: ¿Qué?
«Batavo: Que la fama no es muda.
«Chamizo: ¡Pardiez que dice verdad,
               que nos costara dinero
               si acuden de la ciudad!»

[72] Notemos que con una luz muy distinta (trágica), vuelve a encontrarse el motivo del pesquisidor en *Fuenteovejuna* (en otra situación, cierto es).

[73] Se observará que la transposición cómica no le impide a Lope ser fiel a la realidad jurídica. Todo el siglo XVI, precisamente, ve desarrollarse cantidad de conflictos entre alcaldes ordinarios locales y alcaldes mayores que intervienen en nombre de los señores para supervisar la justicia de los villanos.

clamar la cabeza de su prisionero. Este plazo le permite a un amigo del reo organizar su evasión.[74]

En la visión cómica del teatro, en efecto, el poder y la eficacia del alcalde rural no existen sino en las proclamas del personaje. En los hechos, siempre son nulos. Este rasgo resulta más claro en las escenas en las cuales los dramaturgos introducen el motivo de la ronda de justicia. El alcalde ordinario en la realidad detentaba al mismo tiempo los poderes de justicia y los poderes de policía. Entre otras funciones, le correspondía mantener el orden en la aldea.[75] Por ello a menudo lo vemos en el escenario con el papel de un jefe de ronda. Pero, naturalmente, es un jefe ridículo e inoperante. En *La serrana de la Vera*, de Lope, el personaje sale encabezando a un grupo de villanos armados con picas para capturar a una serrana bandida, quien está durmiendo en una choza. Pero la serrana que no dormía confiada, logra fácilmente escapar del grupo que la rodea y desaparece.[76] En *El pleito que tuvo el diablo con el cura de Madrilejos* (Luis Vélez de Guevara, Francisco de Rojas y Mira de Amescua), el alcalde que pretende detener a Catalina, una loca acusada de brujería, también es burlado. En el momento en que la va a agarrar, ella se les escapa volando según dicen.[77] Carrasca y Zalamea, alcaldes de *El diablo está en Cantillana* (Luis Vélez de Guevara), no tienen más éxito en su cacería de fantasmas; y es más: huyen cuando se trata de afrontar el peligro.[78] El motivo de la ronda del alcalde resultó ser un tema fácil y exitoso, ya que no sólo se encuentra en las comedias sino también en los entremeses. En *El empedrador* (entremés de autor anónimo), un alcalde que acaba de entrar en funciones pronto demuestra su cobardía y no se atreve a detener a unos ladrones.[79] En el de *La ronda* (Quiñones de Benavente), cuyo título es significativo, se repite el mismo miedo, la misma ineficacia, amén de algunos otros rasgos incorporados al motivo de la ronda.[80]

Un último aspecto —no menos significativo— del espíritu antivillano traslucido en la comicidad de los alcaldes aldeanos atañe a la limpieza de sangre, sobre la cual pretenden a menudo apoyar su dignidad. No cabe duda de que el rasgo ha sido introducido para hacer reir a un público noble de ciudades o de palacios, quien, por su cuenta, no le concedía la misma importancia que los villanos a la dudosa limpieza de sangre. Se sabe que un famoso panfleto de la segunda mitad del siglo XVI *El Tizón de la nobleza*, atribuía a don Francisco Mendoza y Bovadilla,[81] había tildado a la limpieza de sangre de inexistente en las altas capas de la sociedad española. Afirmaba que en

---

[74] Acad., XII, p. 254.

[75] Tal como lo atestigua el doble sentido de la palabra de «justicia» en español clásico («policía» y «justicia» juntamente), la función judicial y la función de policía no estaban nítidamente separadas en la España de los siglos XVI y XVII.

[76] Acad., XII, p. 34 a-b.

[77] Cf. *Flor de las doce mej. comed.*, 1652, acto I, fol. 131.

[78] B. A. E., XLV, acto III, p. 170-171.

[79] In *Teatro poético repartido en veintiún entremeses nuevos escogidos de los mejores ingenios de España*, Zaragoza, enero 1658.

[80] Cf. E. Cotarelo y Mori, *Colección de entremeses...*, I, vol. II, p. 725.
El motivo de la ronda cómica también existe fuera del teatro. Puede mencionarse, por ejemplo, la ronda de Sancho Panza en la ínsula Barataria.

[81] *El Tizón de España por D. Francisco Mendoza y Bovadilla* (publicado en Barcelona, 1880, in-8º). La Biblioteca nacional de París posee un manuscrito bastante diferente de este impreso (Cf. Morel-Fatio, *Catalogue des manuscrites espagnols et portugais de la Bibliothèque nationale*, núm. 363). La Biblioteca Nacional de Madrid posee igualmente varias versiones manuscritas del panfleto. Cf. mss. 1156, 1443, 2341, 6043.

razón de sus numerosos matrimonios morganáticos con familias adineradas de judíos, moros, conversos o cristianos nuevos, la aristocracia no podía reivindicar el blasón de la pureza racial y citaba los nombres de las mayores casas de España: los Luna, Villahermosa, Enríquez, etc... Haya sido exacto o no el contenido del panfleto, —más tarde intentaron refutarlo—, es cierto que la aristocracia española, hacia 1600, como el resto de la población española, no podía dejar de tener sangre mora o judía en las venas.[82] Unos *Libros verdes*[83] o *Libros del Becerro*, documentos genealógicos, armados pieza por pieza, circulaban bajo capa o eran mantenidos en reserva por los enemigos de tal o cual familia, deseosos de desacreditarlas. lo que contribuía a alimentar la acusación de impureza racial dirigida contra los grandes, era la heterodoxia religiosa a la que se prestaban a veces algunos de éstos. Solía ocurrir que la Inquisición condenara a miembros de la aristocracia, acusados de judaizar en secreto. Barthélémy Joly señala, por ejemplo, en 1604, que se había celebrado un gran juicio, algunos años atrás, en el que se vieron implicados señores del reino de Murcia.[84] Basta con hojear los legajos de la Inquisición para aceptar la evidencia de que el espíritu «cristiano viejo» tampoco era compartido unánimemente por capas humildes —no villanas— relacionadas con las actividades comerciales o artesanales. De 460 casos de judaísmo, aproximadamente, que tuvo que seguir la Inquisición de Toledo, desde 1500 hasta 1650, y de los cuales aún se conservan los legajos en el Archivo Histórico Nacional de Madrid,[85] hemos contado 76 que tratan de comerciantes (de éstos 43 son mercaderes en el sentido estricto del término); 60 son artesanos (21 son zapateros y 10, sastres); 10 atañen a financieros; 8 a personas que ejercen oficios liberales (boticario, cirujano, médico, clérigo, etc...). En la misma serie de los judaizantes, no nos hemos encontrado sino con un solo caso de villano.[86] Estas cifras probarían, si fuese necesario, el hecho subrayado a menudo, de que los villanos representaban, en los siglo XVI y XVII, el sector de población más ortodoxo religiosamente. Los mismos villanos se vanagloriaban de esta fidelidad a la fe y la explicaban por una limpieza de sangre, de la cual se jactaban a menudo como de una nobleza que oponían a la nobleza de la aristocracia sospechosa de impureza de sangre. Para combatir este aspecto popular del mito racial español del siglo XVI, algo irritante para las familias aristocráticas acosadas por las insinuaciones de los *Libros verdes,* se redactó un panfleto que se aplicaba a demostrar que los cristianos viejos de la masa agraria no lo eran, en realidad, más que los otros. Fue el texto titulado *Del origen de los villanos a que llaman christianos viejos*, atribuido por algunos al jesuita Mariana, por otros al dominico fray Agustín

---

[82] Los adversarios de la limpieza de sangre demostraban fácilmente que, al duplicarse el número de antepasados a cada generación , era necesario remontar a un millón de antepasados seiscientos años atrás para saber de quien descendía cada español en 1600. ¿Quién podía, en tales condiciones, jactarse de no tener algo de sangre mora o judía en las venas? Se encuentra un eco de esta argumentación en Fray Agustín Salucio, en su *Discurso acerca de la justicia y buen gobierno de España en los estatutos de limpieza de sangre; y si conviene o no alguna limitación en ellos* (publicado por Antonio Valladares y Sotomayor in *Semanario erudito*, XV, Madrid, 1788-1795, pp. 128-214. Cf. para el argumento invocado, pp. 131-133).

[83] El más conocido de estos *Libros verdes* es el *Libro verde de Aragón.*

[84] Cf. *op. cit.*, pp. 581-582:
     «Il se fist aussy, il n'y a que sept ou huit ans, un grand acte de seigneurs, de dames et de personnes et de toutes qualités qui judaisoient en la ville et roiaume de Murcia...»

[85] *Catálogo de las causas contra la fe seguidas ante el Tribunal del Santo Oficio de la Inquisición de Toledo*, Madrid, 1903, in 8º.

[86] Se trata de Alonso de la Vega, vecino de Alcazón, cuya causa estuvo en instancia de 1591 a 1594 y que fue condenado a título póstumo. Cf. Legajo, 187, (cf. núm. 840, in *Catálogo de las causas...*).

Salucio, partidario de una limitación en la aplicación del estatuto de limpieza de sangre.[87] Este panfleto explicaba que en los orígenes, el término consagrado de «cristianos viejos» no había designado jamás a la minoría de los cristianos, refugiada en los montes cantábricos en el momento de la invasión musulmana, pero sí a la masa de mozárabes más o menos apóstatas de las zonas meridionales, a quienes la Reconquista volvió a encontrar luego en su avance hacia el sur. Estos cristianos viejos habían mezclado su sangre con la de los infieles, y precisamente, resultaba absurdo atribuirles la tan mentada limpieza de sangre de la que se jactaban sus descendientes. Tal argumentación, válida o no, traduce muy bien cómo, hacia 1600, en algunos ambientes españoles, se ponía seriamente en duda la validez de la noción de limpieza tan difundida en la masa agraria. Hubo quienes, como el dominico fray Agustín Salucio... o el jesuita Mariana, no vacilaron en afirmar que la creencia de los aldeanos plebeyos en su limpieza, en especial al sur de Guadarrama, descansaba en realidad sobre la ignorancia de su origen más allá de dos o tres generaciones y que las medidas de los estatutos de limpieza acarreaban como único resultado práctico el desacreditar familias nobles cuya ascendencia iba atestiguada, desde luego, mediante documentos.[88] Bajo la presión de esta corriente de opinión, se acabó por publicar en 1623 una *Pragmática* que tendía a reformar algunos abusos en la aplicación de los estatutos de limpieza de sangre.

Los alcaldes aldeanos de la comedia y del entremés quienes, tantas veces, ponen por delante, de manera cómica, su limpieza de sangre, cobran pleno significado en re-

---

[87] De este texto se conocen varios manuscritos en la Biblioteca Nacional de Madrid. Citemos mss. 6371 (al final, en ocho folios), 10798, 10817 (14), 11263 (4), 11267 (31), etc... El manuscrito 6371 lleva al principio la indicación de que fue atribuído el panfleto al padre Mariana, pero que tal atribución es discutible: «Este papel se quiere atribuir al P. Juan de Mariana: No se save sea assi». Este manuscrito no sería sino una copia del original, el cual habría estado en manos de Gil González de Avila. Una nota, al final del manuscrito, en efecto, trae la siguiente precisión: «Este papel le tenía original en su librería el Maestro y Cronista Gil González de Avila y de ella se sacó esta copia y de los demás papeles q ay en este cuaderno» (Véase también *Catálogo de Salvá,* núm. 3059: *El origen de los villanos que llaman christianos viejos escrito por* el Padre Juan de Mariana. Este Codex puede fecharse en 1640 aproximadamente). Los manuscritos 10798, 10817 (14), 11267 (31), etc., atribuyen el panfleto a Martín Sarmiento (siglo XVIII) y le dan el título levemente distinto de *Discurso crítico sobre el origen de los villanos a quienes regularmente dicen christianos viejos.* Fue uno de estos textos que publicó Antonio Valladares de Sotomayor a fines del siglo XVIII in *Semanario erudito* (Madrid, 1788-1791, V, pp. 189-201), bajo el título de *Origen de los villanos por el R. P. F. Martín Sarmiento benedictino de Madrid.* Para la atribución al dominico Agustín Salucio, véase *Catálogo de la Biblioteca de Salvá,* núm. 3577: *Del origen de villanos que llaman christianos biejos. Autor Fray Agustín Salucio de la Orden de Predicadores.* Este panfleto no es posterior a 1637. (Fray Gerónimo de la Cruz hace alusión a este en su *Defensa de los estatutos y nobleza españolas. Destierro de los abusos y rigores de los informantes.* Zaragoza, 1637, fol. 17-18 y fol. 78-80). Para la cuestión de los estatutos en general, véase Albert A. Sicroff.

[88] Cf. *Discurso...,* ed. A. Valladares, in *Semanario erudito,* XV:

«... luego todos los que descienden de los moros de Toledo, Córdoba y Sevilla, y de otras mil partes (en que también se quedaron, y se convirtieron poco a poco), todos fueron en breve tenidos por christianos viejos; porque mezclándose con los demás, y olvidando su lengua y hábito a pocas generaciones se olvidó la memoria de su infidelidad.» (P. 135) «... Pero este olvido que hizo christianos viejos de los que antiguamente se convertían, es ahora imposible en la gente granada, a quien se sabe que le toca algún rebisabuelo infiel, porque ahora escríbese, inquiérese, y consérvase la memoria, y perpetúase con los estatutos, e inhabilidades para honras, ... Esto se entiende (como dixe) en la gente granada, porque quanto uno es más principal o más noble, tanto más se perpetúa la nota de su linage si la tiene; pero en la gente baxa, la memoria de la infidelidad de los padres raras veces llega a cinquenta años, porque no se sabe, poco ni mucho, quién fueron sus abuelos...» (p. 135-136).

lación con el estado de espíritu de los medios aristocráticos y urbanos sobre la cuestión de la pureza racial. El rasgo fue trazado porque era apto para divertir a un público que, en su mayoría, sabía a qué atenerse acerca del valor de una reivindicación ingenua y que consideraba basada en la ignorancia. Puede ser también que haya habido, al mismo tiempo, utilización de la máscara rústica para expresar un antagonismo entre antiguas y nuevas capas de la nobleza. Muchos hidalgos «de ejecutoria», de fecha reciente, poseedores de bienes en el campo,no tenían sobre el tema candente de la pureza racial —y sería por algo— la misma exigencia que los hidalgos «viejos», («hidalgos notorios de sangre») poco más o menos perros guardianes de la limpieza. Sea lo que fuere constatemos que la primera obra en la que la limpieza de sangre de los alcaldes aldeanos fue introducida como rasgo cómico es el entremés de Cervantes *La elección de los alcaldes de Daganzo.*El autor hace agitarse tontamente a unos villanos candidatos a la magistratura municipal en la aldea de Daganzo (provincia de Madrid). Entre las cualidades que se otorgan presuntuosamente, están en buen sitio la pureza de su sangre, su fe. El primero, Algarroba, suelta, como si ello fuera suficiente:

> Cristiano viejo soy a todo ruedo
> y creo en Dios a pies juntillas.

Otro, Humillos, se jacta de ser analfabeto y de suplir a una instrucción peligrosa (¡puede llevar a la hoguera!) con una fe irreprochable y un intachable abolengo:

> *Bachiller:*   ¿Sabéis leer, Humillos?
> *Humillos:*   No, por cierto,
> ni tal se probará que en mi linaje
> haya persona tan de poco asiento,
> que se ponga a aprender esas quimeras
> que llevan a los hombres al brasero,
> y a las mujeres, a la casa llana.
> Leer no sé, mas sé otras cosas tales,
> que llevan al leer ventajas muchas.
> *Bachiller:*   Y ¿cuáles cosas son?
> *Humillos:*   Sé de memoria
> todas cuatro oraciones y las rezo
> cada semana cuatro y cinco veces
> *Rana:*   Y ¿con eso pensáis de ser alcalde?
> *Humillos:*   Con esto, y con ser yo cristiano viejo,
> me atrevo a ser un senador romano.

Jarrete, el tercero, remata él también el alarde de sus títulos mencionando que es cristiano viejo:

> Y soy cristiano viejo como todos.

Si la visión irónica de las fanfarronadas villanas sobre el motivo de la limpieza, adoptada aquí por Cervantes, pudo gustarle a un público, fue, probablemente, en un ambiente parecido al del señor de Daganzo, más bien que en el de villanos y alcaldes de la aldea del mismo nombre. Lo que sabemos de la verdadera historia de Daganzo, a fines del siglo XVI, y de los conflictos que tuvieron los alcaldes ordinarios del lugar con el señor (el conde de la Coruña) nos incita a pensar que, tal vez, algún recuerdo de dichos enfrentamientos pudo influir en la creación de sus figuras por Cervantes. Como no pocos alcaldes de pueblos de señorío, los de Daganzo debían, para acceder a su cargo, ser confirmados en él por el señor.[89] Ahora bien, hacia 1588-1592, el conde de la Coruña, quién había pretendido substituir a la justicia de los alcaldes locales la de un alcalde mayor instituido por él, se vio reprobado por el Consejo y la Cancillería de Valladolid. Un pasaje de la *Política para corregidores y señores de vasallos,* de Castillo de Bovadilla, nos informa de este primer acontecimiento:

> ... La otra razón es, porque en el Rey de España reside la jurisdiciõ de sus Reynos, y sólo él puede embiar juezes que conozcan de primera instancia con los alcaldes ordinarios, y aun contra la voluntad de los pueblos... lo qual no pueden los Duques, Cõdes, Marquesses, ni Perlados, assí la chancilleria de Valladolid condenó al conde de Coruña, el año passado de ochenta y nueve en vista, y éste de noventa y dos en revista, a que no pudiese poner Alcalde mayor en la su villa de Daganzo, ni que el tal Alcalde mayor conociere en primera instancia a prevẽcion, por no aver mostrado bastante título, o costumbre dello: sólo se le permitió en la revista, que en los casos y cosas arduas, a pedimiento del concejo, o de otra cualquier persona particular, pudiese el conde embiar juez en la dicha villa, que conozca de las dichas causas, aunque han sido (a lo que entiendo) las primeras sentencias que sobre esto se han dado contra señores de vasallos; y después he sabido, por la villa de Cerbera se sentenció lo mismo en la dicha Real audencia, contra el conde de Aguilar, señor della.[90]

El mismo letrado nos informa también de que la confirmación de alcaldes de Daganzo fue rechazada en esos mismos años (se trata probablemente de un segundo asunto) por el conde de la Coruña. La razón alegada por el señor era la incompetencia y la falta de aptitudes de los alcaldes y podemos preguntarnos si, con esta recusación, no nos encontramos con la «circunstancia» que pudo ser punto de partida de una tradición en la que se apoyaría la sátira cervantina:

> ...pero los señores de vasallos no pueden quitar a los Alcaldes ordinarios que eligen y confirman por presentación y nómina de los cõcejos, ni pueden impedirles ni estorvarles su jurisdición sin causa legítima, ni aun dexar de confirmar los oficiales que el concejo les señala y presenta, si no fuese por notorio defeto de incapacidad, según Francisco de Ripa y otros; porque al señor de vasallos, a quien compete el derecho de confirmar la elección, pertenece también conocer del defeto e inhabilidad de los elegidos; y esto assí de oficio, como de pedimiento de parte, e repeler e invalidar la elección dellos con causa justa y assí se practicó en el consejo por el Cõde de Coruña, y contra la su villa de Daganzo...[91]

---

[89] Cf. *Relaciones histórico-geográfico-estadísticas de los pueblos de España hechas por iniciativa de Felipe II (Provincia de Madrid),* publicadas por Carmelo Viñas y Mey y Ramón Paz, Madrid, 1949. Relación de Daganzo, p. 22, núm. 10: «A la decena declaración dixeron que el dicho señor conde de Coruña como señor de la dicha villa después de haber nombrado en la dicha villa alcalde y regidores y procurador general, se le lleva a confirmar y lo confirma y da por bueno el dicho nombramiento, y aquéllos que son nombrados y por el dicho señor conde confirmados sirven de sus oficios un año, y así sucesive en cada un año, y que es villa y tiene su jurisdición por sí.»

[91] *Op. cit.,* lib. II, cap. XVI, núm. 155-156. A leer estas líneas uno piensa en el pasaje del entremés en donde se trata de la confirmacón de la elección:

> «*Escribano:*   «Y mírese qué alcaldes nombraremos
>   para el año que viene que sean tales

El breve rodeo que acabamos de hacer para señalar la anécdota histórica que pudo ser la base primitiva del entremés cervantino nos permite comprender mejor por qué motivo el tema del alcalde aldeano, quien habla de su limpieza de sangre, como si fuera título que habilita para administrar Daganzo, podía resultar divertido en un ambiente aristocrático y urbano. Dentro de la perspectiva de unos espectadores pertenecientes al bando del conde de la Coruña, y más generalmente, al bando de las gentes molestas por las pruebas de limpieza, este era un rasgo de patán ridículo entre otros rasgos irritantes de los plebeyos, fácil presa de la «orgullitis» de sangre y la sed de poder.

Cervantes volvió a tratar de manera más amplia el tema sin unirlo al de los alcaldes, en *El retablo de las maravillas* (entre diciembre de 1603 y 1615). Unos villanos son engañados por unos comediantes ingeniosos y trapaceros porque precisamente cada uno de ellos quiere a toda costa pasar por «cristiano viejo por los cuatro costados».[93] Los comediantes presentan a los aldeanos un retablo mágico que sólo podrán ver —según les afirman— los cristianos viejos y los hijos legítimos. Nadie ve nada porque no hay nada que ver, pero cada cual finge ver, por el miedo de pasar por judío o bastardo. Pronto los villanos caen víctimas de su propio juego y llegan a una verdadera alucinación colectiva. Cuando un verdadero furriel llega para requisar casas, creen que ha salido del retablo mágico y el entremés se acaba con una batalla entre el furriel y los villanos que le dicen judío y bastardo porque no afirma ver nada... El esquema de este tipo de engaño es antiguo y existe en todo el folklore europeo.[93] En cuanto a Cervantes, quizás lo tomó del «ejemplo» XXXII de *El conde Lucanor*.[94] Pero lo importante para nosotros no es la posible «fuente» formal de la idea muy común de la burla. Lo que importa es el nuevo contenido que le da Cervantes al relacionar el mecanismo de la credulidad con una forma típica de la mentalidad villana de su tiempo, mofada por los nobles. En *El conde Lucanor*, los engañados son cortesanos, y no villanos. Por otra parte, en el texto de Juan Manuel, les avisan que únicamente los bastardos y los hijos ilegítimos no podrán ver. Al hacer de los villanos las víctimas de la burla esencialmente a causa de su adhesión incondicional al mito de la limpieza de sangre, Cervantes crea algo totalmente nuevo y demuestra que no tiene más que una única fuente: la suya propia.[95] La alucinación colectiva en la que desemboca fi-

---

que no los pueda calumniar Toledo,
sino que los confirme y dé por buenos,
pues para esto ha sido nuestra junta.»

De existir un vínculo entre el asunto mencionado y el entremés cervantino, podríamos situar a éste hacia 1590-1598. Hacia 1590 se encuentran otros ejemplos de caricatura de la elección de los alcaldes aldeanos. Cf. *Romance pastoril de la elección del alcalde de Bamba*, en Padilla, *Tesoro*, ed. 1578, fol. 457 rº. Así Cervantes habría retomado el tema vinculándolo con una circunstancia. Pero también pudo ser a base de una «tradición» de Daganzo?

[92] Cervantes transpone cómicamente la expresión ritual «hidalgo de todos cuatro costados» (cf. Covarrubias, *Tesoro*...).

[93] Se la vuelve a encontrar, por ejemplo, en uno de los cuentos de Andersen.

[94] Cf. Cotarelo y Mori, in Introd. de *Colección de entremeses*..., I, vol. 1, p. LXVI b.

[95] También basta comparar el entremés cervantino con la pieza del mismo título, debida probablemente a Quiñones de Benavente (Cf. *Ibid.*, I, vol. 2, pp. 569-572) (esta pieza también figura bajo el título de *Dios te la depare buena* y es atribuida a Juan Vélez, in *Flor de entremeses y sainetes de diferentes autores*, Madrid, 1657) para comprender que la originalidad de Cervantes estriba, en efecto, en haber representado el espíritu de cristiano viejo como sentimiento que pronto engendra la mentira, y luego la ilusión colectiva. En la pieza atribuida a Quiñones de Benavente no se trata de limpieza de sangre y únicamente los maridos

nalmente la superstición racista de sus villanos es como la transposición teatral y simbólica de una alucinación social real que él podía constatar todos los días y cuyas expresiones jurídicas y prejuicios, como mente lúcida y no alienada, parece haber denunciado en otra ocasión.[96]

Fuera del teatro cervantino, también existe en otros dramaturgos este motivo de la
limpieza de sangre, de la que alardean los alcaldes aldeanos. Lope lo introduce en una
escena de *San Diego de Alcalá* (1613), en donde confronta a dos alcaldes aldeanos con
un alcalde hidalgo al celebrarse una sesión del Concejo municipal. Como lo veremos
en la parte de nuestro estudio dedicada al villano digno, en este caso existe una caricatura del sentimiento villano de limpieza comparable a la que acabamos de descubrir
en Cervantes. La carga satírica va dirigida contra el hidalgo, y en definitiva, los alcaldes villanos llevan el buen papel. Con todo, los alcaldes y regidores villanos resultan
graciosos en su pelea con el alcalde hidalgo por su obsesión de su limpieza de sangre.
Al declarar el hidalgo que se sienta de mal grado al lado de los villanos, la acusación
mayor irrumpe, por boca de un alcalde villano: ¿acaso teme un hidalgo mancillarse
con el contacto villano?[97] El cargo vuelve a salir cuando, en el colmo de la irritación,
el hidalgo le dirá puerco a un villano:

> *Hidalgo:*   Sois un puerco.
> *Regidor 1º:*   Yo quisiera,
> para que no me comáis.

---

engañados no pueden ver el retablo mágico. En esta pieza volvemos a la burla gratuita, y sin indicaciones
contemporáneas, como en *El conde Lucanor.* Puede hacerse la misma constatación acerca de la originalidad
de Cervantes si se compara *La elección de los alcaldes de Daganzo* con el *Romance pastoril de la elección
del alcalde de Bamba.*

[96] Por nuestra parte, vemos una alusión socarrona a los estatutos de limpieza de sangre que codificaban
la entrada en el clero, en el pasaje del *Coloquio de los perros,* en el cual Cipión le pregunta a Berganza
cómo entró al servicio de su tercer amo. El tono evangélico y predicante que afecta Cipión, marca por an-
tífrasis, y con gracia, que estos estatutos son contrarios al espíritu evangélico:

> «*Cipión:* ¿Qué modo tenías para entrar con amo? Porque, según lo que se usa, con gran di-
> ficultad el día de hoy halla un hombre de bien señor a quien servir. Muy diferentes son los se-
> ñores de la tierra del Señor del cielo: aquéllos, para recebir un criado, primero le espulgan el
> linaje, examinan la habilidad, le marcan la apostura, y aun quieren saber los vestidos que tiene;
> pero para entrar a servir a Dios, el más pobre es más rico; el más humilde, de mejor linaje; y
> con sólo que se disponga con limpieza de corazón a querer servirle luego le manda poner en el
> libro de sus gages, señalándoselos tan aventajados, que, de muchos y de grandes, apenas pueden
> caber en su deseo.»
> «*Berganza:* Todo eso es predicar, Cipión amigo.»
> «*Cipión:* Así me lo parece a mí, y así, callo.»

En *El licenciado Vidriera,* Cervantes alude a un campesino «de los que siempre blasonan de cristianos
viejos»:

> «Estando a la puerta de una iglesia vio que entraba en ella un labrador de los que siempre
> blasonan de cristianos viejos y detrás dél venía uno que no estaba en tan buena opinión como
> el primero, y el Licenciado dio grandes voces al labrador diciendo: Esperad, Domingo, a que
> pase el Sábado.» (Ed. La Lectura, 1943, p. 42.)

[97] Acad., V, p. 35 b:

> «*Hidalgo:*   De mala gana me siento.
> «*Alcalde 1.º:*   ¿Qué os habemos de pegar?
> Más limpios somos que vos.»

> *Hidalgo:*   No sabéis lo que os habláis.
> *Regidor 1º:* No hablara si no supiera.[98]

Por tercera vez el espíritu cristiano viejo de los villanos sale a relucir graciosamente bajo la forma de una afirmación rústica de honorabilidad. ¿Cómo podría compararse un hidalgo muerto de hambre y quisquilloso de su honra —pregunta en efecto un regidor— con un villano adinerado y bien alimentado, quien, cada año, tiene nada menos que diez jamones que colgar de su techo para la fiesta de san Lucas? ¿Acaso el tocino no es el más hermoso escudo de armas de la mejor ley cristiana?[99] Parece que Lope ha sido el primero en crear, aquí, la situación teatral de la disputa de los «alcaldes villanos» y los «alcaldes hidalgos», que es una de las variantes del tema de los «alcaldes encontrados».[100] Tal situación iba a volverse clásica y tenemos varios ejemplos de ella en donde las afirmaciones de pureza racial intervienen ritualmente en boca del alcalde villano opuesto a su homólogo hidalgo. En *El diablo está en Cantillana* (Luis Vélez de Guevara), la oposición se expresa, como en *San Diego de Alcalá*, en torno al motivo del tocino que no come el hidalgo no sólo por ser pobre sino también por no ser cristiano viejo:

> *Zalamea:*   ....
>   yo las tengo muy hidalgas [las entrañas].
> *Carrasca:* ¡Qué hambrientas que las tendréis!

---

[98] *Ibid.,* p. 36 b.
[99] *Ibid.* p. 37 b.

> «*Regidor 1.º:*   Tiene un hidalgo a su puerta
>   puesto un mohoso retablo
>   de seis lanzas y un venablo
>   por ejecutoria incierta,
>   y ¡quiérese comparar
>   con quien die; tocinos tiene,
>   que cuando San Lucas viene,
>   tiene otros diez que colgar!»

Realmente, cabe preguntarse aquí si la puntada contra los alcaldes hidalgos sin «tocinos» no será una burla de gente de ciudad en contra de algunas ejecutorias inciertas, poco añejas, adquiridas por advenedizos recién llegados a una limpieza poco segura.

[100] Al insertar el tema de la disputa de los alcaldes en su comedia, Lope usa un motivo que, según parece, se había constituido como «morceau de genre», incluso fuera de la comedia. En el *Manojuelo de Romances nuevos y otras cosas.* Barcelona, 1601, de Gabriel Lasso de la Vega, encontramos una composición en estilo rústico en donde dos alcaldes se afrontan ridículamente ante el concejo en pleno. La mayoría de los rasgos cómicos propios de los alcaldes teatrales ya figuran en este romance. Cf. fol. 142 rº:

> «En el lugar de Penilla
> el primer día del año,
> para rematar las rentas
> de carne, vino, y pescado,
> se juntaron a consejo
> con bocados del badajo,
> Alcaldes y Regidores
> y Pançado el escrivano

No obstante, notémoslo, la composición no precisa si los alcaldes pertenecen a estados diferentes (hidalgos por una parte, villanos por la otra): son definidos únicamente como alcaldes ordinarios. El motivo de la limpieza de sangre tampoco aparece en el romance de 1601.

Zalamea:	¿Qué queréis? ¿Han de estar hartas de pan, ajo y cebollas, como las vuestras, Carrasca?
Carrasca:	Parece bien que las vuestras, por no parecer villanas, nunca han comido tocino

....[101]

Quiñones de Benavente (¿o Tirso de Molina?) repitió incansablemente el motivo en la serie de los seis entremeses conocida bajo el título de *Los alcaldes encontrados*. El primero de ellos, en especial, resulta muy denso en pullas antisemíticas echadas por el «alcalde de villanos contra el «alcalde de hidalgos» y la broma ritual sobre el tocino no deja de volver. Bástenos citar este pasaje del diálogo de los alcaldes para dar el tono de sus interminables peleas:

Mojarilla:	Sentáos, Domingo.
Domingo:	El sábado es primero.
Mojarilla:	Yo soy cristiano viejo.
Domingo:	Alcalde hermano, el viejo veo; echad acá el cristiano.
Mojarilla:	Sentaos allí, que juntos no haremos buenas migas los dos.
Domingo:	Yo lo imagino *(Siéntanse cada uno a la punta del banco)* porque las migar se hacen con tocino.

Con la lectura de un pasaje como éste, se comprende que no podían renovarse indefinidamente las palabras del alcalde villano, quien siempre pone por delante la limpieza de su sangre y no tiene más que el epíteto de judío en boca, y que el motivo había de caer rápidamente en el estereotipo. El autor del último entremés de la serie de *Los alcaldes encontrados* tuvo clara conciencia de ello y la confesión de que el procedimiento le parece estar agotado aflora en un pasaje del diálogo:

Lorenzo:	Escribano, ¿Este es judío?
Escribano:	No, sino cristiano; ¿por qué lo preguntáis?
Lorenzo:	¡Qué lindas flores! ¡Por parecerme a mis antecesores!
Escribano:	¿Qué le diréis que ya no esté dicho?[102]

Las manías consolidadas, las palabras y gestos maquinales, esto es lo que caracteriza, de manera general, la pluma con la que esbozaron los dramaturgos la caricatura de los alcaldes aldeanos. Los crearon como fantoches sin individualidad ni personalidad propia, hasta el extremo de, a veces, no atribuirles nombre, sino sencillamente

---

[101] B. A. E., XLV, p. 170. Sustituimos «Por eso» por «Parece».
[102] E. Cotarelo y Mori, *Colección de entremeses...*, I, vol. 1, p. 679.

un número de orden: «alcalde primero», «alcalde segundo».[103] El esquema de la pareja, como lo subrayaron sucesivamente Pascal y Bergson, [104], puede ser favorable a la risa, y los dramaturgos españoles ya lo habían comprendido, al hacer con los *duumviri* municipales unos menegmas idénticos por el estilo, aun cuando se opongan echándose injurias a la cara. La simetría y la repetición constituyeron certeros instrumentos de la comicidad y ésta es la razón por la cual, cuando el dramaturgo no nos presenta a dos alcaldes homólogos, suele completar al único alcalde con otro funcionario aldeano, por lo general el escribano, con quien se pelea todo el día.[105]

Puede afirmarse que la comicidad de los alcaldes aldeanos, basada en algunas recetas seguras, aplicadas en el marco de una ideología aristocrática y urbana desfavorable para las instituciones del municipio villano, consiguió en el escenario, a partir de 1610-1615 aproximadamente, un éxito inagotable. Sin embargo hacia aquel momento Lope, quien había contribuido fuertemente a fijar el tipo teatral, parece dejarlo de lado, como si, en lo sucesivo, les abandonara a sus discípulos y seguidores la tarea de repetirlo. Lo que prueba, entre otros hechos, el inmenso éxito del personaje del alcalde aldeano gracioso, es que un actor cómico con talento haya podido asegurar su carrera encarnándolo. Efectivamente, el célebre gracioso Cosme Pérez, más conocido bajo el seudónimo teatral de Juan Rana, se volvió el alcalde cómico por antonomasia. Antes de 1636, parece que el apodo teatral de Juan Rana sustituyó su verdadero de Cosme Pérez.[106] Ahora bien, este apellido de Rana fue el del personaje de alcalde cómico en no pocos entremeses y comedias. Nos inclinamos a pensar que se trataba de un nombre folklórico del que se adueñó el teatro. Luis Montoto y Rautenstrauch señala que la expresión «ser un Juan Rana» se aplicaba a cobardes y gentes de escasa valía.[107] También puede señalarse que antes de que comenzara la carrera de Cosme Pérez,[108] ya exis-

---

[103] Cf., por ejemplo, *El verdadero amante* (Lope). No se podría afirmar si hay o no diferencia entre el primer alcalde y el segundo; uno se llama Bertolano (nos enteramos al pasar) pero el otro no lleva nombre; es sencillamente «alcalde segundo» y no es más que un desdoblamiento del primero.

[104] Bergson cita en su estudio sobre la risa, la frase de Pascal en *Les Pensées:* «Deux visages semblables dont aucun ne fait rire en particulier, font rire ensemble par leur ressemblance».

[105] Cf. *La comedia de Bamba* (Lope), Acad., VII, p. 47 b; *El empedrador* (entremés anónimo de la primera mitad del siglo XVII); *El alcalde Burguillos* (Julio de la Torre); *El alcalde enregistrador* (entremés anónimo, antes de 1658).

[106] Una carta de las *Noticias de Madrid,* referida a sucesos situados entre el 22 y 29 de noviembre de 1636, contiene la siguiente frase:«A don Nicolás, el paje del conde de Castilla, y a Juan Rana, famoso representante han soltado» (in *La corte y la monarquía de España en 1636 y 1637,* Madrid, 1686, p. 68). Así mismo uno de los temas del concurso de la Academia burlesca que tuvo lugar en el Buen Retiro, durante el Carnaval, era: «doce redondillas digan la razón por qué las beatas no tienen unto, y si basta la opinión del dotor Juan Rana para que se crea.» Para la biografía de Cosme Pérez, alias Juan Rana, E. Cotarelo reunió numerosos datos, p. CLVII-CLXIII, t. I, vol. I, *Colección de entremeses...* De este estudio sacamos las dos citas precedentes.

[107] *Op. cit.,* I-II, p. 52. Luis de Montoto y Rautenstrauch también cita un pasaje de una relación burlesca intitulada *El cerco de Tagarete* de Francisco Bernardo Quirós, impresa por Diego López de Haro en Sevilla, a principios del siglo XVIII (sin indicaciones de año) en donde el significado folklórico de *Juan Rana* parece oponerse al nombre mismo del célebre gracioso:

«Que soy Rana, tan Rana,
que Juan Rana es una sombra,
y aunque él era tan valiente,
un Juan Rana es con nosotros.»

[108] La carrera de Cosme Pérez debió de empezar hacia 1610-1620. Hace el papel de Leonardo en *El desdén vengado* de Lope (creada en agosto de 1617). En 1622, encarna el del capitán Medrano en *La nueva victoria de dos Gonzalo de Córdoba* (Lope).

tió, probablemente antes de 1600, un Pedro Rana candidato a las funciones de alcalde en *La elección de los alcaldes de Daganzo* de Cervantes. Quizás se nos entregue el significado folklórico del personaje al principio de *El segundo Séneca de España, Don Felipe II*, de Pérez de Montalbán.[109] Juan Rana, alcalde, es un villano de la sierra de Guadarrama y sale al escenario calado hasta los huesos por la lluvia, como una rana que sale del pantano, por decirlo así. Una indicación escénica precisa: «Sale Juan Rana mojado y enlodado». Sea lo que fuere, constatemos que a partir de 1620 las apariciones escénicas de Juan Rana se multiplican. En *Lo que ha de ser* (Lope) (1624), es alcalde[110] y vuelve a serlo en *El guarda-infante* (hacia 1635), entremés de Quiñones de Benavente.[111] Cosme Pérez desempeñó el papel con tanta perfección que su personalidad dramática se sustituyó a la suya propia. En el entremés *El soldado* de Quiñones de Benavente, se queja precisamente del poderío de los papeles que llegan a hacer olvidar su identidad real,[112] y en otro entremés de Benavente, *Pipote en nombre de Juan Rana,* un personaje establece la equivalencia entre Cosme Pérez y el papel de Juan Rana.[113]

La figura de «Juan Rana» (o «Pedro Rana», puesto que es el nombre adoptado por Cervantes), surgida, en nuestra opinión, antes de que Cosme Pérez la encarnara, habría de sobrevivir largo tiempo al actor que le diera tal intensidad de presencia. Se en-

---

[109] In *Comedias de Pérez de Montalbán*, 1638, fol. 25.

[110] Acad., N., XII, p. 387.

[111] Cf. E. Cotarelo y Mori, *Colección de entremeses...*, I, vol. 1, p. 524 a:

> «Señora Mosquetería,
> escuchá a vuestro Juan Rana
> ¿yo no so alcalde perpetuo?
> ¿Vos no me distes la vara?»

[112] Cf. E. Cotarelo, *Colección...*, t. I, vol. 2, p. 585 b:

> «Juro a Dios que so Juan Rana,
> sino que me desatina
> el mundo dándome nombres
> con que el mío se me olvida.»

[113] Cf. E. Cotarelo, *Colección...*, t. I, vol. 2, p. 714 a-b:

> «Pues para todo ensillado,
> Cosme, a quien confirmó la turba humana,
> espléndido banquete adonde sirves
> platos a varias gentes
> todos de Rana y todos diferentes,
> cosquillas generales
> que las hacen en todos los corrales.»
> «Simple discreto que por tu donaire
> mereciste que fueses
> perpetuo alcalde de los entremeses,
> dando al vulgo sentencias avisadas,
> a veces truecas por tus alcaldadas;
> Rana, que con graciosos ademanes
> quitas el gusto a más de dos faisanes,
> que con tu risa falsa,
> para hacerse comer que buscas salsa,
> suplícote que quieras remediarme.»

cuentran secuelas de ella hasta en el teatro de fines del siglo XVII, y luego en el del siglo XVIII.[114] Jerónimo Cáncer, por ejemplo, intentó dar nuevos bríos al personaje colocando frente al tradicional Juan Rana un nuevo Juan Ranilla, en su entremés titulado *Juan Ranilla*.[115]

De una manera más general, el papel del alcalde perduró en el teatro español mucho más allá de la época que lo había fijado en sus rasgos esenciales y se encuentran en el teatro del siglo XVIII numerososo entremeses de alcaldes rurales creados para hacer reir al público urbano. Citemos, por ejemplo, *El alcalde de Fuencarral*[116] (principios del siglo XVIII), *Entremés del alcalde villano hablando al Rey*,[117] *Entremés de Quixada y el alcalde*[118] y *El alcalde de Mairena*.[119] Este fue el éxito indefinidamente repetido del alcalde teatral nacido, como lo viéramos, a principios del siglo XVI bajo la pluma del gran Gil Vicente.

* * *

En lo hondo de la comicidad del «alcalde aldeano» late esencialmente la oposición histórica «ciudad-campo», (y detrás de esta oposición; la lucha entre las clases villanas, por una parte, y las clases urbanas y aristocráticas, por otra). La continuidad de los rasgos otorgados hasta la esterotipia al alcalde villano, durante dos siglos, corresponde, en parte, a la cuasi-fijeza de relaciones fundamentales entre la ciudad y el campo en el transcurso de este periodo, al cuasi inmovilismo de las estructuras de la sociedad monárquico-señorial desde finales del siglo XV hasta mediados del siglo XVI.

Evidentemente, resulta difícil creer que villanos auténticos hayan podido dar su asentimiento interior a ciertas formas de risa que el alcalde villano tenía por misión despertar en los corrales urbanos o en los palacios. Hartos conflictos entre los villanos y los señores, entre las aldeas y las grandes ciudades, habían ocurrido en el reino de Castilla y León, durante los siglos XVI y XVII, en torno al problema candente del poder de los alcaldes ordinarios y de la jurisdicción señorial urbana, para que un público propiamente aldeano se divirtiese sinceramente con la caricatura de su propio combate municipalista.[120] El interés vivo y activo que los villanos reales mostraron por la

---

[114] Citemos *Juan Rana comilón* (cf. núm. 1674, de A. Paz y Melia, *Catálogo de las piezas de teatro que se conservan en el departamento de manuscritos de la Biblioteca Nacional*, Madrid, 1899). *Juan Rana enamorado* (Cf. núm. 1675, *Ibid.*).

[115] Cf. Colección de Arturo Sedó, p. 1.149 del *Catálogo* (puede verse la pieza en Barcelona).

[116] Este entremés-baile de principios del siglo XVIII, también existe bajo el título de *Baile nuevo de la plaza mayor*. Fue publicado en *Revista de la Biblioteca, archivo y museo del Ayuntamiento de Madrid*, 1954, núm. 1, pp. 152-176. No pudimos verificar si el texto es exactamente el mismo que el de *El alcalde de Fuencarral*, mencionado p. 182, del catálogo de la colección *Arturo Sedó*.

[117] In *Arcadia de Entremeses* (1723), p. 196, catálogo de la colección *A. Sedó*.

[118] *Ibid.*

[119] *El alcalde de Mairena* fue objeto de una censura inquisitorial, a causa de las numerosas expresiones obscenas que contenía (Cf. Paz y Melia, *Catálogo de papeles de inquisición... núm. 473*). Puede leerse el expediente en el A. H. N. de Madrid.

[120] Es posible tener una idea de la violencia de este combate al hojear los documentos que atañen al conflicto entre Quevedo y los alcaldes ordinarios del pueblo de la Torre de Juan Abad. (Cf. Don F. Quevedo, *Obras completas*, ed. F. Buendía, Madrid, Aguilar, 1960, II. Ver la sección «Documentos».) En sus cartas a Sancho de Sandoval, el escritor les atribuye a los magistrados municipales de La Torre de San Juan Abad graves exacciones perpetradas con las varas:

«... A esto se ha llegado: haber descubierto, por el tormento que se dio a un regidor, el más antiguo, por ladrón, otros tres ladrones cuatreros y escaladores de casas, que todos eran alcaldes y

defensa y el acrecentaminto de sus derechos comunales constituía un obstáculo social y psicológico suficiente para impedirles el ver comicidad absoluta, en determinados gestos o palabras prestados a los alcaldes rurales. Idéntica observación puede hacerse a propósito de otras ideas villanas escarnecidas teatralmente, incluso cuando eran —como la tan cacareada «limpieza de sangre»— el producto de una conciencia de clase engañada y alienada. No nos podemos imaginar en la primera fila del público que asistía a la representación de *La elección de los alcaldes de Daganzo,* a estos alcaldes de Daganzo, quienes, en la realidad, habían librado contra su señor la lucha que ya conocemos. Más difícil aún es imaginarlos mirando el espectáculo con gusto, sin embargo los alcaldes de Daganzo, pedían y organizaban a veces espectáculos para los vecinos de su pueblo. Es de suponer que este teatro para los villanos de Daganzo, aunque no hiciese sino retomar los éxitos urbanos,[122] excluía por lo menos las obras con alcaldes ridículos a la manera cervantina.

Vemos confirmarse así, a propósito de los alcaldes «cristianos viejos», lo que ya nos pareció ser el rasgo fundamental del villano cómico en el teatro español: a saber que este personaje es el objeto de una risa «ajena a sí mismo». No nos queda sino analizar cómo la lengua dramática contribuyó a hacer del villano cómico este mero objeto de la risa, deshumanizado, mecanizado, «cosificado», hasta no ser más que una simple función teatral.

---

regidores, y hurtaban con las varas»; «... lo más honesto es ser amancebado público, con todo el escándalo y aparato de rufián, cuchilladas, resistencias y pistolazos; encubridor de ladrones y de hurtos, inducidor de testigos falsos y otras tales curiosidades. En razón desto está descomulgado todo el ayuntamiento.»

(Carta del 13 de marzo de 1635)

Tales pasajes nos permiten comprender mejor la ironía con la que se trata el motivo de los poderes del alcalde en los entremeses.

¿Qué pensar, por ejemplo, de un título de entremeses como *El alcalde de Burguillos* de Julio de la Torre? Burguillos (cerca de Toledo) era muy pequeño a fines del siglo XVI (120 vecinos hacia 1575-1580, todos jornaleros, según las *Relaciones topográficas).* No era más que un villorio viñatero, en los extramuros de Toledo y, como tal, dependiente en lo administrativo de la ciudad. No había alcalde en 1576, de creer las *Relaciones topográficas* (p. 155, núm. 53, relación de Burguillos, in *Relaciones... de la provincia de Toledo):*

«Este dicho lugar es y ha sido siempre bodega de Toledo y ansí ni es concejo, ni hay en él otra justicia más que dos regidores, que nombran cada un año entre sí los herederos, que aquí tienen heredades, y son vecinos de Toledo, para la buena gobernación del dicho lugar, y ansí debaxo de la jurisdicción de la dicha ciudad de Toledo».

Puesto que el entremés de Julio de la Torre es de principios del siglo XVII (antes de 1640), cabe pensar que «el alcalde de Burguillos» no fue sino un mito teatral inventado, por burla, por gente de ciudad. Sin embargo tampoco debemos excluir la posibilidad de que Burguillos se haya vuelto villa hacia 1600, en el momento en el que muchas poblaciones mínimas adquirieron tal título. Tal hipótesis no obsta a la burla. Este significado del alcalde aldeano, a uso de la ciudad, es bien visible en un entremés-baile de principios del siglo XVIII, intitulado *Baile nuevo de la plaza mayor* (publicado en la *Revista de la Bibli., Arch. y Museo del Ayuntamiento de Madrid,* núm. 1, 1954, pp. 152-176). Esta pieza, representada en el Corral del Príncipe, desde el 25 de diciembre de 1708 hasta el 10 de enero de 1709, pone en escena en medio del gentío abigarrado de la Plaza mayor, a un alcalde de Fuencarral. Un diálogo entre un escribano y el alcalde aldeano demuestra bien que el alcalde es un personaje cómico para las gentes de la Corte (nótese que uno de los censores de este entremés fue D. José de Cañizares).

[121] Cf. Pérez Pastor, *Nuevos datos acerca del histrionismo español en los siglos XVI y XVII* (la serie), Madrid, 1901, contrato del 23 de noviembre de 1632; y *Nuevos datos (2.ª serie),* Bordeaux, 1914, contrato del 3 de abril de 1635.

[122] A este respecto véase nuestro artículo *Sur les représentations théatrales dans les «pueblos» des provinces de Madrid et Tolède (1589-1640),* in *B. Hi., LXII,* octobre-décembre 1960, pp. 398-427.

CAPITULO V

LOS NOMBRES Y LA LENGUA

El significado cómico de algunos nombres rústicos fuera del teatro. Los nombres habituales de los aldeanos en la comedia. Pedro Crespo. El sayagués como estilo rústico. El uso del «habla villana» en J. del Encina, L. Fernández, Gil Vicente y Torres Naharro; su ausencia en Lope de Rueda. Los procedimientos de fabricación del habla rural o regional en Lope o Tirso. Sayagués y condición social.

Los nombres de los personajes y la lengua que usan, tanto como el vestido, las situaciones o los gestos, contribuyen en una obra a determinar el registro, ya sea cómico, ya sea trágico, dentro del cual ha decidido colocarlos el dramaturgo.[1] También ellos son signos teatrales admitidos convencionalmente en el código que une al autor con el público, «a priori», antes de que empiece la ceremonia teatral. Esto, que es cierto para cualquier teatro en general, lo es más aún para la comedia española en donde los personajes (desprovistos de una auténtica psicología) a menudo no son sino simples funciones con un destino dramático fijado, de manera inamovible, por la costumbre ideológica y estética de los dramaturgos y del público. La lengua y los nombres de los personajes adquieren el valor de una fatalidad y desempeñan un papel motor en la acción, ocurre en algunos diálogos de Lope o de Tirso que, por su propio dinamismo interno, sean las palabras las que traigan los sentimientos, sobrepasándolos, fabricándolos totalmente, hasta el extremo de que el lenguaje mismo se convierta en resorte de la pasión. En lo que atañe a la rusticidad cómica, estilada por los autores españoles desde Encina hasta Lope y sus contemporáneos, el habla y los nombres desempeñaron un importante papel estético a su servicio, y nos compete considerarlos como elementos de estilización decisivos de la comicidad villana. Podemos afirmar que le confieren a esa comicidad toda su plenitud, todo su volumen escénico y que, en un sentido, recalcan su especificidad teatral.

* * *

---

[1] Así, por ejemplo, sabemos que en las *Atellane*, género cómico que estuvo de moda a partir del año 390 aproximadamente, los personajes ridículos hablaban en osco, los otros en latín. En el siglo XVI, la «comedia dell'arte» saca también no pocos efectos cómicos del uso de dialectos: los *Zanni* necios (se admitía por lo general dos clases de *Zanni*, unos ingeniosos, otros necios) hablaban a menudo en bergamasco.

Ya Encina, en sus *Eglogas,* había sabido atribuirles a sus pastores nombres destinados a subrayar la ridiculez. Algunos, tal «Piernicurto» en el *Auto del Repelón,* eran
apodos que evocaban una peculiaridad física. Otros, menos caricaturescos en apariencia, merecen más nuestra atención: por ejemplo, los que constituyen la galería clásica
de los «Juan», «Gil», «Pascual», «Bras», «Mingo», «Llorente»; «Benito», etc... En efecto, parece que, por una convención social e ideológica, esos nombres rústicos fueron
sentidos como signos cómicos, aún a veces fuera del teatro. G. Correas, en su *Vocabulario...,* llama nuestra atención sobre el hecho de que en España, algunos nombres tenían así un valor apriorístico:

> ... Es de advertir que algunos nombres los tienen recibidos y calificados el vulgo
> en buena o mala parte y significación, por alguna semejanza que tienen con otros por
> los cuales se toman. Sancho por santo, sano y bueno; Martín por firme y entero; Bea-
> triz por buena y hermosa; Pedro por taimado, bellaco y matrero; Juan por bonazo,
> bobo y descuidado; Marina por malina y ruin...[2]

La indicación de G. Correas es confirmada por una exploración de la lengua folklórica. No cabe duda, por ejemplo, de que el nombre de Juan iba envuelto en una aureola burlona. En 1555, el comendador Hernán Núñez cita sin comentario:

> Dos Juanes y un Pedro hacen un asno entero.[3]

G. Correas a su vez, consigna la expresión en su *Vocabulario de refranes.* En 1611
Covarrubias también la anota en su *Tesoro...* y la explica. Su explicación nos hace ver
muy precisamente que «Juan bobo» era a la vez un personaje folklórico y teatral:

> ... En lengua bergamasca llaman a Juan «Zane», y este nombre ponen al simple o
> al bobo; y en nuestra lengua castellana «es un Juan» vale lo mismo y por esso forma-
> ron el dicho común y ordinario: «de tres Juanes y un Pedro».[4] ... Los charlatanes son
> cierta gente, que anda por el mundo, por otro nombre dicho saltaenbanchi, porque
> en las plaças se suben encima de una mesa de las que están para vender alguna cosa,
> y a vezes con una guitarra o vihuela de arco cantan alguna canción, y acostumbran
> traer consigo un çane, que es como en España el bobo Juan, y con media máscara y
> un vestido de lienço dança, y tiene algunos diálogos graciosos con su amo.[5]

Este «bobo Juan» de España, hermano del *zane* bergamasco, era también el hermano de este «Jean bête» que aparece en más de una historieta folklórica francesa y
que nutre expresiones consagradas del tipo de «Gros Jean comme devant», paralelas
de las que nos ofrece la lengua española: «buen Juan»,[6] «ser un Juan», «Juan zoque-
te»,[7] «No seas bobo, Juan, y no te llamarán»,[8] «ser un Juan Lanas», etc...

---

[2] *Op. cit.,* p. 25 b (a propósito de la expresión «Al buen callar llaman Sancho; al bueno bueno, Sancho
Martínez»).

[3] Hernán Núñez, *Refranero español* (1555), ed. «Clásicos españoles», Valencia, s. f.

[4] *Op. cit.,* p. 718 a, 12.

[5] *Ibid.,* p. 433 a, 22.

[6] Cf. *Diccionario de la lengua española,* Real Academia española, 18 éd., 1956, art. *Juan:* «Buen Juan:
hombre sencillo y fácil de engañar».

[7] Cf. Luis Montoto y Rautenstrauch, *op. cit.,* II, p. 60:

> *«¿Quién le mete a Juan Zoquete en si arremete o no arremete?* He oído muchas veces la frase
> para reprender a las personas torpes de inteligencia, que gustan de dar en todo su parecer.»

[8] *Ibid.,* p. 67.

Asímismo parece que los nombres de «Mingo» (o Mengo), «Bras» y «Gil» eran objeto de una especie de ironía tradicional. Ya tuvimos la ocasión de indicar el valor burlón de la expresión «Más galán de Mingo».[9] A su lado, hay que mencionar «En tiempos de Bras y Menga», usada para dar la idea de una época muy lejana y un tanto chusca y mítica por la propia lejanía. A propósito de «Gil», el nombre más simbólico de la rusticidad —tan simbólico que se encuentra ya en las *Coplas de Mingo Revulgo* (Gil Arribato)— no nos faltan elementos reveladores del descrédito del cual era objeto. En el *Tesoro...* de Covarrubias, leemos en un primer pasaje:

> ... Y ordinariamente le usurpan en las poesías pastoriles, y quedó en proverbio lo que el otro dixo: Que nunca falta un Gil que nos persiga.[10]

En un segundo pasaje, el autor precisa:

> Gil. Este nombre en lengua castellana, es muy apropiado a los çagales y pastores en la poesía... Quedó en proverbio un verso castellano de un soneto: «Que nunca falta un Gil que nos persiga.» Dando a entender que aunque desista un émulo, no falta otro que se substituya en su lugar.[11]

Unas pocas líneas de *El escudero Marcos de Obregón* tienen la ventaja de confirmar de manera muy neta el valor peyorativo atribuído al verso del soneto al cual hace alusión Covarrubias. Se trata de:

> ¿por qué pensáis, le dije, que dicen ordinariamente «nunca falta un Gil que me persiga?» Que no dicen un don Francisco, un don Pedro sino un Gil: porque nunca son perseguidores sino hombres bajos, como Gil Manzano, Gil Pérez, enemigos de la piedad, bestias crueles, sin respecto ni vergüenza, inclinados a perseguir a la gente que ven levantarse en actos de virtud.[12]

Vemos con claridad que el nombre de Gil conlleva un signo negativo por otros muchos detalles. Es corriente que rime con palabras que quitan precio, tales como perejil, o que aparezca en el sentido de «pobre diablo», «persona sin importancia», en las

---

[9] *Vide supra*, p.

[10] *Op. cit.*, p. 493 b, 17, 20.

[11] *Ibid.*, p. 639 b, 3, 13.

[12] B. A. E., XVIII, p. 413 b. G. Correas cita el refrán bajo la forma «Nunca falta un Gil que nos persiga». El autor también proporciona la versión más explícita: «Yo estoy como perro con vejiga, que nunca falta un Gil que me persiga». Como ya se ve, el refrán hace alusión a la estúpida costumbre de atar objetos a las colas de los perros. Cf. G. Correas:

> «Por Antruejo atan vejigas hinchadas a las colas de los perros, con que van corriendo por las calles y todos les gritan y dan con lo que hallan» *op. cit.*, p. 515).

[13] Cf. Sá de Miranda, *Poesías*, in *Clás. Sá da Costa*, p. 174:

> «Fui um dia a Vila Gil
> e logo, ao sair da casa
> mais verde que um perrexil.»

Cf. *Peribáñez y el comendador de Ocaña*, ed. Aubrun y Montesinos, versos 178-181:

> «A la yegua de Antón Gil,
> del verde recién sacada,
> por la panza desgarrada
> se le mira el perejil.»

canciones de moda.[14]. Se hallan también en la lengua paremiológica expresiones de desprecio, del tipo de «¿Qué hacéis, Magdalena Gil? Mato las pulgas al candil»[15] —«El dote de Mari-Gil: dos trébedes y un badil»—[16] «Juntándose han dos ruines, Chosetas y Sancho-giles».[17] Tirso nos ha dejado en dos escenas de *Don Gil de las calzas verdes*, unos elementos de diálogo que bien resumen el desprecio con el cual andaba cargado socialmente el nombre de «Gil». En un primer momento, doña Inés, dama noble, se escandaliza porque su padre se propone casarla con un hombre desconocido quien lleva precisamente este nombre:

> *Doña Inés.* ... ¿Cómo se llama
> ese hombre?
> *Don Pedro.* Don Gil.
> *Doña Inés.* ¿Don Gil?
> ¿Marido de villancico?
> ¡Gil! ¡Jesús! no me le nombres;
> ponle un cayado y pellico.
> *Don Pedro.* No repares en los nombres,
> cuando el dueño es noble y rico.[18]

En un segundo diálogo, doña Inés dice que poner «Don» delante de «Gil» le parece ser como la alianza de un título noble y un nombre vulgar:

> *Doña Juana.* ¿... Tan vil
> es el nombre?
> *Doña Inés.* ¿Quién creyó
> que un *don* fuera guarnición
> de un Gil, que siendo zagal
> anda rompiendo sayal
> de villancico en canción?[19]

Es probable que este valor peyorativo del nombre de Gil en castellano derive del mismo origen que el valor despreciativo otorgado a «Giglio» en italiano, valor que

---

[14] Cf., por ejemplo, la canción que aparece en *Barlán y Josafá* de Lope (Acad., IV, p. 33):

> «Es el mundo tan ligero,
> y rueda tanto, que yo
> pienso que lo que pasó
> ha de ser como primero.
> Hoy se mira caballero
> el que ayer fue labrador,
> esclavo el que era señor,
> y el que fue persona un Gil.
> Al cabo de los años mil
> vuelven las aguas por do solían ir.»

[15] Luis Montoto y Rautenstrauch, *op. cit.*, II, p. 123: «Perder el tiempo, entrenerse con nonadas.»
[16] *Ibid.*, II, p. 149: «Búrlase de los que quieren contraer matrimonio sin tener medios para ello.»
[17] *Ibid.*, II, p. 347: «Equivale al refrán «Dios lo cría y ellos se juntan», y a esta otra frase que oí en Sevilla: «En el prado de Santa justa una p... a otra busca.»
[18] B. A. E., V, p. 405 c.
[19] B. A. E., V, p. 406 c.

hace de este personaje de la «comedia» bufona italiana un personaje convencionalmente necio y miedoso, símbolo de tontería y cobardía. En otros términos, debe de existir entre los nombres teatrales de Gil y Giglio las mismas relaciones que hay entre
Juan y Zane. Pero dejaremos para otra ocasión este pequeño problema de literatura
comparada.[20]

Si bien todos los nombres de pastores cómicos del teatro de Encina no tienen un
significado irónico o familiar tan claramente atestiguado como «Juan», «Bras», «Mingo» o «Gil», así y todo lo poseen en algún grado. «Beneito», «Pascual» (o «Pascuala»), «Llorente» («Lorente»), de los que echa mano, ofrecen resonancias del mismo
tipo que «Juan», «Gil», «Bras» o «Mingo».[21] Por ello los discípulos de Juan del Encina retomaron estos nombres, agrupándolos a veces (así Lucas Fernández compone
«Bras-Gil»; «Juan-Benito») o completando la serie (Lucas Fernández introduce «Miguel», «Antona», que no vemos en Juan del Encina).

Lope y los dramaturgos de su escuela recogieron esta tradición de los nombres rústicos con valor irónico o sencillamente divertido y se encuentra en ellos a toda la galería. De ser necesario lo mismo que Encina forjan nombres pintorescos, evocadores
de singularidad campestre. Luis Vélez de Guevara, por ejemplo, introduce «Gil de Rábano» en *La Luna de la sierra*, y «Rabel» (nombre de instrumento musical rústico),
en *El rey en su imaginación*. Lope le pone «Berrueco» a uno de los villanos de la *Comedia de Bamba*, y se vuelve a leer el mismo nombre en *Los novios de Hornachuelos*:
«Berrueco» era, entre otras cosas, un topónimo aldeano, y quizás también un nombre
que se les aplicaba a los animales domésticos.[22] En la *Comedia de Bamba*, Lope le atribuye a otro villano el nombre de «Borregoso» (de «borrego») y, en *La serrana de Tormes*, aparece «Chamizo» (choza con techumbre pajiza). Luis Vélez de Guevara, por su

---

[20] Un estudio queda por hacer acerca de las relaciones entre el *Gille* (o *Giglio*) y el *Zane* (o *Zani*; *Zana*
parece ser una forma bergamasca) de la «comedia» italiana por una parte, y el gracioso de la comedia española por la otra. Unas pocas líneas, demasiado breves, de M. Bataillon, en un informe del *Annuaire du
Collège de France*, 1948, p. 201, nos revelaron que no somos los primeros en haber visto el problema de la
influencia de la «commedia dell'arte». Además, en lo que atañe al parentesco entre el *Giglio* italiano y el
gracioso español, digamos que esta diferencia ya era percibida en el siglo XVIII. Leemos en el *Nouveau dictionnaire espagnol-français et latin composé sur les dictionnaires des Académies royales de Madrid et de
Paris* de Séjournant, Paris, 1759, t. I, p. 887:

> *«Sayo bobo:* Espèce de vêtement semblable à celui du gilles des danseurs de cordes, mais il
> est de drap, avec de gros boutons semblables à des pelottes de jeu de paume: c'est l'habillement
> ordinaire du valet de comédie dans les petites pièces, que les Espagnols appellent le Gracieux;
> Lat. «Talaris saccus versicolor».

[21] Encontramos bajo la pluma de A. Machado estos versos que hacen eco a significados que evocamos:

> «... será el loco del pueblo,
> de quien se dice: es Lucas,
> Blas o Ginés, el tonto que tenemos.»
> (Poème CXXXII [II], «Los olivos»).

[22] El sustantivo *Berrueco*, de donde se hizo derivar la tan mentada palabra *Barroco* fue objeto de una
abundante literatura. Este vocablo cuyo origen quizás sea céltico, en todo caso prerromano (Cf. J. Corominas, *Diccionario crítico-etimológico de la lengua...*), designa principalmente las rocas (a menudo graníti-
cas) abolladas y rugosas. Es un topónimo bastante común. Por ejemplo, se encuentra un Berrueco como
nombre de lugar en la provincia de Madrid (Partido de Torrelaguna). La palabra parece haber existido
como nombre de animal en la lengua campesina. Un personaje rústico de Tirso puede decir: «mi mula la
berrueca» (Cf. *Antona García*, N. B. A. E., IV, p. 629 b).

parte, llama a un alcalde rural de *El diablo está en Cantillana* con el nombre de un árbol de la meseta: «Carrasca». Los nombres aldeanos tan caros a Juan del Encina y a Lucas Fernández, también aparecen bajo la pluma de los dramaturgos de la «comedia nueva». Por no citar más que a Lope, indiquemos que se encuentra «Gil» (o «Gila») en *Peribáñez y el comendador de Ocaña*, *El Hamete de Toledo*, *Los muertos vivos*, *La juventud de San Isidro* y *Las hazañas del Cid* (esta última obra es de atribución dudosa). «Pascual» (o «Pascuala») vuelve en *Al pasar del arroyo*, *El mejor maestro el tiempo*, *Las famosas asturianas*, *El animal de Hungría*, *La primera información*, *El Hamete de Toledo*, *Los Guzmanes de Toral*, *San Isidro labrador de Madrid*. Tenemos «Blas» («Bras») en *Peribáñez y el comendador de Ocaña* y *La Carbonera*. «Beneito» (o «Benito») se usa en *El galán de la Membrilla*, *Al pasar del arroyo*, *Peribáñez y el comendador de Ocaña*, *El animal de Hungría*, *San Isidro labrador de Madrid*, *Por la puente Juana*, *El rey por semejanza*, *El Aldegüela* (las dos últimas son de dudosa atribución). «Antón» (o «Antona») interviene en *El mejor maestro el mundo*, *Peribáñez y el comendador de Ocaña*, *El vaquero de Moraña*, *La niñez de San Isidro*, *El rey por semejanza*, *El Aldegüela*, *Las hazañas del Cid* (las tres últimas son de dudosa atribución) y *El cuerdo en su casa*. «Juan» (o «Juana») se encuentra en *El caballero de Illescas*, *La mejor enamorada la Magdalena* (ésta es de atribución dudosa), *San Diego de Alcalá*, *San Isidro labrador de Madrid*, *Del monte sale*, *La mayor virtud de un rey*. Estos nombres son los más repetidos de los que había legado a Lope la tradición enciniana. Por otra parte, bajo la pluma del Fénix no se da mucho «Llorente» («Lorente»). Lo hallamos en *Peribáñez y el comendador de Ocaña* y *El animal de Hungría*. «Mingo» (o «Mengo» «Menga») tampoco es muy frecuente en Lope. Lo vemos aparecer en *La Carbonera* («Mengo»), *El sol parado* («Mengo») y *La Mejor enamorada, la Magdalena* («Mingo») (esta última es de atribución dudosa).[23] Proporcionalmente, Luis Vélez de Guevara parece haberse sentido más atraído por este nombre para sus villanos; en efecto lo usa en *La montañesa de Asturias* y *La serrana de la Vera*.[24] Algunos nombres con resabio a terruño peninsular, que no hallamos en Juan del Encina y Lucas Fernández, animan por el contrario el universo rústico de Lope; «Mendo» en *Los prados de León*, *El conde Fernán González*, *Peribáñez y el comendador de Ocaña*, *El cuerdo en su casa*, *La mayor virtud de un rey*; «Bartolo», «Bartolomé», «Bertolano», «Bertol» («Bertola»), en *Peribáñez y el comendador de Ocaña*, *El conde Fernán González*, *La villana de Getafe*, *La hermosura aborrecida*, *El animal de Hungría*, *La serrana de Tormes*, *El Hamete de Toledo*, *El alcalde de Zalamea* (de atribución dudosa), *Los amores de Albanio e Ismenia*, *El mayordomo de la duquesa de Amalfi*, *La serrana de la Vera*, *San Isidro labrador de Madrid*. El Fénix tampoco vacila en bautizar a algunos de sus villanos cómicos o divertidos con nombres sacados de la literatura pastoril, que no parecen haber tenido un uso frecuente en la onomástica aldeana real: «Bato», cuyo origen tal vez sea griego,[25] aparece por ejemplo, en *Barlán y Josafá*, *Dios hace reyes*, *La firmeza en la desdicha*, *El más galán portugués*, *Nadie se conoce*, *El amor enamorado*, *Los hidalgos de aldea*, *Los prados de León*, *El hijo de los leones*,

---

[23] Citemos no obstante la forma completa «Dominga» en *Los ramilletes de Madrid*, *La niñez de San Isidro* y *El vencido vencedor* (de atribución dudosa).

[24] Cristóbal de Monroy llama también Mengo a un aldeano de *Mudanzas de la Fortuna y firmezas del amor.*

[25] Pensamos que Bato procede de Teócrito, autor en donde figura bajo la forma de *Battos* (ααααα) en el Idilio IV *(Los pastores)*. No obstante, Bato se encuentra como apellido entre los nombres patronímicos españoles.

La niñez de San Isidro, Belardo el furioso, La lealtad en el agravio, Contra valor no hay desdicha, Mas valéis vos, Antona, que la corte toda. También de origen griego, [26] tenemos «Tirso» (o «Triso») en *La mocedad de Roldán, Del monte sale, El llegar en ocasión, El más galán portugués, Los Guzmanes de Toral, El villano en su rincón. La esclava de su hijo* (de atribución dudosa), *La juventud de San Isidro.* Por fin, sabido es, Lope se esconde a menudo bajo el seudónimo de «Belardo» (que deriva ora de «Abelardo», ora de «Belisa», nombre del cual sea tal vez la transposición masculina) y este Belardo es a menudo un villano, un pastor, un segador, un jardinero o un hortelano cómico. Hallánse así treinta y dos piezas en las que un Belardo villano disfrazado unos detalles autobiográficos lopescos que pese al artificio resultan lo suficientemente claros para ser identificados como tales. En otras cuatro donde aparece Belardo, villano o pastor, no deja traslucirse tan nítidamente la alusión personal: así y todo la vislumbramos. En fin, ocho comedias ponen en escena a un Belardo villano quien no parece tener relación alguna con Lope. Sumando, son cuarenta y cuatro las piezas en las cuales el nombre de Belardo es atribuido a un personaje villano,[27] casi siempre como si fuera una máscara cómica tras de la que se disimula el autor para entregar sus confidencias al público con aparente ingenuidad.

Algunos nombres patronímicos (unos antiguos apodos), con aires rústicos, también parecen haber gozado de reiterado uso en el teatro español. Ya tuvimos ocasión de señalar la carrera de «Rana». No menos interesante es la de «Crespo». Ya se encuentra «Crespo» como nombre patronímico, a principios del siglo XVI, en la región de Toledo.[28] Asímismo existía en el siglo XVI, en la misma región, un pueblo llamado Crespos.[29] Ahora bien, este nombre debía de tener un sabor rústico, puesto que Gil Vicente lo introduce bajo la forma de «Crespillón» en la enumeración cómica de los miembros de la familia de Teresuela, novia del pastor Silvestre, en el *Auto pastoril castellano.*[30] *Más tarde «Pascual Crespo» se llama un herrero, en La Armelina* come-

---

[26] *Thyrsis* es el nombre de un pastor del Idilio I de Teócrito. Ese nombre era anterior a la composición del poeta griego: designaba al dios de los pastores, inventor de la Siringa y excelente músico, Virgilio volvió a tomar a Thyrsis en su Egloga VII. San Tirso, mártir (ortografía: Thyrso) no era considerado como español. El padre Higuera fabricó un documento para hacerlo pasar por tal. Cf. Godoy Alcántara *Historia de los falsos cronicones,* Madrid, 1868, pp. 41-43.

[27] Se encontrarán los títulos de estas 44 piezas —así como los títulos, menos numerosos (20) de las comedias de atribución cierta, en donde Belardo no es aldeano ni jardinero— en el estudio de S. Griswold Morley, *The pseudonyms and literary disguises of Lope de Vega,* tirada aparte de *Un. of California Publications in Modern Philology,* vol. 33, Berkeley y los Angeles, 1951, 23,5 15, 68 p. Nuestra labor de fichaje, inútil ya, no nos sirvió más que a una sola cosa (de ninguna manera necesaria): constatar la minucia extrema y la precisión del estudio del sabio profesor de Berkeley. Entre su lista y la nuestra sólo descubrimos mínimas divergencias. A propósito de *El soldado amante,* S. G. Morley indica a Belardo como «jardinero», mientras que lo habíamos clasificado en la categoría «pastor» (Cf. Acad., N., IX, p. 552 b. Señalemos también que S. G. Morley no cita *Lo que está determinado,* en su serie consagrada a las piezas de «doubtful authenticity»; en ella se encuentra también a un Belardo en un papel rústico (Cf. Acad., N., VII, p. 219). Con *Los nombres de personajes en las comedias de Lope de Vega* de S. G. Morley y R. W. Tyler (Berkeley, 1961), catálogo que nos llegó cuando la primitiva redacción de este libro terminada, el lector dispone de un repertorio, exhaustivo al parecer, de los nombres de aldeanos en la comedia lopesca. Nuestro fin no es constituir como ellos, una lista de nombres de villanos, sino situar a éstos en relación con una tradición teatral y también en relación con un horizonte ideológico.

[28] Cf. A. H. N., arch. Inq. de Toledo, leg. 158 (núm. 446), en donde aparece un tal González Crespo, vecino de La Puebla de Alcocer, condenado por la Inquisición en 1501.

[29] Cf. *Relaciones de los pueblos de España ordenadas por Felipe II* (reino de Toledo, primera parte), ed. Carmelo Viñas-Ramón Paz, Madrid, C. S. I. C., p. 328.

[30] Cf. ed. Marqués Braga, I, p. 19.

dia de Lope de Rueda. Algo más tarde aún, en el *Romance pastoril de la elección del alcalde de Bamba.* (cf. Padilla, *Tesoro*, ed. 1587, fol. 458 vº) «Antón de Herrán Crespo» es propuesto para alcalde. Existe también «Martín Crespo» para designar a un alcalde villano, en *Pedro de Urdemalas* de Cervantes. «Bertol Crespo» aparece con un valor irónico, como elemento de estilización cómica, en el romance de Pedro Liñán de Riaza, *Contēta estava Minguilla...*, fol. 411 del *Ramillete de Flores, sexta parte de flor de romances, recopilados por Pedro de Flores* (Lisboa, 1953), presentado en esta edición con el título significativo de «Burlas de Pero Liñán de Riaça»:

> Contēta estava Minguilla
> porque Sebastián del Valle
> traya Destremadura
> muy gordos sus recentales,
> y porque dixo su tío
> Bertol Crespo, q̄ Dios guarde,
> que la casará muy presto
> para encerrando los panes

En el primer capítulo del *Guzmán de Alfarache* de Mateo Alemán, «Pero Crespo» es un alcalde villano: «Acuérdome que un labrador en Granada solicitaba por su interese un pleito en voz de su concejo contra el señor de su pueblo, pareciéndole que lo había con Pero Crespo, el alcalde dél, y que pudiera traer los oidores de la oreja.[31]» En la primera pieza titulada *El alcalde de Zalamea* (atribuida, erróneamente al parecer, a Lope) también sale «Pedro Crespo» como nombre de alcalde villano. Este «Pedro Crespo» aparece asimismo como participante de la comitiva de la boda cómica de *Los novios de Hornachuelos* (¿de Luis Vélez de Guevara?), y «Antón Crespo» es citado como uno de los que viven en el pueblo de Cantillana, en *El diablo está en Cantillana*. Por fin, «Crespo» a secas, es otra vez alcalde aldeano, en *La Santa Juana II* de Tirso, y mero pastor en *La peña de Francia* y *Todo es dar en una cosa* del mismo Tirso. Sabido es, se encuentra «Crespo» («Pedro») en lo más alto de su trayectoria teatral, con matices de grandeza trágica, en *El alcalde de Zalamea* de Calderón; pero acabamos de ver que venía llevando un largo papel cómico desde hacía más de un siglo.[32]

---

[31] Chapelain, en su traducción del *Guzmán de Alfarache*, bien captó el sabor rústico de «Pedro Crespo»: propone como equivalente francés de este nombre: «Philipot Colas».

[32] No podemos estar de acuerdo, evidentemente, con la suposición de A. Valbuena, in *Historia del teatro español*, Madrid, 1956, p. 256: «El nombre de Pedro Crespo vendría de la tradición de la «historia verdadera». Creemos haberlo establecido: cuando Calderón vuelve a tomar el nombre, éste ya es tradicional de que un *Crespo* folklórico haya existido, pero independientemente de la «historia verdadera» a la que parece dar crédito A. Valbuena (la expresión «historia verdadera» al final de una comedia no ha de tomarse siempre en serio; a menudo no es más que una fórmula ritual de los dramaturgos quienes sacrifican en aras de la ilusión realista, deseada para satisfacer la estética aristotélica de la «verosimilitud»). En efecto, de juzgar por su persistencia en la canción popular, el nombre parece haber quedado como sinónimo de una rusticidad convencional al par que divertida. A principios de siglo, Eduardo M. Torner recogía en Asturias la siguiente estrofa:

> En Santo Domingo entré
> y por Pedro Crespo Calvo,
> carpintero, pregunté
> y me dixo una señora

Si bien resulta cierto que el nombre de los villanos cómicos de la comedia española es a menudo un rótulo teatral que les asigna por adelantado el lugar que tendrán
en la acción, puede afirmarse todavía más que el lenguaje que se les confiere ritualmente los ata con fuerza a su papel. Por lo común, el villano cómico suele hablar sayagués. Pero ¿qué es el sayagués? Mucho es lo que se ha escrito acerca de su origen
dialectal (el leonés occidental y más especialmente el habla de la región de Sayago),
sus leyes y caracteres lingüísticos, y no tenemos intención de examinar este problema
filológico. Bástenos con indicar los meritorios trabajos que tratan de él.[33] En cambio
lo que nos interesa es la función eminentemente estética e ideológica asumida por el
sayagués como medio teatral. También él tiene por misión significar plenamente, teatralmente, la ingenuidad y la grosería beocianas que las gentes de la ciudad ven en
las del campo.

Habitualmente, se hace remontar los orígenes del sayagués, como medio literario,
al episodio de los pastores de la Natividad, inserto en el *Vita christi* de Iñigo de Mendoza,[34] y a las *Coplas* de Mingo Revulgo, que conocemos por la Glosa de Fernando
del Pulgar,[35] ambas compuestas en la segunda mitad del siglo XV. También se suele
afirmar que después de estos textos, las obras de Juan del Encina, Lucas Fernández y
Gil Vicente fijaron de manera muy pronunciada los rasgos del sayagués. Esto no es
cierto sino a condición de agregar que estos autores usaron el sayagués, sin definirlo
como tal, y menos aún como un dialecto proveniente exactamente de Sayago. En efecto, el uso de la palabra «sayagués» para designar el lenguaje villano en el teatro, no
parece haber surgido sino mucho más tarde, hacia mediados del siglo XVI, y eso que
carecemos de ejemplos bien nítidos de tal empleo. Está claro, al contrario, que tanto
en el *Vita christi* y en las *Coplas de Mingo Revulgo* como en las *Eglogas* de Encina,
la lengua de los villanos, por más que esté cargada con rasgos dialectales, es concebida
mucho más como estilo que en cuanto habla de un lugar determinado. Iñigo de Mendoza presenta su intermedio de pastores del *Vita Christi* como hecho de «pastoriles razones provocantes a risa». Tampoco Juan del Encina dice que sus pastores hablan el
dialecto de Sayago. En la «Dedicatoria» de su traducción de las Eglogas de Virgilio,

> ¿qué Pedro preguntas—té
> pel d'arriba, pel d'abaxu
> o per el del arrabal?»
> (In *Cancionero musical de la lírica asturiana*, p. 35, núm. 105).

[33] Mencionemos los estudios que pensamos poder ser de alguna utilidad: A. Morel-Fatio, *Notes sur la
langue des «Farsas y églogas» de Lucas Fernández*, Romania, X, pp. 238-244, con errata en la p. 464. J. E.
Gillet, *Notes on the language of the rustics in the drama of the sixteenth century*, Hom. a M. Pidal, I, p.
443. Frida Weber de Kurlat, *Latinismos arrusticados en el sayagués*, in R. F. H., 1948, I, pp. 166-170. Menéndez Pidal, *El dialecto leonés*, R. A. B. M., 1906, X, 1er semestre. García Blanco, B. R. A. E., 1949, pp.
414-424. Alonso Garrote, *El dialecto vulgar leonés hablado en Maragatería*, Z. Rph., 69, 1953, pp. 452-455.
El artículo de Charlotte Stern, *Sayago and Sayagués in spanish history and literature*, in H. R., 1961, XXIV,
núm. 3, pp. 217-237, vuelve a insistir en el carácter dialectal del sayagués sin dejar de indicar su función
teatral.

[34] Iñigo López de Mendoza, *Vita christi fecho por coplas*, Zamora, 1482 (B. N. Madrid, I. 2177).

[35] *Glosa de las coplas del Revulgo fecha por Fernando del Pulgar para el señor conde de Haro condestable de Castilla* (1485). Puede verse el facsímil de esta edición de 1485 publicado en 1953 por Antonio Pérez
Gómez («La fonte que mana», Valencia). La glosa de las «Coplas» de Fernando del Pulgar conoció un éxito
duradero en los siglos XVI y XVII, tal como lo prueban sus reediciones. Señalemos: *Proverbios... La obra que
hizo D. Jorge Manrique a la muerte de su padre... Coplas de Mingo Revulgo*, Amberes, S. a. (B. N. Madrid,
R. 7611), y Amberes, 1558 (B. N. Madrid, R. 8412), *Glossa de las Coplas de Mingo Revulgo... Coplas de
Jorge Manrique por la muerte de su padre...*, Madrid, Juan de la Cuesta, 1614 (B. N. Madrid, R. 6978).

habla sencillamente del «estilo rústico» introducido para estar más acorde con el tema y para divertir a los lectores:

> ... Por no engendrar fastidio a los lectores desta obra acordé de la trobar en diversos géneros de metro y en estilo rústico, por armonizar con el poeta, que introduce personas pastoriles.

El «estilo rústico» constituye en este caso un medio de expresión colocado en el mismo plano que los distintos tipos de metros. En sus propias *Eglogas*, el poeta no debía de concebirlo de otro modo. La colección de *Farsas y Eglogas* de Lucas Fernández, impresa en Salamanca en 1514, lleva por título *Farsas y Eglogas al modo y estilo pastoril y castellano fechas por Lucas Fernández salmantino. Nuevamente impressas.*[36] La oposición que introduce el salmantino es la de «castellano-pastoril» y no la de «castellano-sayagués». Ni siquiera es la de «castellano-leonés». Como su maestro Encina, Lucas Fernández pone el acento sobre el hecho de que el lenguaje de sus pastores está al servicio de una estilización. Por ello resulta difícil seguir a M. Cañete cuando descubre en el salmantino una preocupación por el verismo lingüístico extremado hasta variar los rasgos dialectales de los pastores según el pueblo leonés del cual dicen ser originarios (Maganaz-La Encina).[37] R. Menéndez Pidal demostró por otra parte, con argumentos filológicos, que con ello se trata de matices de orden estético más que dialectal.[38]

El primer ejemplo que conozcamos de un uso que lleve al sentido de «sayagués» en cuanto designación de una lengua y un estilo rústicos más o menos caracterizados (sin localización precisa en Sayago), nos lo propone Timoneda, editor de los *Coloquios pastoriles* de Lope de Rueda. En la epístola de 1566-1567, de presentación de Lope de Rueda al lector, Timoneda escribe acerca del dramaturgo que es:

> ... único, solo entre representantes, general en qualquier extraña figura, espejo y guía de dichos sayagos y estilo cabañero...[39]

No cabe duda de que, bajo la pluma de Timoneda, el adjetivo «sayago» tiene ya un sentido lato, puesto que una simple mirada sobre los *Coloquios pastoriles* de Lope de Rueda nos convence de que el «estilo cabañero» de éste se limita a algunas deformaciones de palabras harto anodinas, esparcidas de trecho en trecho en el discurso de los personajes villanos. Y sería difícil afirmar esta vez que tales deformacines se explican por un dialecto regional determinado. En realidad debemos comprender que el concepto de *sayagués* pensado al principio como referido a una región geográfica precisa de León y a los campesinos que vivían en ella, se había ampliado poco a poco hasta ser la idea del campo que se opone a la ciudad por sus modales genuinos y su lenguaje propio.

---

[36] Ejemplar perteneciente al antiguo fondo del duque de Osuna. El frontispicio fue reproducido por M. Cañete, en su edición de Lucas Fernández: *Farsas y églogas al modo y estilo pastoril y castellano fechas por Lucas Fernández*, ed. de la Real Academia, 1867.

[37] Manuel Cañete, *Ibid.*, p. CIV «Prólogo».

[38] R. Menéndez Pidal, *El dialecto leonés*, R. B. A. M., 1906, 1.er semestre, X, p. 158.

[39] Cf. *Epístola de Joan Timoneda al Lector*, in *Dos colloquios pastoriles de muy agraciada y apazible prossa, compuestos por el excellente Poeta y gracioso representante Lope de Rueda, sacados a luz por Ioã Timoneda*, Valencia, en casa de Ioan Mey. Año 1567.

Covarrubias, en el artículo de su *Tesoro*... consagrado a la palabra «saco», nos permite ver que en la idea implicada por «sayagués», hacia 1600, dominaba sobre todo un matiz de grosería y ausencia de refinamiento; hace derivar «sayago» de «saco» —etimología errónea, probablemente, como le suele ocurrir— y esta derivación es bien reveladora del contenido semántico peyorativo dado entonces a «sayagués»:

> ... Saco es una vestidura vil de que usan los serranos y gente muy bárbara. Latine «sagum», del nombre griego ααααα, «saccus», que vale lo mesmo que sayal, por ser la tela de que se haze el saco... En tierra de Zamora ay cierta gente que llaman sayagueses, y al territorio tierra de sayago, por vestirse desta tela basta...[40]

C. Oudin, siguiendo a Covarrubias, nos dice igualmente en su *Tesoro de las dos lenguas española y francesa...*:

> *Sayago*, m, Auprès de Zamora il y a une nation que l'on appelle «sayagueses», et leur territoire se nomme «tierra de Sayago», en laquelle contrée ils se vestent de cette grosse étoffe de bure, qu'ils appellent «sayal».
> *Gabán de Sayago:* Un caban ou galan de gros burail, ou de cette estoffe quelle qu'elle soit, et aussi parce qu'il se fait en ce país-là.
> *Sayagués*, m, Certaine nation près Zamora. Item un lourdaut. En jargon, un larron dissimulé.[41]

G. Correas, en su *Vocabulario de refranes...*, sin dejar de recalcar el lazo existente entre el concepto de «sayago» y el pueblo leonés del mismo nombre, permite captar mejor la ampliación del significado adquirido por «sayagués» hacia 1600-1630:

> *Es un sayagués:* Para notar a uno de grosero, porque los de Sayago son toscos en tierra y habla, no por falta de entendimiento que le tienen bueno debajo de la corteza rústica.[42]
> *Sayagués:* Apodo de grosero y tosco, porque los de Sayago lo son mucho.[43]

Cervantes es quien nos proporciona el ejemplo más nítido del uso de «sayago» o de *sayagués* en sentido lato. Cuando Don Quijote pretende corregir la lengua de Sancho, el villano manchego contesta que no ha sido criado en corte y que no ha estudiado en la Universidad de Salamanca:

> Si, ¡válgame Dios! no hay para qué obligar al sayagués a que hable como el toledano.[44]

Si recordamos que el habla toledana simboliza, según las ideas de aquel tiempo, la quintaesencia misma de la buena habla castellana, vemos por la réplica de Sancho que el *sayagués* significaba sobre todo su antítesis burda, sin referencia alguna a un dialecto geográficamente localizado. En otro pasaje, Cervantes hace hablar a Sancho,

---

[40] *Op. cit.,* pp. 918-919.
[41] *Op. cit.,* p. 860.
[42] *Op. cit.,* p. 215 a.
[43] *Op. cit.,* p. 643 a.
[44] *Quijote,* II, cap. XIX.

a propósito de Dulcinea, villana de El Toboso (La Mancha), como si se tratara de una villana de Sayago.

Así, a partir de 1600 al menos, hay que entender por *sayagués* cualquier manera «aldeana» (castellana o leonesa) de chapucear y maltratar el idioma. la torpeza linguistica del hombre rural es la que denomina de este modo el noble o el ciudadano. Sobre la base de esta definición, establecida históricamente —y apoyándose únicamente en ella— la crítica moderna tiene derecho a hablar de una tradición del *sayagues* en literatura, desde el tiempo del *Vita Christi* y de las *Coplas de Mingo Revulgo* hasta el de Lope y su escuela.

Se ve claramente en la glosa de las *Coplas de Mingo Revulgo* que nos dejó Fernando del Pulgar, cómo las deformaciones de la realidad linguística del campo eran captadas por los ciudadanos en cuanto alteración nociva llevada a cabo en detrimento del habla correcta. A propósito de la forma «rejo» del verso «no te llotras de buen rejo», que interviene en la primera «copla», Fernando del Pulgar dice:

> ... los labradores que dañan nuestro lenguaje, por rezio dicen rejo como quien dize: no estás en el vigor y fuerza q̄ deves estar...[45]

Hacia 1553, también Antonio de Guevara da un testimonio acerca del punto de vista del cortesano (sin participar de él) para quien algunas formas villanas de saludo parecían plebeyas y toscas:

> Acá en nuestra Castilla, es cosa de espantar y aun para se reir las maneras y diversidades que tienen en se saludar... Unos dicen «Dios mantenga», otros dicen «manténgaos Dios», otros «en hora buena estéis»...
> Todas estas maneras de saludar se usan solamente entre los aldeanos y plebeyos, y no entre los cortesanos y hombres polidos.[46]

Esta idea del carácter rudo de la lengua de los villanos se encuentra patente aún, casi un siglo más tarde, en la pluma de Alonso Remón. En sus *Entretenimientos y juegos honestos...* (1623), este autor escribe a propósito de los villanos que no saben confesarse:

> ... no vayan con la prevención que suelen (digna de llorar y de lástima) que es decir: Padre pregúnteme, o como algunos dicen en su tosco, y rudísimo lenguaje: Pescúdeme, y aun alguno ha dicho: Sonsáqueme, qué mayor lástima ni compassión...[47]

En la perspectiva de esta estimación sobre hablas villanas de la realidad hecha por los nobles, los letrados y las gentes de la ciudad, ha de situarse el empleo del *sayagués*

---

[45] Cf. ed. Juan de la Cuesta, Madrid, 1614, fol. 54 vª.

[46] Cf. *Epístolas familiares*, in B. A. E., XII, p.190.

[47] Alonso Remón, *Entretenimientos y juegos honestos y recreaciones cristianas para que en todo género de estados se recreen los sentidos sin que se estraguen el alma*, Madrid, 1623. El dramaturgo Matías de los Reyes utiliza a veces el verbo «pescudar» para crear lo que uno de sus personajes califica de «tosco lenguaje». Véase *Qué dirán y donayres de Pedro Corchuelo* (14 de agosto de 1622) (B. N. Madrid, R. 23962, fol. 13 vª-16 rª). Véase también del mismo autor las escenas de los alcaldes rústicos de *Di mentira y sacarás verdad (Ibid.*, fol. 8. Acerca de la estimación peyorativa hecha sobre la torpeza lingüística del villano, puede citarse el artículo *çafio, in Tesoro...* de Covarrubias, p. 389 a:

> «çafio. El villano que habla su lengua cerrada, que no sabe otra... Comunmente llamamos çafio al villano descortés y mal mirado.»

(en sentido lato, es decir en cuanto estilo de expresión villana mucho más que en cuanto dialecto de la realidad) en el teatro. Por ser este procedimiento de significación muy sencilla, permitió a los autores diferenciar estética e ideológicamente a sus villanos cómicos en cuanto pronunciaran las primeras palabras. Ya en las *Eglogas* de Juan del Encina o de Lucas Fernández, así como en el teatro de Gil Vicente, el recurrir al sayagués es un medio de caracterización escénica. En la segunda égloga *«en recuesta de unos amores»*, el villano Mingo, quien se ha vuelto escudero, declara que no entiende la palabra «requebrado» propia de la lengua amorosa en palacio.[48] Es que la lengua posee, en el universo teatral de Encina, todo su valor de signo social e ideológico. A la inversa, los rasgos dialectales y las deformaciones con las cuales el dramaturgo de Alba de Tormes recarga el habla de sus pastores, tienen por cometido el ser percibidos por el público como alteraciones cómicas del habla normal. Gil Vicente, quien disponía de un registro lingüístico más amplio que Encina (sayagués, leonés, castellano puro, portugués, dialecto de la Beira) bien vio cuánto podía obtenerse teatralmente con un manejo adecuado de tal registro, y puede afirmarse que se vale indiferentemente de las hablas o sea provinciales o sea nacionales. En el *Auto da fé* (probablemente representado en Navidad de 1550), los villanos bobos Bras y Benito hablan el sayagués a base de leonés occidental de los pastores encinianos. Por el contrario, la Fe habla portugués. Algunos se plantearon la razón de esto. Nos parece que se trata de un caso de diferenciación del lenguaje teatral por motivos estéticos e ideológicos. La Fe es un personaje grave y noble y no puede hablar la misma lengua sayaguesa que los pastores bufones. Al igual que Encina en sus *Eglogas*, Gil Vicente le asigna al *sayagués* una función cómica precisa y —por oposición— ya siente el portugués como modo de expresión digna. Si la Fe no habla castellano, es probablemente porque el autor quiere significar que es suavidad cálida e irradiante. Porque no cabe duda de que para nuestro autor, el castellano tenía el valor de una lengua más dura y áspera que el portugués.[49] Al parecer después de 1520, o sea a partir del *Auto pastoril portugués*,[50] Gil

---

[48] Cf. ed. Kohler, p. 86:

> «Gil: ....
>   llaman requebrado acá
>   al que está fuera de sí
> «Mingo: ¿Al que está lloco?
>   ¡No, no!
> «Gil: Sino al que está namorado
>   y se muestra muy penado
>   por lo que le enamoró.»

Como se puede apreciar, el adjetivo «requebrado» se aplica al «enajenamiento» amoroso.

[49] Lo revela en un pasaje meridiano de *Triunfo do inverno*, en donde hace hablar al Invierno en castellano porque esta lengua, dice él, tiene el carácter rudo y salvaje que conviene al personaje: Cf. *Triunfo do inverno*, Clás. Sá da Costa, IV, p. 265:

> «E porque milhor se sinta
> o Inverno vem salvagem,
> castellano en su decir;
> porque quem quiser fingir,
> na castelhana linguagem
> achara quanto pedir.»

[50] Según la *Copilaçâo*, el *Auto pastoril-portugués* fue representado en Evora para Nochebuena, hacia 1523, ante el rey don Joan III. Acerca del uso de los dialectos en Gil Vicente, véase Paul Teyssier, *La langue de Gil Vicente*, París, 1959.

Vicente sustituye el dialecto portugués de la Beira al habla sayaguesa pronunciada a la manera de Encina y de Lucas Fernández. Con ello marca un paso interesante en dirección de los tipos villanos nacionales y se libera de la influencia «salmantina» en su concepción cómica del campo. Dicho esto, queda cierto que el uso del dialecto de la Beira en las obras de Gil Vicente, así como en las de sus discípulos portugueses, se explica por las mismas necesidades funcionales que el acudir al del leonés en las obras de Encina y de Lucas Fernández; para el dramaturgo, no significa tanto la búsqueda de un realismo regional como la de un contraste lingüístico, sea con otros personajes, sea con el auditorio. Idéntica afirmación puede adelantarse respecto al habla extremeña de la cual Torres Naharro saca muchos términos para fabricar el lenguaje de sus pastores de los «introitos». Lo que importa literariamente, no reside en saber si respeta fielmente esa habla extremeña,[51] sino en ver el efecto estético-ideológico que saca de ella; sus pastores salen casi siempre al escenario saludando con una de esas fórmulas campesinas («Dios mantenga», etc...) que, como ya vimos según Antonio de Guevara en 1533, eran motivo de risa para los cortesanos y para las gentes educadas; toda el habla rústica puesta en acción en la serie de los «introitos» —puro extremeño o no—, apunta al mismo efecto de ridículo.

La ausencia de un habla rústica marcada en Lope de Rueda, quien pone en escena a numerosos villanos, es tanto más sorprendente cuanto que el gran dramaturgo no desconocía el valor estético de las lenguas especiales del teatro y que, para hacer reir, supo echar mano de la jerga negra y de la jeringonza morisca; sus «dichos sayagos», tal como los denomina Timoneda, se limitan a muy poca cosa; por tanto hay que pasar directamente a la época de Lope de Vega y su escuela para volver a encontrar importantes testimonios de la tradición sayaguesa en el teatro. Prueba fehaciente de que el sayagués es, ante todo, un habla utilizada convencionalmente con vistas a un efecto cómico, es el hecho de que no tengamos en la comedia clásica sino escasos ejemplos de formas llamadas «sayaguesas» en boca de villanos no cómicos;[52] además, por lo general, los villanos cómicos de las distintas provincias de España, en donde transcurren las acciones de las obras, hablan más o menos el mismo «basic» rústico, sean ellos de Asturias, de León, de Castilla la Vieja o de Castilla la Nueva, de Andalucía, de Extremadura o incluso de Aragón. Esencialmente, vuelve siempre la misma lengua compuesta y sintética: una lengua condicionada, fabricada con leonismos, cultismos (¡reveladora paradoja!), arcaísmos, interjecciones para llamar el ganado, y por fin, un fondo importante de habla castellana, común a todos los personajes, sean villanos o no.

---

[51] El habla extremeña ha sido objeto de abundante bibliografía. Citemos como interesantes:

N. Izquierdo Hernández, *Algo sobre el habla popular de Extremadura, Revista de Extremadura*, in vol. III. A. Cabrera, *Voces extremeñas*, B. R. A. E., 1916, III, pp. 653-666, et 1917, IV, pp.84-106. Santos Coto, *Vocabulario extremeño, Rev. del Centro de Estudios extremeños*, XIV, 1940, pp. 134-166 et 1944, XVIII, pp. 243-253. E. Segura Covarsi, *Aportaciones al estudio del lenguaje de Torres Naharro, Rev. del Centro de Estudios extremeños*, 1944, XVIII, pp. 211-241. Vicente Zamora, *El habla de Mérida y sus cercanías*, Madrid, C. S. I. C., 1943.

Hay un acopio de datos interesantes sobre el habla rústica en el teatro en general y el de Torres Naharro en particular, in *Propalladia and other works of B. de Torres Naharro*, vol. III (Notes), de J. E. Gillet.

[52] Luis Vélez de Guevara nos proporciona uno de esos escasos ejemplos en *La serrana de la Vera*. Giraldo y su hija Gilda, quienes no son realmente cómicos, utilizan algunas formas dialectales, entre las cuales hay algunas extremeñas, que pueden volver a hallarse en el «sayagués» (véanse las notas a la edición «Teatro antiguo español», p. 162, en donde han sido agrupadas las formas más interesantes).

El objeto perseguido es «parecer rústico» más que el de «ser rústico». Este resultado se logra fácilmente pegando, sobre el fondo del discurso, un mínimo de formas o de vocablos —siempre los mismos— sentidos como típicamente campesinos (y cómicos) por los de la ciudad. Y, para ello, los dramaturgos de la comedia van a buscar en el repertorio lingüístico ya clásico ensayado en la tradición teatral anterior.

Un pasaje de *El cuerdo en su casa* de Lope nos permite ver en base a qué procedimientos tradicionales de «tipificación» podía fabricarse una lengua rural apta para suscitar la sonrisa de las gentes «cultas». En una tirada inspirada por los celos, la esposa de un hidalgo se mofa de las visitas que éste le hace a una villana y suelta:

> ¿Hubo tujon, her, y crego?
> ¿Cómo te habló? ¿Qué te dijo?[53]

Es una escena siguiente, simétrica de la anterior, la villana habla a su vez como si tuviera celos. Imaginando los cumplidos galantes bien estudiados que su marido villano podría decirle a la hidalga, si la visitara, se detiene de repente para declarar:

> Mas no siendo natural,
> volveríaste al dijoren,
> hizon, trujon, y llevoren,
> que era carbón paternal.[54]

Dicho de otro modo las formas consideradas como pesadas y torpemente villanas, denuncian a gritos al rústico y al villano lo mismo que el tizne sobre la cara del carbonero proclama el oficio de éste. Lope nos revela aquí el sentido escénico de las formas llamadas «sayaguesas»: unos indicios de caracterización, inequívocas en la perspectiva teatral. En efecto, es fácil demostrar que estos modales lingüísticos en su mayoría, no se limitan a un terruño determinado y que Lope va a buscarlos en la «lengua rural» del teatro villano creado por sus antecesores. En principio, la acción de *El cuerdo en su casa* transcurre cerca de Plasencia, pero las formas usadas no son peculiares de la región y nos parece más importante señalar que se las encuentra ya en Juan del Encina, Lucas Fernández, Gil Vicente o Torres Naharro. Los pretéritos del tipo *hizon* (hicieron) o *trujon* (trujeron) aparecen en el teatro de Encina y existen en otros textos ejemplos de empleos burlescos de pretéritos en *oren*, tales como *llevoren* (llevaron) o *dijoren* (dijeron).[56] *Crego* es forma común aún hoy en Galicia, Asturias y parte de León, y se encuentra ya en L. L. Fernández y Torres Naharro. En cuanto a *her*, no es menester decir que se trata de una forma perfectamente etimológica, muy difundida en la lengua antigua en un área extensísima. Que este *her* que vuelve mecánicamente cada vez que un autor quiere dar fácilmente un acento rural o arcaico a

---

[53] B. A. E., XLI, p. 451 b.
[54] B. A. E., XLI, p. 453 b.
[55] Cf. *Hobon, pudon, hizon*, in *Auto del Repelón*. El pretérito en *oren* es, junto con la *e* paragógica arcaizante, una de los medios de estilización burlesca en *La Pícara Justina* (602):

> «Casó Justina en Mansilla
> y tañérone y cantárone
> y bailoren y dançárone.»
> (Ed. *Bibliófilos madrileños*, t. II, p. 258)

un personaje, tenga un valor esencialmente estilístico, tampoco podemos dudarlo. Nos lo demuestra otro pasaje de *El cuerdo en su casa:* tampoco en un diálogo de esta pieza, Lope recalca el contraste que quiere marcar entre el hidalgo y el villano por la oposición morfológica de *her* y *hacer:*

Leonardo.	Pues honrad vos su persona,
	que *hacerle* manto no es tanto.
Mendo	Tanto *hérsele* sería
	que mañana no pudiera
	sufrirla...............[56]

Las formas llamadas «sayaguesas» (en sentido lato) del teatro de Lope están escritas en su mayoría con la misma tinta que este *her* y, en verdad, se recuentan rápidamente. Formas arcaicas de palabras que se reiteran con frecuencia en la frase (instrumentos gramaticales o verbos-claves) del tipo de *do* por *donde, dende* por *desde, ansí* por *así, estó* por *estoy, so* por *soy, diz,* por *dicen*[57] adjetivos posesivos del tipo: *muestro, mueso, nueso,* etc.; *h* inicial mantenida en lugar de *f*[58] o a la inversa *f* en lugar de *h* (del tipo de *Helipe* por *Felipe, fablar* por *hablar);* diptongos no cerrados al contacto de un elemento de cierre (del tipo de *priesa* por *prisa); e* por *i* por disimilación u *o* por *u* (del tipo de *deligente* por *diligente, homillo* por *humillo);* excrecencias epentéticas (del tipo de *compezar* por *comenzar, baldornar* por *baldonar); d* final del imperativo suprimido (del tipo de *callá, decí* por *decid);* palatalización de la *l* inicial (del tipo de *Llorente* por *Lorente);* formaciones diversas sobre la palabra de base *quillotro*[59] tales son, amén de los pretéritos de los cuales ya hablamos, los rasgos fundamentales del sayagués teatral de Lope de Vega. Estos rasgos reducidos por el Fénix a un sistema bastante sencillo, no tienen nada novedoso con respecto a los que se encuentran en la lengua de los pastores de Encina o de Lucas Fernández y en él resultan menos caricaturescos, menos repetidos; aparecen bajo su pluma con mucha menos densidad que en los dos autores salmantinos. Escoge justo lo necesario para conferirle al habla de sus paletos una pincelada convencional de rustiquez divertida.

Tirso, al recargar, más aún que Lope, con deformaciones y arcaísmos, la lengua rural de sus tipos de alcalde cómico, se inspira, él también, en el repertorio elaborado desde fines del siglo XV y principios del XVI. Usa ese «Dios mantenga» repetido por Encina, Gil Vicente y Torres Naharro, gracioso ya para los cortesanos de Carlos Quinto.[60] El verbo *pescudar,* que ya vimos mencionado por Alonso Remón en 1623 como

---

[56] B. A. E., XLI, p. 449 c. El villano Mendo no es ridículo, pero aún sigue gracioso.

[57] *Diz que* por *dicen que* tiene una resonancia rústica en el siglo XVII, mientras que a Juan de Valdés esta forma aun le parecía correcta. En efecto, escribía: «Diz por dicen no parece mal...» Pero Covarrubias, in *Tesoro...* (1611), anota: «Diz que: palabra aldeana que no se debe usar en corte...». Sabido es que *diz que* todavía se emplea corrientemente en México. En España esta forma existe hoy en la lengua afectada. *Diz* no es alteración de *dicen,* sino una tercera persona del singular. Cf. S. Kärde, *Quelques manières d'exprimer un sujet indeterminé en général en espagnol,* Uppsala, 1943, p. 44. (con ejemplos modernos sacados de P. Baroja, G. Miró).

[58] Ya se encuentra en *Vita Christi fecho por coplas,* de Iñigo de Mendoza: «Ahuer de», «a la he», «huerte», etc.

[59] *Vita christi...* ofrece ya varias formaciones del mismo tipo: «aquellotrar», «aquellotrado», «quellotrava»... Cf. M. Romera Navarro, *Quillotro y sus variantes,* in *H. R.,* II (1934), pp. 217-226.

[60] Cf. *La Santa Juana II,* N. B. A. E., IX, p. 280 a: «Dios mantenga su Cubencia», dice Mengo para saludar al nuevo Comendador de Cubas.

un ejemplo de la torpeza lingüística villana, vuelve con mucha frecuencia bajo la pluma del dramaturgo. Pero las intervenciones de los rústicos cómicos de Tirso también están llenas de deformaciones y creaciones verbales que, sin ser «sayagués» tradicional, asumen la misma función teatral. Sirvan de ejemplo formas como las de *matrimoñadura*[62] (por *matrimonio*), *Rébede*[63] (por *Rey*), *La Reinesa*[64] (por *La Reina*). Siguiendo a Lope le gusta con mayor abundancia, inventar fórmulas de cortesía imprevistas. En *La corona merecida* (1603) (Lope), el alcalde Belardo honra a una reina con un «su Esquilencia» (a partir de la «esquila» del ganado), en lugar de su Excelencia»).Asi mismo, en *La Santa Juana II* (fines de 1613) (Tirso), el alcalde Mingo forma el título de «Su Cubencia» para saludar al nuevo comendador de Cubas. En la misma obra, otro villano, Gil, saluda a Juana, la santa de la Sagra, diciéndole «Rabanencia» (de «rábano»).[66] El procedimiento de fabricación está patente y otros dramaturgos de la misma época lo han usado. En *Amán y Mardoqueo* de Felipe Godínez (1588-1639?), la villana Balda, al dirigirse al rey, le honra con un «Su Perliquitencia».[67]

Las exclamaciones populares, palabrotas e invocaciones a los santos, son elementos por medio de los cuales un autor de comedia también suele fabricar un «estilo» rural cómico para un personaje. «Hi de puta», «A la he», «Par Dios», «Pardicz», «Io», «Juro al sol», «Juro a non delsol», son otras tantas exclamaciones con las que los villanos de Lope, en especial los alcaldes,[68] salpican su discurso. Se encuentran con más

---

[61] Cf. *La mejor espigadera*, N. B. A. E., IV (I), pp. 341 b-342 a:

«Gomor:	Pardiós, Lisis de mi vida
	que soñaba
«Lisis:	Siempre sueñas.
«Gomor:	Qué parías un muchaco,
	con todas pertenencias;
	pescudaba la comadre
	cúyo es el niño...»

[62] Cf. *Los lagos de San Vicente*, N. B. A. E., IX, p. 52 a.
[63] Cf. *Antona García*, N. B. A. E., IV, p. 642 a.
[64] Cf. *La ventura con el nombre*, B. A. E., V, p. 533 b.
[65] N. B. A. E., IX, p. 280 a.
[66] N. B. A. E., IX, p. 268 a.
[67] Cf. *Amán y Mardoqueo*, in *Suelta*, B. N. Madrid, T. 14792 (17), acto I, p. 8:

> «Mande su Perliquitencia
> a Alfaxad que me repudie.»

[68] Cf. *El verdadero amante*, B. A. E., XXIV, p. 16 a. Cf. también p. 19 c. Los dos alcaldes interrogan a una mujer:

«Alcalde 1.º:	Por Dios que me viene gana
	de dalla un gran mojicón
	¿diz que no ha de responder?
«Alcalde 2.º:	Esta es la primera mujer
	que he visto hogaño sin lengua
	¡voto al sol, que tengo a mengua
	que andemos a su querer!»

En adelante, el procedimiento de las palabrotas proferidas por los alcaldes de pueblo vino a constituirse elemento imprescindible del estilo de los entremesistas.

De *La maestra de gracias*, entremés de Belmonte publicado en *Flor de entremeses y saines de diferentes*

frecuencia aún en boca de los rústicos de Tirso o de Vélez de Guevara. las reiteradas invocaciones a los santos correspondían a una vieja tradición del teatro de ambiente rústico-cómico. Pero ¿de qué santos se trataba? Algunos, surgidos de la fantasía folklórica, eran puramente míticos y sería vano querer hallarlos en las *Flores sanctorum* de la época, aunque las colecciones mencionen a los santos rurales, muy numerosos, llamados «extragavantes». De este modo es como el *Auto del Repelón* de Juan del Encina saca partido del procedimiento de invocación a los santos por el villano cómico. Entre los nombres de santos, populares sin lugar a dudas, que intervienen («San Antón», «San Pablo», «San Julián») hay otros inventados del todo: «San Botín», «San Pego», «San Contigo». En la égloga de Carnaval, que es un himno a la comilona, sale un «San Gorgomellaz». Los pastores de Lucas Fernández, Torres Naharro, Gil Vicente, no se quedan en zaga en pos de los de Encina y contribuyen a la canonización teatral de unos santos invocados más tarde por los villanos de Lope de Rueda, Cervantes o Tirso. Tal el San Junco que se encuentra sucesivamente en Encina, Lucas Fernández, Gil Vicente,[69] Sebastián de Horozco,[70] Juan Rodrigo Alonso de Pedraza,[71] Lope de Rueda[72] y Cervantes.[73] «San Pego», presente en Encina, vuelve a aparecer en Gil Vicente,[74] Torres Naharro,[75] Francisco de Avendaño.[76] También se halla a «San Pito»[77]

---

autores (1657), recordemos el principio de los consejos dados a los actores que han de encarnar los papeles de alcalde:

> «Si hace algun alcalde simple,
> que haya sobrado a Juan Rana,
> a quien ciertos entremeses
> perpetuaron la vara,
> digan ansí: ¡Juro a Dios!
> ¡Que es mal hecho y esto basta
> por tres razones...!»

[69] *Monólogo do vaqueiro, Auto da Fé* (verso 17).

[70] Cf. Sebastián de Horozco, *Cancionero*, p. 167 b.

[71] Cf. Juan Rodrigo Alonso de Pedraza, *Comedia de Sancta Susana* (1558), *R. Hi.*, 1912, p. 423, para la perorata del pastor que recita el «introito».

[72] Cf. Lope de Rueda, *op. cit.*, II, p. 400: *Farsa del sordo*. La comicidad del pastor en esta pequeña representación descansa sobre la invocación a toda clase de santos seudo-rústicos (¡entre los cuales se encuentra san Quillotrijo!).

[73] Cf. Cervantès, *La elección de los alcaldes de Daganzo*:

> *«Panduro:*   ... por San Junco
>   que, como presomís de resabido
>   os arrojáis a trochemoche en todo.»

[74] Cf. *Auto dos reis magos, Clás Sá da Costa*, I. p. 44. Véase también *Auto pastoril portugués, Ibid.*, p. 183.

[75] Cf. Torres Naharro, Introito de *Comedia Trophea*, ed. Gillet, II, verso 5. En una nota, vol. III, p. 308, Gillet declara no dudar de que San Pego es una alteración de San Pedro. Pero le es algo difícil explicar la desaparición de la *r*. Por nuestra parte, pensamos que San Pego es una creación fantasiosa, lo mismo que San Comego, San Pito, etc... San Pego no tiene más realidad que la de aquel obispo de Estordeña, mencionado unos pocos versos más arriba por el mismo pastor, y a cuyo propósito Gillet bien ve que es un invento.

[76] Cf. Francisco de Avendaño, *Comedia Florisea*, poco antes de 1552, *R. Hi.*, 1912, 27. El pastor también invoca a San Pique.

[77] Cf. Torres Naharro, *Comedia Aquilana* (Introito), ed. Gillet, p. 460, verso 460. Véase en el volumen III de Gillet una nota interesante, pp. 701-702.

y a «San Conmigo».[78] Prolongando esta tradición, están los santos míticos cuyos nombres son pronunciados por los villanos cómicos de Tirso o de Montalbán: Pascual, cautivo de moros, les pide ayuda a San Noé y a San Jamón, en *Los lagos de San Vicente* (Tirso);[79] Balón en *La ventura con el nombre* (Tirso) invoca a San Ciruelo al toparse cara a cara con una seudo-ánima en pena;[80] Juan Rana, alcalde cómico de *El segundo Séneca de España Don Felipe II* (Montalbán) acude a San Pito.[81] Desde luego, los dramaturgos no se limitan a la invocación de estos santos canonizados por la fantasía popular «con poco temor de Dios», según decía Quevedo en la *Visita de los chistes*.[82] También ponen en boca de sus villanos cómicos a los nombres comunes del calendario aldeano real. Por lo general, éstos van enumerados como letanía. Véase, por ejemplo, Tirso, gracioso-bracero de *La juventud de San Isidro* (Lope), quien exclama:

> ¡San Quitería,
> San Gil, San Pantaleón![83]

Cardenio, villano de *El valor perseguido y traición vengada* (atribuída a Montalbán), perseguido por un soldado, también llama en su auxilio a los santos comarcanos:

> Doy a Bercebú la guerra,
> bálgame San Simeón,
> señor San Pantaleón,
> que es santo de nuestra sierra.[84]

Tal invocación en serie pronto se volvió un procedimiento fácil y esto se ve muy particularmente en los dramaturgos menores. He aquí, por ejemplo, como, en presencia de un rey presa de ira el villano Bato, de *Del cielo viene el buen rey* de Rodrigo de Herrera (?-1647), llama en su auxilio, uno por uno, a sus santos protectores:

> *Bato:*   ¡San Lesmés!
> *Rey:*   ¿Aún te detienes?
> *Bato:*   ¡San Mauro!

---

[78] Cf. Rouanet, *op. cit.*, I, 156:

> «A não praja a São Comego.»

[79] N. B. A. E., IX. p. 45 a.
[80] Cf. B. A. E., V, p. 530 a.
[81] Cf. *Comedias de Pérez de Montalbán*, 1638, acto I, fol. 27. A propósito de San Pito así como de San Ciruelo, creación caprichosa de la imaginación popular, puede citarse a G. Correas, *Vocabulario de refranes...*, p. 643: «La de Santo Leprisco dicho de donaire como San Ciruelo, San Pito.» También son conocidos los versos de Góngora en el famoso romance *Ensíllenme el asno rucio* (in *Flor de varios romances primera y segunda parte*, Barcelona, 1591, fol. 8):

> «mi vuelta será muy breve
> el día de San Ciruelo
> o la semana sin viernes.»

[82] Quevedo cita precisamente a San Ciruelo en dicho *Sueño:*
> «Luego, en medio, estaba San Ciruelo, y muchas mandas y promesas de señores y príncipes aguardando su día porque entonces las harían buenas, que sería el día de San Ciruelo...»
[83] Acad., IV, p. 539 b.
[84] Cf. *El valor perseguido y traición vengada*, Suelta, sin año, acte III, B. N. Madrid, T. 20775.

Rey: ¿Eres sordo?
Bato: ¡San Panuncio!
Rey: ¿No respondes?
Bato: ¡San Macario!
Rey: ¿No te vas?
Bato: ¡Válgame el Credo!
         Excepto el Poncio Pilato
         .... [85]

El estilo rústico-cómico de la comedia está constituido pues con precedimientos automáticos elaborados por una larga práctica teatral de más de un siglo, y sería erróneo querer explicarle mediante una interpretación puramente realista. Lo que les interesa a los dramaturgos, al hacer en «sayagués» a sus villanos, o al hacerles proferir palabrotas o invocar santos, es sencillamente crear el tono definido por la tradición como siendo el tono «rústico» del teatro.

Puede objetarse que Tirso parece haber tenido algún cuidado en diferenciar dialectológicamente las piezas cuya acción transcurre en Galicia. Cierto es que en éstas recurre a algunas formas locales, como para hundir más aún las raíces de la comicidad en el terruño. *La gallega Mari-Hernández* (1612?) es buen ejemplo de esta tendencia. La moza de alquería, Dominga, tiene el proyecto de casarse con Caldeira; en una tirada inspirada por el espíritu práctico, enumera los elementos del modesto haber rústico que espera hacer medrar en compañía de su futuro esposo:

Compraremos vacoriños
(que los gallegos son bravos),
un prado en que sembrar nabos,
diez cabras y dos rociños;
cogeremos ya el centeno,
ya la boroa, ya el millo;
buen pan éste, aunque amarillo;
sano el otro, aunque moreno;
gallinas que con su gallo
mos saquen cada año pollos,
manteca de vaca en rollos,
seis castaños, un carvallo,
una becerra y un buey;
y los diez años pasados,
podrá envidiarnos casados,
el conde de Monterrey.[87]

Entreverados con palabras castellanas, observamos en este caso algunos vocablos de puro gallego: «vacoriños» (cerdos), «rociños» (burros), «boroa» (borona), «millo» (maíz). En otro pasaje de la misma obra, Tirso le hace entonar a Dominga una can-

---

[85] B. A. E., XLV, p. 247 a.
[86] D.ª María Blanca de los Ríos propone la fecha de 1612 (ed. Aguilar, II). E. Cotarelo y Mori, in *Catálogo razonado del Teatro de Tirso de Molina*, N. B. A. E., IX (II), p. XXII, opinaba que la pieza pudo haberse editado en 1625.
[87] B. A. E., V, p. 115 b.

ción gallega muy divertida. La voluntad del dramaturgo de impregnar de color local su comicidad rural no puede ser negada, en esta comedia. No obstante, hay que observar que se contenta con poner algunos toques muy livianos. La función de las formas gallegas mezcladas aquí, en escaso número, con las formas castellanas, es en resumidas cuentas, del mismo orden que la de algunas formas seudo-francesas que Tirso introduce en boca de sus villanos seudo-bretones de *El pretendiente al revés*, pieza cuya acción se sitúa cerca de Nantes. Entonces, los rústicos hablan el acostumbrado «sayagués», como cualquier villano teatral en España, pero a este «sayagués» le agregan unas palabras o expresiones percibidas como francesas por el público aristocrático; una partida de naipes entre aldeanos acaba, verbigracia, con el diálogo siguiente:

> *Corbato.*   Rendivuy.
> *Carmenio*   No permanfuy rendiré
>   que otro juego ha de haber.[88]

Las palabras francesas que encontramos aquí son vocablos que fueron introducidos en las altas capas de la sociedad española hacia fines del siglo XVI, probablemente con ocasión de los repetidos contactos entre las casas de Francia y de España, en tiempos de Isabel de Valois y después de la paz de Vervins; estos vocablos se volvieron en la corte términos al uso.[89]

Papel teatral análogo al del sayagués fue desempeñado por la lengua arcaizante o *fabla*, que estuvo de moda en los últimos veinte años del siglo XVI y al principio del siglo XVII, tanto sobre el escenario como en los romances.[90] Muchos de los efectos cómicos de *Las Batuecas del Duque de Alba* (Lope) se basan en un uso intensivo de esta lengua hablada aún a fines del siglo XVI, de dar crédito a la pieza, por unos rústicos salvajes de las remotas montañas de Extremadura. De dar fe al texto de Lope, se tratará del antiguo castellano, fijado seiscientos años atrás, conservado intacto por los serranos pese a los años.[91] En realidad la *fabra* de *Las Batuecas del Duque de Alba*

---

[88] B. A. E., V, p. 23 b.

[89] *Rendivuy* (rendez-vous) aparece en un pasaje de *Estebanillo González* (1642) (cap. VII de la ed. Bouret), en el que se evoca unas aventuras ocurridas en Francia: «... en llegando la hora del rendivuy general apeábame del dromedario...». *Permanfuy* («par ma foi») fue objeto de una nota de Rodríguez Marín, in *El licenciado Vidriera*, La lectura, Clásicos castellanos, 1917, t. XXXVI, p. 70.

[90] Véase el romance núm. 842 del *Romancero general* de Durán, «Partíos ende los moros...» (salió en el *Romancero del Cid* de Escobar, en 1612). Véanse comedias lopescas como *Las famosas asturianas* (1610-1612 según M. B., «authentic undated»); *El primer rey de Castilla* (1598-1603, «vague spread»). Véase sobre todo la *Tragedia de los siete Infantes de Lara*, de Hurtado de Velarde, que comporta conocidos fragmentos de «fabra» (in *Flor de las comedias de España*, Madrid-Alcalá, 1615), y también *Los hijos de la Barbuda*, de Luis Vélez de Guevara, y *Las hazañas del Cid* (anónimo), pieza en la que vuelve a encontrarse el romance «*Partíos ende los moros*».

[91] Cf. el diálogo entre los salvajes batuecos y Brianda, dama del palacio de Alba (acto XI, Acad., p. 519 b):

> «*Brianda:*   ¿Cómo habéis vivido aquí,
>   hombres, sin Dios y sin ley?
>   ¿Y habláis castellano así?
>   ....
> «*Pelasco:*   Si la tu lengua sabemos,
>   sin duda en tiempo pasado
>   fuimos tales cual te vemos,
>   y él mismo nos ha trocado.

pronto se nos revela, merced al análisis, un idioma artificial elaborado sobre la base de algunos arcaísmos auténticos (también contiene elementos de «bable») con un fin puramente teatral. La distribución de las formas arcaicas en el discurso resulta muy caprichosa y no depende de leyes lingüíssticas rigurosas. La fantasía filológica a la que se dedica la pluma de Lope es patente para quien la examine con algún detenimiento. *Non* es empleado casi constantemente en lugar de *no* (tan antiguo, en definitiva, como aquél) por los Batuecos, pero existen fallas en tal uso: a un mismo personaje se le ocurre decir *no* y *non* a pocos versos de distancia;[92] la misma observación puede hacerse a propósito de *nin* y *ni*,[93] y surgen otras alternancias del mismo tipo.[94] No es la unidad o la verdad lingüística la que preocupó aquí a Lope, sino la búsqueda de la rareza cómica.[95] También quiso distinguir entre dos planos contrastados al interior de su obra, subrayar por el procedimiento lingüístico el desnivel que entre existe de los rústicos casi salvajes de Las Batuecas y el de los demás hombres. Por lo ge-«sayagués» suele ser el instrumento verbal que ayuda a significar escénicamente la distancia que media entre lo rústico y lo urbano o lo palaciego. En *Las Batuecas del Duque de Alba,* la *fabra* ocupa el lugar del «sayagués» para asumir esta función diferenciadora. Basta entonces —por ejemplo— que un soneto amoroso de estructura petrarquista sea transpuesto en la «fabra» de los Batuecos para que produzca un efecto de lo más cómico.[96] Las leyes estructurales acostumbradas en la mayoría de las comedias (la división tajante entre el mundo de lo cómico y el otro) rigen en este caso el empleo de la «fabra» como en otras partes el del «sayagués», y por ello nos encontramos, en la pieza, con villanos no batuecos (del pueblo de El Castañar) quienes hablan un castellano puro, sin deformación alguna, cuando una preocupación por la verdad lingüística tendría que llevar al autor a otorgarles formas leonesas. Pero, una vez más, no se trata de verdad dialectológica. El juego teatral aquí es esencial, y la organización de la obra en torno a la idea de confrontación entre dos mundos heterogéneos (Batuecos, por una parte, los otros —aldeanos u nobles— por otra) excluye el hecho de que los aldeanos de El Castañar hablen el dialecto.

<blockquote>

«Brianda: Sin duda sois castellanos
de la perdición de España
que huyendo los africanos
....»
</blockquote>

Podrían confrontarse estas ideas sobre la fabla con las de polígrafos portugueses tales como Bernardo de Brito, M. Leitao de Andrade. M. de Faria e Sousa, quienes fabricaban poesía en fabla para demostrar la preeminencia del portugués frente al castellano.

[92] Cf. Acad., XI, p. 507 a:

<blockquote>

«Mileno: No lo niegan los oídos.
....
Non habemos de reñir.»
</blockquote>

[93] Cf. Acad., XI, p. 510 b:

<blockquote>

«Tirso: Que yo non la daré ni a ti Mileno
nin a Giroto, de arrogancia lleno.»
</blockquote>

[94] Citemos: «Vido-vio» *(Ibid.,* p. 515 b), «pavorío-pavor» *(Ibid.,* p. 526 a), «trujo-trajo» (526 b), «nueso-nuestro» (511 b).

[95] Si bien la lengua de los Batuecos resulta comprensible a los caballeros de la casa de Alba, les parece rara. Cf. Acad., XI, p. 523 b, el cortesano Mendo quien acaba de encontrarse con la salvaje Geralda, declara: «El traje y lengua es extraña».

[96] Cf. Acad., XI, p. 508 a.

En el caso particular del «sayagués», como procedimiento expresivo torpe e inge-nuo, notemos que en general, queda reservado a los rústicos de condición humilde. El contraste lingüístico, que debe introducir, pretende subrayar la oposición entre per-sonajes cómicos y personajes trágicos, la cual, según sabemos, corresponde en bulto a la división de las clases o de los estados. Idéntica dualidad puede ser observada a pro-pósito de la jerga morisca que usan los dramaturgos en las piezas de ambiente mu-sulmán. Mientras que los moros de baja condición hablan una jerigonza pintoresca o grotesca, los caballeros musulmanes echan mano de un castellano literario y florido, idéntico al de los caballeros cristianos; la división social en la sociedad española es la proyectada así, lingüísticamente, sobre el mundo musulmán. Las formas sayaguesas en la comedia son más usadas por los villanos de condición baja que por los otros, y de manera general, podríamos afirmar que las palabras más simbólicas de esta habla teatral son «nostramo», «nuesamo», «mosamo», o «señor» (por «el señor»), ya que, casi siempre, se encuentra ella en boca de un villano vinculado con un amo (amo vi-llano o señor). Es más, suele ocurrir que un rústico acentúe el carácter sayagués de su habla al encontrarse ante su superior social. Todo transcurre como si la presencia del jefe cuajara la lengua rústica. Un buen ejemplo de esta función de caracterización es-tético-social hallamos en *El Aldegüela* (probablemente de Lope) en donde basta que llegue el duque de Alba para que unos villanos quienes, al principio de la obra, no habían deformado el castellano, y hasta se habían valido de una lengua poética, in-flexionen de pronto su habla en el sentido de una rusticidad ridícula.[97] El único caso en el cual el sayagués ya no es lo propio de villanos colocados en una situación de verdadera inferioridad social, se da cuando un personaje noble se ha disfrazado de al-deano y adopta el habla villana. Tirso, más que nadie, ha gustado de este recurso. En *El pretendiente al revés*, se oye a una dama y un caballero lastrar su discurso con for-mas como «disanto», «vueso», «her», «diabros», «matrimeño», etc. Al afectar súbita-mente el hablar así («Levantando y fingiendo la voz», dice una acotación escénica), quieren engañar a un duque, quien está persiguiendo a la dama y acaba de acercár-seles. El desnivel entre la noble condición de los personajes y el tono rústico que adop-tan, cobra un aire de parodia y permite obtener un efecto cómico renovado con res-pecto al que habitualmente tiene por misión provocar el sayagués. Los personajes que hablan aquí en sayagués ya no son objeto de burla. A la inversa de lo que ocurre cuan-do es un verdadero rústico quien habla, están del lado de los reidores y que representa, aparentemente, este tipo de *ludus scenicus* a base de sayagués, confirma, pues, la regla descubierta poco a poco por nosotros a saber que la comicidad de la comedia de am-biente rústico no es una esencia inmutable, susceptible de ser definida fuera de las co-rrelaciones de clase. El sayagués no es adoptado aquí por los personajes nobles sino a modo de juego. En definitiva, si se ríen de su mascarada, es que se burlan interior-mente del sayagués y que están haciendo de él un espectáculo para ellos mismos y para el público.

* * *

---

[97] El aldeano Benito no ha soltado hasta ese momento sino una sola forma «sayaguesa»: «puebro» (Acad., XII, p. 234 b). Antón (p. 235 b) quien se reveló capaz de usar metáforas e hipérboles cuando exaltaba la belleza de la aldeana María declara de repente (p. 236 a): «El duque mosamo es». El discurso de homenaje de Benito (p. 236 a) contiene no pocas formas rústicas: *homillo* (humillo), *compezar* (comenzar), *habraré* (hablaré).

Así los nombres de los villanos cómicos de la comedia y la lengua a la que recurren tan a menudo (el «sayagués») tienen un valor teatral realmente pleno. Gracias a ellos, las características de torpeza y de ingenuidad que la ideología asigna al villano cobran intenso relieve. Son signos teatrales sencillos a los cuales el público se había acostumbrado después de una larga tradición, nacida con las primeras manifestaciones del teatro peninsular a fines del siglo XV y perseguida a lo largo del siglo XVI. El uso de los nombres convencionales y de una lengua relativamente artificial para los personajes villanos cómicos tendió a estereotiparse y a constituirse en sistema. Esta mecanización de la expresión lingüística contribuyó fuertemente a deshumanizar al villano cómico presentado por la comedia hasta dejarlo como una figura teatral existente sólo por y para la escena. Esto es visible de manera particular en Tirso de Molina. En este autor, más aún que en Lope de Vega, tenemos a menudo la impresión de hallarnos frente a un tipo de robot escénico, dotado de un lenguaje dictado de antemano. Sola la parodia pudo renovar entonces el valor teatral del sayagués. la transformación del aldeano ridículo en títere dotado de palabra se sitúa en el límite de la evolución del género de comicidad que le es propio: una comicidad en la que —repitámoslo— el personaje no participa sino como objeto bajo la mirada de los otros.

CONCLUSION

Tras haber demostrado cómo los rasgos del villano cómico se constituyeron desde la época del teatro primitivo hasta el tiempo de Lope de Vega, en relación con una determinada visión del campo por el público aristocrático o urbano, creemos que se vuelve más patente la raigambre de este tipo escénico. No se debe definir la comicidad fuera de su contenido ideológico y de sus circunstancias; el sondeo que llevamos a cabo a propósito del villano, nos hace pensar que, de no plantear como esencial el problema de las relaciones entre el plano estético y el plano ideológico-social, una investigación más amplia, dedicada a los diferentes tipos cómicos de la comedia, habría de desembocar en observaciones parciales sobre la técnica de la comicidad (lo que es exterior, la forma). Sobre el particular, cuantos equívocos trajo en los manuales el uso de esta palabra facilona y demasiado vaga: «el gracioso». Hegel, en su *Estética* recalca el hecho de que se ha de distinguir entre los personajes cómicos en sí y los que lo son únicamente para los espectadores. Desde este punto de vista queda claro que el rústico, que provoca la risa de los auditores peninsulares, desde Encina y Lucas Fernández hasta Lope de Vega y sus discípulos, no debe ser confundido con el verdadero gracioso de la comedia en su madurez, el personaje cuyo prototipo pretende haber creado Lope de Vega con la figura del Tristán de la *Francesilla* (1596), a quien llama *figura del donaire*.[1] Con Tristán ya vemos qué entiende el creador de la comedia por figura del donaire. Tristán tiene una serie de defectos risibles (ebriedad, glotonería, miedo, etc.) pero también posee una cualidad sobresaliente: este encanto del donaire que lo vuelve chispeante hasta el virtuosismo en la glosa constante del amo por el criado.[2] Por lo general, el criado cómico es un tesoro de imaginación y de inteligencia práctica pues-

---

[1] El propio Lope, como ya sabe, definió a Tristán como «figura del donaire» en su dedicatoria al licenciado Juan Pérez: «... y repare de paso en que fue la primera en que se introdujo la figura del donaire que desde entonces dio tanta ocasión en las presentes...» (Acad. N., V, p. 665).

[2] Cf., verbigracia, el paralelismo de los cantos de despedida dedicados a la villa de Madrid:

«Feliciano: Adiós, Madrid generoso,
                 corazón de España noble...»
                            (Acad. N., V, p. 669 b.)

«Tristán: Adiós, tabernas de Corte,
                 galera en que yo solía
                 fundar mis estanteroles.»
                     (P. 670 a.)

ta al servicio del amo,[3] a quien ayuda en sus empresas amorosas con astucias, estratagemas, y adoptando cualquier oficio para salir del apuro. En todas las situaciones, este hombre chispeante y de mucho humor se desempeña con pasmosa alacridad. Qué habilidad la de este hábil prestidigitador al manejarse con las palabras, disociar sus significados. Generalmente su labia burlona se ejercita a expensas de los demás, pero cuando hace reir de sí —tal vez sea este su rasgo fundamental—, el criado cómico permanece siempre consciente de su propia virtud cómica. Por ello la «figura del donaire» jamás es ridícula, puesto que el ridículo supone la ignorancia de sí y la inconsciencia de su propia comicidad. Por decirlo así, con la excepcional conciencia autocrítica de la *figura del donaire*, ya se trata, con tres siglos de antelación, del «distanciamiento» teatral pedido por Bertold Brecht en su *Pequeño Organon* al recomendarle al actor que denuncie su papel y que no lo encarne.[4]

Salta a la vista que, en la mayoría de los casos, la capacidad de hacer reir en el gracioso villano no depende de la misma estructura de lo cómico. En el fondo de lo risible, hay en éste una inconsciencia fundamental. Como vimos ya, el procedimiento consiste en esperar el espíritu del rústico, en mecanizar sus movimientos, en hacer de él algo inerte y pesado. Contrariamente a lo que ocurre con la *figura del donaire*, el lenguaje para él, está lleno de trampas y engañifas. El rasgo dominante es el ser bobo, rasgo presente desde las primeras manifestaciones del teatro peninsular, con la pluma de Juan del Encina, Lucas Fernández, Torres Naharro y Gil Vicente, mantenido con insistencia en los pasos de Lope de Rueda así como en los «autos viejos».

La alianza fundamental entre amo y criado que supone la pareja «galán-figura del donaire» ya no es de la misma calidad en la serie villana e implica otras relaciones humanas (o sea, en trasplano, sociales). El gracioso villano manifiesta, por supuesto, idéntica fidelidad hacia su amo, idéntica solidaridad, que la «figura del donaire», pero lo hace sin poseer tanta personalidad e independencia; al lado del villano rico, quien desempeña a veces el papel principal del galán, tiende a no ser sino un satélite accesorio, que evoluciona en su órbita sin asumir responsabilidades en el desarrollo de la acción; el «Hermes bifronte» que viene a ser, según J. F. Montesinos,[5] la pareja «galán-gracioso», ya no existe sino para algunos efectos menores y, en verdad, no conocemos personaje auténticamente rústico que sea «figura del donaire» en pleno sentido de la palabra.[6] Al contrario, puede ocurrir que el criado villano sea embaucado por su amo. Se da este caso cuando, por el mecanismo que entraña el disfraz rústico, una infanta o una dama de alcurnia viene a parar a la aldea y se convierte en moza de al-

---

Igual parelelismo entre amo y criado, dedicados a celebrar líricamente a Madrid, vuelve a encontrarse en *El acero de Madrid*. Tirso bien parece haber limitado los cantos paralelos de despedida a Madrid, por amo y criado (transpuestos en cantos de adiós a Galicia) en *La villana de la Sagra*.

[3] Buen ejemplo es la ingeniosidad de Beltrán, en *El acero de Madrid*.

[4] «El público ha de comprometerse sólo a medias con el espectáculo, de forma que conozca lo que se enseña en él mas no lo padezca; el actor debe dar a luz a esta conciencia, denunciando su papel, no encarnándolo...; el teatro debe dejar de ser mágico para hacerse crítico, lo cual constituiría para él la mejor manera de ser cálido.»

[5] Consúltese el artículo clásico de J. F. Montesinos, *Algunas observaciones sobre la figura del donaire en el teatro de Lope de Vega*, Hom. a M. Pidal, 1925, I, pp. 469-504.

[6] Considérese una pieza aldeana tal como *Peribáñez y el comendador de Ocaña* y se observará que no comporta una auténtica «figura del donaire» sino más bien varios personajes cómicos dispersos por los actos. Pero en este caso se trata de un doble de Lope El Mengo de *Fuenteovejuna* tampoco es una «figura del donaire». El mismo se define como «simple» en un pasaje de la pieza; esto resulta incompatible con la inteligencia inherente a la «figura del donaire».

quería. Su extraordinaria belleza le merece generalmente los cumplidos del amo y del criado quienes entran así en competición amorosa. Por un motivo cualquiera, la falsa criada finge aceptar los requiebros del criado; incluso hace brillar a los ojos del paleto, quién se lo cree, una promesa de matrimonio, pero en lo secreto de su corazón, se entrega al amo. En el desenlace, es el amo, claro está, quien lleva las de ganar. Encontramos esta combinación cómica en *Los Tellos de Meneses* de Lope, pieza en la que el doble juego de la infanta-criada Elvira-Juana pone en ridículo al criado Mendo.

Para captar mejor la incompatibilidad bastante general entre el estado rústico y la calidad de inteligencia exigida en la «figura del donaire», basta considerar las piezas en las cuales irrumpe una verdadera «figura del donaire», siguiendo en el mundo villano a un caballero. En *El villano en su rincón* (Lope de Vega) comedia en la que alternan nobles y villanos, es preciso ir a buscar los *lazzi* y los donaires entre los criados de personajes nobles y no entre los criados villanos quienes permanecen menos bobos.[7] El gracioso Lope de *La villana de Getafe* (Lope de Vega), fecundo en imaginar estratagemas al servicio de los amoríos de su noble amo, le ayuda en una empresa con una villana de Getafe: embauca a los labradores Hernando y Bartolomé que obstaculizan sus deseos.[8] En Tarreño, criado del estudiante Alejandro de *La serrana de Tormes* (Lope de Vega), tenemos un ejemplo de gracioso universitario capaz de chapucear un latín macarrónico[9] y armar mil diabluras. Claro está, este gracioso participa activamente de las burlas y bromas pesadas que su amo y él mismo gastan a los villanos carboneros con quienes se enfrentan en varias oportunidades.[10] También tenemos en *El diablo en Cantillana*(Luis Vélez de Guevara), un gracioso no villano. Precisamente, encuentra una estratagema para ayudarle a su amo en las empresas amorosas y lo hace disfrazándose de fantasma. Esta artimaña engaña a unos aldeanos villanos quienes también resultan graciosos, pero de manera harto distinta, ya que quedan burlados.

Los dramaturgos bien percibieron la diferencia entre ambos tipos de graciosos. Lope de Rueda traducía ya por medio de dos personajes las dos categorías posibles de la comicidad. En el «introito» de la *Comedia Medora*, anuncia que presenta al público un criado listo y taimado frente a otro bobalicón y necio: el «simple»:

> Sobre esto verán, señores
> ....
> las astucias de Garfullo, lacayo,
> y las necedades de Ortega, simple.

---

[7] Por ejemplo, el criado del caballero Otón que posee el acostumbrado humor demoledor de la «figura del donaire». Cf. su larga tirada sobre las «mujeres pecadoras» de la ciudad, que es un «morceau de genre» clásico del gracioso urbano.

[8] Cf. Acad., N., X, p. 377 a-b.

[9] No es preciso insistir en el hecho de que el aldeano cómico no podría salpicar sus frases con ese latín «universitario» o ese italiano con que la auténtica «figura del donaire» condimenta con volubilidad frases y sentencias. Lo poco de latín que sale de labios del simple viene de la iglesia, y entonces el campesino suele ser el sacristán de la aldea. Como lo subrayó Herrero García, el gracioso confidente se volvió a menudo el consejero de su amo al acompañarle a los claustros universitarios. Según Herrero García, uno de los elementos de la «figura del donaire» surgiría por extensión a partir del «tipo universitario». Cf. Herrero García, *Génesis de la figura del donaire*, in R. F. E., XXV, 1941, pp. 46-78.

[10] Acad. N., IX, p. 455 y ss.

Más tarde, los poetas de comedias utilizaron expresiones divergentes, a veces indicadas juntamente en las acotaciones de distribución de papeles, para designar a ambas figuras: por una parte, la «figura del donaire», por la otra, el «simple». Hacia el año 1600, el personaje del simple era muy conocido en el mundo del teatro y el doctor Juan Martí, quien bajo el seudónimo de Mateo Luján de Saavedra, publicó en Valencia, en 1602, una *Segunda parte del pícaro Guzmán de Alfarache,* nos dio de él una definición bastante precisa en un capítulo en el que Guzmán participa de las aventuras de una compañía de cómicos. El simple, dice, es fundamentalmente rústico y ridículo, su grosería, su ingenuidad y su ignorancia provocan la risa; el tipo, agrega, es una creación original del teatro español, novedosa con respecto al legado greco-latino:

> ... lo del simple que usan en España, es bueno sin perjuicio, porque causa risa empeçando muchas sentencias y acabando ninguna, haciendo mil precisiones muy graciosas, y es un personaje que suele deleitar más al vulgo que cuantos salen a las comedias en razón de que en él cabe ignorancia y malicia, y lascivia rústica y grosera, que son sus especies ridículas, y por le estar bien toda fealdad (digo en cuanto es provocación de risa), es la persona más apta para la comedia, y en esta invención se han aventajado los españoles a griegos y latinos que usaron de siervos en sus comedias para el fin de la risa, a los cuales faltaban algunas especies de lo ridículo; porque no tenían más que dicacidad o lascivia, o cuando mucho las dos cosas, y carecían de la ficción de la ignorancia simple, la cual es autora grande de la risa...[12]

Erraríamos el camino, si, por un uso equívoco de la palabra «gracioso» —demasiado imprecisa— nos imagináramos con el «villano gracioso» de las comedias aldeanas alguna transposición, en el plano aldeano, de la «figura del donaire» de las comedias de ambiente urbano. Ocurrió más bien lo contrario: del «villano bobo» nació el tipo del «gracioso» y de éste, por una mutación en el sentido de la comicidad consciente de sí (por lo tanto no ridícula), favorecida quizás por un injerto de influencias latinas, italianas y universitarias, salió la «figura del donaire». El tipo del villano cómico, el «simple», es el descendiente de un linaje autónomo rústico y propiamente peninsular, como lo había notado en 1602 el doctor Juan Martí.

---

[11] Cf. manuscrito 14767 de la Biblioteca Nacional de Madrid (letra del siglo XVII): *Comedia de San Ysidro Labrador de Madrid y vitoria de las Navas de Tolosa.* (Esta comedia fue falsamente atribuida a Lope. Podría ser de Alonso Remón, si se considera que el manuscrito contiene algunas piezas de este escritor). En la distribución de los papeles podemos leer: «Dinguindayna, de donayre. Mojicón, simple.»

[12] Juan Martí, alias Mateo Luján de Saavedra, *Segunda parte de la vida del Pícaro Guzmán de Alfarache,* Valencia, 1602, cap. VII. El simple de las comedias también es designado como «propia figura de la nación española» en el diálogo entre el Poeta y el Teatro del «Prólogo dialogístico» de la *Parte* XIX de Lope, Madrid, 1-24 (B. N. Madrid, R. 13870). El dramaturgo distingue entre la comicidad del «simple» y la de la «sátira», la cual si implica al donaire.

Segunda Parte

EL VILLANO EJEMPLAR Y ÚTIL

EL VILLANO EJEMPLAR Y UTIL

Después de leer las páginas que hemos consagrado al villano cómico, quien no conociese la comedia, ¿no podría pensar acaso que la ideologia aristocrática y urbana anti-villana, con sus origenes en el medievo y prolongada en los siglos XVI y XVII, le prohibía al campesino el salir al tablado de otro modo que en ridículo? El adoptar esta opinión unilateral, sería ignorar cuan compleja y contradictoria puede ser la ideología de una determinada sociedad. Jamás es un bloque monolítico. Corrientes y contracorrientes se entrecruzan en ella sin cesar a imagen y semejanza de la contradicción de las necesidades económicas y sociales, y de la lucha entre lo nuevo y lo antiguo. La vida urbana de tipo moderno que empezó a organizarse en España, relacionada con el desarrollo de los intercambios en el transcurso de los siglos XIV y XV, la vida cortesana que se estableció con el triunfo de la monarquía centralizada y unificada al correr del siglo XV, y especialmente durante el reinado de los Reyes Católicos, todo ello acarreó para los nobles profundas modificaciones en los valores. Tuvo lugar en España, lo mismo que en otros sitios de Occidente, lo que Huizinga llamó con una hermosa expresión el «otoño de la Edad Media».[1] Otoño espléndido y suntuoso fue este, si se consideran las brillantes fiestas aristocráticas que, a lo largo del siglo XV, iluminaron palacios y cortes. A la nobleza medieval que había vivido alejada del poder real, independiente y altanera, en sus feudos señoriales, le sustituye progresivamente una nobleza domesticada, afectada, aplicada a vivir junto a la real persona y a atraerse sus favores. Desde este punto de vista del cambio de la nobleza, marca un hito decisivo el reinado de los Reyes Católicos. El segundo hito lo marca la victoria de Carlos V sobre los comuneros en 1521. La fastuosidad y el lujo de la existencia aristocrática del siglo XV, y luego del siglo XVI, las servidumbres de la vida de corte, la necesidad de desplegar en ella talentos de cortesano, de mostrarse hábil, halagüeño, ambicioso, estas causas tuvieron por consecuencia variaciones importantes en el clima sicológico de la nobleza. Esta a veces, añoró su pasado, soñó con un modo de vida exactamente opuesto a aquél en que concretamente vivía. Se adueñaron de ella los temas de oposición a lo real, de huida y de evasión, de renuncia, propios de las clases que van decayendo. Así, escritores que eran nobles, o que escribían para

---

[1] J. Huizinga, *El otoño de la Edad media*, Madrid (2.ª ed.), 1945.

la nobleza, empezaron a distanciarse de la Corte; surgió el motivo del «menosprecio de corte». En un segundo momento, complementario del primero, echaron una mirada hacia el campo y los villanos imaginados poéticamente como la antítesis absoluta del mundo cortesano: y apareció el motivo de la «alabanza del aldea». Isaza Calderón, quien estudió este movimiento en un valioso librito, publicado cuarenta años atrás lo llamó: «el retorno a la naturaleza».[2] En realidad, como ya lo veremos, este movimiento, que nace en el siglo XV y se prolonga sin discontinuidad hasta el siglo XVII, en que nutre un importante aspecto de la comedia de ambiente rústico, es, a la par que un «retorno a la naturaleza», el retorno a la vida rural dejada atrás y a sus valores.

Si las clases aristocráticas y urbanas de la España de los siglos XVI y XVII pudieran seguir expresando mediante el desprecio o el paternalismo las relaciones de sometimiento y de dominio que aún mantenían con el campesinado tal como en la Edad Media (en este plano la ideología de la sociedad monarco señorial prolongaba la sociedad señorial de siglos anteriores), no dejaron de descubrir, contradictoriamente, la importancia del campo y de sus habitantes en la producción. En la realidad, el desarrollo urbano fue acompañado por un movimiento creciente de deserción de los campos. A lo largo del siglo XVI, existió una tendencia al abandono de la agricultura y de la aldea. A partir de 1521, al haber sido definitivamente aplastada la nobleza de tipo medieval —con algunas aspiraciones burguesas contradictoriamente modernas— por el poder real en Villalar, queda patente el hecho de que los señores abandonan cada vez más sus palacios provinciales para seguir a la Corte. Al mismo tiempo, los hijos de villanos emigran hacia los oficios de las ciudades. Otros, atraídos por las glorias militares, se alistan en las compañías y van a morir en masa en los campos de batalla europeos. Muchos nobles y pecheros se embarcan para las Indias. Después de 1580 aproximadamente, el movimiento se precipita, y acentúa, abriéndose la gran crisis del campo. Después de 1600, y en especial después de 1606, —fecha de la instalación definitiva de la Corte en Madrid—, el ausentismo de grandes y señores es un mal generalizado. Los labradores arruinados y los jornaleros miserables abandonan campos y aldeas, encaminándose en apretadas filas hacia las urbes en busca de nuevos modos de subsistencia; vastas zonas del campo quedan despobladas, ven la regresión de sus cultivos. El problema del abastecimiento de trigo a las ciudades en expansión, agudo desde fines del siglo XV,[3] se plantea más que nunca al poder. Nuevas relaciones económico-sociales entre la ciudad y el campo se establecen: mientras que la propiedad pequeña y mediana resulta a menudo destruida, la propiedad de tierras de tipo urbano se desarrolla alrededor de las grandes ciudades; una minoría de labradores ricos consolida su propiedad en el pueblo, pero el campesinado en conjunto se ve arruinado. Y por paradoja, este es el momento en el cual la ciudad superpoblada necesita de un campo nutricio.

La combinación de los dos procesos que acabamos de evocar brevemente

---

[2] Baltasar Isaza y Calderón, *El retorno a la naturaleza (Los orígenes del tema y sus direcciones fundamentales en la literatura española)*, Tesis doctoral, Madrid, 1933.

[3] Eduardo Ibarra y Rodríguez, *El problema cerealista en España, durante el reinado de los Reyes Católicos (1475-1516)*, Madrid, 1944.

tuvo por resultado, desde mediados del siglo XV hasta fines del siglo XVI, el desembocar en dos corrientes ideológicas que iban en sentido contrario al que describimos en la primera parte de este estudio. La valoración del campo se puso a la orden del día (teóricamente al menos) entre los nobles y las gentes de la ciudad a causa de los mismos puntos de vista que, por otra parte, explican la ironía antivillana. La comedia, que no se desarrollaba en un mundo aparte, y era concebida para un público dominado por la ideología aristocrática, se hizo el eco de este segundo aspecto de la visión del campo por los nobles y las gentes de la ciudad. Así es como nos propone, a menudo, la imagen de un villano ejemplar y útil, modelo de vida y de virtudes para el cortesano y el ciudadano. Prácticamente, reúne en «morceaux de bravoure» clásicos, todos los temas que, con acentos líricos, argumentos económicos y políticos, citas de autores antiguos y hasta justificaciones religiosas, había preparado más de un siglo de literatura sobre el motivo de la aldea. Se comprenderá que antes de acometer el estudio de la comedia, queramos dar un diseño de aquel cuadro ideológico general dentro del cual vino a insertarse tardíamente. Si, al hacerlo correctamente, podemos seguir después los motivos teatrales esenciales del «villano-modelo», habremos contribuido por el mismo hecho a desentrañar algo más el problema, de mayor amplitud, de la ejemplaridad de la comedia.

CAPITULO I

PRESENCIA DE HORACIO, VIRGILIO, TEOCRITO Y OVIDIO Y CORRIENTE DEL «MENOSPRECIO DE CORTE Y ALABANZA DE ALDEA» EN LA LITERATURA NO TEATRAL

«Horacio en España». Virgilio. Teócrito y Ovidio. Algunas razones históricas de esta reforma a los autores bucólicos de la Antigüedad y repetición del motivo del «Beatus ille». El desarrollo del tema de «Menosprecio de corte y alabanza de aldea». El «georgismo» utilitario.

En Roma, en tiempos en que la Urbs volvió la espalda a su rudo y agrario de pequeña capital del Lacio campesino, para volverse la ciudad cosmopolita de los mercaderes, de los hombres de leyes, de los militares y de los banqueros, unos poetas se pusieron a contemplar con nostalgia el pueblo de donde venían; se evadieron con delicias en la ensoñación de los orígenes romanos patriarcales y agrícolas, imaginados como una edad de oro. El usurero Alfio, prodigando sus consejos en un épodo famoso de Horacio, suspiraba por los campos y la vida que allí transcurre alejada de las preocupaciones de los negocios y del horror de los combates o de los naufragios:

> Beatus ille qui procul negotiis,
> ut prisca gens mortalium,
> paterna rura bobus exercet suis,
> solutus omni fenore,
> neque excitatur classico miles truci,
> neque horret iratum mare,
> forumque vitat et superba civium
> potentiorum limina
>
> ....[1]

También el Gallo de Virgilio envidiaba la existencia de los labriegos tranquilos y pacíficos:

> O fortunatos nimium, sua si bona norint,
> agricolas! Quibus ipsa procul discordibus armis
> fundit humo facilem victum instissima tellus.[2]

---

[1] *Epodos* (II). Tras expresar su sueño idílico, Alfius vuelve a sus negocios de usurero y hay algo de intención satírica en estos versos de Horacio. Pero se admite por lo general que, pese al humor que se desprende de ellos, corresponden a los sentimientos personales del poeta y que tal vez fueron escritos «dans la première joie du propriétaire». (Cf. F. Olivier, *Les épodes d'Horace*, p. 42).

[2] *Geórgicas*, canto II, verso 458 y ss.

Al citar estos conocidos versos de Horacio y de Virgilio, una cierta erudición muerta tiende a veces a considerarlos en tanto que motivo en sí, «fosilizado», sin preocuparse por las condiciones generales que las acunaron y les dieron vida. Ahora bien, por su contenido vivo, ya son la ilustración de una especie de ley de sociología literaria que podría ser formulada con estas palabras: al hipertrofiarse la ciudad, nacen entonces las corrientes de valoración del campo.[3] Ni Horacio ni Virgilio se enamoraron del campo de pura casualidad o por capricho personal, como a muchos de sus conciudadanos los impulsaba una moda de «retorno a la tierra». De una manera más general y fuera del motivo del «Beatus ille...» y del «Fortunatos minium...», resulta difícil negar que el «bucolismo» y el «georgismo» de la literatura latina en tiempos de Augusto estuviesen relacionados con las condiciones económicas, políticas e ideológicas de la Italia de aquel entonces. Existe una relación muy conocida entre el problema agrario —el reparto de tierras hacia el año 40— y las *Bucólicas*. En lo que atañe a la influencia del clima general y las circunstancias que presidieron al nacionalismo de las *Georgicas* es aún más difícil de negar. Varrón y los sabios de su escuela habían prestado atención a los problemas de la tierra. En 37 a.C. apareció el *De re rustica*. El mismo año, Higino, un sabio griego traido otrora de Alejandría, había publicado también un tratado de agricultura dándole un importante lugar a la cría de las abejas que constituye precisamente el tema de todo el canto IV de las *Georgicas*). Por otra parte, motivos históricos harto actuales contribuian a atraer la atención de los ciudadanos hacia la agricultura: Sexto Pompeyo bloqueaba las costas italianas, impidiendo la llegada de trigo. Antonio, en Oriente, interrumpía el arribo del oro.[4] En tales condiciones, los romanos sintieron la necesidad de volver a las viejas tradiciones de economía agrícola de su pasado.[5] Desde este punto de vista, las *Geórgicas* se integraron al esfuerzo por revalidar la actividad agraria a los ojos de las clases ricas y cultas, y apoyaron literariamente la política del «retorno a la tierra» practicada con Augusto.

Valía la pena dar este rodeo por la antigüedad romana, ya que nos permitirá captar mejor algunos aspectos de la actualidad de Horacio y Virgilio en la España de los siglos XVI y XVII, dentro de unas condiciones históricas que no dejaron de presentar analogías con las del Imperio romano en tiempos augusteos. Los motivos bucólicos o geórgicos de Horacio o Virgilio surgieron entonces repetidas veces bajo la pluma de quienes expresaban, de alguna manera, el problema de las relaciones entre la ciudad y el campo de su propio tiempo.

El hecho está ahí, imponente: en la gran marea de ediciones latinas o de sus traducciones que trajo a España el equinoccio renacentista, la ola virgiliana y horaciana (sobre todo esta última) es enorme. Transposiciones, comentarios, e imitaciones del autor de las *Bucólicas* y del de las *Odas* abundan hasta el siglo XVII, signo incontestable del entusiasmo de moda entre los letrados, por Virgilio y Horacio.

---

[3] Pueden proporcionarse múltiples ejemplos: en el siglo XIX, el desarrollo de la novela rústica y regionalista en Europa no deja de tener relaciones con el crecimiento de las grandes urbes industriales. En Argentina, surge la elegía al gaucho que viene a ser el *Martín Fierro* de Hernández, cuando el gaucho desaparece como tipo histórico, las ciudades se desarrollan y la propia estructura se modifica profundamente. Véase también en la literatura portuguesa *A Cidade e as serras* d'Eça de Queiros y en la literatura española los escritos de Pereda.

[4] Ferrero, in *Grandeur et décadence de Rome*, París, 1914-1918, vol. IV, p. 85, subrayó muy bien la importancia de estos motivos.

[5] En el momento en que el lujo griego y la corrupción invadieron Roma, Catón el viejo, en su *De re rustica*, I, ya había hecho del labrador honrado, «bonus agricola», el tipo del hombre de bien.

Menéndez y Pelayo fijó en lo esencial el balance horaciano[6] en su *Horacio en España*. Este catálogo bibliográfico sigue siendo fundamental[7] y bástenos remitir al lector a este estudio, para que éste tenga pruebas de la febrilidad con la que prensas hispánicas no dejaron de reimprimir a Horacio a lo largo de los siglos XVI y XVII. Señalemos únicamente que se pueden aquilatar, no sólo la cantidad sino también la calidad de la influencia ejercida. Allí encontramos a escritores como el Brocense, los hermanos Argensola, Mateo Alemán, Herrera, Medrano, Villegas. Las *Odas* atrajeron especialmente la pluma de eminentes traductores que intentaban verter la métrica horaciana en versos españoles: el licenciado Bartolomé Martínez, fray Luis de León, don Juan de Jáuregui, Villegas, Montiano, Juan de Aguilar, con Diego Ponce de León y Guzmán, don Diego de Mendoza, Lupercio y Bartolomé Leonardo de Argensola, Juan de Morales, Luis Martín, el licenciado Juan de la Llama.[8] Otros traductores menos conocidos también merecen consideración por el papel que desempeñaron en la difusión del *Arte poética*, partiendo de la idea horaciana de que el arte ha de ser tan útil como agradable: Espinel[9], Juan Villén de Biedma,[10] Luis Zapata,[11] Cascales,[12] Pedro Salas,[13] Juan de Robles.[14] En cuanto a los imitadores atraídos sobre todo por el lirismo de las *Odas* y la métrica horaciana, sus nombres figuran entre los mayores de las letras españolas de los siglos XV y XVI: el marqués de Santillana, Garcilaso, Herrera, Hurtado de Mendoza, fray Gerónimo Bermúdez, fray Luis de León, Lope, Cervantes, Francisco de la Torre, Rioja, Figueroa, Arguijo, Góngora.

Comparado con el de Horacio el lugar ocupado por Virgilio cobra proporciones menores. Virgilio no gozó cuantitativamente en las prensas españolas de un éxito semejante al que tuvo en las imprentas francesas, alemanas o italianas, desde el siglo XV hasta el XVII. Tal vez sea esta la razón por la cual falta sobre Virgilio en España un catálogo de conjunto idéntico al que compuso Menéndez y Pelayo para Horacio.[15]

---

[6] M. Menéndez y Pelayo, *Horacio en España*, 2.ª ed. refund., Madrid, 1885, 2 vol. (Col. Escr. Cast.). (I: Traductores cast., port., gallegos, asturianos y catalanes de Horacio; II: La poesía horaciana). También puede consultarse del mismo autor *Odas de Quinto Horacio Flaco, trad. e imitadas por ingenios esp. y coleccionadas por M. Menéndez y Pelayo*, Barcelona, 1882 (Bibl. «Arte y letras»).

[7] Grant Schowerman, *Horace and his influence*, Boston, 1922, no hace sino repetir resumiéndolo a Menéndez y Pelayo. G. Highet, *The classical tradition: Greek and Roman influences on Western literature*, New York and London, 1949, XXXVIII (Oxford Univ. Press) (trad. en esp. de A. Alatorre, México, Buenos Aires, Fondo de cultura económica, 2 vol., 1954), resulta útil aunque incompleto. Las opiniones de C. Riba, in *Orazio nella letteratura mondiale*, Roma, 1936, Instituto di studi romani, son a veces discutibles. Por el contrario, el artículo de María Rosa Lida de Malkiel, *Horacio en la literatura mundial*, R.F.H., n.º 4, 1940, trae valiosas observaciones y su lectura es indispensable.

[8] Todas estas traducciones de odas horacianas fueron coleccionadas por Llaguno y pueden leerse en un manuscrito del siglo XVIII (383 p. in-4.º) que figura bajo la signatura n.º 17.526 en la B. N. de Madrid.

[9] Traducción del *Ars poetica*, in *Diversas Rimas*, Madrid, 1591, B. N. Madrid, R. 13320.

[10] Autor de una versión completa, *Horacio Flaco Quinto sus obras con la declaración magistral en lengua castellana, por el doctor Villén de Biedma*, Granada, 1599, B. N. Madrid, R. 25534.

[11] Autor de una traducción del *Ars poetica*, *El Arte poética de Horacio, traducido por don Luis Çapata, señor... del Cechel*, Lisboa, 1592, B. N. Madrid, R. 3144.

[12] Traducción del *Ars poetica*, in *Tablas poéticas del Licenciado Francisco Cascales*, Murcia, 1617; B. N. Madrid, 2/40528.

[13] Traducción del *Ars poetica*, Valladolid, 1618.

[14] Traducción del *Ars poetica* (citada por Menéndez y Pelayo, *Horacio en España*).

[15] A M. Menéndez y Pelayo se le debe un opúsculo del que sólo se sacaron treinta y cinco ejemplares y que únicamente pudimos consultar en su biblioteca en Santander: *Traductores de las Eglogas y Geórgicas de Virgilio*, Madrid, 1880, 75 p. Felizmente esta obra fue integrada a M. Menéndez y Pelayo, *Bibliografía hispano-latina clásica*, edición en diez volúmenes que Sánchez Reyes emprendió a partir de 1950 (se trata

Sólo unos trabajos dispersos nos ayudan a ver que el papel del poeta mantuano, en España, distó, pese a todo, de ser despreciable.[16] Uno de los textos y comentarios virgilianos más difundidos en el siglo XVI es el de Donato; pero a este nombre hay que agregarle el de comentaristas modernos entre los cuales se destaca el humanista valenciano Juan Luis Vives.[17] Por no citar más que a las *Bucólicas* y a las *Geórgicas*, que interesan particularmente a nuestro tema, fueron el objeto de parafrasis, traducciones e imitaciones desde el siglo XV hasta el siglo XVI. Juan del Encina parafrasea las *Bucólicas* en 1492 y dedica su intento al principe Don Juan.[18] Mas que una traducción en el sentido estricto, como lo entendemos hoy (el concepto de traducción no era el mismo en el Renacimiento de lo que es en nuestros tiempos), se trata de una imitación libre. Sin embargo no deja de interesarnos, ya que el esfuerzo de Juan del Encina es trasponer Virgilio en coplas de arte menor (generalmente octosílabos de pie quebrado combinados con estrofas de 8, 10, 11 y 12 versos) representa el primer intento con miras a trasladar a un poeta latino en versos castellanos. Hasta entonces se habían contentado con la prosa. Después, en el transcurso de los siglos XVI y XVII, no dejaron de salir traducciones parciales o totales de las *Bucólicas* o de las *Geórgicas*. Juan Luis Vives imitó las *Bucólicas*. Fray Luis de León, a quien le debemos magníficas transposiciones de Horacio y de los Salmos deja con seguridad una versión castellana de

---

de una refundición, continuación y ampliación de Menendez y Pelayo, *Bibliografía hispano-latina clásica*, I, Madrid, 1902, 826, p., que se detenía en la letra C: Cicerón. Para ello Sánchez Reyes utiliza escritos inéditos del maestro.)

[16] Señalemos los estudios que, fuera del de Menéndez y Pelayo, pueden orientar un estudio de conjunto —que queda por hacer— de la corriente virgiliana en España: Gregorio Mayáns, *La vida de Publio Virgilio Marón, con la noticia de sus obras traducidas en castellano*, Valencia, 1778 (útil para el estudio de las traducciones). Rudolph Schevill, *Studies in Cervantes, The influenca of Virgil*, in *Transactions of the Conneticut Academy of Arte and Sciences*, New Haven, Con. 1908. Arturo Marasso, *Cervantes y Virgilio*, Buenos Aires, 1937, reedición aumentada con el título de *Cervantes la invención del Quijote*, Buenos Aires, 1943 (contiene observaciones interesantes, pero hay que desconfiar de la ingeniosidad del autor quien ve a Virgilio por doquier). G. Highet, *op. cit.*, (datos sobre las traducciones, aunque incompletos). R. Menéndez Pidal, *Un episodio de la fama de Virgilio en España*, in «Studi medievali», nuov. ser. V.: *Virgilio nel medio evo*, Torino, 1932, 332-341. J. Llovera, *Virgilio y los jesuitas españoles*, R y F, 1930, XCII, 319-336. A. Rodríguez-Moñino, *Un traductor extremeño de Virgilio*, in *Curiosidades bibliográficas*, Madrid, 1946, p. 135-146 (acerca del traductor Diego López en el siglo XVII, con una bibliografía). En este último trabajo (p. 138 y p. 138, n.º 1 y 2), A. Rodríguez-Moñino anunciaba la preparación de una bibliografía de los impresos (ediciones latinas, traducciones castellanas, parafrasis, iconografía, etc...) y de este *Virgilio en España* cuya necesidad se plantea con urgencia. También anunciaba que estaba preparando la bibliografía de los principales manuscritos el erudito Pedro Urbano González de la Calle. Lamentamos que no se hayan publicado estos trabajos que vendrían a completar ampliamente, y con precisión, las someras indicaciones que hemos reunido con vistas a un mero planteamiento de nuestro tema.

[17] Cf. *P. Virgilii Maronis Opera quae quidem extant omnia cum veris in Bucolica, Georgica, et Aeneida commentariis Fib. Donati et Servii Honorati summma cura ac fide a Georgio Fabricio Chemnicence emendatis: adjecto etiam ab eodem rerum et verborum locuplete in iisdem memorabilium Indice. Quibus accesserunt etiam Probi Grammatici, Pomponii Sabini, Phil, Beroaldi, Joan Hartungi, Iod Willichii, Georg, Fabricii, Bonfinis, Ioann Ludovici Vives, Adriani Barlandi et aliorum annotationes. Basileae. Ex officina Henricpetrina, 1575* (mention in Menéndez y Pelayo, *Bibli, hispano-latina clásica*, VIII, p. 202, ed. C. S. I. C.). Esta edición del comentario póstumo de Luis Vives fue retomada con algunas modificaciones y algunos agregados de profesores de la Universidad de Basilea, en imprenta de Henricus Petrus, en 1613. Cf. *P. Virgilii Maronis, Poetae Mantuani, universum Poema, cum absoluta Servii Honorati Mauri, grammatici, et Badii Ascensii interpretatione; Probi et Ioann, (L.) Vives in Eclogas allegoriis: quibus accesserunt Lud. Coel. Rhodigini, Joan Scoppae... etc... Venetiis, 1602* (citado por M. Menéndez y Pelayo, *Bibliografía hispano-latina clásica,k* t. VIII).

[18] Puede leerse esta paráfrasis inn Juan del Encina, *Cancionero*, 1496.

las últimas seis Bucólicas y hasta quizás de las cuatro primeras.[19] También traduce los dos primeros cantos de las *Geórgicas*. Más o menos en el mismo momento, también en Salamanca, Juan de Guzmán pasa a versos castellanos, muy libremente, una égloga adjunta a las *Geórgicas*, que publica en 1586.[20]. Este último se había formado en la escuela de traductores del humanista El Brocense, alias Francisco Sánchez de las Brozas, quien también entregó a la prensa, en 1591, una edición anotada de las *Eglogas*[21] y vertió a la lengua vulgar las *Eglogas* I y II. Pero el centro de Salamanca no era el único en interesarse por la traducción de las *Bucólicas* a finales del siglo XVI. Antes de finales del mes de agosto de 1572, Juan Fernández de Idiáquez acaba una versión del conjunto de las *Eglogas*, dedicándola al cardenal de Médicis, la cual sale de las prensas barcelonesas de Juan Pablo Manescat en 1574.[22]. En el mismo año de 1574, la casa toledana de Juan de Ayala suma a la octava edición de una versión castellana de la *Eneida*, de Gregorio Hernández de Velasco, las *Eglogas* I y IV traducidas por el mismo autor. La obra va dedicada al soberano Felipe II.[23] La traducción de la IV *Egloga* está en endecasílabos con «rima al mezzo», procedimiento ya usado por Garcilaso de la Vega en su segunda Egloga y por Luis de Camoëns. ¿Gustaría la variedad con la que Gregorio Hernández de Velázquez coloca su rima interior, ya sea en la quinta sílaba, ya sea en la séptima? ¿Agregaría algo al éxito que había acogido a la «octava rima» y a los versos castellanos de la traducción de la *Eneida*? Sea lo que fuere, ha de constatarse que el público reacciona de manera muy favorable ya que volvemos a encontrar tres reediciones de esta obra en los doce años que siguieron: en Toledo en 1577, en Alcalá de Henares, en 1585, en Zaragoza en 1586. Antes de acabarse el siglo XVI, quien iba a ser el traductor de Virgilio más difundido en el siglo XVII, y aún en el siglo XVIII, el extremeño Diego López, originario de Valencia de Alcántara, preparaba para las prensas de Francisco de Córdoba, en Valladolid, el conjunto de la obra virgiliana traducida en prosa. Apareció en 1601.[24] El libro presentaba una traducción des-

---

[19] La primera edición de esta versión se debe a Francisco de Quevedo Villegas en 1631, Cf. *Obras propias y traducciones latinas, griegas e italianas. Con la parafrasi de algunos psalmos, y capítulos de Job. Autor el doctíssimo, e reverendíssimo Padre fray Luis de León, de la gloriosa orden del grande Doctor y Patriarca San Agustín... dalas a la impressión don Francisco de Quevedo Villegas caballero de la Orden de Santiago... En Madrid. En la imprenta del Reyno Año MDCXXXI*. Más adelante (n.º 39) aludiremos al problema de atribución, planteado a propósito de la traducción de las distintas Bucólicas.

[20] *Las Geórgicas de Virgilio principe de los Poetas latinos nueuamente traduzidas en nuestra lengua castellana en verso suelto. Iuntamente con la décima Egloga, con muchas notaciones que siruen en lugar de comento por Juan de Guzmán Cathedrático de la Villa de Ponte-Vedra, en el reyno de Galizia. Dedicadas al Señor de la Casa de Trabanca, y tierra de Samartino. Con Priuilegio. En Salamanca. En casa de Iuan Fernández. M. D. LXXXVI.*

[21] Cf. B. N. Madrid, R. 29818.

[22] Cf. *Eglogas de Virgilio traduzidas de latín en español por Juan Fernández de Idiáquez... en Barcelona... en casa de Juan Pablo Manescat... año 1574...* Esta traducción debió terminarse antes de los últimos días del mes de agosto de 1572, fecha de la dedicatoria al cardenal de Médicis (B. N. Madrid, R. 8852).

[23] Cf. *La Eneida de Virgilio principe de los poetas latinos traduzida en otava rima y verso castellano: ahora en esta última impressión reformada y limada con mucho estudio y cuydado, de tal manera que se puede dezir nueva traducción. Dirigida a la S. C. R. M. del Rey don Phelippe segundo deste nombre, nuestro señor. Ha se añadido en esta otava impressión lo siguiente. Las dos Eglogas de Virgilio, primera y quarta... En Toledo, en casa de Juan de Ayala, año 1574.*

[24] *Las obras de Publio Virgilio Marón, traduzido en prosa Castellana, por Diego López, natural de la Villa de Valencia, Orden de Alcántara y Preceptor en la villa de Olmedo. Con commento, y annotaciones, donde se declaran las historias, y fábulas, y el sentido de los versos difficultosos que tiene el Poeta. Dirigido al licenciado Diego López Bueno, del Consejo del Rey nuestro señor, y su Oydor en la Real Chancillería*

colorida del poeta mantuano. ¿Acaso sería la versión un plagio mal disimulado de la traducción más rica de fray Luis?, tal como lo afirmó Gregorio Mayáns,[25] o ¿sólo sería el esfuerzo de un gramático empeñado en hallar las concordancias entre la frase latina y la frase castellana? Queda por resolver este problema. Lo cierto es el enorme éxito de librería de que iba a gozar la transposición del profesor durante más de un siglo; un éxito tan grande que no entendemos el olvido de Casiano Pellicer, al omitir el nombre del extremeño en su *Ensayo para una biblioteca de traductores españoles.* Hemos anotado reediciones en Madrid en 1614[26] y en 1616[27], en Valladolid en 1620[28], en Lisboa en 1627[29], en Madrid en 1641[30], en Alcalá en 1650[31], en Madrid en 1657[32], 1668[33] y 1675[34], en Barcelona en 1679[35], en Valencia en 1698[36]. Esto nada más que para el siglo XVII. Diego López no tuvo a otro rival serio como traductor de Virgilio si no es a Cristóbal de Mesa. Este termina antes de diciembre de 1614 de componer un volumen en el cual reune versiones de varios autores latinos.[37]. Al lado de algunos poemas de Horacio, se encuentran «in extenso» las *Geórgicas* y las *Bucólicas* en octavas. Esta edición iba a ser reimpresa a menudo en el siglo XVII y fue la que hizo de Cristobal de Mesa el intérprete de Virgilio más vendido tras Diego López en el siglo XVII.

Se puede pensar que la mayoría de las imitaciones y de las traducciones de las *Bucólicas* y de las *Geórgicas,* elaboradas a fines del siglo XVII y en los primeros años del siglo XVIII ejercieron a la par que las traducciones e imitaciones de algunas *Odas* de Horacio una influencia nada despreciable en la formación del gusto bucólico y de este interés por lo rural que podemos contemplar en aquel momento. Las traducciones de las *Eglogas* y las *Geórgicas,* en prosa y en verso juntamente, debidas a la pluma de oro de fray Luis de León fueron evidentemente conocidas y difundidas mucho antes de verse impresas; como pasó con otras obras del maestro salmantino, debieron de circular en forma de cuadernos manuscritos. Las traducciones en prosa, en especial, con-

---

de Valladolid, Año 1601. Esta traducción data de antes del 20 de enero de 1598, ya que ésta es la fecha de la autorización de censura del Consejo Real otorgada por el licenciado Miguel Navarro. Cf. el ejemplar B. N. Madrid, R. 4508.

[25] Cf. Gregorio Mayáns, *Vida de Publio Virgilio...,* p. 67: «...qualquiera que coteje la traducción de López con la de León, verá que la de López en prosa en parte está copiada a la letra de la de León; pero con la distinción de que la de López en las voces, que substituyó, i en las locuciones que mudó es muy inferior; porque como el tiraba a disimular su plagio i ni entendía al Poeta, como el Maestro León, ni poseía tan bien la lengua castellana, muchas veces quitaba las voces propias de esta lengua, i substituía otras no tales; otras oscurecía lo que no entendía...».

[26] B. N. Madrid, R. 22153.

[27] Cf. A. Rodríguez-Moñino, *op. cit.,* p. 143.

[28] *Ibid.,* p. 143.

[29] B. N. Madrid, 2/5308.

[30] B. N. Madrid, R. 17109.

[31] B. N. Madrid, R. 21001.

[32] Cf. A. Rodríguez-Moñino, *op. cit.,* p. 144.

[33] *Ibid.,* p. 145.

[34] *Ibid.,* p. 145.

[35] *Ibid.,* p. 145.

[36] *Ibid.,* p. 145-146.

[37] Cf. *Las Eglogas y Geórgicas de Virgilio, y Rimas y el Pompeyo tragedia. De Cristóbal de Mesa. A Don Alonso Fernández de Córdoba y Figueras, Marqués de Priego y Montalbán, señor de la Casa de Aguilar, y Castroebrío, y Villafranca. Año 1618. En Madrid por Juan de la Cuesta.* La traducción estuvo lista mucho antes de su publicación ya que una de las aprobaciones, la del licenciado Luis Tribaldo de Toledo, lleva fecha de 12 de diciembre de 1614 en Madrid.

[38] Pueden leerse en la parte del volumen que lleva por título «Rimas», y se inicia en el folio 109.

cebidas para la enseñanza del latín a los alumnos, con tres partes dispuestas pedagó-
gicamente (el texto latino, la construcción gramatical, la versión castellana) recibirían
amplia difusión escolar; pero las transposiciones en verso no fueron quizás las menos
conocidas y tal vez haya que buscar en su generosa divulgación por obra de fray Luis,
sin preocuparse por afirmar su paternidad, el origen del problema de atribución que
se plantea a propósito de algunas.[39] De una manera general, las traducciones de pre-
ceptores y profesores de fines del siglo XVI (como las de Juan de Guzmán o Diego López) no sólo fueron a parar a manos de humildes escolares; también llegaron hasta bibliotecas de eruditos y los grandes poetas las conocieron y las usaron. El humanista
Tamayo de Vargas menciona a los traductores castellanos de Virgilio que él conoce:
con Enrique de Villena, el antiguo, nombra a los modernos: fray Luis de León, Gregorio Hernández de Velasco, Juan Fernández Idiáquez, Juan de Guzmán, Diego López, Cristóbal de Mesa.[40] Lope de Vega, por su parte, nos dio a entender en varias oportunidades, su estima por las traducciones de Gregorio Hernández de Velasco. En *El
laurel de Apolo* (silva I), pueden leerse los siguientes versos:

> Audiendo el primero
> el Títiro español, nuevo Sincero,
> cuya divina musa toledana
> dio poder a la lengua castellana;
> Gregorio Hernández, a quien hoy le deben
> (aunque otros muchos prueben
> a querer igualar su ingenio raro),
> Virgilio i Sanazaro
> hablar con elegancia, i no con vana
> pompa inútil, la lengua castellana
>
> ....

---

[39] G. Mayáns in *Vida de Publio Virgilio Marón...*, Valencia, 1778, p. 48 y ss. acometió el problema de
atribución que se plantea a propósito de las traducciones de Virgilio por Fray Luis. Parece, en efecto, que
las traducciones en versos de las seis últimas églogas y de la primera Geórgica que empieza: «Lo que fecunda el campo, el conveniente», publicadas por Quevedo, en 1631, in *Obras poéticas*, sean de Fray Luis.
Quevedo, por su parte, las atribuye al maestro salmantino. En cambio pueden caber dudas acerca de la traducción en verso de las cuatro primeras églogas. La primera edición del conjunto de la traducción de las
diez églogas es de 1660 (cf. recopilación de un tal «Licenciado Abdias Joseph, natural de Cedillo»). G. Mayáns demuestra que muy probablemente este Abdias Joseph volvió a tomar los textos de Fray Luis, como
lo hizo con la traducción de las *Geórgicas* bajo el nombre de Don Antonio de Ayala en el mismo año. Según G. Mayáns (p. 64) la traducción de las obras de Virgilio publicada por el agustino Fray Antonio de
Moya no es más que una «reprise» de Fray Luis. G. Mayáns precisa (p. 54) que hubo dos traducciones en
verso de las *Geórgicas* debidas a Fray Luis:

> «...ai dos traducciones en verso de las *Geórgicas:* una de todas las quatro Geórgicas de Virgilio
> que parece que hizo el Maestro Frai Luis de León en su mocedad, menos ajustada a la letra del
> original, aunque muy elegante, la qual empieza «Mecenas, «gran privado / Del César de los cé-
> sares mi dueño». La otra traducción corresponde mejor a la letra de Virgilio: es la que empieza:
> «Lo que fecunda el campo, el conveniente», la qual únicamente es del libro primero de las Geór-
> gicas; i la publicó don Francisco de Quevedo en las *Obras poéticas* que sacó a luz del Maestro
> Frai Luis de León».

Fray Luis también escribió una traducción en prosa de las *Geórgicas*.

[40] Cf. la carta de Tamayo de Vargas que precede la *Historia natural de Cayo Plinio Segundo*, t. II (traducción del licenciado Gerónimo de Huerta), 1629. (B. N. Madrid 16131) la primera edición de la traducción de Gerónimo de Huerta es madrileña, de 1559.

En un pasaje de *La Dorotea* el Fénix repite su elogio al escribir:

> ... fue Gonzalo Pérez excelente traductor de Homero, como Gregorio Hernández
> de Virgilio; éstos eran hombres de veras, que no aguardaron a que los pasase a su len-
> gua la Italia, que primero que los viésemos en ella, fue su versión del griego, del latino.

Es posible recordar esta indicación reiterada del gran poeta al plantearse el problema de su conocimiento de Virgilio. No es imposible, en efecto, que haya conocido
a este autor, así como a Horacio[41], por medio de transposiciones castellanas de la época.

Los latinos Horacio y Virgilio no son los dos únicos autores antiguos en haber
contribuido a llevar a los españoles del Renacimiento hacia lo que Isaza Calderón llama «el retorno a la naturaleza» y que creemos ser también un retorno hacia el campo.
También el griego Teócrito desempeñó un papel, más humilde por cierto, bastante
mal conocido, mas nada despreciable. Parece por lo demás que este autor ejerció su
influencia por medio de las transposiciones latinas o italianas (la de Anibale Caro,
por ejemplo) del siglo XVI, más que a través del texto griego original. Pues en el Siglo
de Oro no sabemos más que de una sola traducción castellana suya: la del *Idilio IV*,
que figura en las *Eróticas amatorias* (II,2) de Esteban Manuel de Villegas[43]. Es poco.
Resulta revelador el hecho de que Tamayo de Vargas, en la carta publicada a modo
de prefacio del segundo tomo de los *Libros de la historia natural de los animales, traducida por Gerónimo de Huerta,* en la que enumera los traductores españoles de autores antiguos, no cita ningún nombre para Teócrito.[44] Sin embargo, aparecen recuerdos de Teócrito en una cierta literatura «bucólica» de los siglos XVI y XVII. La referencia al autor griego es frecuente en Lope de Vega y ya tuvimos ocasión de indicarlo.
Es evidente que a partir de 1610-1614 lo consideró como modelo de lo que había de
ser, para él, el género rústico. No sólo lo cita en la *Introducción a la justa poética de
San Isidro* de 1622,[45] sino también en la dedicatoria al doctor Gregorio López Madera,
que coloca en 1620 de prólogo a la *Parte XIII* en donde figuraba *La Arcadia*
(«comedia»):

> ... recibirá en su amparo la primera comedia deste libro, que, puesto que es de pasto-
> res de la Arcadia, no carece de la imitación antigua, si bien el uso de España no ad-
> mite las rústicas *Bucólicas* de Teócrito, antiguamente imitadas del famoso poeta Lope
> de Rueda[46]...

---

[41] En lo que atañe a Horacio, se da casi por sentado que Lope tuvo en manos y leyó las traducciones
de Fray Luis de León, tal como lo demostró Edward H. Stich, in *Lope de Vega and the Praise of simple
life*, RR, VIII, 1917, p. 279-289.

[42] Cf. in *Rime del comendatore Annibale Caro...*, Venetia, 1564 (B.N Madrid, R. 17866) p. 81 y ss., la
Egloga ad imitatione del Dafne de Theocrito. Aparece allí el motivo de los regalos rústicos. Cf. p. 82:

> «Jo ti daró la Beccia mia: la Beccia,
> e há sempre due capretti, e due n'allatta
> ....»

[43] Cf. *Las Eróticas amatorias*, Náxera, 1617 y 1618 (2.ª parte), B. N. Madrid.

[44] Cf. ed. Madrid, 1629, B. N. Madrid, R. 16131.

[45] *Vide infra*, n.º 47.

[46] Cf. B.A.E., t. III de *Comedias escogidas de Lope de Vega Carpio*, p. 155-156. La frase que citamos no
parece haber sido comprendida siempre en su exacto significado. A nuestro parecer, Lope de Vega se queja

Como muchos hombres de letras españoles, Lope debía de haber leído a Teócrito en latín, ya que lo cita en latín (desvirtuando a veces un verso, pero el error proviene tal vez del traductor), en la *Introducción a la justa poética de San Isidro*.[47]

En realidad, parece que el tema bien conocido de Teócrito entre los españoles del siglo XVI y XVII, el del Cíclope que le enumera sus bienes rústicos a Galatea *(Idilio XI)* lo haya sido por medio de Ovidio *(Metamorfosis,* XIII, en especial versos 789-869: «Candidor nivei folio, Galatea, ligustri») y a veces también por intermedio de Virgilio («*Bucólica II,* verso 19 y siguientes). Del tal tema hay numerosas huellas. Las traducciones globales de las *Metamorfosis* —las de Jorge de Bustamante— (antes de 1550), Antonio Pérez (Salamanca, 1580) y Pedro Sánchez de Viana (Valladolid, 1589), reeditadas en varias oportunidades —contribuyeron a dar a conocer dicho motivo. Pero conviene señalar muy especialmente la preciosa versión limitada al canto del Polifemo, en versos, que debemos a la pluma de Cristóbal de Castillejo (muerto en 1550) y se publicó en Madrid en 1573 con el título de «canto de Polifemo, traducido de Ovidio». La de Sánchez de Viana, en octavas, aunque menos lograda, también merece consideración. En cuanto a las imitaciones del canto del Cíclope, son numerosas. Citemos el final de la *Egloga III* de Garcilaso, el canto de amor del monstruoso Orco en la *Angélica* de Barahona de Soto (muerto en 1595), el canto amebeo de Siralvo y Alfeo del *Pastor de Fílida,* de Luis Gálvez de Montalvo (1582). Este tema del Cíclope mereció a principios del siglo XVII dos magníficas interpretaciones: la de Luis Carrillo de Sotomayor en su *Fábula de Acis y Galatea* (antes de 1610) y la de Luis de Góngora en su *Fábula de Polifemo y Galatea* (1613). La trayectoria del motivo no debía interrumpirse allí, y Lope, él también, iba a tratarlo en el canto II de *La Circe.* Ya lo vemos, los poetas del Siglo de Oro manifestaron una verdadera predilección por este tema ovidiano proveniente de Teócrito. Otro motivo ovidiano, en armonía con el precedente, el de los placeres rústicos, que en cada estación pueden servir de remedio para el amor, también gozó de gran éxito *(Remedia amoria,* versos 168-198, «Rura quoque oblectant animos studiumque colendi»).[48] Ya veremos como se encuentran no pocos ecos en la comedia.

Esto es lo que podemos decir, en resumen, de las señas más inmediatamente visibles —ediciones, traducciones, imitaciones, referencias— de la presencia de Horacio, Virgilio, Teócrito y Ovidio (el Ovidio «rústico») durante los siglos XVI y XVII españoles. Pero lo más interesante para nosotros no está en querer constituir un catálogo de estas señas. Precisamente queremos ir más allá de la seña en lo que tiene de exterior. Lo más importante en una «fuente» no es la «fuente» en sí, sino el hecho de que se

---

del método español que consiste en depurar la obra de los elementos de realidad campesina de una manera total. El prefiere el método de Teócrito y de Lope de Rueda que no vacilan en insertar la galantería y el amaneramiento dentro de un marco rústico concreto. Además, el adjetivo «rústico» aplicado a las *Eglogas* de Teócrito es ya expresivo de por sí. No lo es menos el ejemplo que presenta Lope en su comedia: el rústico Cardenio encarna, por su concepción misma, la crítica al sitio pastoril, vaciado de toda sustancia rústica. Las ideas de Lope habían cambiado —*La Arcadia,* comedia, es de 1615-1616— desde los tiempos en que escribía en su juventud. *El ganso de oro, La pastoral de Jacinto, Belardo el furioso...*

[47] Cf. B.A.E., XXXVIII, p. 146. Lope cita:

«O vultu formosa, feroque pectore saxum
Tota, refers, o Nympha, oculos frontemque
Decoris nigra superciliis.»

[48] Los *Remedia amoris* fueron traducidos en verso por Luis Carrillo de Sotomayor.

haya elegido ir a beber de ella. Podemos recordar que la Edad Media había dejado de lado Horacio en provecho de Ovidio, y que, en la obra virgiliana, había preferido la *Eneida* a las *Bucólicas* y las *Geórgicas*. El Renacimiento se volcó hacia las *Odas*, las *Bucólicas* y las *Geórgicas*. ¿Por qué?

En bulto, fueron razones históricas de conjunto bastante análogas a las que habían presidido al nacimiento de estas obras, las que decidieron el retorno a ellas a partir del siglo XV. Virgilio (el Virgilio de las *Bucólicas* y de las *Geórgicas*) y Horacio ofrecían primero a los hombres del Renacimiento que tropezaban con la nueva vida urbana, una respuesta determinada a su problema personal; los motivos más célebres de estos poetas constituyeron *formas* preparadas de antemano en las que los hombres de letras pudieron verter el *contenido* de sus cuidados contemporáneos. «Beatus ille...», «Ultima ex vobis unus vestrique fuissem» estas aspiraciones del romano por huir del tráfago de la «Urbs» también eran, de una manera renovada, las del hombre de corte o del ciudadano presa de las exigencias de la vida social moderna; para el individuo moderno deseoso de aislarse de la muchedumbre de las ciudades, para el discreto de élite con afanes de libertad interior, Horacio proponía una moral aristocrática y de vida privada («spernere vulgum», «secretum iter et fallentis semita vitae...») y Virgilio ofrecía actividades prácticas, alejadas de las vanas agitaciones de las capitales, en la paz del campo.

Ningún motivo fue más repetido en la literatura española del Siglo de Oro que el del «Beatus ille...». Un poeta de la corte de Juan II, en el siglo XV, el marqués de Santillana, es el primero en repetir, según parece, el célebre movimiento del *Epodo II* de Horacio. En la *Comedia de Ponca*, al evocar la vida de los grandes perseguidos por Fortuna, el autor exclama:

> ¡Benditos aquéllos que con el açada
> sustentan su vida e viven contentos!
> ....
> ¡Benditos aquéllos que, quando las flores
> se muestran al mundo, desçriben las aves
> e fluyen las pompas e vanos honores
> e ledos escuchan sus cantos suaves![49]

El motivo es tratado otra vez a fines del mismo siglo por Juan del Encina, otro poeta cortesano, en la égloga «*en recuesta de unos amores*». Más tarde, en tiempos de Carlos V, Garcilaso de la Vega y Antonio de Guevara, siguen a su vez, el movimiento estilístico del *Epodo II*. En el poeta toledano, en la *Egloga II*, el tema horaciano se combina con notas virgilianas y se impregna de ternura lírica, de intimidad sentimental:

> ¡Cuán bienaventurado
> aquél puede llamarse
> que con la dulce soledad se abraza,

---

[49] N.B.A.E., XIX, p. 463. La imitación del *Beatus ille* horaciano por el marqués de Santillana es tanto más notable cuanto que no se encuentran huellas de Horacio en la biblioteca del marqués. Cf. Mario Schiff; *La bibliothèque du marquis de Santillane*, París, 1905, y más reciente la *Exposición de la biblioteca de los Mendoza del Infantado en el siglo XV*, Madrid, 1959 (B. N.). Sin embargo en aquella biblioteca figuraban: *Morales de Ovidio* de Pierre Bersuire, la versión de la *Eneida* de Enrique de Villena, etc.

y vive descuidado,
y lejos de empacharse
en lo que el alma impide y embaraza!
No ve la llena plaza,
ni la soberbia puerta,
de los grandes señores,
ni los aduladores
a quien la hambre del favor despierta;
¡no le será forzoso
rogar, fingir, temer y estar quejoso!
A la sombra holgando
de un alto pino o robre
o de alguna robusta y verde encina,
el ganado contando
de su manada pobre.

Con Antonio de Guevara, en prosa esta vez, en el *Menosprecio de Corte y alabanza de aldea,* el mismo movimiento tiene por misión el expresar una aspiración a la felicidad basada en la búsqueda de la libertad y de la cotidiana holgura alimenticia:

¡O bienaventurada aldea y bienaventurado el que mora en ella! A do cada uno se puede poner libremente a la ventana... (Cap. VI).
¡O vida bienaventurada la del aldea! a do se comen las aves que son gruesas, son nuevas... (Cap. VII).

No valen fronteras de escuelas para el motivo, y Castillejo, mantenedor de la tradición nacional en poesía, lo aprecia tanto como Garcilaso; él también escribe:

¡Bienaventurada vida
si alguna lo puede ser!

Tal vez sea fray Luis de León el poeta que engarza en sus versos o en su prosa el mayor número de recuerdos horacianos; exalta en sus *Odas* la «descansada vida», la «senda escondida», el «ya seguro puerto», puras reminiscencias horacianas, pero en estas figuras legadas por el poeta latino, vierte una aspiración muy íntima, la de huir de un mundo que, por razones tanto espirituales como concretas, le resulta un tormento. Hácese el traductor castellano del *Epodo II* en estrofas de dos endecasílabos alternados con dos heptasílabos con las rimas *abab.* Bajo su pluma surgen versos que siguen de bastante cerca al movimiento estilístico y las palabras mismas del «Beatus ille...»:

¡Dichoso el que de pleitos alejado,
cual los del tiempo antiguo,
labra sus heredades no obligado
al logrero enemigo![51]

---

[50] B.A.E., XXXII, p. 173.
[51] B.A.E., XXXVII, p. 35. Hay que corregir la lección «olvidado» de la B.A.E. y leer «no obligado».

Pero Diego Girón, otro poeta citado por Herrera en su «Comentario» a las *Eglo-gas* de Garcilaso, se ciñe más aún al movimiento horaciano:

> ¡Dichoso el que alejado de negocios,
> cual los del siglo antiguo,
> labra sus campos con los bueyes
> libre del logro ilícito!

También Lupercio de Argensola nos da la impresión de calcar a Horacio al escribir:

> ¡Dichoso el que, apartado
> de negocios, imita
> a la primera gente de la tierra,
> y en el campo heredado
> de su padre, ejercita
> sus bueyes, y la usura no le encierra...[52]

Hacia 1600, el motivo prosigue su trayectoria ininterrumpidamente y se lo vuelve a encontrar tratado por la pluma de los mayores escritores: Cervantes, Lope de Vega, Góngora, Cervantes remoza levemente el cañamazo tradicional en la «canción» del pastor Damón en *La Galatea:*

> ¡Oh, una, y tres, y cuatro,
> cinco, y seis, y más veces venturoso
> el simple ganadero,
> que con un pobre apero
> vive con más contento y más reposo
> que el rico Craso, o el avariento Mida!

Entre los numerosos ejemplos de «reprise» del motivo que nos ofrece, Lope se luce con la canción que inserta en *Los pastores de Belén* (hacia febrero de 1612):

> ¡Cuán bienaventurado
> aquél puede llamarse justamente
> que sin tener cuidado
> de la malicia y lengua de la gente
> a la virtud contraria,
> la suya pasa en vida solitaria!
> ¡Dichoso el que no mira
> del altivo señor las altas casas
> ni de mirar se admira
> fuertes colunas oprimiendo basas
> en las soberbias puertas
> a la lisonja eternamente abiertas...
> ¡Dichoso el que, apartado
> de aquéllos que se tienen por discretos,
> no habla desvelado...

....

---

[52] B.A.E., XLII, p. 287.

¡Dichoso pues mil veces
el solo que en su campo, descuidado
de vanas altiveces,
cuanto rompiendo va con el arado
baña con la corriente
del agua que destila de su frente...
y allí, cantando de diversos modos,
de la extranjera guerra
duerme seguro y goza de su tierra...[53]

Por fin, Góngora cierra con broche de oro el ciclo de las variaciones más célebres (no teatrales) del Siglo de Oro con otra canción de la *Soledad I:* en ella sigue tanto a Séneca como a Horacio, si no es más:

¡Oh bienaventurado
albergue a cualquier hora
....

Al presentar estos distintos ejemplos de «reprise» del «Beatus ille...» en la literatura española, desde el siglo XV hasta el siglo XVII, no pretendemos haber agotado la lista de las imitaciones; al contrario, estamos convencidos de que hubo muchas más, contándose dicho motivo entre los más vulgarizados. Francisco Salinas en su *De musica libri septem* nos revela que el épodo de Horacio era cantado en el siglo XVI,[55] y esta indicación subraya hasta qué punto el motivo se hallaba difundido.

La afición al idilio campestre, la búsqueda de la edad de oro rural —«ut prisca gens mortalium»— estos motivos de evasión y de oposición a lo real que venían de la antigüedad, se desarrollaron en España, desde el siglo XV hasta el siglo XVII, progresivamente, conforme se iba intensificando la vida urbana de corte.[56] En este país, en el siglo XV, por lo general, todavía no se trataba más que de la insatisfacción provocada por la existencia del cortesano. Aparte de los pocos versos sobre el motivo del «Beatus ille...» del marqués de Santillana y otros pocos de Carvajales,[57] o de Juan del Encina, no se encuentra en realidad en el siglo XV el tema de «menosprecio de corte», o más exactamente, si se lo enncuentra, no es sino parcialmente y a menudo por influencia italiana.[58] Al evocar la existencia de los grandes perseguidores por Fortuna

---

[53] B.A.E., XXXVIII, p. 346.

[54] Salcedo Coronel, in *Soledades de don Luis Góngora comentadas*, Madrid, 1636, fol. 32 v.º, escribía, contradiciendo a otros comentaristas: «...Todas estas alabanças de la Soledad imitó Don Luis a la letra de Séneca en su Hipólyto, y no de Horacio...»

[55] Cf. especialmente p. 276, 301, 312.

[56] En el ámbito italo-provenzal, en el que apareció mucho más temprano una sociedad ciudadana, la búsqueda de la soledad, como actitud de huida fuera del universo artificial fabricado por los hombres, asoma a partir de la primera mitad del siglo XIV. De ello es testimonio el *De vita solitaria* de Petrarca. En el siglo XV Aeneas Silvius Piccolomini, alias Pio II, también trata la miseria de los cortesanos *(De miseria curialum)*.

[57] Pensamos en la bonita serranilla: «Viniendo de la campaña» cuyo estribillo es: «e sy bien era villana / fija dalgo parescía.» Véase *Cancionero castellano del siglo XV* ordenado por R. Fouché-Delbosc, t. II, N.B.A.E., XXII, p. 617-618, n.º 1027.

[58] A este respecto véase el muy significativo *Speculum vitae: speculum conversionis peccatorum*, Bisun-

en La *Comedieta de Ponça* el marqués de Santillana suspira, es cierto, por la vida de
los simples labradores, más, mirándolo bien, nos percatamos de que no pronuncia contra la existencia aristocrática ninguna condena moral de fondo. Asimismo, en las célebres *Coplas a la muerte de su padre* de Jorge Manrique, lo que puede parecer una
renuncia ascética acarreada por la contemplación de la muerte no es más que la expresión —magnífica— de una nostalgia por lo imposible. El cortesano lúcido dice en
ellas el carácter fugitivo y pasajero de los fastos aristocráticos, pero no los denuncia
por inmorales o impuros; al contrario, lo que exhala es su tristeza al no poder con-
servarlos siempre. En esto, al quedar apegados en secreto el lujo palaciego, mientras
este mismo empieza a serles insatisfactorio, el marqués de Santillana y Jorge Manrique siguen siendo exponentes de su siglo, orientado, como ya sabemos, hacia el fasto
y las fiestas aristocráticas.

En 1539, en medio del reinado de Carlos V, tras el triunfo definitivo de la política
de centralización monárquica, aparece el tratadito del franciscano Antonio de Guevara titulado *Menosprecio de Corte y alabanza de Aldea*. Con esta fecha se inicia el auténtico florecer del motivo de «menosprecio de corte» en la literatura castellana. Respecto a la literatura del siglo XV que esbozaba no sin contradicciones y desgarramien-
tos el tema del «menosprecio de Corte», la obra de Guevara representa un paso decisivo. Ahora la insatisfacción provocada por la vida de corte se transforma en una ciencia sin equívocos, y la contrapartida positiva de la exaltación de la vida rural viene a
equilibrar la negación de la existencia palaciega. Detrás del tratado del franciscano,
adivinamos la disgregación casi definitiva de ciertos valores propios del siglo XV. Hacia 1530-1540, el cortesano real no puede ser tampoco este modelo teórico y puramente
ideal de humanidad refinada que propone Castiglione en su *Cortegiano* (traducido en
1531 al castellano) y A. de Guevara había roto en parte con los fastos aristocráticos al
tomar los hábitos franciscanos después de la muerte del príncipe don Juan. Había llevado antes, como familiar de este príncipe, la vida brillante del cortesano y, de dar
crédito a las frases sueltas de confesión que insertara en su *Menosprecio de Corte y
alabanza de Aldea*, en medio de la agitación y del lujo cortesano, había perdido el gusto por la virtud y no había hecho sino contraer malas costumbres.[59] La intención del
tratado es hacer relatar la impureza de la ciudad, y en contraste, la pureza de la aldea.
A. de Guevara denuncia de una manera satírica las preocupaciones y los cuidados que
asaltan al hombre en la corte, lugar en que la ambición atenaza a cada quien y resulta
cotidiana la incomodidad. Por el contrario, presenta los provechos materiales y espirituales de la vida aldeana, en donde los días son claros y las noches tranquilas. De

---

cii, 1470 (B. N. Madrid, I, 1381) del obispo de Zamora, Sánchez de Arévalo (traducido al castellano, en Zaragoza, en 1491). El autor dedica un capítulo de su libro I a los inconvenientes de la vida de corte y palacio;
pero es sobre todo para recordar (apoyándose en referencias a autores antiguos) que los favores del Príncipe
son harto difíciles de conquistar y conservar: «E haunq̄ la vida de los potentes curiales haya sido mucho
alabada: dízía ella q̄ estaban muy grandes desatientos e peligros scōdidos en ella. E primeramēte dezía haver
oydo de algunos savios: aquel dicho de Suetonio: que el que es caro a los reyes: e privado dellos: es vil para
sí en su alma : e tiene mal reposo e ruin securidad e poco sosiego e poca virtut...» (*In* Cap. IV, «de los trabajos cargos e peligros de los cortesanos e de los que siguen los favores e officios de los príncipes...») Se
recalca la inseguridad que caracteriza a esta vida, pero no se propone ninguna contrapartida positiva; en
el mismo tratado, se rechaza la vida de agricultura.

[59] Chap. XIX: «Do el auctor cuenta las virtudes que en la corte perdió y las malas costumbres que allí
cobró.»

creerla, los aldeanos son más virtuosos y menos viciosos que los cortesanos,[60] más leales y fieles en amistad,[61], tiene mejores alimentos y mejores casas,[62] etc...

Ya tuvimos ocasión de señalar como el movimiento estilístico mismo del «Beatus ille» horaciano aflora en varias oportunidades en la prosa retórica de A. de Guevara. De una manera más general, puede captarse toda una vena de filosofía horaciana en el tratado del franciscano. La sabiduría rural que propone hermana la sabiduría antigua, basada en el epicureísmo, con cierta sabiduría cristiana de inspiración estoica. En verdad, en la filosofía antigua, una alianza secreta de estoicismo y de epicureísmo nutría ya implícitamente algunas posiciones de repliegue sobre sí mismo, fuera del gentío y del mundo; el ideal epicúreo de la «aurea mediocritas», en cuanto búsqueda de las verdaderas riquezas, no dejaba de comunicarse, por lo hondo, con aquel, estoico, del desdén por los falsos bienes. Por otra parte, en la Edad Media, la corriente del estoicismo cristiano que siguió la estela de Boecio fue particularmente viva en España a partir del siglo XIV tal vez por razones peculiares del país;[63] tal corriente alimentó a una abundante literatura moral llamada «del desengaño». El interés de A. de Guevara en su *Menosprecio de Corte y alabanza de Aldea* reside en que, así lo creemos, vuelve a colocar lado a lado, y hasta refunde, estoicismo y epicureísmo, otorgándole al segundo término todo su peso. Es cierto que para el fraile franciscano, la corte no es más que una «sepultura labrada», pero la vida rural que propone a cambio, para «aparejarse a morir» no es la de los Padres del desierto. Cuando alude a los «varones ilustres» que supieron retirarse en el campo se olvida precisamente de mencionar a aquellos ermitaños, y va a buscar en la Antigüedad pagana todos los ejemplos de virtud (Plutarco, Séneca, Platón, etc...); para él, no cabe duda de que las cortes o repúblicas antiguas eran más virtuosas que las modernas[64] y su ideal franciscano se nutre en los libros doctrinales de los gentiles. Un sentido de la «vida privada» que proteger —bastante próximo del que desarrollaría Montaigne unos veinte años más tarde— un gusto por la tranquilidad y la libertad, una búsqueda equilibrada de la holgura material, he aquí lo que el franciscano A. de Guevara expresa en su oposición retórica entre corte y aldea, y en esto se aparenta con el Horacio epicúreo de la «aurea mediocritas» y del «carpe diem». Gozar sabiamente («gozar» es uno de los vocablos más repetidos de la obra) del instante que nos proporciona sanamente la vida natural del cam-

---

[60] Chap. VII: «Que en el aldea son los hombres más virtuosos y menos viciosos que en las cortes de los príncipes.» Cap. XII: «De quán poquitos son los buenos que ay en las cortes y en las grandes repúblicas.» Cap. XIV: «De muchos trabajos que ay en las cortes de los reyes y que ay muchos aldeanos mejores que cortesanos.»

[61] Chap. XV: «Que entre los cortesanos no se guarda amistad ni lealtad y de quán trabajosa es la corte.»

[62] Cap. VI-VII.

[63] Sabido es que Boecio *(De consolatione philosophiae)* imitó los metros horacianos. Numerosas fueron las traducciones españolas a partir del siglo XIV. Es conocidísima la de López de Ayala. En el siglo XVI hay que citar la de Fray Alberto de Aguayo, bastante importante como para merecer el elogio de Juan de Valdés en el *Diálogo de la lengua* y reproducido en varias ediciones consecutivas (1518, Sevilla; 1521, Sevilla; 1530, Sevilla; 1542, Medina del Campo). También merece señalarse la traducción de Villegas. Acerca de las traducciones de Fray Alberto de Aguayo, cf. M. Bataillon in *Erasme et l'Espagne*, p. 54. En la carta de prefacio al tomo II de la traducción de Gerónimo de Huerta de los *Libros de la Historia natural de los animales...* (ed. Madrid, 1629) de Plinio, Tamayo de Vargas cita igualmente como traductores de Boecio a fray Antonio Genebrada y fray Agustín López.

[64] Cf. cap. XVI: «De quánto mejor corregidas solían estar las cortes y repúblicas antiguas que lo están agora las nuestras.» Cap. XVII: «De muchos y muy ilustres varones que de su voluntad y no por necesidad dexaron las cortes y se retraxeron a sus casas.»

po (los alimentos, el aire puro, las fiestas...), sin ilusiones, pero sin remordimientos
tal es, en resumidas cuentas la moral que se desprende de su tratado. Aparte de la indiferencia estoica y epicúrea, Horacio no había recomendado práctica diaria muy distinta a estas:

> Seu pluris hiemes seu tribuit Iuppiter ultimam,
> quae nunc oppositis debilitat pumicibus mare
> Tyrrhenum, sapias, vina liques et spatio brevi
> spem longam reseces. Dum loquimur, fugerit invida
> aetas: carpe diem, quam minimum credula postero.[65]

Cuando una obra traduce un momento de la conciencia de una clase o de un ambiente, rara vez permanece aislada y por esta razón la obra del franciscano A. de Guevara no fue más que la primera de un enjambre de tratados, poemas o diálogos, en
los que se manifiesta, a lo largo del siglo XVI, la antítesis entre corte y aldea. No pensamos que se trata con esto de un simple lugar común literario, repetido como un ejercicio escolar. La *forma*, por más retórica que fuese, no tuvo éxito sino en la medida
en que estaba cargada con un *contenido* de actualidad. Es más, fue exactamente el producto de la presión creciente ejercida sobre el individuo aristocrático por las exigencias de la vida cortesana. Una epístola de Gutierre de Cetina a Diego Hurtado de Mendoza, fechada al parecer en 1543, denuncia esta vida,[66] y hacia 1546, el mismo autor
escribe su epístola a Baltasar de León en la que opone a la perversidad ciudadana de
Sevilla la sana rudeza de la aldea andaluza.[67] En 1547, Cristóbal de Castillejo compone
su *Aula de cortesanos o Diálogo de la vida de corte* en la que el joven Lucrecio, atraído por el brillo de la vida cortesana, recibe socráticamente las lecciones de Prudencio,
hombre maduro y de experiencia, que lo desvía poco a poco del espejismo de los falsos bienes cortesanos.[68] Un manuscrito de 1552 reproduce el diálogo de Luisa Sigea
de Velasco, *Duarum virginum colloquium de vita aulica et privata*,[69] en él se debate
con gran erudición el problema de saber cuál es la vida más feliz, si la del hombre de
la corte, o la del solitario. En 1567 aparecen en Zaragoza los *Diálogos muy subtiles y
muy notables* de Pedro de Navarra, que contienen unos *Diálogos de la diferencia que
hay de la vida rústica a la noble (Doctrina muy útil para los errores de nuestros tiempos)*.[70] Entre 1567 y 1577, Gallegos, secretario del Duque de Feria, compone unas *Coplas en vituperio de la vida de palacio y alavanza de aldea*,[71] en las que se vuelve a

---

[65] Cf. *Odes et épodes*, Liber primus, XI (ed. «Les Belles Lettres», París, 1954; t. I, p. 20).

[66] *Obras de Gutierre de Cetina, con introducción y notas del doctor D. Joaquín Hazañas y la Rúa*, Sevilla, 1895, II, p. 106-116.

[67] *Ibid.*, p. 125-140. Gutierre de Cetina sostiene la opinión contraria a la que expresa Baltasar de León
en una epístola en la que desacredita la vida aldeana.

[68] Cf. *Las obras de Christóval de Castillejo...* Madrid, Pierre Cosin, 1573 (B. N. Madrid, R. 1485). Puede
verse la edición moderna de Domingo Bordona, «La Lectura» «Clásicos castellanos», 1928, III.

[69] Publicado por M. Serrano y Sanz, *Apuntes para una biblioteca de autores españoles*, Madrid, 1905,
II, p. 416-471, quien le devuelve a la obra su título primitivo. Nicolas Antonio (Bibliotheca Hispana nova,
II, p. 72) la había titulado *Dialogus de differentia vitae rusticae et urbanae*.

[70] *Pedro de Navarra, Diálogos muy subtiles y muy notables*, Zaragoza, 1567, Juan Millán. Cf. fol. 20-38
(B. N. Madrid, R. 15644).

[71] Las *Coplas* de Gallegos fueron publicadas primero por M. Serrano y Sanz *(Revista de Archivos, bibliotecas y museos*, oct. 1900) según un manuscrito de Madrid. Morel-Fatio (in *Bull. hisp.*, 1901) enmendó
la edición al utilizar, al par de manuscrito madrileño, un manuscrito de la Biblioteca Nacional de París.

tratar la ya tradicional oposición guevariana. Fuera de estas antítesis bien definidas, existe toda una literatura que, a partir de 1550, aproximadamente, recoge en forma más difusa la idea de la pureza del campo y de la impureza urbana. Dentro de esta corriente, conviene destacar los *Coloquios satíricos* del humanista Antonio de Torquemada que aparecieron en Mondoñedo en 1553.[72] En efecto, contienen dos coloquios de inspiración pastoril —el tercero y el séptimo— en los que vibra una nota nueva con respecto al estilo guevariano, del motivo del «menosprecio de Corte y alabanza de Aldea». Apoyándose en las Santas Escrituras —ya vimos que Antonio de Guevara no busca en ellas justificación alguna— Antonio de Torquemada demuestra la superioridad de la vida pastoril. Al estar cerca de la naturaleza, según les explica a dos caballeros por boca de su pastor Amintas, se halla más cerca de la felicidad sencilla conocida por el hombre antes del pecado original. Esta idea de una «natura integra» del hombre, que se vuelve a hallar en una vida conforme a las grandes verdades naturales, venía de lejos, y tal vez haya que ir a buscar sus raíces en los primeros siglos de la cristiandad, en una época en la que se intentó conciliar el concepto antiguo de «natura» con el espiritualismo cristiano. Podía darse un encuentro entre el ideal arcadio y la ética cristiana de la pureza, y precisamente, es posible que el emperador Constantino haya fusionado sentido cristiano de la virginidad y bucolismo virgiliano al interpretar la misteriosa y profética *Egloga IV* de Virgilio en el sentido de la redención del mundo y de la santificación de la naturaleza por Jesucristo.[73] Sea lo que fuere el pastor erudito de Torquemada, valiéndose de autoridades sacadas de las Escrituras, prueba que la vida pastoril es la vida de naturaleza y afirma que todo lo natural es hermoso.

La nostalgia de una «natura integra», exenta de las inmundicias de la vida de sociedad y hallada de nuevo en el sencillo existir de los campesinos, también se expresa en la *Filosofía vulgar* del humanista sevillano Juan de Mal Lara, publicada en Sevilla en 1568.[74] Pero las más hermosas expresiones de la excelencia cristiana de la vida de los labradores, creemos que hay que ir a buscarlas en fray Luis de León. Según éste, en *La perfecta casada*, la vida campesina es la más perfecta de las condiciones que el hombre casado puede conocer en este mundo:

---

[72] *Colloquios satíricos hechos por Antonio de Torquemada secretario del yllustrissimo señor don Antonio Alfonso Pimentel, conde de Benavente...*, Mondoñedo, 1533. Agustín de Paz. Publicado por Menéndez y Pelayo, in *Orígenes de la novela*, II, p. 485-581 (N.B.A.E. Madrid, 1907).

[73] En un apéndice dedicado a la vida de Constantino, Eusebio le atribuye al Emperador un discurso pronunciado el viernes santo de 313 en el que glosa la égloga IV. La tradición de la interpretación cristiana de Virgilio ha sido muy fuerte (san Agustín parece haberla avalado con su autoridad) y un pasaje de Dante *(Purgatorio*, XXII, 64 y ss.) se inspira en ella. Luis Vives se hizo el eco de esta interpretación medieval en sus *Alegorías*. Tampoco la ignora Bossuet. La crítica moderna demolió todas estas interpretaciones esotéricas devolviéndole a la égloga IV su significado primero de canto dedicado al consul Polión y María Rosa Lida de Malkiel, in *La tradición clásica en España*, N.R.F.H., 1951, n.º 2, p. 194, tenía mucha razón en subrayar las hondas diferencias que se pueden percibir entre Virgilio y el ideal cristiano. Y es cierto que la indiferencia epicúrea y estoica de Virgilio jamás fueron avaladas —y con hartos motivos— por la Iglesia Católica. Así y todo, es un hecho la tradición de la interpretación cristiana de Virgilio, y este hecho lo hemos podido señalar por su significado en cuanto al de posible encuentro entre pureza cristiana y Arcadia virgiliana.

[74] *La Philosophía Vulgar de Joan de Mal Lara, vezino de Sevilla A la C.R.M. del Rey Don Philipphe nuestro señor dirigida. Primera parte que contiene mil refranes glosados. En la calle de la Sierpe. En casa de Hernando Díaz Año 1568* (B. N. Madrid, R. 2489).

Tres maneras de vida son, en las que se reparten, y a las que se reducen todas las maneras de viviendas que hay entre los que viven casados. Porque, o labran la tierra, o se mantienen de algun trato, y oficio, o arriendan sus haciendas a otros, y viven ociosos del fruto de ellas. Y ansí una manera es la de los que labran, y llamámosla vida de labranza; y otra la de los que tratan, y llamámosla vida de contratación; y la tercera, de los que comen de sus tierras, pero labradas con el sudor de los otros y tenga por nombre vida descansada... y si alguno nos preguntare cuál de estas tres vidas sea la más perfecta, y mejor vida, decimos que la de la labranza es la primera, y la verdadera, y que las demás dos por la parte que se avecinan con ella, y en cuanto le parecen, son buenas; y según que de ella se desvían, son peligrosas. Porque se ha de entender que en esta vida primera, que decimos de labranza, hay dos cosas, ganancia y ocupación: la ganancia es inocente y natural, como arriba dijimos, y sin agravio o disgusto ajeno: la ocupación es loable; y necesaria, y maestra de toda virtud...[75]

Igualmente, en *Los nombres de Cristo*, fray Luis sitúa en el campo la limpidez moral cristiana, el verdadero y silencioso amor, la humanidad depurada, la transparencia ingenua:

La vida pastoril es vida sossegada y apartada de los ruidos de las ciudades dellas... Tiene sus deleytes y tanto mayores cuanto que nascen de cosas más sencillas y más puras y más naturales.[76]

En fin, en el comentario del *Cantar de los Cantares,* fray Luis subraya que la expresión pastoril es la más apropiada (por su misma sencillez) para expresar el más sublime amor.

El tema de la excelencia de la vida rural que un Antonio de Torquemada, un Juan de Mal Lara o un fray Luis de León habían llevado hasta altas cumbres espirituales, también merecía alcanzar las más altas cumbres de la expresión estética, y las alcanzó en las *Soledades* de Góngora («Soledad primera» y «Soledad segunda») concebidas por su autor como un gran poema capaz de igualarse en dimensiones con las *Geórgicas* de Virgilio. La primera *Soledad* describe la vida idealmente feliz, y hermosa por su sencillez, de unos cabreros; la segunda *Soledad* evoca la de unos pescadores, no menos perfecta estéticamente.

Vemos en que consistió la curva ascendente seguida por el motivo del «Beatus ille» horaciano y sus armónicos a lo largo del Siglo de Oro. La aspiración a «algo otro» de los hombres de cortes y ciudades, esa sed de evasión fuera del mundo que «asumían» diariamente vinieron a dar en una espiritualización y una elevación estética del tema en la época denominada por algunos «barroca». Pero lo «barroco» —confesamos nuestra escasa confianza en el valor nacional de este vocablo cajón de sastre en histo-

---

[75] *La perfecta casada*, B.A.E., XXXVII, cap. V. La idea de que la «antigua agricultura» es una ocupación virtuosa se encuentra a menudo en la poesía de fines del siglo XVI y de principios del siglo XVII. En el manuscrito de la B. N. de Madrid, titulado *La Guirnalda odorífera* (1603) cuya edición ha sido preparada por H. Bonneville, puede leerse (I, 368) una composición de Rodrigo Fernández de Rivera «A don Juan de Heredia capitán de infantería, de la Vida de aldea». En la vida tranquila de la aldea, no se conoce ni al vicio ni a la murmuración, afirma el autor: «Nunca se suelta al mormurar la rienda, porque donde no ai mal, no se mormura, i donde sobra el bien falta la enmienda; consérvase la antigua agricultura, de los primeros padres exercicio; de aquí con la bondad que entonces tura no ha llegado a sus términos el vicio, que son dos guardas la virtud y el miedo, que con valor i fe hazen su oficio.»

[76] *Los nombres de Cristo*, art. Pastor, in «Clás. cant.», XXVIII, p. 126.

ria literaria— fue, quizás, en este caso, la expresión del sentimiento de los nobles y de los escritores de su ambiente, de que las aspiraciones humanas por una vida hermosa y equilibrada eran halladas, irremediablemente, por su propia sociedad decadente, sujetador artificial.

Pero no sólo la búsqueda interior de la libertad por aquellos que se vieron privada de ella de alguna manera, basta para explicar el bucolismo de la literatura inspirada en el motivo del «Beatus ille». En alguna de sus manifestaciones, esta literatura presenta a veces un aspecto «geórgico» utilitario que es imposible dejar de relacionar directamente con ciertas dificultades económicas propias del desarrollo de la vida ciudadana contemporánea. En su *Menosprecio de Corte y alabanza de Aldea*, A. de Guevara exalta como una ventaja segura de la vida rural la facilidad que ahí se encuentra para el abastecimiento en trigo candeal y leña:

> Es previlegio de aldea que el que morare en ella tenga harina para cerner, artesa para amasar y horno para cocer, del qual previlegio no se goza en la corte ni en los grandes pueblos, a do de necessidad compran el pan que es duro, o sin sal, o negro, o mal lleuado o avinagrado, o mal cocho, o quemado, o ahumado, o reciente, o mojado, o desazonado, o húmedo; por manera que están lastimados del pan que compraron y del dinero que por ello dieron. No es assí por cierto en el aldea, do comen el pan de trigo candeal molido en bueno molino, ahechado muy despacio, passado por tres cedaços, cozido en horno grande, tierno del día antes, amasado con buena agua, blanco como la nieve y fofo como esponja. Los que biven en el aldea y amasan en su casa tienen abundancia de pan para su gente, no lo piden prestado a sus vezinos, tienen que dar a los pobres, tienen salvados para los puercos, bollos para los niños, tortas para offrescer, hogazas para los moços, ahechaduras para las gallinas, harina para buñuelos y aun hojaldres para los sábados.
>
> Es privilegio del aldea que todo hombre que morare en ella tenga leña para su casa, del qual previlegio no gozan los que moran en los grandes pueblos, en los quales es la leña muy costosa de comprar; porque los valdíos a do cortan están lexos y los montes cercanos están vedados. ¡O quanto va de invernar en la ciudad a invernar en el aldea!; porque allí nunca falta roble de la dehesa, encina de lo vedado, cepas de viñas viejas, astillas de quando labran, manojos de quando sarmientan, ramas de quando podan, árboles que se secan o ramos que se derronchan. Estas cosas son de voluntad, mas quando se veen en necesidad, pónense a derrocar vardas, a quemar zarças, a rozar tomillos, a escamondar almendros, a remudar estacas, a partir rozas, a arrancar escobas, a cortar retamas, a coger orujo, a guardar granzones, a secar estiércol, a traer cardos, a coger serojas y aun a buscar boñigas.[77]

Pasajes como éste no pueden explicarse por la mera imitación literaria de alguna «forma», preexistente, sino por la referencia a problemas concretos de la vida diaria en la ciudad española del siglo XVI. Ya tuvimos ocasión de indicar que el problema del abastecimiento en trigo se planteó para las ciudades castellanas, de manera aguda, a partir del reinado de los Reyes Católicos. El del abastecimiento en leña no fue menos apremiante a lo largo del siglo, con ocasión de algunos inviernos recios. Uno de los argumentos esgrimidos, hacia 1600, para apoyar el proyecto del traslado definitivo

---

[77] A. de Guevara, *Menosprecio de corte y alabanza de aldea*, chap. VI: «Que en el aldea son los días más largos y más claros y los bastimentos más baratos.»

de la Corte a Madrid había de ser precisamente la relativa facilidad con la que se podría traer leña y carbón de las sierras segovianas.[78]

No menos significativa es la manera en que a veces fue abordado Virgilio por los hombres del siglo XVI y XVII. Hay que repetirlo, los clásicos de la Antigüedad no eran para los hombres del Renacimiento unas piezas de museo, puestas en vitrinas, sino guías doctrinales y recopilaciones de recetas concretas, con aplicaciones práctias a la vida concreta diaria. Las *Geórgicas* se prestaban muy particularmente para este tipo de acercamiento y sus vulgarizadores peninsulares en los siglos XVI y XVII no dejaron de encararlas con esta perspectiva. Vieron en ellas al par que un canto a la tierra, un manual agronómico útil, de aplicación inmediata, que proponían a los terratenientes y ganaderos de su tiempo. Esta fue la postura del profesor gallego Juan de Guzmán en 1576.[79] Esta fue también la del caballerizo cordobés —cargo noble, señalémoslo de paso- Alonso Carrillo Laso, quien nos ofrece un comentario en 1625: lo que le interesa más especialmente a este especialista de la raza equina, es la descripción del caballo hecha por Virgilio en el libro III (versos 75 y ss.).[80]. Análogamente, el primer traductor portugués de las *Geórgicas* y de las *Bucólicas*, Leonel da Costa, quien, hacia 1623, estaba puliendo la edición en versos libres, que habría de aparecer en Lisboa en 1625,[81] insiste en la utilidad de los poemas por fin puestos al alcance del vulgo. En un «Louvores da agricultura» introducido a manera de prefacio, explica que las *Bucólicas* conforme al precepto horaciano, supieron aunar lo útil y lo agradable, permitiendo a Virgilio y a los Mantuanos desposeídos que recobrasen sus tierras; en cuanto a las *Geórgicas*, le proporcionan a Leonel da Costa un pretexto para un largo ditirambo en honor de la agricultura, actividad sana, de la que depende estrechamente la vida de las ciudades y que acerca a los hombres a la filosofía, cuando no a la contemplación divina.[82] Así, en la literatura no teatral del Siglo de Oro, presencia de Hora-

---

[78] Cf. Cristóbal Pérez de Herrera. *A la Católica y Real Magestad del Rey don Felippe III...*, Madrid, 1600 (cité par Pérez Pastor in *Bibliografía madrileña*, n.º 706).

[79] V. S. tão certa proteição...» (fol. 3). L'auteur s'adresse là «Ao muito illustre e generoso senhor don Antonio Mascarenhas Conde e senhor de Palma, Alcaide mor das villas de Castello da Vide, e de Trancoso» Véase el fol. 7 y ss. el importante «Prólogo del autor a los lectores» en el cual subraya el autor la utilidad del libro que traduce para quienes se dedican a la agricultura.

[80] *Caballeriza de Córdoba. Autor don Alonso Carillo Laso, caballerizo de ella, del hábito de Santiago. Al Excmo. Ser. Conde Duque, Gran chanciller de las Indias, Caballerizo Mayor...*, en Córdoba, por Salvador de Cea, año 1625, in-4.º, p. 27 (citado por Menéndez y Pelayo in *Bibliografía hispano-latina clásica*, t. VIII, C.S.I.C., 1952). Los dos primeros capítulos constituyen el comentario sobre la descripción virgiliana del caballo, y el primero lleva por título «que Virgilio escribió muy bien del caballo».

[81] Cf. *As Eglogas e Georgicas de Virgilio, primeira parte das suas obras, traduzidas de Latim, em verso solto portuguez como a explicação de todos os lugares escuros historias, fabulas que o Poeta tocou; cõ autras curiosidades muito dignas de se saberem. Author Leonel da Costa Lusitano. Em Lisboa. Impresso por Geraldo da Vinha, 1624.* El libro fue redactado antes del 20 de abril de 1623, fecha de la aprobación más antigua. De una frase de la dedicatoria puede deducirse que Leonel da Costa ofrece la primera traducción de Virgilio en lengua vulgar portuguesa: «...nao me atrevera ser o primeiro que na nossa vulgar lingoa emprendeo traduzir a Vergilio, sendo ja tantas vezes traduzido na todas as outras naçoes, se nao tivera em V.S. tao certa proteiçao...» (fol. 3). El autor se dirige «Ao muito illustre e generoso senhor don Antonio Mascarenhas Conde e senhor de Palma; Alcaide mor das villas de Castello de Vide, e de Trancoso».

[82] «...Primeiro que nos passemos ao argumento do primeiro liuro das georgicas, diremos algũs louvores da agricultura brevemente, seguindo neste particular a Alcensio. Os poetas, como diz Horacio «de arte poetica» querem com seus versos ou approveitar, ou deleitar, dizendo cousas que sejão jucundas e idoneas a vida humana...» (Fol. 42, verso.) «Inda que parece teve mais respeito ao util, que a recreação, ensinandonos a agricultura a quem da a segunda gloria e mais chegada a divina contemplação, que a qual nenhũa cousa

cio, Virgilio o Teócrito (a veces por intermedio de Ovidio) y corriente del «menosprecio de Corte y alabanza de Aldea» se interpenetran íntimamente. Hay sensibles
diferencias de acento en las obras centradas sobre el motivo del «Beatus ille...» y sus
armónicos, las cuales oscilan desde un tipo de epicureismo teñido de estoicismo hasta
un bucolismo virginal e inaccesible (espiritual o estéticamente). Pero detrás del sueño
de paz rural, descubrimos como telón de fondo común, la insatisfacción del mundo
real sentida por los hombres del medio aristocrático o urbano. Y es que, algunas preocupaciones en relación más patente con la infraestructura económica de la sociedad
bien pueden sumarse a esta inquietud espiritual y este es el punto que tenemos que
aclarar algo más de lo que lo hemos hecho hasta ahora.

---

he mais saudavel, nenhûa mais honravel, para quada hum poder mais liuremente aspirar a philosophia.
Digo que he a agricultura utilissima, porq̃ della depende toda a sustentação de nossa vida; nem sem ella
podemos viver nas cidades nem n'os montes» (fol. 42).

CAPITULO II

LITERATURA «FISIOCRATICA» Y CANONIZACION DEL CAMPESINO

Los tratados en favor de la agricultura: Juan de Arrieta, Martín González de Navarrete, Gutiérrez de los Ríos, Lope de Deza, Sancho de Moncada, F. Benito de Peñalosa y Mondragón. El desarrollo del culto a San Isidro labrador de Madrid.

El vínculo que une el tema de la «alabanza de aldea» con los problemas económicos planteados por el desarrollo de la sociedad española aparece con mayor claridad en la segunda mitad del siglo XVI y especialmente al acentuarse la crisis del campo, a partir de 1580. Después de 1600, tal relación se hace patente y se revela, sin atenuantes, en su verdadero aspecto histórico. Son dos, en particular, los sectores en los que salta nítidamente a la vista: el de la literatura económico-política y el de la ideología religiosa. Entonces surgieron numerosos tratados que predicaban las virtudes económicas de San Isidro, el labrador de Madrid.

Es tal el florecer de obras económico-políticas en las que se ensalza la tierra a fines del siglo XVI y principios del XVII que no pretenderemos señalarlas todas: muchas pertenecen a esa literatura de arbitristas de la que se burlaron los satíricos después de 1600, y no podemos sino mencionar las manifestaciones más relevantes de una corriente de pensamiento que fue verdaderamente muy amplia.[1]

Un primer tratado digno de interés, y destinado a ejercer una marcada influencia aparece en 1581. Se trata del *Despertador que trata de la gran fertilidad, riquezas, baratos, armas y caballos que España solía tener, y la causa de los daños y falta, con el remedio suficiente*[2] de Juan de Arrieta. Es obra en forma de diálogo, al estilo rena-

---

[1] Tan amplia fue esta corriente que se hallan manifestaciones de ella en obras cuya primer preocupación no es, por cierto, la economía. Vimos antes ya que el elogio de la agricultura en *La perfecta casada* (obra aparecida en 1583) de Fray Luis de León, posee un acento de tipo «pre-fisiocrático».

[2] *Despertador que trata de la gran fertilidad, riquezas, baratos, armas y caballos, que España solía tener: y la causa de los daños, y falta con el remedio suficiente.* Compuesto por el Bachiller Juan de Valverde Arrieta estante en la Corte. Dirigido al illustríssimo y Reverendíssimo señor Don Antonio de Paços, obispo y presidente del Consejo Supremo de España y mi señor. Madrid, Casa de Guillermo Drouy, impressor de libros. Año de 1581.

centista, y cuyos argumentos aparecieron reiteradas veces en trabajos de economistas posteriores a 1600. Este bien nombrado *Despertador* fue un vigía situado en las lindes de todo un movimiento de pensamiento favorable a la agricultura.[3] Presenta a un propietario de tierras, Justino, y a un jinete de viaje, Camileto, quienes con ocasión de un encuentro fortuito, entablan conversación. Justino fue abogado y practicó el arte de la oratoria. Este hombre, que conoce los dulces placeres de las Letras se ha convertido a la Agricultura y enaltece sus méritos señalados de los cuales el primero es estar conforme con la naturaleza. Incita a los gobernantes y a los funcionarios a preocuparse por el campo español, tal como lo hicieron los romanos en tiempos de la Ley agraria. Y cita a Plinio, quien exaltó el ejemplo de los dictadores, los cuales araban con sus propias manos, poniendo en ello idéntico cuidado que al ordenar las maniobras a sus ejércitos. El diálogo se acaba, al caer la tarde, con un ejemplo sacado de Plutarco, de donde Justino deduce que lo importante es labrar hondo: «Donde, queda manifiesto y claro que todo va en ahondar mucho la tierra, que natura no falta, ni jamás ha faltado».[4] Así se repite, cual hilo conductor, en todo el diálogo, el sentimiento de que las verdaderas riquezas son las naturales, que la Naturaleza no podría mentir, que en ella reside la base y el secreto de toda economía sana. Por eso puede decirse que se esboza una verdadera doctrina *pre-fisiocrática* en el tratadito de Arrieta.

Pero también conviene acordarse de que, en este trabajo, moral y economía se funden armoniosamente. Para Justino, vocero de Arrieta, no caben dudas de que la agricultura ejercida por algunas personas, puede ser un humanismo, una actividad que da un sentido virtuoso a la vida. Confiesa que si el ejercicio de las Letras es un pasatiempo agradable y placentero, el de la Agricultura no le proporcionó menos gusto y se sirve muy naturalmente de las Letras, bajo forma de referencias entresacadas de autores latinos, para justificar su arte de vivir. Puede afirmarse que Justino tiene conciencia de actuar como buen cristiano, y como dueño solícito de sus tierras, sólo después de haber oído misa sale con su caballo para que no falte en ellas el ojo del amo.

En el *Memorial de la política necesaria y útil restauración de la República de España y Estados de ella y del desempeño universal de estos Reinos... del abogado inquisitorial de Valladolid, Martín González de Cellorigo, aparecido en Valladolid en

---

El libro fue escrito antes del 16 de marzo de 1578, ya que esta es la fecha del privilegio real. Fue publicado con el *Libro de agricultura* de Herrera, Madrid, 1645 (B. N. Madrid, 3/48741). El *Libro de agricultura, que es de la labranza y crianza* de Gabriel Alonso Herrera salió por primera vez en 1513 (B. N. Madrid: R. 3867). Se trata de un tratado de agronomía, cuyas fuentes remotas son musulmanas al par que latinas. El *Despertador...* de Juan de Arrieta no es un libro de recetas agrarias, sino un verdadero ensayo de economía política. Cabe recordar, sin embargo, como un signo de la tendencia «prefisiocrática», el hecho de que el *Libro de agricultura* de Herrera haya sido reeditado repetidas veces durante el siglo XVI y a principios del XVII. Después de una interrupción de más de un siglo, estas reediciones habían de cobrar nuevos impulsos en la segunda mitad del siglo XVIII, cuando precisamente volvía a aparecer la tendencia fisiocrática. Estas son las fechas de las ediciones que pudimos encontrar en la B. N. de Madrid: 1513-1528-1551-1569-1584-1620-1645-1768-1777-1790-1818.

[3] Cf. Lope de Deza quien, en su *Gobierno político de agricultura* (1618), declara con motivo de la obra de Arrieta:

«... Que pluguiera a Dios huviera rōpido el sueño, y letargo de los que governaban aora treynta años, y estuviera esto reparado en algo...»

[4] Op. cit. (fol. 174, verso). B. N. Madrid, 3/48741.

1600,[5] se encuentran ideas aparentadas con las de Arrieta. Como él, está convencido de que, cultivada según la ley natural, la tierra española sería capaz de alimentar a una numerosa población. Pero la primera exigencia de la ley natural es el trabajo de los hombres, el único capaz de engendrar la verdadera riqueza. Por esta razón el autor denuncia las actividades no naturales, las que producen una riqueza ilusoria. Poner la riqueza en el oro y la plata, como lo hacen tantos contemporáneos suyos, es —en resumidas cuentas—, tomar la sombra por la presa, sustituir por un bien artificial un bien real.[6] Por otra parte, para Cellorigo así como para Arrieta, la economía y la ética están íntimamente unidas por sus raíces. Por ejemplo, denuncia la multiplicación increíble de los censos (contratos de hipotecas que gravan el campo) como un aspecto característico de esta economía artificial, contraria a la Naturaleza, que España se ha creado a fines del siglo XVI. Pero, coincidiendo con más de un teólogo de su época, también ve en esos excesos de la renta un atentado contra la honestidad y la virtud moral.[7] Asimismo, al examinar los medios que pueden remediar la miserable situación de la agricultura española, Cellorigo propone un cierto número de medidas adecuadas para promover el «retorno a la tierra». Las disposiciones preconizadas son tanto morales como económicas: proporcionarle primero al villano la libertad económica (supresión de la tasa de pan), favorecer la propiedad media por una parte, pero también, por la otra, otorgar privilegios de honra y estima social a algunos villanos. Así, para Cellorigo, lo que es natural es virtuoso. No sería muy distinto el lenguaje empleado por los teóricos fisiocráticos del siglo XVIII, quienes a su vez, habrían de hacer coincidir naturaleza y virtud.

En el mismo año 1600, en que aparecía en Valladolid el tratado de G. de Cellorigo, salía de las prensas de Pedro Madrigal en Madrid, una obra de L. Gaspar Gutiérrez de los Ríos, profesor de ambos derechos y letras romanas: *Noticia general para la estimación de las artes...*[8] En este tratado el autor quiso, apoyándose en la distinción aristotélica y ciceroniana entre «artes» y «oficios», exaltar la nobleza de algunos trabajos. Llama nuestra atención porque se encuentra en sus razonamientos la preocupación por valorar la agricultura y de subrayar méritos ya indicados por Arrieta y Cellorigo. En efecto, apoyándose en el pensamiento aristotélico y unas referencias sacadas de la historia de la antigüedad greco-latina, G. Gutiérrez de los Ríos se esfuerza en demostrar que la agricultura ejercida en determinadas condiciones, puede ser como

[5] Martín González de Cellorigo, *Memorial de la política necesaria y útil restauración de la República de España y Estados de ella y del desempeño universal de estos Reinos...* Valladolid, 1600 (B. N. Madrid, R. 13027).

[6] «El mal es muy cierto que procede de menospreciar las leyes naturales que nos enseñan a trabajar; y que de poner la riqueza en el oro y la plata, y dejar de seguir la verdadera y cierta que proviene y se adquiere por su natural y artificial industria, ha venido nuestra República a decaer tanto de su florido estado.» (Fol. 1.)

[7] Cf. fol. 6: «Esto es lo que tan al descubierto ha destruido esta república y a los que usan destos censos, porque atenidos a la renta, se han dejado de las operaciones virtuosas de los oficios, de los tratos, de la labranza y crianza, y de todo aquello que sustenta los hombres naturalmente.» Noter la défense du commerce «naturel».

[8] *Noticia general para la estimación de las artes y de la manera en que se conocen las liberales de las que son mecánicas y serviles, con una exortación a la honra de la virtud y del trabajo, y otras particulares para las personas de otros estados. L. Gaspar Gutiérrez de los Ríos, professor de ambos derechos y letras humanas, natural de la ciudad de Salamanca. Dirigido a don Francisco Gómez de Sandoval y Rojas. En Madrid, por Pedro Madrigal, año 1600* (B. N. Madrid, R. 28056).

La suma de privilegios es del 13 de diciembre de 1599 y la aprobación de Fray Prudencio de Sandoval del 2 de diciembre de 1599.

el dibujo, por ejemplo, puede ser un arte liberal. En un proemio, el autor no disimula que, al querer demostrar que la agricultura no es un arte servil, lo hace por sentirse afectado viéndola tan decadente y abandonada en su España. Con la preocupación de ser útil a la República, quiere darle nuevo lustre y hacerla grata a sus conciudadanos.[9] La primera autoridad citada es la de Jenofonte, quien, en su *Económica*, pudo afirmar que merecía ser ejercida no sólo por los hombres libres, sino también por los más ricos y honrados. Otra autoridad mencionada es la de Cicerón en su *De Oficis*. No haya arte de entre los que engendran algún provecho que sea —según afirma— más dulce, más fecundo, más digno de un hombre libre.[10] Con fervientes interrogaciones oratorias, G. Gutiérrez de los Ríos pregunta entonces si hay, en efecto, arte más virtuoso y más conforme a la voluntad divina. Lo que produce la agricultura procede directamente de la mano de Dios, y en esto radica su nobleza esencial.[11] Para saber que la agricultura recibió la bendición divina, basta con recordar que se dedicaron a ella Adán y sus hijos, nuestros primeros antepasados, y luego, los Profetas y los Justos. También basta con recordar que en Roma, la mayor alabanza que se pudiera recibir era la de ser calificado de «buen labrador». Notemos además —dice el autor— que la agricultura incita a la contemplación y a la religión. ¿Quién sino el labrador vive con mayor temor de Dios? ¿Quién es más perseverante en su religión sino él?[12] Fueron los campesinos los primeros en inventar las danzas dionisiacas, los primeros en sacrificar a la diosa Ceres. Los primeros en reconocer al Dios cristiano fueron pastores. Hoy, por fin, desde que empieza la siembra hasta terminar las mieses, ¿acaso no tienen los labriegos la mirada puesta constantemente en el cielo, ya sea para prever el tiempo, para invocar a Dios? Ningún arte engendra deseos más puros que la agricultura. El jurista va en busca de pleitos, el médico de enfermedades, el soldado de guerras, pero el campesino sólo pide buenas mieses. El labrador no está resentido con nadie: cuida de las plantas y cosecha sus frutos, alabando a Dios. Se ve cómo G. Gutierrez de los Ríos insiste sobre los efectos virtuosos de la vida rural en el alma. Pero lo interesante para nosotros es el que haya confesado en su proemio que la necesidad económica contemporánea lo había llevado al elogio de la vida agraria. Esto, no debemos olvidarlo para comprender lo que puede haber de fisiocratismo *avant la lettre* en la postura de nuestro autor. Tampoco podemos olvidarlo, cuando, inspirándose en cierto modo en la idea del «Beatus ille» horaciano, evoca de repente la regalada vida de la aldea:

> «¿Ay vida q̄ se pueda dezir mas dulce q̄ la q̄ se passa cō ella en el cāpo? ¿En el invierno dónde se hallarā los fuegos y lumbres más abundantes, y los baños calientes más de provecho? ¿En el estío dōde se hallarā las sombras y ayres más dulces? ¿Los días de fiesta ay donde se celebren mejor, ni más alegremente que por los labradores?»

---

[9] Cf. fol. 228: «Lo qual hago de industria movido de verla tā abatida y olvidada en estos Reynos, para que volviendo por su honra y mostrando quā liberal y digna de todos estados es, por nobles que sean, fuera de la mucha utilidad y provecho que della se sigue generalmente a la República, ya todos en particular, dexādo otros ejercicios q̄ tanto se usan, indignos de hombres gentiles, quanto más de los que son christianos, nos animemos sobre porfía a amarla, hōrarla, y exercitarla.»

[10'] Cf. fol. 238: «Omnium autem rerum, ex quibus aliquid acquiritur, nil est agricultura melius, nil uberius, nil dulcius, nil homine libero dignius.»

[11] Cf. fol. 132: «El primer trato desta arte se haze cō Dios, el qual liberal y graciosamēte nos da ciēto por uno sin usura: en otras no es assí, como todos sabemos... que es lo que la haze ser más noble y más justificada.»

[12] Cf. fol. 236.

[13] Cf. fol. 237.

En estos interrogantes, el idilio campesino entra como argumento ideológico y no como un tema literario elaborado, pero cabe recordarlo para apreciar el significado histórico del tema desarrollado en su plenitud literaria y lírica.

En el trabajo de Lope de Deza, *Gobierno político de la agricultura*, publicado en Madrid, en 1618,[15] no es menor el vínculo entre la moral y la economía que en las obras de sus antecesores. Lope de Deza llega a ser exclusivo: entre todas las actividades ejercidas para ganar dinero, afirma que la única virtuosa es la agricultura por ser la única conforme a la ley natural.[16] Como la mayoría de los economistas de la época, nuestro autor saca abundante argumentación de las Escrituras o de los autores grecolatinos para defender a la agricultura; no se le olvida ninguno de los ejemplos rituales: ni el Paraíso terrenal, primer ámbito de la agricultura, ni las clásicas historias de los senadores romanos que araban sus campos. Si Lope de Deza se aplica así en demostrar la honorabilidad y la virtud profunda del trabajo de la tierra, también lo hace —y lo proclama sin rodeos— por la necesidad y la urgencia contemporánea, ya que España necesita alimentos.[17] No pocos pasajes de la obra de Lope de Deza se inspiran en los de Arrieta, como él mismo lo confiesa, motivo por el cual no pensamos que sea preciso detenernos más en ella.

En verdad, a partir de Lope de Deza, puede decirse que en lo esencial, los economistas defensores de la agricultura ya no hacen sino repetirse. A menudo esgrimen los mismos argumentos y esto ocurrirá durante muchos años hasta el siglo XVIII, lo que viene a confirmar que el fisiocratismo del siglo de las luces fue preparado, al fin y al cabo, durante los años decisivos del Siglo de Oro en los cuales la crisis del campo impuso su urgencia a las mentes más lúcidas. Por lo tanto citaremos únicamente los nombres de los autores más importantes que en aquel entonces se interesaron por la defensa de la agricultura, subrayando justamente su aspecto moral y su necesidad económica. El doctor Sancho de Moncada autor de la *Restauración política de España y deseos políticos...*, publicada su obra en 1619;[18] como sus predecesores, llama la atención sobre la emigración de los labradores, su miseria:

> El campo está erial, huidos los labradores de pobreza, cargados de censos y ejecutores.[19]

La obra de Sancho de Moncada también demuestra que hay que hacer todo lo posible por detener este proceso social, ruinoso para España toda, devolviéndoles la con-

---

[14] Cf. fol. 223.

[15] *Gobierno polýtico de Agricultura, contiene tres partes principales. La primera propone la dignidad, necessidad y utilidad de la Agricultura. La segunda, diez causas de la falta de mantenimiento y labradores en España. La tercera, diez remedios, y las advertencias y conclusiones que de todo el discurso se pueden sacar. Compuesto por Lope de Deça. En Madrid por la viuda de Alonso Martín de Balboa. Año de 1618* (B. N. Madrid, R. 12726).

[16] Cf. fol. 2: «la agricultura excede en nobleza a los demás artificios y adquisiciones pues ella sola es la natural, digna de nobles, de virtuosos y de sabios... las demás suertes de granjear son invención humana dignas de odio y de infamia, por ser fuera de naturaleza y contrarias a la virtud, o a lo menos que se ejercitan sin ayuda de ella...»

[17] Fol. 10 r°-v°: «Visto la nobleza que la agricultura exercitada con virtud trae consigo, y su honesta recreación que sólo bastava para atraer a sí los más y mejores ciudadanos, la necessidad que della tenemos es de suerte, que quãdo fuera vil y desapazible, nos forçara a seguilla, y procurarla...»

[18] *Restauración política de España y deseos públicos... por Sancho de Moncada, catedrático de Sagrada Escritura en la Universidad de Toledo.* Luis Sánchez, Madrid, 1619. (Censura del Padre Maestro Fr. Diego de Campo, para la Inquisición de Toledo, del 3 de enero de 1619). (B. N. Madrid, R. 15522).

[19] *Ibid.*, Disc. VII, cap. I.

fianza a las gentes del campo. Tal es el favor de los lectores y el interés público despertado por su libro que, a los dos años, la obra queda agotada; no se encuentra en librerías y Sancho de Moncada puede presentar en las Cortes un pedido de subvención para una reedición.[20] La *Conservación de Monarquías*, del licenciado Pedro Fernández Navarrete, aparece en Madrid, en 1626. El Discurso XXXIV va dedicado a los campesinos, definidos como quienes constituyen el estado más importante de la república: una vez más, Cicerón, Virgilio, Platón traen argumentos para la demostración ¡y una vez más, se pide que se les concedan privilegios especiales a los labradores! Porque la ruina de estas gentes es inimaginable, expone Navarrete. Para dar una imagen sobrecogedora de la decadencia agraria y de la despoblación de los campos, nuestro autor cita un texto del Concejo de Castilla de 1619:

> ...que las casas se caen y ninguna se vuelve a edificar, los lugares se yerman, los
> vecinos se huyen y ausentan y dejan los campos desiertos...[22]

F. Benito de Peñalosa y Mondragón publica en Pamplona, en 1629, su *Libro de las cinco excelencias del español que despueblan a España para su mayor potencia y dilatación*.[23] Consta de dos partes distintas: la primera trata genéricamente de las «cinco excelencias del español», causas del despoblamiento de España; la segunda aplica cada una de las cinco excelencias a la agricultura y demuestra que volviendo así a su condición natural, a su antiguo ser, pueden constituir el factor decisivo del restablecimiento económico.[24] En este autor se encuentra la idea ya expresada por Arrieta y reiterada por Lope de Deza, que otrora la tierra española fue un incomparable vergel y que sólo aspira a volver a serlo. Por fin en la *Restauración de la abundancia de España o prestantísimo, único y fácil reparo de la carestía general* de Miguel Caja de Leruela, aparecida en Nápoles en 1631,[25] reaparecen los temas rituales de la pasada

---

[20] Cf. *Actas de Cortes*, XXXVII, pp. 148-149: «En Madrid 11 de octubre 1621». El propio Sancho de Moncada presenta su demanda: «... y es assí que del dicho libro ay demanda y deseo general...» Cf., p. 443, sesión de la tarde del 19 de noviembre de 1621, examen de la demanda de Sancho de Moncada:

> «... viesen un libro de la rrestauración política de España que el dicho doctor imprimió, i por
> averse gastado y no allarse ninguno siendo tan importante para todas materias políticas...»

[24] Pedro Fernández Navarrete, *Conservación de monarquía*, Madrid, 1626 (B. N. Madrid, R. 16663). También puede leerse la obra de Navarrete in B. A. E., XXV.

[22] Ed. de 1626, fol. 8.

[23] *Libro de las cinco excelencias del español que despueblan a España para su mayor potencia y dilatación*... Por el M. Fr. Benito de Peñalosa y Mondragón, Monge Benito... Año 1629... en Pamplona por Carlos de Labayén, Impressor del Reyno de Navarra (B. N. Madrid, 21013).

[24] La segunda parte se inicia en el fol. 163. Al verso de este folio, un prólogo anuncia la intención que rige esta segunda parte:

> «Para tratar deste punto cõ la inteligencia y fundamento que pide, primero se han de ponderar dos cosas. La primera, quál sea el aprecio y estima q̄ de las letras divinas y humanas se collige aver dado a la Agricultura, y al Labrador.
> «La segunda, el desprecio y abatimiento en que el dicho estado y labor de campo, oy se hallan en nuestra España injustamente sin merecerlo. Para que se concluya en la tercera parte, que dándole la estima y honra que conviene, y es proporcionada al natural Español según su inclinación, buelva a su antiguo ser y tenga en proporción el lustre, y multiplico que los demás estados tienen por el crecimiento desta Monarquía, y aun sería mayor el número y más copiosa la población de Labradores, que en ningún otro tiempo que aya avido en España.»

[25] Miguel Caja de Leruela, *Restauración de la abundancia de España, o prestantísimo, único y fácil, reparo de la carestía general;* Nápoles, 1631 (B. N. Madrid 6164).

edad de oro agraria, de la ruina contemporánea de los villanos, de la alegría de la vida pastoril llevada armoniosamente en el marco de una Naturaleza generosa. La idea de que el respeto de la ley natural es la condición de la abundancia, es quizás más fuerte aún en este autor que en los precedentes: en el conflicto entre ganadería y labranza, este partidario de la Mesta concede sus favores al primero, aparecido en la historia de la humanidad antes que el segundo; y si —piensa él— la España de 1620-1630 conoce la ruina, entre otras razones es por el desarrollo del cultivo de viñedos en perjuicio de los pastoreos reservados tradicionalmente a los rebaños. En definitiva, en la antigua pugna entre ganaderos y labradores, está de parte de Abel, contra Caín. No es necesario subrayar hasta que punto esta idea de Miguel Caja de Leruela podía hallar en un Virgilio actualizado, interpretado en función de las necesidades contemporáneas, una «autoridad» hecha a medida. En la famosa *Egloga IV*, en efecto, el poeta mantuano había anunciado la edad de oro por venir como aquella en la cual, no sólo sería suprimido el comercio, sino que también el suelo produciría por sí solo sin que lo cultivasen con herramientas y en la cual los rebaños se multiplicarían naturalmente:

> hinc ubi iam firmata virum te fecerit aetas,
> cedet et ipse mari vector, nec nautica pinus
> mutabit merces : omnis feret omnia tellus.
> Non rastros patietur humus, non vinea falcem;
> robustus quoque iam tauris iuga solvet arator;
> nec varios discet mentiri lana colores,
> ipse sed in pratis aries iam suave rubenti
> murice, iam crocea mutabit vellera luto;
> sponte sua sandyx pascentis vestiet agnos.

Se encuentra constantemente en los autores de los años 1590-1630 esta antigua idea de que la introducción de las técnicas agrícolas significó para la humanidad el fin de la Edad de Oro.[26] Sabido es, por ejemplo, que Cervantes la trata elocuentemente en el discurso de don Quijote a los cabreros. Su uso por Miguel Caja de Leruela, en una perspectiva de economía política pura, tiene por ventaja la de mostrarnos de que manera, hacia 1590-1630, el tema podía conectarse con razones históricas concretas: el motivo no sólo era estético, sino que se situaba en el meollo de un debate ideológico que nacía del trastorno de ciertas estructuras agrarias (creciendo la agricultura y en especial el cultivo de la vid en desmedro de la ganadería unida tradicionalmente a la propiedad comunitaria) durante la segunda mitad del siglo XVI.

---

[26] Virgilio, en un pasaje de las *Georgicas*, precisa su idea al vincular la edad de oro con el estado social conocido por la humanidad cuando las riquezas naturales —especialmente la tierra— eran compartidas en común (hoy todos los sociólogos saben que al sustituirse la agricultura a la ganadería primitiva, se desarrolló la propiedad privada):

«Malebant tenui contenti vivere cultu: ne signare quidem, aut partiri limite campum fas erat»

Joaquín Costa, in *Colectivismo agrario en España*, ed. Américales, Buenos Aires, 1944, pp. 50-51, núm. 4, señala que este pasaje de las *Geórgicas* fue citado a menudo por teóricos en derecho o en economía hacia 1600. Indica que se lo encuentra en el *De Rege* de Mariana (lib. I, cap. I, p. 17 de la edición de 1599) y agrega:

«... Este pasaje de las Geórgicas virgilianas era muy socorrido y de obligada cita en aquellos tiempos: no falta en el *Tratado* de fray Alonso de Castillo; y pocos años después de Mariana lo retraía a igual propósito Hugo Grocio en su magna obra «De jure belli ac pacis.»

Estos son los principales economistas, quienes desde 1580 hasta 1635 aproximadamente, claman por la restauración del campo español con un espíritu de retorno a las leyes naturales. No cabe duda de que este prefisiocratismo del Siglo de Oro, anuncio del fisiocratismo que iba a florecer en el siglo XVIII, expresa el interés de los grandes terratenientes o de los ganaderos, grandes o medianos, de la mesta poco favorables, por tradición feudal, a las nuevas formas de la economía manufacturera y monetaria vinculadas con el crecimiento urbano. La mayoría de estos autores se colocan desde el punto de vista de las clases nobles que vivían en lo esencial de la renta del suelo, incapaces de renovarse y entrar audazmente en el negocio mercantil,[27] tal como lo hacían los nobles ingleses en el mismo momento. Sería erróneo ver otra cosa en ello. Sin embargo, en el mismo momento, estos nobles llevados por el impulso urbano, son los primeros en dejar los campos, los primeros en abandonar las aldeas por la ciudad. La contradicción entre la teoría y la práctica no es aquí sino uno de los tantos reflejos de la contradición general que desgarra a la sociedad española después de 1600.

Hasta la misma ideología religiosa expresó en cierto modo esta contradicción, surgida del afloramiento y de la prolongación de las estructuras medievales españolas en el mundo moderno. También ella refleja el movimiento histórico que llevó a los ciudadanos a interesarse cada vez más por un campo del cual tenían necesidad. El indicio más visible de esta orientación se cifra en el desarrollo del culto a san Isidro labrador, a fines del siglo XVI y principios del XVII, En efecto, éste es el hecho: Madrid pasa de 748 vecinos en 1530, a 7.500 en 1594;[28] y a partir de 1606, cuando la antigua aldea se vuelve residencia fija de la Corte, se acelera súbitamente el ritmo de crecimiento de la población. Ahora bien, sólo en esos años, en el momento en que Madrid se vuelve una gran ciudad, y luego la capital de España, piensan en darle como protector a un santo exhumado de su propio pasado de aldea, que había vivido cuatro siglos antes. Por una paradoja, cuando se vuelve verdaderamente ciudad, aunque siguieron llamándola villa, es cuando Madrid siente la necesidad de definirse como aldea.

El texto más antiguo en el que se habla de Isidro en Madrid es la biografía latina

---

[27] Aquí no hacemos sino destacar la tendencia predominante entre los nobles castellanos de la época. Desde luego, no ignoramos que algunos de sus miembros manifestaron interés por los negocios. Cf. el estudio de Basas sobre los hidalgos-mercaderes de Burgos Juan y Francisco de la Presa, parientes del famoso Simón Ruiz, in *Boletín de la Institución Fernán González*, XI (1954) Si bien tales ejemplos son muy interesantes en señalar, no bastan para contrarrestar la tendencia general que observamos. Después de 1621, el conde duque de Olivares, junto con una fracción de la aristocracia que tenía intereses en los negocios sevillanos (en las almadrabas, por ejemplo) intentó precisamente ir contra esta tendencia, y ¡no lo logró! Véase también José Larraz, *La época del mercantilismo en Castilla*, 3.ª ed., Madrid, 1963.

[28] Según Tomás González, *Censo de población y partidos de la Corona de Castilla en el siglo XVI...* (ed. de Madrid, 1829), p. 96, en que el autor reproduce (Apéndice III) una *«planta de la población de la villa de Madrid en el año 1597, formada por las matrículas originales del cumplimiento pascual en dicho año».* En nota, Tomás González escribe:

«Computando pues cada familia de Madrid a razón de cinco personas por familia, resulta que, en el expresado año de 1597, habrá en la dicha villa 57.285 almas.

«En el año 1530 tenía Madrid 748 vecinos pecheros. En el año 1646 ascendió su población a 74.435 vecinos, inclusos 1.134 clérigos:; y había además por cima de 20.000 personas fuera de matrícula.

«Toda la provincia de Madrid subía en dicho año de 1646, a 88.006 vecinos.

«Calculando que Madrid tuviese en el año 1530 sobre los 748 vecinos pecheros hasta mil vecinos de todos estados, su población sería entonces de 5.000 almas, y 116 años después 392.175, de suerte que se aumentó en poco más de un siglo en 387.175 almas.»

denominada de Juan Diácono, y que conservaron la iglesia de San Andrés y la catedral en forma de códice desde principios del siglo XVI por lo menos hasta 1936.[29] Verosímilmente, hay que identificar a Juan Diácono con el franciscano Johannes Aegidius Zamorensis, llamado comúnmente Gil de Zamora, que vivió en la segunda mitad del siglo XIII, hacia 1232-1275, y fue secretario de Alfonso el Sabio y preceptor de don Sancho el Bravo.[30] Se le debe a este autor una contribución a la elaboración de algunas leyendas milagrosas como la de san Ildefonso, y es probable que su papel haya sido importante en la génesis de la historia del labrador madrileño. La leyenda hagiográfica de Isidro de Madrid, en sus primeros elementos, remonta pues por lo menos, a principios del siglo XIII. Esto puede afirmarse con seguridad. Por el contrario, resulta aventurado adelantar cualquier cosa en lo que atañe a la existencia histórica de Isidro. La biografía que se debe a la pluma de Juan Diácono presenta los rasgos propios de los relatos hagiográficos medievales, elaborados y adornados por una transmisión oral anterior, y resulta muy difícil detectar en ella los pocos elementos de verdad histórica que constituyeron probablemente el origen de la piadosa leyenda. ¿En qué época vivió Isidro? Es dificilísimo fijarla con precisión. Lo único que se puede asegurar es que en el momento de la canonización, por los alrededores de 1600, prevalecía la opinión, algo borrosa[31] de que había vivido hacia fines del siglo XI o principios del XII, o sea más de un siglo antes que Juan Diácono fijara por escrito su biografía. Este solo intervalo, de ser exacto, invita a la mayor prudencia en lo que atañe a la historicidad del relato más antiguo de la vida del santo.

Lo que también se puede decir es que, antes de fines del siglo XVI, el culto de san Isidro labrador es un culto de poca difusión y casi ignorado en Roma. Las primeras ordenanzas de la cofradía —que pueden leerse en el Archivo del Ayuntamiento de Madrid— parecen ser de 1487. A principios del siglo XVI, gracias a la emperatriz Isabel, el culto se desarrolla localmente, y recibe un inicio de consagración por parte de las autoridades eclesiásticas. En San Andrés se visitan con regularidad las reliquias del santo y pueden revelarse las fechas de esas «visitaciones corporis» a lo largo del siglo XVI en el *Libro de ordenanzas de la cofradía de San Isidro*, conservado en el Archivo del Ayuntamiento de Madrid: 1504, 1510, 1514, 1519, 1534, 1541, 1551, 1553, 1564, 1566, 1567, 1568, 1570, 1572, 1574, 1579, 1584, 1593, 1594, 1595. En esta época, la cofradía

---

[29] Este códice fue mencionado en los inventarios de 1504, 1516, 1566 (Cf. Archivo del Ayuntamiento de Madrid). Según nos informaron, habría desaparecido en 1936. Fue publicado por el padre Fidel Fita in *Boletín de la Real Academia de la Historia*, IX, pp. 102-157.

[30] Sobre Gil de Zamora véase la introducción de Manuel de Castro y Castro, *Gil de Zamora, Fr. Juan, De preconiis hispaniae*, Madrid, 1955. las razones que incitan a identificar a Juan Diácono con Gil de Zamora van indicadas por el padre Fidel Fita in B. R. A. H. (1886), pp. 97-157. Vuelve a usarlas Z. García Villada, *San Isidro en la historia y la literatura*, in *Razón y Fe*, 1922, 62, pp. 36-46. Puede subrayarse que Juan Diácono alude a acontecimientos de 1271 y habla de Alfonso el Sabio como si fuera contemporáneo.

[31] Lope de Vega, quien tuvo que evocar los tiempos en los que había vivido el labrador, nos ofrece un ejemplo de estas fluctuaciones. En la comedia *San Isidro labrador de Madrid*, en una predicción «a posteriori» sitúa la muerte de Isidro unos quinientos años atrás:

«que su carne dura entera
cerca de quinientos años»

En un interrogatorio de 1612, ante testigos, Lope fecha esta muerte en más de cuatrocientos cincuenta años atrás: «dixo que según es público y notorio y tradición e historias, sabe que el dicho siervo de Dios Isidro ha más de cuatrocientos e cincuenta años que murió...» *(Vide infra, p. 218).*

vive y se reune con frecuencia. Además las ordenanzas que regulan esta existencia van siendo modificadas, completadas, a lo largo del siglo. A mediados de siglo, en 1554, las modificaciones aportadas parecen precisamente reflejar un afluir de adhesiones procedentes de diferentes capas sociales:

> ...Este dicho día ordenaron los señores quatros y mayordomos en nombre de todo el cabildo que porque bienen muchas personas de calidades bajas y altas que las reciban por cofrades de cabildo de señor Sanct Isidro y si a todos reciviesen según es lo que dan de entrada tan poco por la mucha gente que ay de cofrades pobres vernía el cabildo a desmuynución [sic] por el grande gasto que ay, está acordado y ordenado que cada uno que quisiere entrar por cofrade en este honrado cabildo de señor de Sanct Isidro que dé por su entrada quince reales y una libra de cera y un real para una candela y que pague su entrada al tiempo que es costumbre.[32]

Si bien este texto prueba sin lugar a dudas una extensión del culto en Madrid, tampoco debe hacer olvidar que las autoridades eclesiásticas parecen preocuparse entonces casi tanto por su control y vigilancia como por su intensificación. Tal vez exista una relación entre esta vigilancia y el movimiento de estricta ortodoxia católica que se desarrolla en ese momento. A partir de 1550, la contabilidad de la cofradía, los estatutos y su observancia son objeto de inspecciones y frecuentes exámenes por parte de las autoridades religiosas. Con ocasión de su inspección del 8 de enero de 1557, el reverendo señor Maestro Mendes se percata de que los estatutos de la asociación no fueron confirmados por ningún prelado, y manda que sean presentados dentro de los treinta días so pena de excomunión y otras condenas.[33]

Por otra parte se puede notar que hasta 1580 aproximadamente, el culto de Isidro está aún muy localizado. En las rúbricas de las *Relaciones topográficas* (1575-1580) dedicadas a la veneración de los santos, y que se refieren al conjunto de los pueblos de Castilla la Nueva, se encuentran escasas referencias al héroe madrileño. Incluso en los pueblos de la provincia de Madrid, el nombre del labrador no parece despertar ecos populares, ya que sólo se lo encuentra mencionado en la relación de *Los Santos de la Humosa*.[34] En la provincia de Guadalajara el día de san Isidro es feriado en sólo tres sitios, en *Carrascosa de Henares*,[35] *Albalate de Zorita*[36] y *Membrillera*.[37] En *Mesones*, donde existe un oratorio del santo, se sabe que su cuerpo se halla en Madrid,[38] pero

---

[32] Cf. *Ordenanzas de la cofradía de San Isidro* in ms. 2.ª-285-1.

[33] *Ordenanzas de la Cofradía de San Isidro* (Archivo del Ayuntamiento de Madrid, 2ª-285-1): «... Otrosí vido y visitó sus estatutos y ordenanças que tienen para ver si las cumplen e guardan y halló que no están confirmadas por ningún perlado aunque es cofradía muy antigua...»
Las restricciones que sufrió en ese momento la práctica del culto de San Isidro vienen confirmadas por Joseph de la Cruz, en su *Vida de San Isidro labrador*, Madrid, 1741, libro III, p. 176. (Este autor pudo compulsar los archivos de San Andrés)

> «... Don Gómez Tello Girón... estrechó esta devoción, prohibiendo con censuras, que se abriesse el sepulcro de el Santo, y haciendo que se cercenassen las demostraciones, que se ejecutaban en su veneración, con el pretexto de que no estaba canonizado por la Santa Sede, a que se agregaron las escrupulosas reflexiones de algunos críticos menos devotos...»

[34] Cf. ms. Escorial, V, fol. 103.
[35] *Ibid.*, VI, fol. 410.
[36] *Ibid.*, IV, fol. 402.
[37] *Ibid.*, VI, fol. 416.
[38] *Ibid.*, fol. 76., VI.

esta precisión de los conocimientos relativos al culto constituye realmente una excepción en esta provincia de Guadalajara en donde sin embargo una tradición sitúa el nacimiento de Isidro y de María de la Cabeza, su esposa. En *Uceda* por ejemplo, se guarda en el oratorio de Santa María de la Cabeza el cráneo de un ermitaño, llamado Isidro que bien parece ser confundido con nuestro labrador.[39] Pero en *Aldovera* sobre todo, en la región de Pastrana, se confirma la ignorancia en la que se encuentran los campesinos de Castilla la Nueva con respecto a una tradición localizada exactamente en Madrid. Los testigos del lugar creen que Isidro fue un hombre de su aldea, e incluso que sus reliquias piadosamente conservadas por sus antepasados, habían podido provocar una lluvia milagrosa hacia 1500:

> Dícese que en este pueblo hubo un hombre de santa vida, que se decía Isidro, que estaba a soldada con un vecino de este lugar, y tenía destajado en su soldada con el amo, que había de oir misa cada día y que hizo Dios nuestro señor por él en su vida muchos milagros; porque se dice que yendo el amo a ver lo que hacía, tenía poco arado, y el amo hubo enojo con él, y el santo había arado poco por haber estado en oración y contemplación, y prometió al amo que él emendaría al día siguiente aquella falta. Al otro día, yendo el amo a verlo, vido antes que llegase, arando dos pares de mulas en su hacienda y, desde que llegó no vio más de sus mulas y arado como de dos pares; el amo le preguntó que si le había ayudado a arar alguien y como el santo no había visto que le ayudase alguien, dijo que no, y el amo calló lo que había visto entonces. También se dice que un arroyo de agua nace en la cabeza de la vega, de grueso de un muslo, muy cierta y continua siempre, fue por milagro que hizo Nuestro Señor por el santo hombre; yendo el amo a verlo en el verano que hacía mucho calor, le preguntó que si daba agua a sus mulas y él dijo que sí, y el amo le tornó a preguntar que a dónde, porque entonces no había agua por allí, y que el santo dio un golpe con el aguijada y le dijo: aquí, y aquí salió aquel arroyo de agua, y desde que el amo vido el milagro, le dijo que él quería ser de allí adelante su criado y que él mandase en su hacienda. Después que este santo murió tenían los huesos en un relicario, y un año muy estéril y falto de agua el verano, allá en abril o en mayo, llevaron los de este lugar en procesión los huesos de este santo a la fuente; aunque hacía el día claro cuando salió la procesión, a la vuelta para el pueblo llovió mucho, y esto (yo) Mateo Sánchez, que sería de edad de 7 u 8 años, lo vi, y habrá agora 79 años, que voy con el año y (soy) uno de los que declaran... (La déclaration est du 4 février 1579.[40])

Al mismo tiempo que subraya que fuera del propio Madrid el culto de Isidro no era sentido como un culto específicamente madrileño hacia 1570-1580, la tradición de Aldovera nos demuestra que tal culto podría haber surgido en esta época en otros muchos lugares de Castilla la Nueva, y esto por razones de medio geográfico muy evidentes. Este culto existía en potencia por doquier en las tierras de secano en las que faltaba el agua para la agricultura. El motivo de los dos pares de mulas labrando el campo en lugar de Isidro en el relato de Aldovera parece derivar formalmente del tema madrileño,[41] pero los milagros atribuidos al santo, los que hacía brotar fuentes, y sobre todo el de la lluvia benéfica lograda al venerar sus reliquias, son otros tantos mo-

---

[39] Cf. ms. Escorial, VI, fol. 27.

[40] Relación de *Aldovera*, ms. Escorial, V, fol. 559-563.

[41] Sabido es que, según la leyenda madrileña, se trata de dos pares de bueyes. La sustitución de los bueyes por las mulas en Aldovera parece indicar que no es muy antigua la tradición de este pueblo. El uso de mulas en lugar de los bueyes, en Castilla la Nueva, se generalizó sobre todo en el transcurso del siglo XVI.

tivos que se encuentran vinculados con otros muchos santos aldeanos de Castilla la Nueva hacia 1575-1580. Para verlo, basta con hojear las *Relaciones topográficas.* En este punto, la mitología isidoriana no tiene nada de específicamente matritense.

Así como no se encuentra en las *Relaciones topográficas* —exceptuando la relación de Aldovera— una extensa alusión al culto del labrador madrileño en Castilla la Nueva hacia 1575-1580, así también a menudo es omitido su nombre en las numerosas *Flores sanctorum* publicadas a fines del siglo XVI.[42] Hasta recopilaciones que presentan a bienaventurados no canonizados, objetos de un culto popular, ignoran su nombre. Abrase por ejemplo, la *Flos sanctorum tercera parte y historia general en que se escribe las vidas de sanctos extravagantes y de varones ilustres en virtud: de los cuales los unos por aver padecido martyrio por Iesú Christo, o aver vivido vida sanctíssima, los tiene ya la iglesia cathólica puestos en el cathálogo de los sanctos: los otros q̄ aún no están canonizados, porque fueron sus obras de grande exemplo, piadosamente se cree que están gozando de Dios, en compañía de sus bienaventurados,* Toledo, 1589, Iuan y Pedro Rodríguez hermanos». Isidro está ausente. Recórranse las distintas ediciones de la *Flos sanctorum...* de Alonso de Villegas, a quien le debemos sin embargo, una vida de Isidro;[43] la edición de 1591 (Viuda de Juan Rodríguez, Toledo) por ejemplo, que parece ser la más completa; el autor cita en ella a santos venerados por los campesinos, tales como San Abdón, y San Senén; también explica que los fieles veneran a santos que no figuran en el breviario romano, y cita a algunos de estos «santos extravagantes» en un apartado especial; pero, una vez más, Isidro de Madrid sigue ausente.

Sólo en esta época, a partir de 1590 aproximadamente, conviene situar el verdadero desarrollo del culto de Isidro campesino, como culto no limitado a la villa de Madrid. Su extensión resulta solidaria del gran destino de la ciudad. Algunos madrileños entre los cuales se destaca el dominico fray Domingo de Mendoza, inician en ese momento una campaña de beatificación y de canonización que había de durar más de treinta años. Alentado entonces sucesivamente por los franciscanos, el Ayuntamiento de Madrid, los hombres de letras, las Cortes y finalmente por la devoción de todos, el culto se fortalece; al cristalizar y unificar en provecho suyo las aspiraciones rurales latentes y difusas en los campos españoles, expresadas hasta entonces mediante santos diversos e innumerables, se extenderá progresivamente por toda la península, y llegará a irradiar, muy rápidamente a veces, hasta las Indias occidentales, como símbolo de la importancia de Madrid, «villa y corte», en el centro de la telaraña de un imperio que quiere ser agrícola y unificado. Ya en 1609, en el Perú por ejemplo, la figura del labrador madrileño es popularizada por medio de representaciones teatrales de inspiración franciscana.[44] En ese país —como en México— el culto, favorecido por reminiscencias de cultos agrarios precolombinos, parece difundirse entonces con tanta rapidez como en

---

[42] La primera *Flos sanctorum* en la que se habla de Isidro parece ser la del Franciscano fray Juan Ortiz Lucio, *Flos sanctorum, compendio de vidas de los santos,* Madrid, 1571. El autor resume allí la biografía de Juan Diácono.

[43] Alonso de Villegas, *Vida de San Isidro labrador,* Madrid (Luis Sánchez), 1592.

[44] Cf. Contratación del autor de comedias, Gabriel del Río, para las fiestas del Corpus en Lima:

«... e me obligo que el día de la fiesta del Corpus Xpti haré una comedia intitulada «El Desprecio que hiço San Francisco del mundo»; y el día de la Otava, haré otra intitulada «San Isidro labrador de Madrid». Archivo nacional peruano, Lima. Escribano Alonso de Carrión. Protocolo años 1609-1610. Fol. 49 vº.

la península. En 1633, por ejemplo, el culto se introduce en Ocaña (Toledo), pueblo productor de cereales, situado a setenta kilómetros de Madrid,[45] y en el transcurso del siglo XVII, en Cataluña, la devoción aldeana deja de lado a los santos de las cofradías de la tierra, san Adón y san Senén, en favor de San Isidro.

Pero el significado ideológico de la campaña en favor de la canonización de Isidro labrador, es demasiado importante para que no puntualicemos algo más sus aspectos: tal vez mejor aún que los motivos horacianos y virgilianos, el movimiento «isidrista», iniciado a fines del siglo XVI, nos ayuda a comprender el desarrollo de la comedia rústica o de ambiente rústico de contenido ejemplar por los mismos años. Por lo demás, Lope de Vega, a quien debemos las más hermosas comedias rústicas, fue, ya lo veremos, uno de los militantes más fervientes y activos del movimiento isidrista.

No cabe duda de que, de una manera general, el culto de Isidro se desarrolló sobre todo a partir de 1560-1570. Uno de los aspectos más indubitables de este movimiento es el abundante y sospechoso enriquecimiento que conoce entonces la leyenda áurea del santo. Con una precisión y un espíritu crítico dignos de alabanza, Juan Antonio Pellicer, en una famosa polémica con el doctor Manuel Rosell, canónigo de la iglesia de San Isidro, demostró, en 1793, que la tradición de la aparición de Isidro para guiar las huestes del rey don Alonso en la batalla de las Navas de Tolosa, nació sólo después de 1567.[46] De la misma manera, el estudio cronológico de los milagros atribuidos al santo hace patente el hecho de que estos se multiplicaron en beneficio de los habitantes de Madrid, especialmente a partir de 1570 aproximadamente.[47]

En 1588, pensamos, es cuando conviene fijar exactamente la fecha del inicio de la campaña en pro de la canonización del labrador madrileño: los *Libros de acuerdos del Ayuntamiento de Madrid,* señalan, en fecha del 11 de setiembre de 1588, que fray Domingo de Mendoza, dominico del convento de Atocha, ha emprendido ya la tarea de reunir todos los documentos que puedan atestiguar las virtudes del bienaventurado y solicitado el apoyo del ayuntamiento para un pedido de canonización o de beatificación; el ayuntamiento acepta prestar al dominico los archivos que detenta.[48] A partir de este año de 1588, y durante un decenio, los *Libros de acuerdos...* contienen frecuentes alusiones a las diligencias de fray Domingo de Mendoza, así como los subsidios que recibe de la ciudad de Madrid para sufragar gastos de la campaña iniciada, cam-

---

[45] Cf. *Libro de acuerdos de la villa de Ocaña,* acta del 13 de agosto de 1633 que documenta la demanda de construcción de un oratorio en honor del santo por los campesinos (según Miguel Díaz Ballesteros y Benito de Láriz, *Historia de la villa de Ocaña,* 1868).

[46] *Carta histórico-apologética que en defensa del marqués de Mondéxar examina de nuevo la aparición de S. Isidro en la batalla de las Navas de Tolosa...,* Madrid, imprenta de Sancha, 1793.

[47] Cf. Archivo del Ayuntamiento de Madrid, ms. 2-285-1.

[48] Cf. *Libros de acuerdos de la villa de Madrid* (Archivo del ayuntamiento de Madrid), vol. XXII, fol. 330 rº, 11 septiembre 1588. «... Fray Domingo Mendoza... morador en nuestra señora de Atocha... hizo relación de la gran devoción que tiene al bienaventurado Isidro y como... en escribir su santa vida y historia de su muerte y milagros que en ella ay y después ha hecho, suplicando a la villa que pues era su natural le ayude e favoresca porque averigüen y descubran las verdades que se [presenten]... deste bienaventurado santo, y para ellos se mande mostrar todos los papeles antiguos que tiene en su archivo, e averigüandose lo que sea, procure esta villa que se canonize o beatifique, y para esto también presentó un memorial de lo que se a de hacer y como se ha de conseguir esta pretensión... y habiendo oído lo suso dicho... cuán justo es esta villa acuda a su buen celo, acordaron que se le muestren y den todos los papeles que hubiere... no se pierda ninguno...»

Antes de 1936 el Archivo de la Catedral detentaba el texto de las «informaciones» reunidas por fray Domingo de Mendoza. No pudimos consultarlas por el motivo indicado más abajo en la nota 71.

paña llevada por comisarios del ayuntamiento.[49] Otros hechos confirman que, en efecto, el último decenio del siglo XVI ve desarrollarse una febril actividad en pro de la canonización del labrador madrileño. Más de 900 páginas manuscritas, escritas hacia 1598, reúnen en un nutrido corpus los relatos de los milagros isidorianos referidos a fines del siglo XVI.[50] Desde el reinado de Carlos V, algunos hombres de letras habían llamado la atención sobre vida y milagros del labrador de Madrid: sucesivamente el portugués Sebastián de Faria,[51] Lucio Marineo Sículo,[52] el capitán Gonzalo Hernández de Oviedo Baldés,[53] Juan Hurtado de Mendoza,[54] el maestro Juan López de Hoyos[55] se habían interesado por ellos o meramente los habían mencionado; pero más especialmente a partir de 1570-1580, la densidad y la amplitud de las obras dedicadas a Isidro nos permiten presentar el desarrollo del culto: Ambrosio de Morales en 1574-1575,[56] el teólogo Alonso de Villegas en 1592,[57] y sobre todo el gran Lope de Vega

---

[49] Cf. *Libros de acuerdos,* vol. XXVI, fol. 129 vº, 130 rº, 7 de setiembre 1592. Se alude a documentos que interesan la vida y milagros del bienaventurado. Vol. XXVI, fol. 180, 4 de junio de 1593: «... que los snres comisarios en este negocio del Sr. San Isidro sobre su canonización allen a el Cardenal de Toledo suplicándole tenga por bien se conceda lo que el dho Fray Domingo de Mendoza pide...» Vol. XXVI, fol. 182, 25 junio de 1593: se discute acerca del día conveniente para sacar las reliquias del bienaventurado con vistas a la encuesta de canonización. Vol. XXVI, fol. 250, 12 de setiembre 1594: se decide que los comisarios designados tendrán que proseguir su demanda ante el Concejo para que este apoye el pedido de canonización. Vol. XXVI, fol. 341, 5 de febrero 1596: «... escriban a su santidad sobre la canonización de San Isidro...». Se otorga un subsidio para costear los trámites. Vol. XXVI, fol. 358, 20 de julio 1596: son reemplazados los comisarios que se ocupan de los trámites de la canonización «... se den al dicho Fray Domingo de Mendoza 400 reales para ayuda de costa...». Vol. XXIII, fol. 395, 11 de marzo 1597. Se comprometen a pagar 100 ducados de los «propios» para cubrir los gastos que resulten de las «averiguaciones de canonización». Vol. XXIII, fol. 397 b, 27 de marzo 1597: «... se libran al padre Dº de Mendoza... 400 reales para ayudar los gastos que haze». Vol. XXIII, fol. 399, 6 de abril 1597. El rey otorga autorización en lo que atañe a gastos de la canonización. Vol. XXIV (muchos folios están mal numerados), 28 de abril 1599: «Acordóse que aviendo licencia del consejo para gastar cien ducados en la canonización de San Isidro se libren... a Fray Domingo de Mendoza.» Vol. XXV, fol. 19, 28 de abril 1599: «... licencia del ayuntamiento para gastar cien ducados de la canonización del bienaventurado Sant Isidro... se libren los siete cientos reales... al padre Fray Domingo de Mendoza».

[50] Cf. *Archivo del Ayuntamiento de Madrid.* Ms. 2º-285-1. Este libro es de los más importantes para quien quisiere hacer el estudio sociológico del culto isidriano como culto agrario.

[51] Cf. ms. 6149, B. N. Madrid. Traducción de la biografía de Juan Diácono por Sebastián de Faria (portugués que viene a la corte de España con la emperatriz de Portugal en 1526).

[52] Cf. Lucio Marineo Sículo (cronista de Carlos Quinto), in *Obra nueva de las cosas memorables de España,* 1559, libro I.

[53] Cf. *Quinquagenas,* B. N. Madrid, ms. 2218 (segunda parte, estança XXXII, fol. 72 vº-73 rº). En esta obra (anterior a 1557, fecha de la muerte del autor) dedicada a encomio de los nobles madrileños, no se habla sino de paso del labrador a propósito de la familia Vargas, fol. 72 vº-73 rº.

[54] Cf. Juan Hurtado de Mendoza, traducción, en 1560, de la biografía de Juan Diácono (Baena, *Hijos ilustres de Madrid,* t. III, pp. 108-109). En cambio en el *Buen placer trobado... dirigido a la muy insigne y llena de nobleza, y de buen lustre, la cortesana villa de Madrid su muy amada patria,* del mismo autor, Alcalá, 1550 (B. N. Madrid, R. 12874), enteramente dedicado al elogio de Madrid y sus orígenes, no se encuentra nada sobre Isidro.

[55] Cf. Juan López de Hoyos, *Obsequias de la Reyna doña Isabel de Valoys,* 1569. (Ver Mesonero Romanos, *El Antiguo Madrid,* Madrid, 1881, t. II.)

[56] Cf. Ambrosio de Morales, *La Corónica General de España,* Alcalá, 1574-1586, libro XVII, cap. XXVII.

[57] Alonso de Villegas, *Vida de Isidro labrador cuyo cuerpo está en la iglesia parroquial de San Andrés de Madrid, escrita por el Maestro Alonso de Villegas, toledano. Dirigida a la muy insigne villa de Madrid,* Madrid, por Luis Sánchez, 1592, 8º, 27 hs. (núm. 398 de *Bibliografía madrileña* de Pérez Pastor, p. 205, t. I). Pérez Pastor saca su referencia del «Diccionario bibliográfico-histórico de los antiguos reinos, provincias... de España, por D. Taomás Muñoz y Romero» y escribe «Suponemos que será la misma biografía que el autor incluyó en su *Flos sanctorum*». En realidad, no hemos encontrado vida de san Isidro de Madrid en

entre 1596 y 1598[58] consagran su pluma a la popularización de la figura del virtuoso campesino. Unos 6000 versos en metros castellanos del *Isidro*, debidos al Fénix, constituyen entonces el más grandioso monumento erigido en honor del aldeano madrileño. Es un poema de circunstancia, querido y legitimado como tal por su autor, en el ámbito de la campaña de propaganda por la canonización. Unas cartas intercambiadas entre fray Domingo de Mendoza y Lope nos dicen a las claras que por invitación del dominico organizador del movimiento «isidrista», Lope emprendió la redacción de la gesta del «poverello» madrileño: los documentos sobre la vida y los milagros que tenía a su disposición fray Mendoza fueron prestados a Lope, y con las piezas del archivo en mano trabajó el poeta en su epopeya.[59] Por lo demás la petición de Canonización, que constituía el verdadero motivo de la obra, vuelve en varias oportunidades en la tarea del poema[60] y nos confirma que se trata en efecto de un caso de literatura de propaganda. En aquel momento, hacia 1596-1598, el fervor «isidrista» alcanzaba su apogeo, la esperanza de la rápida obtención de la canonización era grande, y fue en el ambiente de estos mismos éxitos en que también apareció, siempre en relación con la campaña de propaganda, la comedia de Lope intitulada *San Isidro labrador de Madrid*.[61]

---

ninguna *Flos sanctorum* de Alonso de Villegas de las que consultamos. Tampoco encontramos la biografía de Alonso de Villegas en una publicación autónoma. Sin embargo esta tiene alguna importancia, ya que Lope de Vega utilizó a Alonso de Villegas como fuente, en varias oportunidades, en su poema el *Isidro*. De este autor saca algunos milagros que satisfacen votos típicamente campesinos que no figuran en la biografía de Juan Diácono —por ejemplo, el milagro de Isidro al resucitar el caballo de Juan de Vargas (fol. 221 vº, de la edición princeps del *Isidro*).

[58] *Isidro. Poema castellano de Lope de Vega Carpio, secretario del Marqués de Sarria. En que se escrive la vida del bienaventurado Isidro, Labrador de Madrid, y su Patrón divino, dirigida a la muy insigne villa de Madrid. En Madrid, por Luis Sánchez. Año 1599.*

[59] Estas cartas fueron publicadas en la edición princeps del *Isidro*. Véase en especial la carta de Fray Domingo de Mendoza del 27 de noviembre de 1596.

> «De manera ha ydo la continuación de los processos y provanças del glorioso labrador Isidro, nuestro patrono santo, que nunca he hallado tiempo para embiar a V. m. essos papeles que todos ellos son verdaderos y fidedignos, como convienen a tan grandioso varón... Quando vi a V. m. este verano passado, estava tan bien ocupado como siempre lo está, y con tan grande fruto de sus buenas letras, y estudios, y no obstante esto, me hizo merced de darme su palabra de escrivir muy de su mano la historia, grandezas, y milagros deste esclarecido santo, singular ornamento, y gloria desta su patria de V. m. y de todos Reynos, y q̄ pensaba guardar en su composición la gravedad, gusto, y preñez de nuestras castellanas y dulces redōdillas; suplico a V. m. me la haga de passar sus ojos por essos originales para que V. m. los saque a luz... De Santo Tomás, y desta su casa de V. m. en Madrid 27 de noviembre de 1596.»

[60] Cf. en particular fol. 252 (canto VIII) este pasaje que revela claramente el objetivo del poema.

> «Era canonización
> De España, oprimida tanto,
> Elevar del suelo un santo,
> Dándole veneración,
> Himmos, altar, culto y canto.
> Y por esta causa ha estado
> Solamente venerado,
> Que la canonización
> Ya el Papa, con gran razón,
> A si sólo ha reservado.»

[61] Véase nuestro estudio *Sur la date de «San Isidro labrador de Madrid», «comedia de Lope de Vega*, in *B. Hi.*, LXVIII (janvier-juin 1961), pp. 4-27.

Por el contrario, a partir de 1599, la campaña en pro de la canonización parece sufrir una mengua durante algunos años. Aparte del éxito de librería que representa la edición repetida del *Isidro*[62] de Lope, auténtico «best-seller» del momento, encontramos ya menos signos del fervor isidrista. En las Actas de Cortes, si bien se menciona el pedido de canonización en 1596,[63] luego no aparece nada hasta 1612. En los *Libros de acuerdos del Ayuntamiento* hacia 1600, se habla mucho más de san Roque y de santa Ana. Los signos que hallamos en los archivos marcan al contrario un relajamiento, y hasta a veces un desaliento, entre quienes se esmeraban en Roma en que se reconociesen los méritos del labrador. ¡Les cansaban las demoras dilatorias de la Curia romana! Una carta del licenciado Gil Ximénez, fechada en Roma, al 18 de octubre de 1599, explica las dificultades encontradas en la gestión de la canonización: escribanos, notarios, secretarios de la cancillería papal, exigen dinero para el más mínimo trámite, algunos dominicos se oponen al pedido madrileño a pesar de ir apoyada por uno de los suyos, y el propio duque de Sessa, embajador en la Santa Sede, no pudo obtener del papa sino una respuesta evasiva.[64] Durante algunos años (hasta 1606), la corte salió de Madrid para establecerse en Valladolid. Quizás este hecho contribuyó a la mengua de la acción en favor del santo. Al contrario, a partir de 1607-1608, aparecen los indicios de una reactivación de la campaña de canonización. En diciembre de 1607 los frailes de la Orden de San Basilio solicitan el permiso de construir un convento al lado del oratorio dedicado a Isidro. ¿Es que quieren captar en provecho suyo el culto en expansión del santo campesino?[65] Notemos por lo menos que los anales mencio-

---

[62] Pueden contarse las siguientes ediciones del *Isidro*: Madrid, Luis Sánchez, 1599; Madrid, Pedro Madrigal, 1602 et 1603; Alcalá, Juan Gracián, 1607; Barcelone, Honofre Anglada, 1608; Madrid, Alonso Martín, 1613; Madrid, 1632 et 1638.

[63] Cf. *Actas de Cortes*, XIV, p. 491, 23 de febrero 1596: «... Acordóse que don Xinés de Rocamora y Francisco de Monçón escriban en nombre del Reyno una carta para su Santidad sobre lo de la canonización de San Isidro, y la traigan a él para que se vea...» Tras esta alusión a San Isidro en 1596, ya no se encuentran más hasta 1612. Por el contrario, hay alusiones a las peticiones de canonización que conciernen Teresa de Avila, Ignacio de Loyola, Juan de la Cruz, Julián de San Agustín, etc.

[64] Cf. *Carta del licenciado Gil Ximénez:*

«... sepan y entiendan vuestras mercedes como dicen q̄ allá se abla... y acá es muy diferente / y se negocia con trabaxo y con mucho dinero, q̄ acá por el escudo se hace algo / y ansí suplico quan encarecidamente puedo, de que se tenga junta y de que se dé orden de que me embíe un crédito de mil escudos en oro y si fuere menester dar parte a la villa desto se dé...» «... q̄ asta embidia me tienen los dominicos, y los demás por tener la causa en la Santa congregación / q̄ dieran ellos todo quanto les pidieran por tenella en la congregación...» «... tan desfavorecido he sido de los cardenales por tener tantos contrarios como tengo y he tenido mayormente en una persona en quien más confiança teníamos; allá ése a sido contrario: porque cuando iba hablar algún cardenal porq̄ intercediese por el santo labrador estaban al parecer hablādo de otros: porq̄ luego me respondían aber muchas canonizaciones / y principalmente de frailes dominicos, q̄ andan negociando todo lo posible, por Fray Luis Beltrán, y monseñor Pena auditor de rota / y otros por otras canonizaciones, q̄ son doze entre todas...» «... porq̄ el duque de Sessa se llevaba la petición consigo, para quando allase a su Santidad de buena gana para pedir sello: porq̄ como abido algunas cosas entre el rrey y su Santidad de dissensiones, me dixo el duque un día q̄ pues él no había ablado, era porq̄ no abido ocasión ansí un día alló aber en él buena gracia, y le dió la petición, y respondió entonces al duque su santidad / tuti li santi di ispania boleti canoniçare, y respondió el duque, q̄ por ser tan santo y estar en la corte de españa, se abía de dar lugar...» (Archivo del ayuntamiento de Madrid, Ms. 2º-285-2).

[65] Cf. *Libros de acuerdo*, vol. XXV, fol. 574 vº, 3 décembre 1607: «... En este ayuntamiento abiéndose visto una petición dada por el Padre fray Gabriel del Poço de la horden de San Basilio y abad del monas-

nan en 1609 un milagro isidriano[66] y que, para la fiesta del Corpus del mismo año, pudo verse una representación en honor de Isidro.[67] En las Cortes, se habla entonces y cada vez más, de pedidos de dinero, sea para honrar la fiesta isidriana, sea para mantener las gestiones en Roma.[68] A la petición de canonización de Isidro, se le suma, cosa que no había ocurrido hasta la fecha, la de su esposa María de la Cabeça.[69] En Roma, los representantes de Madrid, intensifican sus esfuerzos y siguen gastando.[70] En Madrid, los procuradores de la ciudad y los miembros de la cofradía de san Isidro se esfuerzan en reunir el mayor número posible de pruebas y testimonios en favor del labrador, y así es como el 23 de agosto de 1612, Lope de Vega, isidrista de primera hora, es convocado para declarar en la iglesia de San Ginés: sus palabras aclaran no poco el papel desempeñado por el teatro en la campaña de propaganda en favor de Isidro:

> Al artículo sesenta y dos = dixo... y que ansimesmo sabe y ha visto que los señores Reyes de Castilla que son, han oydo con mucho aplauso y gusto las comedias que públicamente se han representado de la vida, santidad e milagros del dicho siervo de Dios Isidro, y otros grandes señores desta villa llevándolas a su palacio y casas y esto es público e notorio.[71]

---

terio de San Cosme en que pide questa villa le dél a hermita de señor san Isidro para hacer fundar en ella un monasterio de la dha orden...» (Archivo del ayuntamiento). Los regidores contestaron que no se admitió la demanda y que había bastante terreno en otros sitios.

[66] Cf. *Anales de León Pinelo,* ed. R. Martorell Téllez Girón: año 1609, p. 82: el día de la reunión de la cofradía, repetición del milagro isidriano de la multiplicación de los alimentos para los pobres.

[67] Cf. Pérez Pastor, *op. cit.,* p. 113: «7 Mayo 1609... obligación de Luis de Monzón... Además se obliga a sacar otra danza del bienaventurado Sant Isidro. La villa pagará 4.500 reales, Mayo 1609» (Pedro Martínez, 1609, fol. 278).

[68] Cf. *Actas de Cortes,* XXVII, p. 277, 2 avril 1612: «Tratándose si sería bien dar limosna para ayudar a la canonización del santo Isidro de Madrid y acordóse de conformidad se dé...»

[69] *Ibid.,* XXVIII, p. 146, 23 de marzo 1615:

> «... Entró fray Domingo de Mendoza, de la orden de Santo Domingo, y se sentó en fin del banco de la mano izquierda y suplicó se le diese alguna limosna para ayuda a los gastos que se hacen para la canonización de Santa María de la Cabeza, mujer de San Isidro de Madrid, naturales de esta villa, atento a los muchos milagros que ha hecho y hace, y que él está nombrado para ir a Roma a procurarlo, y que ha de ir en compañía de D. Diego de Barrionuevo, regidor de esta villa, que está nombrado para ir a procurar la canonización de San Isidro para que se canonicen juntos, y que pues el reino en las cortes pasadas dio limosna de 2.000 ducados para lo de San Isidro, espera se le ha de hacer mucha merced...»

[69] Cf. ms. 2-277-1: «Probança de la bendita María de la Cabeça» (1612). Ms. 2-276-18: «Comisiones apostólicas para las causas e informaciones de la canonización de la B. María de la Cabeça» (1614). Ms. 2-276-20: «Proceso original de las informaciones de vida y costumbres de Sta. María de la Cabeça» (1615). Ms. 2-276-21: «Proceso compulsorio de exhibición comprobación hecha para la información de la Santidad y milagros de la dha María de la Cabeza» (1916). Ms. 2-277-4: «Información original de la uida y milagros de Sta. María de la Cabeça» (1616). Ms. 2-285-5: «papeles relativos a licencias de pedir para la canonización de Sta. María de la Cabeça» (1616). Ms. 2-282-10: «Ejemplares de la célula de S. M. de 12 de noviembre de 1616 para pedir limosnas en las provincias de Ultramar para la canonización de la Beata María de la Cabeza, muger de San Isidro de Madrid» (1616). (Archivo del ayuntamiento de Madrid).

[70] Cf. Cartas de don Cristóbal de Villanueva y Don Jerónimo de Barrionuevo, mandadas de Roma en 1608, 1612, 1613. Los representantes madrileños insisten sobre la necesidad de obtener dinero para hacer adelantar los trámites de la canonización (Archivo del ayuntamiento, ms. 2-285-3).

[71] El texto de este interrogatorio figuraba en el Archivo de la catedral de Madrid hasta 1936. Cuando quisimos consultarlo, nos dijeron que había sido quemado. Felizmente, lo esencial del interrogatorio de Lope había sido reproducido por Timoteo Rojo Orcajo, archivero de la catedral, en su valioso opúsculo *El pajarillo en la enramada o algo insólito y desconocido de Lope de Vega,* Tipografía católica, Madrid, 1935.

En esta ocasión el poema del *Isidro* también fue presentado como prueba en favor de la santidad de Isidro. Así Lope le daba al labrador el valioso refuerzo de su autoridad y así también el mundo de las letras se veía implicado directamente en el renacer de la campaña isidrista.

La beatificación había de ser concedida por fin por el papa Paulo V, el 14 de junio de 1619.[78] A partir de ese día, fue cosa evidente que la canonización no había de tardar. Un argumento decisivo en su favor fue proporcionado por la curación del rey Felipe III, en noviembre, cuando, al volver de Portugal, éste cayó víctima de fiebres en Casarrubios (Toledo): las reliquias de Isidro, a las que se le atribuía, amén de méritos agrarios, virtudes curativas antipestíferas, fueron trasladadas hasta Casarrubios, y ello bastó, según dicen, para devolver la salud al soberano.[73] Un acontecimiento tan importante transformaba a Isidro en un santo nacional y la presión española aumentó en Roma.[74] A las fiestas de la beatificación, celebradas en 1620, se les dio un brillo ex-

---

[72] La traducción del breve de beatificación (debida a Tomás Gracián Dantisco) fue impresa por la viuda de Alonso Martín, Madrid, 1619; cf. Pérez Pastor, *Bibl. madrileña*, núm. 1623

[73] Numerosos anales y cronicas del reinado se hacen eco de este acontecimiento. Cf. *Anales de León Pinelo*, ed. R. Martorell Téllez Girón, año 1619, pp. 132-136. Se cuenta la curación del rey con no pocos detalles.

[74] Cf. *Actas de Cortes de Castilla*, XXXV, pp. 62-63, 26 de noviembre 1619:

«Habiendo entendido el reino hay luminarias generales en esta Corte en alegría y demostración de la entrada del señor San Isidro en la villa de Casarubios donde ha estado en la ocasión de la indisposición de S. M., se acordó por todos los caballeros procuradores de cortes que se hallaron presentes, exepto el señor D. Juan Trujillo, que abajo se pone su voto, que las noches que hubiere luminarias en esta corte por lo referido se den a cada caballero procurador de cortes, diputados y secretarios de ellas y demás personas, en la forma y cantidad que la última vez se dieron, y que sean comisarios para ello los señores D. Juan de Castilla y Cristóbal Peña, y el receptor Juan Fernández dé el dinero que fuere menester, prestado por libranza de los dichos caballeros comisarios, y el receptor Francisco de Orozco dé poder en causa propia al dicho receptor Juan Fernández de la cantidad que prestare en las consignaciones de los 15 cuentos que el reino tiene para sus gastos...»

Ibid., XXXV, p. 297, 17 de febrero 1620:

«Viose una petición de la villa de Madrid en que se suplica al reino escriba a su Santidad suplicándole se sirva de canonizar a San Isidro, y tratado de ello, acordó el reino de conformidad que el señor D. Juan de Castilla le escriba en nombre del reino...»

Ibid., p. 313, 19 de febrero 1620:

«Viose una carta para su Santidad sobre la canonización de San Isidro, que es como se sigue: Beatísimo Padre / ... maravillas a toda la cristianidad que pretenda la canonización del beato Isidro, por cuyo medio tanto ha obrado; y la que hoy gozan estos reinos con la salud de la merced católica del Rey nuestro señor, se la ha atribuído a los méritos del beato Isidro, a quien más en particular están estos reinos deudores como quien más propiamente ha recibido el beneficio, si bien común a la cristiandad, y así estos reinos de Castilla, convocados en esta Corte, suplican humildemente a V. S. les conceda esta gracia de canonizar al beato Isidro, cosa tan deseada en general y particular de todos.»

Ibid., XXXVII, pp. 535-536, 19 de noviembre 1621:

«Trató el Reino de si se daría o no alguna limosna para aiuda a la canonización del glorioso San Ysidro de Madrid, demás de los seiscientos rreales que se acordó se le den, por la necesidad que ai de dinero para este efeto; aviéndose botado sobre ello, se acordó, por todos los cavalleros procuradores de estas cortes que se allaron presentes ecepto el señor Don Matheo de Lisón que no bino en ello, que se le den quinientos ducados demás de los seiscientos rreales que se an dado.»

cepcional: nada menos que sesenta y seis poetas, entre los cuales figuraron los mayores (Guillén de Castro, Villamediana, Vicente Espinel, Sebastián Francisco de Medrano, Juan de Jáuregui, Juan Pérez de Montalbán, Lope de Vega) aportaron su contribución y Lope, acompañado por su hijo, tuvo un papel de primer plano:[75] sirva esto para demostrar cuanto tuvo que ver la literatura en este asunto. No tuvo menos que ver cuando llegó, por fin, el 12 de marzo de 1622, otorgada por Gregorio XV, la canonización esperada desde hacía más de treinta años[76] a mediados de junio del mismo año, en unas solemnes fiestas, brillaron en honor del labrador canciones, décimas, sonetos, redondillas y liras, debidas siempre a las plumas más ilustres, en especial Guillén de Castro,[77] Tirso de Molina,[78] Lope de Vega.[79]

El movimiento que durante más de treinta años había llevado a los madrileños a pedir la canonización simbólica del campesinado en la persona de Isidro[80] es para nosotros la expresión culminante y más patente de esta corriente urbana de «retorno a la tierra» que revistió, como ya vimos, durante el Siglo de Oro, y más aún hacia 1600 formas ya sea literarias, ya sea económico-políticas, de tono variado, pero convergentes por su contenido ideológico: virgilianismo, culto de Horacio, alabanza de aldea, y menosprecio de corte, «fisiocratismo», etc... Si consideramos que las dos fechas extremas de la campaña de canonización del labrador son 1588 y 1622, descubrimos que enmarcan por decirlo así, lo esencial del desarrollo de la comedia rústica o de ambiente rústico. No se trata de una simple coincidencia. El villano ejemplar que propone por lo general esta comedia es hermano en algún grado de este Isidro que recibe en el mismo momento una aureola religiosa. Es más, puede ser que el impulso a la serie de piezas «verdaderamente rústicas»[81] dado la primera pieza de propaganda en honor de Isidro: la comedia *San Isidro labrador de Madrid*, pieza que escribió Lope y que hay que situar, pensamos, antes de setiembre de 1598.[82] Como ya lo veremos, esta pie-

---

[75] De esta fiesta se poseen varios relatos, especialmente de Sebastián Francisco de Medrano y de Lope de Vega. Cf. Lope de Vega, *Justa poética y Alabanzas justas que hizo la insigne villa de Madrid al bienaventurado San Isidro en las fiestas de su Beatificación, recopiladas por Lope de Vega... en Madrid, Viuda de Alonso Martín, 1620.*

[76] Al mismo tiempo que Isidro de Madrid, fueron canonizados San Ignacio de Loyola, San Francisco Javier, Santa Teresa, San Felipe de Neri.

[77] Guillén de Castro obtuvo el primer premio de décimas.

[78] Tirso presentó cuatro octavas reales sobre el tema de los celos de Isidro.

[79] Cf. *Relación de las fiestas que la insigne villa de Madrid hizo en la canonización de... San Isidro por Lope de Vega — Madrid, Viuda de Alonso Martín — 1625.*

[80] Era necesario, por cierto, darle un santo tutelar a la Corte: por ello Isidro fue canonizado en el momento en que Madrid se volvió definitivamente capital de España. Pero lo significativo es el hecho de que un *campesino* haya sido elegido como patrono de la «villa y corte». Para quienes dudaran de ello, señalemos, que hasta 1600 celebraban a Santa Ana como si fuera la verdadera patrona de Madrid, Véase a este respecto los *Libros de Acuerdos del Ayuntamiento* de los años 1580-1600. Cf. en especial vol. XXII, julio 1585, fol. 83 vº, fol. 87 vº, 21 de julio 1586, fol. 156 rº; julio 1587, fol. 233 rº; julio 1588, fol. 326 vº, etc. Cf. Cervantes, *La Gitanilla.* Notemos también que los otros dos santos venerados en la villa, san Dámaso y san Melquíades, no consiguieron las atenciones reservadas a san Isidro.

[81] Entendemos por piezas verdaderamente rústicas las comedias en las que el poeta no hace del tema campesino un tema secundario o accidental, sino esencial; en esta serie están, nos parece, las siguientes piezas: *San Isidro labrador de Madrid, Peribáñez y el Comendador de Ocaña, El cuerdo en su casa, Fuenteovejuna, La Dama del Olivar, La villana de la Sagra, El villano en su rincón, Los Tellos de Meneses, La niñez de san Isidro, La juventud de San Isidro.*

[82] Véase nuestro artículo: *Sur la date de «San Isidro labrador de Madrid», «comedia» de Lope de Vega, B. Hi.* LXVIII (janvier-juin 1961), pp. 4-27.

za de circunstancia encierra el embrión de la más lograda de las comedias lopescas, en la que el héroe es un villano: *Peribáñez y el Comendador de Ocaña;* ya posee su espíritu de ejemplaridad y su lirismo campestre.

* * *

Basta con lo dicho hasta ahora para que quede esbozado el cuadro ideológico general dentro del cual vienen a insertarse algunos motivos rústicos de la comedia después de 1580-1590. Salta a la vista que muchas de las escenas villanas de la comedia encierran una lección; el villano se ha vuelto predicador de la virtud; al mismo tiempo que expresa idílicamente la nostalgia patriarcal y el huir fuera del presente de los nobles transplantados a la ciudad, profesa una buena moral vestida sencillamente con saya parda y hasta la política y la economía contemporánea se ven comprometidas en su mensaje. Teatro didáctico y ameno espectáculo de sabiduría relacionados con problemas y sentimientos de actualidad, al par que puro divertimiento y simple pasatiempo para gentes de la ciudad, he aquí lo que es también la comedia de ambiente villano. Cabe considerarlo ahora enfocando en detalle las relaciones entre los motivos teatrales y los temas ideológicos con los que están ligados.

CAPITULO III

IMPUREZA CIUDADANA Y PUREZA ALDEANA

Los pecados de la Corte en algunas comedias de Lope y Tirso y en el teatro religioso. Los bailes aldeanos considerados como más morales que los nuevos bailes de moda. El oro y los juegos. Crítica de las usanzas suntuarias. Sencillez de la morada villana: mobiliario, vajilla. Condena de los coches. Desajuste entre las imágenes teatrales y la realidad villana.

La corriente ideológica urbana y aristocrática de oposición entre la pureza aldeana y la impureza ciudadana —desarrollada, como vimos, a lo largo del siglo XVI— vino a nutrir la comedia desde los primeros momentos de su constitución, a fines del siglo XVI. Es un hecho normal si se considera que la comedia, en cuanto género, se explica por el desarrollo urbano contemporáneo. La comedia, hacia 1600, no puede abstraerse de determinadas condiciones económicas, sociales o técnicas (hospitales que viven del producto de las representaciones teatrales, instalación de los corrales, aparición de un público, etc.) que son condiciones urbanas. Tampoco puede ignorar el real relajamiento de costumbres que acarrea entonces la centralización de la vida política y administrativa en Madrid. El crecimiento demográfico de la Corte provoca, después de 1600 fecha en la cual la Corte se asienta definitivamente a orillas del Manzanares, un hacinamiento y una mezcla humanas que favorecían la perversión de los valores tradicionales. Menudean en ese momento los textos moralizantes en los que se explaya la condena de los vicios madrileños. Véase, entre miles de ejemplos posibles, al franciscano Francisco Ortiz Lucio, quien evoca en su *República Cristiana...* (1607) a las prostitutas que atraen al centro de la península, desde cien leguas a la redonda, a los caballeros ricos de las provincias: «que como buytres vienen a la buytrera desta corte».[1] ¿Exageración de sermonario? Puede ser, pero bien expresa la idea compartida por mu-

---

[1] Cf. Francisco Ortiz Lucio, *República cristiana*, Madrid, 1607, fol. 11-12:

«... Así estas mugeres, de quien dize San Pablo que por estar en deleytes, vivas están muertas, arrebatan y traen de cien leguas hombres ricos y caballeros que como buytres vienen a la buytrera desta corte y llenan su carne de torpezas, como moros y bestias sin entendimiento, y luego el demonio a palos los llena de bubas, y mata a sus almas, y aun sus cuerpos, como hemos visto aquí a algunos que dexan sus mujeres y empeñan sus mayorazgos, y gastan toda la noche cō valētones, guardādo las puertas destas rameras, unos amanecen muertos en sus braços dellas, y otros cosidos cō las paredes y puertas dellas...» (B. N. de Madrid, 3-33743.)

chos españoles de la época de que la ciudad es una sentina de lujuria y de pecado donde se envilecen cuerpos y almas. Toda la literatura de esos años ofrece testimonios de
esta mentalidad y presenta con frecuencia, después de 1610, términos semipeyorativos,
semipintorescos, en los que se expresa escuetamente la idea de una promiscuidad mal-
sana de la capital: Quevedo la llama «pepitoria» en uno de sus *Sueños;* «pastel» la
denomina Luis Vélez de Guevara en *El diablo cojuelo;* «Babilonia», este nombre símbolo de pecado que la lengua de germanía aplicaba a Sevilla la cosmopolita, también
lo recibe entonces Madrid. Luis Vélez de Guevara echa mano de él en *El diablo cojuelo,* y algo más tarde Gracián lo utiliza en *El Criticón.*[2]

La comedia de ambiente rústico se nutre pues en una corriente de pensamiento
muy amplia, y cada vez más poderosa, al poner en escena el tema de la impureza urbana. Coincide en este punto con la literatura satírica de los mismos años. No obstante, lo que constituye su originalidad frente a esa literatura, es el no ser exclusivamente negativa y el proponer como contrapartida positiva —conforme a la antítesis
tradicional de Menosprecio de Corte y Alabanza de Aldea— el motivo de la pureza aldeana. lo veremos primeramente en general, y luego a propósito de algunos temas privilegiados tales como la lascividad de los nuevos bailes, el oro y el juego, la ociosidad
y los gastos suntuarios.

* * *

La idea de la maldad del mundo de la Corte es tratada plenamente en una acción
campesina, al parecer por vez primera, en *San Isidro labrador de Madrid* (antes de septiembre de 1598); valiéndose de los procedimientos habituales de la comedia alegórica
y del estilo del auto sacramental, el Fénix saca al escenario las antítesis de Isidro villano ideal elevado a la santidad que son la Envidia y el Demonio. Envidia lleva simbólicamente sobre el pecho un corazón y en el hombro una culebra, y héte aquí que
en un tirada esta encarnizada enemiga del labrador ejemplar de Madrid proclama ser
hija de la Corte.[3] Precisamente esta es la «Corte» que el villano ideal quiere disputar
a Envidia.[4] En los mismos años que *San Isidro labrador de Madrid,* la *Comedia de
Bamba,* parecida en algunos rasgos a la pieza dedicada a glorificar al labrador madrileño, traza un cuadro harto oscuro de la corte visigótica de Toledo; los nobles, presa
de la envidia que despierta en ellos la subida al trono de un simple labrador, son almas pérfidas; urden intrigas en palacio, hasta llegar a complotar la muerte de su soberano. Algunas escenas de esta pieza nos recuerdan otra vez el teatro alegóricomoral,

---

[2] Gracián carga las tintas hasta hablar de «esponja de Madrid» («después que la esponja de Madrid le
ha chupado las hezes»).

[3] Cf. Acad., IV, p. 563 a.

«De la corte soy hija,
y tengo sus palacios por despojos;
Soy, sin razón, sin leyes,
sombra de la privanza de los reyes.»

[4] Cf. Acad., IV, p. 563 a.

«Un labrador envidio,
porque pretende alzarse
con los Estados que perdí por guerra.»

verbigracia, en la que se oye a un ambicioso palaciego, que quiere sustituirse al Rey-labrador, prometer a todos para el día en que ha de subir al trono, placeres carnales, fiestas y comilonas; por oposición, este intrigante califica la sencillez de costumbres del Rey-labrador de «proceder villano»[5] y, de este modo, el villano en el poder cobra alegóricamente el significado de una virtud que siente repugnancia por la grandeza.

De una manera más general, la oposición entre impureza ciudadana y pureza al-deana en la comedia de ambiente campesino y seudocampesino se manifiesta en el mar-co de una intriga novelesca bastante repetida: un caballero o una dama noble debe huir de la Corte por una u otra razón (a menudo una persecución o un peligro) y vie-ne en busca de protección y clandestinidad en el campo. El paso de un mundo a otro es entonces ocasión de alabar a la aldea y criticar a la ciudad. Encontramos esta situa-ción en *Ya anda la de Mazagatos*. Ante el espectáculo de una señora afligida, que vie-ne a refugiarse a la aldea para ocultar su inocencia, el joven aldeano Pascual expresa con pocas palabras lo que es realmente, como idea general, un tópico de cien comedias:

> Llenas están las ciudades
> de zelos, muertes y agrabios.
> Más dichosos y más sabios
> nos azen las soledades.[6]

Quizás sea en las piezas de Tirso en donde se hace más aguda la crítica de las ciu-dades, mediante el rodeo de la alabanza de aldea. Por ejemplo, en *El pretendiente al revés*, así como en *Ya anda la de Mazagatos*, vemos a una señora que se refugia en casa de unos aldeanos. Se llama Sirena. Para ella, el campo aparece como el último refugio de la honradez y de los valores morales, opuesto a una ciudad en donde hacen estragos la maldad y el pecado; la Corte a sus ojos, ya no es más que una cloaca en la que hormiguean los vicios, un lugar malsano en lo físico y lo moral: el Infierno, por decirlo así.[7] El concepto de que en la ciudad la gangrena física se suma a la gan-

---

[5] Cf. Acad., VII, p. 63 a.

> «*Paulo:* Vosotros, amigos caros,
> en quien mi valor espera,
> no pienso de otra manera
> en otra cosa ocuparos:
> en regocijos y fiestas,
> en banquetes y placeres,
> en deleites de mujeres,
> honestas y deshonestas.
> No soy como aquel tirano
> hipócrita, que os quitaba
> el gusto, que nunca os daba
> con su proceder villano.»

[6] Ed. S. G. Morley, versos 531-534.
[7] Cf. B. A. E., V, p. 39 c:

> «*Sirena:* Corbato, los deseos del aldea,
> incitados ahora del agravio
> con que el Duque mi honor manchar pretende,
> huir me mandan del confuso infierno
> donde son los pecados cortesanos.
> ¡Y luego dirán mal de los villanos!»

grena moral, idea que hemos encontrado en el predicador franciscano Ortiz Lucio, es expresada entonces a las claras por Tirso, quién habla por boca del simple villano Niso:

> Es hospital la corte.
> ¡Venturoso el que sano de ella escapa!
> Péganse como bubas los pecados.[8]

Por tal razón, cuando el enamorado de Sirena también huye de la corte y llega a la aldea, se apresura en dejar sus ropas urbanas como si estas estuviesen contaminadas y necesitasen ser desinfectadas.[9] Así el tradicional disfraz rústico pasa de ser, para Tirso, un mero capricho de la intriga y viene a ser medida de salud en lo físico y en lo moral. En la misma pieza, hallándose anteriormente disfrazado de rústico, el mismo personaje se niega a hacer de tercero con Sirena, arguyendo precisamente su calidad de campesino. Al duque rival, que no le ha reconocido le pide que se preste a este oficio terceril, le contesta:

> El oficio que me dais
> úsase por las ciudades,
> mas no por aldeas y villas.[10]

En estas piezas, en las que la Corte vista desde la aldea, aparece como el santuario de la intriga, de la ambición, del homicidio, y sobre todo de la lujuria y del pecado, el tópico del menosprecio de corte cobra, mirándolo bien, un verdadero acento bíblico. Detrás de la Babilonia castellana que evocan con tintes oscuros, adivinamos, proyectada sobre el decorado del presente, la otra Babilonia, la Jerusalén degenerada (Isaías, XXII, 13-14), símbolo escriturario de los mundos a la deriva. Para verlo con claridad, basta considerar el mismo tema de la condena de la ciudad y de la idealización moral en la aldea en el teatro eucarístico. En esta gama, es patente el significado. En El peregrino, auto de Valdivieso, Verdad va vestida de aldeana porque ha sido expulsada del palacio de la corte: ya no puede penetrar en esa «Sodoma abrasada»! Esto va subrayado escénicamente cuando «Placer cierra la puerta de la ciudad. El tema de esta oposición entre la ciudad mancillada y el campo puro, también es tratado por Valdivieso en El peregrino y por Lope en El hijo Pródigo, y sobre todo por Tirso en No le arriendo la ganancia; en este último auto encontramos una alegoría de los vicios que pueblan la ciudad: el Agravio es sastre, la Calle Mayor es una calle donde tienen escaparate todos los vicios, «donde todos los vicios hacen alarde» y por oposición ofrece su pureza la Aldea, un pueblo llamado Sosiego.

La impureza urbana en la comedia de ambiente rústico, como lo es también en los teólogos contemporáneos, se cifra a menudo en la lascividad. Desde este punto de vis-

---

[8] Cf. B. A. E., V, p. 39 b.
[9] Cf. B. A. E., V, p. 40 b:

> «Cortesanos agravios y recelos,
> hasta el vestido aquí quiero dejaros,
> como en lugar que está apestado todo,
> que es la corte ramera, y ya no dudo
> que he de salir de su interés desnudo.»

[10] Cf. B. A. E., V, p. 29 a.

ta, importa subrayar cómo la comedia villana o seudovillana pudo representar para los moralistas el ejemplo mismo del género de espectáculo puro y casto por el que abogaban. Y esto se nota muy particularmente en las danzas puestas en escena. Como ya se sabe, una de las acusaciones más repetidas de los adversarios del teatro, hacia 1600, consistió en decir que ofrecía el vicio y la impureza bajo la mirada de los espectadores mediante la exhibición de bailes perversos del tipo de la chacona, de la zarabanda o del escarramán, procedentes en su mayoría del extranjero o de América.[11] Las vigorosas campañas de los puritanos lograron, en varias ocasiones, que se prohibieran estos bailes, que desafiaban la honestidad y la decencia, en los que las bailarinas, con ademanes muelles y zarandeando los cuerpos, despertaban la sensualidad.[12] Pero era tal la boga de los bailes licenciosos que era preciso reanudar sin tregua la lucha contra este pecado. En 1620, mientras la polémica duraba ya desde hacía treinta años, Liñán y Verdugo escribía en su *Guía y avisos de forasteros:*

> Ahora en nuestros tiempos nuestros Españoles habían admitido o permitido una manera de comedias honestas y ejemplares; pero de unos días a esta parte han abierto la puerta a unos bayles tan deshonestos, que parece que vuelven las aguas por do solían ir...[13]

Precisamente las danzas y los bailes de las comedias de ambiente campesino, fuesen o no antiguos bailes aristocráticos pasados al campo, constituían a fuer de danzas y bailes de antaño, un tipo de espectáculo aceptable para los censores. En efecto, frente a las condenas de los intransigentes, los defensores del teatro esgrimían a menudo el argumento del carácter casto de las viejas danzas, para animar una representación. Por ejemplo, el *Memorial de la villa de Madrid, pidiendo al rey Felipe II que se abriesen los teatros cerrados por la muerte de la Infanta D. Catalina, Duquesa de Saboya* (Madrid, 1598) subrayaba:

> ... Lo que más puede notarse y cercenarse en las comedias es los bayles, músicas deshonestas, assí de mujeres como de hombres, que desto esta villa se confiesa por escandalizada y súplica a V. Mag. mande que haya orden y riguroso freno, para que ni hombre ni muger dançe sino los bayles y danzas antiguos y permitidos, y que provocan sólo a gallardía y no a lascivia...

De un modo más general, las viejas danzas narrativas castellanas y leonesas, «danzas habladas», organizadas sobre la trama de un relato heroico o galante, por oposición a determinados bailes de importación, se caracterizaban por la actitud hierática del cuerpo; no implicaban más que movimientos de los pies, permaneciendo los bra-

---

[11] H. A. Rennert, *The Spanish Stage in the Time of Lope de Vega,* New-York, 1909, p. 70 y ss.

[12] Así es como el Consejo de Castilla tomó en 1615 una medida a este efecto. Véase, por ejemplo, la descripción de la «çarabanda» por Covarrubias:

> «Bayle bien conocido en estos tiempos, si no le hubiera desprivado su prima de chacona. Es alegre y lascivo, porque se hace con meneos del cuerpo descompuestos.»

[13] Liñán y Verdugo, *Guía y avisos de forasteros,* Madrid, 1620, fol. 80 (B. N. Madrid, R. 10263). (Puede consultarse la edición de la Real Academia Española, Madrid, 1923).

[14] Manuscrito de la Real Academia de la Historia, reproducido in Pérez Pastor, *Bibliografía madrileña,* t. I, p. 304, núm. 583.

zos inmóviles y el busto fijo, y es que tanto como baile eran narración. Se ha planteado a menudo el problema de la diferencia entre *danza* y *baile*. Creemos que, entre otras
cosas, tal distinción también era moral. Rodrigo Caro establece claramente la distinción en varios pasajes de sus *Días geniales o lúdicros* (¿1626?) agregando precisamente
la preocupación puritana que subyacía en tantos juicios emitidos acerca de los
espectáculos:

> La saltación que en castellano llamamos danza, baile, o tripudio, fue antiguamen-
> te en dos maneras: una honesta y útil para el ejercicio del cuerpo, y otra deshonesta
> y lasciva. La misma diferencia tenemos hoy...[15]
> ... Bástenos saber que los bailes de las mozuelas gaditanas, muy célebres en el mun-
> do llamándoles bailes, a diferencia de la danza, porque danza llamamos comunmente
> a la honesta saltación, y danza llamamos también a las que en las fiestas del «Corpus
> Christi» en todas las ciudades de España se usan, con rico adorno de vestido en que
> se representan algunas historias...[16]
> ...Mas volviendo a nuestro baile, digo que la diferencia entre la danza y él, es que
> en la danza las gesticulaciones y meneos son honestos y varoniles, y en el baile son
> lascivos y descompuestos: tales eran los bailes gaditanos antiguamente de que habló
> Juvenal Sat. XI...[17]

La idea general vulgarizada por los escritores fue, efectivamente, que las fiestas aldeanas contituían un modo de divertirse probo y casto. En *Antona García* (1623) de
Tirso, la Reina Católica que se detiene un instante en la aldea de Tagarabuena para
presenciar una boda rústica, con sus acostumbrados festejos, califica a la fiesta aldeana («la villanesca») de pasatiempo honesto.[18] En el *Quijote*, la exigencia de pureza idílica del caballero se goza en el espectáculo inocente de un baile de muchachas de catorce a dieciocho años, durante las bodas de Camacho, en una aldea de la Mancha.
Estas vírgenes que se desenvuelven con gracia al son de la gaita zamorana, le encantan
por el pudor del rostro y de la mirada:

> Hacíales el son una gaita zamorana, y ellas, llevando en los rostros y en los ojos
> la honestidad y en los pies a la ligereza, se mostraban las mejores bailadoras del mun-
> do (Cap. XX, Parte II.)

Poco antes, Cervantes había descrito el desarrollo de una belicosa danza de espadas. El carácter varonil de tal espectáculo que los aldeanos de la región de Toledo aún
practicaban hacia 1600 y que los dramaturgos introdujeron en más de una comedia,[19]

---

[15] Cf. *Días geniales o lúdricos,* (sic), impreso por «Bibliófilos andaluces», in *Obras de Rodrigo Caro,*
Sevilla, 1883, t. I, p. 54.
[16] *Ibid.,* p. 59.
[17] *Ibid.,* p. 60.
[18] N. B. A. E., I, p. 617 b:

> «Lícito es en los trabajos
> buscar honestos alivios,
> que un pecho real es tan ancho
> que pueden caber en él,
> aprietos y desenfados;
> gocemos la villanesca.»

[19] Por ejemplo, *El conde Fernán González, La Corona merecida,* de Lope.

estaba evidentemente en oposición con los nuevos bailes afeminados y lánguidos, motejados tan a menudo de «bailes mugeriles» por los moralistas. La idea de la calidad moral de las antiguas danzas castellanas, leonesas o asturianas, conservadas por los aldeanos, rezagados con respecto a la moda, apenas despuntaba en el momento mismo en que la ciudad se encaprichaba por novedades de origen americano o andaluz. Había de perpetuarse hasta la época moderna. A fines del siglo XVIII, por ejemplo, se encuentra bajo la pluma de Jovellanos en su carta sobre las romerías asturianas:

> Estas danzas no son menos sencillas y agradables que los demás regocijos del día. Cada sexo forma las suyas separadamente, sin que haya ejemplar de que el desarreglo o la licencia los hayan confundido jamás. El filósofo ve brillar en todas partes la inocencia de las antiguas costumbres y nunca esta virtud es más grata a sus ojos que cuando la ve unida a cierta especie de placeres que la corrupción ha hecho en otras partes incompatible con ella.[20]

Basta prestar algo de atención a las danzas y bailes puestos en escena en las comedias de ambiente rústico para descubrir lo recatado de su interpretación en casi todos los casos. Véase, por ejemplo, *Los prados de León* de Lope de Vega. En un ambiente de idilio a lo Teócrito, junto a la fuente de la aldea, se arma una danza colectiva con muchachos y muchachas; es una pastorela: una villana vasca, tras un primer movimiento de negación, cede a la invitación de un misterioso caballero quien, según el libreto, la toma en brazos para llevarla a bordo de uno de sus barcos que están fondeados cerca.[21] Ahora bien, si nos atenemos al diálogo que precede a la canción-danza, la interpretación del gesto final queda expurgada de todo condimento de lascividad «al modo de las ciudades»: el galán Nuño, defensor de la «justa honestidad», amenaza en efecto a cualquiera que esboce el gesto de tomar a su compañera entre sus brazos. Una salida crítica del villano cómico Bato que pretende que hiela los pies el no poder estrechar a su compañera, una objeción del rival de Nuño, Silverio, que pregunta irónicamente si el Rey lleva «alcabala» sobre los abrazos, nos permiten adivinar que el pasaje no carece de relaciones con las campañas de la época o para saneamiento del teatro, y creemos adivinar que Lope se conforma a las exigencias de los puritanos, aún riéndose de ellas.[22] En verdad, este problema de los abrazos en escena no hacía

---

[20] Cf. B. A. E., L, p. 299 a.
[21] Acad., VII, p. 149 a:

> «Tómala en los brazos
> y a la mar camina»

[22] *Ibid.*, p. 149 a:

«Nuño:	Advertid que esto ha de ser con la justa honestidad, y no ha de abrazar ninguno.
Silverio:	Y cuando abrazase alguno, ¿no se usa en la ciudad? ¿lleva el Rey deso alcabala?
«Nuño:	Si alguno la diese abrazos a bien sé yo quién, mis brazos se la darán noramala.
«Bato:	Para los que han de bailar es eso helarles los pies.»

sino empezar y, un siglo más tarde, en tiempos de Cañizares y Zamora, había de discutirse todavía como un punto capital del debate sobre la moralidad o inmoralidad de los espectáculos teatrales.[23]

Esta castidad del baile aldeano en el teatro, que adivinamos en *Los prados de León* por medio del diálogo, también tenemos que imaginarla por necesidad lógica, en una pieza como *Con su pan se lo coma*. Se ve aquí, en las bodas de Fabio, villano ejemplar en muchos aspectos, una «danza amorosa». Según las palabras del libreto, es una gallarda, o sea, otra vez, una *danza* en sentido propio. Pero aunque no supiéramos nada acerca de la gallarda, fuera de la pieza, nos estaría vedado el suponerle el más mínimo gesto impúdico: la intención moralizadora del contexto de *Con su pan se lo coma* no lo permitiría, so pena de disonar. Pero se da la casualidad de que podemos reconstituir bastante bien el carácter de la gallarda, danza majestuosa y grave, sentida con razón o sin ella como castellana y pura, en oposición a determinadas danzas, tales como la *baja*, de importación extranjera y consideradas como más propias a incitar al vicio.[14] Thoinot Arbeau nos dejó de ella una larga descripción detallada (con dibujos

---

Sobre la actitud personal de Lope, en lo que atañe a los nuevos bailes, es difícil, en realidad, tener alguna certidumbre. Por lo demás, esta actitud pudo variar. Recordemos sin embargo que en *La Dorotea* acto I, esc. VII, Lope parece lamentar la desaparición de las antiguas danzas como la Alemana, en provecho de bailes lascivos tales como la chacona.

[23] Cf. Manuel Guerrero (quien fue primer galán en una compañía a partir de 1739) in *Respuesta a la resolución que el Rmo Padre Gaspar Díaz .... dio en la consulta theológica acerca de lo ilícito de representar y ver representar las comedias*, Zaragoza, 1743, pp. 18-19; a propósito de los abrazos de los representantes en el escenario, insiste en el hecho de que se trata de una manera muy material de entenderlos, ya que los abrazos existen únicamente en las acotaciones que los señalan, mas no en las acciones de quienes los ejecutan, ya que se lleva a cabo con tanto recato que a penas la mano del comediante alcanza a rozar la manga del vestido de la actriz (B. N. Madrid, R. 12314). (Citado por P. Mérimée, in *L'Art dramatique en Espagne dans la première moitié du* XVIIIe *siècle*, pp. 265-266 de la dactilografía de este trabajo inédito).

[24] Tenemos una descripción bien precisa de la gallarda debida al italiano Caroso da Sermoneta (1581). Según este maestro de baile, se componía de diez tiempos en los que se hallan esencialmente reverencias y movimientos llenos de gravedad (Cf. E. Cotarelo, in *Colección de entremeses...* N. B. A. E., XVII, Introd. en la que cita la descripción de Caroso da Sarmoneta). Barthélemy Joly, in *Voyage...* p. 561, nos confirma su carácter de gravedad en un pasaje en el que nos revela que se bailaba con acompañamiento de violines, en los salones de la reina en Valladolid, en 1604.

«... quelquefois, elle faict faire le grand bal, appelé «Sarao» dans le Palais, où le Roy et les seigneurs balent au son des violons pavanes, gaillardes et espèces de courentes en grande gravité»

El significado de ejemplaridad moral de la gallarda castellana, en oposición con otros bailes de origen extranjero, se deduce fácilmente de uno de los *Juegos de noches buenas a lo divino* de Alonso de Ledesma (Barcelona, 1605) en que el *Alma* encenagada en su matrimonio adulterino con el *Mundo*, no sabe reconocer al merdadero *Amor*, y lleva el error hasta en la elección de las danzas y bailes:«

«Tocó Amor una gallarda
y dijo el Conocimiento:
«No toquéis sino una baja,
que la viene más a pelo;
¡Oh qué gallarda danzó
cuando estaba en gracia un tiempo!
Mas después que dio la baja
sólo la baja le enseñó.»
(in B. A. E., XXXV, p. 171 a)

Para captar de que manera idea moral y nacionalismo castellano se superponían en versos como estos, bástenos con citar las definiciones de la *gallarda* y de la *baja*, dadas por Covarrubias en su *Tesoro:*

ella una larga descripción detallada (con dibujos para algunas figuras) en su *Orché-sographie*. Ahora bien, llama la atención de que, ya en 1588, este autor considere a la gallarda como antigua y como habiendo sufrido en las ciudades un inicio de degradación:

Ceulx qui dancent la gaillarde aujourd'hui par les villes, ilz dancent tumultuaire-ment, et se contentent de faire les cinq pas et quelques passages sans aulcune dispo-sition et ne se soucient pourveu qu'ilz tombent en cadance: tellement qu'une grande partie de leurs meilleurs passages sont incogneuz et perduz. Du commencement, on la dançoit avec plus grande discrétion. Car, après que le danseur avait prins une damoi-selle, et qu'ils s'estoient plantés au bout de la salle, ils faisoient après la révérence, un tour ou deux par la salle, marchans simplement: Puis le danceur laschoit ladicte da-moiselle, laquelle alloit en danceant jusques au bout de ladicte salle, ou estant, elle faisait une station en danceant en ce mesme lieu: Cependant, le danceur la suyvoit, se venoit présenter devant elle, et y faisoit quelque passage en tournant s'il vouloit à droict, puis à gauche. Ce faiet, elle marchoit danceant jusques à l'autre bout de la sa-lle ou ledict danceur l'alloit chercher en danceant pour faire devant elle quelque aul-tre passage. Et ainsi, continuants ces allées et ces venues, ledict danceur faisoit passa-ges nouveaux, monstrant qu'il sçavoit faire jusques à que les joueurs d'instruments faisoient fin de sonner. Lors, il faisoit la réverence, prenant la damoiselle par la main en la remerciant, la restituoit au lieu où il l'avoit prise...[25]

¿Acaso puede deducirse de este texto que fuera de las ciudades, se conservaba toda-vía a fines del siglo XVI, la antigua manera de bailar la gallarda? Pensamos que si, y

«Gallarda, un bayle castellano, dicho assí por el cantarcico: Dama gallarda, mata colón, / mu-cho te quiere el emperador» (p. 625 b).

«Alta y baxa. Dos géneros de danças que truxeron a España estrangeros, que se dançaban en Alemaña la alta la una, y la otra la baxa, que es en Flandes.»

El carácter nacional de la gallarda también es subrayada en un romance de la *Quarta y quinta parte de Flor de romances*, recopiladas por Sebastián Vélez de Guevara, Burgos, 1592, ed. A. Rodriguez-Moñino, Real Acad., Española, 1957, fol. 147 rº. El autor la opone a los bailes moriscos (zambras, etc.):

«A mis señores Poetas,
descúbranse ya essas caras,
desnúdense aquellos Moros,
acábesen ya essas Zambras,
váyase con Dios Gazul,
lleve el diablo a Zelindaxa,
y buelvan essas marlotas
a quien se las dio prestadas
que quiere doña María
ver baylar a doña Juana
una gallarda Española,
que no ay dança más gallarda,
y Don Pedro y Don Rodrigo
vestir otras más galanas,
ver quien son estos dançantes
y conocer estas damas.»

Este poema fue atribuido a Góngora (Cf. ed. Millé, 1117-1118). Pero esta atribución no ofrece ninguna seguridad.

[25] Thoinot Arbeau, *Orchésographie et traicté en forme de dialogue par lequel toues personnes peuvent facilement apprendre et pratiquer l'honneste exercice des danses*, Langres, 1588. (copia manuscrita B. N. Madrid, M. 1021, pp. 76 y 59). El British Museum posee dos ejemplares de este trabajo (uno de ellos está incompleto).

verosímilmente también hay que imaginar a la manera antigua y pura la gallarda de los villanos de *Con su pan se lo coma*, con la gallardía (lo contrario de la lascividad según los moralistas) de la que Thoinot Arbeau dice que es su carácter fundamental.[26]

La idea moral de la pureza aldeana opuesta a la impureza ciudadana también ha de indagarse, a propósito del tema del oro y de los juegos por dinero, en la comedia de ambiente rústico. El motivo, además, no es particular de dicha comedia; se encuentra por doquier en la literatura de esta época; corresponde al hecho de que, en una sociedad que, fuera del mundo campesino, no producía mucho, el aflujo del metal americano constituyó el gran factor de descomposición tanto moral como económica. Así como lo demostró Earl Hamilton, en el transcurro del decenio 1590-1600, las importaciones realizadas sea por la corona, sea por particulares, alcanzaron cifras fabulosas. Ese oro que entraba por la boca del Guadalquivir para derramarse por toda la península penetró por todos los poros de la sociedad urbana y creó a su alrededor un verdadero vértigo, acentuando ese hambre de oro del que hablaban desde hacía ya más de un siglo los moralistas y los humanistas volviendo a utilizar la famosa fórmula de Virgilio: «Auti sacra fames»,[27] e inspirándose en las invectivas de Horacio[28] o de Juvenal [29] contra el metal amarillo.

El villano de teatro que, hacia 1600, condena al oro y encomia al trabajo, no hace más que vulgarizar, avivada por excepcionales circunstancias históricas, la doctrina que a este respecto venían profesando unos cuantos humanistas y moralistas desde más de un siglo. Y coincide por el mismo hecho con los economistas de su época que, como Cellorigo, lamentan que España abandone la agricultura y la ganadería, actividades naturales y virtuosas, para salir a las Indias en pos de espejismos mineros[30] y estiman que virtud moral y virtud económica son todo uno. He aquí, en *Ya anda la Mazagatos,* a un señor, quien para ganarse los favores de una serrana, le obsequia en presencia de su padre una cadena de oro. El padre rechaza el regalo porque corpiños y basquiñas de aldeanas, no suelen, dice él,[31] llevar realces de oro. Pero el hábil rechazo de un regalo equívoco no es aquí más que pretexto para una condena ética del oro obtenido con demasiada facilidad: el oro que el hombre no se ha ganado con el sudor de su frente, afirma el villano, es nefasto y no trae honra.[32] Asímismo, en los

---

[26] *Ibid.*, p. 78: «La gaillarde est appelée ainsi, parce qu'il fault être gaillard et dispos pour la dancer: et combien qu'elle se dance par une pesanteur raisonnable, les mouvements y sont gaillards...»

[27] Esta fórmula ya era del agrado de Juan de Mena y se encuentran huellas de ello en *Laberinto de fortuna,* 80 c, 230 f.

[28] Horacio, en la oda III, considera que el dinero es la fuente de todos los males que afectan a la sociedad romana de su época.

[29] Juvenal (Sat. IV, versos 294-295) le atribuye todos los males de Roma a la riqueza que la Urbs arrebató a los otros pueblos.

[30] Cf. Martín González Cellorigo, *op. cit.*

[31] Ed. S. G. Morley, versos 443-446:

«... Las aldeanas
los sayuelos o basquiñas
no guarnecen con el oro.
Eso en la corte se estila.»

[32] *Ibid.*, versos 450-453:

«El oro que la fatiga
no a ganado, honra no da,
y yo, señor, la codizia
nunca la puse en el oro.»

Tellos de Meneses, de Lope, el viejo Tello condena a su hijo que se compró una cadena gastando así un dinero que no se ha ganado él trabajando.[33]

La multiplicación del numerario a fines de siglo contribuyó a desarrollar la pasión por el juego en todas las capas sociales de las ciudades: una abigarrada población de jugadores, apostantes, fulleros, se instaló en los garitos de Sevilla, Toledo, Madrid, de lo cual traen testimonio tanto las pragmáticas como las novelas picarescas. Después de 1600, hasta los campos se ven contaminados por esa fiebre del juego.[34] Esto era sin embargo contrario a la tradición: ordenanzas municipales, en las que se puede leer la moral social de los pueblos a fines de la Edad Media y principios del siglo XVI, consideraban al juego como una falta en contra de la comunidad, por parejo con el alboroto público, el no asistir a misa, el trabajar en día domingo, el desviar aguas o robar leña en los bienes comunales, y como tal, castigaban al juego con multas en beneficio de la comunidad y lo colocaban bajo vigilancia policial.[35] En nombre de este pasado rural se condena al juego, y por reacción contra la corrupción del tiempo presente, surgen la oposición de los repetidos sermones del villano hostil al juego: a menudo están en boca de un padre que reprende a su hijo, lo que viene a ser la traducción escénica del diálogo entre el pasado y el presente. En *El cuerdo en su casa* el hidalgo Leonardo viene a buscar al villano Mendo y su mujer para que participen en una partida de polla. El villano cuerdo le contesta que a este juego prefiere la polla en la olla: «La polla es buena en la olla»[36] En *El villano en su rincón,* Feliciano, hijo de Juan Labrador, va a jugar a la pelota a París, a escondidas, porque sabe que no se puede dedicar abiertamente a ello ante su padre, hostil a este tipo de diversión.[37] Una

---

[33] Cf. Acad., VII, p. 310 a:

Tello el Viejo:	....
	Tente; ¿una cadena al cuello?
	¿qué te costó?
Tello:	No lo sé.
	Basta que yo lo he pagado.
Tello el Viejo:	Sí, de lo que has trabajado.»

[34] En sus *Entretenimientos y juegos honestos* (1623) Alonso Remón da a entender que los juegos de azar y de dinero ya penetraron hasta los pueblos.

[35] Cf. *Ordenanzas de la Alberca y sus términos Las Hurdes y las Batuecas,* publicadas por Gabrielle Berrogain, in *Anuario de historia del derecho español,* VII, Madrid, 1930, pp. 381-441.

Cf. Ordenanza 42, con el título de *Ordenanza de los que jugaren dinero físico seco:*

«... Otrosí ordenamos que ningún vecino ni vecinos, ni moradores del dicho lugar, ni de su parte, ni de fuera parte qualquiera que sean, no sean osados de jugar dinero seco en ninguna manera que sea. E qualquiera que lo jugara caiga en pena a nos, el dicho concejo, por cada una vez que lo jugare de cien marabedís e más diez marabedís a los arrendadores e que los arrendadores puedan hacer pesquisa con juramento sobre ello. E los dineros que así jugaren, e se allare que se pusieren a jugar, sean de la justicia de este dicho lugar, que supiere los que jugaron, e sobre ello pueden haacer pesquisa e tomar juramento...»

Las ordenanzas de La Alberca fueron proclamadas en 1515. En 1616, una redacción volvía a usar los términos en lo más esencial. Las disposiciones con respecto al juego no se vieron modificadas.

[36] B. A. E., XLI, p. 454 sobre la *polla,* véase Covarrubias, *Tesoro,* p. 648 a.

[37] Cf. Acad., XV, p. 282 a:

Feliciano:	....
	al juego de pelota
	voy a apostar mis dineros,
	ya que no puedo jugar

escena de *Los Tellos de Meneses* nos presenta al joven Tello volviendo, sudoroso, de un partido que ha durado dos horas largas, el viejo Tello se enfada porque su hijo perdió en él cien reales y lo reprende severamente.[38] Si el villano ejemplar condena aquí el juego, es por lo que encierra de inútil, peligroso y malsano. Lope, en este punto, no hace sino volver a recoger un motivo elaborado durante el siglo XVI por la literatura ejemplar. Ya en uno de sus *Coloquios satíricos* Antonio de Torquemada lo había desarrollado demostrando los peligros físicos y morales que traía el exceso de juego (también él alude al detalle del sudor). Este autor no era por cierto el primero en abordar el tema, ya que menciona un tratado anterior que lleva por título *Remedio de jugadores*, obra de un fraile.[39] Mas si el villano de Lope condena a su hijo por haber jugado, también lo hace porque se trata de un juego por dinero. Porque resulta evidente que nuestro moralista no pretende condenar los juegos villanos, varoniles y deportivos de antaño (la chueca, el lanzamiento de la jabalina), en los que se fortalecían cuerpos y mentes de los labradores, y que evocan con complacencia otras comedias de ambiente rústico. Tampoco proscribe, claro está, el juego de bolos encomiado por Lope como juego ingenuo y puro, en un Madrid de antaño, petrificado en su ya caduca primavera de *La niñez de San Isidro*.[40] Si el villano ejemplar condena a veces

> (a lo menos, no me atrevo)
> porque sé bien que si pruebo,
> conmigo se ha de enojar.»

J. de Zabaleta , in *Día de fiesta por la tarde*, cap. IX, describe así este juego cortesano:

> «El que saca, encamina la pelota hacia donde no la pueden coger los que restan; ellos se desatinan por volverla a la parte de donde salió; los del saque, la vuelven a recebir como enemigos, rabiando por echarla de sí. Al fin la paga uno...»

[38] Cf. Acad., VII, p. 309.
[39] Cf. in Menéndez y Pelayo, *Orígenes de la novela*, N. B. A. E., VII, t. II, pp. 488-499: «Colloquio en que se tratan los daños corporales del juego persuadiendo en los que lo tienen por vicio que se aparten dél, con razones muy suficientes y provechosas para ello.»
[40] De necesitar otra prueba más en favor de la idea de la pureza del juego aldeano de bolos en Lope, la tendríamos en estos versos del soneto que compuso bajo el seudónimo de «Maestro de Burguillos» con ocasión de las fiestas de beatificación de Isidro en 1620:

> «Los campos de Madrid, Isidro santo,
> en vuestra pura edad estaban solos;
> jugaban los vecinos a los bolos
> en su arenosa margen el disanto.»

Ideas parecidas sobre los juegos de antaño, pasatiempos honestos, vuelven a encontrarse, con unas pocas variantes, en el tratado de Francisco de Luque Faxardo, *Fiel desengaño contra la ociosidad y los juegos*. Primera parte, Madrid, 1603 (B. N. Madrid, R. 11412). Este diálogo que condena terminantemente los juegos —en especial los de naipes— en los que puede triunfar la fuerza, la astucia («industria») y fullería (curiosamente el autor acepta los juegos de azar —los dados, por ejemplo— porque la industria, dice, no puede ejercitarse en ellos) consiente una excepción para los juegos ingenuos de antaño, cf. fol. 23 vº y 24 rº:

> «... Esso era en tiẽpos passados (respondió Florino) pero ya ha prevalecido el naype de manera en los presentes q̃ todo lo iguala. Así es (dixo Laureano) y han llegado sus leyes a tal término, que aun a los muchachos tiernos comprehẽde, pues en lugar de los pueriles exercicios que nosotros alcançamos, vemos acompañar sus primeras letras con el naype... que ya no se juegan nuezes, almendras, pares y nones, juegos tã honestos como antiguos, de que hazen memoria autores tan graves...»

el juego, lo hace igualmente por repudiar de una manera general la ociosidad. El viejo Nuño de *Anda la de Mazagatos* que divisa en la sierra a unos cazadores de la corte, perdidos y calados por la tormenta, se divierte con la mala danza ocurrida a los señores de la ciudad. ¿No tendrían otra cosa mejor que hacer que cansarse en ejercicios deportivos gratuitos? ¿El lugar de estos caballeros no estará en la guerra?[41] Imagen muy repetida por los satíricos del momento es ésta del cortesano afeminado que olvida que su verdadero sitio está en los campamentos y en el ejército.[42]

La crítica de las usanzas suntuarias atribuidas a los ciudadanos es otro de los motivos entre los villanos teatrales: en su prédica ensalzan, como otroa tantos sermones y pragmáticas del momento, la sencillez en el vestido y el mobiliario.[43] Para el villano teatral, las modas vestimentarias de la corte resultan dispendiosas y rebuscadas: lo dice ya sea por el rodeo de una escena cómica, ya sea con un tono grave y edificante. Nuflo, a quien su amo Fernando lleva consigo a la pequeña corte de la duquesa de Alba en el castillo de Piedrahita, en *El aldegüela,* hace objeciones sobre las ropas que teme verse obligado a llevar: la perspectiva de lucir *gorgueras* en los muslos, atacadas de *tinelo* y de *pescozón,* no le hace ninguna gracia.[44] Esta es una manera, para el dramaturgo, de subrayar lo extravagante de algunas modas ciudadanas. Tal actitud satírica frente a modas urbanas se ve acentuada sobre todo en los villanos de Tirso, quienes jamás dejan de bromear con las complicaciones a las que se dedican los sastres y costureras de la Corte. Peinado, en *El pretendiente al revés,* se pregunta como pueden ca-

---

[41] Ed. S. G. Morley, versos 595-601:

«Cortesanos no enseñados
a sentir jamás fatiga,
el pasatiempo os obliga,
y hoy, porque os sentís mojados,
dezís mal de aquesta tierra.
Güélgome de vuestro mal.
¡A la guerra, pese a tal!
¡Id nora mala a la guerra!»

[42] Cf. Quevedo, *Epístola moral y censoria contra las costumbres presentes, escrita al Conde-Duque de Olivares.*

[43] El villano teatral, al pregonar la vuelta a la sencillez poco costosa de tiempos pasados, se hace eco de una preocupación que la literatura expresa a menudo, después de 1590 aproximadamente. Véase, por ejemplo, el romance sobre la *Pragmática nueva del año 93. A los cuellos, y excessivos trages de España,* fol. 375 vº, in *Ramillete de flores sexta parte de flor de romances recopilados por Pedro de Flores,* Lisboa, 1593. Pueden leerse versos tan irónicos como estos:

«Buelva aquella edad dorada
quando el famoso Rodrigo
con un çapato de vaca
salie Pascuas y Domingos,
y la su mujer Ximena
con tan costosos vestidos.»

[44] Cf. Acad., XII, p. 251 b:

«Cuando más honrarme quieras,
para mí estorbo ha de ser,
obligándone a traer
en los muslos dos gorgueras.»

ber en una misma mesa, «tantas bragas y lechuguillas».[45] En Lope, la nota satírica se ve desdibujada en provecho de la nota edificante. En *El cuerdo en su casa*, el villano Mendo rechaza estas galas de recién parida, lo hace porque, según dice, es demasiado lujo y no conviene a su condición villana:

> Ya están haciéndole agora
> A Antona, que es labradora,
> De grana una mantellina.
>
> ....
>
> La felpa no es entre gente
> rústica puesta en costumbre,
> y es ponerme en pesadumbre
> de que su costa sustente.
> Y entre rudos labradores
> no será guardar parejas
> subir la lana de ovejas
> a las felpas de señores.[46]

Juan Labrador, el héroe ejemplar de *El villano en su rincón*, bien podría comprarse ricas vestiduras, sin embargo sólo viste con paños toscos.[47] La economía en materia de paño que ostenta el viejo Tello de *Los Tellos de Meneses* no es menos notable. Vocero de las ideas antisuntuarias de los años 1620-1630, hélo aquí que la emprende con su hijo que se ha adornado a lo cortesano, con oro y plumas: expresa su condena fingiendo no reconocer a su hijo en ese lujoso atuendo.[48] En otro pasaje, se alaba a sí

---

[45] B. A. E., V. p. 42 a.

[46] B. A. E., XLI, p. 459 a. La figura edificante del aldeano que se viste con modestia conforme a su condición, también está presente en la poesía con el tema de la alabanza de aldea. En la epístola en tercetos de Rodrigo Fernández de Rivera «A Don Juan de Heredia capitán de infantería» (en el ms. de la B. N. de Madrid, *La guirnalda odorífera*, 1603, I. 368) leemos:

> «A su vivir igualan sus vestidos,
> no qual un tiempo pieles de animales
> pero abrigados andan, no polidos.»

[47] Cf. Acad., XV, p. 284 b:

> «*Rey:*   ¿Qué viste?
> «*Fileto:*   Paños toscos.»

[48] Acad., VII:

> «¡Hijo yo con seda y oro,
> espada y daga dorada,
> pluma y más aderezos
> que una nave tiene jarcias!
> No creas tú que es mi hijo.»

[49] *Ibid.*, p. 308 a:

> «No obliga poca renta
> al costoso vestido
> que al uso conocido
> la novedad inventa.»

mismo por no tener que hipotecar costosamente sus rentas para seguir la moda, una moda que sin descanso «la novedad inventa». En *Valor, fortuna y beldad*, continuación de *Los Tellos de Meneses* ¿habrá sido atenuado ese rigorismo con el tiempo? Quizás sí ya que acepta que su nieto se vista de seda: pero el espíritu de ahorro permanece lo suficientemente vivo en este Catón castellano, como para condenar la seda acuchillada que se desgarra con gran facilidad.[50] A las modas extravagantes o costosas de las ciudades, el villano la mayoría de las veces opone la humildad de su sayal, siendo este sinónimo de quietud, de vida sana y virtud. Así lo hace el viejo Finardo, en *Con su pan se lo coma*, al enunciar lo que viene a ser de alguna manera su testamento moral para sus hijos:

> Sus galas traiga el noble cortesano
> entre el vulgar estrépito y bullicio;
> vosotros el sayal con que os he dado
> tan quieta vida entre un arroyo y un prado.[51]

En el límite, este sayal de campesino, que también lo era de los frailes (y particularmente el vestido franciscano),[52] podía naturalmente cobrar un sentido simbólico y

---

[50] Acad., VII, p. 339 a:

> «*Garci*:						Señor,
> 				Dios sabe con el temor
> 				que me ha vestido y compuesto.
> *Tello el V.*:		¡Temor! Pues ¿de qué, García?
> *Garci*:			De que os soléis enojar
> 				y a los vestidos llamar
> 				excusada demasía.
> *Tello el V.*:		La seda no me molesta,
> 				nieto; que lo que me enfada
> 				es la seda acuchillada,
> 				que está antes rota que puesta.»

Parece que las comedias de la dilogía de *Los Tellos de Meneses*, que pertenecen a la década 1620-1630, hayan recibido la impronta de las preocupaciones anti-suntuarias de principios de reinado de Felipe IV. Sabido es que los *apuntamientos* de 1623, dirigidos al nuevo soberano, protestaban contra los gastos excesivos acarreados por la moda de las gorgueras, y en el mismo año, Olivares promulgó unos decretos contra el lujo: entonces se desencadenó la célebre «guerra de los cuellos» que evocó Morel Fatio con numerosos documentos (*Etudes sur l'Espagne*, París, 1888-1904, t. III). Sobre este tema, véase también a Ruth Lee Kennedy, *Certain Phases of the sumptuary decrees of 1623 and their relation to Tirso's Theatre*, Hisp. Rev., X, 1942, pp. 91-115.

[51] Acad., N., IV, p. 295 b. La ejemplaridad del aldeano que se opone a las modas extravagantes y variables de las ciudades, correspondía, en cierta medida, a la realidad. Covarrubias, en el artículo *vestidura* (p. 1003 a, 28) opone los cambios de moda de la indumentaria propia de la gente de las ciudades y el conservadurismo (relativo) de los campesinos:

> «... A los españoles en este caso nos han notado de livianos, porque mudamos traje y vestido fácilmente... sólo los labradores, que no salen de sus aldeas, han durado más en conservar el traje antiguo aunque ya esto también está estragado.»

[52] El acercamiento entre el traje campesino y el de los frailes fue, por lo demás, operado hacia 1600 por quienes querían insistir en las virtudes morales del aldeano. Lope de Deza, *op. cit.*, escribe, por ejemplo (fol. 37 rº):

> «... y por esto el buriel honra al labrador, y el sayal y remiendos al religioso, y el saco al ermitaño...»

significar el ascetismo puro, el retiro del mundo: así como se ve en varias piezas de atmósfera franciscana operarse de manera muy natural el paso del traje aldeano al del fraile.[53] En el auto de Tirso *No le arriendo la ganancia,* el valor moral y santo del sayal aldeano es subrayado visualmente en el escenario: arrepentido por haber perseguido los falsos bienes de la Corte, «El Honor» vuelve a la aldea llamada «Sosiego» y expresa su hondo cambio moral al trocar el traje cortesano por el pobre sayal del labrador. En el teatro eucarístico, suele ocurrir también que las preseas y joyas de la aldeana, consideradas como un adorno sano y puro, sin los lujosos recargos de aderezos y joyas ciudadanos, cobran un valor alegórico moral y religioso. Las patenas, corales y zarcillos, cuyo carácter típicamente campesino veremos más tarde, entran por ejemplo en este sistema alusivo de que gusta el teatro «a lo divino». En *El pastor lobo y cabaña celestial,* auto de Lope, la «Esposa cordera» lleva el rebaño, engalanada con patenas y corales asimilados a las joyas de las virtudes.[54] En *La Maya,* otro auto de Lope, los aretes de coral tienen «cerrojos de fe». Los corales recuerdan la sangre del racimo místico y la cruz del collar de la maya también va esmaltada con manchas de sangre. Estamos aquí ante un sistema de correspondencias, relativo a las galas aldeanas, que parece haber sido general en tiempos de Lope, ya que volvemos a encontrarlo bajo la pluma de Valdivieso.[55]

La vivienda aldeana, en las miras edificantes de la comedia, es igualmente ejemplar, su contraste con las ricas residencias ciudadanas es deliberado, también en este caso. Considerese la casita de muros enjabelgados de Casilda y Peribáñez en *Peribáñez y el Comendador de Ocaña.* La suponemos limpia y cuidada: la pulcritud moral y espiritual está ahí en armonía con la limpieza física; en las paredes adornadas con cruces de espigas, hay colgadas algunas amapolas, flores silvestres blancas o amarillas; también hay grabados piadosos que representan algunas escenas de las Escrituras: sobre todo, entre otras imágenes de santos populares, se encuentra la imagen de san Francisco con sus llagas.[56] En lo más íntimo de aquella casa sencilla, no podríamos hallar

---

[53] Cf. *San Diego de Alcalá* de Lope, *La elección por la virtud* de Tirso (en ella vemos a Sixto, futuro papa, sucesivamente «de labrador» y «de fraile franciscano»).

[54] B. A. E., LVIII, p. 192.

[55] Cf. «Auto» de Valdivieso, *La serrana de la Vera.* Cf. también *Romancero espiritual,* Madrid, 1648, p. 215, donde la patena ostenta la figura del cordero:

> «patena que puede
> en la igreja santa
> ser del Corpus Christi
> cuando le consagran
> ....»

[56] Cf. ed. Aubrun y Montesinos, versos 2049-2053 y 2056-2063:

> «Que en nuestras paredes blancas
> no han de estar cruces de seda,
> sino de espigas y pajas,
> con algunas amapolas,
> manzanillas y retamas.»

> «Fuera de que sólo quiero
> que haya imágenes pintadas:
> la Anunciación, la Asunción,

uno de esos estrados lujosos, adornado con seda y brocado, como se encontraban en
las viviendas urbanas de las damas ricas de la Corte. Sin embargo Casilda es lo suficientemente adinerada como para poder acceder a tales lujos;pero, para sus labores,
se contenta, como aldeana modesta, con un estrado tapizado de cuero azul, rematado
con cenefas doradas en las cuatro esquinas.[57] El sentimiento de la holgura mediana,
sin excesos, va sugerido aquí por Lope como una virtud. Lope tuvo mucha afición a
este tema del hogar campesino, que por su modestia, ha de aparecer como un símbolo
de sencillez. Hasta el hogar más rústico, lo presenta como ejemplar: en la casa de Mendo, el héroe de *El cuerdo en su casa*, no encontraremos estrado donde recibir la visita
del hidalgo vecino: simplemente algunas sillas «de costillas»[58] y, en una parte de la
única habitación, como ocurría en la casa de algunos campesinos humildes, ¡el buey
en conversación con el cerdo![59] La ironía con la cual los cortesanos consideraban a

San Francisco con sus llagas,
San Pedro Mártir, San Blas
contra el mal de la garganta,
San Sebastián y San Roque,
y otras pinturas sagradas
.................................»

[57] *Ibid.*, Acto II, esc. II:

«... labor en un limpio estrado,
no de seda ni de brocado,
aunque pudiera tenello,
mas de azul guadamecí
con unos vivos dorados
que, en vez de borlas, cortados
por las cuatro esquínas ví.»

[58] Estas sillas de costillas que se encuentran clásicamente al evocar los enseres del aldeano en la comedia
de ambiente rústico fueron definidas por Covarrubias, in *Tesoro*.p. 366 a, 62: «Silla de costillas , de palillos
a modo de costillas.»
[59] B. A. E., XLI, p. 461 a:

«Yo no tengo aquellas sillas,
porque de costillas son,
y un peso de sin razón
súfrenle mal las costillas.
Aquí está el buey del arado
y el puerco en conversación,
y entrarán en ocasión,
que estén en el mismo estrado.»

Estos versos encierran algo así como un desafío si se los confronta con aquellos otros, en los que precisamente el hidalgo Leonardo exhorta al villano a que se compre un estrado de damasco o de terciopelo,
ya que se lo permite su fortuna. Cf. 449 a:

«*Leonardo:*   Quien ser honrado procura,
Mendo, a los que ya lo son
ha de imitar; pues tenéis
hacienda, es bien que intentéis
serlo en la ajena opinión.
Comprad mañana un estrado
de damasco o terciopelo.»

veces los toscos menajes campesinos no logra borrar aquí la intención edificante. La idea de que todo es puro en el mundo aldeano prevalece en el dramaturgo sobre la opinión muy difundida de la suciedad de las casa aldeanas y, allí donde otros sólo veían el primitivismo de costumbres,[60] él encarece una virtud de sencillez. Parecidamente, en *La juventud de San Isidro*, pieza escrita para ser representada en Madrid, en 1622, ante un público ciudadano, cuando Isidro y María, recién casados, evocan la casa de sus sueños, subrayan la pulcritud física y moral (¡y cristianovieja!) del hogar campesino: pocos muebles, una decoración piadosa y campestre (humildes flores agrestes en vez de sedas) y el menosprecio de los palacios, he aquí lo que proponen de modelo a un público que, en realidad, veía en su alrededor, en el mismo momento, los palacios madrileños con salones tapizados con lujosas colgaduras:

> Aposento me ha dado
> en ella mi señor, y éste, pretendo
> que esté muy aseado.
> Lo primero el altar os encomiendo,
> donde una imagen bella
> en brazos tiene al sol, aunque es estrella;
> Dos estampas hermosas,
> en quien San Sebastian está sufriendo
> las flechas amorosas,
> y del Angel divino recibiendo
> la bendición San Roque,
> pondremos en la parte que les toque;
> o estarán a los lados,
> que en lugar de las sedas de colores,
> traeré yo de los prados
> tomillos verdes y olorosas flores.
> Que es la limpia pobreza
> más dulce a Dios, que la mortal riqueza.
> Las sargas que me ha dado
> vuestro padre, María, colgaremos;
> es pincel extremado,
> y de ver a David nos holgaremos,
> pastor que la arrogante
> frente rompió del bárbaro gigante.
> El arca que trajistes
> pondremos para adorno en buena parte:
> ya la haciendilla vistes
> de mi pobre humildad, dejando aparte
> que me dejó limpieza
> mi padre honrado, desta edad riqueza.[61]

---

[60] Cf. *Cartas de Ambrosio de Salazar...*, *op. cit.*

[61] Cf. Acad., IV, p. 535 a. El valor ejemplar de esta morada campesina, evocada con tanta complacencia, queda subrayado por la respuesta de María:

> «Isidro, las mayores
> son la virtud y el buen entendimiento;
> adornen los señores
> sus casasy palacios, que el contento
> no consiste en el oro,
> que su desprecio es el mayor tesoro.»

El tema del moblaje va íntimamente unido con el de la vajilla. La poesía moral de los siglos XV y XVI evoca como falsos bienes la «dorada vajilla»,[62] y ésta es la tradición con que reanuda en parte el aldeano teatral al evocar la vajilla en la que come. La reposición del motivo era tanto más legítima desde el punto de vista de los moralistas cuanto que, con el pasar de los años después de 1600, entre nobles la locura del lujo en materia de vajilla se volvió desenfrenada. Algo más tarde, si todo no es falso en su relato, Madame d'Aulnoy nos ha dejado de ello testimonios asombrosos. Sin embargo, notémoslo, para el aldeano sermoneador no se trata, ni más ni menos que en cuestiones de mobiliario, de incitar a la inopia total o ascetismo. ¿Es más bien la idea de una justa mesura lo que propone este aldeano ideal? Cuando le ofrece una cena a un cortesano desconocido, Celio, el aldeano de *Con su pan se lo coma*, declara que habrá sobre la mesa juntamente vajilla de plata y vajilla de barro:

> que aun en plata cenaréis,
> no toda, si acá pensáis
> que es de la que allá tenéis.
> Barro os traerán una vez
> y otra vez de plata un jarro,
> y cosas deste jaez,
> que andan la plata y el barro
> como piezas de ajedrez.[63]

En una escena de *El cuerdo en su casa*, salen unos aldeanos agasajando a sus vecinos hidalgos. La dama hidalga se niega a beber, porque le ofrecen agua en un vaso

---

[62] Cf. Jorge Manrique, *Coplas a la muerte de su padre:*

> «Las dádivas desmedidas,
> los edificios reales
> llenos de oro
> las baxillas tan fabridas
> ....»
> ¿dónde iremos a buscallos?»

Cf. Fray Luis de León, *Vida retirada:*

> «A mi una pobrecilla
> mesa de amable paz bien abastada
> me baste, y la bajilla
> de fino oro labrada
> sea de quien la mar no teme airada.»

Cf. Luis de Góngora, en la letrilla «Andeme yo caliente», fechada de 1581 (ed. Millé, núm. 96):

> «Coma en dorada vajilla
> el Príncipe mil cuidados,
> como píldoras dorados;
> que yo en mi pobre mesilla
> quiero más una morcilla
> que en el asador reviente
> ....»

[63] Cf. Acad., N., IV, p. 303 b.

y no en un cubilete de plata. Sin embargo este vaso significa un gran adelanto, le replicará el aldeano Mendo, ya que su padre no bebía más que en escudillas. La fortuna del campesino le permitirá, efectivamente, adquirir un cubilete de plata, pero se niega a ello por espíritu antisuntuario.[64]

Pompa urbana, también la había en los coches. Sobre este tema cuántos conceptos satíricos en Quevedo, Ruiz de Alarcón[65] o Luis Vélez de Guevara[66] ¡Era éste un tema de actualidad hacia 1610-1630, y los Apuntamientos impresos secretamente en Madrid en 1623 no dejaron de señalar, entre otros tantos vicios de la Corte, la degeneración de costumbres que conllevaban. En el panfleto podía leerse que eran los coches causa de no pocos daños y numerosas ofensas por el desarreglo que acarreaban en las señores que los poseían. Según el texto, desaparecían los buenos jinetes, mientras que los que hubieran debido ir a caballo, se apiñaban de a seis u ocho en el mismo coche para platicar con las damas en vez de aprender a montar. Más tarde, prosigue el texto, los caballeros iban a ser muy distintos de los de antaño por haberse paseado en coche durante sus años mozos en vez de montar a caballo. La comedia de ambiente rústico se hace evidentemente el eco de esta condena al ensalzar la sencillez del tren de vida que permite la residencia en el pueblo. En *Los hidalgos de aldea* de Lope, un conde de Brandeburgo, elector del Imperio, abandona la Corte para vivir en su feudo rodeado de sus villanos: este dato es un pretexto para no pocas moralizaciones acerca del lujo cortesano, por boca de los villanos, cuando ven llegar al pueblo los pendones y la cargamenta de reposteros destinados a adornar la casa señorial; pero pronto, el propio señor proclama su voluntad de reformarse y suprimir el lujo que lo rodeaba hasta entonces: renuncia a las carrozas y al mobiliario superfluos en el campo en el que se puede vivir sencillamente.

> La pompa ilustre, la cubierta plaza
> de bordadas carrozas y criados
> se ha resuelto a dos sillas y una mesa,
> que aunque la extraño sola, no me pesa.[67]

Igualmente, vemos al viejo Tello en *Valor, fortuna y lealtad* (Lope) mostrar su descontento porque su hijo, casado con una infanta, ha comprado una carroza para llevar a su mujer a la iglesia.[68]

---

[64] B. A. E., XLI, p. 449 b:

«Leonardo:	«Si esto no aprendéis de mí,
	siempre seréis carbonero.
	Comprad un jarro de plata
	y una copa, pues podéis.
«Mendo:	¿Para qué, si en vidrio veis
	que es más limpia y más barata?
	Nunca a mis padres les vi
	beber, ni por maravilla,
	en vidrio; que una escudilla,
	o un corcho que viene aquí,
	era su regalo todo.»

[65] Cf. *La verdad sospechosa.*
[66] En *El diablo cojuelo*, Luis Vélez de Guevara habla de amantes «encochados como emparedados».
[67] Acad., N., VI, p. 293 a.
[68] Acad., VII, p. 335 b.

Es preciso hacer hincapié en lo que el encomio de la pureza aldeana, en oposición a la impureza ciudadana, en la gran mayoría de las comedias de ambiente rústico, le debe a una estilización moral decidida «a priori». Sería grave error, en efecto, tomar al pie de la letra las declaraciones de sencillez y de hostilidad del campesino ejemplar de teatro para con el fasto. De una manera más general, hacia 1600, el campo en la realidad no era tan puro de de costumbres y virginal como lo quiere dar a entender una interpretación determinada en lo esencial, por la ideología urbana del «menosprecio de corte y alabanza de aldea». El propio villano Sancho, conquistado a su manera por la vida arcádica que le propone un día su amo don Quijote, cerca de Zaragoza, insinuará:

> Sanchica mi hija nos llevará la comida al hato. Pero ¡guarda! que es de buen parecer, y hay pastores más maliciosos que simples, y no querría que fuese por lana y volviese trasquilada; y también suelen andar los amores y los no buenos deseos por los campos como por las ciudades, y por las pastorales chozas como por los reales palacios, y quitada la causa, se quita el pecado.[69]

En realidad, no nos faltan informes sobre las costumbres campesinas en los siglos XVI y XVII, y algunos indicios permiten ver un desajuste entre la visión idílica de la comedia de ambiente rústico y la realidad. Por ejemplo, todos los bailes y danzas aldeanos no estaban exentos de esos abrazos que denunciaban por lascivos los censores en los nuevos bailes urbanos. Covarrubias en su *Tesoro...*, escribe a propósito del refrán «Si Marina bayló, tome lo que halló»:

> Hay costumbre en algunas aldeas, que acabando de bailar el mozo, abraza a la moza; y debió ser el abrazo que dieron a esta Marina tan descompuesto, que escandalizó y dio que decir al lugar todo; de donde nació el proverbio y aplícase a la mujer que desenvueltamente hace o dice alguna cosa, por la cual se le sigue alguna nota.

El ceñudo censor Alonso Remón bien subraya, también él, que los retozos de los bailarines en el campo no estaban forzosamente limpios de pecado y en sus *Entretenimientos y juegos honestos*, recomienda a viudas y doncellas que no se dediquen a ellos:

> ... aquellos sus bayles en las calles, y en los lugares públicos, a que llaman el corro y el olmo, verdaderamente si he de dezir lo que siento, no están bien a las mujeres, especialmente a las donzellas y viudas...[70]

El mismo autor atestigua igualmente, en este libro, el relajamiento de las costumbres en las distracciones y entretenimientos de la aldea después de 1600

> ... y ojalá no se usaran los juegos y entretenimientos que en las aldeas se usan aora..., y los juegos, si no acaban los interesses que se atraviessan con las haziendas, suelen acabar con la buena reputación y buen exemplo pues paran las más veces, o en la taberna, o en la casa de comer y beber, y quiera Dios tal vez no se remate este modo de recreación labradoresca en mayores ofensas del próximo...[71]

---

[69] Cf. *Quijote*, II parte, cap. LXVII. Idéntica idea había sido expresada ya por Cervantes en un pasaje de *La Galatea*.

[70] Cf. *Entretenimientos y juegos honestos...*, Madrid, 1623, fol. 95 vº.

[71] *Ibid.*, fol. 77.

En otro pasaje de la misma obra, Alonso Remón evoca, por oposición, los juegos que él considera como dignos de alabanza e insiste otra vez sobre la idea de que han de proscribirse totalmente de la aldea los juegos de dinero:

> ... conténtense con el juego de los bolos, de la argolla, y tirar el canto o la barra, y si no bastare esto y quisieren más juego, el de la bola vista es entretenido y no costoso, y de mediano exercicio, que es tirar una o dos bolas sobre apuesta por el campo o calles, y en perdiéndola de vista el que tira, pierde, y si la ve gana, y pierde el contrario, o podrán jugar al juego de la herradura, que se juega haziendo en la tierra un círculo, y desde la parte q̄ señalaren tirar la herradura, y si entra dentro gana el que tira, y si parte entra dentro y parte queda fuera, gana el que tira tantos de lo que se apuesta como agujeros de los huecos para los clavos en la herradura entraron en el arillo, aunque en todos estos juegos, ni los aldeanos, ni los oficiales, avían de jugar dineros, sino nuezes, avellanas, bellotas, garvaços, cañamones, y otros frutos y frutas semejantes, para que no los lastimasse lo que pierden, pues lo han menester tanto...[72]

Podemos llegar a constataciones semejantes en lo que, atañe al lujo indumentario. El estudio de las pragmáticas sobre los vestidos, desde 1550 hasta 1600, revela que algunos campesinos en la realidad —naturalmente los más ricos— gustaban de sedas, lo mismo que los caballeros. Pero sobre todo a partir de 1590 se difunde por los campos el gusto por la pompa y la ostentación en los trajes. En el *Memorial de labradores* de 1598, puede leerse esta recomendación:

> ... Mucho convendría que se pusiese alguna cómoda limitación al traje y hábito de los labradores y de sus hijos y mujeres, porque en su tanto es más excesivo que el de los más ricos caballeros...[73]

En 1603, varias sesiones de las Cortes, del mes de mayo, señalaban los excesos en el vestir de los labradores, en especial los de Andalucía y de la comarca toledana:

> parece casi imposible de remediar lo demás de los trajes de los labradores y sedas dellos...[74]
>
> ... lo sexto, causa gran daño y menoscabo en las personas y hacienda de los labradores el exceso grande que hoy día usan en sus vestidos y de sus mujeres y familias, especialmente en los reinos de Toledo y Andalucía...[75]

---

[72] *Ibid.*, fol. 78 vº. Fr. Benito Peñalosa de Mondragón, in *Cinco excelencias del español...*, 1628 (fol. 175 rº), confirma el hecho de que los antiguos juegos campesinos desaparecían de los pueblos:

> «... que ya los vayles, y passatiempos de tirar a la barra, chueca, y otros toscos y pueriles, no se usan agora en los labradores españoles, porque esso corría con la llaneza, y simplicidad antigua...»

[73] Cf. *Actas de las Cortes de Castilla*, XV, p. 758.
[74] Cf. *Ibid.*, XXI, p. 333.
[75] Cf. *Ibid.*, p. 336. Por este texto puede comprobarse que, cuando Casilda, la esposa de Peribáñez, labrador acomodado de Ocaña, en *Peribáñez y el Comendador de Ocaña*, repite la conocida copla:

> «Mas quiero a Peribáñez
> con su capa la pardilla
> que no al comendador
> con la suya guarnecida...»,

ella no expresa la aspiración a la ropa lujosa de algunos campesinos de la región toledana.

Es de creer que, después de la austeridad del traje en el reinado de Felipe II, el movimiento que arrastró a la sociedad urbana española hacia la pompa de la indumentaria en tiempos de Felipe III, se desbordó irresistiblemente de la ciudad al campo, ya que a pesar de los avisos o prohibiciones de las Cortes, el uso de la seda y de los adornos se desarrolló entre los aldeanos ricos, año tras año, en la periferia de las ciudades. Numerosos pasajes del *Gobierno político de agricultura* de Lope de Deza, publicado en 1618, documentan este proceso irreversible:

> ... y lo que acaba de empobrecer a los labradores y principalmente a los circumvecinos de ciudades y villas grandes, es el salir de su traje, y gastar en esto más por imitación que por honra suya, pues cada uno está más honrado en el traje que le es propio que no en el usurpado...[76]
>
> ... En los gastos superfluos q̄ hazen los labradores que trabajan por sus personas en vestirse, y otras cosas ansí, justo cuydado será de los gobernadores atender a su reformación... prohibiéndoles los vestidos de seda, y dexādoles muy moderadas guarniciones para los de paño, y de fiesta, señalándoles las onças de plata q̄ bastassen a sus joyas, con alguna de oro...[77]
>
> ... Ningún labrador que por su persona trabajare, o hubiere trabajado, aunque ya labre con sus quinteros, no siendo hijodalgo, pueda traer en su vestido más de una sola vestidura de seda, como un jubō, o un sombrero, y no más, y sus hijos, y muger, no pudiēdo guarnecer los vestidos de paño más q̄ con uno, o dos passamanos de seda, sin oro o plata alguna por guarnición, permitiéndoles hasta tres onzas de oro en sus joyas, y dos libras de plata en joyas, o servicio de su casa, con pena de perder lo demás que tuvieren...[78]

El mismo autor nos permite adivinar asimismo que los campesinos acomodados de la región toledana,[79] impulsados por la emulación, no desdeñaban la vajilla de precio, los reposteros o los estrados ricamente decorados:

> ... y ansí se les avía de hazer tassa para su vestir y gastar en menaje de casa... permitiéndoles una copa, y un jarro de agua, sin tapicerías ni estrados, ni otras cosas que son superfluas, aun en las demás casas y igualados todos desta suerte se les quitaría la embidia, y competencia, y obligaciones que el uso introduze...[80]

Textos como estos demuestran a las claras cómo el villano teatral, presentado como modelo de inocencia y sencillez para los espectadores urbanos, sacaba lo esencial de su ejemplaridad del deseo de edificación por parte de los dramaturgos que se aplicaban en demostrar escénicamente la idea del «menosprecio de corte y alabanza de aldea».

* * *

Así, el motivo de la impureza ciudadana y de la pureza aldeana, inaugurado en la literatura castellana del siglo XVI por la obra de A. de Guevara, y tratado luego por

---

[76] Lope de Deza, *op. cit.*, fol. 37.

[77] *Ibid.*, fol. 11-112.

[78] *Ibid.*, fol. 126.

[79] *Ibid.*, fol. 51. Lope de Deza nos indica que saca la mayoría de sus ejemplos de la realidad que observó en la comarca toledana.

[80] *Ibid.*, fol. 112 rº.

tantos autores hasta volverse convencional y estereotipado, no deja de reaparecer bajo la forma de algunos temas privilegiados (la lascivia, el baile, el oro, el juego, los gastos suntuarios) de la comedia de ambiente rústico. Sobre este punto, el teatro coincide con una poderosa corriente de literatura satírica y moral de la misma época. Como ella, trata estos temas con acentos de maldición teológica. Pero, y ya lo hemos atisbado, la diferencia entre la comedia de ambiente rústico y la literatura satírica estriba en que la comedia coloca frente al mal que denuncia una contrapartida positiva. La distancia que media entre el neoestoicismo cristiano (el de un Quevedo por ejemplo) y la curiosa síntesis de estoicismo y de epicureismo efectuada por un A. de Guevara parece separar aquí a ambos géneros. Ya lo veremos, el villano ejemplar de la comedia trae en su mensaje moral la promesa de sólidos bienes de los que cada cual puede gozar aquí abajo, y no se contenta de ninguna manera con un renunciamiento ascético de la pompa urbana. Es que su virtud tiene bases económicas concretas, y, como en los tratados políticos contemporáneos, los autores ven en ellos una solución a problemas urgentes de la sociedad española en decadencia.

CAPITULO IV

VIRTUDES ECONOMICAS Y BIENES DEL VILLANO

Revolución de los precios y nostalgia de la pérdida edad de oro. La glorificación del trabajo campesino. La propaganda del «retorno a la tierra». La holgura y la propiedad campesinas como bases de una vida armoniosa y ejemplar. Abundancia agraria y sentimiento cristiano de la naturaleza. El motivo de la riqueza rústica: sus fuentes, su utilización lírica, su significado ideológico.

En el capítulo de su diálogo *Philosophia antigua poética* (1596) que trata el tema de los espectáculos, el comentarista aristotélico López Pinciano expresa la idea de que sería útil un comisario o censor de espectáculos por intermedio de los personajes, determina las cualidades y conocimientos requeridos en un tal comisario; precisamente, don Fadrique, uno de los interlocutores, podría desempeñar funciones parecidas por ser buen conocedor de la política y de la economía.

> ...¡cómo el Señor Fadrique fuera un sugeto muy apropiado para oficio semejante! porque allende que ha escrito en materia de Política, sabe muy bien de la Economía; y assí supiera muy bien juzgar las especies de Poética dramáticas mejor que los demás.[1]

Resulta evidente que aquí las palabras «política» y «economía» se usan en sentido etimológico. López Pinciano quiere insistir en la idea de que el teatro no es sólo una cosa estética definida por reglas precisas de composición, sino también algo político, unido a la vida profunda de la ciudad. Este hecho nos autoriza a afirmar que los teóricos aristotélicos de fines del siglo XVI, por los mismos años en los que se desarrollaba la comedia, tenían clara conciencia del lazo que podía vincular lo moral con lo social en las representacions teatrales inventadas para edificar al público. Nuestro propósito en las siguientes páginas, será precisamente ver cómo el villano ejemplar en el escenario pudo detentar algún significado económico con respecto a los problemas planteados a la sociedad española hacia 1600.

* * *

---

[1] Lopez Pinciano, *op. cit.* p. 520.

Al oponerse a los gastos inútiles en ropa, en platería, o en coches, al criticar al juego y a la ociosidad, el villano teatral exalta en contrapartida valores aldeanos que son, al mismo tiempo que valores morales, virtudes económicas y nacionales: la sencillez patriarcal de antaño, el ahorro, el trabajo, la riqueza agraria...

Aquí todo se halla vinculado a esa notalgia por una edad de oro perdida que los españoles de los años 1600, y en especial los ciudadanos, experimentaron frente a los cambios que afectaban a su mundo. De ser cierto, según la hermosa imagen de Victor Hugo, que «los imperios pasan sus crisis como las montañas su invierno», puede afirmarse que la muerte de Felipe II fue presagio del invierno español; algunos fueron conscientes de ello y ya, en tiempos del monarca, mientras la situación financiera se volvía grave, repetían en Madrid:

> Toda España está en un tris
> y a pique de dar un tras.

En contraste con esta situación se intensificó el sueño de un paraíso social perdido, idílico y armonioso, sueño cuya expresión se encuentra a menudo en la comedia de ambiente rústico.

Desde luego, acordándose del famoso decir de Jorge Manrique, «cualquier tiempo pasado fue mejor», pueden encontrarse innumerables precedentes formales desde la antigüedad hasta el siglo XV. Los tópicos del poeta «laudator temporis acti» son tan antiguos como el mundo. Una de sus formas, el mito del paraíso perdido, ya se halla en la Biblia, y el viejo Hesiodo, Platón, y sobre todo Virgilio y Ovidio, en la antigüedad greco-latina, lo expresaron repetidas veces.[2] En los siglos XV y XVI, Juan del Encina, Antonio de Torquemada, Juan de Mal Lara reanudaron a su vez con el mito, en las condiciones ya conocidas, en relación con la idea de que en el campo y en la naturaleza, el hombre de las ciudades podía volver a hallar la edad de oro perdida y su pureza primigenia. No cabe duda de que la comedia de ambiente rústico —por medio de la comedia pastoril que la preparo— heredó ciertos aspectos formales del tópico llegado así desde edades pretéritas. No obstante, según creemos, en la comedia de ambiente rústico, lo fundamental es el contenido económico y social del tema, que no el hecho de que éste haya podido tener precedentes de forma. Ahora bien, este contenido viene de la actualidad y se inspira en razones históricas bien concretas. Para verlo, basta poner en paralelo comedia y tratados de economía política.

Así, por ejemplo, para Juan de Arrieta, autor del *Despertador que trata de la gran fertilidad, riquezas, baratos, armas y caballos que España solía tener, y la causa de los daños y falta,* con el remedio suficiente (1581), como para otros muchos economistas después de él, España fue antaño una comarca feraz y rica. Lo fue en tiempos de los romanos, así como en tiempos visigóticos y musulmanes; y luego en tiempos de la Reconquista. En aquellos benditos tiempos, según Arrieta, en las tierras ibéricas los frutos maduraban en abundancia y los rebaños eran innumerables; los precios estaban maravillosamente bajos. ¿Cómo se esfumó aquel paraíso agreste? ¿Por qué será que España ya no es el jardín de las Hespérides de antaño? En su explicación nuestro economista insiste sobre la distancia que media entre los precios de ayer y los de hoy: una libra de carnero cuesta lo que antes un carnero entero. Una hogaza de pan está al precio de una fanega de trigo otrora. ¡Una libra de cera o de aceite vale ahora lo que en-

---

[2] Sobre el tema de la Edad de Oro en la Antigüedad, puede consultarse a B. Isaza Calderón, *op. cit.*

tonces una arroba! De modo que dentro del marco de la revolución de los precios y
la escasez española de la segunda mitad del siglo XVI es como y cuando se plasma bajo
la pluma de Arrieta la imagen de una España pasada, feliz e ideal en su lejana sociedad agraria y pastoril. Surge esbozada por él, en relación con la coyuntura económica
contemporánea, la imagen de una «belle époque» desaparecida. Lo que nos interesa,
es que la correlación entre lo económico y lo ideológico no va disimulado aquí por
ninguna reminiscencia literaria interpuesta, por ninguna transposición poética ritual.
Las raíces sociales y económicas del tema de la Edad aurea desaparecida también se
descubren en un Lope de Deza, en su *Gobierno político de agricultura* (1618), quien
por otra parte toma prestadas varias ideas de Arrieta. Para Lope de Deza, lo que que-
bró el idilio virginal de los buenos tiempos pastoriles y agrarios, e introdujo la impureza en España, fue la irrupción de las prácticas mercantilistas imitadas del
extranjero:

> ... que son las nuevas granjerías, negociaciones y tratos introducidos de poco acá,
> con que parece está adulterada la noble sencillez de los españoles y los que buscan des-
> cansada y viciosa vida huyen del trabajo virtuoso.[3]

Si volvemos ahora a las comedias que ponen en escena la vida sencilla, rudimentaria y ejemplar de los campesinos, constatamos que la edad de oro rural que presentan ante los espectadores no deja de tener relaciones con las cuestiones económicas y
sociales de los años 1600. Primero es sintomática la tendencia de los dramaturgos a
colocar algunas de sus acciones villanas en un pasado remoto, a menudo situado en
los primeros tiempos de la Reconquista cristiana o en la alta Edad Media. Las tres
comedias dedicadas por Lope a San Isidro se ambientan en un Madrid de antaño, patriarcal, del siglo XII. Asimismo, *Los prados de León, Los Tellos de Meneses, Valor,
fortuna y lealtad*, también de Lope, se sitúan en los reinos asturleoneses en los primeros años de la Reconquista. La acción de *Los prados de León* transcurre bajo los reinados de los reyes Bermudo y Alfonso II el Casto (rey de 789 a 842); la de *Los Tellos
de Meneses* evoca un campo arcádico y patriarcal de tiempos de Ordoño I de León (rey
de 866 a 910). En el meollo de estas piezas está la idea de que antaño fue mejor que
hogaño. Pero ¿por qué? Por las razones que acabamos de ver expuestas bajo la pluma
de Juan de Arrieta o de Lope de Deza.

En *San Isidro labrador de Madrid*, Juan de la Cabeza, padre de María, la futura
esposa de Isidro, es un modelo del ahorro, al estilo antiguo, de los buenos tiempos de
antes de la revolución monetaria. Al evocar la dote que le deja a su hija, hasta menciona un escudo que conservó intacto desde treinta años atrás. Es más, le recomienda
a su yerno que no gaste esa moneda sino muy a propósito y útilmente, por ejemplo
para adquirir un hermoso buey:

> Entre ellos hay un escudo
> que treinta años he guardado,
> tan bueno, limpio y dorado,
> como cuando hacerse pudo;
> porque desde que cayó
> en mis manos, le guardé
> para esta ocasión; no sé

---

[3] Lope de Deza, *op. cit.*, fol. 23.

si le gastarás o no;
pero si aquella sin ley
a gastalle te obligare,
haz, por tu vida, que pare
en comprar un gentil buey.[4]

¡Maravillosa edad, pensarían con una sonrisa los espectadores de 1600 —en el paroxismo del torbellino del alza vertiginosa de precios y de la devaluación de la moneda— aquella en la que el campesino ahorrador podía conservar un escudo durante treinta años sin que perdiese valor! ¡Edad más maravillosa aún aquella en la que se podía adquirir sin dificultad un valioso buey con un escudo! Qué diferencia con los tiempos presentes en los que, precisamente en los mismos años en que fue creada la comedia, cada cual se quejaba en el campo del aumento inconsiderado del precio de los bueyes de labranza, pasado en 1593 a 20 y 25 ducados, según el testimonio de un procurador de Cortes.[5] Basta señalar que un escudo valía 350 maravedís y un ducado 375 maravedís[6] para comprender que Lope fijaba así el precio del buey a treinta veces menos del valor real en los años 1593-1598, y jugaba teatralmente con el desajuste, no sin insinuar con humor benévolo, la idea de un paraíso económico rural de antaño.[7] Lo que sigue de la dote dejada por Juan de la Cabeza a su hija constituía también, en contraste con las costumbres del tiempo presente, una fina sátira de los hábitos de munificencia dispendiosa, al mismo tiempo que una exaltación divertida de las virtudes de ahorro y previsión del campesino de antaño: Juan también piensa regalarle a su hija dos colchones y un jergón que tienen casi diez años, pero que él considera nuevos, sin hablar de las seis sábanas de hilo fino que el mismo recibió por dote y que no han sido lavados más de seis veces:

---

[4] Cf. Acad., IV, p. 561 b.

[5] Cf. *Actas de las Cortes de Castilla*, XIII, p. 37-43, sesión del 13 de setiembre 1593. Don Alonso de Fonseca, procurador de una ciudad andaluza, habla del alza de los precios agrícolas en general y declara:

> «... porque en la Andalucía y Extremadura, y otras partes que ésta, un buey comprado para la labor de 20 o 25 ducados...».

[6] Cf. Felipe Mateu y Llopis, *Glosario hispánico de numismática*, Barcelona, 1946. Según este autor, el escudo (llamado a veces «escudo de Carlos I») fue fabricado por vez primera en Barcelona en 1535. Esta indicación nos permite ver que el pasado ideal fabricado por Lope (situado poéticamente en el siglo XII) no se remonta tan atrás en el tiempo. Pero la devaluación era tan vertiginosa que a fines de siglo una moneda de una centuria ya parecía venir desde tiempos remotos de la Edad Media. El anacronisno nos parece muy significativo.

[7] En *El alcalde de Zalamea* (Acad., XII, p. 566 b) atribuido durante mucho tiempo a Lope (la métrica nos impide aceptar esta atribución) vuelve a encontrarse el motivo del precio del buey:

> «*Alcalde:*   Que compré un buey
> ....
> en otro tiempo valía
> cincuenta ducados...»

El hecho de que sea considerado como pasado el tiempo en el cual un buey costaba 50 ducados incita a pensar que la pieza no fue escrita antes de 1610-1620 (por lo menos). A. Valbuena Prat, *Historia del teatro español*, Barcelona, 1956, estima que esta pieza fue escrita después de la de Calderón que tiene el mismo título. Por el contrario A. E. Sloman, *The Dramatic craftsmanship of Calderón*, Oxford, 1958, p. 217, opina que la versificación sitúa a la comedia hacia 1600. ¿Acaso la historia de los precios podría contribuir a aclarar la cuestión?

Sin esto, te pienso dar
dos colchones y un jergón;
y advierte que nuevos son,
que no te quiero engañar;
no ha diez años que se hicieron,
ni seis veces se han lavado,
seis sábanas de delgado
lienzo, que en dote me dieron.[8]

Queda fuera de duda que a Lope le gustaba, en relación con el tema de la desaparecida edad de oro rural, jugar con el alza de los precios para obtener un efecto teatral. El procedimiento, en efecto, se encuentra otra vez en *La niñez de San Isidro* (1622) donde Juan de Vargas promete darle a Pedro, padre de Isidro, con ocasión del bautizo de éste, un regalo de cien reales. Al hacer mutis el amo, se quedan, los mozos Bato y Antón comentando su generosidad: ¿Qué podrá hacer Pedro con los cien reales prometidos? se preguntan. Pronto surge la respuesta: comprar una casa, y además un buey para la labranza:

> Bato: ¡Pardiez, Antón, que anda bueno!
>   Esta vez Pedro levanta
>   los bríos para ser rico.
> Antón: ¿Qué hará?
> Bato: Comprará una casa
>   destos cien reales.
> Antón: Bien puede,
>   y algún buey para la arada.[9]

Otra vez, lo adivinamos, el poder adquisitivo otorgado a los cien reales es bastante idílico, en relación con 1622. El buey sólo costaba entonces aproximadamente cuatro veces esta suma. Nos lo dice Caja de Leruela al escribir, unos años más tarde, en su *Restauración de la abundancia de España* (1627):

> ... un buey de cinco años en 1590 valía menos de doscientos reales y ahora éste de 1627 vale 440 y si es bueno 50 y 80 y 100 pesos.[10]

El procedimiento viene desplegado igualmente de manera evidente en *Valor, fortuna y lealtad,* en la escena en que el viejo Tello le reprocha al joven Tello el haber comprado un coche para llevar a su mujer a la iglesia; se entabla en esta ocasión un diálogo sabroso para el espectador de los años 1621-1625: la caja del coche costó por lo menos cien reales, y al viejo Tello le parece exorbitante este precio que resulta irrisorio para los años 1620-1625. Exorbitantes también, para el villano de antaño, los cien reales que costaron las esculturas de madera, los clavos, la decoración y las guarniciones de tela del vehículo; la indignación de nuestro patriarca rural de antaño llega al colmo cuando su hijo le declara el precio de la vara de tafetán: ¡un real! Se persigna consternado ante la carestía de la vida y no puede sino evocar los tiempos benditos ya

---

[8] Acad., IV, p. 562 a.
[9] Acad., IV, p. 515 a.
[10] Caja de Leruela, *Restauración de la abundancia de España*, p. 50.

pasados en los que, una generación antes, él podía por dos reales, comprarle a su mujer un jubón y por lo menos dos varas de un terciopelo que «aun vive».

Tello el V.:	¿Cuánto te costó la caja?
Tello:	Cien reales.
Tello el V.:	¡Cien reales!
Tello:	Pues,
	y a las carretas que ves
	apenas hace ventaja.
	Esto, y labrar la madera,
	clavazón y tafetán,
	otros cientos costarán.
Tello el V.:	¿Otros cientos?
Tello:	Y más.
Tello el V.:	Espera,
	que lo quiero averiguar.
Tello:	¡Qué gracia!
Tello el V.:	¿A cómo costó
	el tafetán?
Tello:	No se halló,
	después de regatear,
	menos que a real la vara.
Tello el V.:	¡A real el tafetán!
	Perdidas las cosas van.
	¡Jesús, qué cosa tan cara!
Tello:	¿Santíguaste?
Tello el V.:	Si compramos
	para tu madre un jubón,
	cuando con la bendición
	de la iglesia nos juntamos,
	dos varas de terciopelo,
	de lo mismo que sacó
	la Reina el suyo, y costó
	(así goce ya del cielo)
	a dos reales, y aún vive,
	¿no quieres tú que me espante?[11]

Esta conmovida idealización del valor del numerario en el campo de antaño, no parece limitarse en Lope a las piezas situadas en un pasado lejano, en el alto medioevo. Una pieza como *Fuenteovejuna*, cuya acción se sitúa a fines del siglo XV, deja columbrar la voluntad de presentar el pueblo de antaño como un mundo de idilio económico. Así el villano Esteban declara que puede dejarle a su hija una dote de por lo menos cuatro mil maravedís (o sea once ducados),[12] pequeña cantidad en los años de

---

[11] Acad., VII, p. 335 b-366 a.
[12] Acad., X, p. 548 a.:

«*Esteban:*	Hijo, ¿y en la traza
	del dote qué le diremos?
	Que yo bien te puedo dar
	cuatro mil maravedís.»

1612-1613, cuando fue creada la pieza, y en los que las fortunas de algunos villanos ricos consentían dotes muy superiores. Por lo demás, la risueña alusión a los precios idealmente bajos de aquellos buenos tiempos medievales, perdidos sin remedio, fue probablemente motivo repetido por los años 1600, ya que se encuentran rastros de ello también en el romancero burlesco de esta época.[13]

Pero no sólo se exalta como valor esta virtud de sencillez patriarcal de antaño, vinculada con las ideas de ahorro y previsión aldeanas, en la comedia de ambiente rústico: también se encomia al trabajo campesino. En realidad, fuera de la exaltación del trabajo agrícola, la literatura del Siglo de Oro no consta de numerosos ejemplos de glorificación del trabajo. En esto, se ciñe a la orientación general de una sociedad de clases dominada por una aristocracia terrateniente que vivía del producto de la renta, una sociedad que carecía de una burguesía nacional pujante, conquistadora, dedicada a empresas manufactureras y creadoras. Puede afirmarse, en efecto, que tras la expulsión de los judíos a fines del siglo XV, y después de la derrota de las Comunidades de Castilla a principios del reinado de Carlos V, los elementos de la ascendiente «preburguesía» manufacturera que intentaba ascender, se habían visto dislocados, aniquilados, por la reacción feudal o agraria. No subsistió después más que una burguesía de tipo mercantil o financiera, proveniente en la mayoría de los casos del extranjero (renanos, genoveses) y mediocremente interesada en el desarrollo de las industrias nacionales. La creciente importación de metales preciosos al permitir la adquisición en el exterior (y dispensar de la fabricación), dio el remate para trabar el desarrollo —y esto por espacio de varios siglos— de una clase manufacturera autóctona de cierta importancia. La ideología y la literatura llamadas «del Siglo de Oro» no dejaron de reflejar esta ausencia de una burguesía española dinámica a semejanza de las que se trazaban una vía histórica en el mismo momento en Francia o en Inglaterra. El viejo problema de saber si existió o no en España el Renacimiento, así como el del «atraso cultural»

---

[13] Un romance evoca el testamento del Cid: ¡con la irrisoria suma de siete reales se dispone a construir nada menos que un hospital para peregrinos! Una dote de veinte maravedís se destina a doña Sol:

> «Item más siete reales
> dan para hacer una casa
> donde huéspedes reciban
> que peregrinando pasan.
> Doña Sol, mi hija mayor,
> mando que sea mejorada
> en veinte maravedís
> y en una aljuba de grana.»

Son numerosos los textos posteriores a 1600 que atestiguan, sin caricatura, el alza de los precios de artículos más corrientes. Garcilaso dela Vega (El Inca), en el cap. VI («El valor de las cosas comunes antes de ganar el Perú») de su *Historia general del Perú*, Córdoba, 1617 (B. N. Madrid, R. 31758) menciona, por ejemplo, que un par de zapatos de cordobán pasó de un real y medio en 1560 a cinco reales en 1614: Cf. fol. 5:

> «... que el año de mil y quinientos y sesenta que entré en España, me costaron los dos primeros pares de zapatos de cordován, que en Sevilla rompí, a real y medio cada par: y oy que es año de mil seyscientos y treze valen en Córdova los de aquel jaez, que eran de una suela, cinco reales, con ser Cordova ciudad más barata que Sevilla...».

de la España del Siglo de Oro[14] no son en cierto sentido, sino la traducción, en el ámbito de las ideas, del problema de la especificidad del desarrollo económico-social de España. En lo que atañe al tema del trabajo, en especial, bien se ve como la España después de 1550, entró andando para atrás en la historia moderna, con la mirada nostálgicamente vuelta hacia la Edad Media.

Por cierto, el *Diálogo de Mercurio y Carón* de Alonso de Valdés expone en varias oportunidades la idea de que cada cual —incluso frailes e hijos de caballeros, y hasta los hijos de príncipes— tendría que aprender un oficio para ganarse la vida. Pero, precisamente Alonso de Valdés escribe en un momento en que las consecuencias económico-sociales e ideológicas de la derrota de las Comunidades y la expulsión de los judíos aún no se han manifestado en todas sus implicaciones, y en que España, en la época del saco de Roma, se da la ilusión política o religiosa de que todavía puede vacilar acerca del camino a emprender. Alonso de Valdés es un satírico erasmizante y a veces ocurrió que algunos erasmizantes, en contacto con los medios fabriles y mercantiles de las ciudades, se hicieron el eco de las preocupaciones ideológicas o espirituales de estos medios; los criterios que expresa Alonso de Valdés son opiniones a contracorriente. A la inversa, hay que constatar que —exceptuando la comedia y ciertos tratados paralelos— la literatura posterior a 1550 refleja ese «castizo horror al trabajo» que Unamuno elevará más tarde al rango de categoría «esencial» y a histórica del «homo hispanicus», mientras que posiblemente no es sino el producto de un proceso histórico específico. En ella se transluce en mil aspectos la ideología que pregona la deshonra del trabajo manual. La pereza, uno de los siete pecados capitales, no constituye para nada el blanco de los escritos satíricos de los años 1600. Es más, la ociosidad y el holgar urbanos, con sus prolongamientos (la piojería y la golfería en harapos) se ven valorizadas estéticamente por la literatura (y las artes plásticas) de la misma época: las novelas ejemplares de ambiente picaresco de Cervantes, las novelas picarescas de Mateo Alemán o de Quevedo, son en ciertos aspectos unos himnos a la holgazanería. Pero Quevedo, que no la emprende con los holgazanes en sus sátiras, se mete con los artesanos, los mercaderes y la mayoría de los tipos sociales que desplegaban concretamente, en los años 1600-1640, una actividad manufacturera o comerciante de tipo burgués. Por su hostilidad hacia las nuevas formas económico-sociales, es fundamentalmente fiel a las posiciones ideológicas de la clase noble feudalo-agraria a la cual él

---

[14] Véase, a propósito del «atraso» cultural español, Ernst Robert Curtius, *Literatura europea y edad media latina*, México, 1955, p. 753 y ss. Curtius reproduce primero, resumiéndolo, el artículo de C. Sánchez Albornoz *(España y Francia en la Edad Media; causas de su diferenciación política*, in *Revista de Occidente*, II, diciembre 1923, pp. 294 y ss.) que hace remontar el atraso histórico de España a la propia Edad Media, ya que el estado feudal no se formó en la península sino tardíamente, y careciendo de la fuerza que adquirió en el resto de Europa Occidental. Curtius transpone entonces este atraso al plano cultural y escribe:

«... este retraso hizo que llegasen al siglo de Oro español los ricos contenidos de la Edad Media, y en este sentido fue productivo...».

Es de lamentar que Curtius no prosiga el análisis histórico que toma de C. Sánchez Albornoz, con una referencia al contenido económico-social de la sociedad del Siglo de Oro. También (y esencialmente) hay que buscar en el siglo XVII y en el siglo XVI, las raíces históricas de una cultura que es prolongación de la Edad Media en los tiempos modernos. Ausonio, Claudio, Macrobio, Boecio, san Isidoro de Sevilla, san Ambrosio, san Bernardo, etc..., todos estos autores del Bajo Imperio y de la Edad Media latina, en quienes se inspira con tanta complacencia el Siglo de Oro español, son autoridades hechas a medida en una sociedad (sin burguesía ascendiente) que ve aflorar a la Edad Media en los tiempos modernos.

mismo pertenece.[15] La comedia, que por boca de sus villanos ejemplares, hace encomio del trabajo y condena la ociosidad urbana, ¿va pues a contracorriente? Apurando el análisis, no, porque el trabajo al que glorifica es precisamente el de los campesinos, en otros términos, la labor de los vasallos sobre la cual descansa toda la sociedad monarquicoseñorial y sin la cual no sería ya posible la existencia de los señores y terratenientes que viven en la ciudad (y que asisten a los espectáculos); sólo en apariencia, y superficialmente, va a contracorriente el campesino ejemplar por su trabajo.

En efecto, resulta interesante ver cómo el villano de las comedias se hace el vocero de ideas caras a algunos economistas y políticos de los años 1600. Unos tratados ético económicos que pretendían la glorificación del trabajo —y a menudo se trata del trabajo agrícola— florecieron súbitamente a partir de esta época, anticipados tímidamente por algunos escritos de vanguardia hacia mediados del siglo XVI. Así es como un *Memorial* de Luis de Ortiz,[16] compuesto en 1558, poco después de la quiebra de 1557, aconseja como remedio de la crisis naciente el poner a todos a trabajar. Al condenar el exceso de servidumbre en la sociedad española, sugiere que los hijos de los señores y de los grandes aprendan un oficio. En su *Memorial de la política necesaria y útil restauración de la República de España*, publicada en 1600 en Valladolid, González de Cellorigo recuerda que el trabajo es voluntad de la justicia divina y quizás no sea casualidad el que su tratado conste de una apología de los campesinos. En el mismo año de 1600, sale la *Noticia general para la estimación de las artes y de la manera en que se conocen las liberales de las que son mecánicas y serviles, con una exortación a la honra de la virtud y del trabajo contra los ociosos y otras particulares para las personas de todos los estados* de Gaspar Gutiérrez de los Ríos. El autor pretende devolverle cierto brillo al trabajo, pero es significativo el hecho de que se vea obligado a hacer serias concesiones a los prejuicios contemporáneos; no puede salvar del desprecio algunas actividades si no es siguiendo la distinción ciceroniana entre «artes» y «oficios» y es así como, entre las que atañen al campo, sólo le concede la *honra* a la labor no manual de amos y dueños de las tierras. Al contrario, abramos *los Bienes del honesto trabajo y Daños de la Ociosidad en ocho Discursos*,[17] del jesuita Pedro de Guzmán, consultor y calificador del Santo Oficio, aparecido en 1614, en Madrid. Aquí, la revalorización del trabajo es más amplia; la obra, que toma posición contra todas las formas de ociosidad propias a la ciudad (en especial, los teatros, escuelas del vicio), lleva de ilustración en su frontispicio una serie de viñetas, inspiradas al mismo tiempo en las *Eglogas* de Virgilio y en el *Libro de Job*, en las que el autor se había propuesto magnificar la labor del hombre; el encuentro de las *Eglogas* y del *Libro de Job* no debe extrañarnos ya que no es sino un ejemplo más, como ya dijimos, de la fusión entre el bucolismo horaciovirgiliano y el estoicismo cristiano que realizó España en el siglo XVI. El medallón central representa en un paisaje típicamente castellano, a un campesino con una pala y un azadón, y a su lado, una villana con un huso en mano.

---

[15] Se sabe que Quevedo fue señor de La Torre de Juan Abad, aldea de Sierra Morena. Compró este señorío porque poseía allí bienes muebles. Estuvo largo tiempo en pleito con los aldeanos de la Torre, como no pocos señores de la época, por asuntos de rentas y tributos (véase los documentos sobre el asunto in *Obras completas*, ed. Aguilar, Madrid, 1960)

Resulta significativo ver como Quevedo no dedica sino sarcasmos a los descubrimientos científicos de su tiempo, a las nuevas técnicas (instrumentos de óptica, por ejemplo).

[16] Editado en 1957, por M. Fernández Alvarez in *Anales de Economía*, núm. 63, vol. XVII, véase en especial el capítulo «Para que no salgan dineros de España»).

[17] Cf. B. N. Madrid, R. 7707.

Estos no son sino unos pocos ejemplos de la literatura económicomoral, que nacía entonces sobre el tema del trabajo. Ella preparaba el camino para las ideas que habían de recibir una consagración oficial, en el siglo XVIII, el día en que Carlos III decretaría que los oficios inferiores y manuales no constituían una deshonra y en que Antonio Pérez y López escribiría su célebre tratado sobre la honra de los oficios.[18] Pero puede haber equívoco: los teóricos de los años 1600-1630 llegaron a estas ideas impulsados por el sentimiento de las necesidades económicas de su sociedad feudalo-agraria en crisis, mucho más que por un principio moral o por la confianza en la industria y por eso mismo ocurre que, tan a menudo, su glorificación del trabajo es esencialmente la del trabajo agrícola y suele ir acompañada por restricciones relacionadas con los estamentos sociales. En efecto, la opinión general admitía que el trabajo manual deshonraba.

¿Sería un abuso el ver en Isidro de Madrid, el villano canonizado, una proyección ideal del villano trabajador y productor? En un sentido, Isidro es el modelo mismo del buen jornalero sumiso y obediente al terrateniente (su amo Juan de Vargas). En sólo un punto, según la tradición isidriana, las relaciones entre criado y amo estuvieron a punto de deteriorarse y fue a causa del tiempo que Isidro dedicaba a la oración en vez de labrar el campo de Juan de Vargas. Se fue éste allí donde estaba trabajando el mozo para comprobar su inacción, pero descubrió maravillado que unos ángeles estaban arando en su lugar con unos bueyes blancos. Así fue resuelto místicamente, en la apoteosis del milagro, el conflicto entre el amo y el criado, quedando así cumplido el voto de todos los terratenientes de que la tierra fuese cultivada. ¡Las mieses en los campos arados por los ángeles resultaron, según la leyenda, espléndidas! Lope de Vega, en sus obras isidorianas, no dejó de subrayar estos rasgos. En *San Isidro labrador de Madrid*, nos muestra a la Envidia tratando de inspirarle la pereza al santo, pero queda defraudada[19]. Isidro, desde su infancia, siempre ha vivido entre labradores diligentes y celosos de los intereses de sus amos; los propios amos puestos en escena por Lope, reconocen esta ejemplaridad que es tanto económica como religiosa. Por ejemplo, Juan de Vargas, a propósito de los que labran sus tierras en compañía del padre de Isidro, en *La niñez de San Isidro*, proclama:

> .... creo
> que de aquesta villa han sido
> ejemplo en sus labradores.[20]

Cuando estos obreros abandonan la tarea, por un momento, se apresuran en volver a ella, porque Pedro (padre de Isidro), quien dirige el equipo, cuida de los intereses del amo. Uno de ellos, Bato, suelta:

> Volvamos a trabajar.
> No nos riña Pedro, que es
> en esto de la labor
> más gruñidor que el señor,
> sin ser suyo el interés.[21]

---

[18] Antonio Javier Pérez y López, *Discurso de la honra y deshonra legal, en que se manifiesta el verdadero mérito de la nobleza de sangre y se prueba que todos los oficios necesarios y útiles son honrados por las leyes del reino, según las cuales solamente el delito propio disfama*, Madrid, 1781.

[19] Acad., IV, p. 575 a.

[20] Acad., IV, p. 528.

[21] Acad., IV, p. 509 b. Mucho antes que nosotros, en el prólogo de *El libro del III centenario de la ca-*

Queda patente que la exaltación del trabajo del villano ejemplar está aquí en relación con la situación económica contemporánea, y hasta en la alegoría y deja a veces transparentarse la actualidad de esta crisis. En *La juventud de San Isidro*, por ejemplo, se evoca al proceso de pauperización de los pequeños propietarios y granjeros transformados en jornaleros en los alrededores de Madrid cuando Envidia se presenta bajo los rasgos de un labrador desconocido, que declara haber perdido sus bienes, estar arruinado, y vivir ahora en Carabanchel de Abajo tras haber debido abandonar Carabanchel de Arriba:

> *Tirso:*   ¿Sois labrador de Madrid?
> *Envidia:*   En tiempos dichosos era
>   de Carabanchel de Arriba;
>   perdí soberbio mi hacienda,
>   y ya vivo en el de Abajo.
> *Tirso:*   Si buscáis en nuestra tierra
>   en qué trabajar, no creo
>   que el amo ocuparos pueda,
>   porque sobra gente ahora,
>   y son pocas las haciendas.[22]

Dentro de la perspectiva de ideas que aspiraban a traer algún remedio a esta crisis, la comedia de ambiente rústico exalta por doquier el trabajo útil de los campos y condena el servicio en las ciudades. En *Los hidalgos de aldea*, de Lope, un conde de Brandeburgo que abandona la corte para vivir con sus aldeanos proclama que va a prescindir de los criados, ya que estos sobran:

> Bien creo
> que importa reformar la casa agora.
> Demás que en el aldea no era justo
> tener la casa que en la corte tuve.[23]

El conde no cumplirá sus proyectos de supresión drástica de los criados, mas será precisamente esta falta de perseverancia la que presentará el dramaturgo con un matiz de ironía que da más relieve aún al carácter parasitario del personal: el conde termina por conservar al personal, porque dice que si bien él no los necesita, ellos si necesitan de él.[24] En *El villano en su rincón* se expresa la misma opinión, dentro de un registro

---

nonización de San Isidro, 1622-1922, Madrid, 1922, el conde de Casal, vicepresidente de la Comisión artística y literaria del Centenario, al colocarse desde una perspectiva que por cierto no era marxista, ya que era definido como «católico-agrario», escribía, P. IV:

> «En los momentos actuales, cuando desencadenadas las pasiones, y más que otras, la codicia y la envidia, el obrero se levanta airado para vengar pasadas vejaciones, y por ley fatalista del contraste busca a su vez la compensación en otros abusos no menos vituperables, la figura del labrador adquiere todo el realce de la actualidad como la de su amo, verdadero modelo de patronos...»

[22] Acad., IV, p. 538 a.
[23] Acad., N., VI, p. 292 b.
[24] *Ibid.*, p. 296.

satírico, cuando el criado Fileto a quien le acaban de explicar cual es el papel de los lacayos encargados de pasearse en librea delante del coche del amo, exclama que ya entiende por qué escasean brazos para la agricultura:

> Agora acabo de ver
> que hay acá más de un oficio
> que es vicioso su ejercicio,
> y viste y come a placer.
> Si no hobieran los señores,
> los clérigos y soldados,
> menester tantos criados,
> hubiera más labradores.
> Vase un cochero sentado,
> que todo lo goza y ve:
> ¡mal año, si fuera a pie
> con la reja de un arado![25]

El rasgo satírico del villano corresponde aquí a una idea expresada a menudo por economistas y políticos, quienes, a fines del siglo XVI y a principios del XVII, se preocupaban por los problemas agrarios: todos veían, en el «servicio en la ciudad» uno de los más activos agentes de la decadencia de la agricultura. Léase el *Memorial de labradores* de 1598. No dice cosa distinta de lo que expresa el villano de Lope y recomienda que se impida a los hijos de aldeanos entrar al servicio de una casa:

> ... como la vanidad ha causado que en estos Reynos haya más personas de las que solían que se sirvan y tengan criados, y todos los que tienen vayan cada día en aumento de ellos, y ésta sea vida ociosa y descansada, en la cual se viste y come con más regalo y abundancia que en la del labrador, y aún se usa de los vicios con más licencia, está claro que la mayor parte de esta gente se ha sustraído de la labranza...[26]
> ... También sería justo que vuestra Magestad mandase moderar el número de gente de servicio, que consumen las haciendas de sus amos, y se cargan de vicios los más de ellos, y desamparan la labranza, porque son hijos de labradores...[27]

Cinco años más tarde, en 1603, unos procuradores de las Cortes de Valladolid insistirían en esta idea de que la proliferación de los criados urbanos sustraídos al campo se estaba volviendo una plaga para la república:

> ... han resultado muchos vagamundos con nombre de pobres mendigantes y de criados y lacayos y de otras artes y ejercicios más dañosos que provechosos a la república, de que salen tantos ladrones, porque habiendo de vivir este género de gentes rústicamente, se vienen a la corte y pueblos grandes a andar vagamundos...[28]

Pese a tales advertencias, el mal no había de cesar, y paralelamente, siguieron las quejas que lo denunciaban. En 1625, López Bravo, en sus *De rege et regendi ratione libri tres,* denunciaba lo que él llamaba una «hidropesía social» y mandaba de vuelta

---

[25] Acad., XV, p. 308 a-b.
[26] Cf. *Actas de las Cortes de Castilla, XV, Memorial sobre el acrecentamiento de la labranza y crianza,* p. 749.
[27] *Ibid.,* p. 755.
[28] Cf. *Actas de las Cortes...,* XXI, pp. 317 y ss. (5 de mayo 1603).

a la producción, y en especial al arado, a los hombres improductivos de la ciudad. Los términos son casi similares a los del villano Fileto en *El villano en su rincón.*

> *[Famulorum turba] quorum labor nec civitatem alit, nec custodit, ignaviae proxima habetur. Inanis ideo famulorum turba ignavorum numero adscribenda, cum annui tantum reditus superbiam, maioratusque vanitatē ostentet. Inflatam hanc hydropē prudens solves, dives si otium, ut nosti, solvas. Eo namque soluto, utili omnes labore detēti frugi, non vacuis servis utemur. Lenociniumque, luxus et vanitas non levem aratro, telo, malleoque perditorū civiū, vel potius domesticorum hostium, turbam restituet.[29]*

Un año más tarde, en 1625, Navarrete, en su *Conversación de monarquía* echaba pestes contra la multitud de lacayos engendrada tanto por la crisis del campo como por la atracción de la ciudad.[30] El proceso de transformación de los villanos en lacayos ciudadanos tenía algo irreversible; no hizo sino acentuarse en el transcurso del siglo XVII y no hay que extrañarse de que Matos Fragoso, al refundir, a mediados de siglo, *El villano en su rincón* de Lope con el título de *El sabio en su retiro y villano en su rincón* haya preferido colocar la observación del Fileto lopesco en boca del principal protagonista, Juan Labrador, dándole así mayor amplitud edificante:

> .... Creo
> que si no hubiera en la corte
> tanto lacayo mancebo
> trasladado del arado
> a mangas de terciopelo,
> hubiera más labradores
> y todo valiera menos.[31]

En *Los Tellos de Meneses* pieza creada entre 1620 y 1630, el villano ideal es también hostil al acrecentamiento desconsiderado del número de criados superfluos: pero esta vez, es a sí mismo y a los suyos a quienes aconseja ahorrar el servicio; cuando su hija Laura le pide que ajuste una criada más, él le explica que sería una boca más que alimentar y que no hay que dilapidar el bien familiar, que se ha de transmitirlo por herencia.[32] Es probable que se trata, en realidad, por boca del viejo Tello, de una transposición de la crítica general del excesivo empleo de criados en la ciudad.

La exaltación de la dignidad del trabajo manual agrícola completa la condena de la proliferación de criados urbanos por el villano teatral ejemplar. A este respecto la comedia va incluso más allá de la distinción ciceroniana entre «artes» y «oficios» mantenida por un Gaspar Gutiérrez de los Ríos en su *Noticia general para la estimación de las artes...,*[33] y recuerda mucho más la actitud de Pedro de Guzmán, autor de *Los*

---

[29] López Bravo, *De rege et regendi ratione*, 1625, lib. III, fol. 21 rº (B. N. Madrid, 3-41 725).

[30] Navarrete, *Conservación de monarquías*, 1626 (B. A. E., XXV, p.476): «... viendo que sin la sombra de los poderosos y ricos no pueden esperar el remedio de sus necesidades, teniéndole librado en el incierto retorno a sus acensuadas hipotecas, los desamparan con mucha facilidad, viniéndose al ancho campo de la corte para dedicarse a pajes, o mozos de silla, suplicaciones, esportilleros...».

[31] Cf. B. A. E., XLVII, p. 216 c.

[32] Acad., VII, p. 309 a.

[33] Vide *supra*, p. 179.

bienes del honesto trabajo.[34] Juan Labrador, el sabio de *El villano en su rincón,* más o menos en el mismo año en que aparece el libro de Pedro de Guzmán, proclama que los verdaderos reyes son aquellos que viven del trabajo de sus manos:

Yo he sido rey, Reliciano,
en mi pequeño rincón;
reyes los que viven son
del trabajo de su mano

Cuarenta años más tarde, en su refundición de *El villano en su rincón,* Matos Fragoso aumenta la resonancia de la proclama de Juan Labrador; los instrumentos rústicos se vuelven para él auténticos trofeos con los que decora las paredes de su vivienda al estilo de los nobles que adornan con armas antiguas sus palacios.

Mis antesalas se adornan
de yugos y arados viejos,
todos despojos del brazo,
que por las paredes cuelgo
por triunfo de mis labranzas;
mirad ahora discreto
cuál viene a ser de los dos
más heroico lucimiento:
si adornarme de mis obras
o de primores ajenos.[35]

La condena de la ociosidad y la exhortación al trabajo también es un motivo de *Ya anda la de Mazagatos;* al dar a su gañán Bras la orden de ir con la mula al monte, el viejo villano Nuño completa su orden con una observación moralizadora sobre la nocividad del «farniente»:

Bras, compón la jumentilla
y parte al monte por leña,
que la oziosidad no cría
buenas costumbres jamás.[36]

Las protagonistas aldeanas de la comedia, ocupan, naturalmente su lugar en estos frescos del trabajo. Ya vimos que en frontispicio de *Los bienes del honesto trabajo* (1614) de Pedro de Guzmán, puede verse al lado de un villano empuñando una azada, a una aldeana con el huso. La mujer que, al hilar su lana, encarna el trabajo feme-

---

[34] Vide *supra,* pp. 56 y ss.

[35] B. A. E., XLVII, p. 217 a. La idea de honrar los instrumentos de las faenas del campo, colocándolos en forma decorativa y arquitectónica, ya se encuentra en *La Arcadia* (novela) de Lope. Los instrumentos aratorios son el adorno del frontispicio de un templo campestre. Cf. B. A. E., XLV, p. 67 a:

«... del frontispicio de alabastro cándido pendían unos trofeos mezclados entre diversas frutas... de mil instrumentos rústicos, azadones, segures, carros, yugos...»

[36] Ed. S. G. Morley, versos versos 224-227.

nino santificado, era en efecto, un lugar común. Los humanistas de los siglos XVI y XVII lo tomaron de los autores antiguos, griegos o latinos, cuando no de las Escrituras y de los Padres de la Iglesia, adaptándolo a la actualidad de su sociedad patriarcal que compartía con la sociedad antigua la idea de que la esposa modelo ha de trabajar en el hogar en ausencia del esposo. Lo significativo reside en que en España, después de 1550 aproximadamente, se haya tratado de colocar el parangón de esta laboriosa esposa en el mundo rural más que en otro lugar. Es lo que hace fray Luis de León al escribir *La perfecta casada;* para él, la aldeana modesta, siempre ocupada en los quehaceres de la casa e hilando lana en sus horas libres, es el ejemplo mismo de este tipo de mujer ejemplar.[37]

María de la Cabeza, esposa de Isidro, sale al escenario en *San Isidro labrador de Madrid,* con la rueca y el huso; una indicación escénica de Lope bien subraya la importancia que él le otorgaba a este detalle: «Sale María con una rueca, un huso.»[39] No sólo se trataba de verismo aldeano, sino también de intención edificante; por si dudáramos de ello, ahí está el pasaje correspondiente, con referencias eruditas en el margen para echar luz sobre el pensamiento del dramaturgo. Según el poema, recién casada con Isidro, María se pone a hilar y a tejer cuando su esposo sale al campo:

> A trabajar començaron;
> él a su labranza vino,
> y ella buscó lana y lino
> de que sus manos labraron
> blanco lienzo y paño fino.[39]

Al margen de este pasaje, Lope ha indicado la referencia: «Prov. 31», y es fácil hallar los versículos en los que tan fielmente se inspira, remitiéndose al *Libro de los Proverbios.*[40] Algo más adelante, el Fénix vuelve a insistir para subrayar toda la nobleza del trabajo doméstico realizado por la aldeana María.:

> Siendo de los Cipiones,
> que hilasse Paula quería
> el maestro que tenía;
> César entre sus blasones
> esto a sus hijas pedía.

---

[37] Cf. *La perfecta casada,* cap. V. Fuera de este capítulo en el que se trata especialmente de la aldeana, Fray Luis insiste en otros capítulos sobre la necesidad en la perfecta casada de proscribir la ociosidad y especialmente para evitar la sensualidad. Cf. cap. VIII y IX.

[38] Cf. Acad., IV, p. 567 b. En lo que atañe al sentido de «rueca», recordemos la nota de W. Meyer-Lübke, *Acerca de la palabra rueca,* in r. F. E., II, 1915, p. 31-32. El sabio etimologista demuestra que «rueca» deriva de una contaminación entre el romance «colus» (de «colucula», salió «quenouille» en francés) y el visigótico «rukka».

[39] Cf. *Isidro,* ed. princeps, fol. 33 rº.

[40]
«Qui peut trouver une femme vertueuse?	Una mujer perfecta ¿quién la encontrará?
....	Entiende de lana y lino y los trabaja
Elle se procure de la laine et du lin	son sus ágiles manos.
Et travaille d'une main heureuse,	
....	Echa mano a la rueca y sus dedos
Elle met la main à la quenouille	hacen girar el huso.
Et ses doigts tiennent le fuseau.»	

la esposa antigua romana,
del huso la rueca y lana
la puerta al entrar vistió,
y Alexandro se preció
que hiló su madre y su hermana.[41]

Las referencias marginales de Lope permiten ver, otra vez, en qué autoridades apoya sus justificaciones: san Gerónimo, Luis Vives (De Institutione mulieris christianae), Plutarco, Plinio y Polidoro Virgilio. De modo que al poner en escena a su aldeana ejemplar con su rueca y su huso, Lope pretende apoyarse en toda una tradición edificante que viene desde la antigüedad bíblica, griega y latina, tratada de nuevo en los siglos IV y V por San Jerónimo, remozada en el siglo XVI por los humanistas italianos y españoles.[42] Desde luego el tipo de la aldeana laboriosa no queda limitado a María de la Cabeza en el teatro de Lope. Veamos, por ejemplo, a Casilda en Peribáñez y el Comendador de Ocaña. Tampoco permanece ociosa; ella misma lo dice: todo el día, mientras espera la vuelta de Pedro que está en el campo, se dedica a una labor de costura:

Y salgo a abrille la puerta,
arrojando el almohadilla,
que siempre tengo en la villa
quien mis labores concierta.[43]

Tirso de Molina también gusta de la imagen escénica de la aldeana hacendosa. En Antona García (1623),[44] representa a la heroína aldeana de la resistencia a los portugueses con el huso y el peine de cardar la lana en mano al día siguiente de la boda. Allí tampoco podemos poner en duda el significado ejemplar de la escena. Bajo la forma de un cuadro dotado de pintoresco verismo, Tirso introduce aquí una alabanza del trabajo campesino considerado como el aliado natural del Rey en guerra contra los portugueses. Antona García se dedica a su trabajo, mientras que su marido, por su cuenta, ha salido a estercolar las tierras. Como Bartolo, criado cómico, cuya holgazanería natural no le predispone a la actividad remolonea y tarda en salir con el rebaño, ella lo reprende. De esa manera, le toca a Bartolo subrayar el afán de Antona

---

[41] Cf. Isidro, fol. 33 r⁰.

[42] Covarrubias in Tesoro..., art. foguera, 612, a, 9, insiste en el significcado simbólico del huso y de la rueca:

«... entre otras cosas que la novia hallava a la entrada de la casa de su marido era la rueca y el [h]uso con un copo de lana, un brasero de fuego y un cántaro de agua, dándoles a entender que no era muger de casa la que bivia en ella ociosa y mano sobre mano, ni podía ser limpia sin tener agua, ni servir bien y regalar a su marido, si no tenía recaudo para guisarle la olla y la comida...»

[43] Cf. ed. Aubrun y Montesinos, versos 710-712. Léase «villa» y no «silla».

[44] Para la fecha, véase Ruth Lee Kennedy, On the date of five Plays by Tirso de Molina, in Hisp. Rev., X, 1942, p. 198. Para las fuentes históricas, ver C. Fernández Duro, Memorias históricas de la ciudad de Zamora, Madrid, 1882-1883, II, pp. 112-124.

para trabajar, y le toca a ésta contestarle subrayando plenamente el sentido edificante (desde el punto de vista económico tanto como desde el moral) de su actitud:

> *Bartolo:*   ¿Hoy, que sois novia, hiláis vos
> y a mi al hato enviáis?
> Temprano en casera dais;
> enriqueceréis los dos.
> Dejad que llegue mañana
> y holguémonos entretanto.
> *Antona:*   Hoy, Bartolo, no es disanto
> ....
> Donde no hay renta
> trabajar es menester
> ....
> ¿el sermoneador no puso
> ayer una comparanza,
> que como al reye la lanza
> honra a la mujer el huso[45]?

Entonces, sumando el acto a la palabra, Antona García se instala en el umbral con los útiles necesarios para su tarea,[46] y en seguida, para acompañarse, se pone a cantar.

En el origen de la exaltación del ahorro y del trabajo campesinos, como valores económicos y éticos, latía la idea más amplia, ya señalada, de un necesario «retorno a la tierra» de todos los españoles, fueren nobles o no. La comedia de ambiente rústico, en este punto, no hace sino seguir una orientación ideológica bien característica de los años 1600-1615. En *Los hidalgos de aldea* (probablemente 1608-1611, por la métrica) de Lope, un conde de Brandenburgo vuelve a la aldea, entre sus villanos; esto es, ciertamente una situación teatral, pero también representa exactamente la actitud que le aconsejaban a la nobleza por esos años. Ya en 1600, González de Cellorigo en su *Memorial de la política necesaria...* se pronunciaba en contra del ausentismo en la corte:

> ... y por su bien particular y por el universal de la patria y honra de todos, tomen la mano en ser ellos los primeros en seguir las ordenaciones del Reyno: anssí en el excesso de los gastos, como en procurar por el bien de sus haziendas, en todo buen trato: que no queremos dezir se ocupen, ni en la lavor de campo, ni en otras ocupaciones indignas de sus estados: porque éste no es su oficio, y los actos militares, q̄ son de su instituto, no vendrían bien con semejantes exercicios, mas sin obligarse a esto pueden muy bien recuperar sus estados, y reduzirlos al buen uso y aprovechamiento.[47]

El poder se hizo eco de este tipo de preocupaciones y, en 1609, precisamente el 2 de setiembre, el Consejo examinó la cuestión de la residencia de los señores en su feudo: precisó a los grandes sus deberes como amos de fundos.[48] El movimiento de retor-

---

[45] N. B. A. E., V, p. 620 b.

[46] Cf. N. B. A. E., V, p. 621 b: «Sale Antona con delantal blanco y saca Gila rastrillo y lino; y siéntese Antona, y rastrille.»

[47] *Op. cit.*, fol. 32.

[48] Cf. Viñas y Mey, *El problema de la tierra en la España de los siglos XVI y XVII*, Madrid, 1941.

no a la aldea se vio iniciado, según parece, por lo menos en algunas regiones, algo más tarde, ya que Caxa de Leruela en su *Restauración de la abundancia de España* menciona el caso de algunos nobles que volvieron a las tierras para dedicarse a la labranza y a la ganadería.[49]

No resulta imposible descubrir una correspondencia entre estos temas ideológicos de ruralización de la nobleza y el gusto por las comedias en las que se ve, en remotos tiempos de la Edad Media, a nobles campesinos viviendo de caza y labranza en las montañas asturianas, del alto León o de Navarra; el cuadro de este pasado, situado generalmente antes del siglo XIII, venía a justificar lo que algunos preconizaban para el presente. Piezas del Fénix, tales como *Los Benavides* (15 de junio de 1600), *Los Guzmanes de Toral* (1599-1603), *Los prados de León* (1604-1606) sitúan sus intrigas novelescas o heroicas en un cuadro asturiano o leonés de este tipo. En *Los Benavides,*[50] algunos temas del romancero del Cid, fácilmente identificables van proyectados sobre el decorado de una sociedad ruda y salvaje de nobles campesinos que viven en los años de la infancia de Alfonso V, en el pueblo asturiano de Benavides, entre campos y rebaños. El principal protagonista, Sancho, —quien cree que es villano, aunque en realidad no lo es— encarna una nobleza campesina sedienta de honras al par que penetrada de un sentimiento de la utilidad económica y social del labrador; por ejemplo, Sancho proclama en presencia de un cortesano, que de no ser por los labradores, ni el propio Rey comería:

> El labrador, en su aldea,
> siembra lo que coméis vos;
> ....
> que aun el Rey no comería
> si el labrador no labrase.[51]

En *Los Guzmanes de Toral,* el rústico dentro del cual se desempeñaba la antigua nobleza asturiana —en la aldea de Toral, esta vez— es más preciso todavía. En esta pieza, en varias oportunidades, el decorado representa la explanada que se extiende ante la puerta del solar donde vive Payo de Guzmán rodeado de su familia (en el sentido latino y patriarcal de la palabra)[52] y varias veces, también, se exaltan en esos cuadros los beneficios materiales y morales del «retorno a la vida rústica». Nos encontramos, esta vez, en tiempos de Alfonso VII, y el héroe con nombre simbólico, Payo, nos cuenta al principio de la comedia, cómo su padre, al ser blanco de intrigas palaciegas, abandonó la corte para instalarse en su casa solariega ancestral:

> Desposeído mi padre
> de mil honrosos oficios,
> desengañado y contento,
> que es harto, habiendo tenido
> poder, ser el desengaño
> amado del que ha caído,

---

[49] Caja de Leruela, *op. cit.*, parte II, cap. IV.
[50] Acad., VII, p. 507.
[51] Acad., VII, p. 516 b.
[52] Acad., N., XI, p. 7: «Explanada campestre ante la casa de Payo de Guzmán, en Toral.» Cf. 21, 24.

> a nuestra casa, a Toral,
> con su familia se vino.
> Allí, en un gabán envuelto,
> pardo, un palo por estribo
> de sus canas, muchos años
> se sustentó su edificio;
> ....[53]

El propio rey Alfonso VII, al enterarse de la existencia rural que lleva Payo, proclama la sabiduría de este noble vuelto a su feudo:

> El gobierna sus estados,
> mejor y con más razón
> que ningún rey de la tierra[54]
> ....

Los hijos de la Barbuda de Luis Vélez de Guevara, pieza que puede fecharse antes del mes de junio de 1613,[55] nos ofrece también este tema de la nobleza rural. La acción se desarrolla en el cuadro de una Navarra patriarcal y heroica de antaño. Doña Blanca, llamada «la Barbuda», vive entre campesinos montañeses una existencia a la vez holgada, sencilla y bien provista de alimentos, que contrasta con la vida en la corte de Pamplona. Igualmente es fácil ver transpuestas en *Con su pan se lo coma* de Lope (1612-1615) ideas familiares de la propaganda para el afincamiento de los nobles rurales en las aldeas. Al principio de la pieza, un viejo labrador les explica a sus hijos que se encuentran en el escalón superior de la sociedad villana y que, de este hecho, no tienen que emigrar a las ciudades como pobres jornaleros desprovistos de todo:

> Si fuérades tan pobres que os hiciera
> un vil jornal la costa de la vida,
> justa disculpa el desterraros fuera
> del nido y de la patria conocida;
> pero si desde el campo hasta la era,
> y desde el monte al valle, no hay que pida
> vuestro deseo que no goce y tenga,
> ¿qué menester que a las ciudades venga?[56]

Ya se ve, es clarísima la alusión al movimiento histórico que, en ese mismo momento, impulsaba a los villanos «proletarizados» a concentrarse en las ciudades. Pero también se ve de qué manera interviene la propiedad campesina como valor positivo, como posible remedio para la despoblación del campo. El labrador, ni muy pobre ni muy rico, representaba un tipo de hombre que, según se pensaba desde el siglo XVI, hubiese podido constituir la base de una sociedad armónica y sin conflicto. Este ideal va formulado a menudo por los «reformadores» y los soñadores de utopías o de pa-

---

[53] Acad., N., XI, p. 3 a.
[54] *Ibid.*, p. 4 a.
[55] El hecho de que haya sido impresa en la *Parte tercera* de Lope nos proporciona un «terminus ad quem».
[56] Acad., N., IV, p. 295 b.

raísos terrenales reconstituidos. De este estilo son unas instrucciones dictadas por Cisneros a los Jerónimos, en 1517, a propoósito de un proyecto de colonización agrícola en las Indias, y que disponían el acceso de los indios a la propiedad individual.[57] Tales son también los proyectos de Bartolomé de las Casas, quien, en determinado momento, empezó a reclutar labradores en Castilla la Vieja con la intención, al parecer, de constituir del otro lado del Atlántico pueblos homogéneos con campesinos españoles, susceptibles de servir de buenos modelos económicos, sociales y religiosos a los indios.[58] A fines del siglo XVI, la idea de que una «familia» agrícola acomodada (el armónico agrario, de lo que Horacio denomina precisamente la «aurea mediocritas») podía servir de base para una organización social armoniosa se hizo tanto más atractiva en España, cuanto que apremiaba la crisis agraria. Mariana, en su *De Rege et Regis institutione*, sigue la misma orientación al expresar la teoría de una propiedad mediana de las riquezas; como lo quería Platón, es necesario, dice él, huir de los extremos de la no posesión o de la posesión desmesurada, conservar la medida («modus») de una sana propiedad; le compete al poder público, precisa, velar para que la paz social se mantenga:

> ... Ita in republica putat contingere perperam geri, cum copijs quidam redundant, alii extenuantur: ut praestet modum esse, et quandam in hoc genere mediocritatem.[59]

Dentro de la perspectiva de tales conceptos en los que se inicia la teoría de una clase media ideal, cobra más hondas dimensiones el significado social de la figura del «villano feliz» en el teatro, siempre dispuesto a evocar la «aurea mediocritas» horaciana de la que goza, incluso, cuando no pretende otorgarle sino un valor secundario. Suele ocurrir que este campesino diga que es pobre pero nunca lo es realmente. Celio, en *Con su pan se lo coma*, dedica un soneto a las «santas soledades» y exclama en el último terceto llevado del lirismo convencional del «Beatus ille»:

> Dichoso el que descansa en pobre choza;
> que no se logra el bien donde hay testigos,
> ni en las ciudades la quietud se goza.[60]

---

[57] Cf. M. Bataillon, in *Le «clérigo Casas» ci-devant colon, réformateur de la colonisation* in *B. Hi.*, LIV, núm. 3-4, 1952, pp. 276-369. Véase a propósito de las directivas que se llevaron los jerónimos a las Indias, pp. 308-316, y particularmente p. 314:

> «... L'instruction opte de façon décidée pour l'accession des Indiens à la propriété individuelle, elle prévoit la répartition équitable du territoire du village et de ses plantations de manioc entre les «vecinos...»

Si bien aconseja, para empezar, la explotación comunitaria de los rebaños, lo hace siempre que sea transitoria.

> «jusqu'à ce que les indigènes aient acquis assez de capacité et d'habitude pour posséder du bétail en propre».

[58] *Ibid.*, p. 340. M. Bataillon indica, p. 332, la influencia de la *Utopía* de Tomás Moro en algunos proyectos de Las Casas.

[59] Cf. *De Rege et Regis institutione*, Toledo, 1599 (apud Petrum Rodericum), lib. III, cap. XIII, p. 383.

[60] Acad., N., IV, p. 302 a.

Lo menos que se puede decir es que el villano Celio no expresa aquí su propia situación económica. La pobre choza evocada por él no es más que un tópico literario traído por la convención lírica y por cierto Celio no vive en una pobre choza, sin ventanas y con las paredes ennegrecidas por el hollín,[61] ya que otros pasajes de la comedia nos lo presentan como un propietario aldeano acomodado, satisfecho con sus posesiones. Podemos notar, por ejemplo, que cuenta con una herencia de 20.000 ducados, lo que representa un haber muy superior a las mayores fortunas aldeanas de tiempos de Lope. Resulta sintomático que, en los tres pasajes de la pieza en los que Celio entona un himno a las «soledades» rústicas (el motivo de las soledades es una variante frecuente y verdaderamente estereotipada del «Beatus ille» en las acciones rústicas), mezcla con este sentimiento la alegría de la sana posesión. Si por ejemplo, como en la Oda *Qué descansada vida...* de fray Luis, las fuentes, los arroyos, los pájaros —por el ritmo mismo de su corriente o la armonía de su canto— son eco de la soledad gozosa de Celio, lo son al reflejar líricamente su sentimiento de la posesión:

> ¿Hay cosa como ver aquestas fuentes,
> de su velo de plata revistiendo
> las moradas pizarras en que caen
> de estos pelados riscos despeñadas,
> y el ver cómo se paran sosegadas
> en el remanso de ese verde prado,[62]
> que las tiene un estanque fabricado
> de tanta variedad de hermosas flores
> que se pierde de vista en sus colores?
> y ¿hay cosa como ver tantos ganados
> subir los montes y cubrir los prados,
> agotando las aguas a los ríos,
> y que digan las aves que son míos
> desde que al alba gorjeando salen?
> ....[63]

---

[61] La estilización de la «pobreza» del campesino feliz se logra a menudo al evocar la choza. Cf. *El mejor alcalde el Rey.*

[62] No es preciso señalar que el fluir tranquilo del arroyo en la llanura, tras el rápido correr en la montaña, símbolo de la quietud alcanzada después de la búsqueda, ya se encuentra en la estrofa 10 de *Qué descansada vida* de Fray Luis. Tal reminiscencia nos parece patente. Recordemos:

> «Y como codiciosa
> de ver y acrecentar su hermosura,
> desde la cumbre airosa
> una fontana pura
> hasta llegar corriendo se apresura.
>
> Y luego sosegada,
> el paso entre los árboles torciendo,
> el suelo de pasada
> de verdura vistiendo,
> y con diversas flores va esparciendo.»

Es extraño que no la haya señalado Edward H. Sirich *(op. cit.),* quien estudió las deudas de Lope con respecto a fray Luis.

[63] Acad., N., IV, p. 300 b.

Vemos aquí como la holgura y la propiedad se suman al sosiego moral en el villano ejemplar, y por qué no hay que tomar al pie de la letra tal declaración de pobreza que a veces se desliza, contradictoriamente, en una «morceau de bravoure». Tenemos otros ejemplos de tales contradicciones. En *El villano en su rincón*, el caballero Otón encomia la felicidad del villano-pastor en su «pobre cabaña» de ramas ahumadas, sentado en el suelo en medio de sus perros, cuando come, en la incomodidad total, sus migas con leche cuajada. Si bien el movimiento del verso en romance, asonantado en ó lleva la tirada del caballero Otón a terminar su evocación arcádica con un retorno a la fórmula leit-motiv de la pieza, a saber «el villano en su rincón», no puede dejarse de observar que la «pobre cabaña» cantada líricamente, no sufre comparación con la vivienda cómoda y rica que suponemos posee Juan Labrador, el villano rico y holgado de la pieza:

>¡Qué mal, Finardo, conoces,
>si nunca te sucedió,
>llegar de noche mojado,
>o a la siesta con el sol,
>o perdido por un monte,
>si de lejos te llamó
>el fuego de los pastores
>o de los perros el son,
>después que de voces ronco
>te dieron alguna voz
>y entraste en pobre cabaña
>que tiene por guardasol
>robles bañados en humo,
>que pasa el viento veloz,
>y haber de sacar las migas
>y el cándido naterón,
>y sin manteles en mesa,
>cuchillo ni pan de flor,
>sino sentado en el suelo
>sobre algún pardo vellón,
>rodeado de mastines
>que están mirando al pastor,
>lo que se estima y ensancha
>*el villano en su rincón!*[64]

El movimiento lírico y quizás también, la moda del tópico de la pobre cabaña,[65]

---

[64] Acad., XV, p. 286 b.

[65] El tópico de la «pobre cabaña» o de la «pobre choza» se repite bastante en el Romancero de fines del siglo XVI. Cf. *Quarta y quinta parte de flor de romances*, recopilados por Sebastián Vélez de Guevara, Burgos, 1592, fol. 68:

>«Hincando estacas de enebro
>a sombras de una carrasca,
>para alçar su pobre choça.»

Cf. *Flor de romances nuevos, tercera parte* (Pedro de Moncayo, Madrid, 1593), fol. 105, r°:

>«En una pobre cabaña
>...................................

exigieron aquí la evocación del caballero Otón en una pieza en la que «el villano en su rincón» es por otra parte un terrateniente importante. Y aún ha sido insertado allí este pequeño «morceau de bravoure» al estilo de un estribillo cargado de alusiones y en leve contradicción con otros aspectos de la comedia,[66] reminiscencia del principio de la Soledad Primera de Góngora (reminiscencia un tanto irónica de las silvas gongorinas rematadas con el admirable: «Oh bienaventurado / albergue a cualquier hora...!)

En *Los Tellos de Meneses,* puede notarse una contradicción del mismo tipo. Hay un momento en que Tello el viejo le da una lección de humildad a su hijo, que presume de cortesano elegante, y le dice:

> Hidalgo naciste, hijo,
> pero entre aquestas montañas,
> de un labrador que ha vivido
> del fruto de cuatro vacas,
> seis ovejas y dos viñas...[67]

En realidad, en todo el resto de la pieza, el viejo Tello aparece como un poderoso ganadero y rico agricultor, dueño de una inmensa finca con millares de vacas y ovejas, extensos viñedos. No cabe duda; para nuestro villano, la propiedad es una virtud tanto como lo es la pobreza.

Por lo demás, A. de Guevara había asentado, él también, en varias oportunidades el sentimiento de la propiedad como uno de los elementos de la felicidad aldeana y no nos extrañe el volver a encontrarlo en el teatro, relacionado con una idea autarcica:

> Es previlegio de aldea que cada uno goze en ella de sus tierras, de sus casas y de sus haziendas...
> Es previlegio de aldea que el que tuviere algunas viñas goze muy a su contento dellas, lo qual paresce ser verdad en que toman muy gran recreación en verlas plantar, verlas binar, verlas cubrir, verlas cercar, verlas vardar, verlas regar, verlas estercolar, verlas podar, verlas sarmentar, y sobre todo, en verlas vendimiar...
> El que mora en el aldea toma también muy gran gusto en gozar la brasa de las cepas... en bever de su propia bodega...[68]

Precisamente, tenemos un ejemplo patente de tal sentimiento de autarquía campesina en *El villano en el rincón,* cuando el rico Juan Labrador menciona, como una

---

Cf. *Quarta y quinta parte de Flor de romances,* recopilados por Sebastián Vélez de Guevara, Burgos, 1592, fol. 26 rº, el «incipit»: «en una cabaña pobre».

Cf. *Ramillete de Flores, sexta parte de flor de romances,* recopilados por Pedro de Flores, Lisboa, 1593, en el romance «Quando la esteril arena», los versos:

> «Acurdome, aūq̄ ē mi daño,
> quādo en mi umilde cabaña
> estando en vuestra alegría.»

(Véanse todos estos textos en A. Rodríguez-Moñino, *Las Fuentes...*)

[66] A este respecto véase nuestro artículo, *A propos de la date de «El villano en su rincón» de Lope de Vega,* in *B. Hi.,* 1965, fascículo núm. 1.

[67] Acad., VII, p. 296 a.

[68] Cf. *Menosprecio de Corte y alabanza de Aldea,* cap. V.

de las bases de su felicidad, el hecho de que se basta a sí mismo económicamente y que, dueño y señor de sus tierras, bebe el vino de sus viñas:

> Rey del campo que gobierno
> me soléis todos llamar;
> el ave que hago matar,
> sábele allá de otro modo,
> ni el vino oloroso es todo,
> porque le falta haber sido
> él mismo quien lo ha cogido,
> para que le sepa más;
> que en las viñas donde estás,
> lo que he sembrado he bebido.[69]

Siempre en el mismo orden de ideas, resulta revelador que Peribáñez, en *Peribáñez y el Comendador de Ocaña* (para expresar la felicidad que lo embarga por su matrimonio con Casilda) dude buscando puntos de comparación entre sus bienes rústicos: las cepas que arranca en diciembre y que le aseguran el fuego para el invierno, las uvas en la prensa en octubre, las gavillas en la era en agosto:

> Cepas que en diciembre arranco[70]
> y en octubre dulce mosto,
> ni mayo de lluvias franco,
> ni por los fines de agosto
> la parva de trigo blanco,
> igualan a ver presente
> en mi casa un bien que ha sido
> prevención más excelente
> para el invierno aterido
> y para el verano ardiente.[71]

---

[69] Acad., XV, p. 281 a. Los economistas, posteriores a 1600, expresan a menudo la idea de la autarcia agraria y hortelana. Véase, verbigracia,a Fernández Navarrete in *Conservación de monarquías*, Madrid, 1626, Discurso XXXIV:

> «... León Nizeno refiere del Emperador de los Turcos que tiene junto a su palacio un grãde huerto con dozientos hortelanos, y que de los frutos della saca para la comida que se le sirve, sin permitir que un solo maravedí de los tributos se gaste en el sustento de su mesa: porque juzgan que en estos se consume la sustãcia de los Reynos; y lo que procede de los frutos del campo, es dado con celestial bendición...»

[70] El sentido de versos como estos se vuelve más claro si se recuerda que la posesión de cepas y sarmientos era protegida ya por ordenanzas municipales en Castilla la Nueva. Había penas muy estrictas para los ladrones «cepejones y sarmientos». Citemos de ejemplo:

> «... Otrosy ordenaron que qualquier persona o perso — / nas que truxieren çepejones e sarmientos o es — / [tac] as de las vinnas de lo ageno que aya de pena / [por] cada çepejón o gavilla de sarmientos o esta — / cas que le tomare qualquier de los dichos guar — / das o sobreguardas o dos vezinos çinco moravedís / e dende arriba al respeto de los que truxiere...»

Ordenanzas municipales de la villa de Santorcaz (cerca de Alcalá de Henares), publicadas in *Anuario de historia del derecho español*, Madrid, 1945, t. XVI, pp. 659-669, por Luis Sánchez Belda.

[71] Cf. ed. Aubrun y Montesinos, versos 61-70.

En la refundición intitulada *La mujer de Peribáñez*, es más nítido aún este sentimiento de la propiedad y de la autarcía agraria, y le toca a Casilda expresarlo en una larga tirada en la que ostenta las riquezas de su jardín, su corral o su bodega:

> Venid a mi casa vos
> ....
> palomas de veinte en veinte
> veréis volar y volver
> ....
> sin salir a las vecinas
> a darles enfados nuevos,
> las gallinas me dan huevos,
> los huevos me dan gallinas.
> La uva, que en varios modos
> servir al gusto la vi
> o se cuelga para mí,
> o se esprime para todos.
> La fruta el árbol desgaja
> en essas huertas que ves
> por el otoño, y despúes
> hago otras huertas de paja
> en casa; por engordallos
> crío con regalo aquéllos
> que es vergüenza el comellos
> y desvergüenza el nombrallos.
> La leña que ya se arruga
> se echa al fuego sin cuenta
> que de muy lejos calienta
> y de algo menos enjuga.
> Tengo de cosecha mía,
> sin que lo salga a pedir,
> aceite para luzir
> aunque fuera noche y día.
> la harina, cuya blancura
> exceder la nieve vi,
> algo más que para mí
> para los otros se apura,
> que aunque este pobre ajuar
> tan pequeño llega a ser
> que no me da que vender,
> no me deja que comprar.[72]

El sentido de las riquezas campestres del villano teatral no siempre cobra el aspecto de esta como mentalidad e insularismo económico que trasunta en un pasaje como este, pero siempre va vinculado con una fe fisiocrática en las posibilidades nutricias del campo. La idea de que basta con trabajar la tierra, cuidar de sus frutos, apacentar los rebaños, para crear la riqueza, está en el meollo de las grandes tiradas en las que el villano enumera sus bienes. A menudo, este pre-fisiocratismo precursor del fisiocratismo dieciochesco viene envuelto en forma de pensamiento y sensibilidad religiosos

---

[72] «Suelta», «sin año», A. III (B. N. Madrid, T. 19445).

y se conjuga armoniosamente con los motivos horacianos y virgilianos del «Beatus ille» o del «Fortunatos nimium». Esto queda patente en particular en los fragmentos de elocuencia bastante repetidos en los que la fertilidad campestre se halla asimilada, insistentemente a un don divino, y en los que el sentido de la economía natural coincide con el de la Creación.

Ya con Lope de Rueda, en los *Coloquios pastoriles,* se encuentra un sentido del orden natural que lleva al dramaturgo a cantar la riqueza rústica como un bien del Creador. El *Coloquio de Tymbria,* por ejemplo, ofrece un auténtico himno, escrito en una prosa armoniosa, en el cual el rico ganadero Sulco le agradece a la Providencia los bienes con los que ha sido colmado: el providencialismo económico se suma en este canto al sentido de la Creación armoniosa y regulada:

> O divinal sin medida Hacedor que todo el universo con tu piadosa mano riges y gobiernas... ¡Cuánto yo, más que otra criatura alguna, inmensas e insuperables gracias te debo, pues tan abundosamente el doméstico ganado nuestro, paciendo por estas dehesas, breñales, surcos, laderas, y riscos, tu guarda los guarda y tu amparo los defensa, sin que del malvado y salteador animal sea disminuido ni descabalado, y más por la ordenanza con que tú guiarlo sabes a los debidos y cabales meses, y a la dichosa ganancia de la nueva cría, y a los blancos vellones de la merina lana, que a colmadas manos en nuestras casas nos rindes! ¿Qué diré de la natural orden con que a sus tiempos [dan] preciados y tiernos quesos?[73]

Sin embargo, este sentimiento que definimos como un sentimiento de la Creación, aparece vinculado con el tema de la plenitud agraria, sobre todo en las comedias lopescas y en primer lugar en aquellas que se refieren a la leyenda isidriana. En estas piezas, el campo madrileño invita a nuestros campesinos a recitar tiradas de agradecimiento al Soberano Hacedor. En *La niñez de San Isidro.* Pedro, padre de Isidro, maravillado por el verdor de los campos en primavera, esmaltados de flores y cubiertos de ganado como lo es de nieve, a lo lejos, la sierra de Guadarrama, entona, en un romance un canto al Creador:

> Hacedor de aquestos campos,
> Autor destas verdes selvas,
> Pintor destas varias flores,
> Sol destas fértiles vegas,
> Pastor de tantos ganados
> como cubren estas sierras,
> cuya nieve entre las nubes
> presume helar las estrellas:
> Dios de los cielos que miro,
> de donde con mano inmensa
> conserva la vida a cuanto
> dio ser la naturaleza:
> con mi rústico discurso
> conozco las excelencias
> de tu poder a mi modo,
> y admirada el alma en ellas,
> sólo te doy bendiciones.[74]

---

[73] Ed. E. Cotarelo, *Obras de Lope de Rueda,* II, p. 77.

[74] Acad., IV, p. 508 b. (Modificamos la puntuación y la acentuación de los versos 9 y 10, por resultar su sentido más satisfactorio).

En la misma pieza, hay una escena en la que el joven Isidro, a orillas del Manzanares, sólo frente a la naturaleza, descubre la presencia de Dios o del Espíritu en la más mínima criatura, vegetal o animal: la flor más humilde, las ramas, los pájaros que revolotean por parejas, el ganado que pace, el trigo que verdea, todos estos elementos son como las palabras de un gran libro abierto para enseñar la omnipresencia divina:

> ¡Oh qué de cosas, Dios mío,
> el libro del campo abierto
> muestra con tanto concierto
> en la orilla deste río
> para contemplar en vos,
> pues que la flor más pequeña
> me está diciendo y me enseña
> que sois Dios!
>
> Estos verdes altos muros
> formados de ramas tantas;
> los árboles, que las plantas
> bañan en cristales puros;
> las aves, de dos en dos,
> por esos aires volando,
> van con dulce voz cantando
> que sois Dios.
>
> Las flores que nos deleitan,
> tornasolando los prados,
> blancos y rojos ganados,
> que la verde hierba afeitan;
> estos trigos, a quien vos
> dais la lluvia celestial,
> dicen con aplauso igual
> que sois Dios».[75]

Resulta difícil que al leer tal pasaje, uno no recuerde el que nos brinda fray Luis de Granada en su *Introducción al símbolo de la fe*:

> ...*¿Qué es todo este mundo visible sino un grande y maravilloso libro que vos, Señor, escribistes y ofrecistes a los ojos de todas las naciones...? ¿Qué serán luego todas las criaturas deste mundo, tan hermosas y tan acabadas, sino unas como letras quebradas y iluminadas que declaran bien el primor y sabiduría de su autor...*[76]

Llama la atención, en efecto, el parecido entre Lope y fray Luis de Granada. Sin embargo, no es prueba de una reminiscencia directa; subraya simplemente la difusión del lugar común del «libro de la naturaleza» en la literatura del siglo de Oro. Así como ya lo demostró E. Curtius, se trata de un tópico muy difundido a fines de la Edad Media, especialmente entre los autores ascéticos o místicos, y los neoplatónicos. Lope re-

---

[75] *Ibid.*, p. 526 a.
[76] B. A. E., VI, p. 186.
[77] Cf. E. R. Curtius, *Literatura europea y edad media latina*, pp. 448-456.

currió a él frecuentemente y pueden citarse ejemplos de uso del motivo en *Barlaan y Josafat*,[78] en la *Epístola a Quijada Riquelme*[79] y en *La juventud de san Isidro*[80] Desde luego resulta difícil asignar una fuente particular al sentimiento de la Creación experimentada por el villano ejemplar de las piezas isidrianas; no obstante conviene notar un punto de referencia proporcionado por las notas marginales del *Isidro*. En el folio 1 de este poema, Lope evoca al santo labrador en acción de gracias ante los campos madrileños:

> Miraba las maravillas
> que el verde campo brotava,
> y a Dios tantas gracias daba
> que las aves por oyllas
> mudas entonces dexaba.

Al margen los primeros versos, el poeta indica la referencia en la que pretende apoyarse: «Aug. sup. Ioan. sermon. 19» De modo que bien podrían tener fuentes agustinianas las tales motivos en el villano de Lope. En cuanto a los pájaros que escuchan la oración, ya sabemos que se trata de una imagen familiar en la iconografía franciscana.

Si acabamos de detenernos un instante en estos pasajes en los cuales queda expresado tan poéticamente el tema de la belleza del mundo, es porque Lope une la contemplación maravillada de la naturaleza con la idea de que esta naturaleza es generosa y fecunda, y ofrece con abundancia sus bienes al campesino activo y trabajador. En verano, por la comarca de Isidro, las mieses están lozanas y los trigales maduros, en las tierras de Alvaro Vargas, amo del padre de Isidro, oponen a las hoces unas cañas tan fuertes y apretadas que se van mellando los aperos. Estas espléndidas mieses nacen, por otra parte, del abono espiritual que es la carida del amo y nacen para alimentar a su vez actos de caridad. Al menos esto es lo que se trasunta del diálogo entre los gañanes en el campo, en *La niñez de San Isidro*:

---

[78] Cf. ed. «Teatro antiguo» (J. F. Montesinos), p. 137, versos 370-382:

> «Aquí sin libros quiero
> entretener los días,
> que libros son las hojas de las flores
> a donde hallar espero
> altas filosofías
> en la diversidad de sus colores.
> ¿Qué concetos mejores
> que ver sus diferencias
> y fabricas hermosas,
> y entre flores y rosas
> de las aves las dulces competencias?
> Todo a su Autor alaba
> y nunca el homre de alabarle acaba.»

p. 214 de su edición in «Observaciones y notas», J. F. Montesinos le atribuye a Lope estos versos insertos «a posteriori».

[79] Cf. *Ibid.*, p. 214.

[80] Acad., IV, p. 539 b. pasaje que se inicia con: «Arboles, plantas y flores, / que eternamente alabáis / a vuestro criador...»

> *Bato:*   ¡Oh, bendiga Dios el trigo,
>   y qué fuertes cañas tiene!
> *Antón:*   A romper los dientes viene
>   de las hoces, Bato amigo:
>   echa Dios su bendición,
>   según que se ven de largas,
>   a don Alvaro de Vargas.
> *Bato:*   No he visto en su hacienda, Antón,
>   mengua jamás.
> *Antón:*   Ni la esperes
>   en quien tiene caridad.
> *Helipe:* Si de su noble piedad,
>   Antón, ejemplo refieres,
>   no acabarás en mil años.
> *Bato:*   Rico que quiere obligar
>   a Dios, sepa que ha de dar,
>   y el que no, padece engaños.[81]

El campo todo converge hacia Dios en *La niñez de San Isidro,* y por ello la abundancia de la cosecha —medida en fanegas bien concretas— resulta ser ella también un intermediario entre el hombre y el Divino Autor:

> *Antón:*   Nunca he visto mejor año.
> *Helipe:* Bendígale Dios, amén.
> *Pedro:*   Ello va de bien en bien.
> *Bato:*   A la fe, Pedro, que hogaño
>   han de rebosar las trojes
>   con la abundancia del trigo.
> *Pedro:*   Su divino autor bendigo.
> *Bato:*   Más de mil hanegas coges.
> *Pedro:*   Desde el año que nació
>   mi Isidro, que Dios me guarde,
>   no le vi mejor.[82]

El sentimiento de la abundancia rústica recibida por el villano como una bendición del cielo no se limita a las únicas piezas isidrianas. En *El vaquero de Moraña,* se ve Antón, el noble que se hizo campesino en la Moraña, volver de los campos cantando con otros segadores; sus caperuzas van adornadas con espigas; en homenaje al amo de la finca, Antón le dedica una larga serie de redondillas en las que se expresan los votos de abundancia rústica de todos; resulta significativo que su tirada acabe en una acción de gracias en honor de aquel que hizo todos los bienes de los campos y de las huertas: Dios. Es un hermoso himno a la plenitud y a la prosperidad agrarias, nutrido siempre en el providencialismo cristiano y el sentimiento de la bondad natural de la Creación:

> *Antón:*   Dadnos, nuesamo, los pies,
>   y dos mil años viváis,
>   y más, si más deseáis,
>   y si es poco, que sean tres.

---

[81] Acad., IV, p. 508 a.
[82] Acad., IV, p. 525 a.

Esta abundancia dé el cielo,
favorable y rico amigo,
tanto, que se os vuelva trigo
la mesma hierba del suelo.
Y algún año sea tan bueno,
en tierras propias y extrañas,
que seguemos con guadañas
como en los prados el heno.
Vístase el prado librea
con la hierba cada hora;
vierta aquí su copia Flora
y su abundancia Amaltea.
Rompan el aire los filos
las cañas de los barbechos,
y toque el trigo los techos
en las trojes y en los silos.
No sólo en siega, en vendimia
os dé el cielo tal tesoro,
que hagáis los vasos de oro
que ahora tenéis de alquimia.
Ya que el Agosto repose,
pisen para vuestras cubas
vuestras gentes tantas uvas,
que todo en mosto rebose.
Y con frutos tan opimos,
que los pergeños empache,
y que un León nos despache
de las cestas los racimos *(sic)*.
Y de manera se huelguen
con las uvas nuestras casas,
que aunque muchas hagáis pasas,
muchas por los techos cuelguen.
Sirva una tinaja anciana
de lo que ahora se pisa,
al cantar Don Félix misa
y al desposarse Doña Ana.
Por los pezones y cabos
cubran, con color pajizos,
los melones invernizos
de vuestra casa los clavos.
Sirvan colmos a montones
de membrillos o granadas,
en vuestros techos colgadas,
de dorados artesones.
Sin rectitud y gobierno
de reales pesadumbres
vuestras ahumadas techumbres,
coronen frutas de invierno.
Sirvan a vuestras familias
costales de verdes nueces,
para acabar, tras los peces,
los viernes y las vigilias.

Higos también os reserve
esta campaña vecina,
que afeitados con harina,
enjugue el pecho y conserve.
Matice estas huertas luego
la berenjena morada,
la verde col arrugada,
como pergamino al fuego.
Echad, por mayor deleite,
de la postre vez alguna,
en adobo la aceituna
y los quesos en aceite.
Que yo, siguiéndoos a vos,
dará mi rústico modo
gracias al dueño de todo
que dueño de todo es Dios.[83]

En semejante «morceau de bravoure», el gusto por la decoración con frutas y vegetales presenta cierto parentesco con el recargo de alguna fachada de iglesia barroca construidas algo más tarde con multitud de cornucopias, y la profusión de adornos campestres no depende exclusivamente de la mera búsqueda estética; la acumulación de las riquezas rústicas corresponde aquí a una intención edificante que es la de llevar a Dios, por un camino intuitivo, por entre la opulencia de sus beneficios campestres; por ejemplo, nada más extraño a la exaltación de las vendimias, en este fragmento, que la exaltación pagana y mitológica de las mismas vendimias de Velázquez en su célebre lienzo «Los borrachos». En el villano lopesco, en el meollo del himno a la vendimia, la idea religiosa pondera el goce vital y la búsqueda estética.

En *El cuerdo en su casa*, la fecundidad de los rebaños y la generosidad de los viñedos y de las mieses son acogidas también por los campesinos como otras tantas bendiciones divinas. Aquí el poder germinativo que viene de Dios debe tener, por otra parte, como corolario, en el plano humano, conforme al principio evangélico de «Creced y multiplicaos» una familia campesina numerosa, que es armónica en cierto modo de la abundancia agraria: Mendo anhela nada menos que darle a su esposa Antona numerosos hijos para agradecerle a Dios las uvas, las espigas y las ovejas con las que lo colma:

Mendo: Uvas y espigas y ovejas
en abundancia querría;
mas porque de punto subas,
hijos has de desear;
pues que tienes que les dar
ovejas y espigas y uvas.
Si fuera pobre, temblara
de verlos temblar al hielo;
pero enriquéceme el cielo:
venga quien lo coma...[84]

---

[83] Acad., VII, p. 569 b. El texto propuesto por Menéndez y Pelayo no es fiel al que presenta la *Parte VIII*, Madrid, 1617, fol. 212, el cual no es satisfactorio del todo. Hacemos algunas correcciones que nos parecen necesarias.

[84] B. A. E. XLI, p. 458 c.

Por los mismos años de *El cuerdo en su casa* (1606-1608), en *La madre de la mejor* (por la métrica 1610-1615, probablemente 1610-1612), Lope desarrolló ampliamente este tema de la fecundidad agraria en armonía con la fecundidad humana. El patriarca Joaquín, apesadumbrado porque su matrimonio con Ana sufre el castigo de la esterilidad, canta el motivo en una hermosa serie de liras. En un como preludio, uno de los pastores de Joaquín invita primero a su amo a regocijarse ante el espectáculo de los frutos y de las mieses que le ofrece generosamente su tierra:

> *Bato:*   Ea, señor amoroso,
> señor bueno, señor santo,
> señor que en nobleza os pongo
> al igual de aquellos Reyes
> que del soberano tronco
> de José tienen principio,
> y de aquel divino Apolo
> que con el arpa a Saúl
> sacó del pecho el demonio,
> dad a este campo alegría
> y a vuestros pastores gozo:
> volved los ojos a ver
> montes, prados y rastrojos,
> cabañas, dehesas, fuentes,
> huertas, viñas, pagos, pozos;
> todo os ofrece sus frutos:
> los montes altos, copiosos
> robustos robles, y encinas,
> castaños y sicomoros,
> nogales, abetos, pinos,
> jaras, enebros, madroños,
> nísperos y cornicabras,
> alcornoques, murtas, hornos,
> palmas, tejos, acebuches,
> laureles y cinamomos.
> Los prados, hierbas y flores,
> tomillos, mastranzos, olmos,
> narcisos, violetas, trébol,
> lirios azules y rojos.
> Las huertas, frutos famosos
> por el Junio caluroso,
> la manzana envuelta en sangre,
> y por otra parte en oro:
> el rojo trigo las eras,
> por la mitad del Agosto:
> las blancas y negras uvas,
> a la entrada del otoño,
> las viñas, que en anchas cubas
> rebose cociendo el mosto;[85]
> mirad que os cantan las aves
> los más celebrados tonos

---

[85] Este detalle ya se encuentra en la tirada de *El vaquero de Moraña*.

que vio la solfa del mundo
desde que Tubal famoso
puso a las cítaras cuerdas,
mano al órgano sonoro,
y del martillo tomaron
las voces, estilo, y modo:
ea, señor, alegraos.[86]

Mas nada puede distraer al patriarca de su profunda tristeza, desesperado de quedar sin descendencia, y cuando, a pedido suyo, los pastores se marchan y le dejan solo, se desahoga líricamente; el espectáculo de esas pruebas «seminales» (según la expresión agustiniana) que ve por doquier en la naturaleza no hace sino reavivar el sentimiento de su propia esterilidad:

¿A dónde, claras fuentes,
hallará mi dolor consuelo en tanto
que están vuestras corrientes
suspensas a la furia de mi llanto,
pues no hay cosa que mire
que no me obligue el alma a que suspire?
Si aquella palma veo,
con la de enfrente, un siglo habrá, casada,
está para trofeo,
de racimos de dátiles cargada,
que parecen, maduros,
ámbares rojos y topacios puros.
Si miro aquel madroño
cuando el invierno asoma a los umbrales
del sazonado otoño,
parece de esmeraldas y corales,
esmeraldas las hojas,
y de puro coral las cuentas rojas.
Si miro aquellas parras
que esta cabaña adornan, y que trepan
por moradas pizarras,
apenas hallan sitio donde quepan
racimos tan escasos,
que revienta el licor de verdes vasos.
Si miro las espigas,
hallo de un grano proceder cien granos,
para que sus fatigas
alivie el labrador, entre las manos
la hoz, por cuyos dientes
muere la caña y viven tantas gentes.
¿Quién volverá los ojos
a ver los nidos de las libres aves,
tan llenos de despojos,
unas con picos dulces y suaves,
ensartando el sustento,
por el estrecho suyo al pollo hambriento?

---

[86] Acad., III, p. 358 b-359 a.

> Otras sobre los huevos,
> dando calor y vida a quien faltaba;
> otras buscando cebos;
> pues que si miro a toda fiera brava,
> ¿qué tigre, qué leona,
> los tiernos hijos al amor perdona?
> Yo solo solamente
> carezco deste bien por mis pecados.
> ¡Ay, Dios omnipotente,
> si os doliesen mis ansias y cuidados,
> y si llegase un día
> que los tuviese de la prenda mía![87]

Huelga insistir en el papel que desempeñaban tiradas como éstas para contribuir a reforzar la idea de las riquezas naturales brindadas en permanencia por el campo. Los significados alegóricos, anagógicos o místicos de ciertos símbolos rústicos de la Escritura (trigo, vid, aceite, oveja, etc...) no los privan de su primer significado, concreto y material.

También tenemos en *El galán de la Membrilla*, pieza de la misma época (1615) varios pasajes en los que se expresa con abundancia este sentido de la riqueza rústica, sana y legítima por ser producto de la Naturaleza. Tello, villano rico de la Membrilla, que desea darle un marido a su hija Leonor, le invita, en espera del matrimonio, a gozar de los placeres rústicos ofrecidos por sus fincas, sus campos, sus prados, sus vergeles. Con este motivo recita una tirada majestuosa, en tercetos, en la cual afloran recuerdos de las cinceladas elegancias de Teócrito, Virgilio o Fray Luis de León:

> ....
> que te entretengas te suplico, y andes
> de un prado a otro y de una en otra huerta.
> En verdes campos, espesuras grandes
> te convidan con sitios que parecen
> pintados lienzos del ameno Flandes.
> La variedad de flores que te ofrecen,
> nacieron en tu nombre, porque es mía
> la tierra en que sus árboles florecen.
> Baja entre peñas una fuente fría,
> a nuestra verde huerta, por canales
> de corcho, en que suspende su armonía;[88]
> mas diremos que baja entre corales,
> si a su blando cristal llegas la boca
> y con claveles pagarás cristales.
> La sazón de la fruta te provoca
> a echar la mano al ramo que, engañado,
> el Alba pensará que se le toca.
> Coge el membrillo pálido, y bañado
> en sangre el fruto del moral discreto,
> pues que se burla del almendro helado;

---

[87] *Ibid.*, p. 359 ab.

[88] Evidentemente, estos versos vuelven a recordarnos *¡Qué descansada vida...!* de Fray Luis de León; Edward H. Sirich no los indica.

coge el melocotón, pues ya el perfeto
color le adorna, que al vencer la calma
del tiempo el aire manso y inquieto,
más gusto te dará quitarle el alma,
que al dulce dátil, de temor del moro
subido en el alcázar de la palma;
la manzana, que ya púrpura y oro
baña también, y a tu placer sentada
junto a un arroyo en murmurar sonoro,
divide en cuatro partes la granada,
porque puedas en él lavar las manos
si de sus granos el licor te enfada.
mientras que aparto yo mejores granos
del oro que compone los doblones
que esperan tantos pensamientos vanos,
a quien, aunque por esto me perdones,
mi hacienda agrada más que tu hermosura.[89]

A pesar del final, aparece un sentimiento discretamente epicúreo de los goces naturales en esta primera tirada de Tello. Un segundo «morceau de bravoure» del mismo personaje moviliza otra vez los motivos ornamentales de la abundancia agraria, mas esta vez, sobre un fondo de pena sentimental algo comparable con la que encontramos en la tirada del patriarca bíblico Joaquín. Apesadumbrado porque un raptor le ha arrebatado a su hija, y al mismo tiempo la honra, Tello deja la compañía del rey don Fernando que está de comilona en su casa en la Membrilla, rodeado por una pompa lujosa. En unas estancias de trece versos (estrofas de «canción regular») condena ese lujo ciudadano y le contrapone la generosa riqueza de sus bienes campestres: sus viñas y sus pámpanos frondosos en pleno esplendor, sus membrilleros, sus moscateles, la caza de los sotos, sus tierras que se extienden a más de una legua a la redonda; desde luego, de considerar sin más el movimiento retórico del fragmento, queda claro que Tello ya no goza como antes del espectáculo de esta abundancia ofrecida por sus tierras; es que la profunda tristeza de haber perdido a su hija impregna en adelante su paisaje interior; no obstante, subsiste en su manera de rechazar el consuelo de los bienes campestres, un medio muy seguro para ensalzarlos indirectamente: el complacido complaciente de las riquezas rústicas matiza y contradice internamente el movimiento de nostalgia que anima al conjunto del fragmento:

¡Con cuánta diferencia
aquí miré colgarse
los racimos azules y dorados,
con verde diligencia
fértiles dilatarse
en brazos de los olmos acopados,
asidos y enlazados
en rúbricas torcidas
de pámpanos hojosos,
y otras veces gozosos
de verse entre las varas guarnecidas

---

[89] Acad., IX, pp. 90 b-91 a.

de membrillos enanos,
tomar su olor los moscateles granos!
Mil veces desde el alba
cazando en este soto,
cayó la noche, tropezando el día,
y yo, cuando la salva
el ocaso remoto
al sol hacía que en su polo ardía,
a mi casa venía,
el arzón de mi yegua
cargado de conejos,
pareciéndome lejos,
con ser mía la tierra de una legua,
para ver a la ingrata
víbora que engendré, pues que me mata.[90]

Siempre por los mismos años que las piezas precedentes, *El villano en su rincón* de Lope también presenta un «morceau de bravoure» lírico sobre el tema de la abundancia agraria. Este fragmento va introducido bajo forma de un agradecimiento de Juan Labrador a Dios, quien le prodiga cada día la felicidad: por cierto, Juan Labrador entiende agradecerle a Dios no tanto por los abundantes bienes rústicos con los que le gratificó el Creador cuanto por la felicidad ideal de vivir en una aldea, protegido de las molestias de la Corte, y su acción de gracias no cobra, en apariencia, el sentido de una exaltación de la riqueza agraria. Con todo, e indirectamente otra vez, con no menos fuerza lírica que en los casos anteriores, el motivo de los beneficios campestres debidos al Creador se desliza estéticamente en la tirada viniendo a hacerse encomio. En majestuosas estrofas de oda («canción» regular),[91] Juan Labrador hace desfilar en forma oratoria todos los bienes agrarios de los que goza: los trigales, los viñedos, el ganado, la miel, el aceite, los quesos; a pesar de negarlo, Juan Labrador (y detrás de él, Lope) se complace secretamente en la evocación de todas estas riquezas expresadas con todo un aparato de hipérboles e imágenes rituales que contribuyen a acentuar la sensación de abundancia campestre; en resumidas cuentas, si quiere ante todo agradecer a Dios por su felicidad de hombre sencillo, que vive fuera de la Corte, Juan Labrador no menos le agradece al Creador las riquezas con las que se ve colmado:

Juan: ¡Gracuas, inmenso cielo,
a tu bondad divina!
No tanto por los bienes que me has dado,
pues todo aqueste suelo
y esta sierra vecina
cubren mis trigos, viñas y ganado,

---

[90] Acad., IX, p. 114 a-b.

[91] Podemos notar que, por su amplitud, la «canción» regular era forma adecuada, al parecer de Lope, para esos «morceaux de bravoure» sobre el tema de los bienes rústicos. En efecto, acabamos de ver que esta misma forma métrica era utilizada para expresar el mismo motivo en *El galán de la Membrilla*. Es cierto que ambas comedias, *El galán de la Membrilla* (manuscrito firmado el 20 de abril 1615) y *El villano en su rincón* (1611-1616 según la métrica, y quizás 1614-1615, como nos inclinamos a opinar, de acuerdo con M. Bataillon), son de la misma época.

ni por haber colmado
de casi blanco aceite
destas olivas bajas
a treinta y más tinajas,
donde nadan los quesos por deleite,
sin otras de henchir faltas
de olivas más ancianas y más altas;

no porque mis colmenas,
de nidos pequeñuelos
de tantas avecillas adornadas,
de blanca miel rellenas,
que al reirse los cielos
convierten destas flores matizadas,
ni porque estén cargadas
de montes de oro en trigo
las eras que a las trojes
sin tempestad recoges:
de quien tú, que lo das, eres testigo,
y yo tu mayordomo;
que mientras más adquiero, menos como;

no porque los lagares
con las azules uvas
rebosen por los bordes a la tierra,
ni porque tantos pares
de bien labradas cubas
puedan bastar a lo que otubre encierra;
no porque aquella sierra
cubra el ganado mío,
que allá parecen peñas,
ni porque, con mis señas,
bebiendo, de manera agota el río,
que en el tiempo que bebe,
a pie enjuto el pastor pasar se atreve;
las gracias más colmadas
te doy porque me has dado
contento en el estado que me has puesto[92]

¿Acaso el hecho de que varias de las piezas lopescas en las que encontramos ampliamente orquestado el motivo de la abundancia agraria, se sitúen por los años 1610-1615 (*La madre de la mejor, El galán de la Membrilla, El villano en su rincón*), puede incitarnos a pensar que el tema se desarrolló en ese preciso momento? De ninguna manera. Tal hecho ha de llevarnos únicamente a la idea de que, en estos años, conoció bajo la pluma de Lope, un remozamiento certero. En efecto, lo encontramos en *El vaquero de Moraña* que puede situarse hacia 1599-1603. El motivo no era nuevo para nuestro poeta y, antes de 1600, ya lo había interpretado varias veces en comedias pastoriles así como en el poema del *Isidro* o en la novela *La Arcadia*. Ya aparece el tema en *Belardo el furioso*, pieza pastoril que, según se estima, fue escrita hacia

---

[92] Acad., XV, pp. 279 b-280 a.

1586-1595. Presenta a Pinardo quien se muestra interesado por las riquezas del poderoso mayoral Nemoroso y desea casarlo con su sobrina Jacinta. Alaba ante la joven los méritos de Nemoroso como propietario:

> Mira esos montes llenos de ganado,
> que desde aquí parece blanca nieve,
> huertas, sembrados, viñas, hierba y prado,
> y esas colmenas, que de nueve en nueve
> de ese cercado las paredes cubren;
> que hacerte dueño suyo amor le mueve.
> Por todo este horizonte no descubren
> los ojos tierra en que no tenga hacienda.[93]

En el segundo acto de la misma pieza, el propio Nemoroso evoca ante Jacinta, en redondillas, los bienes que se dispone a ofrecerle si acepta casarse con él:

> Poned los ojos, mi bien,
> en ese campo extendido,
> y veréis como habéis sido
> señora de cuanto ven.
> Vos tendréis aquí en invierno
> la liebre, el pato y paloma,
> que el hurón o el lazo toma,
> y el perdigón nuevo y tierno;
> la leña de aquesas sierras,
> que vendrá vertiendo nieve,
> y el vino mejor que bebe
> algún príncipe en sus tierras.
> Tendréis dentro del erizo
> las castaña sazonada,
> la avellana coronada
> con el membrillo pajizo,
> la seca nuez en sazón,
> del alto pino la fruta,
> la camuesa medio enjuta,
> el níspero y el melón
> tendréis...................[94]

Resulta fácil notar que Lope se acuerda en estos dos pasajes de la *Egloga II* de Virgilio, en la que Coridón ensalza sus mil ovejas errantes por los montes de Sicilia y le promete a Alexis dulces frutos rústicos si acepta su compañía:

> despectus tibi sum, nec qui sim quaeris, Alexi,
> quam dives pecoris, nivei quam lactis abundans.
> mille meae Siculis errant in montibus agnae;
> lact mihi non aestate novum, non frigore defit.[95]
> ....

---

[93] Acad., V, p. 671 a.
[94] Acad., V, p. 679 b.
[95] Versos 19-22.

Ipese ego cana legam tenera lanugine mala[96]
castaneasque nuces, mea quas Amaryllis amabat;
addam cerea pruna: honos erit huic quoque pomo.[97]

El propio Virgilio, al escribir estos versos, se acordaba del *Idilio XI* (El Cíclope) de Teócrito, en el que el Cíclope Polifemo ofrecía a la esquiva Galatea sus regalos campestres: en especial leña para el invierno, uvas, sus mil ovejas:

«Más, aún siendo así como soy, apaciento mil ovejas, y de ellas ordeño y bebo la más exquisita leche. Queso, no me falta ni en verano, ni en otoño, ni en lo más crudo del invierno; mis zarzos están cargados siempre...
Crio para tí once corzas, todas marcadas con luna y cuatro oseznos...
Hay laureles allí (en mi cueva), hay esbeltos cipreses, hay negra hierba, hay una viña de dulces frutos, hay agua fresca, bebida de dioses, que de su blanca nieve manda el Etna, rico en árboles...
Pero si yo mismo te parezco demasiado velludo, tengo troncos de encina y, bajo la ceniza, inextinguible fuego...»[98]

También parece muy posible que Lope haya tenido presentes unas reminiscencias de alguna traducción latina o italiana de Teócrito, al escribir los pasajes de *Belardo el furioso* que ya citamos, y que las haya cruzado con las que ya tenía directamente de Virgilio u Ovidio (*Metamorfosis*, XIII, 789-869). De lo que no cabe duda, es que no era el primer autor castellano en hacerse de nuevo con estos motivos rituales,[99] ni tampoco sería el último.[100] El mismo volvió con complacencia al tema, en otra comedia pastoril *La pastoral de Jacinto,* que puede situarse hacia 1595-1600. Ahí también un pastor alaba sus riquezas campestres ante la muchacha a quien requiebra; él también posee rebaños que «cubren la montaña», frutos espléndidos en sus vergeles, caza en sus dominios:

... que soy pastor famoso,
cuyo ganado esta montaña cubre,
dos veces en el año provechoso,
por el bordado abril y seco octubre;
mira este bosque ameno y espacioso
cuanto del horizonte se descubre,
que todo es mío y tuyo, pues de un modo,
siéndolo del dueño mismo, tuyo es todo.

---

[96] «Cana... mala», casi todos los comentaristas están de acuerdo en ver en ello membrillos tiernos, recubiertos de pelusilla.
[97] Versos 51-53.
[98] Teócrito, *Idilio* IX, in *Idilios,* ed. Antonio González Laso, Aguila-I. H., Pamplona, 1963, pp. 121-122.
[99] Garcilaso, *Egloga* I, versos 189-193:

«¿No sabes que sin cuento
buscan en el estío
mis ovejas el frío
de la sierra de Cuenca y el gobierno
del abrigado Estremo en el invierno?»

El verso 21 de Virgilio (correspondiente al verso 34 del *Idilio XI* de Teócrito) también fue imitado por Gil Polo en su *Diana* (carta de Filenio a Ismenia). Cf. Menéndez y Pelayo, *Orígenes de la novela,* II, p. 294.
[100] Cf. Góngora in *Polifemo,* verso 386 y ss.: «Pastor soy, mas tan rico de ganados...»

> Aquí la verde pera y guinda roja,
> la pálida manzana, la amacena,
> el maduro membrillo cuando afloja
> sus quejas la parlera Filomena,
> están diciendo que tu mano escoja
> hasta la parra de racimos llena,
> fuera de que en su campo callo y dejo
> la liebre, el ciervo y tímido conejo.
> ....[101]

También puede citarse, como ejemplo lopesco de un fresco decorativo sobre el motivo de la abundancia rústica el estilo de Teócrito, Virgilio u Ovidio, el pasaje del *Isidro* (1596-1598) en el cual el pastor Silvano le promete regalos a la pastora Silvia:

> ....
> Tuuieras blancas cestillas,
> no de toscas marauillas,
> mas de frutas sazonadas,
> destas huertas cultiuadas,
> y destas verdes orillas.
> Almendras de los senderos
> destas viñas mal cercadas,
> tiernas, y apenas quaxadas,
> los peruétanos primeros,
> o ciruelas más formadas.
> Y entre la murta y lentisco
> el albérchigo, y el prisco,
> cerezas, y guindas roxas,
> verde agraz, y brebas floxas
> de huerta, que no de risco.
> El Sol de León saliendo,
> y entrando en la rubia Astrea,
> vertiera el cuerno Amaltea,
> de la abundancia cogiendo
> quanto la copia dessea:
> La verde pera en sazón,
> con el escrito melón,
> el durazno blanco, el higo,
> y ya era cogido el trigo,
> el rubio melocotón.
> Luego el pomífero Otoño,
> quando ya la juncia arrancas.
> te diera con manos francas
> el colorado madroño,
> verdes nuezes, y uvas blancas.
>
> Los membrillos ya perfetos,
> y los piñones secretos,
> el níspero, y serba enxuta,
> la sangre de Tisbe en fruta
> de los morales discretos.

---

[101] Acad., V, p. 635 b..

Las castaña defendida,
ya del erizo dexada,
y la madura granada,
la flor de nácar perdida,
la auellana coronada,

La çarçamora remota,
la acerola, y bergamota,
que haze a las peras ventaja,
el níspero entre la paja,
y la rústica bellota.

La hortaliza, el nabo, y col,
que madurando se arruga,
la yeruabuena, y lechuga,
y al pie della el caracol,
y en su azequia la tortuga.

Oliuas destos renueuos,
quando te ví, Silvia, nueuos,
y ellos y amor sin raízes,
y a su tiempo las perdizes,
que saben hurtar los hueuos.

El ganso y el anadón,
las garzas de aqueste río,
y con la miel de rocío,
el cándido naterón,
que todo es tuyo, si es mío.

el vil conejo, la liebre,
cuya caza se celebre,
mirando el galgo veloz,
que animado de mi voz,
apenas las yervas quiebre.[102]

Queda patente que, en estos largos recitados, Lope desarrollaba ampliamente el motivo proporcionado por Virgilio en su *Egloga II*, y nos da la prueba de ello, cuando, seguidamente a este pasaje del *Isidro*, en el folio 152, dice por boca del pastor Silvano:

Rústico soy, no querrás
mis obras, ni mis razones.

Al margen de estos dos versos, Lope indicó entonces su «autoridad»: «Virg. Eglog. 2.»[103]

No nos cabe ninguna duda de que estos pedazos de género decorativo sobre el tema

---

[102] *Isidro*, fol. 151-152.
[103] Sin embargo ya se sabe que no hay que tomar al pie de la letra las indicaciones eruditas de Lope. La aquí confesada influencia de Virgilio no es obstáculo a la de Ovidio, quien trata los mismos temas en las *Metamorfosis*, XIII, 789-869, o los *Remedia amoris*, 168-198.

de la abundancia rústica hayan correspondido a una moda estética. Estos frescos en los que se acumulan frutos, mieses y bienes campestres de todo tipo, poseen un valor plástico y pictórico «en sí» y resulta que Lope las trató con un notable sentido del color. No obstante, se limitaría el significado del motivo de la abundania campesina de dejar de ver cómo saliendo de Teócrito, de Virgilio o de Ovidio, cobra también a fines del siglo XVI, en la comedia rústica, un significado ideológico propio de ese momento. El villano colmado de bienes que él hace desfilar de manera oratoria como en la lista de premios de un comicio agrícola es un modelo de hombre ideal económicamente. Con el espectáculo de esos amontonamientos de trigo, esas vendimias, esos montones de frutas, esas verduras, esos quesos, ese aceite de que hace gala ante nuestros ojos sin restricciones la comedia de ambiente rústico, resulta difícil no pensar en lo que era, en la realidad, la situación alimenticia de las ciudades, a cuyos habitantes se proponía por lo general la imagen de esta campiña ubérrima, auténtica tierra de Jauja; lo cotidiano para el ciudadano era a menudo la escasez o la carestía de cereales[104] y las dificultades de abastecimiento; incluso, en algunas comarcas, los pueblos no alcanzaban a cubrir sus propias necesidades. Por lo tanto resultan más próximas a la realidad determinadas alusiones a las malas cosechas y a la necesidad de precaverse contra la escasez que aparecen aquí y allá, contradictoriamente, en las acciones campesinas, que no los grandes fragmentos líricos sobre el tema de la abundancia agrícola. Por ejemplo, podemos prestar atención a esta conversación que tiene lugar en la plaza de la aldea de Fuenteovejuna, en *Fuenteovejuna* de Lope, entre el alcalde Esteban y un regidor: hablan del tiempo desfavorable —sequía, posiblemente— y, de la decisión de almacenar trigo en la cilla municipal;[105] detrás de esta conversación, al parecer anodina, y que Lope introdujo para restituir sencillamente la sensación real de un momento de la vida del pueblo, se perfila con negros colores uno de los mayores problemas de la España de los años 1600: en efecto, no hay sino recorrer las *Actas de Cortes* o los trabajos de economistas de la época, para descubrir la importancia de dichos silos en relación con las preocupaciones siempre repetidas, que provocaba la escasez de cereales.

Confrontadas con la dura realidad de la insuficiencia de la producción agrícola, después de 1580, los fragmentos con éxito sobre el tema de la abundancia rústica cobran un relieve de actualidad hoy desaparecido; son, dentro de formas literarias rituales, la expresión de un deseo ciudadano al mismo tiempo que un homenaje otorgado por la sociedad a los productos del labrador. Al leer estas tiradas, en las que desfilan los bienes campestres, uno no puede dejar de acordarse de aquellas recompensas pú-

---

[104] Por ejemplo, la fanega de trigo andaluz salta de 430 maravedís a 1041 en 1598; el trigo castellano pasa de 408 en 1595 a 908 en 1599 (Cf. E. J. Hamilton, *American treasure and the price revolution in Spain*, Appendice V). Por estos mismos años Lope pone en escena los grandes frescos del triunfo de la siega que se hallan en *San Isidro labrador de Madrid* y *El vaquero de Moraña*. El explicar estos cuadros teatrales, como hechos estéticos, con la circunstancia económica contemporánea, sería incurrir en un sociologismo estrecho y pobre. Pero no sería menos unilateral el no tener en cuenta el «background» histórico para apreciar el tema en uno de sus significados de la época.

[105] Acad., X, p. 541 a:

> «Esteban: Así tenga salud, como parece,
> que no se saque más agora el pósito.
> El año apunta mal y el tiempo crece,
> y es mejor que el sustento esté en depósito,
> aunque lo contradicen más de trece.»

blicas que, inspirándose en Aristóteles, Mariana pedía en su *De Rege et Regis institutione* (1599) para los labradores que se distinguieran por su trabajo y obtuvieran las cosechas más abundantes:

> ... Sit de publico praemiū industriae eius, qui prae caeteris oppidanis possessiones diligēter coluerit, cuius nitidiores fuerint agri maiori fructuum ubertate...[106]

Y claro está, el padre Mariana no era el único en pedir esta distinción para los buenos labradores, tan útiles para la sociedad; unas recomendaciones semejantes a las suyas pueden ser espigadas, con pocos años de diferencia, en escritos del padre Pedro de Rivadeneira,[107] o del economista González de Cellorigo.[108]

Lo cierto es que el sentido cristiano de la naturaleza y de la creación se unía consustancialmente con el tema de la riqueza rústica en esos «morceau de bravoure» rituales, repetidos incansablemente en una y otra pieza. Y también pudo haber alguna razón económica y social en esta alianza. En *Del rey abajo ninguno, el labrador más honrada García del Castañar,* tenemos un pasaje muy ilustrativo acerca de este significado. Como en todas las piezas lopescas citadas anteriormente, la abundancia agrícola es presentada como un don divino, un beneficio otorgado por el cielo al campesino. Al describir la fortuna en tierras del campesino García del Castañar, el conde de Orgaz puede declararle al rey:

> Cinco leguas de Toledo,
> corte vuestra y patria mía,
> hay una dehesa, adonde
> este labrador habita,
> que llaman el Castañar,
> que con los montes confina,
> que desta imperial España
> son posesiones antiguas.
> En ella un convento yace
> al pie de una sierra fría,
> del caballero de Asís,
> de Cristo efigie divina,
> porque es tanta de Francisco
> la humildad que le entroniza,
> que aun a los pies de una sierra
> sus edificios fabrica.
> Un valle el término incluye
> de castaños, y apellidan
> del Castañar, por el valle,
> al convento y a García,
> adonde como Abrahán,
> la caridad ejercita,
> porque en las cosechas andan
> el cielo y él a porfía.

---

[106] Mariana, *op. cit.*, lib. III, cap. VIII, pp. 331-332.

[107] P. de Rivadeneira, *Tratado del príncipe cristiano*, parte II, cap. II, in B. A. E., LX, p. 537: «Tenga gran cuidado el príncipe que se cultive toda la tierra que se pudiera cultivar, favorezca a los que se esmeran en labrarla, mande castigar a los que fueren negligentes» (Partida II, título II, ley I).

[108] González de Cellorigo, *Memorial de la política necesaria...*, Valladolid, 1600, fol. 25.

> Junto del convento tiene
> una casa, compartida
> en tres partes: una es
> de su rústica familia,
> copioso albergue de fruto
> de la vid y de la oliva,
> tesoro donde se encierra
> el grano de las espigas,
> que es la abundancia tan grande
> del trigo que Dios le envía,
> que los pósitos de España
> son de sus trojes hormigas
> ....[109]

En esta tirada la admiración por los frailes que llevan su vida solitaria, en medio de la naturaleza, se une al sentido de las riquezas rústicas sanas y abundantes. Ahora bien, esta alianza descansa sobre bases históricas. En la realidad, existió al lado de las ubérrimas tierras de la Dehesa del Castañar una fundación de franciscanos observantes.[110] ¿Será pura coincidencia? nos dirán. Tal vez menos de lo que se piensa. La pro-

---

[109] Cf. ed. Colección Universal, Madrid, 1934, pp. 16-17.

[110] Cf. in *Relaciones topográficas* la relación de Mazarambroz (1576) (Escorial, I, 109, núm. 24), en donde leemos a propósito de la dehesa del Castañar:

> «... e a una legua del dho lugar ay las dehesas siguientes: hazia la parte de poniente la dehesa del Castañar ques de don Francisco de Rojas, buena dehesa que no saben lo que renta, donde ay muchos géneros de castaños y cazas de javalíes, venados, liebres, conejos, perdizes...».

La *Crónica y historia de la fundación de la provincia de Castilla, de la orden del bienaventurado padre San Francisco,* de Pedro de Salazar (Madrid, 1612, cap. IX, pp. 250-254), menciona y describe detalladamente el convento de Santa María del Castañar:

> ... Ay en los montes de Toledo seys leguas de la misma ciudad entre mucha aspereza y soledad, un monasterio de frayles de nuestro padre San Francisco; es la advocación santa María del Castañar. Está este sitio tan metido en lo áspero y fragoso de los montes, que en dos leguas alrededor no ay poblado, sino una espessura de los árboles, matas y jarales, que la mayor compañía es de fieras salvaginas, de las quales abundan mucho aquellas malezas y espessos mōtes. Ay cerca del Convento grande copia de castaños, y dellos por la vezindad tomó esta denominacion de Santa María del Castañar...»

Pedro de Salazar indica que en 1425, el hijo de Juan Ramírez de Guzmán (el fundador) concedió tierras al convento:

> «... dio entonces... las casas que estavan al derredor de la Iglesia, y mucha más tierra y término, para cercar y hazer huerta y corrales. Y los hijos del señor Juan de Guzmán dieron mucho más sitio para juntar a la casa...».

Hacia finales del siglo XVI hubo un conflicto entre el convento y el señor y propietario de la dehesa, don Francisco de Rojas:

> «... Estos señores [tratase de «los hijos» de Juan de Guzmán y probablemente de la familia de los dichos Guzmanes] dieron ornamentos y plata, y las cosas necessarias al culto divino, y para el servicio del Convento. Adjudicaron siempre a sí el patronazgo de la capilla, y quisieron solar la capilla, y poner reja, y hazer bóveda y todo esto se ha estorbado y dexado de hazer porque el señor don Francisco de Rojas, que al presente es señor y poseedor de la dehessa, dize que a él pertenece el Patronazgo» *(op. cit.,* p. 251).

ximidad del convento y de los generosos graneros y bodegas de García del Castañar corresponde en efecto a una asociación de la cual pueden citarse otros ejemplos. La verdad es que un cierto franciscanismo castellano adquirió un aire deliberadamente feudal-agrario a fines del siglo XV y principios del XVI, en la época decisiva en que los señores de vasallos y los grandes terratenientes acometieron la empresa de fundar y subvencionar por sus feudos y dominios, en medio, de los campos, una verdadera red de monasterios y conventos con pequeños efectivos (veinte o treinta religiosos al máximo). Sobre este aspecto de la «provincia de Castilla» tenemos un testimonio interesante en la *Crónica y historia de la fundación y progreso de la provincia de Castilla del bienaventurado padre San Francisco de Pedro de Salazar provincial segunda vez de dicha Orden y Provincia, y calificador del Consejo de la general Inquisición* (Madrid, 1612).[111]

Según esta obra, la mayoría de los grandes propietarios de feudos a fines del siglo XV y durante el transcurso del siglo XVI participaron en las fundaciones franciscanas en Cifuentes (fundación de don Fernando de Silva, conde de Cifuentes), en Oropesa (fundación de don Francisco Alvarez de Toledo, conde de Oropesa), en Escalona (fundación de don Diego López Pacheco, marqués de Villena, duque de Escalona), en Mondéjar (fundación de don Iñigo López de Mendoza, conde de Tendilla), en Cogolludo (fundación del marqués de Vélez), en Villarejo de Salvanés (fundación de don Luis de Zúñiga y Requeséns), en Torrijos (fundación de don Gutierre de Cárdenas, comendador mayor de León); etc.

Estos monasterios, rurales en su mayoría, vivían literalmente a la sombra del gran roble señorial y cada fundación no sólo quedaba ligada al régimen de la propiedad feudal y de los «latifundia» por los dones hechos por los señores para las capillas (ornamentos, tallas, reposteros), sino también y principalmente por las rentas a perpetuidad (en cereales u otros productos agrícolas) anejas a cada casa. La reforma franciscana protegida por la aristocracia desembocó de esa manera, por el sesgo de las limosnas permanentes, a una situación exactamente en las antípodas de su intención primera: en efecto, con esta práctica, se desvirtuaba la propia prohibición de poseer.[112] Si bien Pedro de Salazar se hace lenguas de la generosidad de los señores que ayudan o ayudaron materialmente a las casas franciscanas, tampoco se le olvida describir, con

---

¿Habrá una relación entre este Francisco de Rojas y la familia del escritor toledadno (de nacimiento) Francisco de Rojas, a quien se le atribuyó tradicionalmente (atribución cuestionada por R. Mac Curdy) *Del Rey abajo ninguno...*?

En el siglo XIX aún hay recuerdos de este convento y de la explotación agrícola que le estaba adjunta. Cf. P. Madoz, *Diccionario geográfico-estadístico-histórico de España* (VI), Madrid, 1850:

«V. desp. en la prov. de Toledo, part. jud. de Orgaz, térm. de Mazarambroz; en el día constituye una deh. de propiedad particular, con una hermosa casa de labranza, llamada de Rojas, con todos los artículos necesarios para su habitación: tiene oratorio, capellán, facultativo y boticario, y hubo un conv. de franciscanos observantes, cuyo edificio está completamente arruinado.»

[111] B. N. Madrid, 7-11587.

[112] El manuscrito L 1, 14, de la Biblioteca del Escorial, que data de 1591, nos indica las rentas cobradas por conventos de Castilla la Vieja. Así tenemos informaciones sobre las rentas —inferiores a las de otras Ordenes— de los conventos franciscanos. Cf. fol. 243, «En Al[tu]dillo (Aranda de Duero) ay un convento de monjas franciscanas... 940 d.»; fol. 256 rº (Burgos): «El monasterio de Sta. Clara de la orden de San Francisco... 2000 ducados» «... de la concepción de la dicha orden... 300 d.» «El monesterio de la Concepción de la orden de S. Luis, monjas franciscas... 1500 d.».

un leve tinte de epicureismo guevariano, la fertilidad y abundancia agrarias de las que pueden gozar hacia 1612. A propósito de la casa de «La Madre de Dios» de Oropesa, afincada cual un cortijo en medio de feraces naranjales y prados, escribe:

> ... Tiene la Madre de Dios de Oropesa una de las mayores y mejores huertas que ay en muchas Provincias, porq̃ es la tierra muy buena y mucha. Ay cercados muchos, y grãdes prados dentro de la casa. De manera q̃ con el regalo y lindeza de la casa, toda llena de narãjos, y cidros, y otras muchas frutas, y con el desenfado de los prados y arboledas que ay dẽtro de casa, no ay que querer ni dessear otra cosa, sino gozar lo que tã agradable y precioso es en ella. Ay un estanque muy grande, y tiene pesca en él harta, de que siempre nos provee el Conde...[113]

Más allá, del convento de San Bernardo, situado en Colmenar de Oreja, dice:

> ... este convento es muy bien proveydo porque el pueblo y la tierra tiene mucha devoción a la Orden de San Francisco y es tierra muy abundante...[114]

Esto puede permitirnos columbrar la secreta afinidad entre cierto franciscanismo y el sentido epicúreo de la riqueza natural detentada sanamente; pero también nos demuestra cómo, en la realidad económico social, este franciscanismo quedó imbricado en las estructuras feudales agrarias: de aquí a pensar que pudo, en determinados casos, expresar ideológicamente estas estructuras (por la propagación del culto de San Isidro, por ejemplo) no queda sino un paso y quizás sea lícito darlo. Este franciscanismo, muy difundido en los siglos XVI y XVII (dejamos de lado, claro está, aquel de determinada élite conventual preocupada por problemas espirituales que le atrajeron a veces cuestiones con la Inquisición),[115] funcionó como una ideología justificadora de valores (pobreza aceptada por los simples jornaleros agrícolas —riqueza de los terratenientes recompensados por su caridad paternalista por la Naturaleza, es decir por Dios— sentido de la Naturaleza y de la Creación que desemboca en el prefisiocratismo) sobre los cuales se basaba en parte la sociedad monárquico-señorial, heredada del medioevo.[116]

* * *

---

[113] *Op. cit.*, fol. 278.

[114] *Ibid.*, fol. 292.

[115] El franciscanismo expresó, según los tiempos y los lugares, contenidos históricos muy diversos. Por ejemplo, en la Italia de fines del medioevo, algunos movimientos de «fraticelli» correspondieron, dentro de formas religiosas franciscanas, a auténticos movimientos sociales revolucionarios. Estos movimientos se ramificaron por España, especialmente en Cataluña. En cambio, parece que en las Indias, durante el siglo XVI, dominicos y franciscanos lucharon por el asentamiento de una economía calcada sobre la economía feudaloagraria de Castilla. Transforma a los indios en vasallos, que hacen fructificar la tierra, que pagan regularmente diezmos y diversos tributos, al estilo del labrador de Castilla, tal parece haber sido la idea asimilacionista de los adversarios de la encomienda y del trabajo de minas, numerosos en ambas Ordenes. Si denunciaron la encomienda fue, entre otras razones, porque el sistema excesivo *destruía* las Indias, y por ello, se corría el riesgo de sacarle brazos a la agricultura americana y de agotar la fuente de ingresos con la que contaba la corona.

[116] Algunos señores de feudos les asignaron a los frailes franciscanos de sus tierras un papel que desempeñar entre sus vasallos. Citemos estas líneas de Pedro de Salazar a propósito de don Juan de Silva, conde de Cifuentes, fundador del convento de dicho lugar:

Al iniciar este capítulo, nos planteábamos el problema del significado del villano ejemplar en el teatro. Vemos ahora de qué se trata. Sea exaltando el trabajo y el ahorro, sea encomiando su riqueza, el villano de la comedia se hace el vocero de los intereses económicos y sociales de una sociedad dominada por los terratenientes instalados en las ciudades; expresa las necesidades de abastecimiento[117] y producción de los medios urbanos aristocráticos dueños de tierras, la necesidad en la que se encuentran de seguir prelevando, como en siglos anteriores (mas ahora desde la ciudad) la renta de la tierra o el diezmo.[118.] Unas formas literarias rituales y estereotipadas del Renacimiento (inspiradas originalmente en reminiscencias de textos antiguos) sirven por lo general para cubrir este contenido histórico: «loci comunes» de las Escrituras o de los Padres en lo que atañe la alabanza del trabajo agrícola, pasajes de Virgilio o de Teócrito o de Ovidio en lo que atañe a la exaltación de la riqueza rústica, tópicos de la «aurea mediocritas» horaciana para expresar el ideal de una propiedad campesina que se basta a sí misma y es base de una firme felicidad. El sentimiento cristiano de la Creación y de la Naturaleza se une al prefisiocratismo de los economistas contemporáneos para fusionar estos temas en un conjunto ideológico armonioso y estético. El concepto de la divina Providencia está en el meollo de los grandes «morceaux de bravoure» en los cuales el villano evoca complacido los bienes campestres con los que es gratificado, y en este sentido, es que la mentalidad de este personaje refleja típicamente la ideología de una sociedad en la que, a pesar de sus propiedades y sus riquezas teatrales, el villano de la realidad queda doblemente sometido a Dios y al poder monárqui-

---

«... Y finalmente, de tal manera lo fundó y proveyó, que se pareció bien la devoción grande que a la Orden tenía, y el espíritu y zelo que le movía, porque sus vasallos fuessen enseñados en santa y christiana doctrina el camino de su salvación...» *(Ibid.,* fol. 286).

Estos pequeños núcleos franciscanos, diseminados por la comarca, en contacto con la población, desempeñaron un papel importante entre los campesinos castellanos a lo largo del siglo XVI y este papel merecería ser destacado.

[117] También la campaña de canonización de San Isidro se hizo el eco de las dificultades de abastecimiento urbano a fines del siglo XVI y principios del XVII. En el poema del *Isidro* puede leerse un significativo pasaje en el cual Lope se dirige a la ciudad de Madrid, que está levantando una cilla:

«Pues hazéis casa de pan
De edificio tan galán,
Hazad casa y dad honor
A vuestro buen Labrador.
Quizá por él os lo dan.» (Fol. 253)

[118] Cabe destacar aquí que, exceptuando algunas piezas de Tirso (y ésta es una originalidad del fraile mercedario digna de ser señalada) no se encuentra en ninguna parte la más mínima protesta contra la renta inmobiliaria o el diezmo en boca de los campesinos presentados en la escena (aunque a veces sean capaces de levantarse de cara al noble). En cambio en la comedia de ambiente urbano —y especialmente aquella que se nutre en temas madrileños, toledanos o sevillanos— suele ocurrir que los personajes nobles hagan alusiones a la renta o al mayorazgo del que gozan en alguna comarca (lejana a veces). Estos personajes están ociosos (procurando amoríos en la Victoria o por la Calle Mayor, o esperando un juicio que tarda en llegar) por tanto que, fuera de Madrid unos campesinos están trabajando para asegurarles sustanciosas rentas. En *Santiago el Verde* (acto I, esc. V) de Lope (1615) Don García se entera de que doña Teodora, dama de familia noble, dispone de una renta de 20.000 ducados. La dote de su amiga Celia alcanza los 30.000 ducados. Don Juan, en *La noche de San Juan* (Lope) (1631), tiene más de «nueve mil pesos de renta». Don Fernando no se cansa de repetir a lo largo de *Por el sótano y el torno* (Tirso) (1623) que goza de un mayorazgo en Aragón, lo cual le asegura una renta de 6.000 ducados. Don Gil en *Don Gil de las calzas verdes* (Tirso) hereda 10.000 ducados de renta, etc...

co-señorial. El burgués moderno, según la expresión de B. Groethuysen, «sensent maî-tre de son sort et oublie la divine providence».[119] El villano propietario de la comedia —tal como lo proclama Juan Labrador en *El villano en su rincón*— se considera sólo el mayordomo de sus bienes y, no se olvida de la Divina Providencia, considerándose al servicio del verdadero dueño: Dios. Entre ambas mentalidades media la distancia que existe entre una economía feudalo-agraria, que saca sus riquezas de la tierra, y una economía manufacturera y comerciante en la que triunfa el espíritu de la libre empresa.

[119] B. Groethuysen, *Origines de l'esprit bourgeois en France*, I, *L'Eglise et la bourgeoisie*, París, 1927, p. 223.

CAPITULO V

FELICIDAD Y SABIDURIA RUSTICAS

La comida en el campo. Libertad y espontaneidad y paz aldeanas. La «filosofía» del villano y el tema de «El villano en su rincón». La «meditatio mortis». El humanismo rural.

Ha llegado el momento de destacar los principales rasgos de la sabiduría y del estilo de vida que propone el villano ejemplar que no desdeña los bienes terrestres. Lo vamos a ver, este villano ejemplar bien sabe que la felicidad terrenal es pasajera y no se olvida de la muerte, pero su imagen no le avasalla hasta el extremo de no pensar sino en ella y hacerla el centro exclusivo de su moral. En el transcurrir de la vida humana, centella de eternidad, sabe coger las horas claras que le llegan para vivirlas en el decorado de una naturaleza pura y generosa. Porque, para él, este mundo no es una decepción sistemática y existen alimentos terrestres valederos. En él, la tradición de la «aurea mediocritas» horaciana o virgiliana se cruza con la de la «meditatio mortis», legado de una Edad Media ascética y estoica. Lo interesante resulta ver la dosis de ambos elementos en este tipo de humanismo rural propuesto por la comedia de ambiente rústico.

* * *

La idea de que la vida en el campo es sana ya había hallado, en A. de Guevara, un punto de aplicación privilegiado en el tema de las comidas. Ya en 1522, en una de sus *Epístolas familiares,* la que iba dirigida al abad de San Pedro de Cardeña, este autor había ensalzado la excelencia y el sabor de los manjares de la Montaña.[1] Pero la evocación más lírica que hizo de la alimentación campesina se encuentra especialmente en su *Menosprecio de corte y alabanza de aldea:*

> ¡Oh vida bienaventurada la del aldea! a do se comen las aves que son gruesas, son nuevas, son cebadas, son sanas, son tiernas, son manidas, son escogidas y aun son castizas. El que nora en el aldea come palomitos de verano, pichones caseros, tórtolas de jaula, palomas de encina, pollos de enero, patos de mayo, lavancos de río, lechones de medio mes, gazapos de julio, capones cebados, ansarones de pan, gallinas de cabe el gallo, liebres de dehesas, conejos de zarçal, perdigones de rastrojo, peñatas de lazo, codornices de reclamo, mirlas de vaya y çorçales de vendimias.[2]

---

[1] Cf. B. A. E., XXIII, epístola XXXIV, p. 129-130.
[2] *Op. cit.,* cap. VII.

Este tema de la comida rural fue tratado repetidas veces a lo largo del siglo XVI. En el tercero de los *Coloquios satíricos,* con menos complacencia no obstante de la que parece revelar A. de Guevara,[3] A. de Torquemada evoca parecidamente las comidas y las bebidas pastoriles, sencillas y más higiénicas que las complicadas comidas palaciegas; también es generosa la hospitalidad en alimentos que el pastor Amintas ofrece a los cortesanos que llegan al campo. Asimismo, en *La Galatea* de Cervantes queda reservado un lugar a este motivo consagrado; un caballero, frente a los manjares cortesanos, causa del color quebrado, evoca las sanas comidas pastoriles:

> ... como los rostros están marchitos de los mal digeridos manjares comidos a deshoras, y tan costosos como mal gastados, la púrpura, el oro, el brocado, que sobre nuestros cuerpos echamos, ninguna cosa nos adornan, ni pulen, ni son parte para que más bien parezcamos a los ojos de quien nos mira: todo lo cual puedes ver diferente en los que siguen el rústico ejercicio del campo, haciendo experiencia en los que tienes delante, los cuales podría ser, y aun es así, que se hubiesen sustentado, y sustentan, de manjares simples y en todo contrarios de la vana compostura de los nuestros, y con todo eso, mira el moreno de sus rostros, que promete más entera salud que la blancura quebrada de los nuestros...[4]

Este motivo de la abundancia alimenticia sana, brindada por el campo, no podía menos de ser regocijo por un villano teatral concebido dentro de la perspectiva del «menosprecio de corte y alabanza de aldea» para uso de los ciudadanos en un momento en que el problema del abastecimiento volvíase en las ciudades más acuciante aún que a principios del siglo XVI. En efecto, la comedia posee no pocos pasajes de encomio de la comida villana. Por lo general, en estos fragmentos queda acentuada la abundancia, una copia natural y finamente mesurada. No obstante, según la pieza, estos pasajes también ofrecen la posibilidad de un deslizamiento hacia la sobriedad villana, sobriedad que, sin alcanzar la abstinencia ascética, tiende a denunciar los extremos de la borrachera y de la comilona, tal como lo hiciera el anónimo sevillano al escribir:

> Y esto tan solamente es cuanto debe
> naturaleza al simple y al discreto
> y algún manjar común, honesto, y leve.

Ambos polos, del estoicismo y del epicureísmo, que había reunido el franciscano A. de Guevara, vuelven a encontrarse de ese modo en las tiradas de la comedia rústica que tratan el motivo de la comedia villana. Allí aparecen como términos contradictorios armonizados, no sin dejar de provocar alguna oscilación del motivo, ora en un sentido, ora en el otro. En *El cuerdo en su casa* de Lope, frugalidad villana y sabor natural de las comidas campesinas van cantadas conjuntamente ; por ejemplo, al principio de la pieza, unos pastores reanudan con la vena horaciana y virgiliana al alabar al blanco cabrito asado, la mantequilla, la leche, el vino vigoroso:

> La cena, ya la adivinas:
> aguza, Ergasto, el cuchillo,
> cuelga un blanco cabritillo
> de aquellas negras encinas.

---

[3] Para quienes se extrañaran de que un franciscano poseyera este sentido epicúreo del buen comer, citaremos el proverbio consignado en el *Vocabulario de refranes* de G. Correas: «Mesa de franciscanos, coro de bernardos, hábito de agustinos, bolsa de jerónimos, púlpito de dominicos.»

[4] *La Galatea,* libro IV.

Tú corta un buen asador
de aquella carrasca seca,
y tú la helada manteca
pon do se abrase al calor.
Sorberás leche, que el suelo
cubre en barreños a parvas,
que te encanezca las barbas,
plegada del fuerte hielo;
que con esto, y vino fuerte,
adormirás tu persona,
sin que eches menos a Antona
hasta que el sol te despierte.[5]

Otra escena de la misma comedia confronta dos estilos de merienda: el refrigerio sencillo del campesino que consta de vino, almendras, manzanas y peras, y la colación presumida, a lo hidalgo, con nueces con ámbar, sidra azucarada, jalea, etc...

Mendo: ¡Hola! traigan colación;
                tú Inés, almendra y tostón,
                y alguna camuesa o pera.
                Tú, Gilote, trae el vino.
                ....

Leonardo: Muy a lo rústico andáis.
                Una caja de perada,
                algún vidrio de jalea,
                cidra en azúcar, grajea,
                o con ámbar nuez moscada
                es lo que habéis de tener
                para honradas ocasiones
                ....

Mendo: Con almendras y tostones
                basta después de comer;
                que a venir por la mañana
                buen torrezno era jalea [*sic in «Parte» VI, fol. 109*]
                y ardiendo como una tea,
                vino de color de grana.
                Esta es acá mi costumbre:
                así conservo mi hacienda.[6]

Parecidamente, la *Comedia de Bamba* (Lope) tiene una bonita escena en la que vemos al villano Bamba salir para el pueblo, llevando en su alforja «medio pan y cebolla»[7] mientras Sancha se queda en casa preparando la olla que satisfará a su marido.

---

[5] Cf. B. A. E., XLI, p. 444 a.
[6] *Ibid.*, p. 449 b.
[7] Pan y cebolla, esta fue la dieta más común de la gran masa de campesinos españoles por los años 1600. Cf. Barthelémy Joly, *op. cit.*, p. 498, quien dice a propósito de los campesinos catalanes de la comarca de Poblet:

«Leur revenu est de ne payer tailles et vivre en sobriété, comme gens qui en ont besoin par leur pauvreté; ils mangent du pain fort blanc qu'ils reprochent à nos paysans, et avec cela «hortalizas y no más».

Para Bamba es motivo de proclamar su felicidad encomiando los platos típicamente campesinos en oposición con los regios festines, demasiado artificiales:

> Mayor gozo me concierta
> cuando he acabado de arar
> el oler desde la puerta
> lo que guisáis de cenar,
> si es cabra salpresa o muerta,
> con grande abundancia de ajos,
> y algunos toscos tasajos
> de lacios y muertos bueyes,
> que la comida de Reyes,
> llena de tantos trabajos.[8]

Así mismo, en *Valor, fortuna y lealtad* (Lope) el viejo Tello confronta la complicación de los manjares cortesanos, nocivos para la salud, con la sencillez de la cocina campesina saboreada con apetito:

> Si le dan manjares varios
> los cocineros curiosos,
> ¿cuándo fueron provechosos,
> sino a la salud contrarios?
> Un capón, cuando le mates,
> y una manida perdiz,
> come el señor con telliz
> de azúcar y disparates;
> mas, cuando a comer te sientes,
> aunque te falte limón,
> ¿qué ha menestar capón
> sino buena gana y diente?[9]

La comida que Celio, el villano, le ofrece al Rey en *Con su pan se lo coma* (Lope) también pretende ser sana y suficiente, pero sin más:

> En guardadas
> servilletas, como amigo,
> cuatro perdices asadas,
> y no todas para vos,
> que habemos menester dos
> yo y mi hermano y otra Inarda,
> mi prima, mujer gallarda.[10]

La cena que le sirven a Pedro, el héroe de *Peribáñez y el comendador de Ocaña*, al volver del campo, es otro modelo de sana sobriedad: se trata de la tradicional sopa de ajos, servida en platos de loza de Talavera, con colores vivos, decoración de claveles, sobre un mantel limpio. Después de esto no se requiere postre, y Pedro come a lo

---

[8] Acad., VII, p. 43 b.
[9] Acad., VII, p. 336 b.
[10] Acad., N., IV, p. 303 b.

sumo unas pocas aceitunas. Por fin reza una oración de acción de gracias, completando así con su dimensión espiritual esta cena bien sencilla:

Salimos donde ya está
dándonos voces la olla,
porque el ajo y la cebolla,
fuera del olor que da
por toda nuestra cocina,
tocan a la cobertera
el villano de manera,
que a bailalle nos inclina.
Sácola en limpios manteles,
no en plata, aunque yo quisiera
platos son de Talavera,
que están vertiendo claveles.
Abáhole su escudilla
de sopas con tal primor,
que no la come mejor
el señor de nuestra villa;
....
Traigo olivas, y si no,
es postre la voluntad.
Acabada la comida,
puestas las manos los dos
dámosle gracias a Dios
por la merced recibida.[11]

Parece que Lope tuvo particular afición a este tema de la comida campesina por la noche, rápida y liviana. Propone algo así como un régimen alimenticio para estar bien de salud por intermedio de por lo menos dos de sus héroes aldeanos: Juan Labrador en *El villano en su rincón,* y Tello el viejo en *Los Tellos de Meneses;* breve es la cena de Juan Labrador, también lo es la de Tello el Viejo:

Ceno poco, y ansí a vos
poco os daré de cenar,
con que me voy a acostar
dando mil gracias a Dios[12]
«Cuando la noche baja,
y al claro sol se atreve,
cena me aguarda breve,
de la salud ventaja[13]
...........................»

En esta repetida imagen de la cena frugal, Lope coincide con la mayoría de los defensores de la agricultura y de los villanos, en el mismo momento en que todos insis-

---

[11] Cf. acto I, versos 730-757.
[12] Acad., XV, p. 296 a.
[13] Acad., VII, p. 308 b.

ten acerca de la frugalidad aldeana considerada como virtud. Por ejemplo, Gutierrez de los Ríos, señalando el mérito de los rústicos, exclama:

> ...¿qué gente ay más abstinente ni de más modestia en sus comidas?...[14]

Por contraste, las comidas de la mañana o de la tarde, en los héroes lopescos, se sitúan en prolongación del encomio guevariano de los alimentos campesinos. En un prolijo relato de *El villano en su rincón*, Juan Labrador detalla con precisión los ingredientes de sus platos diarios; su comida matutina dista de ser rudimentaria: torreznos asados, alguna paloma, a veces un capón, o incluso un pavito. Su olla servida cada día en la mesa, merece ser alabada ante el rey por lo abundante y variada. Y ¿qué diremos de los postres de frutas, de miel, de queso y aceitunas, siempre sanos y en armonía con la estación?

> *Rey:*   ¿Qué almorzáis?
>   Es niñería.
> Dos torreznillos asados,
> y aun en medio algún pichón,
> y tal vez viene un capón.
> Si hay hijos ya levantados,
> trato de mi granjería
> hasta las once; después
> comemos juntos los tres.
>
> *Rey (Ap.):* Conozco la envidia mía.
> *Juan:*   Aquí sale algún pavillo
> que se crió de migajas
> de la mesa, entre las pajas
> de ese corral como un grillo.
>
> *Rey:*   A la fortuna los pone
> quien de esa manera vive.
>
> *Juan:*   Tras aquesto, se apercibe
> (el Rey, señor, me perdone)
> una olla, que no puede
> comella con más sazón;
> que en esto nuestro rincón
> a su gran palacio excede.
>
> *Rey:*   ¿Qué tiene?
> *Juan:*   Vaca y carnero
> y una gallina.
>
> *Rey:*   ¿Y no más?
> *Juan:*   De un pernil (porque jamás
> dejan de sacar primero
> esto), verdura y chorizo,
> lo sazonado os alabo.

---

[14] Gutiérrez de los Ríos, *op. cit.*, fol. 238. En realidad, lo que se presenta aquí como una virtud, era en no pocos casos una necesidad. Las encuestas de las *Relaciones topográficas* —ya lo señalamos— permiten vislumbrar una terrible «geografía del hambre» en Castilla la Nueva a fines del siglo XVI.

En fin, de comer acabo
de alguna caja que hizo
mi hija, y conforme al tiempo
fruta, buen queso y oliva.[15]

En *Fuenteovejuna*, la joven Laurencia evoca con fruición los platos rústicos que saborea a diario. Ni un momento deja de estar satisfecha: primero, una sustanciosa comida matutina, con un pedazo de jamón asado, pan y vino; después, a mediodía, la olla; por la tarde, esperando la cena, la merienda:

¡Pardiez! más precio poner,
Pascuala, de madrugada,
un pedazo de lunada
al huego para comer,
con tanto zalacatón
de una rosca que yo amaso,
y hurtar a mi madre un vaso
del pesado cangilón;
y más precio al mediodía
ver la vaca entre las coles,
haciendo mil caracoles
con espumosa armonía;
y concertar, si el camino
me ha llegado a causar pena,
casar una berenjena
con otro tanto tocino;
y después un pasatarde,
mientras la cena se aliña,
de una cuerda de mi viña,
que Dios de pedrizco guarde;
y cenar un salpicón
con su aceite y su pimienta,
y irme a la cama contenta[16]
....

---

[15] Cf. *Parte VII*, fol. 14 rº-vº (Madrid y Barcelona). Reproducimos aquí el texto sin modificaciones, como lo hizo Menendez y Pelayo, Acad., XV, p. 295 b-296 a.

[16] Acad., X, pp. 533 b-534 a. Hay que observar que a Lope le gusta evocar poéticamente el borboteo de la olla campesina en el hogar. Los versos:

«Y más precio al mediodía
ver la vaca entre las coles
haciendo mil caracoles.
con espumosa armonía»

han de cotejarse con los *Peribáñez y el Comendador de Ocaña:*

«Salimos donde ya está
dándonos voces la olla,
porque el ajo y la cebolla,
fuera del olor que da
por toda nuestra cocina,
tocan a la cobertera
el villano de manera
que a bailalle nos inclina.»

Los Guzmanes de Toral (Lope) también nos ofrece este motivo de la alimentación del villano teatral. Payo de Guzmán, noble campesino que vive en el pueblo asturiano de Toral, llega con hambre a su casa: un capón tierno, un perdigón al limón, una ensalada aliñada con aceite de oliva y vinagre, he aquí lo que le sirven:

<blockquote>

Greida: Pues que allegamos
a casa, sacad la cena;
cenará entre aquestos ramos
Payo.

Payo: ¡La gana es muy buena
hoy!

Pascuala: La cena aparejamos.
A punto está.

Payo: ¿Y es?

Pascuala: Un capón
tierno, al fin, cual los de acá.

Tirso: ¡Buena nueva!

Pascuala: Un perdigón
también no te faltará,
donde gastes un limón.

Payo: No en balde mi casa estimo.
¿Hay ensalada?

Pascuala: Borrajas,
que entre dos platos exprimo
con su aceite, que en tinajas
fue del tiempo fruto opimo,
y con vinagre también
¡que hace gestos al proballo!
Pan ¡que ansí, señor estén
mis manos!

Payo: Por verdad hallo
que éste es sólo el mayor bien.
Id, sacadme aquí la mesa.[17]

</blockquote>

Este motivo de la comida rústica abundante, pero sin excesos, refinada a veces como ocurre con Juan Labrador, pasó a los otros dramaturgos y si bien Lope fue el primero en llevarlo a la escena, no conservó el privilegio. En *Los hijos de la Barbuda* de Luis Vélez de Guevara, encontramos una larga enumeración de los manjares rurales, en una de estas escenas, muy repetidas en las comedias después de 1600, en las que se ve a un Rey agasajado con una mesa campesina bien provista. He aquí el incitante menú que la Barbuda le ofrece al soberano:

<blockquote>

Y ahora, Señor, yantad,
Que los yantares esperan,
Que maguer quisier que hueran
Como la mi voluntad,

</blockquote>

---

[17] Acad., N., XI, p. 8 b.

Que en la mi casa non quiero
Que los vuesos guisadores
Fagan de yantar; que espero
Daros yantares mejores,
Costando menos dinero.

Las mis dueñas han dejado
Por esto la su labor,
Y estará bien sazonado;
Que fembras guisan mejor
Que el home más aguisado;
Darvos he, como confío,
Principios de leche y fruta
De aqueste vergel sombrío,
A duras penas enjuta
Del aljófar del rocío;

Un ganso vos daré luego
Con la salsa, que le cuadre
Mejor qu'el pernil gallego,
Y del vientre de su madre
Traer un cabrito al fuego;

Dorado con salmorejo
Algún gazapo o conejo
Que se venga a las narices;
Y non vos daré perdices,
Que para invierno las dejo.

Donarvos podré un pichón,
Y algún pollo con agraz,
Y una olla, en conclusión,
Que la estimo más en paz
Que cuantos yantares son;

Que ésta fincaba guisada
Para el nueso menester,
De todo bien abastada;
Y si más queréis comer,
No faltará una empanada

Sazonada a lo aldeano,
Como se hacen aquí,
Mas de gusto cortesano,
Del lomo de un jabalí
Que maté ayer por mi mano;

Buen pan, al fin, y reciente,
Candeal de aqueste día,
Tan blanco, que solamente
De la blanca nieve fría
Desdiga el estar caliente.

> Habrá por postre garrida
> Fruta de sartén y algunas
> Uvas, y con nuesa vida,
> Deseo por aceitunas,
> Con que asentéis la comida.[18]

Igualmente en *La luna de la sierra,* también de Luis Vélez de Guevara, encontramos una escena en la que la villana Pascuala evoca la olla que le prepara a su marido Antón: un ganso, una paloma, carne de vaca, tocino de la sierra, estos son sus ingredientes:

> *Antón:*   aca, saca
> la olla
> *Pascuala:*   Yo voy por ella,
> que a fe que está sazonada,
> lindamente, que la eché
> con la salpresa de vaca,
> un ganso y una paloma,
> y una lonja jaspeada
> de tocino de la sierra
> que puede comerla el Papa.
> ¡O! ¡cómo saltan, Antón,
> los garbanzos![19]

Por fin, en *Del rey abajo, ninguno, García del Castañar el labrador más honrado,* tenemos otro ejemplo de la exaltación de la alimentación campesina. La protagonista evoca con gusto sencillo, mas no desprovisto de sana golosina, la comida que les va a servir a unos huéspedes de paso. Berenjenas en dulce en miel, perdices al escabeche, jamón cocido en vino, cabeza de jabalí en jalea, tampoco puede decirse que las comidas saboreadas en Casa de García del Castañar son las de ascetas dedicados al ayuno demacrante: casi son ágapes:

> *Mendo:*   ¿Y qué tenéis que nos dar?
> *Blanca:*   ¿Para qué saberlo quieren?
> Comerán lo que les dieren,
> pues que no lo han de pagar,
> o quedaránse en ayunas;
> mas nunca faltan, señores,
> en casa de labradores,
> queso, arrope y aceitunas;
> y blanco pan les prometo,
> que amasamos yo y Teresa,
> que pan blanco y limpia mesa
> abren las ganas a un muerto;
> uvas de un majuelo mío,
> y en blanca miel de rocío,
> berenjenas toledanas;

---

[18] *3.ª parte de las comedias de Lope de Vega y otros,* Madrid, 1613, fol. A. 4.
[19] Cf. *La luna de la Sierra, Flor de las mej. doce comed.,* Madrid, 1652, acto II, fol. 14.

perdices en escabeche,
y de un jabalí, aunque fea,
una cabeza en jalea,
porque toda se aproveche;
Cocido en vino, un jamón,
y un chorizo que provoque
a que con vino aloque
hagan todos la razón;
dos ánades y cecinas
cuantas los montes ofrecen,
cuyas hebras me parecen
deshojadas clavellinas,
que cuando vienen a estar
cada una de por sí,
como seda carmesí,
se pueden al torno hilar.[20]

Basta recordar que uno de los temas de la literatura picaresca en este mismo momento es el del estómago vacío para comprender que la idealización alimenticia de la vida campesina en el teatro podía cobrar, entre otros valores, el de una antítesis, de mítica Jauja: el villano que se alimenta con el fruto de sus fincas y el producto natural de sus tierras representaba una como contrafigura, a la vez moral y ahíta, de aquella emanación típica de la sociedad urbana como era el pícaro cínico y hambriento de la realidad y de la novela; y en alguna manera, en la España de 1600-1635, el villano bien alimentado era, proyectado idealmente en el escenario, el tipo social que había dado con la solución de los problemas contemporáneos del abastecimiento, en el respeto de las leyes morales más naturales y accesibles. Situado a igual distancia de las comilonas glotonas y del hambre ascética (si bien, por su sentimiento de la soledad, el villano teatral se acerca a veces al ideal eremítico, se aleja de él por su aceptación de una existencia sin mutilaciones) propone la «vía media» que, de reinar el orden, tendría la posibilidad de seguir cada español.

Además el villano teatral no domina solamente la ciencia de los alimentos sanos y naturales; es todo un arte de vivir lo que pretende expresar en nombre del dramaturgo. Nuestro villano detenta las llaves del sosiego, y lejos de este «mundanal ruido», ya denunciado por fray Luis de León,[21] alejado del tráfago de las ciudades y del tumulto moderno, conoce la dilección de horas regias de verdad. A. de Guevara en el capítulo V («que la vida de aldea es más quieta y más privilegiada que la vida de corte») del *Menosprecio de corte y alabanza de aldea* había ensalzado sabrosamente la vida libre y espontánea de la aldea, por donde uno puede pasearse cantando, sin protocolo,

---

[20] Cf. ed. Colección Universal, Madrid, 1934, pp. 44-45. La asimilación de las fibrillas de la cecina con hilos de seda encarnada bien podría ser transposición y desarrollo de una reminiscencia de los versos de la *Soledad I:*

«Servido ya en cecina
purpúreos hilos es de grana fina.»

[21] Cf. *Qué descansada vida*. Véase también *Los nombres de Cristo:* «... La vida pastoril es vida sossegada y apartada de los ruydos de las ciudades...» (Art. «Pastor», Clás. cast., t. XXVIII, p. 126).

sin capa ni manteo van, y si se le antoja, con una varilla en la mano o en las manos en la espalda:

> Es previlegio de aldea que cada vezino se pueda andar no solamente solo, mas aun sin capa y sin manteo, es a saber, una varilla en la mano, o puestos los pulgares en la cinta o vueltas las manos atrás.[22]

También el pastor Amintas, de los *Coloquios satíricos* de A. de Torquemada, sostiene que la vida del campo, que ignora complicaciones y refinamientos de la civilización urbana, le consiente al campesino una vida más higiénica al par que más sosegada: un sueño apacible, buena salud, ausencia de preocupaciones.

Este tema de la libertad y de la espontaneidad aldeanas, opuestas a los apremios de la Corte, de ritmo trepidante y antinatural, florece en varias comedias con indudable acento de epicureísmo guevariano.[23] Aquella en la que se afirma con mayor fuerza tal vez sea *Con su pan se lo coma*. En ella sale el campesino Tomé, ahora lacayo en la Corte y que trae a la aldea noticias de su amo Celio, campesino transformado por un capricho real en privado del Rey. El cuadro que esboza de la vida de Celio espanta a Fabio, hermano de Celio, aldeano tranquilo y ponderado, que se ha quedado en el campo. En palacio no hay sino apremios y trabajos y siempre se anda a contratiempo de los ritmos naturales respetados en el campo. Pobre de Celio, quien debe acostarse al amanecer y cenar cuando, en otros sitios, ya se están desayunando.

> El con el alba se acuesta
> y con el sol se levanta;
> que el sueño apenas quebranta
> cuando a levantar se apresta.
> El como entre cinco y seis,
> y cena, si le importunan,
> cuando otros se desayunan.[24]

Cada evocación de la afiebrada vida del infeliz Celio trae una exclamación de Fabio el hermano aldeano, quien bendice su propia felicidad:

> ¡Oh bien hayan estos prados!
> ....
> ¡Oh! ¡santo descanso el mío!
> ....
> ¡Ay, fuentes, Dios os bendiga![25]

Rápidamente estas exclamaciones sencillas se explayan en una tirada clásica —repitámoslo, de inspiración muy guevariana— en la que se despliega retóricamente, en redondillas opuestas, el contraste entre la comodidad apacible del aldeano y las mil

---

[22] *Op. cit.*, cap. V.

[23] Es cierto que, al colocar como figura central de su obra más importante, al emperador Marco Aurelio (Cf. su *Marco Aurelio*) A. de Guevara se situó efectivamente en la estela del estoicismo. Pero, como ya lo dijimos, existía una secreta comunicación entre el estoicismo y el epicureísmo y en el *Menosprecio de Corte y alabanza de Aldea* la segunda corriente es la que predomina.

[24] Cf. Acad., N., IV, p. 309 b.

[25] *Ibid.*, p. 310.

incomodidades de la vida artificial de la Corte; las obligaciones del cortesano se entienden ahí como otras tantas trabas a la libertad y a la posesión por parte del hombre de su propia naturaleza; porque los bienes naturales —este es el mensaje— son para que el ser humano los goce en la justa medida: el sueño, los alimentos, la luz, la risa, la lectura, la amistad, el descanso, el paisaje, el movimiento, los colores, el baile...:

> ¡Montes, tenedme en vosotros!
> Si no duerme trabajando,
> y si no come escribiendo,
> y si a tantos bien haciendo
> todos le están murmurando;
> si no puede levantarse
> a las nueve, por lo menos,
> gozar los días serenos,
> y entre diez y once acostarse;
> si no puede una semana
> estar sin oir y ver
> un pretensor bachiller
> con su retórica vana;
> si no puede, sin testigo,
> entretenerse y reirse;
> si no puede divertirse
> con un libro o un amigo;
> si ningún descanso toma,
> y si eso a la Corte fue,
> dile a mi hermano, Tomé,
> que con su pan se lo coma.
> Más precio, después del sol,
> salir a ver estos prados,
> ya verdes y ya dorados,
> a manchas de su arrebol;
> más precio ver retozando
> el bien harto corderillo
> de la leche y del tomillo,
> y a su pastor aserrando
> las tres cuerdas de un rabel,
> o ve cómo mis vaqueros
> hierran sus novillos fieros
> detrás de un olmo o laurel;
> más precio sobre esta alfombra
> de narcisos y claveles
> tender rústicos manteles
> de ese peñasco a la sombra;
> más precio tirar a un gamo,
> a una liebre o a un conejo,
> y echar al galgo el pellejo
> cuando le espeto en un ramo;
> más precio unas fiestas, digo,
> el baile de mis zagalas,
> que con sayuelos y galas
> son amapolas en trigo;
> y más precio en el verano

> dormir sobre el heno tierno,
> y a la lumbre en el invierno
> oir un cuento villano,
> que cuantas grandezas tiene;
> que si es la vida tan corta,
> pasalla en descanso importa,
> mientras que la muerte viene.
> Que al fin del año el señor
> y el labrador han comido,
> y por ventura ha dormido
> con más gusto el labrador.[26]

Ya lo vemos, por cuatro veces un «Si no puede...» recalca, en un primer movimiento el sentimiento de alienación y de frustración vinculado con la vida cortesana, mientras que por seis veces, un «Más precio...»[27] triunfante, proclama en cambio las alegrías positivas del aldeano: los prados verdes o dorados por el sol, la música agreste del rabel de pastor, las flores, la caza de la liebre o del conejo, el toque bermellón de las faldas de las aldeanas, la siesta en el heno en verano, los cuentos en las veladas invernales al amor de la lumbre. De esa manera la retórica inspirada del ritual «Beatus ille qui procul a negotiis...» viene a sostener con su entramado algo rígido un pensamiento sanamente epicúreo que diverge notablemente de un austero «contemptus mundi» ascético.

Puede afirmarse que el encomio de los sencillos y puros goces del campo (en oposición con el carácter artificial de la existencia cortesana privada de espontaneidad) constituye el motivo conductor de *Con su pan se lo coma*, ya que vuelve a aparecer constantemente. Por ejemplo, Fabio va al palacio de Celio, convertido en cortesano, para intentar verle e invitarle a su boda; un maestresala le informa de que Celio se está levantando; ahora bien, son las dos y media de la tarde; el diálogo subraya entonces en qué aspecto semejante estilo de vida quiebra el orden natural y los ritmos dispuestos por Dios:

> *Fabio:*   Pues cuando otros duermen siesta
> ¿de la cama se levanta?
> *Ponciano:*   ¿Pensáis que es ésta la sierra
> adonde al alba salís
> de entre cuatro pardas peñas?
> Acá hacemos el día noche
> y noche el día.
> *Fabio:*   ¿Y concierta
> bien con la orden que Dios
> tiene en el gobierno puesta
> de la vida de los hombres?[28]

La escena presenta luego a Celio rodeado de criados solícitos y de músicos; mas todo le aburre (el espejo, las ricas jofainas, el cantor...). El dramaturgo pretende un

---

[26] *Ibid.*, p. 310.

[27] Este «Más precio...» es giro bastante repetido en los «morceaux de bravoure» de tal tipo, variación de alguna manera del motivo del «Beatus ille».

[28] Acad., N., IV, p. 317 b.

contraste entre este «tedium vitae» y la alegría pura que estalla en la aldea en forma de canto y baile, cuando Fabio, despedido altaneramente por su hermano cortesano, vuelve al pueblo para casarse.[29] Ya A. de Guevara, en el *Menosprecio de corte y alabanza de aldea*, había evocado la alegría de las fiestas rurales:

> Es previlegio de aldea que todos los que allí morasen sientan menos los trabajos y gozen mucho mejor las fiestas... vístense los sayos de fiesta, ofrescen aquel día todos, juegan a la tarde al herrón, tocan en la plaza el tamborino, bailan las moças so el álamo, luchan los moços en el prado, andan los mochachos con cayados, visítanse los desposados; y aun, si es la vocación del pueblo, no es mucho que corran un toro...[30]

G. Gutiérrez de los Ríos, en su *Noticia general para la estimación de las artes...* también escribe:

> ... ¿Los días de fiesta ay donde se celebren mejor, ni más alegremente que por los labradores?[31]

Precisamente este motivo de la fiesta aldeana pura y alegre es el que, a su vez, desarrolla Lope escénicamente.

La idea de que en el campo, alejado de las preocupacions cortesanas, uno puede tomarse el tiempo de vivir, no está limitada, desde luego, a *Con su pan se lo coma*. Ese motivo del sosiego que le otorga un precio inestimable a la vida, hundía sus raices en la realidad de la vida urbana moderna, y por este hecho, iba a convertirse en tema exitoso en un género como el de la comedia, espejo, por no pocos motivos, del estado anímico y de las aspiraciones del espectador urbano. Un lugar común recobra actualidad al existir la situación fundamental a la que responde. Además, un pasaje de *Ya anda la de Mazagatos* bien nos da a entender que los autores explotaban a ciencia cierta una veta de moda, arraigada en un pasado literario a la par que en una mentalidad contemporánea: un rey, perdido en el campo, cena en casa del villano Nuño, en el pueblo de Mazagatos (cerca de Segovia) y en este cuadro de la modesta vivienda rústica, ante la mesa servida sencilla pero pulcramente, experimenta de pronto como un sentimiento de alivio y liberación; y declara:

> Esta quietud, no es mal plato;
> que el espléndido aparato
> cansa a veces.[32]

Y entonces es cuando el campesino suelta la confesión del dramaturgo (a saber, que el motivo de la paz aldeana no es cosa nueva) al contestar:

> Es verdad
> que la vida del aldea
> algunos la han envidiado.[33]

---

[29] *Ibid.*, p. 318 b.
[30] A. de Guevara, *op. cit.*, cap. VII.
[31] G. Gutiérrez de los Ríos, *op. cit.*, fol. 223.
[32] Ed. S. G. Morley, versos 712-714.
[33] *Ibid.*, versos 714-716.

El principio de *Los hidalgos de aldea* destaca igualmente la idea de que en la aldea la vida es descansada: el villano Bato, al comentar la vuelta del conde Albano a su feudo, ensalza lo pausado de los ritmos diarios que le permiten al hombre gozar —no pasemos por alto el sabor epicúreo que posee el vocablo— de la vida y del tiempo, mientras que en la Corte hay que vivir con premura:

> Aquí goza de la vida
> y del tiempo
> ···
> Allá se pasan los días
> en un instante, y aquí
> duran un siglo.
> ···
> Honras, oficios, y cargos
> son las postas de la vida.[34]

De modo que, el villano de la comedia parece detentar una auténtica filosofía. La idea del «villano filósofo» no era novedosa además, ya se remonta, ella también, a la antigüedad latina. En los siglos IV y V, Prudencio (348-410) la había cristianizado, relacionándola con su teoría de que, la naturaleza es nodriza del hombre creada por Dios (*Contra Symmachum*) y, a principios del siglo XVII, quienes alababan a la agricultura no dejaban de recordar a esta autoridad sumando su recuerdo al de Horacio. Véase, verbigracia, a Lope de Deza, quien exclama a principios de su tratado en favor del campesino (*Gobierno político de agricultura*, 1618):

> ... y déste dice Prudencio: ¡O dichoso mil veces el sabio y rústico juntamente que labrando la tierra, y su ánimo, pone en uno y en el otro, un velador cuydado![35]

La expresión «villano filósofo» y sus armónicos parecen haber sido fórmulas bastante repetidas durante los siglos XVI y XVII, y se encuentran huellas de ello en las comedias de ambiente rústico. Hay un ejemplo en *Los Guzmanes de Toral* de Lope. Un consejero del rey Alfonso V asimila la vida de Payo de Guzmán, que vive retirado en su casa solariega en Asturias, a la de un filósofo:

> De la corte se destierra,
> y cual filósofo vive
> en su casa, en su solar,
> ·································[36]

En *La serrana de la Vera* (1613) de Luis Vélez de Guevara, encontramos exactamente la fórmula «filósofo villano». En presencia de una afirmación de dignidad del villano Giraldo, un capitán noble exclama:

> ¡Qué filósofo villano![37]

---

[34] Acad., N., VI, p. 289 b.
[35] *Op. cit.*, fol. 4.
[36] Acad., N., XI, p. 4 a.
[37] Cf. ed. Teatro Antiguo, p. 4.

Sin embargo, en *El villano en su rincón*(1612-1614) es donde hallamos el uso más característico de la expresión. La repite insistentemente el Rey, quien, cerca de su palacio, ha descubierto la vida tranquila y escondida de Juan Labrador, el villano que jamás vio la Corte. Citemos:

> ¡Oh filósofo villano,
> mucho más te envidio agora![38]
> ....
> Ya el filósofo se fue[39]
> ....
> ¿Dónde estamos?
> ¿Qué filosofía es ésa?[40]
> ....
> Pariente,
> muy filósofo sois.[41]

La expresión se aclara al considerar el estilo de vida de Juan Labrador y de sus semejantes. Notemos primero que algunos de estos villanos teatrales saben leer. En esto es obvio que constituyen una excepción frente a la inmensa mayoría de los villanos de la realidad, hacia 1600-1630, los cuales no sabían leer ni escribir. En sus *Entretenimientos y juegos honestos...* (1623), Alonso Remón nos indica a este respecto cual era la instrucción verdadera de la gran masa campesina, ya que recomienda a los aldeanos que han de confesarse, que conserven en la memoria sus pecados utilizando un sistema de cuerdas con nudos que recuerda el de los «kius» peruanos. Otros testimonios permiten saber que un procedimiento de tarjas, hechas en palos, también era usado por los pastores castellanos para contar. Por lo demás, varias comedias, en particular las de Tirso, permiten ver que muy escasos eran los villanos que sabían leer y escribir en la realidad.[42] Ahora bien, otras comedias, en las que el villano es presentado en una perspectiva de ejemplaridad nos lo muestran aficionado a la lectura y, aún más a la de los buenos autores que enseñan a vivir. En esto, el tipo teatral permanece fiel a la tradición de un humanismo que tenía el propósito de apoyarse, entre otras cosas, en la práctica de algunos libros privilegiados, aquel humanismo expresado ya por el anónimo sevillano al escribir:

> Un ángulo me basta entre mis llares,
> un libro y un amigo, un sueño breve
> que no perturben deudas ni pesares.

Una vez más, en su *Menosprecio de corte y alabanza de aldea* A. de Guevara había trazado el programa de este humanismo rural letrado, mucho antes de que la comedia

---

[38] Acad., XV, p. 295 b.

[39] *Ibid.*, p. 298 a.

[40] *Ibid.*, p. 298 b.

[41] *Ibid.*, p. 310 b.

[42] En las obras de Tirso, cuando un campesino sabe leer, los otros le respetan y le admiran como si fuese un gran sabio, Cf. *El vergonzoso en palacio*, B. A. E., V, p. 206; *La ventura con el nombre*, B. A. E., V, p. 251 b. Véase también *La gallega Mari-Hernández* en que Otero admira a Gilote. A este respecto, así como en otros, el traje rústico bien podría sólo ser un disfraz.

de ambiente rústico lo llevase al escenario. En el famoso capítulo V el franciscano había escrito:

> ... Es previlegio de aldea que para todas estas cosas aya en ella tiempo quando el tiempo es bien repartido; y paresce esto ser verdad en que ay tiempo para leer en un libro, para rezar en unas horas...

Una pieza lopesca tal como *Con su pan se lo coma* no hace sino desarrollar el programa formulado por A. de Guevara al presentar, en el primer acto al villano Celio letrado y culto. Los conocimientos de Celio superan en mucho al pobre saber que solían tener los rústicos de la realidad. El Rey, habiéndolo encontrado entre sus robles, se extraña con razón de su cultura y su capacidad:

> ¡Quién dijera
> que entre robles y quejigos
> tal entendimiento hubiera![43]

¡Bien se comprende al Rey! De presentarse la ocasión, Celio puede hablar del alma y del cuerpo y su cultura se sustenta en una biblioteca edificante, constituida en lo esencial por «filósofos» en lengua vulgar. Confluencia significativa con toda una corriente del pensamiento humanista español del siglo XVI que va desde Luis Vives hasta Cervantes, las novelas de caballerías quedan desterradas de esta biblioteca aldeana:

> *Rey:* ¿Sabéis leer?
> *Celio:*   Y escribir,
> y aun tengo algunos librillos
> que me enseñan a vivir,
> que son mudos para oíllos
> y dan voces al sentir.
> *Rey:* ¿Qué libros tenéis?
> *Celio:*   Algunos
> filósofos en romance.
> *Rey:* ¿De caballerías?
> *Celio:*   Ningunos,
> que en amor, en cualquier trance
> son, batallando importunos.[44]

Si bien proscribe los libros de caballería, Celio acepta, en cambio, a los poetas y tiene la modestia intelectual de no condenar a lo que —según dice— no siempre alcanza a entender:

> *Rey:* ¿Poetas?
> *Celio:* Muchos.
> *Rey:* ¿Y vos los poetas entendéis?
> *Celio:* ¡Difíciles son, por Dios!
> *Rey:* ¿En efeto los leéis?

---

[43] Acad., IV, p. 303 a.
[44] *Ibid.*, p. 303 a.

Celio:	Y me alegran más de dos.
	Lo que entiendo es para mí
	cosa de gran placer;
	y si algo no entiendo, allí
	digo: «¡oh cual debe de ser
	aquello que no entendí!»
Rey:	Bien decís.
Celio:	Estos combates
	con la verdad se defienden;
	pero hay hombres tan orates,
	que las cosas que no entienden
	las juzgan por disparates.
	Y es que no quieren creer
	que lo que no han entendido
	lo pueda nadie entender.[45]

La sabiduría humanística de Celio, su gusto por las buenas lecturas, son lo bastante elevados como para que tenga a la alegría que le dispensa un autor discreto por encima del placer que saca de las riquezas de su finca.[46] En esta escena de *Con su pan se lo coma* Lope no cita a ninguno de los nombres de autores aptos para la formación del hombre discreto de campo, pero podemos imaginar sin equivocarnos mucho que las *Fábulas* de Esopo ocupan un sitio de preferencia en las estanterías de la biblioteca de Celio. La pieza se inicia con un gran «morceau de bravoure» del viejo labrador Filardo, quien, «sentant sa mort prochaine» —como reza nuestro La Fontaine— reúne a sus hijos para entregarles sus «ultima verba». No cabe duda de que Lope saca la situación de la tradición esópica, y algunos pasajes característicos son prueba de que la sombra de Esopo se perfila en el segundo plano de la lección de moral desarrollada a lo largo de la pieza. Así, por ejemplo, cuando el pastor Damón, en otra escena, cuenta el apólogo del burro y del cerdo, empieza por declarar que lo leyó en las *Fábulas* del frigio:

En un librillo
leía estotra noche, mi carillo,
pienso que eran las trápulas de Isopo.[47]

En otro de los pasajes Belardo (el doble de Lope) cuenta a su vez «El molinero, su hijo y el burro».[48] No hay nada de extraño en esto si pensamos que Esopo había sido

---

[45] *Ibid.*, p. 303 a.

[45] *Ibid.*, p. 303. Evidentemente hay una maliciosa alusión en este chancear lopesco, pero es difícil determinar contra quien va dirigida exactamente.

[46] *Ibid.*, p. 303 b.:

«Más precio un libro discreto
que cuanto esquilmo me dan
estos montes, que en efeto
por mis vasallos están.»

[47] Acad., N., IV, p. 301 b.

[48] *Ibid.*, p. 319 b-320 a.

muy difundido en castellano desde la primera edición de 1489[49] y que, por su parte, Lope basó no pocos pasajes sentenciosos de sus comedias en un apólogo del griego.[50]

No vayamos a pensar que únicamente en *Con su pan se lo coma* el villano ejemplar tiene trato con los «librillos», como suele decir Lope en estos casos. Al azar de una réplica, nos enteramos de que, Tello el Viejo, el sabio de *Los Tellos de Meneses*, también sabe leer y que siente preferencias igualmente por las colecciones de apólogos:

> Que en un librillo he leído
> que en un jumento llevaban
> una diosa que adoraban
> con el respeto debido
> los que la vían pasar
> hincándose de rodillas,
> cuyas altas maravillas
> pudo el jumento pensar
> (como, en fin, era jumento)
> que eran por él, y paróse;
> viéndolo el dueño, enfadóse
> del soberbio pensamiento,
> y pegándole muy bien,
> le dijo con voz furiosa:
> «No es a ti, sino a la diosa.»[51]

La pieza en la cual Lope dio mayores dimensiones al tema de la «filosofía del villano», es, sin lugar a dudas, *El villano en su rincón*. El título de la comedia reproduce una expresión proverbial que condensa la felicidad del rústico, quien, arrinconado en su aldea, alejado de los apremios cortesanos, sabe vivir discreta pero plenamente. En la lengua folklórica corrían fórmulas consagradas para expresar la sabiduría del hombre sencillo que sabe permanecer lejos de la corte y de sus molestias. Juan de Valdés en el *Diálogo de la lengua* cita: «Esse es rey, el que no vee rey». G. Correas en el *Vocabulario de refranes* cita el mismo proverbio bajo la forma de: «Ese es rey, que nunca vio rey: o que nunca vio al rey.»[52] M. Bataillon demostró cómo la expresión paremiológica que acabamos de citar, desarrollada en un epitafio moral del cual existe una versión en la *Historia de Carlos Quinto* (Valladolid, 1606) de fray Prudencio de Sandoval, actuó como un fermento al interior de la comedia de Lope y engendró de alguna manera la estructura original de la obra.[53] El epitafio fue introducido en la pieza, levemente transformada por la memoria de Lope, en la siguiente forma:

---

[49] Sobre el tema de Esopo en castellano, véase a A. Morel-Fatio, *L'«Isopo» castillan* in *Romania*, XXIII (1894), pp. 561-575. Señalemos que en su carta prefacio a la traducción de *Los libros de la historia natural de los animales* de Plinio por Gerónimo de la Huerta, Madrid, 1629, t. II, Tamayo de Vargas indica como traductores castellanos de Esopo al infante de Aragón y al maestro Abril. Digamos también que Rodrigo Caro alaba mucho las traducciones de Esopo debidas a Diego Girón (1530-1590), poeta sevillano, traductor.

[50] Por ejemplo, en *Los hidalgos de aldea* (Acad. N., VI, p. 316 b) el hidalgo don Blas explica que el pobre debe saber bajar la cabeza ante el más poderoso, cita a Esopo y cuenta la fábula de la encina y el junco.

[51] Acad., VII, p. 316 a-b.

[52] *Op. cit.*, p. 207 b. Vuelve a encontrarse la expresión bajo la pluma de Cristóbal de Castillejo en su *Diálogo de corte y aula de cortesanos*, 1547, cf. ed. Clás. cast., Madrid, La Lectura, 1950, cap. II, 516-523: «Y así dicen ser rey / El que al Rey jamás no vee.»

[53] Cf. M. Bataillon, *El villano en su rincón*, *B. Hi.*, LI, núm. 1, 1949, pp. 5-38, y *Encore «El villano en su rincón»*, *B. Hi.*, LII, núm. 4, 1950, p. 397. Este artículo y esta nota son fundamentales para el estudio

Yace aquí Juan Labrador,
que nunca sirvió a señor,
ni vio la corte ni al Rey,
ni temió ni dio temor;
ni tuvo necesidad,
ni estuvo herido ni preso,
ni en muchos años de edad,
vio en su casa mal suceso,
envidia ni enfermedad.[54]

Además, el propio Juan Labrador explica por qué motivo, al no haber recorrido jamás el par de leguas que le separan de la Corte para ir a ver al Rey, se estima más feliz que un rey:

Yo he sido rey, Feliciano,
en mi pequeño rincón;
reyes los que viven son
del trabajo de su mano;
rey es quien con pecho sano
descansa sin ver al Rey,
obedeciendo su ley
como al que es Dios en la tierra,
pues que del poder que encierra
sé que es su mismo virrey.[55]

Cierto es que, en la comedia de *el villano en su rincón* (1614-1615?), la filosofía del villano «en su rincón» va fuertemente matizada —como lo subrayó M. Bataillon— por el sentimiento del deber monárquico. No obstante esta filosofía surge de la pieza como valor positivo válido, siempre y cuando no esté en contradicción con las reglas políticas impuestas por el Estado. También resulta fácil descubrir que la idea folklórica del campesino que vive con sabiduría y sosiego, lejos del rey, fue tratada a menudo en las piezas rústicas de Lope, pero *El villano en su rincón* viene a ser la comedia en la cual se desarrolla el tema en todas sus virtualidades dramáticas e ideológicas.

En la *Comedia de Bamba*, de 1597-1598, ya el tema de «El villano en su rincón» está muy presente. Es el drama del villano que deseaba vivir feliz y retirado, y a su pesar se ve elevado a la dignidad real, perdiendo así su felicidad anterior. En el acto primero se ve cómo alejado de los palacios, Bamba conoce la felicidad de la soledad rústica en compañía de su esposa Sancha, en una casa aislada: el mero hecho de ir a la aldea vecina le desagrada:

---

del tema de «el villano en su rincón», así como para la explicación de las circunstancias que en fue creada la comedia de Lope, y sus fuentes folklóricas. Algunos trabajos posteriores que discuten las sugestiones de M. Bataillon a propósito de las circunstancias de la pieza tienen en cuenta no obstante su aportación en lo que al tema se refiere. Cf. E. Correa Calderón — Fernando Lázaro, *Lope de Vega y su época: El villano en su rincón*, ed. Anaya, Salamanca, 1961. J. de Entrambasaguas, *Lope de Vega y su tiempo, estudio especial de «El villano en su rincón»*, ed. Teide, Barcelona, 1961. A. Zamora Vicente, *El villano en su rincón, edición, estudio preliminar y notas*, ed. Gredos, Madrid, 1961. También puede verse el estudio y las notas que figuran en la edición de la pieza debida a Douglas Claire Sheppard, University of Wisconsin, 1955.

[54] Acad., XV, p. 283 b.
[55] *Ibid.*, p. 280 b.

> Yo os prometo, Sancha amada,
> que si va a decir verdad,
> que el ir al pueblo me enfada;
> más precio mi soledad
> y mi casa derribada,
> que los palacios famosos
> de los reyes suntuosos
> do la ambición, con la envidia,
> de día y de noche lidia
> con mil pechos envidiosos.
> De más gusto me es salir
> a *ver* murmurar el alba,
> y a *ver* el día reir,
> que la pompa y la salva
> con que al Rey suelen servir.[56]

Sabiendo el dramaturgo la suerte que el destino le reserva maliciosamente a nuestro campesino, nos muestra a Bamba comparando su vida con la de los soberanos y, claro está la suya le parece mucho más ventajosa.[57] En el segundo acto, unos godos que lo buscaban por toda la península para hacerle rey, conforme a una indicación del Papa, encuentran a Bamba arando su campo, empuñando el aguijón, detrás de sus bueyes y recitando en ese momento un fragmento tradicional del «Beatus ille» horaciano (en estrofas de «canción» regular versos aBabBcc), en el cual todo gravita en torno al motivo de la felicidad campesina «que no ve al rey». La oposición retórica de las abarcas y de las ropas burdas confrontados con la púrpura que adorna al soberano, o las paredes de adobe gris de la cabaña comparados con los torreones reales, característica de esta tirada, no lo es tanto, sin embargo, como la definición de felicidad del rústico como posibilidad de sustraerse a la sociedad y, conforme al dicho, de «no ver al Rey». Al iniciar el fragmento el ritual incipit «Cuan bienaventurado!», en gran parte de éste es impulsado por un movimiento estilístico de negación que subraya, tres veces, un «no ve» de negación:

> ¡Cuán bienaventurado
> es el que vive en su sabroso oficio,
> remoto y apartado
> del traje y del bullicio,
> do las maldades hacen su ejercicio!
> Entre ellas no se ofusca,
> sino la soledad dichosa busca.
> *No ve* del gran Monarca
> los vestidos famosos de escarlata,
> sino una tosca abarca
> que al pie le liga y ata;
> no sabe qué color tiene la plata,
> por más que al Rey le sobre,
> ni señas sabrá dar del bronce o cobre.

---

[56] Acad., VII, p. 43 b.
[57] *Ibid.*, p. 43 b.

Entre paredes pardas
entapizadas de frondosas hiedras,
cubiertas de mil bardas,
como en paja la serba,
la honra amada con razón conserva,
y la tiene muy cierta,
no como el cortesano, a puerta abierta.
No ve los homenajes
ni los soberbios y altos torreones,
que de sus tres linajes
son eternos blasones,
sus águilas, castillos y leones;
ni ve del Rey la cara,
ni besa del señor la mano avara.[58]

La búsqueda del aislamiento y el deseo de vivir distanciado de la corte que alimenta tal tirada van por fin destacados nítidamente, cuando, en un postrer movimiento, el monarca es, por decirlo así, rechazado más allá de las fronteras de la felicidad, mediante un «allá» situado muy lejos y reiterado en dos oportunidades:

Ténganse allá los reyes
su reino poderoso,
....
estése allá en su sala,
hasta que llegue la ligera muerte.[59]

También vuelve a encontrarse en *El galán de la Membrilla* (1615) la idea de que para el villano en su rincón la felicidad consiste en no ver al rey. En esta pieza, el motivo suena, por otra parte, con un dejo de desengaño y de melancolía y un sentido muy acentuado de la «soledad». El rico viñatero Tello, que acaba de recibir la honra de la visita real, desahoga su pena, como ya sabemos, por haber perdido su hija, raptada por un hidalgo. Para expresar su profundo dolor, se vale de estrofas de canción regular (trece versos construidos abCabCcdeeDfF). La presencia del soberano y prín-

---

[58] Acad., VII, p. 51 a-b. La arquitectura general de esta tirada ha de cotejarse con el siguiente pasaje de la segunda égloga de Garcilaso en la que ya intervenía el juego de «*Cuan bienaventurado... no ve*»:

«*Salicio:*   ¡Cuán bienaventurado
aquél puede llamarse
que con la dulce soledad se abraza
y vive descuidado,
y lejos de empacharse
en lo que al alma impide y embaraza!
No ve la llena plaza,
ni la soberbia puerta
de los grandes señores,
ni los aduladores
a quien la hambre del favor despierta;
no le será forzoso
rogar, fingir, temer y estar quejoso.»

[59] *Ibid.*, p. 51 b.

cipe en la casa de campo de Tello, el lujo y esplendor del séquito real, la platería, las fantasías de la cristalería de Venecia, los doseles cordados nada puede hacerle olvidar sus amrgos pensamientos; presa de sus tormentos, negándose a ver la pompa real, sale solitario a escuchar lo que murmulla melancólicamente en si y a recogerse ante un campo que se adorna ahora con los coloridos grises y eremíticos de su alma:

> Campo, ya no, desierto,
> si en mi casa de campo
> tienes un Rey que en tu cortijo vive, (*sic in Parte X,*
> [*fol. 20 rº*)
> y en cuanto descubierto,
> ya con los pies estampo,
> ya con los ojos miro, me recibe
> por dueño y me apercibe,
> del imperio en señales,
> coronas de sus hojas,
> no quieren mis congojas
> que asista a *ver* las púrpuras reales:
> salgo de entre los reyes
> a *ver* los surcos de los juntos bueyes.
>
> Las mesas con manteles
> de tan varias labores,
> dorada plata y vidrio venecianos
> los bordados doseles
> de escudos vencedores,
> la corona de nobles cortesanos,
> dos reyes castellanos
> sentados a la mesa,
> no alegran mis sentidos;
> ....[60]

Queda patente que, al desarrollar el motivo del villano que aparta su mirada del rey («Esse es rey el que no vee rey»), *El villano en su rincón* de Lope no hizo más que darle todo su volumen a un tema folklórico, que puede encontrarse en algunas otras comedias de ambiente rústico.[61] Asimismo poniendo atención puede descubrirse en al-

---

[60] Acad., IX, p. 114 a-b.

[61] Es bastante repetido el motivo del rey que viene a visitar al campesino porque este no le ve. Cf. *Los Tellos de Meneses*, acto III, esc. XXI, Acad., VII, p. 325. El rey llega al atardecer después de una cacería a casa del viejo Tello:

> «*Tello el V.*   ¿Cuánto, señor, merecí
>   tanto honor?
> «*Rey:*   A conoceros,
>   Tello, he venido, y a *veros*,
>   pues no *me veis a mí.*

Vuelve a encontrarse el motivo en *Ya anda la de Mazagatos*, pieza que se atribuyó durante mucho tiempo a Lope. Cf. ed. S. G. Morley, la escena colmada de reminiscencias del episodio correspondiente en *El villano en su rincón*, en donde el rey, extraviado durante una cacería, come en casa del campesino Nuño. Véanse especialmente los versos 721-729:

gunas, aunque no sea más que en uno o dos versos, la idea armónica de que el villano en su rincón es «mas feliz que un rey». En *Los Guzmanes de Toral* (1599-1603), Payo Guzmán proclama:

> Yo soy *rey* en mi solar;
> su favor ni su desdén
> no temo.[62]

De igual modo, en *Los Benavides*, oimos a Sancho, quien cuenta lo que sabe de su pasado, declarar:

> Echóme mi madre allí,
> y fue que me transplantó
> de la tierra en que nací
> a la vuestra, donde yo
> soy *rey*, si villano fui.[63]

«Elbira:	Enpezad a comer algo,
	que aun el Rey puede zenar
	en mesa de un labrador,
	si es limpia y está con gana.
«Rey:	¡Buena grazia de villana!
	¿Bisteis al Rey?
«Nuño:	No señor.
«Elbira:	Yo nunca a la corte fui.
«Nuño:	(Me pesa el que al Rey no *bi*
	No aberle bisto me pesa.
	Pon esta luz en la mesa.»

Parece ser que el mismo tema, cruzado con aquel del «Rey sol» aflora también en algunos pasajes de *Del rey abajo ninguno...*:

> «Jamás os *ha visto* el rostro
> y huye de vos, porque afirma
> que es sol el rey, y no tiene
> para tantos rayos vista.»

> «que por acá siempre he oído
> que vive más arriesgado
> el hombre del Rey amado
> que quien es aborrecido,
> porque el uno se confía
> y el otro se guarda dél.
> Tuve yo un padre muy fiel
> que muchas veces decía,
> dándome buenos consejos,
> que tenía certidumbre
> que era el Rey como la lumbre;
> que calentaba de lejos
> y desde cerca quemaba.»

[62] Acad., N., XI, p. 8 b.
[63] Acad., VII, p. 520 b.

En *Con su pan se lo coma,* le toca a Celio emplear la fórmula consagrada ante el propio rey a quien no conoce:

> *Rey:*   ¿Quién sois?
> *Celïo:*   De este monte el *rey,*
> como Ramiro en León,
> aunque él da a vasallos ley,
> y acá mi jurisdicíon
> se extiende a una cabra y buey.[64]

Peribáñez, el héroe de *Peribáñez y el comendador de Ocaña,* también recuerda la expresión ritual al decir:

> un villano
> por la paz del alma es *rey*[65]

Estos no son sino unos pocos ejemplos lopescos en los que emerge el topos del villano «más feliz que un rey» y seguramente podrían reunirse otros al hacer un escrutinio metódico del conjunto de la obra dramática del Fénix; estos bastan para probar cuan familiar le resultaba la idea.[66] Pero se vislumbra fácilmente que no detentó el privilegio y que esta idea aflora en el teatro de otros dramaturgos, en las escenas bastante repetidas en las que un rey se encuentra en el campo con un villano.[67] Luis Vélez de Guevara, por ejemplo, gusta de esta situación:

En *El príncipe viñador,* el villano Liseno, satisfecho con sus vendimias y sus mieses le declara al soberano que prefiere su propio estado:

> Si he de decir verdad, nunca os embidio,
> que son tan grandes de los altos Príncipes
> los cuydados, Señor, que no se pagan

---

[64] Acad. N., IV, p. 302

[65] Ed. Aubrun y Montesinos, versos 76-77.

[66] Quizás no carezca de interés el señalar que existe, sin embargo, una pieza atribuida a Grajales y a Lope (pero la atribución a Lope, al parecer, debe ser cuestionada), *El Rey por semejanza* (Acad., N., II) donde hallamos exactamente la inversa de «el villano en su rincón». El aldeano Altemio, su protagonista, aspira de modo curioso en dejar su condición villana para ser rey. Efectivamente se vuelve rey de Asiria a raíz de un parecido novelesco. Citemos, de ejemplo, el principio de su monólogo:

> «¡Gracias a Dios que me ví
> libre de cabras y bueyes!
> ¡Qué invidia tengo a los reyes
> desde el día en que nací!» (Acad., N., II, p. 499.)

[67] Este tema del encuentro de un rey y de un villano tiene evidentemente orígenes folklóricos remotos. Por ello pudieron verse en *El villano en su rincón,* reminiscencias de cuentecillos procedentes de Francia o Italia. Con respecto a esta pieza, parece que la fuente directa del dramaturgo fue el cuento del Rey y el carbonero, bajo la forma elaborada que le había dado Antonio de Torquemada en el tercero de los *Coloquios satíricos* (Mondañedo, 1553). Véase para esto, la demostración, irrefutable a nuestro parecer, de M. Bataillon, *B. Hi,* LI, núm. 1, 1949, pp. 5-38. Indiquemos no obstante que también podría existir un vínculo con el Ciclo de Carlos Quinto. Véase en particular la narración del encuentro del Emperador con un austero carbonero. Cf. Michel de Ghelderode, *L'histoire comique de Keiser Karel telle que la perpétuèrent jusqu'à nos jours les gens de Brabant et de Flandre,* Bruxelles, 1943, pp. 149-150.

> con tener tantos Reynos y Provincias;
> yo sé dezir de mí, que no trocara
> el estado que tengo por ninguno.
> ....
> Señor, vivir contento pocas vezes
> en esta vida puede un hombre humano,
> pero de los estados más contentos
> pienso que es el que tengo, y no ay riqueza
> sino es el gusto y la segura vida
> en esta soledad, deste bien llena.[68]

Parecidamente, Antón, el héroe de *La luna de la sierra*, colmado por la paz reconfortante de su comida a solas con Pascuala, exclama:

> ¿Qué rey alcanza
> esta quietud, esta paz
> para el cuerpo y para el alma?[69]

La idea de que para ser feliz hay que vivir escondido «en su rincón», era vieja idea de la sabiduría de las naciones y la comedia la sumó a las precedentes en estas «moralidades» rústicas cuya obra maestra es *El villano en su rincón* de Lope. Al buscar los posibles orígenes del juicio, burlón en definitiva, que implica la comedia lopesca, M. Bataillon mencionó la glosa irónica de Boscán:

> Halagóle y pellizcóle
> la mozuela al asnejón
> allególe y enamoróle
> y él estabase al rincón.[70]

Hay que citar también el estribillo, muy difundido en el siglo XVI, que figura en el *Cancionero* de Sebastián de Horozco (ed. de los «Bibliófilos andaluces», Sevilla, 1874, pág. 65):

> Bésale y enamorábale
> la doncella al villanchón;
> besábale y enamorábale,
> y él metido en un rincón.

Pero pueden encontrarse otras expresiones en las que interviene este motivo del «rincón» con un significado irónico al par que edificante. En *La Santa Juana II* de Tirso, cuando el comendador de Cubas rapta a María Pascuala, la esposa de su compadre Crespo, el alcalde Mingo exclama:

> ....Buena flema!
> ¡guarde el cielo mi rincón![71]

---

[68] Luis Vélez de Guevara, *El príncipe viñador*, acte III, p. 296, in *Comed. escog. de los mej. ing. de España*, 1652-1704, t. XXX.

[69] Luis Vélez de Guevara, *La luna de la sierra*, acte II fol. 14, in *Flor de las mej. doce comed.*, Madrid, 1652.

[70] M. Bataillon, *op. cit.*, p. 25.

[71] N. B. A. E., IX (vol. 2), p. 286 b.

Para él es un modo de decir que no quiere meterse en los asuntos del vecino por miedo a que lo molesten a él. Parecidamente encontramos en los *Juegos de noches buenas a lo divino* (1605) de Alonso de Ledesma, bajo el título de *La institución de las órdenes*, la transposición a lo divino de un juego en el que se repetía (probablemente por asonancia con Antón) la fórmula de «Hon, hon, pásate a mi rincón». Mas resulta interesante el significado eremítico y antiáulico que reviste la fórmula bajo la pluma de Alonso de Ledesma:

> Hay en la plaza del mundo
> tantos y diversos lazos,
> que se fue huyendo al desierto
> Pablo, primer ermitaño.
> Hállase mejor que en corte
> entre fieras y peñascos;
> Que quien conversa con Dios,
> de nada se siente falto.
> Y visto que un bien tan alto
> se goza en la soledad,
> movido de caridad,
> dijo a su querido Antón:
> *Hon, hon, pásate a mi rincón.*
> Benito, Bernardo, Bruno,
> Domingo y los dos Franciscos,
> Carmen, Trinidad, Merced,
> Jerónimo y Agustino,
> Basilio, Norberto, Ignacio,
> cuyo capitán es Cristo
> pues este mar habéis visto,
> ya con tormenta, ya en calma,
> decid a voces al alma
> desde vuestra religión:
> *hon, hon, pásate a mi rincón.*[72]

Textos como éstos nos invitan a pensar que la palabra «rincón», sin perder su resonancia irónica, había cobrado el significado de «rincón tranquilo» y quizá hasta de «desierto» (tal como lo diría más tarde Pascal) en el cual los amantes de la soledad en los años 1600-1640 podían soñar con encontrar un retiro, resguardados del mundo.[73] Este es el sentido que le confiere Lope en una de sus cartas al duque de Sessa fechada el 17-18 de mayo de 1620, en la cual le confiesa su anhelo de vivir tranquilamente y sin obligaciones, lejos de los engaños en cuyas redes caen los ilusos mundanos: él también prefiere, en suma, ser «asno en su rincón» más que «caballo enfrenado» en la Corte:

---

[72] Alonso de Ledesma, *Juegos de noches buenas a lo divino*, Barcelona, Sebastián de Cormellas, 1605.

[73] Quevedo le da este sentido a la palabra «rincón» en su carta a Sancho de Sandoval (1637) escrita en Madrid adonde lo había llamado el conde duque de Olivares. Echa de menos su aldea de La Torre de Juan Abad y envidia a su amigo por estar en Beas de Segura: «... Yo deseo con toda la alma salir de aquí y irme a ese rincón...» (*Obras completas*, Felicidad Buendía, Aguilar, Madrid, 1960, II, p. 597)

Sobre la soledad, véase el libro, clásico, de Karl Vossler, *La soledad en la poesía española* (trad. de José Miguel Sacristán), *Revista de Occidente*, Madrid, 1941.

... Mis privanzas no lo serían, aunque fuessen del rey, sin V. ex., porque sólo estimo su amor, solas sus merzedes y sus sabores solos; que no se paga quien trata con el
alma y con la verdad de intereses fingidos y de esperanzas neçias, y creo que V. exª
sabe que ningún ombre que oy viva tiene ni ha tenido tales desengaños de las cossas
del mundo, y particularmente de las desta edad, a quien todas las historias antiguas
rinden ventaja en suspensión de suçessos, novedad de esperanzas y monstruosidad de
atrevimientos. Bien aya un rincón sin obligaciones y sin capillas, donde son los gustos
gustos, y los daños no son daños. Los frenos se hizieron para los caballos. Quien se
dexa gobernar de otro, con el herrador se calza. Unos van donde los otros quieren, y
otros no saben donde los llevan los que los engañan, y al fin al fin se cansan todos,
y el tiempo passa, que va siempre quitando de la vida. Por lo menos no la dan los
Reyes a los que la gastan en sus caminos. Servicio se les debe; pero más al del cielo,
que no tiene quexosos, ni se dexa governar de los que no saben, porque lo sabe todo,
y es yndependiente.[74]

En lo que atañe a piezas tales como *El cuerdo en su casa* (1606-1612) o *El villano
en su rincón* (1614-1615), en «rincón» rústico exaltado por Lope parece haber sido muy
precisamente el «rincón» de la familia. En *El cuerdo en su casa*, el labriego Mendo,
para exaltar la felicidad familiar de la que goza, declara:

> Cada uno en su rincón
> con su familia se esté
> si quiere vivir seguro;[75]

Aquí ya la expresión parece (1606-1612, probablemente 1606-1608; dicen Morley y
Bruerton según la métrica) anunciar el ideal de la vida de hogar, recogida y tranquila
del padre de familia, exaltada conjuntamente con algunos otros valores campesinos
en *El villano en su rincón* (1614-1615). En otro pasaje de la misma pieza, oimos al
pastor Gilote glosar el título de la pieza de esta manera:

> Que quien es cuerdo en su casa
> a solas su vida pasa,
> que a solas se pasa bien.[76]

¿Acaso tales versos no correspondieron a un «momento vital» del Fénix? Es propio
de las individualidades creadoras el encarnar y el sentir los problemas de su época con
más intensidad que los otros. Lope, quien tanto quería a la vida, más aún que los espc-
tadores de quienes se hacía el eco, sentía el encarcelamiento moral implicado por los
códigos y los usos de la sociedad cortesana de su tiempo, usos y códigos que apretaban
a las almas tanto o más que gorgueras y verdugados lo hacían con los cuerpos. Allí
están sus poesías, su epistolario, para dar fe de la necesidad, apremiante en determinados momentos, de respirar otro aire que el de la Corte. El tema de «el villano en su
rincón» no fue para él únicamente un dato literario o folklórico, sino también un molde en el cual expresó un auténtico y muy personal desengaño de la corte, compartido

---

[74] Cf. carta del 17-18 de mayo 1620 al duque de Sessa, in Agustín G. de Amezúa, *Epistolario de Lope
de Vega Carpio*, Madrid, 1943, IV, p. 55.
[75] B. A. E., XLI, p. 460 a.
[76] *Ibid.*, p. 461 b.

por muchos contemporáneos. Precisamente, se constata que en la época en la que escribió *Con su pan se lo coma* (quizás 1613-1614), *El villano en su rincón* (1614-1615?), *El galán de la Membrilla* (1615), Lope se sentía atraído por el repliegue sobre sí mismo, atraído por la «soledad» hogareña o interior: en esos años, tras la ruptura con Micaela de Luján,[77] es cuando vuelve al hogar,[78] cuando exalta la «áurea mediocritas» de la casa adonde, dejando a Toledo, viene a vivir en la calle de los Francos en Madrid,[79] cuando se orienta hacia la Orden tercera de San Francisco,[80] y por fin, entra en el sacerdocio a principios de 1614.[81] La exaltación del rincón hogareño, que ofrece tras el disfraz campesino *El cuerdo en su casa*, nos incitaría a situar la fecha de tal pieza en aquel mismo vital de Lope, por lo menos después de 1600.[82]

Mas, y ha llegado el momento de plantearlo, ¿esta sabiduría tranquila de algunos villanos lopescos, acaso no se apoya en la experiencia de vida detentada únicamente por el hombre maduro? Parece en efecto, que a partir de 1610 aproximadamente, en un momento en el que empieza a tomar conciencia de que su juventud ya pasó (ahora ha superado los cincuenta años) Lope empieza a gustar de estos patriarcas campesinos, con edad apta para suscitar el respeto de los espectadores: sesenta años, tal es la edad atribuida a Juan Labrador, el hombre cuerdo de *El villano en su rincón;* la misma edad tiene Tello el Viejo en *Valor, fortuna y lealtad* (hacia 1625);[83] en *Los Tellos de Meneses,* cuya acción se supone cronológicamente anterior a la precedente, barruntamos que Lope no imaginó a su héroe villano mucho más joven. Por fin también el

---

[77] Las circunstancias de la ruptura y su fecha exacta no pudieron ser precisadas, pero bien parece ser que puedan situarse por los años 1608-1609. Véase a este respecto A. Castro, *Alusiones a Micaela Luján en las obras de Lope de Vega,* in R. F. E., 1918, V, V, pp. 256-292.

[78] Ya a partir del verano 1610, Lope, al sentirse envejecer, se inclina más a la vida conyugal y familiar, abandonada en los años anteriores. Cf. la carta de la primera quincena de julio 1610, en la que dice haber ido a recibir a su esposa, en Pinto, *Epistolario...,* III, p. 26:

> «... que yo salí a recibir a Doña Juana, de quien la vegez me ha hecho galán, y de viña en viña llegué asta Pinto...»

[79] Acerca de todo esto, véase la conferencia de R. Menéndez Pidal, *El hogar de Lope de Vega,* in *De Cervantes y Lope de Vega,* 2.ª ed., Espasa-Calpe, Buenos Aires, México, 1943, pp. 59-66. En esta conferencia, pronunciada el 30 de diciembre de 1933, R. Menéndez Pidal declaraba especialmente con motivo de las excavaciones que acababan de hacerse:

> «Entre los escombros que cegaban el pozo del arrasado huerto los cuidadosos restauradores hallaron la reliquia más ideal de todas, un trozo de dintel con parte de inscripción latina «Parva propria magna, magna aliena parva». En este letrero desahogaba Lope su satisfacción de haber llegado, aunque poeta, y por tanto pobre por definición, a ser propietario de un holgado y cómodo Hogar...»

[80] Cf. Rennert y Castro, *Vida de Lope de Vega,* Madrid, 1919 pp. 196-203. Lope vino a instalarse en Madrid, durante el verano 1610. El 26 de setiembre de 1611, entraba en la congregación de terciarios de San Francisco.

[81] *Ibid.,* pp. 216-217. W. L. Fichter, en una carta privada a la que aluden Morley y Bruerton, in *Chronology...* p. 183, notó en *Con su pan se lo coma* una posible indicación de Lope sobre su entrada en las órdenes (Acad. N., IV, p. 320 a). Es una de las razones por las cuales tienden a adoptar como probable la fecha de 1613-1614.

[82] Morley y Bruerton, in *Chronology...,* p. 185, según la métrica, creen poder situarla entre 1606 y 1612, probablemente 1606-1608. El ambiente de la pieza nos incitaría a situarla por lo menos después de la ruptura con Micaela de Luján, es decir en 1608 o más tarde.

[83] Acad., VII, p. 336 b.

viejo labrador Filardo posee la edad privilegiada de la cordura cuando, al principio de *Con su pan se lo coma*, entrega su testamento moral a sus hijos en el atardecer de su vida. Este tema de la sabiduría del villano anciano, formado por una existencia de contacto con las verdades naturales ya había sido abordado por Cicerón en el *De senectute* y, hacia 1610-1620, algunos autores de tratados, preocupados en exaltar las virtudes de la vida agraria, no dejaban de recordarlo: Lope de Deza, por ejemplo, en su *Gobierno político de agricultura* (1618):

> ... y en otro lugar dice [il s'agit de Cicerón]: vengo ya al gusto y regalo de los labradores con que alegro yo increyblemente, sin que lo impida cualquiera vejez, porque ninguna otra cosa parece más conjunta, y próxima a la vida de un hombre sabio: sus dares y tomares son con la tierra que nunca rehusa la carga, y nunca vuelve sin mejoría lo que recibe, algunas veces con poca, otras con muchísima: y no sólo me recrea su utilidad, sino su trabajo mismo tan conforme a la naturaleza.[84]

Algo le otorga una gravedad excepcional a la lección de sabiduría del viejo labrador y es que, sin pensar constantemente en ella, sabe que vendrá la muerte, niveladora de todas las desigualdades y paso al más allá, del cual una vida bien llevada no ha de ser más que una preparación. Este es un tema y un pensamiento clásicos que la Edad Media legó al villano teatral ejemplar de 1600 así como a toda una literatura contemporánea: la «meditatio mortis». Tal vez sería cosa de no acabar el querer enumerar las fuentes de inspiración bíblica (en especial el *Libro de Job* y el *Eclesiastés*) o estoicas (en especial por intermedio de Boecio) que aportaron aguas para alimentar en la Edad Media la corriente muy importante de la «meditatio mortis». Lo interesante quizás, en el sermón sobre la muerte predicado por el villano ejemplar, estriba en que el sentimiento de igualitarismo que lo impregna, se nutre tanto en Horacio como en la vieja tradición de las danzas de la muerte. Horacio, en su cuarta Oda del Libro I, había proclamado, también él, que la Muerte llega al palacio real lo mismo que a la humilde choza:

> Pallida mors aequo pulsat pede pauperum tabernas Regumque turris...[85]

Ahora bien, esta fórmula horaciana cuadraba tan perfectamente con la sensibilidad moral de algunos escritores de los años 1580-1620 que se encuentra repetida a menudo, especialmente en Cervantes y Lope.[86] Si bien la idea horaciana no creó la vibración igualadora del motivo de la «meditatio mortis», por lo menos contribuyó a rege-

---

[84] Cf. Lope de Deza, *op. cit.*, fol. 3.

[85] *Odas*, libro I, 4.

[86] Cf. *Quijote*, 2.ª parte, cap. XX: «He oído decir que (la muerte) con igual pie pisaba las altas torres de los reyes como las humildes chozas de los pobres»; cf. carta de Lope al duque de Sessa (últimos de agosto 1611):

> «Por acá, señor excmo. andamos llenos de enfermedades, y cierto muere mucha gente; allá le lleban la señora Duquesa de Uzeda, que Dios tiene gran señora y malograda; que la muerte «equo pede pulsat»; causa gran lástima a todos, y a los más espirituales el ver que poco resisten altos lugares al fin común de las cosas de la tierra en que todos paran» (in G. de Amezúa, *Epistolario...*, III, p. 56).

nerarla.[87] Por esto no debemos extrañarnos el percibir un eco, aquí y allí, entreverado con las resonancias acostumbradas del «Beatus ille», en algunas tiradas del villano ejemplar. Bamba, verbigracia, exalta su felicidad rústica al principio de la *Comedia de Bamba* y suelta, hablando del rey:

> Estése allá en su sala
> hasta que llegue la ligera muerte
> que a todos nos iguala,
> haciendo en el rey suerte
> como en el pobre su guadaña fuerte;
> que sólo la mortaja
> ser de ruán o anjeo es la ventaja.[88]

Esta armonía entre la meditación sobre la muerte y el epicureísmo equilibrado y sano, en el rústico ejemplar, cuya fisonomía acabamos de esbozar nos parece, por tanto, típicamente horaciana. Aunque la sombra de la muerte se perfile a veces en los discursos del villano teatral, no puede afirmarse que los domina hasta el extremo de roerle la vida con la rancia tristeza del *Eclesiastés* o del *Libro de Job,* que se encuentra por esos mismos años entre los representantes del neo-estoicismo cristiano (verbigracia en Quevedo). No, no cabe en él esa idea perpetua de la alegría fulminada, esa como tristeza jubilosa de los Sabios del Antiguo Testamento amarradas a los trabajos, como Job en el muladar.

Dicho esto, cierto es que nuestro personaje modelo no tiene ilusiones sobre los espejismos de la vida terrena. Coge las rosas del día, pronto ajadas, pero también sabe contemplar, con un corazón maduro, el árbol que perdura. El mejor ejemplo de este sereno mirar hacia la eternidad nos lo proporciona Juan Labrador, el héroe de *El villano en su rincón.* Al principio de la pieza, le oimos rematar la sucesión de estancias de canción regulares sobre el tema del «Beatus ille», con una estrofa en la que opone su vida tranquila de aldeano a la otra, colmada de peligros, del soldado y del navegante:

> Ríome del soldado
> que, como si tuviese
> mil piernas y mil brazos, va a perdellos;
> y el otro desdichado,
> que, como si no hubiese
> bastante tierra, asiendo los cabellos
> a la fortuna, y dellos

---

[87] Hasta es posible que ya en Boecio haya estado presente Horacio, en la idea de la muerte que ataca tanto a los grandes como a los humildes. En efecto, es sabido que Boecio imitó los metros de Horacio, Y de su pluma leemos (Metru septimu libri secudi») estos elementos de versos considerados como una de las fuentes de las *Coplas a la muerte de su padre* de Jorge Manrique:

> «... Mors spernit alā gloriā
> involvit humilde pariter et celsū caput
> aequatque summis infima ...»

(*Boetius, de consolatione philosophiae... cum apparatu et expositione beati Thomas de Aquino,* Nurembergae, 1473. Una edición de 1476 se encuentra en la B. N. de Madrid, Incunables, I, 2013.)

[88] Acad., VII, p. 50 b.

colgado el pensamiento,
las libres mares ara,
y aun en el mar no para;
que presume también beber el viento.
¡Ay Dios! ¡Qué gran locura,
buscar el hombre incierta sepultura![89]

El contraste desarrollado aquí es de inspiración totalmente horaciana,[90] y resulta interesante ver cómo, a partir de la idea horaciana, arranca la idea cristiana de la muerte bien preparada. En efecto, esta idea es una de las tesis de la «moralidad» que resulta ser, en varios aspectos, *El villano en su rincón* de Lope. Juan Labrador tiene su sepultura lista en la iglesia parroquial y cada día viene a medirla con una vara apacible y una mirada serena; como ya lo indicamos, el epitafio está escrito y no falta más que grabar la fecha de fallecimiento de Juan:

Yace aquí Juan Labrador
.....................................[91]

El Rey al descubrir, extrañadísimo, este epitafio en la pequeña iglesia de Miraflores, le pregunta al rústico Fileto que está allí de casualidad, y a éste le toca pronunciar con pocas palabras el primer breve sermón sobre la muerte que hay en la pieza:

Rey: ¿Qué vive?
Fileto: Sí, señor.
Rey: Pues, ¿cómo tiene
puesta su piedra, aquí, de sepultura?
Fileto: Porque dice que es loco el que edifica
casa para la vida de cien años,
aunque muy pocos pasan de sesenta,
y no lo hace para tantos cuantos
ha de estar en la casa de la muerte.[92]

Cuando el Rey visita de incógnito al misterioso Juan Labrador, este declara poseer dos camas, la una en su casa para la vida terrena, la otra en la iglesia para la vida de ultratumba:

Dos camas tengo, una en casa
y otra en la iglesia; éstas son,
en vida y muerte el rincón
donde una y otra se pasa.[93]

---

[89] Acad., XV, p. 280 a.
[90] Cf. Horacio, *Odas*, libro I, 1: *Maecenas atavis...* Esta comparación del destino tranquilo del campesino con aquel otro, azaroso del navegante o del guerrero, vuelve a encontrarse constantemente en los «morceaux de bravoure» sobre el tema de la felicidad rústica ofrecidos por la comedia lopesca.
[91] Acad., V, p. 283 b.
[92] *Ibid.*, p. 284 a-b.
[93] *Ibid.*, p. 295 a.

Por fin, esta presencia de la Muerte, término forzoso de la vida, es tan consustancial de la moraleja juntamente cristiana y horaciana de la pieza, que vuelve a surgir,
una última vez, como si fuera un estribillo, en la canción sentenciosa que acompaña
la comida a la que se ve obligado a asistir Juan Labrador en la corte con el Rey:

> Cuán bienaventurado
> un hombre puede ser entre la gente,
> no puede ser contado
> hasta que tenga fin gloriosamente;
> que hasta la noche oscura
> es día, y vida hasta la muerte dura.[94]

Hay que insistir en el hecho de que esta presencia de la Muerte en *El villano en
su rincón* no adquiere un carácter ascético pronunciado, por el solo hecho de ir mez-
clada con otra presencia que no es sentida como culpable: la de los bienes campestres
gozados sanamente por Juan Labrador. Esta orientación propia de la moral del héroe
lopesco se sitúa mejor por comparación, al echar una ojeada sobre el auto sacramental
que lleva por título *El villano en su rincón*, escrito por Valdivieso inspirándose en la
pieza lopesca.[95] Aquí como en los autores ascéticos van denunciados como males los
bienes terrenales, sean cuales fueren, así aldeanos como cortesanos. Y es esta una diferencia capital. Las imágenes vinculadas tradicionalmente con los temas rituales del
«Beatus ille» o de la riqueza aldeana se cargan esta vez con un contenido, ya no ejemplar, sino pecaminoso. Las riquzas rurales, la fortuna agraria de Juan Labrador, dentro de la perspectiva puramete ascética del auto sacramental de Valdivieso, ya no son
bendición del cielo sino tentación y pecado; los frutos ofrecidos en la mesa aldeana
están podridos simbólicamente; en resumidas cuentas, la abundancia agraria se transforma allí en placer prohibido:

> Si a contar mi hacienda vengo,
> es tanta que no se cuenta
> ....
> Tengo heredades y viñas,
> verdes prados, gruesas reses,
> tengo brilladoras mieses
> de oro, con abiertas piñas.
> En almacenes guardados
> de aceite, que se dilata,
> tengo toneles de plata
> y en ella quesos ahogados.
> Con todo el ganado mío
> tengo este monte cubierto;
> parece de nieve un puerto
> que me hace temblar de frío.

---

[94] *Ibid.*, p. 311 a. Esta variación musical sobre el tema del «Beatus ille» corre pareja con la canción
«Cuán bienaventurado / Aquel puede llamarse justamente...», oída durante la comida del rey en casa de
Juan Labrador en el segundo acto *(Ibid.*, p. 297 b).

[95] Joseph de Valdivieso, *Doze autos sacramentales y dos comedias divinas.* Toledo, Juan Ruiz, 1622 (B.
N. Madrid, T. 1356).

Tengo cubas bullidoras
donde el vino nuevo asesa,
sin el que sirve a mi mesa
y me lo quita por horas.

....

Tengo caza que se viene
hasta ponerse en mi plato,
que a pesar de un recato
viva y muerta me entretiene.
Tengo fruta verde y seca
con flor una, otra con paja,
cristal que del monte baja,
como la nieve y manteca.
Tengo música suave,
gustos, amores, mujeres,
tengo vedados placeres
que es lo que mejor me sabe

....

Por el hecho de la orientación ascética, el tema de la Muerte en la pieza sacramental adquiere una resonancia distinta. Por ejemplo, la Razón que está cavando con su azadón la tumba de Juan Labrador sugiere el fin de la vida como una liberación, y al cavar, canta glosando un estribillo tradicional:

Dábale con el azadoncico,
dábale con el azadón.
Cavo con la azada dura
en la vida mal segura
una estrecha sepultura
al villano en su rincón.
Dábale con el azadoncico,
dábale con el azadón.[96]

Se nota fácilmente que este motivo —que viene del antiguo topos del alma cautiva del cuerpo— no existe en la comedia lopesca. pero aunque se halle esbozado, el motivo no se explaya, ya que entraría en contradicción con el carácter sacramental del auto.[97] Y en la pieza a lo divino la Muerte adopta sobre todo su otro cariz medieval, el de un espectro horrible y amenazador: reviste los rasgos del Rigor alegórico que, como la Muerte de Dürer, es un esqueleto cabalgando; este aparición infernal tiene por objeto despertar a Juan Labrador del sueño de la vida; éste entiende muy bien el sentido de la visión y declara:

Pues me dices que despierte
sin duda alguna que duermo,
porque es un sueño la vida
que se pasa como sueño

_____

[96] *Ibid.,* fol. 2 rº b.
[97] Sobre esta contradicción, véase a M. Bataillon, *El villano en su rincón,* in *B. Hi.,* LI, núm. 1, 1949, p. 32.

Resulta patente que aquí Valdivieso se sitúa muy exactamente en una línea de inspiración ascética que va desde las *coplas* («Recuerde el alma dormida...») de Jorge Manrique hasta *El gran teatro del Mundo* y *La vida es sueño* de Calderón.

El rodeo que acabamos de dar por el auto sacramental de Valdivieso nos remite a nuestro propósito, porque nos permite captar sacramentalmente cómo, en una perspectiva puramente ascética del motivo de la Muerte, ya no cabe el motivo del «Carpe diem» horaciano, vinculado en el villano Fabio, que se ha quedado en la aldea, corona la arquitectura retórica con una larga tirada de exaltación de los placeres del campo con estos versos:

> Que si es la vida tan corta,
> pasalla en descanso importa,
> mientras que la muerte viene.
> Que al fin del año el señor
> y el labrador han comido,
> y por ventura ha dormido
> con más gusto el labrador.[98]

Esta manera de llegar a la Muerte partiendo de la aceptación de los placeres rurales no es, claro está, la manera ascética pura. Con ello, la inspiración horaciana —como ya lo subrayamos— no impide la introducción de motivos tradicionales de la literatura ascético-moral. Desde este punto de vista, *Con su pan se lo coma* es una comedia particularmente significativa. La pieza se inicia con siete majestuosas octavas reales en las que el viejo labrador Filardo les dicta a sus hijos una larga lección de moral cuyo tema del bien vivir no es otra cosa sino el bien pensar en la muerte:

> Yo me retiro a prevenir la muerte,
> último fin de cuanto vive; en tanto,
> oíd al blanco cisne, que os advierte
> vuestro remedio en el postrero canto.[99]

El instante solemne en el cual se enuncian estos consejos, el tono sentencioso con el cual se expresan, todo contribuye a otorgarle una excepcional gravedad al sermón del labrador. No obstante, si bien el padre deja de legado a sus hijos bienes morales también les deja bienes materiales, ya que dentro de la óptica de la comedia rústica no se trata, por causa de la Muerte, de renunciar a todo. En la misma pieza se encuentran imágenes alegóricomorales de la vida y de la muerte bastante tradicionales, que se acercan a aquellas que constituyen una serie ininterrumpida desde Jorge Manrique hasta Valdivieso y Calderón. En efecto, resulta difícil no encontrar una transposición del viejo motivo de «Recuerde el alma dormida...» al par que un anuncio de aquél de *La vida es sueño* en los consejos de sabiduría que Fabio le prodiga a su hermano Celio, a quien le explica que la vuelta a la aldea es un despertar tras el sueño de la Corte:

> Volverte a tu natural,
> pues muda consejo el sabio,
> trocando la espada y pluma
> por el azadón y arado,

---

[98] Acad., N., p. 310 b.

[99] Cf. Acad. N., p. 295 b. Los dos primeros versos suenan como el -quasi de utero ad tumulum traslatus» de las Escrituras glosado por los neoestoicos después de 1600 (Quevedo, por ejemplo).

y haciendo cuenta que estabas
todo este tiempo soñando,
y que despertaste, Celio,
en las flores de este prado.[100]

La idea muy difundida en el siglo XVI del «teatro del mundo»,[101] cruzada con la otra no menos clásica de la «revista de los estados» —dos esquemas que Calderón iba a desarrollar con maestría «a lo divino» y «a lo humano»— es también la que encontramos en la declaración en la que Celio le pide al Rey el permiso de abandonar la Corte y volver a la aldea:

En el teatro del mundo
representando un villano
el acto primero fundo,
y el papel de un cortesano
luego, en el acto segundo.
Acabéle, y al tercero
vuelve a hablar el labrador;
y así desnudarme quiero,
que represento mejor
ni nacimiento primero.
Dadme licencia si erré
lo que esa mano me dio,
que el villano acertaré,
porque es figura que yo
desde que nací la sé.[102]

En la mente de Celio, la vuelta al personaje villano cobra el valor edificante de un despertar moral y filosófico, y en él, tal como lo será más tarde con Calderón, la idea del «papel» está vinculada con el concepto de que hay que despojarse de él, es decir, morir. Celio declara, en efecto, al concluir la tirada qué declama a los pastores de su aldea, cuando vuelve a encontrarlos:

---

[100] Acad., N., p. 324 b.

[101] Tal como lo demuestra E. Curtius *(Literatura europea y edad media latina,* trad. M. F. Alatorre y A. Alatorre, México, 1955, pp. 203-211), la metáfora del teatro se remonta a Platón y se la vuelve a encontrar entre los escritores latinos (Séneca en especial) y los cristianos primitivos. Sin embargo la imagen bien precisa del «theatrum mundi» se difundió en la Edad Media y en el siglo XVI por intermedio del *Policratus* de Juan de Salisbury. En lo que atañe a España un libro parece haber desempeñado un importante papel en la difusión de esta imagen. Es la obra de Boaysteau Pierre (Launey), *Le théatre du monde.* Traducida al alemán, también lo fue al castellano, por Baltasar Pérez del Castillo (B. N. Madrid, R. 4717). El viejo esquema de la revista de los estados es el que proporciona el cañamazo de esta obra, en la cual tiene su papel el villano. La literatura castellana de fines del siglo XVI y principios del XVII repite con frecuencia el lugar común de la vida asimilada a una obra de teatro. También se lo encuentra en el *Guzmán de Alfarache* (parte I, libro II, cap. X). Cervantes, por su parte presenta la vida como una comedia cuyo final les grita a los hombres lo que constituía su diferencia *(Quijote,* parte II, cap. XII). Acerca del origen del tema del «teatro del mundo», el papel del humanismo en su transmisión y la riqueza de su desarrollo en algunas piezas significativas de fines del Renacimiento o del «Barroco», puede leerse con provecho el estudio de Antonio Vilanova, *El tema del gran teatro del mundo,* in *Boletín de la Real Academia de Buenas letras* XXII, 1950, pp. 153-188, y Jean Jacquot, *«Le théatre du monde», de Shakespeare a Calderón* in *Revue de Littérature comparé,* juillet-septembre 1957, pp. 341-372.

[102] Acad., N., IV, p. 326 b

> Pastores, a vuestra tierra
> hoy vuelve un desengañado.
> No más corte. Aquí nací,
> y aquí a morir me resuelvo.[103]

Vemos con estos ejemplos cómo la nota ascética no se queda ausente de esta pieza tan epicúrea (al estilo guevariano) como resulta ser *Con su pan se lo coma*.

A principios de este capítulo, surgió la cuestión de la dosis en la que se hallaban epicureísmo y estoicismo en el villano ejemplar de la comedia. Ahora ya, al resumir, se desprende del conjunto que la tradición virgiliana y horaciana de la «aurea mediocritas» (actualizada en los siglos XVI y XVII), tradición que acentúa los aspectos moralmente positivos de algunos bienes detentados sanamente, lleva las de ganar en nuestro villano ejemplar ante el ascetismo negativo de un neoestoicismo intransigente en su rechazo de los falsos bienes del mundo y la búsqueda de la contrición mortificante. El humanismo campesino que nos propone la comedia es un humanismo concreto; estriba en la idea de que cierta felicidad es realizable en la tierra, con tal de que, sencillamente, el hombre acate las leyes de la naturaleza y se dedique a labores regulares y útiles (en armonía con las necesidades de la sociedad monárquico señorial basada sobre la producción agraria). La mejor presentación de conjunto del programa de vida sugerido así a los espectadores de la comedia es, tal vez, aquella, muy detallada, del horario diario de Juan Labrador en *El villano en su rincón*. Juan Labrador le explica a su huésped —el Rey extraviado, disfrazado de gran señor— por qué es tan adicto a su estado de campesino. En el día, todo va regulado, minuto por minuto, por decirlo así. Se levanta al amanecer, y asiste primero a misa en la que da limosna a los pobres; después comparte con los suyos una sustancial comida matutina, cuyo menú detallado vimos ya; hasta las once se ocupa de sus negocios con sus hijos; vuelve a comer y esta vez con mayor abundancia que por la mañana; tras la siesta, es hora de cabalgar una yegua veloz como el viento, por los trigales y viñedos de sus fincas. Al pasar, va echando la ojeada del amo por sus fundos y si se le antoja se dedica a algún recreo permitido al villano libre de Castilla: la caza de liebre o de perdiz, la pesca en el río.[104] Por fin, viene la colación de la noche —frugal, ya lo sabemos— y el descanso tras haber dado gracias a Dios por esta felicidad diaria, sencilla pero cómoda.[105]

En este horario de Juan Labrador late la formulación de un ideal de existencia campesina que no está alejado de aquel que nos sugiere la pluma cervantina en las líneas dedicadas al Caballero del Verde Gabán (*El Quijote*, cap. XVI a XVIII). Leves toques del novelista permiten imaginar la acomodada holgura del que llama «el caballero labrador»:

> Halló Don Quijote ser la casa de don Diego de Miranda ancha como de aldea; las armas, empero, aunque de piedra tosca, encima de la puerta de la calle; la bodega, en el patio; la cueva, en el portal, y muchas tinajas a la redonda...[106]

Cervantes no da más detalles sobre las señales de holgura que caracteriza la casa de un «caballero labrador y rico», pero —lo dice— es porque no son tema esencial de

---

[103] *Ibid*, p. 328 b.
[104] El villano francés a quien se supone representa Juan Labrador en la pieza no tenía tales libertades.
[105] Acad., XV, p.p. 295 b-296 a.
[106] *Quijote* (cap. XVIII, 2.ª parte).

su narración; no obstante, no deja de mencionar la comida, servida en el silencio maravilloso de la casa de don Diego, abundante y sana como la mayoría de las comidas de los campesinos ejemplares ya citados:

> Fuéronse a comer, y la comida fue tal como don Diego había dicho en el camino que la solía dar a sus convidados: limpia, abundante, y sabrosa; pero de lo que más se contentó don Quijote fue del maravilloso silencio que en toda la casa había, que semejaba un monasterio de cartujos...[107]

En las palabras con las que don Diego se presenta a don Quijote y Sancho, volvemos a encontrar un programa de existencia que se asemeja en no pocos aspectos al de Juan Labrador y sus iguales de la comedia; riqueza rural, vida familiar, solaz en la casa y en la pesca, algunos libros escogidos de los cuales quedan excluidas las novelas de caballerías; el asistir a misa diario, la limosna a los pobres; estos son algunos de los elementos de una felicidad estable que comparte este hidalgo rural con nuestros villanos ejemplares:

> Yo, señor Caballero de la Triste Figura, soy un hidalgo natural de un lugar donde iremos a comer hoy, si Dios fuere servido. Soy más que medianamente rico y es mi nombre don Diego de Miranda; paso la vida con mi mujer, y con mis hijos, y con mis amigos; mis ejercicios son el de la caza y pesca, pero no mantengo ni halcón ni galgos, sino algún perdigón manso, o algún hurón atrevido. Tengo hasta seis docenas de libros, cuáles de romance y cuáles de latín, de historia algunos y de devoción otros: los de caballerías aún no han entrado por los umbrales de mis puertas. Hojeo más los que son profanos que los devotos, como sean de honesto entretenimiento, que deleiten con el lenguaje y admiren y suspendan con la invención, puesto que déstos hay muy pocos en España. Alguna vez como con mis vecinos y amigos, y muchas veces los convido; son mis convites limpios y aseados, y no nada escasos; ni gusto de murmurar, ni consiento que delante de mí se murmure; no escudriño las vidas ajenas, ni soy lince de los hechos de los otros; oigo misa cada día; reparto de mis bienes con los pobres, sin hacer alarde de las buenas obras, por no dar entrada en mi corazón a la hipocresía y vanagloria, enemigos que blandamente se apoderan del corazón más recatado; procuro poner en paz los que sé que están desavenidos; soy devoto de nuestra Señora, y confío siempre en la misericordia infinita de Dios, nuestro señor.[108]

En el penetrante capítulo de su *Erasme et l'Espagne,* dedicado a los últimos destellos del erasmismo, M. Bataillon se detuvo en este pasaje del *Quijote* y vio en el «cuadro de una vida sencilla, acomodada, piadosa y benéfica, sin sombra alguna de fariseísmo» que traza Cervantes, algo casi «rigurosamente conforme al ideal erasmista»[109] A pesar de que resulte difícil negar rastros de erasmismo en Cervantes, nos parece que M. Bataillon acerca excesivamente este texto del «caballero del Verde Gabán» hacia el erasmismo.[110] De otro modo, habría que extender la estela del erasmismo hasta la comedia. En efecto, por esos años de 1613-1614, Lope propone más o menos el mismo programa de sabiduría rural en *Con su pan se lo coma* y *El villano en su rincón.*

---

[107] *Ibid.,* (cap. XVIII, 2.º parte).

[108] *Quijote,* (cap. XVI, 2ª parte).

[109] M. Bataillon, *Erasme et l'Espagne,* Paris, 1937, p. 835.

[110] La devoción a Nuestra Señora puede ser obtáculo para la interpretación estrictamente erasmista del pasaje y M. Bataillon no dejó de notarlo, ya que empieza por eliminar esta dificultad. Cf. *op. cit.,* p. 835: «... passons sous silence la dévotion à Notre Dame...».

En realidad, nos parece, el ideal del humanismo campesino nacía entonces de los problemas planteados por el mantenimiento de una economía feudalo-agraria en el mundo moderno a principios del siglo XVII. Una vez más, la literatura económico política de fines del siglo XVI y principios del XVII nos proporciona un punto de referencia válido para observar esta relación con el proceso económico-social. Abramos otra vez el diálogo de Juan de Arrieta, ese *Despertador...* (1581) atiborrado de consideraciones técnicas y muy marcado por las preocupaciones concretas engendradas por la crisis que nacía. Justino, el terrateniente puesto en escena, abandonó el arte de la oratoria por la agricultura; tiene conciencia de actuar según el Evangelio y, cada mañana, oye misa antes de emprender la vuelta por sus tierras para inspeccionar el trabajo de los jornaleros; en fin, en su programa diario asoma ya bastante ceñido el de Juan Labrador o el del «Caballero del Verde Gabán»:

> *Judtino:* Verdaderamente qualquier género, y exercicio de letras es dulce y agradable entretenimiento: y así Aristóteles, como aquél que bien entendió las causas, con razón dixo que el hombre naturalmente desea saber; pero, con todo eso, después que dejé el Abogacía, y arte oratoria, y me di a la arte de la Agricultura, no he hallado en ella poca recreación. Ahora bien, hoy he cumplido con el Evangelio, que dice: Buscad primero el Reyno de Dios, y todas vuestras cosas os sucederán prósperamente. He oido Misa, y encomendádome a su divina Magestad; será pues bien dar una vuelta a mis heredades, ir al cerrado, reconocer mis obreros, que al fin donde está su dueño, allí está su duelo: y dice el refrán: El ojo del Señor, engorda su potro.[111]

Este texto, publicado en 1578, nos demuestra que el tipo de labrador acomodado, amo del fundo —sea o no hidalgo— representaba, en efecto, a fines del siglo XVI, un modelo de vida propuesto para ponerle remedio a la crisis. Cuando tratemos el problema del labrador rico en relación con las reivindicaciones de libertad y dignidad, veremos que el personaje del villano acomodado (ennoblecido o no) no sólo fue un deseo, sino que existió, en cierta medida, en la realidad de las altas capas de la sociedad rural. Bástenos decir por el momento que después de la revolución agraria del siglo XV —terminada con el arreglo de la sentencia de Guadalupe en 1496— Cataluña vio desarrollarse este tipo de patriarca labrador. Aún existía éste en el siglo XVIII y Francisco de Zamora nos dejó de él un retrato que nos recuerda, con más detalle, el del terrateniente puesto en escena por Juan de Arrieta. Por su estilo de vida material y moral este amo de la masía catalana también se parece a los patriarcas de Lope en *Los Tellos de Meneses* y *El villano en su rincón.*[112]

---

[111] *Op. cit.,* p. 321.

[112] Cf. Pierre Vilar, *La Catalogne dans l'Espagne moderne,* II, pp. 500-501: «Posee antiguos archivos, de hasta seis siglos. Dirige los trabajos dispuestos en los campos, preside la mesa familiar, el rosario al atardecer, también asiste a la misa matutina, ya que tiene capilla y capellán, preceptor éste de la joven generación. Sabio y ponderado, habla del pasado, del rey, de la religión, a quienes brinda su hospitalidad. Con ocasión de la fiesta patronal de la masía, organiza auténticos juegos populares. El día de la boda del heredero que eligió él —heredero único, «hereu» o «pubilla»— redacta solemnemente su testamento y los contratos matrimoniales, prendas de la continuidad del feudo. Pero hasta su muerte, seguirá siendo el *pagés* («labrador y caballero» según Zamora) honrado, satisfecho, orgulloso de su condición y de quien siempre se extraña el viajero de que un hombre tan rico pueda vivir tan feliz en esas soledades. Porque la típica masía está situada en el corazón de amplias tierras, rodeadas de bosques y cultivos, alejada de los pueblos y enmarcada por un horizonte de montañas. Este tipo de hombre y de vida no es imaginario. Extraemos cada uno de estos rasgos de las observaciones de Zamora, quien los anotó después de las conversaciones, visitas y estancias en las masías cuyo nombre indica.»

Ahora se ve por qué, el hablar de ese «senequismo español», eterno y ahistórico, invocado con tanta frecuencia desde Ganivet,[113] resultaría insatisfactorio para dar cuenta de la felicidad y de la sabiduría rústica propuestas por los dramaturgos, y especialmente por Lope, mediante el villano ejemplar. El villano ejemplar, y tuvimos ocasión de verlo, no predica un desprendimiento de cualquier goce bajo pretexto de denunciar falsos bienes. Existe en él la esperanza positiva de realizar en la tierra una felicidad relativa y de gozar de ella juiciosamente. Sabe que, para alcanzar el completo sosiego, por decirlo así, es menester tener rentas (resulta, en este punto particular, ser proyección de los sueños de una sociedad dominada por los terratenientes) y es la razón por la cual no concibe su *serenitas* ejemplar sin alguna base económica, constituida por su propiedad, grande o pequeña. Y en esto, siguiendo la tradición lírica del «Beatus ille», del «Fortunatos nimium» o del «Carpe diem» combinada con la meditación cristiana (al par que horaciana) de la muerte, moderada y tranquila, coincide una vez más con los economistas y políticos contemporáneos. El estar libre de pasiones, la pureza de conciencia asentada en una comodidad sobria y segura, tal resulta ser la felicidad práctica y útil a la sociedad de la que se constituye el vocero ejemplar.

Desde el punto de vista de la ejemplaridad, el labrador acomodado encarnaba el modelo de la permanencia y de la estabilidad, opuesta al gusto por la aventura y el vagabundeo que atraía en aquel entonces a una porción importante de la sociedad. Frente al pícaro que va corriendo mundo de amo en amo y de venta en venta por el escenario de las inmensas mesetas castellanas, él representa al hombre de la tierra, afincado en su predio, que no se mueve de su rincón. Frente al caballero errante y frente al santo (dos variantes del mismo tipo humano, según se ha dicho) también resulta el modelo de un tipo de hombre cuya virtud es realizable, sin heroismos, en la sociedad de su tiempo. Al fin y al cabo, ¿no sería esta forma de caballería equilibrada y «discreta», tan necesaria a la sociedad, la que Cervantes contrapone a todas las otras al designar al misterioso don Diego de Miranda, del verde gabán, como un «caballero discreto»?

---

[113] A. G. de Amezúa, por ejemplo, a propósito de la carta en la que Lope sueña con «un rincón» alejado de la corte y del Rey *(vide supra,* p. 341), habla de las «renunciaciones» senequistas del Fénix (cf. *Epistolario...,* IV, p. 54).

CAPITULO VI

ESTADO DE MATRIMONIO Y CELIBATO EN EL CAMPO

Carácter edificante de la comedia rústica. Parejas ejemplares de dicha comedia. Reminiscencias del «Cantar de los Cantares» en «Peribáñez y el comendador de Ocaña». Orígenes folklóricos de la «mujer de Peribáñez». La esposa fiel en «La luna de la sierra». El rechazo del casamiento en «La Santa Juana» y «La Dama del Olivar».

La oposición entre la ciudad y el campo que nos propone la comedia de ambiente rústico, bajo perspectivas tan variadas, vuelve a encontrarse también con respecto al amor. Cierto es que, como ya vimos, con los criados y criadas cómicos, la comedia recoge el concepto medieval aristocrático del amor en el campo. Dentro de esta perspectiva cómica, vinculada con una ideología antigua, el amor no podría existir entre los rústicos si no es bajo una forma animal. En lo que atañe a los protagonistas villanos, es una vez más una ideología aristocrática la que nutre el concepto del amor en la comedia, pero esta ideología es mucho más reciente. Se inspira en la corriente de ideas, desarrollada en el siglo XVI, según la cual el estado de naturaleza es puro y virginal. El villano ejemplar de la comedia alcanza esa virginidad propia del estado de naturaleza y participa de la nueva concepción del amor sentida como un valor espiritual y sagrado. Además, a este respecto, la comedia de ambiente rústico nos parece tomar la contrapartida de muchas de las comedias de ambiente urbano. En efecto, viene a dar en una alabanza del matrimonio como institución social y divina que consagra al verdadero amor; este encomio, con la preocupación de enderezar la voluntad hacia los actos virtuosos que implica, no es característico de la comedia de ambiente urbano, mucho más frívola y mucho menos edificante.

La mayoría de los poetas que escriben comedias de ambiente rústico hacia 1600-1640 se complacen en la glorificación del estado de casado en el campo. No obstante hay una excepción: Tirso de Molina. Sin llegar a condenar el estado de casado, también hace la apología del celibato. Su postura permite destacar más nítidamente de qué modo el ideal campesino, todo pureza y virginidad (por oposición con la impureza urbana) podía desembocar en el escenario a la representación de dos tipos de villano ejemplar: el uno de una virtud llana y asequible para una gran mayoría, el otro más próximo a la vida monástica y eremítica.

* * *

Lope y Tirso nos proponen con frecuencia el espectáculo de mujeres de la ciudad, avispadas, poco escrupulosas ante los principios tradicionales de la autoridad paterna o de la moral conyugal: *Las ferias de Madrid, El acero de Madrid, La dama boba, santiago el Verde* de Lope, verbigracia, nos dejan entrever un cierto relajamiento de las costumbres en la ciudad, por lo menos en algunas capas sociales. *La verdad sospechosa* de Ruiz de Alarcón lleva a la misma idea. En la comedia de ambiente urbano resulta un lugar común la comparación de la mujer, con la veleta, el trompo, el cristal frágil.

En cambio a la heroína rústica verdadera no le gustan las situaciones en falso, los amoríos ilícitos y los cambios. En este punto se separa netamente de las pastoras de las comedias pastoriles de ambiente galante y sentimental así como de la ciudadana de comedias de enredo o de capa y espada. Por lo general, se caracteriza por un libre acatamiento de las reglas del honor familiar o conyugal; si tiene alguna falla, la lección de la pieza consiste precisamente en condenar esta falla. En la comedia de ambiente campesino, las relaciones familiares parecen pues más armoniosas y más espontáneo el sentido de la honra colectiva. Nada de dueñas ni escuderos como en la comedia de ambiente urbano y aristocrático para materializar en el escenario la censura de grupo social, sino, por el contrario, una aceptación libre por parte de la campesina del imperativo de la honra familiar.[1] La heroína rústica goza de una mayor libertad de elección en el amor y algunas situaciones teatrales nos demuestran que ella puede perfectamente compaginar esta libertad con el respeto de la autoridad paterna.[2] El campo representa de tal manera este paraíso de la libre elección, según la óptica novelesca del teatro, que allí se acogen a menudo los amores aristocráticos condenados por la sociedad palaciega o urbana.

Al ahondar más aún, descubrimos que es la concepción misma del amor la que queda aquí empeñada. El amor en la aldea, entre las heroínas, es por lo general, más puro, más auténtico, más fiel que en la ciudad. Dejando de lado algunos casos, y que son principalmente de Tirso —la Aminta de *El Burlador de Sevilla* o la Pascuala de *La Dama del Olivar*— la heroína villana siente como un postulado implícito que el verdadero amor es casto y que no hay amor auténtico sin la consagración del matrimonio. Haciéndose eco de los ceñudos moralistas que condenaban la lascividad ex-

---

[1] El poema de Rodrigo Fernández de Rivera, que lleva por título «A Don Juan de Heredia capitán de infantería: de la vida de aldea» ms. 4117 N. Madrid, *La guirnalda odorífera*, I, 368, fechado en 1603), evoca una espontaneidad y una libertad aldeanas del mismo estilo:

> «Hasta que muere, la doncella es santa
> entre mil que acá llaman ocasiones,
> cosa entre todas que el juicio encanta;
> la casada está libre de opiniones
> aunque entre mil su esposo la hallasse,
> que acá somos ermanos los varones.»

[2] *Ya anda la de Mazagatos*, ed. S. G. Morley, *B. Hi.*, 1923-1924, versos 207-210. Elvira puede declararle a su prometido:

> «Tus cariños ya he escuchado:
> la libertad, aunque es mía,
> es razón que con el gusto
> de mi padre la dirija.»

playada en algunas comedias galantes así como de recuerdos bien precisos de la definición neoplatónica del amor, denuncia con vehemencia al *amor-apetito* basado exclusivamente en la carne. Las palabras que pronuncia Elvira, la heroína de *El mejor alcalde el Rey* (Lope), cuando don Tello, su señor, al raptarla quiere seducirla, cueste lo que cueste, condensan perfectamente la concepción espiritual que alienta a la villana ejemplar:

> Que amor que pierde al honor
> el respeto, es vil deseo,
> y siendo apetito feo,
> no puede llamarse amor.
> Amor se funda en querer
> lo que quiere quien desea;
> que amor que casto no sea,
> ni es amor ni puede ser.[3]

Por amar o no querer amar si no es de ese modo, casto y profundo, las heroínas villanas son por lo general inaccesibles a la empresa de los caballeros seductores, cuya ociosidad deletérea describía Juan de Mora en sus *Discursos morales* al decir que eran:

> ... veneno de las ciudades, alboroto de los pueblos, iniquidad de los ciudadanos, aparejados a toda sensualidad y torpeza, codiciosos.[4]

La tradicional confrontación de la pastora y del caballero, legado de la pastorela y la serranilla medievales, no suele acabar en la comedia sino en una única situación: la heroína rústica rechaza las insinuaciones del noble.[5] Además una expresión clásica define a esta incorruptibilidad profunda de la villana en el teatro: el «desdén villano». Este «desdén villano» designa la actitud de resistencia que opone la joven aldeana a las pretensiones amorosas del noble, actitud ostentada constantemente y lamentada por los nobles rechazados.[6]

---

[3] Acad., VIII, p. 309 a.

[4] Juan de Mora, *Discursos morales*, Madrid, 1598 (discurso II, cap. VII).

[5] Desde este punto de vista es sorprendente el contraste ofrecido con la poesía lírica proveniente de la Edad Media. Esta dista mucho de presentar la castidad y la ausencia de sensualidad que don Ramón Menéndez Pidal definió en cierto momento como rasgos propios de la literatura castellana castiza. Echese si no una rápida ojeada a la *Antología de la poesía española: poesía de tipo tradicional*, de Dámaso Alonso y José M. Blecua, Madrid, 1956, y se recordará cuán frecuente resulta el tema de la malmaridada plebeya, o el de la joven aldeana con una madre severa (tradición de las *canciones de amigo*) que acepta las galanterías del caballero. Véanse las composiciones núm. 10-20-21-33-42-55-57-60-67-74-85-90-91-99-102-112-116-119-120-122-129-131-150-189-244-263-268. Por el contrario encontramos escasísimos ejemplos de afirmación de fidelidad: por ejemplo, la composición núm. 37 (si bien con cierta ambigüedad). El estudio cronológico de estas poesías demuestra, que son, en su mayoría, anteriores a 1550. Algunas se remontan hasta el siglo XV. El tratamiento moralizador del motivo del encuentro galante del noble y de la villana en la comedia tiene, claro está, una relación con el desarrollo de una literatura edificante en el siglo XVI y más especialmente después del Concilio de Trento.

[6] Esta expresión vuelve a encontrarse constantemente bajo la pluma de Lope. Cf. *El cuerdo en su casa* (B.A.E., XLI, esc. XII): «dulce desdén villano». Cf. *Peribáñez y el Comendador de Ocaña* (ed. Aubrun y Montesinos, versos 1236-1240):

> Comendador: ¡Ay Leonardo! ¡Si mi suerte
>   al imposible inhumano
>   de aqueste desdén villano,

La idea de que el matrimonio es un sacramento y que éste es el remate necesario del amor sigue siendo en resumidas cuentas lo esencial en el concepto del amor que nos propone la comedia rústica ejemplar. Y su lección estriba en la glorificación del estado de matrimonio logrado. También en esto, conviene marcar la diferencia que la separa de la atmósfera acostumbrada en la comedia galante de ambiente aristocrático. J. Montesinos insistió con acierto en el espíritu aventurero y la búsqueda de la voluptuosidad en los tormentos, y la dificultad de la conquista, que marcan las más de las veces al amor noble del caballero de la comedia; se trata, probablemente, en la comedia, de una herencia de la novela de caballerías y de la novela griega:

> La condición del amor concebido por el alma noble presentará caracteres que el plebeyo no comprenderá nunca. Primeramente el amor es la aventura, la más gustosa aventura; aparece rodeado de dificultades, erizado de espinosos peligros que el caballero tiene que desafiar y vencer. Y la acompañan tormentos espirituales, infinitos celos, cuidados que el amante saborea con una dolorosa voluptuosidad...[7]

Por oposición, conviene hacer resaltar que la comedia de ambiente rústico parece exaltar al amor estable, realizado plena y armoniosamente por y con el matrimonio. Más aún, el sosiego amoroso de la pareja, paz armoniosa de los sentimientos amorosos, no se ve amenazado sino por el espíritu conquistador y aventurero del caballero. En otros términos, el caballero con su concepto «caballeresco» de la empresa amorosa, se convierte en destructor y devastador del amor logrado. El caballero no entiende un aspecto profundo del amor que el plebeyo sí ha captado.

La excelencia del estado de casado, este es un tema edificante que la comedia de ambiente rústico vuelve a tomar de una literatura que no dejó de enriquecerse en el siglo XVI, desde el día en que el erasmizante Morejón emprendió la traducción del *Mempsigamos* de Erasmo.[8] El más importante de los tratados sobre este tema resulta

---

roca del mar siempre fuerte,
hallase fácil camino!»

En *El mejor alcalde el Rey,* don Tello declara:

«Hay algunas labradoras
que, sin afectos ni galas,
suelen llevarse los ojos,
y a vueltas dellos las almas.
Pero son tan desdeñosas
que sus melindres me cansan»
(Acad., VIII, p. 303 b.)

Cf. también *La luna de la sierra,* B.A.E., XLV, p. 190 b, de Luis Vélez de Guevara. Pascuala acaba de rechazar los requiebros de un príncipe:

«*Príncipe:* ¡Qué notable villaneja!
«*Maestre:* De su belleza también
de un parto nació el desdén.»

[7] Cf. J. F., Montesinos, *Algunos observaciones sobre la figura del donaire en el teatro de Lope de Vega,* in *Estudios sobre Lope,* Mexico, 1951, p. 31.
[8] Cf. M. Bataillon, *Erasme et l'Espagne,* París, 1937, p. 155, 192, 312-314, 423, 426-428, 430, 676, 677, 691-693, 769.

ser el célebre *De Institutione mulieris christianae* del valenciano Luis Vives, traducido al castellano por Juan de Justiniano en el primer tercio del siglo XVI. Con mayor precisión, la excelencia del estado de casado en los villanos es idea bastante repetida a lo largo del siglo. Fray Luis de León en *La Perfecta casada* (Salamanca, 1583) declara bien claro que de cuantas maneras de vivir tienen los esposos, la más alta, la más perfecta, resulta ser la de los labradores; esa vida es el modelo que todos deben imitar, el fin al que todos deben aspirar.[9] De modo que se comprende fácilmente por qué razón algunas comedias volvieron a tratar la figura de la pareja campesina, ejemplo del amor auténtico llevado a cabo según la ley divina.

Lope según parece, es el creador de estas parejas teatrales ejemplares. Si bien otros dramaturgos también las llevaron al escenario, no hicieron sino seguir las pisadas del Fénix. En efecto, bastante tempranamente, desde los inicios de la campaña de canonización de san Isidro Labrador, por los años 1596-1598, en la época en la que escribía su poema el *Isidro*, Lope se había encariñado con la imagen atractiva de la pareja villana ideal. Isidro y María en la leyenda popular madrileña del siglo XVI[10] representaban una pareja armoniosa y perfecta; y en su interpretación poética de la leyenda, Lope no dejó de exaltar este rasgo, al hacer de los dos labradores una encarnación altamente edificante de la doctrina cristiana del matrimonio. Nos resulta interesante que, en este poema, haya dado libre paso a su manía «erudita», de la que tanto se burlaron algunos de sus contemporáneos, al citar numerosas fuentes y referencias. Tenemos así, en las márgenes del poema, valiosas indicaciones acerca de las autoridades de las que Lope pudo tomar tal o cual imagen o sentencia a propósito del matrimonio cristiano. Toda una literatura que va desde las Escrituras, los filósofos griegos y los autores latinos, hasta Luis Vives, pasando por los Padres de la Iglesia y sus comentaristas, sustenta aparentemente la doctrina lopesca del matrimonio expresada por medio del ejemplo ideal de los labradores Isidro y María. ¿Acaso no es una afrenta para el esposo la mujer desobediente? Valerius («in epist. ad Rufinum») ya lo había dicho y Lope vuelve a usar la fórmula;[11] la esposa es «corona del marido», este es un topos harto repetido desde el *Libro de los Proverbios* pasando por Gregorio el Nacianceno (329?-389) hasta Luis Vives. Lope lo aplica a María de la Cabeza, radiante esposa del villano Isidro.[12] ¿No afirmó Dios, desde el principio, la inocencia del esta-

---

[9] *La Perfecta Casada*, cap. V.

[10] En la biografía de Juan Diácono, del siglo XIII, no se menciona el nombre de la esposa de Isidro y en vano se busca el relato de la boda de ambos campesinos. Este motivo es debido a una elaboración posterior.

[11] *Isidro*, fol. 24.

> «Que es afrenta del varón
> la muger inobediente.»
>   (Valer. in epist. ad. Rufinum.)

Se trata de la *Epístola Valerii ad Rufinum de non ducenda uxore*. Valerius es un seudoautor antiguo puramente imaginario, invento, así como tantos otros, de los clérigos medievales. Véase a este respecto a P. Lehman, *Pseudoantike Literatur des Mittelalters*, Leipzig, 1927, pp. 26-29.

En realidad, el autor de la *Epístola Valerii...* fue Walter Map (1140?-1209?), bajo cuya pluma figura con el título de *Disuasio Valerii al Rufinum philosophum ne uxorem ducat* en sus *De Nugis curialum*. Véase a este respecto las precisiones aportadas por Dorothy M. Schullian, *Valerius Maximus and Walter Map*, in *Speculum*, XII (núm. 1), 1937, pp. 516-518.

[12] Cf. *Isidro*, fol. 25 rº:

> «Si es corona del marido,
> la que es buena, el apellido

do de casado instituyéndolo en el Paraíso terrenal antes del pecado original? También este otro punto, toda una tradición es autoridad; por lo tanto al proponer como ejemplo al matrimonio ejemplar de Isidro y María, Lope se apoya en ella, señalando solamente una que otra «fuente»: Guillermo Peraldus y San Jerónimo quienes subrayaron la divinidad del matrimonio[13], san Agustín quien ensalzó el éxtasis de Adán casado,[14] Amador Arrais quien exaltó la «ciencia angélica» proporcionada a Adán por el beneficio de la encarnación.[15] La Iglesias honra al matrimonio con su bendición ante el cuerpo de Cristo; en este caso, Ignacio, Ignacio mártir le proporciona a Lope un argumento.[16] Lope también repite según el *Libro de los Proverbios*, que si bien

---

de la Cabeza no fue
sin causa, pues oy se vee
que a Isidro corona ha sido.»
(Prov. 17)

Lope vuelve a tomar este símil in *La madre de la mejor* (Acad., III, p. 353):

«Joaquín: Ana, corona dichosa
de mi cabeza, Ana santa,
ramo de tan alta planta,
mi dulce y querida esposa.»

[13] Fol. 26 vº:

«A tanta excelencia vino
del matrimonio el valor,
siendo el mesmo Dios su autor,
que de excelēte y divino
mereció nombre y honor.»
(Guillermo Perald e Hieronym ad Eustochium.)

(Há de tratarse del *De matrimonio* que Lope cita fol. 27 v.º) El hermano Guillermo, llamado Peraldus, es un dominico conocido por sus escritos, nacido en Peyraud (Ardèche, Francia) hacia fines del siglo XII, muerto en Lyon antes de 1260.

[14] Fol. 26 vº:

«Que allí Adán arrebatado
en éstasis, fue llevado
del terreno al celestial.»
(Aug. sup.)

[15] Fol. 27 rº:

«Y fuera de que la ciencia
angélica allí gozó,
la antigüedad que ganó
y el estado de inocencia
grande autoridad le dio.»
(Amador Arrais, Dial. 7.)

Amador Arrais es un teólogo y prelado portugués (1530-1600) conocido por sus sermones. Fue capellán del rey Don Sebastián y obispo de Porto Alegre. Se le debe, en especial, los *Dialogi decem de divina providentia*.

[16] fol. 27 rº:

«La Iglesia ante el cuerpo santo
de Christo los honra quanto
nos muestra su bendición,
y en fin la generación
se deve estimar en tanto.»
(Ignat. Martyr in epist. ad Herone.)

puede heredarse la riqueza de los padres, sólo Dios concede la riqueza inestimable de la esposa honrada.[17] Siguiendo los *Proverbios*, el *Cantar de los Cantares* y el *Eclesiastés*, el poeta repite que la esposa «fuerte» es un inmenso tesoro, que sus labios son de miel y leche, su pudor tiene más precio que el oro.[18] Coincidiendo otra vez con San Jerónimo y Luis Vives, encarece cuanto la castidad de la mujer corona en ella su humildad.[19]

Vale la pena recordar estas referencias proporcionadas con tanta complacencia en las márgenes del *Isidro*, porque nos dan la pauta por lo menos del ambiente ideológico en el que baña el canto lopesco a la perfecta casada y este himno al casamiento villano ejemplar que aparecen en varias piezas del Fénix. Gracias a las autoridades mencionadas por el propio autor alcanzamos a captar mejor el trasfondo de cultura escrituraria que condiciona el lirismo de la armonía conyugal en esas comedias, generalmente bien logradas...

San Isidro labrador de Madrid (antes de setiembre de 1598) le otorga mucha importancia al tema de la armonía indestructible de los esposos villanos. El lazo que une a Isidro y María de la Cabeza es más espiritual que carnal y es la razón por la cual, dentro de la perspectiva cristiana de la pieza, puede resistir las pruebas más arduas. La comedia nos presenta, en efecto, a los esposos que deciden en un mutuo acuerdo, tras el bautizo de su hijo, separarse para vivir en castidad. El contenido edificante de su decisión va subrayado al estilo de los autos alegóricos: dos personajes simbólicos, Envidia y Demonio, salen al escenario para intentar turbar las aguas limpias de la unión

---

[17] Fol. 29 rº:

«La riqueza puede darse,
de padre o madre heredarse,
pero la muger honrada
de Dios solamente es dada
y de Dios ha de esperarse.»
          (Prov. 19)

[18] Fol. 44 vº:

«Divina y humana historia
la que es muger dessa suerte
con tanta alabança advierte,
que no halla precio a su gloria
porque fue muger y es fuerte:
quien la halló, halló un tesoro,
que es divino su decoro
quando es honesta y fiel;
sus labios son leche y miel
su vergüenza más que el oro.»
          (Prov. 31, Cant. 5, Ecclés. 7.)

[19] Fol. 165 vº:

«Es divina su humildad,
le fe en ella resplandece,
toda alabança merece,
pero sin la castidad
de toda virtud carece.»
          (Lud. Vives in ins. mul. christ. Hieronym in epist.)

tan poco carnal de los dos villanos que aspiran a la santidad; con la intención de inspirarle a Isidro el veneno de los celos, estos poderes maléficos, valiéndose de la mentira y de la maledicencia,hacen correr el comentario de que María se entrega lujuriosamente a los pastores, en las riberas del Jarama; aparecen disfrazados de villanos
para evocar ante Isidro la pretendida locura pecaminosa de María;[20] pero si bien tamañas revelaciones pueden hacer sufrir a Isidro —exhala su queja en redondillas—
no alcanza a convencerle del todo de la impureza de su cónyuge, y modelo de confianza marital al par que de resignación cristiana, Isidro le ofrece finalmente su dolor al
Señor para pagar dice, sus propios pecados. Al poco tiempo, del otro lado del Jarama,
María al invocar la Virgen, ve aparecer a un ángel que viene a informarle de la maledicencia que sobre ella corre y le invita a visitar a su marido para sosegarlo. María
se presenta pues ante Isidro. Cuando éste ve aparecer a María en la otra ribera del Jarama, su primer impulso es el del orgullo masculino que se rebela y el santo varón
debe reunir toda su energía para reprimir los malos sentimientos que se agitan tempestuosamente en él;[21] mas precisamente el dramaturgo quiso encarecer las espiritualidad de un amor en el que los celos malsanos no pueden triunfar y el esposo villano
vence lo que él llama «la parte del suelo» en su ser. Es más, el dramaturgo pone en
escena la prueba milagrosa con la cual la leyenda madrileña, llegada a su riquísimo
grado de elaboración del siglo XVI, exigía que María diese pruebas de su pureza resplandeciente: para convencer a Isidro de su fidelidad, cruza el Jarama sobre su capa.[22]
Ambos esposos se abrazan en un gesto de alegría y de profunda comunión conyugal
que hacen rabiar a Envidia y Demonio. El amor —un amor altamente espiritualizado
y santificado por Dios— ha triunfado sobre el Mal.

---

[20] Cf. Acad., IV, p. 584 b:

> «Que no fue Taís ramera
> más loca, pues no hay pastor
> con quien no trate de amor
> en toda aquella ribera.»

[21] Cf. Acad., IV, p. 585 a:

> «¿Qué pensamiento cruel
> vencer mi humildad porfía?
> ¡Tenedme de vuestra mano,
> soberano autor del cielo;
> que por la parte del suelo
> soy un grosero villano!
> El alma,que es celestial,
> resiste; el cuerpo no quiere.»

[22] El motivo de la prueba de la pureza de María que pasa el río sobre su capa no aparece en la narración
de Juan Diácono. Lope lo tomó, ora de la tradición de su tiempo, ora en una de las obras recientes que la
presentaban. Parece, en realidad, que éste es un tema milagroso muy de moda hacia 1600-1620. Vuelve a
enocntrarse en la vida de otro santo cuya canonización es celebrada con festejos en 1601-1607: Raimundo
de Peñafort. A éste se le atribuía el portento de navegar sobre su capa desde Barcelona hasta Mallorca. Véase
por ejemplo la *Segunda parte de los conceptos espirituales y morales* de Alonso de Ledesma, Barcelona,
1607, p. 245; allí se encuentran unas «Redondillas de San Raymundo de la orden de Santo Domingo, hechas
para su canonización en la fiesta de Valladolid...». Un grabado representa el milagro: una parte de la capa
sirve de nave, la otra de vela (fijada al bastón del santo). Así como lo demostró Mons. José Rius, in «San
Raimundo de Penyafort», *Diplomatorio*, Barcelona, 1954, esta leyenda ampliamente difundida por la iconografía de 1600, y recogida por la bula de canonización, no aparece antes del siglo XV.

Resulta evidente que María —nada más el nombre bastaría para ponernos en alerta— encarna en la leyenda madrileña una correspondencia con la virgen María, y Lope no dejó de sugerir dramáticamente esta armonía secreta entre las esposa villana madrileña y la esposa ejemplar.[23] El dramaturgo pasa con toda naturalidad de la escena efectista de la prueba milagrosa de la castidad de María a una escena de poesía rústica en la que salen segadores que se dirigen a la ermita de la Virgen situada en la confluencia del Jarama y del Manzanares; así el culto mariano de los campesinos se suma líricamente a la exaltación de la castidad inmaculada en la villana edificante; pero Lope también intentó explayar líricamente el sentimiento de la armonía conyugal —armonía basada en el acuerdo de las almas— y es así como se oye a los segadores que van a la ermita de la Virgen entonar un canto en el cual la confluencia del Jarama y del Manzanares cobra a su vez un significado simbólico: la unión de los dos ríos se vuelve reflejo lírico del matrimonio perfecto de Isidro y María.[24]

Un himno discreto a la perfecta comprensión de los esposos villanos vuelve a encontrarse en la *Comedia de Bamba*, pieza verosímilmente contemporánea de *San Isidro labrador de Madrid*. El villano Bamba rebosa de ternura por su Sancha a quien llama con afecto «mi Sancha», y a la que dedica bonitos piropos de inspiración rústica. Si no siente gusto por ser alcalde es, entre otras razones, porque le basta la felicidad de vivir junto a Sancha: para él, es más hermosa que una «espetera» y sus caprichos le caen mejor que los de una dama.[25] Por cariño a su dulce esposa tiene sa-

---

[23] La idea de la correspondencia María-villana se expresa en otros ámbitos que la literatura de la época. Así, por ejemplo, en la pintura. En su *Arte de la Pintura*, Pacheco recomienda que se represente a la Virgen bajo los rasgos de una campesina sencilla y casta. Y Velázquez puso en práctica esta recomendación en la *Adoración de los Reyes* (antes de 1621).

[24] Cf. Acad., IV, p. 587 a:

> «Músico 1.º: Hicieron su agosto
> «Músico 2.º: Por aquestas vegas,
> «Músico 1.º: Donde se juntan,
> «Músico 2.º: Y casados quedan,
> «Músico 1.º: Manzanares verde
> «Músico 2.º: Y Jarama bella.

[25] Cf. Acad., VII, p. 44 a:

> «Informadme de otra cosa,
> mi Sancha, así os guarde Dios,
> que a mis ojos, cara esposa,
> parecéis, sin serlo, vos
> más que una espetera hermosa.
> Del modo que estáis, os ama
> mi rendido corazón,
> que en el vuestro amor inflama,
> y vuestros melindres son
> más hermosos que de dama».

La comparación de la campesina con una espetera iba a volverse ritual en el estilo rústico. Vuelve a encontrarse en *El Marqués del Cigarral* de Castillo Solórzano:

> «............. toda Castilla
> no las tiene como Orgaz
> de hermosas ....
> ....

crificados unos sueños de evasión, no pasó a las Indias o no entró en una compañía de soldados; en una palabra, es un buen marido y Sancha es la primera en encomiar sus méritos. ¡Hay que ver de qué manera la colma de mimos, intenciones cariñosas, regalos! Sus obsequios muy sencillos, —tela para un corpiño— colman a Sancha de alegría y bendice a su esposo; pero esto no basta y he aquí que ella asocia la naturaleza a sus bendiciones, valiéndose de una hipérbole que llega de la poesía de corte:

> Yo voy: mil bienes publica
> de vos la ribera y prado.[26]

De este modo una alegría impregnada de delicadeza ingenua invita a todo el paisaje a ser orquesta de la comprensión de los esposos rústicos.

El amor conyugal villano, la superioridad de las esposas villanas sobre las damas nobles, son temas que ya vimos en *El cuerdo en su casa*. A Antona, que acaba de dar a luz, el labrador Mendo le ofrece el más hermoso rebociño de parida: el de sus brazos enamorados, guarnecido con el terciopelo de sus caricias.[27] El mismo Mendo, que tiene dudas acerca de la virtud de las damas de la corte, encomia la felicidad conyugal de las villanas: en el pueblo, exclama, el hijo siempre se le parece algo al padre, ¡mientras que en la ciudad...![28] El final de la pieza enseña precisamente que el peligro de la deshonra conyugal amenaza más al hidalgo que al labrador. El hidalgo Leonardo, un vecino de Mendo, que siempre está hablando de honor, sale un día de caza; al volver súbitamente por la noche, se encuentra con un hombre en la habitación de su esposa. ¿Qué hará? ¿Matar al desconocido y, conforme a la bárbara moral de la honra expresada en *Los comendadores de Córdoba* (Acad., XI, p. 296-297), suprimir a cuantos fueron en algún aspecto, testigos de la deshonra?[29] No. Una masacre en serie no

---

> veráslas un día de fiesta,
> en la igreja oyendo misa,
> más frescas que una albahaca,
> más que una espetera limpias.»
> (B. A. E., XLV, p. 312 c.)

[26] Acad., VII, p. 44.
[27] B. A. E., XLI, p. 459 ab.
[28] *Ibid.*, p. 460 a.
[29] *Ibid.*, p. 462 a. Mondragón, criado cómplice, también alude al cuento del veinticuatro de Córdoba y al principio según el cual tendrían que ser eliminados todos los testigos de una deshonra conyugal:

> «¿Qué será después de mí,
> que menos culpado soy?
> Porque si éste a don Fernando
> le da muerte, ha de matar
> los cómplices, sin dejar
> vida, una vez comenzando.
> Que de un cierto veinticuatro
> hay una historia espantosa,
> de corónicas en prosa
> y versos en el teatro.
> Este dicen que mató
> las criadas y criados,
> o inocentes o culpables,
> tanto, que no perdonó

convendría como final de una pieza cuya ambiente es mucho más de comedia que de tragedia.[30] Por lo tanto, el desenlace será muy distinto: triunfarán el buen sentido y la sabiduría campesinas. El hidalgo Leonardo cierra con llave la habitación en la cual se quedan el desconocido y su mujer, y va corriendo a pedirle consejo al villano Mendo. Con esta actitud, el hidalgo reconoce la competencia del rudo villano en materia de honra;[31] en un soneto tejido en el cañamazo tradicional del «Beatus ille» también proclama la superioridad de las esposas villanas:

> ¡Dichoso el labrador, que del arado
> vuelve a su casa con la blanca luna!
> Come la pobre cena, si hay alguna;
> de una simple mujer se acuesta al lado.
> ....[32]

Al ser consultado, el villano Mendo pone toda su viveza en hallar una solución pacífica al problema de honra planteado y la logra haciéndole creer al noble, mediante una sustitución de personajes, que el desconocido sorprendido en la habitación de su mujer no era sino un lacayo que cortejaba a una sirvienta. Llegamos así, por el sesgo de la ejemplaridad y por medio de un desenlace cómico, a una inversión fundamental con respecto al clásico tema del villano burlado por el noble.

Con *Peribáñez y el comendador de Ocaña* (1612-1614), vuelve a surgir el espíritu mismo de *San Isidro labrador de Madrid* (antes de setiembre de 1598), sin la nota de santidad en lo que atañe al concepto del amor y del estado de matrimonio. Vemos, por lo demás, un estrecho parentesco y numerosas relaciones de inspiración entre ambas piezas: *San Isidro labrador de Madrid,* comedia acuñada dentro del clima de la campaña de canonización del labrador madrileño, preparó sin lugar a dudas el camino a la obra maestra de poesía y ejemplaridad rústicas que resulta ser en muchos aspectos *Peribáñez y el comendador de Ocaña.* Isidro y Peribáñez son hermanos en muchos aspectos, en la misma medida en que son hermanas Casilda y María de la Cabeza. *Peribáñez y el comendador de Ocaña* es un himno al amor villano, perfecto y natural, que se opone victoriosamente al amor cortesano, un canto a la ley de los seres divinamente concertados con la ley de Dios; en ninguna otra pieza, «lex naturalis» y «lex divina» se funden con tanta armonía por virtud del amor y del matrimonio. Además, ya lo veremos, más aún que en el poema del *Isidro* o que en la comedia *San Isidro Labrador de Madrid,* el lirismo lopesco hunde sus raíces en la tradición escrituraria y muy especialmente en el más hermoso de los cantos de amor del Antiguo Testamento: el *Cantar de los Cantares.*

Al tener en cuenta la concepción cristiana del matrimonio que inspira a Lope, ad-

---

> a un papagayo que hablaba,
> porque no se lo decía,
> y a una mona, porque hacía
> señas de hablar y callaba.»

[30] Sobre el tema del «honor según los géneros literarios» y «la solución cómica del conflicto del honor», véase a R. Menéndez Pidal, *Del honor en el teatro español* (conferencia dada en La Habana, marzo, 1937), in *Cervantes y Lope de Vega,* 2.ª ed., «Austral», Buenos Aires, 1943, pp. 158-162.

[31] B. A. E., XLI, p. 462 b.

[32] B. A. E., XLI, p. 462 c.

quiere mayor dimensión la presencia concreta del cura en la primera escena de *Peribáñez y el comendador de Ocaña*. Por cierto, ya lo demostramos antes, el cura tiene un aspecto cómico. Pero en esta tragicomedia, también lo afirmamos, las verdades más graves y más hondas van vestidas con una rusticidad divertida. Por ello debemos tomar en serio lo que expone con gracia el cura del pueblo. Les explica a los novios, Peribáñez y Casilda, que en el matrimonio, la administración del sacramento es la bendición suprema y que ésta deja muy atrás enhorabuenas y votos de los más queridos amigos.[33] Los esposos, afirma, han de esperar ayuda de Dios.[34] De modo muy natural la fórmula aldeana «para en uno son» que vuelve a encontrarse en decenas de comedias de ambiente villano, y que reproduce una expresión del Evangelio,[35] surge en sus labios, con una forma apenas cambiada.[36] El novio es totalmente consciente de que la esposa ideal no es otorgada sino por Dios y el cura felicita al joven aldeano por reconocer tan claramente la fuente de felicidad.[37] No debe haber equívoco, Lope hace resonar, a partir de los primeros notas de su comedia y mediante un disfraz cómico, lo que él considera ser el tema profundo de su pieza.

Después de la bendición del cura, Peribáñez y Casilda inician un lírico dúo de amor, arrobados por la alegría de su unión sellada conforme a la ley de Dios. Esta efusión apasionada adquiere, de entrada, el sabor del *Cantar de los Cantares*. Un mínimo detalle bastaría, en efecto, para pasar «a lo divino» y al plano de la mística nupcial («Brautmystik», según palabras de la crítica alemana) estos cantos paralelos de los dos esposos villanos, que intentan, mediante oleadas de imágenes rebosantes de frutas y perfumes, colmar el abismo que media entre su alma y sus palabras.[38] El logro de

---

[33] Cf. Aubrun y Montesinos. Versos 6-13:

> «Aunque no parecen mal,
> son excusadas razones
> para cumplimiento igual,
> ni puede haber bendiciones
> que igualen con el misal.
> Hartas os dije: no queda
> cosa que deciros pueda
> el más deudo, el más amigo.»

[34] *Ibid.*, versos 16-18.
[35] Cf. *Evangelio de San Mateo*, 19: «Propter hoc domittet homo patrem et matrem et adhaerebit uxori suae, et erunt duo in carne una.» Nótese que Cristo cita al *Génesis*, 2, 24, en donde se encuentra exactamente la frase.
[36] E. Aubrun y Montesinos, versos 26-27:

> «Sentaos, y alegrad el día
> en que sois uno los dos.»

[37] Cf. versos 28-31:

> «*Peribáñez:*   Yo tengo harta alegría
>   en ver que me ha dado Dios
>   tan hermosa compañía.
> *Cura:*   Bien es que Dios se atribuya.»

[38] Fray Luis de León lo decía maravillosamente en su Comentario al *Cantar de los Cantares*:

> «En el ánimo enseñoreado de alguna vehemente pasión, no alcanza la lengua al corazón ni se puede decir tanto como se siente.»

Lope, vamos a tratar de demostrarlo, se cifra en haber logrado transponer los fulgores sensuales de un poema que quiere ser juntamente carnal y místico al universo universal de los campesinos, dentro de la realidad rural de Castilla la Nueva. Al hacerlo, Lope permanecía fiel en lo más hondo a la inspiración del poema bíblico, que, como lo había explicado fray Luis de León en su «Comentario», era una égloga pastoril en la cúal Salomón y la esposa, y a veces sus compañeros, hablan como villanos.[39] Un rápido estudio de las imágenes permite comprobarlo.[40]

A ojos de Peribáñez, Casilda, rosa del estío castellano, exhala el amor como la flor su perfume, y para ella, quisiera poner todo el pueblo de Ocaña a sus pies, o más aún, ¡todo el valle del Tajo! Compara a su amada con un olivar cargado de frutos, con un prado florido en mayo, con una camuesa afeitada de rojo, con el dorado aceite de oliva:

> El olivar más cargado
> de aceitunas me parece
> menos hermoso, y el prado
> que por el mayo florece
> sólo del alba pisado;
> no hay camuesa que se afeite
> que no te rinda ventaja,
> ni rubio y dorado aceite
> conservado en la tinaja,
> que me cause más deleite.[41]

Nos encontramos aquí ya con una primera serie de imágenes y comparaciones en las que afloran, transpuestas directa o indirectamente al ambiente concreto de Castilla la Nueva, unas reminiscencias del *Cantar de los Cantares*. El olivar[42] recuerda al vergel, cargado también de frutos (ora nueces, ora manzanas), que vuelve a aparecer en varias oportunidades en el poema de Salomón:

> Huerto cercado, hermana mía, Esposa, huerto cercado, fuente sellada. (Cap. IV, 12).
> *Esposa:* Venga el mi amado a su huerto y coma la fruta de sus manzanas delicadas.
> *Esposo:* Vine a mi huerto, hermana mía. Esposa. (Cap. V, 1-2)
> *Esposo:* Al huerto del nogal descendí por ver los frutos de los valles. (Cap. VI).[43]

---

[39] «Una égloga pastoril donde con palabras y lenguaje de pastores hablan Salomón y su Esposa y algunas veces sus compañeros como si todos fuesen gente de aldea.»

[40] Estas imágenes ya fueron analizadas por E. M. Wilson, in *Images et structures dans Peribáñez*, in *B. Hi.*, 1949, LI, p.129 y ss. Este artículo, en numerosos aspectos, encierra riquezas de fina sensibilidad literaria y el lector hallará en él valiosas notas. Por nuestra parte, orientamos nuestro análisis hacia lo que, al parecer, constituye un aspecto esencial del significado de las más hermosas imágenes de *Peribáñez y el Comendador de Ocaña*: a saber su fuente escrituraria y su transposicón por Lope, a un mundo cotidiano de Castilla la Nueva.

El *Cantar de los Cantares* ya había proporcionado a Lope varios «topoi» poéticos del *Isidro*, así como él mismo lo prueba en sus referencias marginales (cf. fol. 22 rº, 44 vº, 48 rº, 81 vº, 82 rº, 172 rº, 185 rº). Queda claro que el poema bíblico era una de las autoridades en las que pretendía apoyarse cuando abordaba temas lírico rústicos.

[41] Ed. Aubrun y Montesinos, versos 46-55.

[42] E. M. Wilson traduce *olivar* por *olivo*. Ahora bien, es importante conservarle a «olivar» su sentido estricto de «campo de olivos». El *campo* representa, junto con el prado, una coherencia poética y simbólica (la horizontalidad que vuelve a encontrarse en otro símbolo de la feminidad: la *parva*) que no posee el árbol solo. (Ya lo veremos, la verticalidad, es por el contrario, símbolo de masculinidad.)

[43] Recurrimos a la traducción en prosa de Fray Luis de León. Cf. Fray Luis de León, *Cantar de Can-*

La camuesa recuerda las manzanas del vergel, y el aceite constituye igualmente, ya se sabe, un símbolo del poema bíblico.[44]

Pero el paralelismo de las metáforas no se detiene aquí. Para Peribáñez, el vino blanco añejo de cuarenta años, no posee el perfume de la boca de Casilda, y las cepas arrancadas en diciembre, el mosto dulce en octubre, el mes de mayo sin lluvias, las gavillas en la era en agosto, no le proporcionan a Pedro una felicidad comparable a la que siente con la presencia de Casilda a su lado, a su lado, tanto en verano como en invierno:

> Ni el vino blanco imagino
> de cuarenta años tan fino
> como tu boca olorosa.
>
> ....
>
> Cepas que en diciembre arranco
> y en octubre dulce mosto,
> ni mayo de lluvias franco,
> ni por los fines de agosto
> la parva de trigo blanco,
> igualan........................[45]

Ahora bien, la imagen del vino se repite en el texto bíblico, aplicada también a los besos:

> *Esposa:* Béseme de besos de su boca, porque buenos [son] tus amores más que el vino. (Cap. I, 1-2).
> Y [será] el tu olor como vino bueno, que va a mi amado a las derechas, que hace hablar labios de dormientes. (Ca. VII, 8.)

La comparación con los montones de trigo candeal en la parva asimismo parece derivar del *Cantar de los Cantares:*

> Tu vientre un montón de trigo cercado de violetas. (Cap. VII, 2.)[46]

----

tares, ed. Jorge Guillén, «Cruz del Sur», Santiago de Chile, 1947. Remitimos a esta edición —salvo indicación especial— para citar la traducción en prosa y el comentario de Fray Luis.

[44] Cf. *Cantar de los Cantares:* «Al olor de tus ungüentos buenos (que es) ungüento derramado tu nombre» (cap. I).
En el manuscrito 52 del Wadham College (Oxford) José Muñoz descubrió en 1945 una traducción en verso del *Cantar de los Cantares* que estima deberse a la pluma de Fray Luis de León, y piezas que debió de copiarse poco tiempo después de la muerte del maestro salmantino. (Cf. Fray Luis de León, *Poesías completas,* Afrodisio Aguado, S. A. Madrid, 1949, III.) Sea lo que fuere en lo que atañe a este problema de atribución, recordaremos que el ungüento reviste la forma precisa del aceite:

> «Tu olor es más que ungüentos.
> y tu nombre es aceite derramado.»

[45] Ed. Aubrun y Montesinos, versos 53-56, 61-66.
[46] Dice la versión del Wadham College:

> «Tu ombligo es como taza
> de torno, en quien jamás falta bebida;
> es tu vientre cual haza
> do está mies cogida
> y de azucenas blancas bien ceñida.»

En las imágenes que surgen en la respuesta de Casilda a su amado respiramos también los aromas agrestes, pero estas imágenes se caracterizan, sobre todo, por movimientos, sonidos y símbolos de energía que intervienen como otras tantas expresiones del dinamismo masculino que Casilda espera de su esposo. Peribáñez le gusta más que la música del pandero, más que el toronjil y el mirto de las mañanas de San Juan; su voz queda por encima de todos los relinchos varoniles dados en su honor; ningún adufe bien tenso y sonoro,[47] ningún salterio lo igualan. ¿Qué pendón de procesión puede compararse con el sombrero de Pedro? Peribáñez, entre los hombres jóvenes, es para Casilda, un toro bravo, una camisa nueva en azafate dorado,[48] un cirio pascual, un hornazo de bautizo. Citemos en especial:

Notese que esta imagen (la del trigo) del *Cantar de los Cantares* vuelve bajo varias formas (adaptadas al ambiente cerealista de Castilla) en varios pasajes de *Peribáñez y el Comendador de Ocaña*, Apoya una de las liras que pronuncia el Comendador —siguiendo el cañamazo estructural del «Beatus ille» horaciano— al suspirar pensando en la felicidad de Peribáñez:

> «¡Venturoso el villano
> que tal agosto ha hecho
> del trigo de tu pecho
> con atrevida mano,
> y que con blanca barba
> verá en sus eras de tus hijos parva!»
> (Versos 540-545.)

Queda claro aquí que Lope le conserva a la imagen, al castellanizarla recurriendo a la expresión rural «hacer el agosto», el contenido erótico que posee en el *Cantar de los Cantares*. Para quien dudara de ello, lo confirma la vuelta de la imagen que remata la última lira del Comendador:

> «¡Dichoso tú, que tienes
> en la troj de tu lecho tantos bienes!»
> (Versos 556-557.)

[47] El texto dice «adufe bien templado» (ed. Aubrun y Montesinos, verso 107). La interpretación de E. M. Wilson, «bien accordé» nos parece exacta (Cf. la expresión clásica «a cajas destempladas») pero no nos parece dar cuenta del contenido dinámico de la imagen.

[48] El texto de Lope dice exactamente:

> «Pareces camisa nueva,
> que entre jazmines se lleva
> en azafate dorado.»
> (Versos 113-115)

E. M. Wilson traduce «camisa» por «corsage» (corpiño) y pierde así un elemento de la imagen en un contexto en el cual es fundamental la exaltación de la masculinidad. No puede tratarse sino de una camisa masculina llevada en una bandeja, como una ofrenda. Esta imagen es frecuente en Lope y siempre traduce el amor de una mujer por un hombre. Cf. *La villana de Getafe* (Acad., N., X, p. 389):

> «D. Ana: ....
> Llama ese viejo escudero,
> que enviar a mi bien quiero
> contigo, en un azafate,
> unas   cami-
> sas ....»

¿cuál adufe bien templado,
cuál salterio te ha igualado?
¿Cuál pendón de procesión,
con sus borlas y cordón,
a tu sombrero chapado?
....
Eres entre mil mancebos
hornazo en Pascua de Flores
con sus picos y sus huevos.
Pareces cirio pascual[49]
..........................[50]

En esta nueva serie de comparaciones creemos vislumbrar otra vez por debajo del ropaje español y folklórico (ambiente de romerías, fiestas de San Juan, bautizos, etc.) reminiscencias del texto bíblico. El sombrero de Pedro al que no iguala un pendón de procesión, puede recordarnos el versículo:

... la bandera suya en mí [es] amor... (cap. II, 4).[51]

El verso «Eres entre mil mancebos» corresponde a un giro estereotipado ya presente en el poema de Salomón:

El mi amado blanco y colorado trae bandera entre los millares. (Cap. V, 11).

Vemos que el doble canto nupcial de Peribáñez y Casilda no reproduce solamente el espíritu de éxtasis amoroso expresado por el más espiritual al par que sensual de los cantos poéticos del Antiguo Testamento; también transpone imágenes admirables de este texto dentro del cuadro geográfico y folklórico de Castilla la Nueva. Además a Lope le gusta el motivo del Esposo y de la Esposa entonando el duo amoroso como en el texto bíblico; por lo tanto el doble canto nupcial de *Peribáñez y el Comendador de Ocaña* no puede quedar aislado, pensamos, del motivo profundo que queda en el meollo de las piezas lopescas a lo divino, tales como: *El auto de los Cantares, La siega, La adultera perdonada, El pastor lobo y cabaña celestial, El auto del Pan y del Palo, La Maya, El villano despojado, El nombre de Jesús.*
El tema del Esposo y de la Esposa resulta tan consustancial a la acción de *Peribá-*

---

[49] La verticalidad del cirio se opone como un símbolo de masculinidad a la horizontalidad que indicamos en algunas imágenes dedicadas a Casilda. Cf. *C. de c.*, cap. V, 16: «Sus piernas, columnas de mármol fundadas sobre vasa de oro fino. El su semblante como el del Líbano, erguido como los cedros.» En su comentario Fray Luis destacaba la importancia del elemento de verticalidad como símbolo de masculinidad:

«En nuestro castellano, loando a uno de bien dispuesto, suelen decir «dispuesto como un pino doncel»; que ansí el cedro como el pino son árboles altos y bien sacados. Donde decimos «erguido» en palabra hebrea es «Bachur» que quiere decir «escogido»; y es propiedad de aquella lengua llamar ansí escogidos a los hombres altos y de buen cuerpo...»

[50] Ed. Aubrun y Montesinos, versos 101-105, 108-116.
[51] Fray Luis de León comenta esta imagen del *Cantar de los Cantares* al escribir:

«... y yo seguíle, que, como los soldados siguen su bandera, ansí la bandera que a mí me lleva tras sí y a quien yo sigo es el su amor...».

ñez y el comendador de Ocaña que reaparece en el transcurso del primer acto en un nuevo dúo, medio lírico, medio didáctico esta vez. Peribáñez y Casilda se encuentran por fin solos en su casa; el joven aldeano enuncia entonces a su compañera cuales son sus nuevos deberes para con su marido según la ley de Dios. El precepto divino funda en la obediencia al esposo la buena conducta de la esposa[52] y Pedro envuelve los deberes de la suya en el ingenioso desarrollo de un A.B.C., combinación poética a la que recurre a menudo Lope en sus comedias. Precisamente tenemos un ejemplo de ello en San Isidro labrador de Madrid.[53] Cada letra del alfabeto le permite a Pedro expresar uno de los deberes de la Esposa que tendrá que ser «amorosa» (Amar), Buena, Cuerda, Dulce, Entendida, Firme, Fiel, Grave... la última letra del alfabeto es la X, lo cual le permite a Pedro resumir lo que ha de ser ante todo Casilda: buena cristiana, «Xristiana»[54] Por su parte la Esposa enuncia de respuesta el A.B.C. del perfecto marido, padre y protector de la mujer según la concepción patriarcal de la familia.[55] Con un virtuosismo notable, Lope sirviéndose de la forma de la X, concluye el recitado de este segundo A.B.C. por un arrebato amoroso. Por la X cuyos brazos están abiertos, los novios se abrazan:

> Por la X con abiertos
> brazos imitarla así
> *(Abrázale).*[56]

---

[52] Versos 398-402:

> «Ya sabes que la mujer
> para obedecer se casa,
> que así se lo dijo Dios
> en el principio del mundo.»

[53] Cf. *San Isidro labrador de Madrid,* Acad., IV, p. 517 b (se trata de un A. B. C. a lo divino). Este juego del A.B.C. (también fue un juego de sociedad) vuelve a aparecer bajo la pluma del Fénix en *La niñez de San Isidro,* Acad., IV, p. 519 b. *Los amores de Albanio y Ismenia,* N. Acad., I, pp. 6-7. *El mejor mozo de España,* Acad., X, pp. 350-351. También se inicia un A.B.C. en *La Dama del Olivar* de Tirso (N.B.A.E., IX, p, 216 b). En realidad, el motivo del A.B.C. de amor interviene en numerosas obras del Siglo de Oro y Rodríguez Marín señala en su edición del *Quijote* (La Lectura, III, pp. 229-230) que recopiló muchos ejemplos de ellos *(El curioso impertinente, Diálogos familiares de Juan de Luna).* A propósito de este juego, véase Georges Irving Dale, *Games and social pastimes in the spanish drama of the golden age,* in *H. R.,* 1940, pp. 226-227, quien cita una *Loa de las letras del A.B.C.,* un entremés que puede ser atribuido a Lope, y también *A una dama que pidió una cartilla para aprender a leer* de Juan de la Encina.

[54] Versos 435-439:

> «La V te hará verdadera,
> la X buena Xristiana,
> letra que en la vida humana
> has de aprender la primera.»

Peribáñez vuelve a insistir en la cualidad cristiana de su esposa, en la entrevista con el Comendador (versos 877-880):

> «Mujer honrada, y no de mala cara,
> buena christiana, humilde y que me quiere.»

[55] Versos 476-477:

> «Por la P me has de hacer obras
> de padre ....»

Señalemos que en México, entre gentes humildes, la mujer llama corrientemente a su marido «padre».

[56] Versos 484-485.

Con este gesto final, edificación y lirismo amoroso vienen a coincidir admirablemente; la fusión entre el amor de los esposos villanos y la buena conducta cristiana es completa. Además, como en el *Cantar de los Cantares* el poeta dramaturgo sitúa los arrebatos de los dos jóvenes aldeanos en un límite que linda tanto con la unión de las almas como con la de los cuerpos. Mientras que imitando una cruz, los novios se abrazan, Casilda comenta:

> Y como estamos aquí
> estemos después de muertos.[57]

Surge así, claro está, sentimiento de un amor que supera la muerte, sentimiento expresado en mil oportunidades pero muy particularmente en el *Cantar de de los Cantares*.[58]

Resulta difícil no echar de ver la deuda que presenta para con la literatura edificante esta lección de catecismo conyugal, escenificado ingeniosamente en forma de un doble A.B.C... En el momento en que Lope escribía su pieza, hasta la propia forma del A.B.C. fue concebida como hábil procedimiento pedagógico para difundir agradablemente la doctrina cristiana: Alonso Remón nos lo demuestra en sus *Entretenimientos y juegos honestos* (1623).[59] En cuanto al fondo mismo de los mandamientos enunciados por Peribáñez y Casilda, no cabe duda de que se sitúan ideológicamente en la estela de la literatura sobre el matrimonio, en particular las obras de Luis Vives. Las referencias a fuentes precisas que hemos encontrado al margen de algunos pasajes del *Isidro*, acerca de la esposa perfecta, proyectan su luz más allá del *Isidro*, y ahora

---

[57] Versos 486-487.

[58] Cf. cap. VIII, 6:

«Ponme como sello sobre sobre tu corazón, como sello tu brazo, porque el amor es fuerte como la muerte...»

Fray Luis de León aclaraba de la siguiente manera el pasaje en su *Comentario*:

«... el cual (el amor tuyo que está en mi pecho) es tan fuerte y me ha forzado tanto, sin podelle resistir, que la muerte (contra quien no vale defensa humana) no es más fuerte que el amor que yo te tengo. Ansí hecho ha este amor de mí todo lo que ha querido, como la muerte hace su voluntad con los hombres sin ser ellos parte para poderse defender della...».

[59] Cf. A. Remón, op. cit., cap. XVI:

«Y último de los entretenimientos, recreaciones, y juegos que parecen a propósito para los niños, ansí hijos y hijas de nobles como de gente común.»

Se menciona la utilidad del juego del abecedario para inculcar buenos principios a los niños. Cf. fol. 100:

«... yo les pondré aquí un A. B. C. por entretenimiento, q̄ jūtamēte les enseñe letras y costūbres, ya los q̄ tuvierē lugar de aprender a leer, si les sobrarē las letras, valdrāse de las sentencias y los hijos de gēte ocupada y pobre, q̄ no tiene lugar para yr a la escuela, de la boca de sus padres, podrā oyr, estando en sus mismos oficios, las sentencias y las razones, y de camino aprenderán el A. B. C. y sus letras.
    A. alabar a Dios Omnipotente deve toda criatura racional.
    B. Bien aya el que bien obra.
    C. Confessarse a menudo grande remedio y buen camino para nuestra salvación... etc.».

entendemos mejor aún el valor de San Isidro labrador de Madrid como pieza rústica de transición que preparó a Lope para su obra maestra *Peribáñez y el comendador de Ocaña.*

En la perspectiva neoplatónica y cristiana del amor, los abrazos físicos no son más que el reflejo visible de una unión espiritual más profunda, en armonía con el orden natural y aun sobrenatural de las cosas universalmente acordadas. Tenemos la impresión de que tal armonía preside las caricias de Peribáñez a Casilda, motivo repetido del primer acto de *Peribáñez y el comendador de Ocaña.* Desde luego, los sentidos de Casilda se estremecen con los favores de Pedro y no lo niega cuando su prima le pregunta con curiosidad acerca de los mimos amorosos que le prodiga su esposo. Pero en definitiva el llamado amoroso viene del alma, y por ello es que el alma de Casilda presiente la llegada de Pedro por la noche, y como la esposa del *Cantar de los Cantares,* le abre la puerta:

> *Inés:* ¿Dícete muchos amores?
> *Casilda:* No sé yo cuáles son pocos;
> sé que mis sentidos locos
> lo están de tantos favores.
> Cuando se muestra el lucero
> viene del campo mi esposo,
> de su cena deseoso;
> siéntele el alma primero,
> y salgo a abrille la puerta.[60]

---

[60] Versos 702-709. Nótese que el motivo del Esposo que llega ante la puerta de la Esposa fue tratado a menudo por Lope. Citemos los versos de *El vaquero de Moraña* (Acad., VII, p. 572 a) que pueden compararse con los versos 705-709 de *Peribáñez y el Comendador de Ocaña:*

> «Y en tocando en la puerta en el aldaba,
> dirás: «Ya viene Antón»; porque quien ama,
> más en el alma que en las puertas llama.»

Citemos también en *Ay verdades que en amor...* (Acad., III):

> «En vano llama a la puerta
> quien no ha llamado al alma.»

Todos estos versos pueden cotejarse con las palabras del capítulo V, del *Cantar de los Cantares:*

> «... Yo duermo y mi corazón vela. La voz de mi querido llama: Abreme hermana mía, compañera mía, paloma mía, perfecta mía, porque mi cabeza está llena de rocío, y mi cabello de las gotas de la noche.»

Volvemos a encontrar, algo modificado, el detalle de «los cabellos cubiertos de rocío» en el pasaje en el cual Casilda evoca la vuelta de Peribáñez, en invierno, con nieve en la camisa y barba escarchada:

> «Mas precio verle venir
> en su yegua la tordilla,
> la barba llena de escarcha
> y de nieve la camisa
> ....»
> (Versos 1598-1601)

Entonces se abrazan en cualquier momento; al saltar Pedro de la mula, cuando Pedro pone el pienso de los animales de la cuadra.[61] Por una misteriosa comunión poética, todo en torno a los enamorados, participa de su concierto, aun los prosaicos enseres del hogar campesino, como esa olla que, alegre y humorísticamente, baila un «vi-

---

La transposición es indiscutible al considerar las piezas «a lo divino» en las cuales Lope trata el motivo. En sus *Rimas sacras* («Clas. cast.», núm. 68, p. 158) escribía:

> «¿Qué interés se te sigue, Jesús mío,
> que a mi puerta, cubierto de rocío
> pasas las noches del invierno escuras?»

Este es un motivo frecuente en la poesía espiritual de los años 1600. En el auto de Valdivieso *La serrana de Plasencia*, leemos:

> «Entre escarchas y entre hielos
> qué noches por vos pasé!»

En un dúo lírico de «El alma» y «Cristo», al final de *El viaje del Alma*, auto sacramental de Lope (antes de 1604), inspirado todo en los *Salmos* y en el *Cantar de los Cantares*, leemos:

> *«Alma:* ¿Cuál vienes del mar por mí.
> la cabeza del rocío
> del agua mojada así?»

Asimismo *Los amantes sin amor*, comedia del Fénix (1601-1603) ofrece los versos:

> «¿Qué noches habéis dejado
> de dormir por este amor?
> ¿Qué hielos habéis sufrido
> en esa puerta?»

Tal vez no carezca de interés el señalar que la exaltación lírica del amado, que vuelve en invierno con la barba escarchada y llama a la puerta, es transpuesta cómicamente por Lope en *El vaquero de Moraña* (Acad., VII, p. 562 b):

> *«Lucinda:* Tú, cuando en invierno vienes.
> toda la barba cuajada
> de aquella plata escarchada
> con que cubierta la tienes,
> o traes leña, o traes tocino,
> blanca harina en los costales,
> y siento en estos umbrales
> los zapatos del pollino;
> como estoy en tanta calma,
> Tirreno, ¡mal haya yo,
> que en oyendo decir: ¡jo!
> no se me mete en el alma!»

parecidamente se lee en *El villano en su rincón* (Lope), Acad., XII, p. 292 b:

> *«Silvano:* ....
> Toda una noche de enero
> estuve al hielo a su puerta,
> y al amanecer, abriendo
> la ventana, me echó encima,
> viéndome con tanto hielo,
> una artesa de lejía.»

[61] Verso 715: «Yo me arrojo en sus brazos.»
Verso 727: «Y allí me vuelve a abrazar.»

llano» con la tapa para hacerse eco de su alegría.[62] Así, sin perder en ningún momento el contacto con la vida diaria de aldeano, Lope llega a un maravilloso animismo poético. Por otro lado, podemos afirmarlo, Lope desarrolla en esta escena de vuelta del marido labrador tras un día de labor en el campo, motivos cuyo valor había presentido ya en el momento en el que escribió el *Isidro*. Efectivamente, encontramos en este poema, ya agrupados, todos los elementos que pone en obra para expresar líricamente el amor conyugal:

> Llegó a su casa contento
> donde esperava María,
> no desdeñosa y baldía,
> sino alegre, el rostro atento,
> a ver si Isidro venía.
> Diole en viéndole los braços,
> y aliviando de embaraços,
> la pobre cena apercibe,
> rica, en casa que Dios vive,
> y más con tales abraços.
> Sonava la olla al fuego,
> con la hortaliza y la vaca,
> y mientras ella la saca,
> Isidro a los bueyes luego
> ata el sustento a una estaca.
> Como amigo y jornalero,
> pace el animal el yero
> primero que su señor,
> que en casa del labrador,
> quien sirve come primero.[63]

La amenaza que ronda la armonía idílica y profunda entre el Esposo y la Esposa proviene de una clase no campesina en *Peribáñez y el comendar de Ocaña*. El comendador de Ocaña, por ignorar el vigor y la pureza del amor villano y no alcanzar a captar la armonía universal de seres y cosas organizados alrededor de la joven pareja, intentará seducir a Casilda, es decir, quebrar un concierto bendecido por Dios. El noble lleva aquí la grave responsabilidad moral de un atentado contra la felicidad y la riqueza humanas encarnadas por los aldeanos. Cree, estimulado por malos consejeros, Leonardo y Luján, que la villana puede ceder al interés y al dinero, esos valores su-

---

[62] Versos 730-737:

> «Salimos donde ya está
> dándonos voces la olla,
> porque el ajo y la cebolla,
> fuera del olor que da
> por toda nuestra cocina,
> tocan a la cobertera
> el villano de manera
> que a bailalle nos inclina.»

[63] *El isidro*, fol. 85 vº, 86 rº.

premos del mundo de las ciudades.[64] Esos malos consejeros representan en el plano de la humanidad cotidiana lo que Envidia y Demonio representan en el plano alegórico moral en *San Isidro labrador de Madrid*, cuando estos poderes del mal intentaban turbar la armoniosa confianza de Isidro y María de la Cabeza. En el auto de *La siega*, también Lope se encuentra sus homólogos a lo divino, con los rasgos de Soberbia y de Envidia que intentan, a su vez, quebrar el perfecto amor del Alma y del Esposo (el divino Labrador). Pero no hay nada más duro que la roca del Amor y Comendador de Ocaña va a sufrir la misma derrota que Envidia y Demonio en *San Isidro labrador de Madrid*, o Envidia y Soberbia en el auto de *La siega*. Nada podrá corromper a la incorruptible Casilda. Esta por lo demás, lleva un nombre, el de una santa toledana, que tal vez no esté carente de significado simbólico.[65] Una primera vez, rechaza al Comendador, quien disfrazado de segador , viene a hacerle una declaración indirecta pero insistente. En un hermoso romance, ella expresa su preferencia por el villano que le tocó por esposo, bordado sobre el cañamazo tradicional del «menosprecio de corte y alabanza de aldea» a partir de cuatro versos sin duda tradicionales, y que, por lo visto, encantaban a Lope pues ya los había citado, cambiando unas pocas palabras —es un lazo más entre ambas piezas— en *San Isidro labrador de Madrid*:

> Más quiero yo a Peribáñez
> con su capa la pardilla
> que al comendador de Ocaña
> con la suya guarnecida.[66]

---

[64] Cf. versos 616-617. El Comendador, al oir un soneto sobre el motivo de «interés» y «amor», declara:

> «No pintó mal el poeta
> lo que puede el interés.»

Verso 629: por consejo de Luján, acepta seducir a Casilda mediante un regalo:

> «Pues venza interés.»

Versos 660-661: Luján declara cínicamente:

> «Que en trigo de amor, no hay fruto
> si no se siembra dinero.»

[65] Hija de un rey moro de Toledo, se enamoró de un cautivo, huyó con él a Castilla la Vieja hasta Briviesca. Allí murió el conde y Casilda fundó un convento. Cerca del convento, hay una fuente en la que aún hoy, echan una piedra las muchachas casaderas. Así, el rito actual ligado a santa Casilda resulta ser un rito del casamiento. En los años inmediatamente posteriores a 1600, parece que la figura de Casilda fue vulgarizada por varios libros. Citemos de Fray Juan de Marioneta, *Martyrio del santo Inocente de la Guardia y de santa Casilda Virgen, natural de Toledo*, Madrid, Juan de la Cuesta, 1604. También se habla de santa Casilda en la *Historia de Avila* del padre Ariz (Alcalá de Henares, 1607) que E. Cotarelo suponía haber sido fuente de *Los lagos de San Vicente*, comedia hagiográfica de Tirso, consagrada a la santa. Mencionemos por fin, la comedia *Santa Casilda* atribuida a Lope (N. Acad., II). Zurbarán representó a Santa Casilda en traje de tiempos de Felipe IV, en un lienzo que puede verse en el museo del Prado. Estos hechos son prueba del gran interés que gozó la figura de Casilda después de 1600.

[66] En *San Isidro labrador de Madrid* el molinero Bartolo (Cf. Acad., IV, p. 570 a) canta, en forma apenas diferente:

> «Más precio yo a Peribáñez
> con la su capa pardilla,
> que no a vos, comendador,
> con la vuesa guarnecida.»

El desaire de la villana es categórico y lo remata con una maldición dirigida a los seductores.[67] Así no cabe duda de que Casilda es la mujer fuerte de las Escrituras, la esposa fiel, cuyos méritos ya había ensalzado Lope en el personaje de María de la Cabeza, en el *Isidro* y *San Isidro labrador de Madrid*. La prueba de que efectivamente este tema de la perfecta casada es fundamental aquí, la da la inflexión particular conferida por Lope al fragmento poético cantado del trébole que colocó como preludio lírico de esta escena de la seducción; una de las estrofas ha sido armonizada con la nota profunda de la comedia, es decir, el tema de la fidelidad de la esposa:

> Trébole de la casada
> que a su esposo quiere bien.[68]

El resto de la pieza no hace sino confirmar esta intención ideológica sumada al lirismo o a la acción. En el taller de un pintor toledano, Peribáñez descubre un retrato de Casilda que el Comendador mandó dibujar a escondidas durante las fiestas del Sagrario. Es una ocasión más para afirmar que la villana es un modelo de fidelidad.[69] Pedro no duda de su mujer, como tampoco Isidro, tras las calumnias de Envidia y Demonio, pero que como éste sufre y vacila algo al impacto de lo que acaba de ver. Necesita que le apacigüen: este es el papel del romance de la «mujer de Peribáñez», que al resonar por segunda vez en la pieza, le dará a él nuevos bríos. Al pasar por el haza en donde trabajan sus segadores, de pronto les oye cantar la historia exaltante de su mujer que resiste al Comendador, su altiva respuesta, esta vez ya bajo una forma mucho más próxima de la copla de *San Isidro labrador de Madrid*.

> Más quiero yo a Peribáñez
> con su capa la pardilla
> que no a vos, Comendador,
> con la vuesa guarnecida.[70]

P. Henríquez Ureña, in *La versificación irregular*, p. 258, había indicado ya que la cuarteta del romance de *Peribáñez y el Comendador de Ocaña* figura en *San Isidro labrador de Madrid*.

[67] Cf. verso 1615, «Mala fuese tu dicha».

[68] Basta comparar estos versos con el «trébole» de *El capellán de la Virgen* para comprender que Lope quiso preparar líricamente la idea de la distancia que media entre la fidelidad de Casilda y los deseos de adulterio del Comendador. La estrofa correspondiente al «trébole» de *El capellán de la Virgen*, también dedicada a la mujer casada, posee, en efecto, un contenido adulterino que se buscaría en vano en *Peribáñez y el Comendador de Ocaña*. Dice:

> «Trébole de la casada
> que ajenos amores trata.
> Que parece hermosa garza
> que está temiendo el amor.»

[69] Cf. versos 1717-1721:

> «Peribáñez: ¿Ella no es sabidora?
> «Pintor: Como vos antes de ahora;
>   antes, por ser tan fiel
>   tanto trabajo costó
>   el poderla retratar.»

[70] Según la edición de la *Parte*, la única diferencia con la copla de *San Isidro labrador de Madrid* estriba esta vez en el sitio del artículo *«la»* en el segundo verso: «Con su capa la pardilla», reza *Peribáñez y el Comendador de Ocaña*. «Con la su capa pardilla» dice *San Isidro labrador de Madrid* (Parte). En un manus-

Peribáñez se siente reanimado y da gracias al cielo —una vez más— por haber merecido tal esposa.[71] Tanta fe tiene en su esposa que le basta a Peribáñez con la prueba del romance, así como le basta a Isidro la que María le proporciona pasando el Jarama sobre la capa.[72] Si no fuera por su honra —aquí no se trata sino del «qué dirán?», es decir el aspecto social del honor— Peribáñez gozaría de una total serenidad. No duda de que Casilda está de su parte en la batalla que va a emprender contra el Comendador. Por lo tanto lo que podría haber sido un drama de los celos, una tragedia provocada por el «egoísmo enfermizo»[73] de los «celos de amor», será a partir de este momento un simple drama de la honra y de la dignidad —impulsado por los «celos de honor»— al mismo tiempo que una tragedia en la que el Esposo defenderá la felicidad de la Esposa tanto como la suya propia. No se trata de venganza, como en algunos dramas de la honra conyugal, sino de la afirmación ejemplar por parte del villano de su derecho a la legítima defensa.

Al desfilar por la plaza de Ocaña encabezando una compañía de labradores que sale para Toledo, en una larga declaración aparentemente ambigua en la que juega con el sentido de la palabra «celos», Peribáñez le expresa a Casilda su entera confianza.

Si vuelve inopinadamente de Toledo por la noche, lo hace únicamente por desconfiar de los intentos del Comendador, y cuando su vecino Antón quiere afirmarle la fidelidad de Casilda, Peribáñez le corta la palabra encareciendo los méritos de su mujer, proclamando que es un ángel. Para Pedro se trata de preservar la felicidad de la pareja, patrimonio sagrado cuya custodia le corresponde desde la boda: esto nos lo cuenta entre las palomas de su corral, en un monólogo maravilloso por su poesía familiar:

_____

crito de _San Isidro labrador de Madrid_ del siglo XVIII (B. N. Madrid, núm. 17267, fol. 13, vº) tenemos una tercera variante: «Con la suya capa pardilla». Esta vez, el verso resulta falso. La construcción del artículo y del posesivo que tenemos en este caso es muy antigua —no parece estar documentada más allá del siglo XIV— y uno puede preguntarse si acaso no se debe a un error de copista que, mediante este procedimiento, quería otorgarle un matiz «arcaico». Y por eso, el error métrico. De ser auténticamente antigua esta variante de estilo antiguo, plantearía entonces un problema por el metro eneasilábico.

[71] Versos 1934-1935:

«¡Oh cuánto le debe al cielo
quien tiene buena mujer!»

[72] Cf. versos 1929-1932:

«Notable aliento he cobrado
con oir esta canción,
porque lo que éste ha cantado
las mismas verdades son
que en mi ausencia habrán pasado.»

[73] Reproducimos una expresión de Menéndez y Pelayo quien habló de «egoísmo enfermizo» a propósito de la venganza de la honra conyugal.

[74] Versos 2696-2699:

«_Antón:_   Pero aseguraros puedo
que Casilda...
«_Peribáñez:_ No hay que hablar.
Por ángel tengo a Casilda.»

> Con las palomas topé,
> que de amor ejemplo son;
> y como las vi arrullar,
> y con requiebros tan ricos
> a los pechos por los picos
> las almas comunicar,
> dije: «¡Oh maldígale Dios,
> aunque grave y altanero,
> al palomino extranjero
> que os alborota a los dos.»[75]

Por fin cuando, al entrar precipitadamente en la habitación en la que el comendador intenta violentar a Casilda, Peribáñez alza la espada contra el seductor, sus primeras palabras serán para confortar a su esposa tiernamente, diciéndole:

> No temas, querida prenda.[76]

Con ello quiere darle a entender que sigue gozando de su confianza y no debe temer el gesto terrible de los maridos celosos. No cabe duda de que, en un segundo plano, detrás de todo esto, se perfila la doctrina cristiana que consideraba a los celos conyugales como una emanación del Mal. Luis Vives, por ejemplo, había hablado de los celos en su capítulo XV y Lope «conocía» este pasaje. Una vez más, nos lo revela una referencia marginal del *Isidro*. Este poema nos presenta, en efecto, a Envidia y a Demonio, quienes intentan sembrar la duda en el corazón de Isidro y lo incitan a matar a su esposa pretendidamente infiel: esta venganza de su honor ofendido —insinuan los malos consejeros— es deber del hombre justo.[77] Pero Isidro no se deja guiar por los impulsos de una pasión suscitada por el Demonio y su confianza conyugal es la que vence; Lope no deja de exaltar esta victoria.[78]

La escena final de *Peribáñez y el comendador de Ocaña* es un postrer homenaje a la Esposa campesina perfecta. Peribáñez le cuenta al Rey hasta donde llega la virtud de Casilda, una virtud capaz de resistir a Envidia, quien ataca tan a menudo a Fama.[79]

---

[75] Versos 2778-2787.
[76] Verso 2851.
[77] Cf. *Isidro*, fol. 163:

> «Pero matarla es razón,
> pues tiene culpa, y tú imperio.
> No sufras tal vituperio
> que hasta el cisne, y el león,
> saben vengar su adulterio.
> Búscala, ríñela y dala
> pena que a la ofensa iguala.
> Quien hace justicia, es justo.
> No digan que por tu gusto
> ha venido a ser tan mala.»

En una nota marginal, fol. 163, Lope da una referencia a Aristóteles y Luis Vives («de los celos», cap. XV).
[78] Cf. *Isidro*, fol, 167.
[79] Versos 3042-3043:

> «Virtüosa, si la ha visto
> la envidia asida a la fama.»

A «su Casilda» —«mi Casilda», dice, así como Bamba decía «mi Sancha»— es a quien quiere que se le otorgue la recompensa regia prometida por precio de su cabeza. La Reina resume la alabanza de la Esposa villana entonada a lo largo de la pieza, regalándole vestidos y llamándola «labradora honrada».

El hecho de que la heroína campesina se encuentre en el primer plano de la intención edificante, en la historia de Peribáñez y Casilda, explica tal vez el título de la refundición de la comedia lopesca debida a tres autores anónimos de fines de la primera mitad del siglo XVII: *La mujer de Peribáñez*.[80] Este pálido reflejo de la obra maestra lopesca no tendría para nosotros sino un valor muy reducido de no poseer la ventaja de «esquematizar» algunos rasgos de la primera comedia, y por ello, iluminar mejor algunos significados. En particular, el tema de la confianza que puede albergar el esposo para con la esposa, ha sido llevado a tal extremo que hay que tenerlo en cuenta en la búsqueda del primer sentido del cuento folklórico de la «mujer de Peribáñez» que sirvió de germen a la creación de Lope. El Peribáñez de la refundición, como el de Lope, no cree que su esposa sea culpable, pero va mucho más allá en su afirmación exterior de tal confianza. A su amigo Isidro Texero (personaje que no existe en Lope) quien se ofrece para custodiar a Casilda en el periodo durante el cual Peribáñez estará en la guerra, éste proclama espectacularmente su confianza que suena como un desafío a los celos y al «qué dirán» de la honra tradicional. Negándose a encerrar a su mujer, toma, paradójicamente, precauciones que resultan ser la antítesis de las sugeridas por Isidro Texero y aceptadas por la propia Casilda: que durante su ausencia vaya a bailar con sus mejores galas, dice que la vean en la iglesia, que salga a todos aquellos lugares públicos que los romances del siglo XVII designan como los sitios rituales de pecado. ¿Guardar celosamente a Casilda tal como lo sugiere Isidro Texero? «¡Qué necia desconfianza!»:

> *Texero:*   Y digo que es muy honrada
>   Casilda, ¿qué duda de eso?
>   Porque no es la luz tan clara
>   como su honor; mas no sólo
>   no ha de entrar en esta casa
>   esse pícaro alcahuete;
>   pero ella ni aun las Pascuas
>   ha de salir, voto a Dios
>   mientras yo fuere su guardia.
> *Peribáñez:*   ¿Qué dezís?
> *Casilda:*   Dize muy bien,
>   ¿para qué es bueno que salga
>   de casa, yo, en vuestra ausencia?
>   Antes en vos estrañava
>   en que no me lo mandéis.
> *Peribáñez:*   ¡Qué necia desconfiança,

Es esta envidia, ya alegóricamente Envidia, quien precisamente se había atacado a la virtud de María de la Cabeza en *San Isidro labrador de Madrid* y en el *Isidro*.

[80] In «*Libro nuebo extrabagante de comedias escogidas de diferentes autores*», Toledo, 1667 (B. N. Madrid, R. 11781). También se encuentra *La mujer de Peribáñez* in «suelta» sin año (B. N. Madrid, T. 19445). La Barrera cita a esta comedia como debida a la pluma de Montalbán. George W. Bacon, *The comedias of Montalbán*, in *R. Hi.*, 1907, XVII, p. 60, no cree que sea posible aceptar esta atribución.

> qué pensamiento tan vil,
> qué discurso tan extraño!
> ¡Muy bueno quedará el año
> si se encerrara el abril!
> ¿Casilda no salir fuera,
> moderno y florido mes?
> De la selva sin sus pies
> ¿qué vale la primavera?
> Su sol, que los campos dora,
> ¿assí queréis ocultar?
> ....
> Salga Casilda, no esté
> por un riesgo sospechado
> quexoso el año, y el prado
> de que los dexa su pie.
> No aya fiesta en toda aquesta
> comarca en que no se halle,
> que sin su brío y su talle,
> nada ha de llamarse fiesta.
> Vaya a la Iglesia aliñada,
> salga al prado, y a la fuente,
> que bien caben en lo ausente
> las señas de bien casa[da].
> Cubra el pecho de patenas,
> vaya, aunque lo contradigas,
> a visitar sus amigas,
> que siendo suyas, son buenas.
> Salga con trenças y rizos
> a los bayles como todas,
> hállese siempre en las bodas,
> nunca falte en los bautizos.
> Licencia he de concederla
> de salir donde quisiere:
> tendré más que agradecerla.[81]

Por cierto, esta insistencia sobre el motivo de la confianza de Peribáñez podría explicarse por la diferencia de época que media entre la pieza de Lope y la refundición. Mas a esta explicación sería fácil oponer el argumento de que la época de la refundición es también la de los dramas calderonianos de la honra conyugal.[82] Pensemos por lo tanto que la extraña proclama de la segunda comedia nos orienta hacia el primer significado del cuento folklórico de la «mujer de Peribáñez». No podemos dejar de re-

---

[81] Cf. Acto III.

[82] Resulta evidente que los dramas calderonianos perpetúan teatralmente, en pleno siglo XVII, sobre el tema del castigo de la esposa adúltera por su marido, costumbres conyugales que habían tenido vigencia en la Edad media española, pero que ya no existían sino por contadas excepciones, como reminiscencias sociológicas, en el siglo XVII. Numerosos fueros medievales atestiguan que la mujer adúltera era castigada con la muerte. Cf. *Fuero de Luciana* (Alto-León), cf. *Fuera de Llanés* (León) otorgado en 1168 (Real Academia, *Colección de fueros y cartas pueblas de España*, 1852):

«... El aquél que con muger de bendición fuere hallado, mueran ambos, et si fugiesen, no les vala la iglesia, nin palacio ninguno, e si alguno les amparare, haya tal pena con ellos...»

lacionarla con los versos irónicos de un romance de Liñán de Riaza en el cual el autor, dedicándose a una parodia burlesca de los romances pastoriles, condena él también los celos con una magnanimidad cómica y le otorga a una seudo villana el derecho de divertirse sin preocuparse por su marido (o su amante). Estos versos, impresos ya en 1592, contienen motivos que desarrolló ampliamente la refundición de *La mujer de Peribáñez* (encontramos en particular, el detalle de la visita a las amigas).[83] Es más: mencionan bien claro cómo un caballero de una orden militar trata insistentemente de enamorar a una «aldeana» sin que por ello se ofusque su esposo (o su amante); este le pide únicamente a la «campesina», cuando reune a sus amigas, el derecho de ser, según la extresión ritual «Pero entre ellas»:[84]

> Assí Riselo cantava
> con su rabel de tres cuerdas
> ....
> A lo simple nos queramos,
> y sea nuestra fe de cera;
> cada cual siga su antojo,
> pues que la gracia no es deuda.
> ....

«... El aquél que con muger de bendición fuere hallado, mueran ambos, et si fugiesen, no les vala la iglesia, nin palacio ninguno, e si alguno les amparare, haya tal pena con ellos...»
En el siglo XVII, cuando triunfaban los dramas calderonianos, podía oírse en un entremés de Quiñones de Benavente *(El molinero y la molinera*, in E. Cotarelo, t. I, vol. II, p. 689, fechable antes de 1651) el siguiente diálogo entre una molinera inconstante y su esposo celoso:

> *«Molinera:* Di, yo ¿qué he hecho?
> *«Molinero:* El sacristán lo sabe.
> *«Molinera:* Matadle, si tenéis sospecha alguna,
> pero traéis trocados los sentidos.
> *«Molinero:* Ya no matan a nadie los maridos.»

[83] El tema del marido que le aconseja a su esposa que pase agradablemente los ratos de ocio debió de repetirse bastantes veces a lo largo del siglo XVI. El *Auto dos dous irmaos* de Antonio Prestes *(Primeira parte dos autos e comedias portuguesas feitas por Antonio Prestes...*, Lisboa, 1587, p. 245, B. N. Madrid, R. 12766) presenta a dos hermanos cuyos comportamientos conyugales son totalmente opuestos. Mientras que el mayor, celoso, le prohibe a su mujer cualquier contacto con el mundo exterior, el menor incita a la suya a que salga:

> «Estaes sempre aqui metida,
> tendes aqui mil saidas
> e sois para vós tão crua
> que não vedes nem a lua;
> as festas tendes, o monte
> d'onde vedes terra e mar
> naos que entram; podeis levar
> comadre que vós la conte
> patranhas de rir e folgar;
> cantae hoje co'uma visinha,
> amanhã com outra ride...»

[84] Cf. Luis Montoto y Rautenstrauch, *Personajes, personas y personillas que corren por la tierra de ambas Castillas*, Sevilla, 1922, II, p. 286: «Perico entre ellas. Fam. Hombre que gusta de estar siempre entre mujeres.»

> Si te vas por la mañana
> yo te aguardaré a la fiesta,
> y si por dicha faltares
> dormiré aunque no parezcas.
> Si quieres tener visitas
> sin miedo podrás tenellas,
> que aunque yo esté solo un año,
> por Dios, que no coma tierra;
> si te combidan vezinas,
> ve, Aldeana, a la merienda,
> y si tú las combidares,
> déxame ser Pero entrellas;«
> y no quiero que me digas
> que un señor de Cruz Bermeja
> te promete montes de oro,
> por galopear tu vega
> ....[85]

Sería interesante saber si, más allá del significado biográfico propuesto probablemente por estos versos, no presentan —por el sesgo de la expresión «ser Pero entre ellas»— una relación con un cuentecillo legendario cuyos protagonistas serían un tal Pedro, su esposa (o su amiga) y un caballero de Orden. En otros términos, cabe preguntarse si es que no hay allí una alusión indirecta a un motivo semejante al de la «mujer de Peribáñez» bajo una de las formas en las que pudo existir en el folklóre de fines del siglo XVI. Poseemos un eco certero de este motivo, inflexionado en el sentido de la fidelidad a toda prueba de la aldeana, en la copla de romance de *San Isidro labrador de Madrid*.[86] En los versos de Liñán, la «aldeana» es una aventurera sin recato, pero su marido (o su amigo) «a lo simple» se muestra despreocupado y aceptaría cínicamente, según parece, quedar cornudo y contento. Este rasgo de despreocupación —depurada del cinismo y transmutada en confianza— parece haber sido tomado de la fuente folklórica por los poetas de la refundición dramática de *La mujer de Peribáñez*.

---

[85] Cf. *Quarta y quinta parte de flor de romances*, recopilados por Sebastián Vélez de Guevara, Burgos, 1592, fol. 82 rº.

[85] No cabe duda de que la copla expresa la fidelidad a toda prueba de la aldeana virtuosa. Una respuesta bastante semejante a la de «la mujer de Peribáñez» existe en una composición de la *Flor de varios romances nuevos...*, Huesca, 1589. Confirma nuestra interpretación. Ante los reproches de su amado, la campesina, que ha perdido sus zarcillos en la fuente, contesta ella también con una protesta de fidelidad en la que el vestido cobra un valor simbólico:

> «Quando esto me diga
> diréle que miente
> y que no somos unas
> todas las mugeres.
> Diré que me agrada
> su pellico el verde
> muy más que el brocado
> que visten Marqueses
> ....»

(Este «romancillo» también figura in *Flor de varios romances nuevos primera y segunda parte*, Barcelona, 1591, fol. 103 vº-104 rº.)

La proclama de confianza en la esposa que encontramos en la segunda comedia también puede ser relacionada con unos versos de la misma época debidos a la pluma de Francisco de Trillo y Figueroa que se dedicó a hacer el «pastiche» de un romance anónimo del *Romancero general* («Quiero dejar de llorar»).[87] Este autor escribía en la estrofa sexta de su «Sátira VI»:

> Tendrá el señor Racionero
> la hija de Peribáñez,
> hermosa, rica y guardada
> más que una pera en tabaque;
> y por comer otro plato,
> a su ama Dominga Sánchez
> la apretará las agujas,
> que todo lo nuevo aplaze.[88]

En esta imitación, en la cual F. Trillo y Figueroa bien parece conservar la estructura del tradicional

> La mujer de Peribáñez
> hermosa es a maravilla.

que conocemos a la vez por Lope y por el poeta anónimo de la refundición, resulta evidente que es la idea de una joya preciada en su estuche la que simboliza «la hija de Peribáñez». «Como pera en tabaque», dice el *Diccionario de Autoridades,* es una expresión familiar y figurada usada a propósito de «lo que se guarda con cuidado».[88] Si se admite que «la hija» por «la mujer» no es sino una variación fácil, de las que solía hacer Trillo y Figueroa en sus pastiches y plagios, vemos confirmado aquí un significado representado por el personaje folklórico de «la muger de Peribáñez»: pudo ser el símbolo popular de la esposa excepcional por su fidelidad conyugal, su virtud y su belleza.[90]

A mediados del siglo XVII tenemos otra indicación acerca de la existencia de la copla en la que la mujer de Peribáñez le afirmaba altaneramente al Comendador su pre-

---

[87] Sobre los «pastiches» de Trillo y Figueroa, véase a R. Jammes, *L'Imitation poétique chez Francisco de Trillo y Figueroa*, in *B. Hi.*, LVIII, núm. 4, pp. 457-481.

[88] Cf. *Obras de don Francisco de Trillo y Figueroa*, éd. Antonio Gallego Morell, Madrid, 1951, p. 216.

[89] *Diccionario de la lengua castellana*, Imprenta de la Real Academia Española, 1739: «Como pera en tabaque»: Phrase, que se dice de aquellas cosas, que se guardan con cuidado, y delicadeza para que estén reservadas. Lat. «Studiose», vel «accurate asservatum».

[90] El personaje de la esposa aldeana, bella y virtuosa, fuese o no esposa de Peribáñez, existió, indubitablemente como tipo folklórico. A este respecto, tenemos en el libro de Luis de Briceño, *Método muy facilíssimo para aprender a tañer la guitarra a lo español*, Paris, Pierre Ballard, 1626, una letra de baile de un «villano», asaz significativa:

> «Al villano que le dan
> la cebolla con el pan,
> al villano testarudo
> danle pan y azote crudo;
> no le daban otra cosa
> sino la mujer hermosa
> pero pobre y virtuosa
> para vivir con afán.»

ferencia por la «capa pardilla» de su esposo. Está en un entremés atribuido a Quiñones de Benavente: *Los Condes fingidos*. Una criada, Marianilla, conversa con su ama
Inés, villana que, en la corte se hace pasar por una condesa esperando obtener un buen
partido con un noble. Ocurre que Pedro, uno de sus pretendientes, también es un villano que mentidamente se hace pasar por conde, («el Conde del Cortijo»). Pedro e
Inés ignoran el fingimiento mutuo y esta situación da lugar al siguiente diálogo entre
Inés y Marianilla:

> *Marianilla:*   ¿Conde o Marqués?
> *Inés:*   El conde del Cortijo
> *Marianilla:*   ¿Del Cortijo? ¡Mal haya quien tal dijo!
> Será algún labrador: di que pretenda
> a la mujer de Peribáñez luego.
> *Inés:*   ¿Por qué?
> *Marianilla:*   Porque ella admite allá en la villa
> la tosca capa, y más si es la pardilla.[91]

Esta alusión que hallamos aquí, ¿tendrá algo que ver con la comedia de Lope o la
refundición que lleva por título *La mujer de Peribáñez*[92] en la que también figura la
copla que nos interesa? Puede admitirse, claro está, pero tampoco nada impide ver en
ella un destello de la popularidad folklórica de la respuesta de la «mujer de Peribáñez» fuera del teatro.[93]

Tras este estudio, es lícito pensar pues que Lope escribió su comedia a partir de la
copla tradicional en la que se exalta la admirable fidelidad de la esposa del villano,
copla cantada ya en *San Isidro labrador de Madrid*, varios años antes de constituir el
núcleo lírico de *Peribáñez y el Comendador de Ocaña;*[94] El Fénix le dio una dimen-

---

[91] Cf. E. Cotarelo y Mori, *Colección...*, I, vol. II, p. 776. El entremés *Los Condes fingidos* salió in *Flor de entremeses*, Madrid, 1657, y *Teatro poético*, 1658.

[92] *Libro nuevo extravagante de comedias escogidas de diferentes autores*, Toledo, 1667 (B. N. Madrid, R. 11781).
La respuesta de Casilda está repartida en dos partes en una tirada, y se presenta bajo el aspecto de una variante en la que se encuentra «vuestra» en lugar de «vuesa»:

> «Mas quiero a Peribáñez
> con su capa la pardilla,
> ....
> que no a vos comendador
> con la vuestra guarnecida.»

[93] Otro posible eco de la famosa respuesta de la mujer de Peribáñez —sea a partir de la canción original, sea a partir del teatro— nos lo proporciona un romance a lo divino de sor Luisa Magdalena de Jesús:

> «Más quiero yo a Jesucristo
> con tormentos y fatigas
> que no a vos, mundo engañoso,
> con vuestras pompas altivas.»

(Cf. Manuel Serrano y Sanz, *Antología de poetisas líricas*, Madrid, 1915, vol. II, p. 35)

[94] El romance, tal como lo cantan los segadores, en el acto II, se inicia con versos en los que se exalta la virtuosa resistencia de «la mujer de Peribáñez»:

> «La mujer de Peribáñez
> hermosa es a maravilla;
> el comendador de Ocaña
> de amores la requería.

sión magnífica a este tema popular enriqueciéndolo con recuerdos del *Cantar de los Cantares* y fecundándolo con una doctrina salida de la literatura de edificación sobre la perfecta casada. En cuanto a los poetas a quienes les debemos la refundición de *La mujer de Peribáñez*, estos llevaron hasta la imaginería de Aleluyas los rasgos de la esposa villana ejemplar[95] y de la confianza que el esposo puede depositar en ella.

La estela de *Peribáñez y el comendador de Ocaña* es perfectamente identificable en una pieza de Luis Vélez de Guevara, cuya fecha resulta, desgraciadamente, difícil de establecer: *La luna de la sierra*.[96] La imitación es patente en varios momentos de la comedia, y en especial, como en la obra maestra de Lope, la glorificación del estado de matrimonio, la fidelidad a toda prueba de la esposa villana, constituyen la idea central. La diferencia estriba en que el dramaturgo no alcanza esta pureza de la poesía rústica —tan sencilla y tan próxima de la realidad rural diaria— con la que Lope había sabido vestir el tema del Esposo y de la Esposa. Aquí, el poeta mezcla a veces rasgos cultistas y amanerados que nos recuerdan imágenes más convencionales, con notas rústicas auténticas, y volviendo a tomar la fórmula de fray Luis de León a propósito del *Cantar de los Cantares* diríamos de buena gana que, en esta comedia, el Esposo y la Esposa no siempre hablan «como gente de aldea».

Para Antón y Pascuala, los dos protagonistas villanos de *La luna de la sierra*, el matrimonio posee, lo mismo que para Peribáñez y Casilda, el valor de una unión sagrada y libremente consentida. Resulta curioso que, sobre todo si se compara con el principio de *Peribáñez y el comendador de Ocaña*, Antón debe defender esta idea cristiana ante el cura del pueblo a quien le parece muy bien que quieran casar a Pascuala a su pesar, con el alcalde Gil de Rábano, hombre rico pero estúpido.[97] Será precisa la

---

> La mujer es virtuosa
> cuanto hermosa y cuanto linda;
> mientras Pedro está en Toledo
> desta suerte respondía.»

[95] La importancia de Casilda como símbolo de fidelidad y de fuerza de carácter es subrayada al final del acto II. Este se acaba después de la huida del Comendador con los siguientes versos:

«Casilda:	Porque alaben...
«Peribáñez:	Porque digan...
Texero:	Porque celebren...
«Peribáñez...	Mi honor...
«Texero:	Mi amistad, que edad a edad
	se encomiende o se permita
«Casilda:	El valor que siempre tuvo,
	contra una fuerza atrevida,
	la muger de Peribáñez
	honrada, constante, y fina.»

[96] *La luna de la sierra* de Luis Vélez de Guevara fue impresa por primera vez en *Flor de las mejores doce comedias de los mayores ingenios de España*, Madrid, 1652 B. N. Madrid, R. 18040). También se encuentra una copia manuscrita de esta pieza, debida al librero Martínez: *Comedia famosa de la luna de la sierra de Luis Vélez* (B. N. Madrid, ms. 15046).

[97] B. A. E., XLV, p. 181 b:

«Antón:	El temerario sois vos,
	pues sabiendo que en los casos
	de los matrimonios es,
	más que todo, necesario,

intervención de la propia reina Isabel para que ambos jóvenes aldeanos se vean casados según su gusto. Formarán entonces una pareja feliz y unida, y las fuerzas reunidas
del Príncipe don Juan y del Maestre de Calatrava, ambos prendados de la belleza de
Pascuala, no lograrán disociarla. Tal como en *Peribáñez y el comendador de Ocaña*,
uno de los seductores, el Maestre, intenta conquistar a la villana con un regalo: una
cadena de oro. Pero Pascuala rechaza con indignación a su cuñada que le trae esta cadena; aun cuando no quisiera a Antón, dice, su honor de esposa le obligaría a rechazar ese oro.[98] Una de las escenas más logradas de toda la pieza es aquella en la que se
oye a Antón proclamar su felicidad de recién casado, por la mañana, al salir al campo;
reitera el movimiento del «Beaus ille...» en primera persona:

> *Antón:*   Tú madrugas a Abril las primaveras;
> dichoso yo, que al lado tuyo espero
> que me despierte el gallo, y el lucero.
> ¡Cuán bienaventurado el casamiento
> de dos conformes almas, como el mío,
> donde es cualquiera un mismo pensamiento
> en una voluntad y un albedrío![99]

Una escena más hermosa aún es aquella en la cual Pascuala espera el regreso de
Antón. Ansiosamente, se interroga por el retraso de su esposo en unos versos que se
inspiran en un estribillo tradicional (véase T. II, primera parte, cap. 3):

> Cuando van volviendo todos
> los zagales de las eras
> ¿qué tendrá mi labrador?

> Cura, la conformidad
> de las partes, no mirando
> vuestra obligación, queréis
> juntar dos almas, que tanto
> se diferencian las dos,
> lo que ay del bien a los daños,
> lo que ay del sol a la noche,
> de la gloria a los trabajos.»

[98] B. A. E., XLV, p. 185 a:

> «Bartola, Bartola,
> no pases más adelante;
> que no soy de las mugeres
> a quien has de hablar así.
> ....
> Guarda esa cadena allá,
> ese encanto impertinente,
> que me parece serpiente
> que echando veneno está;
> y di al Maestre que yo
> cuando mi Antón no adorara,
> al pundonor no faltara
> que mi inclinación me dio.»

[99] *Ibid.*, p. 183 c.

¿quién en ellas le entretiene,
cuando parece que tiene
acabada la labor?

Está tan impaciente por encontrarse con Antón que, engañada por la oscuridad, cae en brazos del Maestre, disfrazado de aldeano. Cuando por fin vuelve Antón, los dos esposos gozan juntos de la tranquilidad de la comida vespertina, a solas. En estos motivos de la espera del regreso del campo, de los abrazos (aquí con una variante) y de la comida de la noche, se atisban reminiscencias de *Peribáñez y el comendador de Ocaña* y más allá de esta pieza, de temas ya elaborados en el poema del *Isidro*.[100] La comida se ve interrumpida por la serenata que el Príncipe y el Maestre, disfrazados de aldeanos, vienen a darle a Pascuala. Los músicos cantan:

La luna de la sierra
linda es y morena.[101]

Antón no se engaña: ¡están galanteando a su esposa! Pascuala trata de calmar a su marido diciéndole que la serenata es de unos mancebos del pueblo, pero él no la cree y pronto, como Peribáñez, se maldecirá por haberse casado con una mujer tan hermosa. Peribáñez, al descubrir el retrato de Casilda en el taller del pintor toledano, ya suspiraba:

Mal haya el humilde, amén,
que busca mujer hermosa!

De la misma manera Antón exclama:

.... mal haya
el hombre que con muger
de gran hermosura casa.[102]

---

[100] La cena de ambos esposos, a solas, figura en el *Isidro*, fol. 86:

«Salió en fin la pobre cena
de aquel rico labrador,
sabrosa por el sudor,
falta de regalo, y llena
de conformidad y amor.
Y quando igualmente amados
comen assí dos casados,
la embidia, a quien todo pesa,
bien puede estar a su mesa,
contándoles los bocados.»

[101] Cf. *La luna de la sierra, op. cit.*, p. 188 a. Se sabe que el motivo popular de los estribillos del tipo «linda es y morena» tiene en el *Cantar de los Cantares*, cap. I, 4:

«Moreno yo, pero amable, hijas de Hierusalem, como las tiendas de Cedar, como las cortinas de Salomón.» — Cap. I, 5: «No me mireis, que soy algo morena, que miróme el sol. Los hijos de mi madre porfiaron contra mí, pusiéronme [por] guarda de viñas, la mi viña no me guardé.»

[102] *Ibid.*, p. 189 a.

Sin poder contenerse, provocado por los misteriosos visitantes, el marido sale a la calle empuñando la espada. Tras un altercado, el Príncipe se hace reconocer, obligando así a Antón, como vasallo respetuoso, a brindarle la hospitalidad por la noche a él y al Maestre. Pascuala permanece retirada toda la noche. Sin embargo, por la mañana siguiente, cuando van a abandonar la morada villana, los dos visitantes consiguen, uno tras otro, acercarse a la hermosa aldeana. Como el Príncipe le reprocha que ni siquiera se digne mirarlo, esta le contesta que sus ojos son de su marido Antón con quien trocó el alma y libre albedrío.[103] Cuando el Maestre releva al Príncipe en los ataques galantes, y le ofrece mil cosas de ensueño para una mujer, ella encuentra, para expresar su fidelidad a Antón, una réplica altanera en redondillas en la que resuena el recuerdo del romance de Casilda: prefiere al tosco labrador Antón con su saya al Maestre de Calatrava, con la cruz en el pecho. La serie de las redondillas permite a Pascuala desarrollar un fresco con evocaciones e imágenes en las que volvemos a encontrar, junto con algunas notas de poesía convencional, auténticos perfumes campestres al modo lopesco:

> Maestre,
> más estimo, para mí,
> aquel labrador que a ti
> te parece tan silvestre.
> Más estimo aquel sayal
> que cubre, como corteza,
> en aquella rustiqueza
> un alma a ninguna igual,
> mirándole satisfecho
> del firme amor que en mí alaba,
> que la Cruz de Calatrava
> que te está abrasando el pecho.
> Mejor Antón me parece
> con la montera y el sayo
> abigarrado, que el mayo
> cuando galán amanece
> a los campos andaluces.
> Más, el disanto, me agrada
> su polaina pespuntada;
> más salir entre dos luces
> al campo con el gabán
> y la espada me enamora
> que lo puede estar la Aurora,
> viendo al sol menos galán.
> Mejor me suena al oído
> su voz, viéndole llegar

---

[103] Cf. *La luna de la sierra, op. cit.,* p. 190 b:

> «Antón y yo, con las almas
> trocamos los albedríos
> ....
> y así en lo que mandáis
> no es posible obedeceros
> si es fuerza que para veros
> a Antón mis ojos pidáis.»

a Antón del campo al lugar,
oliendo a trébol florido
a lentisco y a romero,
que la música mejor
ni del ámbar el olor
cortesano y lisonjero;
y aunque tan tonto y silvestre
Antón te parezca a ti,
es mayo, es sol para mí,
Príncipe, Rey, y Maestre;
su amor, sus celos adoro,
que es de mis ojos Narciso
mi Antón, y en esto que piso
no estimo tus montes de oro.[104]

Pese al rechazo, el Maestre intenta besar los labios de Pascuala; esta, para defenderse, echa mano de la espada del noble y en ese momento sale Antón, quien no puede sino alegrarse al ver a Pascuala tan firme en defender su honra.[105] Más tarde, Antón es encarcelado por un motivo trivial —llevar una escopeta— y el Maestre piensa poder alcanzar sus objetivos: pero irrumpe inesperadamente Antón para defender a su mujer y su honra, lográndolo. Entonces pierde los ánimos; sintiéndose demasiado débil para luchar contra los poderosos que codician a su mujer, le ruega a la Reina que lo admita de soldado en las compañías, renunciando así a Pascuala. La Reina le pide a Antón que confíe en su mujer y se encarga de su honra a cuenta propia. Así *La luna de la sierra* no conoce el fin trágico de *Peribáñez y el comendador de Ocaña*, y le toca recalcarlo al gracioso quien dice, en nombre de Luis Vélez de Guevara:

Y aquí se da fin, señores,
sin tragedia ni desgracia,
ni casamiento a la postre.
a *La luna de la sierra*.

Con estas piezas vemos lo que puede entenderse por «desdén villano» y también cómo la fidelidad fuera de toda sospecha de la esposa villana puede constituirse en resorte de dramas edificantes, perfumados con brisas campestres. Por fin, vemos cómo el tema de la armonía entre el Esposo y la Esposa fue fundamental en Lope, y cómo pudo atraer a algunos discípulos suyos, entre los cuales se destaca Luis Vélez de Guevara.[106]

---

[104] Cf. *La luna de la sierra, op. cit.,* p. 191 ab.

[105] *Ibid.,* p. 191 b:

«Antón:	¿Qué es esto?
«Maestre:	Son bizarrías de Pascuala.
«Antón:	Y dichas mías
	que no he de olvidar jamás;
	que hallar con espada así
	a Pascuala, me señala
	que está volviendo Pascuala
	por el honor que le dí.»

[106] *Del rey abajo ninguno, el labrador más honrado García del Castañar* también es una pieza de am-

En Lope, no cabe duda de que este tema del matrimonio tuvo que corresponder —en algunos momentos de una vida sentimental agitada y variada— a una experiencia vivida. Conservamos indudables testimonios de su afecto por su esposa, Juana de Guardo, cuando por los años de 1610-1614, abandonó Toledo para instalarse con ella en Madrid. Supo entonces celebrar el matrimonio y apreciar sus virtudes. Por lo demás, basta hacer la comparación con Tirso para que resalte mejor, a este respecto, la originalidad de Lope.

Contrariamente a lo que ocurre con Lope, Tirso, que sigue a menudo el estilo del Fénix en sus piezas de ambiente rústico, no se siente atraído por el elogio del estado de matrimonio. Como si existiera, en él también, una armonización con su estilo de vida, el fraile mercedario nos presenta a menudo tipos aldeanos que se dedican al celibato y la expresión «es cruz el matrimonio» parece repetirse con bastante frecuencia entre ellos.[107] El rechazo del matrimonio es la doctrina que se desprende de la primera parte de *La Santa Juana:* cuando su padre y su tío le proponen el casamiento con el señor de Illescas, Juana, la joven aldeana habla de otro yerno: Dios. Al final, para escapar del otro partido que le preparan y porque no quiere casarse con ningún otro que no sea Jesús crucificado, no vacila en disfrazarse de hombre y refugiarse en el convento de la Cruz, situado a dos leguas de Illescas. En *La Dama del Olivar,* volvemos a encontrar la idea del celibato pasada al plano masculino. El pastor Maroto, de una manera tan ingenua como divertida, les explica a los compañeros que quieren casarlo, que el hombre casado ya no es un «hombre entero». Sin rechazar categóricamente a la mujer que le proponen, Maroto prefiere otra Esposa, la más hermosa y la mejor de todas: la Virgen. Hay que servir y cortejar a esta Señora, proclama en una tirada en la que entra en juego, a lo divino, todo el lenguaje amoroso.[108] No obstante, por obediencia a su señor, Maroto acepta casarse con su semejante Laurencia; pero apenas se encuentra solo, se recomienda a María y al Rosario (sabida es la devoción de Tirso por el Rosario). ¡Tal resulta su fervor por el matrimonio! Pronto el infeliz descubrirá que la compañera que le destinaban es cortejada por el comendador de Montalbán. Ello basta para desganarlo de un estado para el cual carece de disposiciones. Con una poética lucidez, Maroto, al gritar «¡ladrón!», cuenta un sueño: dos osos de Montalbán venían a robarle la miel virgen de un magnífico panal que le había vendido Niso, padre de su prometida, y agrega que sus propios gritos le despertaron. ¡Los panales resultan harto difíciles de guardar, concluye Maroto, y Maroto no se casará! Los acontecimientos que siguen, provocados por la pasión del Comendador, quien codicia a Laurencia, incitan a Maroto a anhelar un tipo de vida eremítica y pastoril en la soledad:[109] entona un himno a la soledad en el que desfilan los acostumbrados tópicos horacianos, armonizados con el tema del celibato.[110] Por fin, lo vemos dedicado a la Virgen sola y consagrado por Ella como hombre santo.

Desde luego, el caso de Maroto, protagonista de una comedia a lo divino que Tirso pergeña con una veneración algo irónica, es bastante especial. Sin embargo Tirso in-

---

biente rústico en la que interviene la glorificación del amor conyugal. Vuelve a encontrarse. bajo una forma refinada (sonetos asimétricos), un dúo amoroso de los esposos que en algo recuerda el dúo de Casilda y Peribáñez. Pero no tiene la pujanza lírica sencilla de la creación de Lope.

[107] *La Santa Juana*, N. B. A. E., IX (vol. 2), p. 251a-259 b. *La ·Dama del Olivar, ibid., p. 214 a.*

[108] *Ibíd.,* p. 211 b.

[109] Señalemos que también en la obra de Lope, hay algunas piezas sobre el tema de la vida eremítica en la «soledad» de los campos; cf. *El cardenal de Belén* (1610), *Barlaán y Josafat* (1611).

[110] *Ibíd.,* p. 212 a.

trodujo en *La Dama del Olivar* una página de catecismo sobre el matrimonio y el celibato. En el fondo lo que glosa el dramaturgo es la lección de la Iglesia que proclama: «es bueno el estado de matrimonio; abstenerse es mejor». En efecto, lo notamos ya Maroto, villano ejemplar, y vocero de la doctrina, no se opone categóricamente al matrimonio. A su señor que le pide que se case con Laurencia, Maroto contesta con palabras que son casi exactamente las de la Iglesia:

> Que el casarse no es delito
> y aunque es el estado honesto
> mejor, a vos me remito
> en quien tengo el gusto puesto.[111]

Por su parte, el señor alaba el estado de matrimonio «santo y justo», con términos que también son los de la Iglesia.[112]

* * *

El amor, el estado de matrimonio, el celibato son otros tantos motivos de que trata la comedia de ambiente rústico con una intención sin lugar a dudas edificante. Resulta evidente que la larga tradición del debate ideológico sobre la mujer y el matrimonio es la que nutre, en trasplano, al pensamiento de los dramaturgos. Este debate ya había sido alimentado por los filósofos estoicos populares y san Jerónimo. Durante mucho tiempo, en la Edad Media, en el ámbito de la sociedad feudal y patriarcal (estando la «familia», en sentido latino, trabada fuertemente alrededor del marido o del padre) la mujer no gozó de autonomía verdadera; era cosa y propiedad del hombre. Dentro de tal clima, se afirmó la tendencia misógina y el debate se intensificó; la obra más representativa es la *Disuasio Valerii ad Rufinum philosophum ne uxorem ducat,* de Walter Map, muy difundida a partir de fines del siglo XII y objeto de varios comentarios escolásticos.[113] Con todo, contradictoriamente, en relación con los cambios intervenidos en la vida social de las mujeres (en la capa aristocrática de la sociedad), el final de la Edad Media y luego el Renacimiento vieron afirmarse progresivamente tendencias ideológicas favorables para con el otro sexo. Primero fue el amor de corte («courtois»). Después, en el siglo XVI, entre otras corrientes ideológicas, el erasmismo y el neo-platonismo contribuyeron a esta promoción doctrinal de la mujer, sea como enamorada, sea como esposa. La comedia lopesca de ambiente rústico, que ensalza a

---

[111] *Ibid.,*p. 212 a:
[112] *ibid.,* p. 241 a:

> «Yo, que también casarme determino,
> quiero que en este estado santo y justo
> abran a mis intentos el camino.»

Poco antes, el propio Maroto decía:

> «Que, en fin, la buena mujer
> suele hacer bueno al marido» (p. 209 b).

[113] Cf. Ernst R. Curtius, *op. cit.,* p. 225-226.

la esposa y le entrega su confianza, no puede explicarse sin esta larga maduración ideológica. Algunas comedias tirsianas que traducen aún parcialmente la antigua desconfianza medieval para con la mujer[114] y prefieren el celibato al matrimonio, son un contraste que permite captar mejor lo moderno que contenía a este respecto, la ideología de la comedia de inspiración lopesca.[115] La comparación de Lope y Tirso también nos permite ver que, al trasladar a la gama rústica una inclinación personal, ambos dramaturgos llevaron, hasta el extremo de su trayectoria, dos tendencias opuestas, implicadas contradictoriamente en la búsqueda del estado virginal en el campo.

---

[114] Esta «antigua desconfianza» era alimentada todavía por la corriente del neo estoicismo, expresión de lo más reaccionario y feudal en la España de los años 1600-1630 (la obra de Quevedo tan penetrada de misoginia y pensada totalmente «al masculino» es uno de los testigos más destacados de esta corriente). Por oposición, el neoplatonismo que establecía la igualdad del hombre y de la mujer *en* y *por el amor,* constituyó una contracorriente relativamente progresista y modernista (al menos a este respecto) en el seno de la ideología aristocrática.

[115] No es éste lugar para abordar el conjunto de la ideología lopesca en lo que atañe al problema de la mujer; digamos no obstante que el neoplatonismo, que consituye lo esencial, corresponde en Lope a posiciones de reivindicaciones feminista modernas sin lugar a dudas. Véase *Quien ama no haga fieros, El castigo sin venganza, La vengadora de las mujeres, Las bizarrías de Belisa,* etc...

CAPITULO VII

EL VILLANO DEVOTO Y CARITATIVO

Tradición de las «simplicidades a lo divino» anterior a Lope. La santidad del villano ingenuo en las comedias de Lope. Ingenuidad como estado de gracia en el teatro de Tirso. El villano caritativo.

Al enumerar los méritos de los villanos en su tratado *Estimación de las artes...* (1600), Gutiérrez de los Ríos insiste en su vida virtuosa y su temor de Dios. Exclama:

> ... Hablando pues déstos ¿qué gente ay que sea más temerosa de Dios?
> ¿Quien ay que sea más perseverante en la religión que ellos?[1]

El hondo espíritu religioso de la gente de campo, éste es un argumento que vuelve a encontrarse en la mayoría de los tratados contemporáneos que atañen a la agricultura y hasta la propia palabra «agricultura» se carga entonces con resonancias cristianas (Cf. *La agricultura christiana* de fray Juan de Pineda). Además, numerosos motivos rústicos del Antiguo y Nuevo Testamento invitan a poner al mundo campesino en contacto con lo Sagrado. Recordemos la parábola del Sembrador (San Mateo, XIII, 23-30), la de la viña del Señor (San Marcos, XII, 1-12), la del Buen Pastor (San Juan, X, 1-21), la historia de Rut y Booz (Ruth, IV) sin hablar del *Cantar de los Cantares*, de la Natividad en Belén en un establo, de la adoración de los pastores, etc... Merced al principio proclamado por San Lucas (IV, 20):

> Beati pauperes, quia vestrum est regnum Dei,

los rasgos que, como ya vimos, provocaban la burla del villano en la sociedad monárquico-señorial en la realidad (ingenuidad, ignorancia, simpleza), le valieron también la promesa del cielo y el ser transmisor del mensaje teológico. La candidez cómica del rústico fue asimilada a un estado de gracia.[2] No vemos en ello contradicción alguna, sino tan sólo la doble traducción ideológica (revés y envés) de una única y mis-

---

[1] *Op. cit.*, fol. 236, rº.

[2] Tenemos ejemplos característicos de esta asimilación en algunos autos viejos: citemos la *Farsa del Triunfo del Sacramento* en la cual se llama al villano «el estado de inocencia» por su simpleza; digno de los dones de Dios a causa de su propio estado, se vuelve «el estado de gracia». Citemos también *La amistad en peligro*, auto sacramental de Valdivieso en el cual el personaje alegórico de Inocencia es una villana, personaje dulce y bondadoso.

ma situación heredada de la Edad Media. Entonces, la fe religiosa había apoyado al régimen feudal, que, recíprocamente, había sostenido y alimentado la fe. La promesa del cielo a cambio de las vejaciones y penas sociales sufridas en la tierra había cubierto con flores imaginarias las cadenas reales del villano, lo habían consolado ofreciéndole la realización fantástica de su ser.' A partir de fines del siglo XV, las doctrinas renacentistas sobre el valor divino del «estado de naturaleza» y su sabiduría inmanente vinieron a sumarse a este «feudalismo en las ideas» (representado por la teoría del pobre salvado teológicamente en razón de su condición de víctima social aceptada con humildad). Así es como los siglos XVI y XVII españoles acentuaron más aún la idea del rústico cándido, elegido por Dios.

Ahora lo veremos, desde sus orígenes hasta la comedia lograda, el teatro español no dejó de tratar este tema del villano edificante por su religiosidad. La pregunta a la que intentaremos dar una respuesta es la de averiguar si este tema no se orientó en la comedia hacia algunos motivos privilegiados y alimentado por una corriente de piedad particular.

* * *

Tal como lo subraya la mayoría de los autores dedicados, por los años 1600, a defender al villano y la agricultura, el Señor quiso nacer en un establo, entre pastores. Puede afirmarse que este motivo de la Natividad, tras su larga elaboración en el teatro litúrgico medieval («officium pastorum») vino a ser uno de los motivos más repetidos del teatro español de los siglos XV y XVI; sin lugar a dudas, en éste fue en el que se realizó con mayor acierto la fusión de la ignorancia y del candor rústico con la devoción y la fe.

En la segunda *Egloga ... de la Natividad* de Encina, los pastores cómicos llevan simbólicamente los nombres de los cuatro evangelistas: Juan, Mateo, Lucas, Marcos, y las palabras que pronuncian proceden a veces de los correspondientes evangelios; esto nos indica hasta qué punto los personajes rústicos vienen marcados aquí por la tradición del teatro litúrgico, hasta qué punto también están al servicio de la edificación religiosa. La primera *Egloga o Farsa del Nascimiento* de Lucas Fernández presenta la misma aleación de rusticidad cómica y sincera devoción. A los pastores que hacen payasadas y provocan sus explicaciones, un eremita les espeta una verdadera lección de teología acerca del dogma de la Santísima Trinidad, la Virgen, etc... En estas églogas, la familiaridad ingenua de los rústicos con Dios, la Virgen y los santos, no implica ninguna irreverencia religiosa; al contrario, es un medio hábil para hacer pasar la lección de catecismo.

El género de las Eglogas de Natividad, en las que los pastores son a la vez que cómicos, conmovedores y edificantes, conoció un éxito duradero a lo largo del siglo XVI y el tipo psicológico que fijó, el del rústico docto en su ignorancia, ya no cesó de apa-

---

³ Las raíces económico sociales de la promoción teológica del rústico teatral salen al descubierto en algunas piezas alegórico-morales de Gil Vicente en donde el Infierno es prometido a los opresores del villano: el clérigo disoluto, el noble parásito, etc... Véase, por ejemplo, *Romagen dos agravados*. Al aludir a los pesados tributos debidos a amos y señores, sin hablar de calamidades naturales que le abruman, el personaje campesino del *Auto da barca do inferno* declara:

«Nos somos vida das gentes
e morte das nossas vidas.»

recer en el escenario. En efecto, este tipo vuelve a encontrarse sin interrupciones en Gil Vicente, Torres Naharro, Diego Sánchez de Badajoz, los autores anónimos de los autos viejos, Valdivieso, Lope, Tirso de Molina, etc... Se lo encuentra por doquier, vinculado o no con este motivo de la Natividad que parece haber contribuido con tanta eficacia a llevarlo al escenario. En la época de Lope, además, el teatro no abandona de ninguna manera al tema de la Natividad y, en cierta medida, puede hablarse de un resurgir del motivo en todos sus armónicos (Natividad de Cristo, de la Virgen). De manera general, es toda una literatura la que ofrece síntomas de este retoñar. A Valdivieso le debemos unas composiciones en estilo rústico «sayagués» sobre el motivo del nacimiento de Jesús,[4] unos villancicos navideños. Lope, por su parte, trata el motivo en unos sabrosos poemas rústico religiosos,[5] y especialmente nos ofrece una magnífica interpretación del tema de los pastores de Judea en los pastores de Belén (1612). Tal vez le debamos a su pluma dos «autos de nacimiento»: el *Auto famoso del Nacimiento de Nuestro Salvador Jesuchristo* y *El tirano castigado* (Auto del Nacimiento)[6]. La última parte del auto sacramental, *La vuelta de Egipto* no es más que una fiesta rústica celebrada en honor de la vuelta de Jesús, la Virgen y san José a Nazaret, fiesta en la que vemos regocijarse con ingenuidad a pastores que llevan nombres tanto bíblicos como leoneses: Llorente, Pascual, Aria y Tardea. Asimismo, el segundo acto de *Al nombre de Jesús* es un auténtico cántico de los nombres de Cristo, presentado por el villano Sincero a su compañero rústico, una semana después del nacimiento de Jesús.

La comedia fue alcanzada por la ola de poesía devota que impulsaba de ese modo a los autores hacia los motivos rústico-religiosos de lo pastoril evangélico o bíblico. De Lope, se conservan *El Nacimiento de Cristo,* que no es más que «un auto de nacimiento» en tres actos[7] con el tema bien preciso del nacimiento de Jesús y de la adoración de los pastores. Pero el dramaturgo alcanza la perfección en este arte de aunar los tonos devotos y rústico sobre todo en *La Madre de la Mejor,* comedia dedicada al nacimiento de la Virgen; en esta pieza los patriarcas de la Escritura se asemejan mucho a los terratenientes, villanos ideales con quienes se soñaba a veces en tiempos de Lope, y, a su lado, la ingenuidad y la alegría tradicionales de los pastores navideños se interpenetran con lo sagrado, con familiaridad pero sin irreverencia; así se lleva a cabo en el más alto extremo la demostración escénica de la ejemplaridad religiosa de la vida campesina pura y natural, tanto a nivel de los jornaleros como al de los amos. *La Madre de la Mejor* puede fecharse en 1610-1612,[8] es decir en la misma época que *Los pastores de Belén.* Esta coincidencia parece indicar que Lope se siente atraído entonces más particularmente por los temas navideños. No obstante, repitámoslo, con ello no hace sino seguir a una oleada general y duradera del motivo y que rebasa am-

---

[4] Cf. *Romancero espiritual,* Madrid, 1648.

[5] Cf. *Rimas divinas y humanas de Tomé de Burguillos,* Clás. cast., núm. 75 («Poesías líricas de Lope de Vega»), p. 140.

[6] Ambas piezas figuran en una colección publicada en 1664 por el editor Robles, y Menéndez y Pelayo in *Estudios sobre el teatro de Lope de Vega,* C.S.I.C., Madrid, 1949, I, pp. 104-105, duda de la autenticidad lopesca de los textos así conservados.

[7] Como lo hizo notar Menéndez y Pelayo, *Ibid.,* I, p. 202:

> «Si esta comedia es la misma que con el título de «El Nacimiento» se menciona en la primera lista de «El Peregrino», hay que declararla anterior a 1604.»

[8] Cf. Morley y Bruerton, *Chronology...,* p. 214.

pliamente su obra personal. En efecto, es posible encontrar en la producción teatral contemporánea, o posterior, otros muchos ejemplos del tema. En el año 1612, nació precisamente el dramaturgo Cristóbal de Monroy y Silva quien moriría tempranamente en 1649. Ahora bien, de él conservamos una hermosa pieza que lleva por título *Los celos de San José*[9] en la cual los pastores reciben los nombres teatralmente rituales de Bato, Bras, etc. Estos pastores llevan tanta tierra española en sus almadreñas como la llevan los pastores de Encina o Lucas Fernández, y su admiración ingenua frente a los fenómenos que anuncian el nacimiento de Cristo no es menor que el de sus predecesores. Una misma sinceridad ingenua y cómica impregna sus ofrendas rústicas (cordero, miel); un mismo acento didáctico es el que se insinúa, por fin, en los cantos populares con los que celebran la venida del Salvador.

Una sensiblería algo facilona —«sant sulpicienne» diríamos hoy— inspira a veces las «simplicidades a lo divino». En las piezas en donde se desempeñan pastores enternecedores, desde fines del siglo XV hasta el siglo XVII, enlazados o no con el motivo de la Natividad. Cándidos y piadosos de una manera ingenua resultan por ejemplo Antón Ejido y Gil Guijarro, principales protagonistas de la *Farsa del Sacramento de los cuatro Evangelistas*.[10] Antón Ejido trae flores para echarle en una procesión y, por momentos, llora de alegría; cuando se encuentran con los cuatro Evangelistas, él y su compañero creen ver a los santos de la iglesia de San Pedro de la Mata (pueblo situado a siete leguas de Toledo). Pero ¿qué importa?, ¡bien saben que el Señor no mirará sino la pureza de los corazones!

Esta mezcla de emoción, de fe ingenua y de rusticidad que resurge así a lo largo del siglo XVI y florece en la época de Lope, ¿acaso no recibió, en alguna medida, una impronta franciscana? Es difícil olvidar que Iñigo de Mendoza, quien dio el primer ejemplo (en el siglo XV) de la unión entre rusticidad y tema devoto, en su *Vita christi fecho por coplas*, era ya franciscano. También hay que acordarse de que la primera edición de las *Farsas y églogas al modo y estilo pastoril y castellano fechas por Lucas Fernández*, fue impresa en Salamanca en 1514, bajo el signo franciscano. El frontispicio presenta, en efecto, a un san Francisco que está recibiendo de rodillas los estigmas de un crucifijo; al lado del santo se encuentra un hermano lego de la misma orden; el centro de dicho frontispicio lo ocupa un gran escudo coronado por un capelo cardenalicio, rodeado por el cordón franciscano.[11] Si, partiendo de esta época se da un salto de cien años, hasta los tiempos de la comedia lopesca, se nota que la savia franciscana sigue circulando aún en más de un espectáculo caracterizado por la alianza de un sentimiento religioso ingenuo y del ambiente rústico. A Lope en particular le debemos algunas piezas de tema franciscano, sobre todo *El rústico del cielo* («el hermano Francisco») (probablemente de 1605)[12] y *San Diego de Alcalá* (1613).[13] *El saber por no saber y vida de San Julián de Alcalá* que alguna vez se le atribuyó a Lope, pero tal atribución resulta dudosa,[14] también puede ser relacionada, por su inspiración, con las comedias precedentes. Todas estas piezas tienen por tema ora una leyenda aldeana elaborada en medio franciscano, ora la vida reciente de un franciscano célebre por su can-

---

[9] Cf. Cristóbal de Monroy, *Los celos de San José*, in *Comedias de varios autores*, t. 14, (B.N. Madrid, T. 14831).

[10] Léo Rouanet, *Colección de Autos, Farsas y coloquios del siglo XVI*, Madrid, 1901, III, p. 500.

[11] Puede verse una reproducción de este frontispicio en la edición de Manuel Cañete, *op. cit.*

[12] Cf. J. F. Montesinos, R. F. E. 1923, X, p. 192. S. G. Morley, R. F. E., 1932, XIX, pp. 152-154.

[13] Cf. Restori, *Rassegna*, 1926, XXXIV, p. 165.

[14] Cf. Morley y Bruerton, *Chronology...*, p. 337.

dor rústico. Pero, claro está, a la alianza de la inspiración devota y del tema rústico no queda exclusivamente limitada a las únicas piezas cuyo origen franciscano queda claramente documentado, y se puede agregar a la serie precedente, algunas comedias como la *Comedia de Bamba*, pariente por no pocas razones de *San Isidro labrador de Madrid*. En realidad, se había generalizado el procedimiento que consistía en unir la nota religiosa con la nota pastoril o rústica en los siglos XVI y XVII hasta ser uno de los medios de expresión clásicos de la poesía religiosa y devota. Para convencerse de ello, no hay sino hojear el *Romancero y Cancionero sagrados* del Siglo de Oro.[15]

La fe emocionada e ingenua de Isidro de Madrid en la imaginería de Aleluyas que propone Lope en su poema del *Isidro*, y en las comedias *San Isidro labrador de Madrid*, *La niñez de San Isidro* y *La juventud de San Isidro*, se aparenta por varios rasgos con la de los pastores conmovedores de antes. La única diferencia estriba en que Isidro alcanza la santidad y como privilegiado de Dios, tiene derecho al testimonio del milagro, prueba insólita y prodigiosa de la gracia divina otorgada al villano piadoso e ingenuo. Por lo demás, de haber un mundo en el cual el milagro —válido o no teológicamente— seguía siendo diario aún en el siglo XVI, era, en efecto, el de los aldeanos. No hay sino recorrer las *Relaciones topográficas* para comprobar que en Castilla la Nueva, a fines del siglo XVI, lo sobrenatural se encontraba por doquier en el campo. Al llevar a las tablas tradicionales relativas a villanos favorecidos por milagros o autores de milagros, los dramaturgos no hacían sino obedecer a las incitaciones del medio. Claro, no le era posible a Lope reproducir en el escenario los innumerables milagros atribuidos al labrador madrileño en los expedientes de la beatificación que le había prestado fray Domingo de Mendoza. Con todo, presentó, ante los espectadores, los suficientes como para hacer patentes la virtud y el estado de gracia del labrador, sin dejar por ello de satisfacer el gusto de la época por el «teatro de apariencias». En la primera pieza lopesca, la santidad y la pureza de Isidro aparecen subrayadas primero por la representación alegórica de sus luchas contra los poderes del Mal, ensañados contra él, y por el elogio que le dedican los caballleros madrileños D. Pedro de Luxán y Rodrigo. Pero el dramaturgo va más allá: al final del primer acto, nos presenta a Isidro dirigiendo una plegaria a la Virgen de la Almudena. Emana entonces de la persona a Isidro dirigiendo una plegaria a la Virgen de la Almudena. Emana entonces de la persona misma del villano un irradiar misterioso, algo que nos recuerda la aureola luminosa de los santos de los primitivos italianos: en efecto, cuando Juan de Vargas se acerca, furioso, a su criado para regañarlo por haber dejado de arar, se va calmando poco a poco, como alcanzado por una fuerza pacificadora. Lope hace que se verifique entonces bajo la mirada de sus espectadores el más tradicional de los milagros isidrianos: Isidro, en oración, dialoga con los ángeles por intermedio de un soneto en forma de A.B.C., y los ángeles se ponen a arar el campo con dos bueyes blancos en lugar de Isidro. Juan de Vargas se queda tan maravillado como debían de estarlo los espectadores al ver materializada en el escenario, gracias a los adelantos de la

---

[15] Cf. B. A. E., XXXV, *Romancero y Cancionero sagrados*. Véase en especial la moda de los coloquios pastoriles a lo divino. *Cancionero de Ubeda*: núm. 560, «Bras, Gil»; núm. 561, «Blas y Guillén»; núm. 562, «Vicente y Miguel»; núm. 563, «Bras y Tomás»; núm. 564, «Gil y Lucas»; núm. 565, «Bras y Gil»; núm. 575, «Bras y Gil»; núm. 576, «Silvestre y Bras»; núm. 577, «Pascual y Gil». Véase de Alonso de Bonilla, *Nuevo jardín de flores divinas:* núm. 587, «Pablo y Gil» núm. 588, «Blas y Gil»; núm. 591, «¿Qué hora es Gil?». Véase de Juan de Timoneda, el diálogo hortelano núm. 635 «Magdalena y Cristo», in *Cuatro obras muy santas*. Véase de Alonso de Ledesma: «Conceptos espirituales», núm. 580-581. Véase de Valdivieso in *Romancero espiritual*, especialmente núm. 648 (El Retablo), 649, 650, 665.

escenificación,[16] una de las más animadas escenas del fresco isidriano. En un cuadro posterior, Isidro tendrá la ocasión de practicar su caridad franciscana. Está nevando; el santo va al molino; se apiada de los pajarillos, abre un saco de trigo que llevaba y, enternecido, distribuye granos a las avecicas ateridas.[17] Y luego, otro milagro isidoriano, recompensa de la profunda devoción del aldeano, viene propuesto para encanto de los espectadores: mientras Isidro está en oración, el Demonio se las ingenia para que el lobo ataque a su burro; los gritos de «¡Guarda el lobo!» no logran sacar a Isidro de su ensimismamiento y el asno queda devorado. Pero, por maravilla, cuando por fin Isidro vuelve en sí, el asno resucita.[18] En la perspectiva isidriana la oración no sólo protege al ganado de los villanos contra los lobos, sino también permite el cumplimiento de su deseo permanente de que le llegue agua a la tierra seca castellana. Lope también pone en escena este otro aspecto de la santidad rural de Isidro —y nos presenta al aldeano haciendo manar una fuente por magia de su aguijón.[19] Por fin, llega un episodio no menos maravilloso, que recuerda el milagro evangélico de la multiplicación de los panes, así como el maná de Israel en el desierto. Isidro es el último en llegar al banquete de una cofradía que tiene por costumbre repartir las sobras de la comida a los pobres; pero esta vez los pobres son demasiado numerosos y no queda sino una porción de pan y carne; felizmente gracias a Isidro los restos pronto se transforman en una carne abundante y el único pan se multiplica hasta llenar seis cestas: nuestro aldeano puede entonces compartir este banquete con los que considera sus hermanos.[20] Lope escenifica otros milagros mas ya son póstumos. Pero ya mencionamos suficientes milagros para que quede patente que, a partir de su primera pieza sobre san Isidro, el Fénix insistió teatralmente en las pruebas sobrenaturales del estado de gracia inherente a la ingenuidad rústica.

Bamba, el héroe de la *Comedia de Bamba*, también es, en la óptica de Lope, un modelo de devoción, de caridad y de virtud ingenua, consagradas a veces por medio de milagros. Con ocasión de uno de sus actos de caridad se le manifiesta a Bamba, según Lope, el presagio misterioso de Ircana, cortando algunas ramas de un árbol para llevarle leña a una viuda, cuando cae a sus pies una corona de flores, seguida de otras más; pronto, por un prodigio más sorprendente aún, un brazo aparece para ofrecerle una nueva corona de oro, guarnecida con pedrerías.[21] Bamba es piadoso y antes de con-

---

[16] Cf. Acad., IV, n. 572. La acotación escénica es muy precisa:«Descúbranse dos puertas de hierba en el alto, se vean detrás los ángeles con sus aguijadas y los bueyes como están arando.»Este milagro figura en el retablo de Juan Diácono del siglo XIII.

[17] A propósito de la representación de esta actitud generosa, puede notarse un particular esfuerzo en la escenografía: los copos, por ejemplo, van imitados con algodón: «Véase un árbol con algún algodón encima, i parezca nevado, y unas palomas en él.» Semejante acotación nos permite suponer que ni el árbol ni las palomas figuran en un lienzo pintados sino bien representados en su volumen. He aquí algo que —dicho sea de paso— indica una puesta en escena más evolucionada técnicamente de lo que se afirma a veces.

[18] Este milagro va mencionado en la biografía (cap. III) debida a Juan Diácono y una referencia marginal del *Isidro* (fol. 95 rº) prueba que Lope le sacó del autor franciscano. Este milagro, como otros más, cumple un voto típicamente campesino, muy comprensible en una época en la que el lobo era un enemigo diario de los animales domésticos en el campo.

[19] Este milagro está ausente de la biografía de Juan Diácono, pero figura en el relato de Alonso de Villegas. La relación del pueblo de Aldovera (provincia de Guadalajara) de los años 1575-1580, que ya citamos, bien nos demuestra que los manantiales que brotaron milagrosamente, merced a Isidro son una proyección mágica de un voto campesino muy natural en el medio geográfico de Castilla la Nueva.

[20] Este milagro aparece en la biografía de Juan Diácono (cap. V).

[21] Acad., VII, p. 47. Este milagro de la corona bien parece haber sido una invención «efectista» de Lope. No figura ni en la *Crónica general de España*. ni en el *Valerio de Historias escolásticas y de España*, lib.

currir a una sesión del concejo en la que ha de ser elegido un nuevo alcalde, asiste a
misa: sale de ella con el rostro radiante de alegría.[22] Tras ser elegido por sus pares sus
primeras disposiciones como autoridad, son actos de caridad y de devoción. Un viajero se presenta ante el concejo y declara haber sido despojado de su bolsa en una venta: Bamba sermonea primero a sus pares quienes no acogieron favorablemente el
pedido de limosna del desconocido[23] y luego, cual nuevo San Martín,[24] entrega su propia capa al viajero y manda que le echen vino, etc... Llega en ese momento un buho-
nero con estampas piadosas. Bamba se interesa por ellas y tiene que elegir entre la Virgen María o el Salvador en una de las escenas de la Pasión. Alma emotiva —¿será una
nota franciscana este enternecimiento sobre un tema caro a san Francisco?— Bamba
no puede escuchar la evocación de la Pasión sin echarse a llorar.[25] Por fin, el contexto
toledano proporcionado por Lope en la comedia es el que dicta la elección de Bamba,
el cual se decide por una estampa que presenta a la Virgen entregándole su casulla a
san Ildefonso; la estampa —precisa nuestro aldeano— será colocada en una pared de
la sala de audiencia y protegerá al pueblo de Ircana de calamidades como el sereno y
la helada.[26] A pesar de las señales premonitorias de su realeza, el alma de Bamba es
demasiado humilde para darles crédito sólo un instante; así es como cuando lo hallan

---

III, tit. IV (debido al arcipreste de Santibáñez, Diego Rodríguez de Almela, compilador de tiempos de la
Reina Católica) que sirvieron de base a Lope para escribir su pieza (puede leerse el texto de Diego Rodríguez de Almela in Menéndez y Pelayo, *Estudios sobre el teatro de Lope de Vega*, III, pp. 20-22).

[22] *Ibid.*, p. 48 a: esta actitud que indica la piedad del campesino Bamba, al parecer, se debe a Lope.

[23] *Ibid.*, p. 48 b:

> «No impidáis al pobre el paso.
> ¿No sabéis, amigos, vos,
> que en eso que hacéis, pecáis,
> y si al pobre maltratáis,
> maltratáis al mismo Dios?»

Rasgo de caridad del villano, también debido a Lope.

[24] *Ibid.*, p. 48 b. El gesto de San Martin es uno de los motivos devotos que se encuentran a menudo
hacia 1600. Atribuido a Rodrigo, figura más o menos bajo la misma forma en *Las mocedades del Cid*, de
Guilleń de Castro.

[25] *Ibid.*, p. 49 a:

> *«Estampero:*   «¿Es de la Virgen María,
>   o su Hijo el Salvador?
>   Declárame el modo o cómo:
>   ¿Es en la cruz, por ventura,
>   en la calle de Amargura,
>   azotado, o Ecce Homo?
>   Soy tierno de corazón,
>   y en mentando la Pasión
>   lloro así...»

[26] Acad., VII, p. 49 a:

> «¡Santo cielo!
> Que nos vestido tan bueno,
> no os hará daño el sereno,
> ni os podrá ofender el hielo.»

por fin los godos que lo buscan para entronizarlo, en su campo detrás de los bueyes, suelta imprudentemente una palabra de desafío:

> Así puedo yo ser Rey,
> como dar flor mi aguijada.[27]

El milagro se produce instantáneamente: brotan flores del aguijón. Mientras los caballeros visigóticos se quedan arrobados, el propio Bamba marca con un soneto el parentesco de este milagro con el de la vara de Aarón que floreció durante la noche; se subraya así la correspondencia bíblica de la situación, como en algunos autos sacramentales contemporáneos de la pieza; modo de proceder que nos presenta una vez más la afinidad que existe entre un determinado teatro de ambiente rústico y el teatro propiamente religioso.[28] Bamba, ya rey, sigue manifestando su espíritu de bondad, caritativo y piadoso al dotar a su iglesia de su antiguo pueblo de Ircana con un retablo y una campana, y haciendo la ofrenda de 1000 ducados para sus mejoras: esta atención para con la iglesia parroquial, anuncia la actitud de la mayoría de los héroes villanos en el teatro lopesco.

Esta manera de aunar la devoción, la fe y la caridad con la rusticidad ingenua, que acaba de revelársenos en algunas escenas de *San Isidro labrador de Madrid* y la *Comedia de Bamba*, aparece con gran claridad en *El rústico del cielo*. Lope escenifica aquí a la figura franciscana de fray Francisco del Niño Jesús, enfermero en el hospital de Alcalá, fallecido, según parece, a principios del reinado del Felipe III, y que muchos espectadores habían podido conocer.[29] En un ambiente de terruño alcarreño bien marcado, el hermano Francisco, tal como lo presenta Lope, lleva hasta límites juzgados caricaturales por Menéndez y Pelayo[30] la alianza entre la tosquedad rústica y el cielo: esta alianza es la que quiso sugerir el dramaturgo con el título mismo de la pieza. El hermano Francisco, tonto de nacimiento, es en ella un ejemplo extraordinario de inocencia candorosa, ora cuando mata a un hombre con su honda y le atribuye la responsabilidad del homicidio a la piedra, y no a sí mismo, ora cuando al estilo de san Francisco llama hermanos y hermanas a árboles, nabos, berenjenas y zanahorias. La misma vena, exceptuadas algunas exageraciones vuelve a encontrarse en *San Diego de Alcalá*, pieza en la que Lope exalta el personaje de un hermano lego franciscano del siglo XV, canonizado en 1588 y objeto de varias biografías, hacia 1600.[31] En su *Flos sanctorum*, el padre Rivadeneira resumía de la siguiente manera la alianza de candor y de ciencia altamente inspirada que había caracterizado al bienaventurado:

> Fue de una simplicidad tan cándida y tan prudente en todas sus obras, y palabras, que no se podía dudar ser enviado y guiado en todo lo que se decía y hacía por el espíritu del Señor. El cual le dio una luz tan sobrenatural, y tan soberana, que en algunas preguntas y dificultades de las ciencias humanas daba tan altas respuestas, que

---

[27] *Ibid.*, p. 53 a.

[28] Al establecer una correspondencia con la historia de la vara de Aarón, Lope vuelve —consciente o no— a la fuente probable de este milagro poético, inserto tardíamente en la leyenda de Bamba. Menéndez y Pelayo in *Estudios...*, p. 20, declara que el primer texto en donde leyó esta tradición poética es el *Valerio de las Historias eclesiásticas y de España* de Diego Rodríguez de Almela. El recuerdo del cuento bíblico parece explicar esta inserción. Cf. *Nombres*, 17.

[29] Cf. *Estudios sobre el teatro de Lope de Vega*, II, pp. 92-93.

[31] *Ibid.*, p. 62.

bien parecían derivadas del autor y maestro de toda sabiduría. Y no es maravilla porque el alma humilde y sencilla es capaz para ser enseñada de Dios y levantada a cosas maravillosas y soberanas, como se ve en algunas que hizo Dios con el santo fray Diego...[32]

En su interpretación dramática, Lope puso el acento con delicadeza en esta mezcla de sencillez y de inspiración celestial. Dentro de un marco rural alcarreño, cuyo color no deja nada que desear frente al de *El rústico del cielo,* fray Diego demuestra ser perfecto discípulo de San Francisco en el esfuerzo de vida ingenua en enternecida comunión con la naturaleza creada por Dios. En un monólogo, le oímos pedir perdón a las flores que corta para decorar su capilla. En otra escena le reprocha al cruel cazador que mate a los conejos al salir de la madriguera. *El saber por no saber y vida de San Julián de Alcalá*, de cuyo verdadero autor ignoramos el nombre,[33] recalca también, con su título, la íntima relación que media entre una cierta ignorancia y una cierta ciencia. El protagonista, como el de las piezas analizadas antes, es un hermano lego franciscano, y el cuadro de la acción vuelve a ser alcarreño. A la gloria del mismo San Julián existe también una pieza de Luis Vélez de Guevara, *El lego de Alcalá:* en ésta, la comunión del héroe con el mundo animal va muy lejos ya que en una escena le vemos compartir el forraje de su mula con la que conversa como con un ser humano.

Con Tirso, algunos tipos de villanos, expresan, a su manera, el culto a la ingenuidad percibida como un estado de gracia. El más logrado nos parece ser este Maroto de *La Dama del Olivar* de quien hablamos ya. Pastor bueno, de inteligencia limitada, muy devoto de Nuestra Señora de Setiembre,[34] considera la asistencia a misa, todas las mañanas, como una de las sencillas alegrías de su vida de pastor,[35] y su devoción por la Virgen no pierde ocasión de manifestarse mediante oraciones. Villano tan ingenuo como lo son Isidro y Bamba, y cuyos impulsos hacia el cielo constituyen un peculiar rasgo recibe la gracia del milagro. Prisionero en manos de su antigua prometida Laurencia, que se ha vuelto serrana y jefe de bandoleros, está a punto de ser ahorcado en un olivo. Ya está atado al árbol. Al relajarse la vigilancia de los bandidos, Maroto invoca a Nuestra Señora. Correspondiendo su ardiente oración, la Reina del los Cielos se le aparece milagrosamente en un olivo:[36] es —dice ella— «La Dama del Olivar».

---

[32] P. Rivadeneira, *Flos sanctorum*, Sebastián de Cormellas, Barcelona, 1623, la parte, p. 784 (citado por Menéndez y Pelayo in *Estudios).*

[33] Se le atribuye tradicionalmente esta comedia a Lope de Vega por el hecho de figurar en la *Parte veinte y tres de las comedias de Lope de Vega* (Madrid, 1638) publicada después de la muerte del dramaturgo, por su yerno Luis de Usátegui. El estudio de la versificación, tal como lo señalamos, incita a poner en tela de juicio esa atribución.

[34] N. B. A. E., IX, p. 208 b.

[35] *Ibid.,* p. 209 a.

[36] Nótese otra vez la acotación escénica que indica el intento de escenografía: «Abrese un olivo y entre sus ramas está una imagen de Nuestra Señora de la Merced. »Tirso se inspiró en una de las tradiciones acerca de la fundación del convento de la Merced en Estercuel (Aragón) donde, al parecer, residió el autor en 1614-1615 (Cf. para la probabilifad de tal estancia, Blanca de los Rios, *Tirso de Molina, Obras dramáticas completas,* I, Aguilar, Madrid, 1946, p. 1042). En su *Historia de la Merced* (cuyo manuscrito puede verse en la Academia de la Historia, en Madrid) Tirso evoca el «... antiquísimo monasterio del Olivar, cuya soberana y milagrosa imagen, aparecida en los primeros años de nuestra fundación, sobre un olivo que hasta el presente día se conserva en sus ramas y hojas vivo y verde, y no con menor fruto que el de la que nos lo produjo eterno, le hace devotísimo e ilustre...» Blanca de los Ríos, *op. cit.,* p. 1042 b, cita este texto, pero no indica el folio en el cual figura. Una larga búsqueda en el manuscrito no nos había permitido encontrarlo: nos ayudó una indicación de Serge Maurel: está en el folio 381 vº. También hay una alusión, breve, en el

Le dedica a Maroto una larga tirada en la que son evocados todos los sentidos alegórico-místicos del olivo, la aceituna y el aceite al par que exaltados la Orden de la Merdec y sus cuatro votos: pobreza, obediencia, castidad y caridad que corresponden a los cuatro aspectos simbólicos del olivo. Por fin Nuestra Señora le pide a Maroto que transmita a los aldeanos de la comarca su deseo de que sea erigido un templo en el lugar de su aparición y que sea confiado a la Orden de la Merced.[37] Los aldeanos de Estercuel, salidos en persecución de los bandidos, llegan a tiempo para liberar a Maroto, pero no prestan fe al relato de la aparición. Nuestro villano, incapaz de transmitir el encargo que le confiara la Virgen, vuelve a pedirle ayuda. Esta, algo bromista en su poderío, se las arregla para que la cabeza de Maroto se quede vuelta hacia atrás.[38] El

---

folio 233 vº. Notemos que en la parte en la cual Tirso relata la fundación de los distintos monasterios de la Orden, no menciona la del monasterio de Estercuel. En realidad, las tradiciones que atañen a las apariciones de Nuestra Señora del Olivar han sido numerosas en España, tierra de olivos, y pueden citarse otras, vinculadas con la fundación de un convento franciscano de Nuestra Señora de la Oliva. Cf. Salazar, *Crónica y historia de la fundación y programa de la provincia de Castilla, de la Orden del bienaventurado padre San Francisco,* Madrid, 1612, fol. 261.

Pueden hallarse datos precisos sobre las tradiciones de Nuestra Señora del Olivar de los se inspiró Tirso, in Felipe de Guimerán, *Breve historia de la orden redentora de la Merced,* Valencia, 1591, fol. 66 (B. N. Madrid, R, 28046) y sobre todo Blasco de Lanuza, *Historias eclasiásticas y seculares de Aragón,* Zaragoza, 1622, I, pp.229-232 (B. N. Madrid, 2-65981) En el siglo XVIII, Fr. Pedro de Luna in *Breve relación historial, panegyrica y doctrinal de la aparición de Nuestra Señora del Olivar,* Zaragoza, 1723 (B. N. Madrid, 3-69758), volvió a tratar estas tradiciones adornándolas con numerosos comentarios.

En la comedia, el personaje de Maroto, pastor ingenuo y piadoso, es una transposición del Pedro Nobés de la tradición de Estercuel. A este Pedro Nobés, mayoral de los rebaños del señor de Estercuel y «hombre santo y temeroso de Dios muy devoto a la Virgen nuestra Señora a quien solía cantar los gozos», se le habría aparecido la Virgen, sentada en un olivo. Pero esta aparición no tuvo lugar con las circunstancias novelescas en las que la sitúa Tirso. Cf. Blasco de Lanuza, *op. cit.,* p. 231. Fr. Pedro de Luna, en su comentario de 1723, insistió en la santidad de la «simpleza» atribuida por la tradición a Pedro Nobés. Cf. pp. 34-35:

: «Acostumbran de dezir algunos plebeyos con poca advertencia y sobrada malicia, que a los simples se aparece la Madre de Dios, entendiendo por este nombre simple a los necios, y de corto caudal... Verdad es que a los simples se aparece la Madre de Dios, pero no son los simples, o necios de que hablan los dichos, y por esto injurian a Dios, y a su Madre como sacrílegos y mienten como infieles, sino los que se dizen simples son sinceros, porque son de intención recta, y sano corazón... A semejanza de Job se puede dezir simple Pedro Nobés porque era sincero, temeroso de Dios, y muy santo y por esso le halló digno el cielo, para favorecerle con aparición tan milagrosa. No avía cursado este Pastor las Escuelas del mundo, sus Cortes, y Palacios, pero sabía la ciencia de los santos, que consiste en una santa sinceridad sin doblez. Era en suma de aquellos que el mundo y sus sabios tienen por necios y fatuos, a quienes el Cielo llama simples, por lo que llevamos dicho, y son los perfectamente sabios, y favorecidos de Dios.»

[37] N. B. A. E., IX, p. 230 b. En este punto Tirso sigue la tradición fijada en los relatos de la fundación del convento.

[38] Existen muchas razones que permiten suponer que Tirso, en este caso, sigue una tradición folklórica, pero no es la que mencionan los relatos dedicados al pastor Pedro Nobés en la tradición de Estercuel. Según Blasco de Lanuza, en 1622, Pedro Nobés quedó con la mano pegada a la mejilla y no con la cabeza vuelta. *Op. cit.,* p. 230: «... y jamás pudieron apartarle la mano del carrillo, aunque lo esforzaron personas de grandes fuerzas y pulsos, que era la señal que la Virgen le había dado para que le creyesen.» Fray Pedro de Luna, en 1723 (*op. cit.,* p. 23), igualmente escribe: «... la dixo su mal despacho a que respondió la Reyna de los Angeles: *No te desconsueles Pedro, llégate más cerca* y alargando la Sacratísima Virgen su mano derecha, le puso la suya sobre la mexilla, diziéndole *Ea buelve, que en testimonio de la verdad de lo que le has dicho y dirás, no podrán apartarla de tu rostro...* y no pudiendo los de mayores fuerzas desviarle la mano de la mexilla, le creyeron todos...» (Debemos esta nota a nuestro colega Serge Haurel).

procedimiento resulta eficaz ya que la figura de Maroto «con la cabeza torcida» convence de inmediato a todo el pueblo de la veracidad de sus palabras. El señor del lugar, don Gastón, promete en el acto levantar la casa de la Merced que pide la Virgen y esta vuelve a poner la cabeza de Maroto en su sitio, reapareciendo en dos oportunidades, a todos esta vez. Vemos que aquí Tirso trató en *La Dama del Olivar*, en relación con la nota rústica, la tradición medieval de los milagros de Nuestra Señora tan propios para admirar a la gente. La empresa tal vez no carezca de interés desde el punto de vista de la historia literaria española, si se considera que a pesar de ser el tema mariano uno de los más importantes de la lírica castellana medieval, el teatro español conocido no nos ofrece representaciones de los milagros de María comparables con los de un Ruteboeuf o con los *Miracles de Nostre Dame par personnages* en Francia.

Aun cuando no alcanza a merecer la gracia privilegiada del milagro, la ejemplaridad religiosa del villano teatral siempre es evidente. Y cuando no la lleva el villano cándido, le toca al villano digno y lúcido presentarse como modelo. Un rasgo repetido es aquel de la generosidad aldeana en lo que atañe a la construcción, reparos, decoración de las iglesias, al cuidado de las estatuas de santos... Tenemos en *Peribáñez y el comendador de Ocaña* una escena muy edificante en la que, con ocasión de una reunión de la cofradía de san Roque en Ocaña, el dramaturgo quiere exaltar la generosidad y estimular los gastos piadosos en relación con las ideas populares acerca de las virtudes curativas de San Roque.[39] Asímismo Juan Labrador de *El villano en su rincón*, de Lope, es un modelo de generosidad para con la vieja iglesia parroquial de Miraflores: se encarga de los gastos de ornamentación de la iglesia y lo hace tan señorialmente que la exquisitez de la decoración merece la admiración de una infanta que la visita en un paseo.[40] Es de reconocer, por cierto, que la iglesia parroquial ocupa en los sentimientos y la vida de Juan Labrador un sitio importante: la visita muy a menudo.[41] Por fin, en los Tellos de Meneses, vemos a un vecino del viejo Tello solicitarle

---

[39] Cf. versos 1070-1075:

> «De nuestto santo patrón
> Roque vemos cada día
> aumentar la devoción
> una y otra cofradía,
> una y otra procesión
> en el reino de Toledo.
> Pues ¿por qué tenemos miedo
> a ningún gasto?

La alusión al desarrollo del culto de San Roque es un anacronismo debido a Lope, ya que este culto se desarrolló tardíamente en la región toledana, hacia 1600 (en cambio, la acción de la pieza se sitúa en el siglo XV).

[40] Acad., XV, p. 283 l:

> «La iglesia me contenta, aunque es antigua,
> y los altares tienen, para aldea,
> mejores ornamentos que la corte.»

[41] Verbigracia, al pedirle el Rey, para el servicio de su corte, a su hijo y a su hija, Juan está muy afligido de verse privado de ellos ¿Dónde encontrará consuelo? En la casa del Señor.
Acad., XV, p. 305 b:

> «Pensarlo quiero.
> Partid, señor, con ellos en buen hora,
> que a la iglesia me voy.»

un aporte al rico aldeano para la construcción de un templo: Tello le dona la suma importantísima de 3.000 ducados.[42]

* * *

Comprendemos en qué sentido el villano ejemplar es devoto y caritativo. «Beatus ille», rezaba el épodo horaciano. Ahora bien, la Edad Media había sabido darle a este adjetivo «beatus» un sentido religioso. El Renacimiento lo confirmó al santificar el «estado de naturaleza». Esta es la concepción que recoge la comedia de ambiente rústico cuando pone en escena a sus villanos cándidos, ingenuos y piadosos, y quienes a menudo merecen la gracia del milagro. Vimos que los temas de la Natividad son los temas favoritos de estos frescos ingenuos, en los cuales puede divisarse a veces un acento franciscano. Pero, aun cuando sale de la tradición del pastor conmovedor con matices a veces franciscanos, el villano teatral sigue marcado por el espíritu devoto. Quizás haya que ver en ello el signo propio de una época penetrada de piedad y buena conciencia religiosa, a la que caracterizó más simbólicamente que cualquier otra figura, la de Felipe III, rey virtuoso y santo.

[42] Acad., VII, p. 307 b.

CONCLUSION

De atenerse únicamente a la imgen del villano ejemplar y útil que nos proporciona con tanta abundancia y tal variedad de perspectivas la comedia de tiempos de Lope, en la aldea todo resulta perfecto, económica, moral y religiosamente; la felicidad aldeana (¡el canto del «Beatus ille» repetido en mil variantes!)[1] transcurre, siempre igual como las horas en el reloj de sol de las viejas iglesias parroquiales, y así es como se las representan los dramaturgos, quienes reflejan los gustos de su público. En esto, por lo demas, la comedia de ambiente rústico realizaba cumplidamente el programa ideal de ejemplaridad cívica y moral de los espectáculos que fijaban los teóricos aristotélicos, los teólogos y los censores de la época.

En efecto no cabe duda: la comedia española ha querido ser moral como lo exigía el código aristotélico[2]: un entretenimiento edificante y útil a la ciudad. Para Aristóteles el hombre es un animal político *(Etica a Nicómaco, I, 6)*. De ello resulta que la tarea del arte —que por naturaleza es «político»— consiste en fortalecer la cohesión social (leyes, moral, lenguaje) y reforzar los lazos internos de la ciudad. Así es como para Aristóteles la tragedia es la escuela del ciudadano. En el capítulo de los espectáculos, en su *Philosophia antigua poética* (1596) López Pinciano, comentador de Aristóteles, nos permite ver de qué modo las ideas del maestro griego impregnaban la poética teatral a fines del siglo XVI. Siguiendo la teoría de la «catharsis», López Pinciano dictamina que la tragedia y la comedia son purificadoras.[3] En otra parte, pide que la tragedia concurra a las buenas costumbres y a la moral:

> ... que sea honesta, loable, y virtuosa, que es lo que debe enseñar el poeta, poniendo al bueno galardón y al malo castigo...[4]

---

[1] Una prueba entre tantas de la difusión del épodo horaciano estriba en el hecho de que fue cantado en el siglo XVI, como así lo atestigua en varias oportunidades el *De Musica...* de F. Salinas (Cf. en especial p. 276 - 3 - 3 312).

[2] Se ha dicho y repetido infinidad de veces, y con gran acierto, en qué aspecto la comedia nueva tomó con libertad y exuberancia la contrapartida de las reglas poéticas aristotélicas, en particular la de las tres unidades. No obstante, sería unilateral y esquemático no ver el aporte aristotélico que se integró a la comedia, en suma por una vía de superación dialéctica. Mas adelante, en nuestro estudio, tendremos que volver sobre estos aspectos aristotélicos de una comedia cuya arquitectura es al mismo tiempo «anti-aristotélica».

[3] *Philosophia antiguapoética...*, Madrid, 1596, p. 332 (B. N. Madrid, R. 4451).

[4] *Op. cit.*, p. 351.

Precisamente por asignarles a las representaciones el papel social y político (en sentido griego) que ya les había otorgado Aristóteles, López Pinciano solicita que los espectáculos sean controlados por comisarios y censores. Uno de sus personajes, Ugo, escandalizado por algunas exhibiciones de bailes inmorales, propone:

> Si tuviera autoridad en la administración de la República, yo preveyera de un comissario que viera todas las representaciones antes que salieran en la plaça pública: el qual examinara las buenas costumbres dellas...[5]

Pero los espectáculos comprometen sin duda algo más que los principios del decoro cotidiano ya que, encareciendo las palabras de Ugo, un segundo personaje, don Fadrique, afirma que toda la ciudad, en cuanto organismo político, tiene interés en instituir tales comisarios:

> ... Para otras cosas más importantes (aunque éssa lo es) fuera coveniente el comissario que pedís, porque ya oyo muchas vezes representaciones que ofenden a la buena política, y en lugar de enseñar estragan al oyente, y le emponçoñan.[6]

Esta manera de pensar de un López Pinciano dista mucho de ser la única y, entre 1590 y 1620, muchos poetas piden, a su vez, que las representaciones sean ejemplares y estén al servicio de la «πόλις» española. Ya algunos años antes, en 1592, el agustino Marco Antonio de Camos, en su diálogo que lleva por título *Microcosmia y gobierno universal del hombre christiano...,*[7] había profesado, apoyándose en Santo Tomás, que las comedias no eran ni buenas ni malas en sí, sino que, para distraer sin envilecer, convenía armonizarlas con las leyes morales de la «República cristiana»:

> ... No... dexo de dar por muy acertado, y a la república christiana necessario, que se tenga grande quenta, con q̄ las cosas q̄ representan, sean concernientes a la institución moral de la christiana vida.[8]

¿Tal moralismo literario no resultaba nuevo? Lo novedoso, a fines del siglo XVI, reside en el hecho de que esta reivindicación de ejemplaridad de la literatura, puesta al servicio de la república, se haya vuelto familiar para un amplio sector de la opinión. En el debate en pro o en contra de las comedias, que prosiguió durante más de cuarenta años, desde el 1590 hasta 1630 y más allá, se encuentra repetido cien veces el argumento de que la comedia puede ser moral y cívicamente útil. Giró alrededor de esta cuestión central, en suma, lo esencial de la polémica nunca agotada acerca de la licitud de los espectáculos.[9] Citemos sólo un ejemplo: en 1598, cuando a causa de la

---

[5] *Op. cit.* p. 519.

[6] *Ibid.*, p. 520.

[7] *Microcosmia y gobierno universal del hombre christiano...*, Marco Antonio de Camos, la ed., Barcelona, 1592. 2.ª ed., Madrid, 1595 (B. N. Madrid, R. 20879 y 26218). Esta obra al par que expone la doctrina de la necesidad de una literatura útil, condena a las novelas de caballerías, por no dar provecho a la República. La preocupación de realismo y verdad en las letras se suma en ella a la revindicación de utilidad pública. La obra es importante para estudiar el desarrollo de la doctrina de la ejemplaridad en literatura en el último decenio del siglo XVI.

[8] *Ibid.*, fol. 150.

[9] Remitimos al clásico trabajo que reúne los textos más interesantes del debate: Emilio Cotarelo y Mori, *Bibliografía de las controversias sobre la licitud del teatro en España*, Madrid, 1904.

muerte de la infanta Doña Catalina, duquesa de Saboya, permanecieron cerrados los teatros madrileños, la ciudad de Madrid presentó un memorial a Felipe II para solicitar su reapertura. El principal argumento invocado era precisamente su ejemplaridad y la utilidad pública de la comedia concebida como una diversión nada vacía ni gratuita:

> ... Se suplica a V. Mag. mande advertir que en otros Reynos ha sido tan manifiesta la utilidad de las comedias que nos excusa de repetir antigüedades y agenas historias, y nos obliga a no perderla, pues comenzando por la sustancia de la comedia, ella es exemplo, aviso, retrato, espejo, dechado por donde el hombre dócil y prudente puede corregir sus pasiones, huyendo de vicios, levantar sus pensamientos aprehendiendo virtudes por medio de la demostración que todo hay en la comedia y que tan poderosa es en los actos humanos...[10]

La censura y el comisario de espectáculos, que solicitaba un López Pinciano, también fue una reivindicación común de no pocos discretos partidarios de lo que llamamos hoy un «teatro dirigido». Estos discretos no fueron de poca cuantía, puesto que contamos entre ellos a un Cervantes, ya en 1604.[11]

Todo esto bien demuestra que el teatro español hacia 1600, no se desarrollaba en un mundo aparte; crecía bajo la mirada vigilante de los teólogos, los moralistas y de los hombres de gobierno. En relación con este hecho es como hay que apreciar la ejemplaridad de la comedia de ambiente rústico. Sería posible demostrar que el realismo político de Aristóteles fue inflexionado en el sentido de una consolidación de la sociedad esclavista.[12] De la misma manera podemos afirmar que la comedia de ambiente rústico, al repetir bajo distintas perspectivas la imagen ideal del villano feliz y edificante, contribuía a consolidar una sociedad de clases (monárquico-señorial), basada en la producción rural y dominada por los terratenientes. En el fondo, a pesar de los asaltos del mundo burgués, la ciudad monárquico-señorial española de 1600, pretendía perpetuar esta «ciudad de Dios» feudal y teocrática, bien compartimentada y bien jerarquizada, que habían concebido el siglo XII y los siguientes, a partir de la noción puramente mística de una «ciudad universal» elaborada en sus orígenes por San Agustín. ¿Acaso cada cual no estaba destinado a ganarse el cielo, en el lugar mismo en que lo habían puesto su nacimiento y su condición social?: el fraile en su convento, el soldado en la guerra y el villano con su arado. Y para la inmensa mayoría, ¿acaso la mejor vía para alcanzarlo no era la vía rústica? El poema de Fernán González ya había imaginado la ciudad ideal, según esta estructura feudal y religiosa, al situarla míticamente antes de la conquista musulmana:

> Estavan las yglesias byen ordenadas,
> de olio e de çera estavan abastadas;

---

[10] *Memorial de la villa de Madrid pidiendo al Rey Felipe II que se abriesen los teatros...*, Madrid, 1598 (in Pérez Pastor, *Bibl. madrileña*, núm. 583, I, p. 304).

[11] Remitimos al largo diálogo del cura y del canónigo in *Quijote* (Parte I, cap. XLVIII) Cervantes va quizás más allá que sus contemporáneos al pedir que intervenga la censura no sólo en el ámbito político y moral, sino también en el estético. ¿Acaso no anuncia con ello una tendencia que iba a prevalecer en el siglo XVIII? Aún queda por hacer la historia de los censores de espectáculos y de su labor en tiempos de la comedia lopesca: Alonso Remón, Tomás Gracián Dantisco, etc...

[12] Para Aristóteles, la ciudad no pretende ser común a todos los conciudadanos sino que reserva este título a una minoría de miembros, de la cual queda excluido el «ganado servil».

los diesmos e premiençias lealmente eran dadas
vesquian de su lazeryo todos los labradores

....

vesquian de sus derechos los grandes e menores

....

(Str. 38 et sq.)

Hacia 1600, al hacer del villano un modelo social y moral —cual elegido de Dios— la comedia rústica repetía la vieja idea, en lo esencial, adaptándola a las nuevas circunstancias (desplazamiento de los nobles del campo a la ciudad). Los ropajes modernos con los que a veces se vistió (la idea neoplatónica de la pureza de la naturaleza) no pueden impedirnos divisar este contenido, medieval en su esencia.

En toda la literatura de aquel tiempo se manifiesta esta ideología feudal cuyo vocero es el villano teatral. Hacia 1609, Guillén de Castro lo proclama bien alto en boca del héroe castellano por antonomasia, parangón de todas las virtudes medievales, según el siglo XVI: el Cid. En *Las mocedades del Cid*, le hace declarar una verdadera lección de catecismo sobre los distintos medios de acceder al cielo:

Para general consuelo
de todos, la mano diestra
de Dios mil caminos muestra,
y por todos se va al cielo.
Y así, el que fuere guiado
por el mundo peregrino,
ha de buscar el camino
que diga con el estado.
Para el bien que se promete
de un alma limpia y sencilla,
lleve el fraile su capilla,
y el clérigo su bonete,
y su capote doblado
lleve el tosco labrador,
que quizá acierta mejor
por el surco de su arado.[13]

Pero ¿será cierto? ¿Era el villano de 1580-1640 tan ejemplar como lo querían cuando lo descubría útil y necesario a la ciudad? ¿Había conservado toda aquella ignorancia arcádica (para los feudales) que reconocían jurídicamente las *Partidas* del siglo XIII y que el teatro de los siglos XVI y XVII expresaba cómicamente al par que la transmutaba en «estado de gracia» y actitud edificante? Por algunas señas concretas resulta evidente que esta imagen idílica no correspondía a la realidad. No obstante, nobles y ciudadanos, mutilados por su propia sociedad (los temas del «menosprecio de corte» y del «desengaño») necesitaban de esta ilusión. Con ella alimentaban su imaginación y sus ensueños.[14]

---

[13] Versos 2166-2182, ed. Víctor Said Armesto, 2.ª ed., Clás. cast., La Lectura, Madrid, 1923.
[14] Esto aparecerá más claramente en el segundo tomo de este estudio.

Tercera Parte

EL VILLANO PINTORESCO Y LIRICO

EL VILLANO PINTORESCO Y LIRICO

El movimiento que, hacia finales del siglo XV y a lo largo del Siglo de Oro, impulsó a la aristocracia primero, y después a los habitantes de las ciudades en general, a buscar en un campo ideal el medio de escaparse de su propia existencia sentida como alienación, no se desarrolló únicamente en el plano ético. También se desarrolló, con levísimo retraso, en el plano estetico. La impresión de vanidad y futilidad que se desprendía de la existencia aristocrática y urbana llevó a nobles y ciudadanos a buscar en los motivos artísticos de la gente de campo valores estéticos considerados como más auténticos y más espontáneos. Esta tendencia se extendió a bailes y danzas, a canciones, al lenguaje, y por fin, hasta el traje.[1] Una teoría vino a sistematizar este movimiento: la oposición entre «Arte» y «Naturaleza», muy difundida a partir de 1580 aproximadamente. En la práctica, venía a afirmar que en el campo, el pueblo (en cuanto expresión de la Naturaleza no corrupta por la Civilización) era capaz de alcanzar espontáneamente la perfección artística en sus juegos, sus fiestas, sus cantos, sus bailes y danzas, sus proverbios, sus trajes, etc.

El primer momento del impulso que lleva así al Renacimiento español hacia el arte «popular» ha de situarse, según parece, bajo el reinado de Fernando e Isabel.[2] Pero, como lo hizo notar muy acertadamente Margit Frenk Ala-

---

[1] Un movimiento análogo, si bien de contenido bastante diferente, habría de inclinar a la aristocracia española a fines del siglo XVIII, hacia la plebe y el majismo. La diferencia estriba en que la aristocracia se volvió entonces hacia la gente humilde de la ciudad, y no hacia los aldeanos.

[2] En lo que sigue de este estudio nos veremos obligados constantemente a hablar de arte y poesía «populares». Digamos de una vez que aceptamos como un hecho indiscutible la existencia de un arte (trajes, cantos, bailes, escultura, decoración) y de una poesía populares en el Siglo de Oro. Poco importa si, en sus orígenes, este arte o esta poesía hayan sido a veces aristocráticos y obra de artistas individuales.

Su carácter popular estriba en el hecho de que el pueblo haya acogido este arte y esta poesía en su seno, lo haya hecho su propiedad colectiva, les haya aportado su contribución y sus transformaciones anónimas y las haya conservado como un tesoro, en un momento en que las clases altas las habían dejado de lado. En otros términos, nuestra definición de arte y poesía «populares» viene a ser más o menos la misma que elaboró R. Menéndez Pidal a propósito de la poesía «tradicional» cuando valiéndose de argumentos que no nos parecen haber sido refutados aún a la hora actual, superó la contradicción vigente entre la teoría romántica y la teoría positivista acerca del carácter de los romances. En *Poesía popular y poesía tradicional*, escribía: «... el pueblo la ha recibido como suya, la toma como propia de su tesoro intelectual, y al repetirla, no lo hace fielmente de un modo casi pasivo... sino que sintiéndola suya, hallándola incorporada en

torre, a propósito de la lírica,[3] los elementos que van a buscar en el pueblos los artistas al servicio de la aristocracia se reducen aún a poca cosa. En esta fase, no hay sino el esbozo tímido de una corriente (Juan del Encina y en especial Juan Alvarez Gato, los franciscanos Iñigo de Mendoza y fray Ambrosio Montesino, son sus representantes en lo que atañe a la lírica) que cobra fuerzas después del primer tercio del siglo XVI, y sobre todo después de 1580. Gil Vicente daba ya un lugar más importante que Encina a los motivos realmente populares en su teatro palaciego, y frente al Salmantino significa un neto avances en la irrupción de los valores artísticos rurales al escenario. El primer tercio del siglo XVI, tal vez por la influencia italiana en la poesía y en las costumbres, marca no obstante una pausa en la difusión del arte popular en el seno de los medios aristocráticos. A partir de 1535 empiezan a aparecer libros de música en los cuales músicos de corte y de palacio recopilan a veces melodías populares.[4] En fin, después de 1580 aproximadamente, y en relación, al parecer, con el desplazamiento de los nobles hacia las ciudades, y la constitución de un arte ciudadano dirigido a un público más amplio, los motivos populares (en especial los de bailes y danzas, y de canciones) son introducidos masivamente en el arte. La comedia, el teatro religioso y la lírica religiosa (santa Teresa, Alonso de Ledesma, Francisco de Ocaña, Francisco de Avila, Valdivieso, Lope) desempeñan un papel excepcional en esta nueva fase de asimilación de los tesoros artísticos del pueblo por parte de las clases cultas. Así es como poesías del propio Góngora (bastante temprano, parece) significan, un interesante aporte a esta obra de integración cultural. Acerca de este movimiento general que impulsaba los medios cultos y las clases altas a imitar y a asimilar la lírica popular, encontramos un testimonio muy claro bajo la pluma de Covarrubias. En el *Tesoro...* de 1611, dice a propósito de «villancsca»:

---

su propia imaginación, la reproduce emotiva e imaginativamente y, por tanto, la rehace en más o en menos, considerándose él como una parte del autor» (in *Los romances de América y otros estudios*, Buenos Aires, Espasa Calpe, 1939, p. 80). Por nuestra parte, usaremos indiferentemente los adjetivos «tradicional» y «popular» para designar a este arte, cuya principal característica es ser o haber sido vehiculado por el pueblo. Muy a menudo el origen de este arte es popular, pero también puede ocurrir que no lo sea: lo que lo hizo «popular», fue el que lo acogiera el pueblo, y por ende, le diera su impronta.

[3] Margarita Frenk, *La lírica popular en los siglos de oro*, Tesis doctoral, México, Universidad Autónoma, 1946, 79 pp. Desgraciadamente este folleto se editó en muy escasos ejemplares. A la amistad de la autora le debemos el haber podido consultarlo con el mayor provecho. Acaba de dar precisión sobre algunas opiniones, en *Dignificación de la lírica popular en el Siglo de Oro*, en *Anuario de letras*, México, 1962, pp. 27-54.

[4] Recordemos los títulos más conocidos:

Luis Milán, *Libro de música de vihuela de mano intitulado el Maestro*, Valencia, 1535-1536 (B. N. Madrid). Luis de Narváez, *Los seys libros del Delphín de música de cifra para tañer vihuela*, Valladolid, 1538 (B. N. Madrid). Alonso de Mudarra, *Tres libros de música en cifra para vihuela*, Sevilla, 1546 (B. N. Madrid). Enríquez de Valderrábano, *Libro de música de vihuela, intitulado Silva de sirenas*, Valladolid, 1547 (B. N. Madrid). Diego Pisador, *Libro de música de vihuela*, Salamanca, 1552 (B. N. Madrid). Miguel de Fuenllana, *Libro de música para vihuela intitulado Orphényca lyra*, Sevilla, 1554 (B. N. Madrid). Thomás de Santa Mariá, *Libro llamado Arte de fantasía, assí por tecla como para vihuela*, Valladolid, 1564. Esteban Daza, *Libro de música en cifras para vihuela intitulado el Parnaso*, Córdoba, 1576 (B. N. Madrid).

... Villanescas: canciones que suelen cantar los villanos cuando están en solaz. Pero los cortesanos remedándolas han compuesto a este modo y mensura cantarcillos alegres. Esse mesmo origen tienen los villancicos tan celebrados en las fiestas de Navidad y Corpus christi. [5]

Por lo demaś no vayamos a pensar que el entusiasmo por lo «popular» —o lo que parecía serlo—, se limitaba entonces a la poesía, la canción y el baile. A partir de la segunda mitad del siglo XV este interés había contagiado las formas diarias de la vida social. Los humanistas emprendieron entonces la tarea de coleccionar proverbios y locuciones del pueblo (Juan de Mal Lara, Hernán Núñez, Gonzalo Correas). Algo más tarde, el traje rústico, o regional, despreciado hasta entonces por las señoras de la aristocracia o de las ciudades, empezó a gustarles, y en el artículo «capillo» del *Tesoro...* (1611) de Covarrubias, por ejemplo, leemos:

... Las labradores de Tierra de Campos usan unos capillos que les sirven de sombreros y mantellinas, y las señoras de aquella tierra los traen por bizarría de sedas, de telas y de bordados... [6]

Y como eco a este referencia de Covarrubias pueden citarse estas palabras de un personaje de *La burgalesa de Lerma* (1613), pieza lopesca en la cual una gran señora se disfraza de aldeana:

Carlos.

Usan, Felix, en Castilla
vestirse algunas señoras
en traje de labradoras,
que es divina maravilla.
En Valladolid lo vi,
en Segovia y en Medina. [7]

Entiéndase bien el sentido psicológico del movimiento que invitó así a los representantes de las clases superiores a interesarse por el arte popular en todas sus formas y a acapararlo para su uso propio. Intentaban distanciarse de ese modo de lo actual, de lo presente, de lo existente, su clase. Traducían estéticamente la ruptura interior con lo «real» social cumplido, su tentativa por librarse de él y rechazarlo. De este sueño de escapismo vemos una señal muy marcada en la moda del disfraz que se desarrolló bajo tantas formas en la sociedad aristocrática del Siglo de Oro. El Yo del noble se oponía al mundo palaciego o cortesano (el No-yo); se expresó entonces esta oposición por medio de la escenificación y el comportamiento teatral: [8] apareció la moda del disfraz morisco, y luego pastoril; la moda del disfraz rústico prosiguió con estas

---

[5] *Tesoro...,* p. 109 a.
[6] *Ibíd.,* p. 297 a.
[7] Acad. N., IV, p. 32 b.
[8] A fines del siglo XVIII, una oposición del mismo tipo se expresó en forma bastante distinta mediante la afición al escándalo (propensión de la aristocracia al encanallamiento).

tentativas de crear por medio del ensueño, y en estilo novelesco, sociedades imaginarias; la comedia que, tantas veces, utilizó el motivo del noble disfrazado de villano desempeñó desde este punto de vista, en cuanto técnica del divertimiento (en el sentido fuerte), un papel de purgación (de catarsis) al servicio de una sociedad aristocrática y urbana. Ya que, no hay que olvidarlo, el interés puramente estético o novelesco por los valores rústicos y populares no excluía, en la práctica, relaciones de sometimiento y dominación entre señores y vasallos, que, como ya vimos, también podían traducirse mediante una visión cómica del villano. A propósito de la moda del disfraz morisco, tenemos un ejemplo del margen que puede mediar entre por una parte, los sueños que satisfacen la imaginación, y por la otra, la práctica histórica. La moda del disfraz morisco triunfó en la aristocracia a fines del siglo XVI, cuando la insurreción de los moros de Granada acababa de quedar sofocada y el poder se preparaba a expulsar a los moriscos. En lo esencial, descubrimos la misma distancia entre los motivos del aldeano lírico y pintoresco (según las agradables imágenes de un teatro concebido para el público aristocrático y urbano)[9] y la práctica social real. A. Castro intuyó muy bien esta contradicción al subrayar en *El pensamiento de Cervantes* que la corriente favorable a los valores populares mezclaba sus aguas con las de una corriente ideológica de desprecio por la masa:

> ... El Renacimiento rinde culto a lo popular como objeto de reflexión, pero lo desdeña como sujeto operante... [10]

Este es en efecto un punto importante: como fenómeno cultural, el Renacimiento español es una manifestación esencialmente aristocrática y urbana. Al echar sus miradas hacia el arte popular y rural los artistas no abandonaron, en lo esencial, el punto de vista de clase de los sectores para quienes producían; por lo general desde este punto de vista de clase, y a través de la ideología dominante, fue por donde intentaron alcanzar estos valores populares

---

[9] En varias oportunidades, M. Frenk Alatorre habla de una transformación de la lírica «cortesana» en lírica «burguesa» después de 1575 aproximadamente (cf. *op. cit.*, p. 17: «Mas a partir de este momento surge un cambio en la corriente de dignificación de la lírica popular. Podríamos decir que se «aburguesa». Deja de ser privilegio del mundo cortesano para convertirse en propiedad de todos y especialmente de la burguesía urbana»). J. F. Montesino también había hablado de lírica burguesa (cf. *Estudios sobre Lope*, p. 139: «Esa lírica fue una lírica de ciudad y esencialmente una lírica burguesa —como el cuplé en nuestros días— y como el del cuplé de nuestros días, su medio más eficaz de difusión en la época que nos referimos, fue el teatro»). Nos parece innegable el hecho cultural que ambos quieren expresar al recurrir al adjetivo «burgués» y también nosotros, en lo que atañe al teatro, hemos subrayado el papel desempeñado por la ampliación del público a fines del siglo XVI, cuando vinieron a radicarse las nobles en las ciudades y se abrieron los corrales. Sin embargo el adjetivo «burgués» no nos parece ser el adecuado para expresar este cambio. Preferimos el de «urbano» o «ciudadano», aunado con el «aristocrático». Repitámoslo, la «burguesía» como clase careció de importancia histórica decisiva en la España del Siglo de Oro. La ciudad la poblaban en lo esencial caballeros o hidalgos (terratenientes y letrados), hijos de campesinos pertenecientes o no a la hidalguía. Los auténticos burgueses no dieron la nota. La ideología dominante siguió siendo la aristocrática y sólo se puede hablar de público burgués si se sitúa a los hidalgos y a los pretendientes a la hidalguía como equivalentes de los «burgueses» de las urbes inglesas o francesas de la misma época.

[10] A. Castro, *El pensamiento de Cervantes*, ed. R.F.E., Anejo VI, Madrid, 1925, p. 194.

en los que creían poder encontrar un absoluto de lo original y la espontaneidad.

Todo esto lo veremos estudiando primero de qué manera se introdujeron
los valores aldeanos pintorescos y líricos sobre el escenario. Tras lo cual, nos
hallaremos en condición de examinar la elaboración teatral de este lirismo o
de este pintoresco y clasificar sus distintos aspectos escénicos. Abordaremos
así varios desarrollos dedicados al empleo teatral de las ropas y de los instrumentos de música, las canciones y bailes de aldea, a las más clásicas «escenas
de género» rústico (bodas, bautizos, romerías). Aclarando este fenómeno de utilización aristocrática y urbana de formas de arte popular y rural, tal vez habremos contribuido a esclarecer algo la difícil cuestión —¡sobre la que ha corrido tanta tinta ya!— de la oposición entre el arte «popular» y el arte «culto»
en el Siglo de Oro.

CAPITULO I

LA INTRODUCCION DE LOS VALORES ALDEANOS LIRICOS O PINTORESCOS EN EL ESCENARIO Y SU SIGNIFICACION ARISTOCRATICA

Importancia de los cantos, los bailes y el colorido en la comedia de ambiente aldeano. Pintoresquismo y lirismo rústicos en J. del Encina, L. Fernández, Gil Vicente, y luego en las fiestas urbanas en el siglo XVI. Introducción del «colorido rústico» en las ficciones de la pastoril aristocrática no teatral y teatral. Este «colorido» en las comedias de ambiente aldeano en las que el noble se disfraza de villano. La señora de palacio que se vuelve serrana o que engalana a lo aldeano.

Cuando se considera en conjunto a la comedia de ambiente rústico, llaman la atención su lirismo y su colorido. El hecho salta a la vista: lirismo y rusticidad hacen buenas migas. Primero, se constata que las obras de tema rústico contienen numerosos cantos y bailes, más, al parecer, que las de ambiente urbano. *San Isidro labrador de Madrid* cuenta nada menos que con cinco cantos o bailes.[1] En cuanto a las obras situadas en el acmé del género, son también muy ricas en cantos: *Fuenteovejuna* presenta cuatro;[2] *Peribáñez y el comendador de Ocaña* también ofrece cuatro[3] y *El villano en su rincón* cinco.[4] Por otra parte no pocas son las comedias cuyo tema no es propiamente rústico, y que contienen, al par de las comedias de ambiente rústico, escenas en las que pastores y aldeanos aparecen cantando o bailando.[5] Pero nuestro juicio ha de atender tanto al criterio cualitativo como al cuantitativo, y así pronto nos convencemos de que los mejores cantos de la inmensa producción teatral lopesca pertenecen ya sea a comedias de ambiente rústico, ya sea a intermedios rústicos (insertos en co-

---

[1] Reparto según los actos: I (3), II (1), III (1).
[2] Repartidos: I (1), II (2), III (1).
[3] Repartidos: I (1), II (2), III (1).
[4] Repartidos: I (0); II(2), III (3).
[5] De Lope citemos:

> *Los prados de León,* I (2); *Valor, Fortuna y Lealtad,* I (1); *Los Tellos de Meneses,* I (1), III (1); *Al pasar del arroyo,* I (1), III (1); *El despertar a quien duerme,* I (1), II (1); *El verdadero amante,* I (2); *La villana de Getafe,* I (1); *Las Batuecas del duque de Alba,* II (1); *La corona merecida,* I (1); *Lo que ha de ser,* I (1); *El hijo de los leones,* I (1); *El gran duque de Moscovia,* II (1); *La hermosa aborrecida,* II (1); *Los ramilletes de Madrid,* III (1); *Los Porceles de Murcia,* II (1); *El capellán de la virgen,* III (1); *La Arcadia,* I (1).

medias de ambiente histórico).[6] Todo confirma la afinidad, en Lope, entre la nota lírica y la nota campestre. Es particularmente sintomático el hecho de que, a menudo, los músicos de la compañía que representaba la obra tuvieran que salir a escena vestidos de aldeanos para tocar y cantar sus partituras. Encontramos entonces las indicaciones rituales: «los músicos de labradores»; «los músicos de villanos»; «los músicos de segadores»; es una prueba, si fuese necesario, de que la música es lo esencial de estos pasajes, y que prima sobre la rusticidad, pero también prueba que la rusticidad es un traje que le sienta bien.

De estas escenas a la vez rústicas y musicales, se desprende la impresión de que la introducción del canto depende directamente de la composición misma de las compañías teatrales: en la mayoría de los casos, encontramos cuatro villanos-músicos, como si el hecho del cuarteto vocal fuese determinante. A veces suele ocurrir que las cuatro voces sean mencionadas anónimamente tan sólo con un numero de orden: labrador 1.º; labrador 2.º; labrador 3.º; labrador 4.º,[7] o más claramente: músico 1.º, músico 2.º, músico 3.º, músico 4.º[8] A veces también el texto de la canción-baile no viene indicado por el dramaturgo; a este le basta con señalar en su acotación, sin más precisiones, que en tal lugar ha de haber un canto o un baile: «salen bailando y cantando».[9] En la medida en que disponemos, en cada oportunidad, de un texto sin mutilaciones, conforme al original, nos es lícito pensar que este uso prueba que la música y el baile eran sentidos entonces por el dramaturgo como elementos imprescindibles, introducidos· automáticamente al estilo de un ingrediente necesario para cumplir con las leyes de una representación bien lograda.

Pero la comedia de ambiente rústico nos parece lírica o pintoresca no sólo por su afición del canto y del baile de modo aldeano o seudo-aldeano; lo es también porque el escenario se transforma en el área de juegos y retozos de los rústicos, ataviados con sus mejores trajes, aunque no lleguen hasta el primer plano de la acción. El aldeano

---

[6] Para convencerse de ello basta con mirar las «letras para cantar» introducidos por J. F. Montesinos en su colección *Lope de Vega, poesías líricas,* Madrid, 1951, «La Lectura», Clásicos Castellanos, I (auténtico florilegio de la canción lopesca).

[7] Cf. escena de romería, en *La Santa Juana* (Tirso), N.B.A.E., IX (LL), p. 248.

[8] Cf. escena de romería, en *Los lagos de San Vicente* (Tirso), *ibíd.,* p. 53.

[9] Esto es lo que sucede al final del acto III de *Los Tellos de Meneses* (Lope): un canto de músicos —villanos acompaña una comida en una casería leonesa, pero nada sabemos de ese canto; una acotación escénica sólo indica: «Cantan los músicos» (Acad., VII, p. 326 a). Asimismo en *Valor, fortuna y lealtad* (Lope) un canto que desconocemos acompaña una merienda de bautizo aldeano en el primer acto; la acotación escénica sólo dice: «mientras cantan sacan los criados la colación en las fuentes» (Acad., VII, p. 341 b). Vuelve a encontrarse lo mismo en el acto I de *Los prados de León,* en el acto I de *La corona merecida,* en el acto I de *El verdadero amante* (en dos oportunidades).

[10] En este aspecto las escenas (que denominaríamos de buena gana de «show aldeano») asumen dentro de la estructura de la comedia idéntica función a la de los cuadros de gran espectáculo que congregan en el escenario a moros abigarrados, soldados y oficiales en uniforme, a un séquito real o imperial, o aún a una vistosa procesión de obispos y cardenales. Citemos como ejemplo de estas escenas, en las cuales se reúne a todos los figurones disponibles:

    El favor agradecido (1593): «... Sale el capitán Rodolfo, y los soldados que puedan» *(Parte* XV, p. 142). *Argel fingido* (1599): «... Y los que pudieren todos de moros» *(Parte* VIII, p. 101). *El arenal de Sevilla* (1603): «Salgan los moros que puedan con sus herradas a hazer agua» *(Parte* Xi, p. 251). *Carlos V en Francia* (1604): «Sale el Emperador con mucho acompañamiento» *(Parte* XIX, p. 266). *El Cardenal de Belén* (1610): «Toquen chirimías, y con el mayor acompañamiento que pueda, salgan unos obispos y cardenales» *(Parte* XIII, p. 137).

y la aldeana, con sus mejores galas, salen en la figuración de numerosas comedias; ora desfilando en numerosas procesiones, ora con sus juegos y retozos en los festejos de una boda o de un bautizo, están presentes para poner una nota colorida y agradar al espectador con sus usos y costumbres. Desde la época de Lope, el teatro español se orienta indudablemente hacia la «escena de género» y el mundo rural es la fuente que le proporciona el material más rico. Por lo general cuando echa mano de los aldeanos para realzar el colorido de un momento de la acción, el dramaturgo quiere obtener un gran cuadro pictórico y sonoro, rebosante de manchas de luz, gritos, movimientos; su puesta en escena ideal aparece mediante las rúbricas que indican que el escenario habrá de llenarse de aldeanos, reuniendo el mayor número de comparsas. Citemos al azar:

Grandes voces de relinchos: todos los villamos que puedan con el bautismo del niño, sus fuentes, aguamanil y rosca. El alcalde por padrino, y Doña Blanca, muy bizarra de madrina *(El príncipe despeñado)* (Lope). [11]

Salgan los labradores que pudieren, con fuentes y aguamaniles, los músicos de villanos bailando... *(Nadie se conoce)* 5(Lope). [12]

En cuatro cuadrillas salen por entrambas puertas, cada una por sí, todos los de la compañía cantando con pandero, sonajas, tamboril y gaita, vestidos de villanos *(Los lagos de San Vicente)* (Tirso). [13]

Salen Elvira y Gil de las manos, la Santa al lado de Elvira, como su madrina; Juan Vásquez, su padre, padrino; Crespo, Toribio, y Llorente, músicos cantando, todos de pastores, con mucha grita *(La Santa Juana)* (Tirso). [14]

Salen todos los pastores que pudieren delante, bailando y cantando, y detrás María Santísima, y San Joseph; Santa Isabel hinca la rodilla y la Virgen la levanta humillándose *(Los celos de San José)* (Cristóbal de Monroy). [15]

Suena dentro ruido y regocijo de villanos y sale Lisardo y Llorente y trae de la mano a Gila *(El bandolero de Flandes)* (Alv. Cubillo de Aragón). [16]

En estos cuadros bullangueros y coloridos, los trajes aldeanos, en especial el de las aldeanas, tienen por misión hacer relucir ante los ojos del público, toques frescos, abigarrados, luminosos.

Más adelante estudiaremos en detalle estas fiestas del color y del sonido, propias de la comedia de ambiente rústico en tiempos de Lope. Mas previamente tendremos que reconstruir su origen y su tradición antes de la época de la comedia rústica, ple-

---

La reiteración de estos cuadros teatrales de «gran figuración» plantea, claro está, el problema de las dimensiones del lugar escénico. Para las representaciones al aire libre, parece que, a partir de 1590-1600, las compañías pudieron contar con tablados que medían aproximadamente 9 metros por 15. Estas son las medidas de un escenario en Segovia en 1594 (cf. J. L. Flecniakoska, *La formation de l'«auto» religieux en Espagne avant Calderòn,* 1550-1635, Montpellier, 1961, p. 107). En el siglo XVII se hicieron cada vez más amplios (cf. N. D. Shergold- J. E. Varey, *Los autos sacramentales en la época de Calderón,* 1637-1681, Madrid, 1961, pp. XII-XXII). El escenario de los corrales (a menudo denominado «teatro») parece haber sido más reducido y las fórmulas de «salgan los labradores que puedan» bien podrían expresar la dificultad ante la que se encontraba el poeta-escenógrafo al querer realizar su escenografía ideal.

[11] Cf. Acad., VIII, p. 135 a.
[12] Acad. N., VII, p. 708 b.
[13] Cf. *Parte V* (Madrid, 1636), fol. 48.
[14] Cf. N.B.A.E., IX (II(, p. 238. *Parte V* (Madrid, 1636), fol. 115.
[15] En *Comedias de varios autores,* XIV, p. 6.
[16] Suelta, B. N. Madrid, T. 10955, p. 15.

namente lograda, para ver cómo el lirismo y el pintoresquismo rústicos se fueron introduciendo en el escenario.

* * *

Desde su nacimiento con Juan del Encina, el teatro castellano se nos presenta como ya orientado hacia el pintoresquismo aldeano, y hay que ir a buscar en la obra de este dramaturgo y sus discípulos, primero, los antecedentes de lo pintoresco y de lo lírico campestre explayados en la comedia rústica. Sabido es que la mayoría de las églogas del salmantino acaban con villancicos cantados y bailados y el lector desprevenido intuye que estas diversiones finales, remate de las escenitas rústicas, nada tienen de adventicias. Por el contrario, queda patente que algunos aspectos estructurales de las églogas de Encina (verbigracia el número de personajes) están determinados a veces por el canto final al que deben llevar. Suele ocurrir que un pastor entre en escena poco antes del final y tal aparición no tiene más razón de ser que de contar con cuatro voces para el villancico final. [17] La polifonía dictó así sus exigencias a un dramaturgo que era músico antes que poeta y que, ya, le otorgaba a la música un papel esencial en el espectáculo.

Si bien es cierto que los cantos rústicos de Encina y de sus discípulos no resultan ser idénticos a los que se escucharían en la realidad leonesa del momento, si bien son el resultado de una elaboración estética innegable, no menos cierto es que su letra o su melodía llevan la impronta del terruño. Por ejemplo, el ritmo de la canción que cierra la *Egloga de Carnaval* de Encina parece típicamente popular y el cruce polifónico de las voces no alcanza a borrar este carácter. Asimismo el villancico de la *Egloga de Navidad* del mismo autor nos propone un movimiento y unas palabras procedentes, al parecer, de un auténtico canto de pastores: gritos para llamar el rebaño, onomatopeyas, etc., constituyen en ella otros tantos toques de color que crean un pintoresquismo de buena ley por donde corre la brisa de una realidad pastoril viva.

Del mismo modo puede encontrarse en Juan del Encina y sus discípulos un antecedente de las escenas folklóricas inspiradas en la vida del campo (juegos, fiestas) que intervienen tan a menudo en la comedia de la escuela lopesca para entretener al público aristocrático. Por ejemplo, en la *Egloga de las grandes lluvias* de Encina (representada probablemente en el palacio del duque de Alba en 1498) unos pastores entablan una partida de «pares y nones». En la segunda égloga de Navidad de Lucas Fernández (*Auto o farsa del Nascimiento de nuestro redemptor Jesucristo*) obra que ofrece muchos parecidos con la *Egloga de las grandes lluvias* de Encina, también tenemos una escena cotidiana de juego rústico; esta vez, se trata de una partida de chueca que los pastores entablan tras haber propuesto distintos entretenimientos. [18]

---

[17] Cf. *Egloga de Carnaval,* en la que el pastor LLoriente interviene al final de la representación para ser la cuarta voz.

[18] Cf. *Eglogas al estilo pastoril y castellano fechas por* Lucas Fernández, ed. M. Cañete, Madrid, 1867, pp. 187-189. El juego de la chueca era un tipo de hockey rústico que se jugaba con una pelota y un cayado. Lo describe Gonzalo Correas, *Vocabulario de refranes...,* ed. 1906, p. 54:

«... entre dos bandos en un llano raso..., procuran pasar la chueca con botes de cayado por la pina de los contrarios, que es una como portada hecha de dos lanzas o aguijadas, hincadas en el suelo en proporcionada distancia y otra al otro cabo del campo de los contrarios, y assiste uno en cada una a guardar que no pase la chueca...».

Este color folklórico, que deja su impronta en el teatro español, desde sus orígenes, es aún más ostensible en el dramaturgo bilingüe (español y portugués) Gil Vicente. Este autor, poeta y músico, dio al espectáculo una orientación lírica más marcada que sus predecesores, y sobre todo, fue mucho más sensible que ellos al colorido de las escenas populares. Introduce la música y el baile en un espectáculo por primera vez, parece ser, en el *Auto da Sibila Cassandra:* varias letras para cantar figuran en él, entre las que se pueden citar en especial una «folia», una «cantiga» y un «villancico» final. Como Juan del Encina o Lucas Fernández, Gil Vicente es generalmente autor de esas composiciones. Le debemos, por ejemplo, la letra y la música de la cantiga del *Auto da Sibila Cassandra;* [19] pero, como Juan del Encina y Lucas Fernández, Gil Vicente, sin dejar de ser culto, permanecía abierto a la influencia del terruño y así es como insertó a veces en sus espectáculos auténticos fragmentos de letras populares sin modificar mucho su inspiración. El *Auto pastoril portugués* nos propone una chacota [20] bailada en honor de la Virgen. Ahora bien, la chacota era una canción-baile de los aldeanos portugueses, bailada y cantada en coro o en solo en las fiestas, bodas o bautizos por ejemplo. Igualmente en un pasaje del *Auto pastoril castellano* se hacen alusiones a juegos de pastores españoles tales como el juego del abejón [21] y el de las adivinanzas. [22] Gil Vicente vio lo decorativo, coreográfico o lírico, que podía obtenerse a partir de escenas inspiradas en el mundo rural; por ello introdujo con profusión los motivos campestres. Un buen ejemplo de esta tendencia nos lo proporciona el final del *Auto da feira* (tal vez de Navidad de 1527). El tema esencial de esta obra consiste en la evocación de la feria del Mundo en donde todo —incluso la Iglesia— puede comprarse. El ambiente resulta pues alegórico y satírico. Ahora bien, al final nueve muchachas y tres muchachos llegan al escenario, con cestas en la cabeza, como lo hacen los aldeanos portugueses, y empiezan a vender sus productos rústicos. Naturalmente algunos fragmentos de diálogo —especialmente con el Angel del Tiempo— conservan todavía un significado alegórico-satírico y por su tono se relacionan con los pasajes anteriores de la obra. Pero, en realidad, lo que ha motivado que los nuevos personajes salgan a escena no es la sátira o la alegoría. Gil Vicente ha introducido esas figuras para cantar y bailar. Una de las jóvenes montañesas lo confiesa, al contestar a una pregunta, declarando que ella y sus compañeros han venido para cantar una folia en ho-

---

Según Fernández de Oviedo, en *Quinquagenas de la nobleza de España,* ed. V. de la Fuente, Madrid, 1880, I, p. 256, este deporte se practicaba en los ejidos de las aldeas:

«... Acuérdome de aver visto jugar este juego de la chueca a las moças, e aun algunas mugeres casadas, en tierras de Medina del Campo, e aquella tierra; e tan sueltas e buenas corredoras las mugeres, que en el juego andavan, como los hombres y mançebos, que con ellas jugavan por los exidos...»

[19] Tal es al menos lo que, según parece, podemos deducir de la introducción escénica en la versión de la *Copilaçao:* «Acabada assi sua adoração a seguinte cantiga, feita e ensoada pelo autor.»

[20] Cf. ed. Marques Braga, I, p. 194.

[21] Covarrubias, in *Tesoro...,* p. 27 a, proporciona la siguiente definición de este juego:

«El juego del abejón que se haze entre tres, y el de en medio, juntas las manos amaga a uno de los dos que le esperan, el un braço levantado y la mano de otro puesta en la mexilla, y da al que está descuydado; entonces ellos tienen libertad de darle un pestorejazo. El juego es ordinario, y lo es un modo de dezir "que juegan con alguno al abejón" quando le tienen en poco y se burlan dél...»

[22] Cf. ed. Marques Braga, I, pp. 21-22.

nor de la Virgen;[23] de inmediato se inicia la folia con dos coros paralelos de muchachas para dar un remate lírico al auto.[24]

La afición a lo coreográfico y la propensión a lo pintoresco rural que atisbamos en el teatro palaciego de fines del siglo XV y principios del XVI, se mantuvieron en las fiestas urbanas que empezaron a multiplicarse a mediados de siglo, relacionadas con. el desarrollo de las ciudades y así dan fe de ello los contratos que duermen en los archivos notariales. Un documento del Archivo de la catedral de Toledo, que evoca las fiestas del 15 de agosto en Toledo en 1554, nos demuestra también que para tal ocasión se llamó a bailarines aldeanos, tañedores de sonajas,[25] un tamborilero, etc., nos enteramos incluso del precio del alquiler de las ropas y de las máscaras que llevaron los aldeanos:

> Memorial de las danzas del día de Nuestra Señora de agosto deste año mill y quinientos y cincuenta y quatro años... De la otra danza de los villanos zapateadores con el misacantano y padrino y los de las sonajas, de alquiler de siete aderezos de labradores, sayos y jubones y caperuzas y cabelleras y máscaras y cintos, siete ducados. De lo que llevaba el misacantano y el padrino y los dos que tañían las sonajas, tres ducados. A los cuatro zapateadores, a dos ducados cada uno, son ocho ducados. A los otros y a la zagala, a ducado y medio cada uno, que son seis ducados. Al misacantano un ducado y un par de guantes, que son doce reales. Al padrino, seis reales. A los dos que tañían las sonajas, a ocho reales cada uno, son dieziséis reales. Al tamborino que les tañó, ducado y medio...[26]

No vayamos a pensar que era excepcional esta diversión para los toledanos, ya que al año siguiente, en febrero, con motivo de las fiestas por la «conversión de Inglaterra», celebradas desde el 9 hasta el 26 de ese mes, vieron otras vez desfiles y mascaradas en los que el tema aldeano ocupaba su lugar. Lo pintoresco se aliaba a lo cómico. Al lado de la boda aldeana, completa, podían verse bailarines asturianos, vestidos de lienzo, y bailando al son del tamboril:

---

[23] Cf. ed. Marques Braga, I, p. 244:

> «*Seraphim:*   Pois porque viestes ora
>   cansar á feira de pé?»
> «*Theodora:*   Porque nos dizem que he
>   feira de Nossa Senhora
>   . . . .
>   nos vimos com devoçao
>   a cantar-lhe. hũa folia.»

[24] *Ibíd.,* I, p. 245:

> «E pois que ja descansamos
> assi em boa maneira,
> moças, assi como estamos,
> demos fim a esta feira,
> primeiro que nos partamos.»

La didascalia de la *Copilaçâo* dice entonces: «Alevantâose todas, e ordenadas em folia cantarâo a cantiga seguinte, com que se despedirâo.»

[25] Para la definición de este instrumento, *vide infra,* p. 525, n. 43.

[26] Este documento fue publicado por Asenjo Barbieri, en *Ilustración española y americana,* XLIV, noviembre 1877, p. 346.

... Ovo otra dança a pie muy donosa de muchos asturianos vestidos de lienço, que baylavan muy bien con vn tamboril, y llevavan por dama vna mala yegua vestida y emparamentada y puesto un verdugado, y ella tocada como asturiana con un tocado muy alto y lleno de corales y espejos, y a tiempos le davan colación de buñuelos en vn plato, y ella los comía. Fue cosa bien notada y de reír.[27]

Estos son unos pocos textos entre muchos que nos prueban que, a partir de 1550, el espectáculo rústico con sus bailes y danzas, sus cantos y sus trajes, empieza a gustar a la gente de la ciudad acostumbrada a verlos por las calles. Puede pensarse que estos intermedios pasaron fácilmente de la calle al tablado cuando aparecieron los corrales después de 1580. Probablemente se insertaron en las comedias bajo forma de escenas autónomas (pasos), que podían desgajarse del resto de la obra. Por lo menos esta es la impresión que nos deja la aparición de los cuadros rústicos en las pastorales dramáticas escritas por Lope antes de 1600. Ya formulamos esta idea a propósito de los episodios de alcaldes o de boda aldeana, al estudiarlos desde el punto de vista cómico, y conviene reiterarla en el estudio de lo pintoresco y lo lírico. La pastoral dramática constituye, en efecto, un como preludio a la comedia de ambiente verdaderamente rústico en el teatro. El pintoresquismo y el lirismo popular penetraron en la comedia casi en la misma medida por la vía indirecta del teatro pastoril posterior a Juan del Encina, Lucas Fernández y Gil Vicente, como lo hicieron por la vía directa del teatro peninsular creado por dichos autores a fines del siglo XV y principios del siglo XVI. Veremos más adelante como convivieron primero con los temas mitológicos y cultos de las pastorales dramáticas, hasta el día en que, sustituyéndoseles progresivamente ocuparon su lugar en un tipo de comedia en la que los héroes siguen siendo nobles disfrazados, pero cuyo ambiente de fondo se hace cada vez más rústico. Para hacer más patente este proceso, le pediremos al lector que dé con nosotros un rodeo por el tema del «falso aldeano» y de la «señora serrana», ya que el desarrollo de estos motivos va ligado consustancialmente al del lirismo y del pintoresquismo populares en la comedia. Además, gracias a este estudio simultáneo, podremos destacar el significado aristocrático y urbano —en sus orígenes al menos— de los motivos populares en el escenario.

En definitiva, el procedimiento del disfraz rústico es el que dio pie, en mayor medida, durante siglos, a la introducción de la materia rústica en la literatura. En el *Idilio* VIII, verbigracia, Teócrito se presenta bajo el nombre de Siquimidas y probablemente sea su amigo Leónidas de Tarento quien figure bajo el nombre de Lycidas en el mismo poema. De modo parecido, Virgilio se identifica con el Titiro de las *Bucólicas* mientras que sus amigos Gallo y Vario, y sus enemigos Bavio y Mevio aparecen en esos poemas sin máscara rústica.[28] También es sabido que Virgilio introdujo numerosas alusiones a episodios de su vida en las *Bucólicas*. Esta tradición de la transposición rústica fue actualizada en el siglo XV por las *Coplas de Mingo Revulgo*, donde el pueblo figura alegóricamente bajo el nombre de Mingo Revulgo, y las virtudes cardinales, por ejemplo, van simbolizadas por cuatro perros ovejeros.[29] Es probable

---

[27] Relación de Sebastián de Horozco, publicada por Santiago Alvarez Gamero, en *R. Hi.,* XXI, junio 1914, p. 401.

[28] Cf. *Bucólicas,* III, IX, X.

[29] Cf. *Glossa de las Coplas del Revulgo...*

«En esta bucólica, que quiere dezir, cantar rústico, y pastoril, quiso dar a entender la doctrina, que dizen so color de la rusticidad, que parezen dezir, porque el entendimiento, cuyo oficio

que el disfraz rústico de hechos y personas empezara a difundirse entonces en las fiestas palaciegas por España, ya que tenemos varios testimonios de tales prácticas en églogas políticas o de circunstancia a fines del siglo XV y principios del XVI.[30] Este gusto aristocrático por la ficción rústica da primero —bajo la influencia italina— la novela pastoril y la pastoral dramática y luego —cuando mengua la influencia italiana y vuelven a cobrar fuerzas las tradiciones peninsulares— la comedia villanesca en la que el villano aún es un noble disfrazado.

Sabido es cómo el italianismo en tiempos de Carlos I contribuyó a desarrollar el género de la égloga, ya de moda en el reinado de Isabel y Fernando. La influencia de la *Arcadia* de Sannazaro, aunada a la del petrarquismo, fue determinante en la elaboración de un tipo de poesía pastoril depurada y liberada de los rasgos realistas (y pintorescos) que mostraba abundantemente, en la obra de Juan del Encina o Lucas Fernández. Esto lleva a la eclosión «romántica» y «clásica» juntamente de las *Eglogas* de Garcilaso, de un lirismo que renovaba profundamente la tradición peninsular anterior a la égloga. Así nació a orillas del Tajo la égloga dramática, refinada y aristocrática, que había de engendrar a su vez, favorecida por excepcionales condiciones sociales e ideológicas (una vida cortesana brillante mantenida en algunos palacios), la novela pastoril, la comedia pastoril, y hasta la ópera, algo más tarde. Porque la égloga de Garcilaso es un drama en el cual se expresan so capa de rusticidad impulsos del corazón, penas, un concepto ideal del amor (amor neoplatónico). La tragedia sentimental cifra lo esencial en el poeta toledano y el ámbito pastoril bajo su pluma no es más que un artificio para transmitir una confidencia velada e indirecta, impregnada de pudor refinado y aristocrático. Puede admitirse, en efecto, que la Elisa de la primera y de la tercera égloga sea Isabel Freyre, y que tras los nombres prestados de Nemoroso y Salicio, se expresen veladamente las aflicciones del propio Garcilaso en dos momentos dolorosos de su experiencia amorosa.

La novela pastoril es también una novela en clave, en la que el esquema bucólico no es sino cómodo marco para situar unas aventuras sentimentales y novelescas. De dar crédito a varios testimonios recogidos por Menéndez y Pelayo, Diana la pástora de *La Diana* de Montemayor, tendría por modelo una dama de Valencia de Don Juan (León).[31] Según el mismo erudito, Gálvez de Montalvo en su *Pastor de Fílida* se dedicó a transposiciones pastoriles de estilo análogo y el autor que vivía en el ambiente

---

es saber la verdad de las cosas, se exercite, inquiriéndolas, y goze como suele gozarle, quando ha entendido la verdad dellas.»

(facsímil de la edición de 1485 publicada en 1953 por Antonio Pérez Gómez).

[30] Cf. *Egloga*, «hecha por Francisco de Madrid en la cual se introducen tres pastores. Uno llamado Evandro que publica é introduce la Paz, otro llamado Peligro que representa la persona del Rey de Francia Carlos que quiere perturbar la paz que Evandro publica, otro llamado Fortunado cuya persona representa el Rey D. Fernando que también quiere romper la guerra con el Rey de Francia llamado Peligro y razonan muchas cosas: y en fin de la obra va una canción». Ed. Joseph Gillet, en *H. R.*, XI, Philadelphia, 1943, pp. 275-303.

Véase también la *Egloga de Carnaval*, de Encina, representada el martes de Carnaval de 1494, que en estilo rústico evoca la salida del duque de Alba a la guerra con Francia, y luego el anuncio de paz en septiembre del mismo año. También se relaciona con este género el *Monólogo del Vaquero* llamado *Auto da Visitação*, de Gil Vicente (unos treinta cortesanos disfrazados de pastores, el 7 u 8 de junio de 1502, vienen a dar la enhorabuena a la reina María, quien acaba de dar a luz al príncipe Juan).

[31] Cf. Menéndez y Pelayo, *Orígenes de la novela*, cap. VIII. Como lo hace observar Menéndez y Pelayo, en las octavas del Canto de Orfeo se corren velos y se celebran a conocidas beldades de la pequeña corte de Valencia de Don Juan con sus verdaderos nombres.

aristocrático de la corte de los duques del Infantado, se introdujo a sí mismo en la ficción, en compañía de personajes nobles de la corte.[32] Por fin, bien se sabe que *La Arcadia* (novela) de Lope también es una ficción en la cual, tras una máscara de pastores que viven a orillas del Erimantes griego, tenemos que reconocer el rostro de varios personajes de alta cuna que se destacaron en la corte del duque de Alba, a orillas del Tormes. Lope lo dejó entrever repetidas veces al principio de la novela, y en la segunda parte de *La Filomena* lo explica con más claridad, recordando el precedente de Teócrito:

> Allí cubrí con áspera corteza
> príncipes generosos,
> almas nacidas en los ricos paños
> de la mayor nobleza,
> iguales a los reyes poderosos,
> que no villanos bárbaros y extraños.
> Así pienso que fueron los idilios
> de Teócrito griego,
> fundado en amor, si noble, ciego.[33]

Resultaría insuficiente, claro está, reducir el significado de las novelas pastoriles a los secretos anecdóticos que pueden revelarnos claves forjadas con ingenio, pero sigue siendo cierto que estas obras presentan a gente noble por casta o sentimiento (tengan o no un modelo histórico). Los pocos atributos rústicos concretos que estos personajes suelen recibir convencionalmente en esta literatura —los inevitables instrumentos de música (rabel y zampoña), los no menos infaltables cayados y zurrones— jamás logran borrar el carácter profundo de los héroes y el recurso ritual a esos atributos no puede dar lugar al menor pintoresquismo rústico.

En las postrimerías del siglo XVI, momento decisivo en la constitución de la comedia, la moda de los romances pastoriles contribuyó a reforzar el gusto por los procedimientos de pretexto rústico, y esto, sumado a la boga de las novelas pastoriles en el mismo momento,[34] permite comprender el hecho de que la comedia incipiente haya adoptado en seguida la nota pastoril. Así es como le debemos a Lope, creador de la comedia, un grupo de piezas cuyas situaciones y sensibilidad contienen de forma patente resabios de la literatura pastoril anterior o contemporánea: son *El verdadero*

---

[32] *Ibíd.,* cap. VIII.

[33] Cf. B.A.E., XXXVIII, p. 490 a. En *La Fama póstuma,* J. Pérez de Montalbán confirmó este significado albina de *La Arcadia* (novela). Cf. B.A.E., XXIV, p. x:

> «... Supo que estaba el señor duque de Alba en Madrid, y vino a verle y a besarle la mano, de que se holgó su excelencia mucho, porque le amaba con extremo; y así lo mostró ofreciéndole su casa, y haciéndole no sólo su secretario, sino su valido: favor que pagó Lope con escribir a su orden la ingeniosa Arcadia, enigma misterioso de sugetos altos, desalumbrado en el rebozo de pastores humildes.»

[34] Recordemos algunas fechas y títulos que indican la moda del género pastoril en la segunda mitad del siglo XVI: Jorge de Montemayor, *La Diana,* 1559; Pérez Alonso, *Segunda parte de la Diana,* 1564; Juan de Vergara, *Coloquios pastoriles,* 1567; Gil Polo, *Diana enamorada,* 1564; Gálvez de Montalvo, *El pastor de Fílida,* 1582; Miguel de Cervantes, *La Galatea,* 1585; Lope de Vega Carpio, *La Arcadia,* 1598 (escrita hacia 1594?). Se conocen cuatro ediciones de *El pastor de Fílida,* en 1589, 1590, 1600, 1613. En la fecha en que salió *La Galatea* de Cervantes, *La Diana* de Montemayor contaba nada menos que con veinticinco ediciones en lengua española.

amante (probablemente 1588-1595), *Belardo el furioso* (1586-1595), *La pastoral de Jacinto* (1595-1600). Nos detendremos un momento en su estudio.

No parece que se le pueda asignar a *El verdadero amante* una fuente determinada en el teatro anterior español o italiano.[35] La mayor parte de los momentos de la pieza son escenas de género tradicionales, repetidas muy a menudo desde finales del siglo XV, y sobre todo desde las *Eglogas* de Garcilaso: quejas amorosas entregadas al viento, estados de desesperación y enajenamiento, retrato llevado en el pecho, despedida al rebaño antes del suicidio, motivos todos estos presentes en la literatura pastoril,[36] están reunidos aquí bajo forma de diálogo dramático en el que aparecen algunas torpezas, achacables a la falta de práctica en el oficio del autor, en la época en que, al parecer, escribió esta pieza. Los pastores son falsos pastores marcados superficialmente por el recuerdo de Teócrito o de Virgilio en algunos nombres (Coridón, Menalca) y, en la acción seudo-rústica que representan, creemos descubrir una velada confidencia del poeta sobre el tema del verdadero amor; no obstante, la dificultad estriba en saber cuál es exactamente esta confidencia y, en el estado actual de nuestros conocimientos, resulta arriesgado aplicarle el esquema previo de una de las aventuras ya conocidas de Lope. Lo interesante, en la perspectiva aquí adoptada está en ver cómo, ya en esta comedia, la ficción pastoril acarrea la inserción de algunos elementos de colorido aldeano. Alternando con escenas puramente pastoriles encontramos algunos intermedios rústicos que ponen un toque pintoresco o lírico. Ya mencionamos los episodios de alcaldes de esta obra. También resultan interesantes los motivos de boda aldeana que intervienen en varias oportunidades en la acción. El primer cuadro de la obra representa una boda pagana, bien arraigada en la tradición mitológica de la pastoril, ya que es consagrada por un presente de Juno ante una estatua de la diosa, en un olivar. Sin embargo cabe preguntarse si, por debajo de estos ropajes greco-latinos, no asoma también, al mismo tiempo, la realidad folklórica castellana. En efecto dice una acotación escénica:

> —Salen Jacinto, música y pastores con baile y fiesta y un sacerdote.[37]
> Unos momentos después un pastor exclama:
> —¡Hola! ¡Cese el baile y grita![38]
> Algo más adelante varios pastores vuelven a gritar:
> ¡Cese el baile y regocijo![39]

Resulta difícil imaginar que los gritos y bailes (no precisados) que alegran este primer cuadro, al ser representada la obra por la compañía de Nicolás de los Ríos, se ins-

---

[35] J. P. W. Crawford, en *The spanish pastoral drama* (publication of the University of Pensylvania extraseries, en *Romanic Languages and Literatures*, 1915, núm. 4, p. 117; B. del C.S.I.C., Madrid), declara no haber descubierto ninguna fuente. No obstante piensa que Lope conocía muy bien el *Aminta* y la tradición que derivaba de esta obra.

[36] La despedida al rebaño antes del suicidio, los desvaríos del «enajenamiento», son temas de la «locura amorosa» que ya figuran con los acentos románticos que presuponen (un «romanticismo» ya latente en la literatura de fines del siglo XV, del estilo de *La Cárcel de amor*) en la *Egloga de Plácida y Vitoriano* de Juan del Encina. Esta égloga marcada ya por la influencia italiana, puede, en algunos aspectos, ser considerada como la primera pastoral dramática de la literatura española.

[37] Cf. B.A.E., XXIV, p. 3 a. La edición de Madrid, 1620, fol. 196 *bis* a, ofrece la misma lección.

[38] *Ibíd.*, p. 3 a.

[39] *Ibíd.*, p. 3 b.

[40] Sabemos que la compañía de Nicolás de los Ríos representó *El verdadero amante*, merced a la indicación «Representóla Ríos» que J. Hartzenbusch reprodujo en su edición (B.A.E., XXIV, p. 3).

piraran, por desusada preocupación arqueológica, en ceremonias y bailes griegos o latinos; por el contrario, es de suponer que la escenificación se apoyara en la realidad de las bodas aldeanas peninsulares contemporáneas. Lo peculiar es que este motivo de la boda rústica reaparece en la acción. Ahora, la acotación escénica nos orienta con más seguridad ya que indica no sólo gritos y bailes (no precisados) sino también, conforme a la moda española, a unos padrinos que acompañan a los novios. En efecto, dice:

> ... Suena[n] las gritas y baile de pastores, y salen Doristo y Amaranta, novios; Peloro, padrino, Ereusa, madrina; Dórida, pastora, Ergasto, pastor. [41]

En lo que sigue del diálogo espigamos palabras que bien parecen indicar que los novios están ataviados con un traje aldeano de fiesta [42] y el juego que se inicia entonces, el del soldadito, acaba con una prenda de tipo popular: la mamona. [43] Así merced a la ficción pastoril, intervienen en el espectáculo toques de colorido realismo rústico y con ello tenemos un primer ejemplo de escenificación del motivo de fiesta aldeana.

El recurso al pretexto pastoril resulta mucho más patente en *Belardo el furioso* (1586-1595) que en *El verdadero amante*. A la inversa de lo que ocurre en la obra anterior, vemos con bastante claridad a qué dato autobiográfico de Lope corresponde este drama pastoril, cuyo parentesco con *La Dorotea* había percibido ya Menéndez y Pelayo (en sus *Estudios sobre el teatro de Lope de Vega*). Gracias a la publicación del *Proceso por libelos* [44] sabemos hoy que la misma aventura, picaresca y amorosa a la vez, se disimula detrás de ambas obras: la de los amores de Lope, durante los años de 1579-1586, con Elena Osorio, hija del actor Jerónimo Velázquez, y esposa del insignificante Cristóbal de Calderón. Esta relación no le impedía a Lope mantener otra simultáneamente con una amante de fidelidad casi maternal, mientras el padre de Elena, interesado y codicioso, sacaba provecho de los amoríos de su hija con habilidades terceriles. Este mundo bastante particular de la farándula madrileña, transpuesto poéticamente en la gama pastoril y mitológica, se encuentra escenificado en *Belardo el furioso*. En una comarca a orillas del Tajo, Belardo (Lope), pastor pobre, está enamorado de la pastora Jacinta (Elena Osorio); tiene por rival al rico mayoral Nemoroso a quien alienta el interés de Pinardo, tío de Jacinta (Jerónimo Velázquez). Pinardo le reprocha a Belardo no ofrecer a la joven más riqueza que la de sus versos y Jacinta cede a veces a las sugerencias de este tío dominado por el afán de lucro; Belardo vuelve a encontrar entonces el fiel afecto y la ayuda financiera de su antigua amiga Cristalina; [45] pero el héroe no logra separarse de Jacinta: presa de locura, se entrega a una furia destructora (asoman aquí reminiscencias de Ariosto); mata simbólicamente a un seudo-Pinardo, su adversario, en un duelo paródico y burlesco, armado para halagar su manía; [46] durante una boda intenta raptar a Jacinta, pero la joven logra escapar;

---

[41] B.A.E., XXIV, p. 7 c. Corregimos según la lección que ofrece la edición de Madrid, 1620, fol. 202 a.

[42] *Ibíd.*, p. 8 a.

[43] *Ibíd.*, pp. 8-9. A propósito del juego del soldadito y la mamona, véase más adelante, pp. 575-76.

[44] *Proceso de Lope de Vega por libelos contra unos Cómicos*, ed. y notas de A. Tomillo y C. Pérez Pastor, Madrid, 1901.

[45] Fácil es observar la correspondencia entre estos distintos personajes y los de *La Dorotea* y la crítica no la dejó de lado. Son patentes las siguientes equivalencias: Belardo-Don Fernando, Jacinta-Dorotea, Nemoroso-Don Bela, Cristaliana-Marfisa, Pinardo-algunos aspectos del papel de Gerarda.

[46] Así como lo señaló J. P. Crawford, en *The spanish pastoral drama*, aparece aquí un tema que desarrolló Cervantes en el *Quijote*.

Belardo declara entonces que, cual otra Eurydice, su amado bajó a los infiernos y que, como Orfeo, él la seguirá; felizmente, Jacinta reaparece para salvar a Belardo de su locura y la obra evita un desenlace trágico terminando con la reconciliación de los dos amantes.

La ficción pastoril, que cobra vida en *Belardo el furioso* merced al aliento de la mitología, permite llegar hasta la magia y la grandeza dramática y lírica de la ópera. J. F. Montesinos, en una de las sugestivas frases cuyo secreto posee, esbozó la idea de un cierto parentesco entre la ópera monteverdiana y la estructura lírica de la comedia lopesca en general. La comparación nos parece particularmente acertada si se aplica a un drama pastoril como *Belardo el furioso* en el que, precisamente, encontramos maravillosos momentos líricos[47] y en el que el mito de Orfeo y Eurydice caro a Monteverdi[48] aflora en el drama, mezclado con reminiscencias del Ariosto y del Garcilaso de la segunda égloga. Menéndez y Pelayo en sus *Estudios sobre el teatro de Lope de Vega* no tiene en aprecio la locura de Belardo;[49] a nuestro parecer, como la locura de Albanio en la Egloga II de Garcilaso, la locura de Belardo con todo lo que expresa de amor, y dolor irremediable, nos eleva —a través de lo burlesco— hasta el nivel de la gran tragedia humana y no entendemos por qué no hizo mella en la sensibilidad del autor de los *Estudios...* el significado patético de este mundo extraño de objetos rotos y de ilusiones mágicas con las que se rodea Belardo enajenado. Sea lo que fuere, recordemos que en esta pieza el traje rústico sirve, así como en las novelas pastoriles, para disfrazar una historia de amor y que los pastores son falsos pastores. Pero la ficción pastoril tiene la ventaja en *Belardo el furioso,* así como en *El verdadero amante,* de dar cabida a algunas notas más auténticamente rústicas en el desarrollo del espectáculo. En efecto, en *Belardo el furioso,* amén de los episodios de alcaldes que ya señalamos en nuestro estudio de lo cómico, se encuentra también una escena de boda. El séquito nupcial entra en el escenario, al son de un tamboril y de una gaita[50] y hemos de suponer que un canto y un baile son presentados en un gran cuadro coreográfico, sonoro y coloreado, para encantar al espectador, ya que una acotación escénica nos lo sugiere:

> Salen a la boda de Amarilis ella y Bato, villano, su esposo; Nemoroso, padrino; Jacinta, madrina, y otros labradores, con tamboril y gaita, y siéntanse en bailando.[51]

«Siéntanse en bailando» puede significar que la mayoría de los miembros del séquito (personajes principales y comparsas) se sientan en el fondo del escenario mien-

---

[47] Verbigracia el bellísimo soneto:

«Querido manso mío, que vinistes.»

[48] La tragedia musical *Orfeo* es de 1607; en 1609, era publicada la partitura bajo el título de *Orfeo favola in musica da Claudio Monteverdi rappresentata in Mantova l'anno 1607 et novamente data in luce al Serenissimo Signor D. Francesco Gonzaga Principe di Mantova e di Monferrato... In Venetia Appresso Riccardo Amadino, MDCIX.* El estilo recitativo monteverdiano ya había sido preparado por sus Madrigales «a capella», con libretos pastoriles compuestos antes o después de 1600.

[49] Cf. *Estudios,* ed. Sánchez Reyes, C.S.I.C., II, p. 135: «Los accesos de locura de Belardo no son dramáticos ni interesan.»

[50] Para la definición de este instrumento, *vide infra,* pp. 516-519.

[51] Acad., V; p. 687 a. El sujeto de «en bailando» —giro que puede expresar la simultaneidad de la acción— no es forzosamente el mismo de «siéntanse».

tras que unos danzantes profesionales ejecutan el baile en la parte delantera. En resumidas cuentas, puede afirmarse que el drama pastoril da pie a la aparición de un ballet rústico, organizado y compuesto escénicamente. Así lo pintoresco rural viene a mezclarse con el lirismo de inspiración mitológica o italiana, dominante en la obra.

La pastoral de Jacinto (1595-1600) ha sido compuesta siguiendo los mismos procedimientos de transposición que *Belardo el furioso.* El propio Lope nos incita a entenderlo así en la dedicatoria:

> ... pareciéndome que con más honestidad se cubren los amorosos afectos de esta corteza rústica, como se ve en las Eglogas que los poetas griegos y latinos más honestos nos dejaron escritas, de quien no menos nuestros españoles sacaron tantas imitaciones. Por esta causa, y por hablar con mayor libertad, dulzura y gracia, entre las soledades, árboles, ríos y fuentes, lo que por ventura pasaba en los suntuosos palacios de los príncipes... [52]

Pero, como en *El verdadero amante,* resulta delicado saber exactamente a qué amores hace referencia Lope y nadie, aparentemente, ha llegado a desentrañar el enigma propuesto por la intriga. Tras una larga ausencia, el pastor Jacinto vuelve al lado de su amada, Albania; ésta le asegura que no quiere a nadie más que a Jacinto; pero el pastor piensa luego que se trata de otro Jacinto, y su duda queda reforzada por unos quid pro quo hábilmente tramados por su rival Frondelio; pronto, cual otro Rolando (comprobemos una vez más la influencia de Ariosto en la comedia lopesca), Jacinto enloquece y como 'un toro bravío' ataca a los pastores que se le acercan;[53] el descubrimiento de la estratagema de Frondelio le salva de la locura y los amantes pueden unirse. Resulta patente que Lope ha embrollado los hilos de los posibles rastros y lo único que se puede sospechar es que la obra fue escrita durante el período albano del escritor; Menéndez y Pelayo fue el primero en ver un doble de Lope en el pastor gracioso de la pieza, Belardo, y el primero en sugerir que se viera en el de la heroína Albania a alguna dama de la casa de Alba;[54] Morley y Bruerton, basándose en la métrica (la ausencia del verso de romance les parece casi determinante) sitúan la obra entre 1595 y 1600,[55] y con ello tienden a acercarla al período albano; nosotros, por nuestra

---

[52] Cf. Acad., V, p. 625.

[53] La estela de la influencia de Ariosto en la comedia pastoril, y luego rústica, puede rastrearse hasta Tirso. Se halla al final de *La villana de la Sagra* de Tirso (cf. B.A.E., V, pp. 325-326) una escena del mismo tipo, en un colmenar. Acerca de la influencia del Ariosto en las letras españolas del Siglo de Oro, véase el erudito trabajo de Maxime Chevalier, profesor de la Universidad de Burdeos.

[54] Cf. *Estudios...,* ed. Sánchez Reyes, II, p. 132: «Lope de Vega, según su costumbre, se introduce en esta pieza bajo el disfraz pastoril de Belardo... La heroína se llama Albania, y pudo ser alguna señora de la casa de Alba.» Puede notarse en efecto, que el seudo-pastor Belardo sale en el papel de poeta secretario al servicio de empresas amorosas ajenas, papel que asumió en repetidas oportunidades a lo largo de su vida, y que desempeñó por primera vez al servicio del duque Antonio. Cf. Acad., V, p. 650 b, cuando Belardo, con tinta, papel y pluma, escribe, para la heroína Albania, una misiva en verso dirigido a su enamorado Jacinto. Cf. también Acad., V, p. 650 b, cuando Belardo le contesta a Jacinto, que quiere apoderarse del papel que está escribiendo:

> «Yo no soy el dueño de él,
> soy secretario y testigo;
> con Albania lo averigua.»

[55] Cf. *Chronology...,* pp. 132-133.

cuenta, creemos poder descubrir debajo de la máscara pastoril algunos indicios más
que desvelan relaciones con la casa de Alba.[56] Por el contrario, otros, como J. F. Montesinos, vieron en Albania a un doble de Micaela de Luján y fechan la obra algo más
tarde.[57] Estas discusiones prueban, por lo menos, que nadie pone en tela de juicio el
valor de pretexto del disfraz campestre en *La pastoral de Jacinto.* También es cierto
que —comparada con *El verdadero amante* y *Belardo el furioso*— la obra sigue siendo pastoral y mitológica y no deja aparecer sino muy pocos elementos rústicos auténticos (apenas algunas imágenes).[58]

---

[56] El padre del héroe principal enumera en una clásica tirada las riquezas rurales que puede ofrecer en
dote para la boda de su hijo. En particular declara:

> «Todo el valle de Corneja
> me paga censo y tributo.
> De su orilla tengo pesca,
> caza de sus montes fresca.»
>
> (Acad., V, p. 655 a)

Ahora bien, el Val de Corneja no es comarca de ficción, y pertenecía al feudo de Alba desde el reinado
de Enrique II. En Pascual Madoz, *Diccionario geográfico estadístico histórico de España,* Madrid, 1850,
VII, podemos leer:

> «Corneja: Valle en la prov. de Avila, part. jud. del Barco y Piedrahita: comprende estas dos
> villas y las del Mirón y la Horcajada, con todas sus aldeas y dependencias, formándose por las
> vertientes de las sierras de Villafranca, Bonilla y Piedrahita; su long. es de 5 leguas, su mayor
> anchura de 1, y su dirección de E. al S. E. El terreno es de muy buena calidad, regándole por su
> centro el R. *Corneja,* del que toma el nombre. Este valle, que vulgarmente se denomina tam-
> bién *Valdecorneja,* fue dado por D. Enrique II à D. García Alvarez de Toledo.»

El pasaje de *Belardo el furioso* ante-citado, ha de cotejarse con el pasaje de *Las Batuecas del duque de
Alba* en donde dos nobles de la corte de Alba enuncian a los rústicos de las montañas de las Batuecas las
posesiones señoriales del duque (cf. Acad., XI, p. 526 a):

> *«Brianda:*   La ley que os digo tiene el Duque de Alba,
>   que es señor de esta tierra y de otras muchas.
> *«Don Juan:*   Valdecorneja es otro hermoso valle,
>   donde hay ricos valles, y los pueblan
>   gente como nosotros; y sin esto,
>   Marqués de Coria, que en Extremadura
>   es antigua ciudad.»

Otra coincidencia entre *Las Batuecas del duque de Alba* y *La pastoral de Jacinto:* Belardo también
sale en la primera de ellas bajo el aspecto de un villano divertido por sus réplicas y dichos, y entra a servir
al duque de Alba (cf. p. 535 b) de asalariado. Es patente la alusión autobiográfica. Las alusiones al feudo
de Alba parecen haber sido cosa acostumbrada en las piezas de la época. Leemos en *El sol parado* (cuya
versificación permite situarla entre 1596 y 1603. Cf. Morley y Bruerton, p. 153) a propósito de la Virgen de
la Peña de Francia.

> «En tierra de Salamanca,
> y junto a Ciudad Rodrigo,
> está en una excelsa cuesta,
> en cuyo pie está un lugar
> del Duque de Alba.»
>
> (Acad., IX, p. 56 a)

[57] Cf. J. F. Montesinos, en *R.F.E.,* 1924, XI, pp. 308-309.
[58] Cf. Acad., V, p. 631.

Los dramas pastoriles de Lope que acabamos de mencionar muestran cómo el disfraz rústico podía constituir para un autor el medio de presentarse en escena, ora bajo una luz trágica, ora bajo un aspecto cómico, alternando con otros personajes del medio aristocrático. Ya hemos dicho que este procedimiento del doble rústico había sido utilizado por Teócrito y por Virgilio. También sabemos que el origen español de esta práctica está relacionada seguramente con la condición social del poeta en la época del teatro palaciego. El disfraz rústico constituía entonces un medio sencillo para expresar, con un mínimo de pudor, los halagos y las peticiones que dirigía al mecenas el poeta pedigüeño. [59] El uso del seudónimo rústico, surgido en este contexto sociológico, persistió a lo largo del siglo XVI y pronto se difundió —independientemente de las condiciones de mecenazgo— como una costumbre de disfraz literario, en una sociedad en la que el desdoblamiento de la personalidad y el llevar una máscara, obedecían a una profunda necesidad sicológica. Hacia 1580-1620, cada escritor o poeta, tenía prácticamente su apodo rústico: Diego Hurtado de Mendoza se llamaba *Meliso*, Alonso de Ercilla, *Larsillo*, Luis Gálvez de Montalvo, *Siralvo*, Luis de Góngora, *Daliso*, Lope, *Belardo*, [60] fray Gabriel Téllez, *Tirso*. No pretendemos tratar aquí los innumerables problemas que plantea el recurso a tales seudónimos en las comedias de ambiente rústico. Limitémonos a comprobar que este uso, que pronto se transformó en una especie de código de comunicación convenido de antemano entre el autor y el pûbulico, aparece como herencia directa del drama pastoril anterior a 1600 (y también quizá de los romances pastoriles, sus coetáneos) y contribuye en cierta medida a la aparición en escenario de algunos rasgos rústicos pintorescos.

Valía la pena detenerse, por un momento, en el grupo de dramas pastoriles escritos por Lope antes de 1600, porque estos constituyen un eslabón en la evolución morfológica que llevó —dentro del marco de una evolución ideológica general— a la constitución de un tipo de comedias de ambiente más propiamente rústico en las que los héroes siguen siendo falsos villanos detrás de su disfraz aldeano. Este hecho fue subrayado por M. Bataillon en sus investigaciones llevadas a cabo en el Collège de France en 1946, y hemos estimado, de acuerdo con él, que resultaba imposible dejarlo de lado. En efecto, parece innegable la deuda contraída, para con la comedia pastoril, por la comedia de ambiente rústico en su primera fase, cuando los héroes de primer plano no son aún auténticos villanos. [61] Son muy numerosas las obras en las que un

---

[59] *Vide supra,* pp. 57-59 y 62-63.

[60] Para este tema remitimos al estudio de S. G. Morley, *The pseudonyms and literary disguises of Lope de Vega,* en *Modern Philology,* vol. 33, Berkeley, Los Angeles, 1951.

[61] M. Bataillon escribía, en *Annuaire du Collège de France,* 46e année, París, 1946, p. 170:

> «... chose remarquable, un long délai de vingt-cinq ans environ s'écoule entre la constitution de la comedia pastorale et celle d'une comedia rustique où d'authentiques paysans tiennent les premiers rôles. Il est rempli par une floraison d'intrigues romanesques dont les protagonistes sont des nobles ou des princes, que leur destinée amène à prendre pour un temps le déguisement rustique, ou qui, élevés parmi les paysans, révèlent un beau jour leur origine. La poésie rustique se développe, à ce stade, de façon très savoureuse. Mais, soit que Lope de Vega fasse marivauder des charonniers avec une fausse paysanne, ou une dame avec un noble déguisé en meunier *(La serrana de Tormes, El molino),* soit qu'il convertisse en moissonneur un comte amoureux d'une infante, elle-meme transformée en servante de ferme, et fasse mener à son héros le triomphe de la moisson *(El vaquero de Moraña),* l'élément rustique, "villanesco", reste cantonné dans une fonction d'ornement par rapport à l'intrigue sentimentale.»

Nos parece que tales conclusiones siguen siendo valederas, de modo que han guiado nuestro análisis en las páginas siguientes. La única modificación que nuestras investigaciones nos han autorizado a aportar,

personaje noble va al campo a tomar el traje y el oficio del villano. Hallamos esta situación en un grupo de comedias lopescas de las cuales ninguna parece ser muy posterior a 1600: *El molino* (1585-1595), *Las Batuecas del Duque de Alba* (1598-1600), *El vaquero de Moraña* (1599-1603). A estas comedias dedicaremos ahora nuestro análisis.

Es imposible indicar con precisión una localización topográfica de la acción en *El molino*.[62] En este estadio, la comedia de ambiente rústico aún no está arraigada en el terruño español como lo estará algún tiempo después. El disfraz es aquí un capricho novelesco de personajes aristocráticos que saben hacer la comedia con tanta perfección como los héroes de las comedias pastoriles. Lo esencial reside, en efecto, en el juego de sentimientos y lo pintoresco de las situaciones. Veamos la intriga: para evitar el enojo y la venganza de un príncipe rival (Aristipo), Próspero, conde enamorado de la duquesa Celia, debe exilarse. Pero no se aleja mucho: bajo el nombre de Martín, entra a trabajar en un molino propiedad de la amada; desde el fondo de lo que él llama, según la expresión convencional, unos «desiertos salvajes»,[63] podrá contemplar a lo lejos la mansión de su duquesa y esta mansión está cerca de la ciudad;[64] es más, el

---

atañe la cronología puesto que situamos a *San Isidro labrador de Madrid* antes de septiembre de 1598; esta obra, así como el poema del *Isidro* (que es de 1596-1598) parece atestiguar que los temas realmente rústicos fueron plenamente elaborados unos quince años antes del 'acmé' del género, situada hacia 1610-1615. Mas, es cierto, Isidro no es un villano cualquiera.

[62] Las acotaciones escénicas de Hartzenbusch, en B.A.E., XXIV, permiten observar que la acción, cuando no nos lleva al palacio real, nos mantiene por lo general en el campo; así es como este último sigue siendo a menudo convencional, al estilo de los paisajes de la novela pastoril. «Vista exterior de la quinta de la duquesa Celia» (cf. B.A.E., XXIV, p. 29 c) dice una acotación escénica del primer acto. En otro momento se menciona un vergel, un soto, un río. Son elementos rituales del paisaje estereotipado de la novela pastoril. Ha de señalarse, no obstante, en esta comedia, la aparición de algunos detalles que contribuyen a instaurar en ella un esbozo de atmósfera rústica pintoresca. Hartzenbusch indica acotaciones tales como «Portal del molino» *(Ibíd.,* p. 27 c) y «Bosque y vista exterior del molino» *(Ibíd.,* p. 30 a). En efecto, remitiéndose a la *Parte I* (1604) (B. N. Madrid, R. 13852) puede comprobarse que las acotaciones imaginadas por Hartzenbusch corresponden cuando no a la letra, por lo menos al espíritu de la edición princeps. Leemos por ejemplo: «Salen, como del molino, Laura, hija del molinero, tras Melampo, mozo del molino tirándole salvado» (fol. 143). «Sale el Príncipe de villano con un costal al hombro» (fol. 161).

[63] Cf. B.A.E., XXIV, p. 26 a:

> «Fortuna...
> . . . .
> ¿dónde por estos desiertos
> guías mis pasos inciertos,
> tan cerca ya de perdidos,
> que llevo por los oídos
> ya los pensamientos muertos?»

Como lo veremos más adelante, este modo de mirar al campo no habitado como sitio salvaje y terrible, peligroso, lugar común hacia 1600.

[64] Cf. *Ibíd.,* p. 26 b. La tremenda soledad que acaba de ser evocada (siguiendo el tópico literario) se encuentra, en efecto, a poca distancia de la ciudad habitada:

> «Que lejos de la ciudad
> sé yo que me van buscando
> y con más seguridad
> aquí viviré llorando
> mi muerte y mi soledad.
> Desde esta orilla del río,
> si del bosque me desvío,

traje de molinero le permitirá al conde ver a menudo a su dama: para ello bastará con llevar harina a la quinta. Como en otras comedias posteriores, en las que se da el disfraz rústico, el noble disfrazado inicia también un juego amoroso con una villana, pero naturalmente sin darle importancia. Siempre queda un ápice de ironía en esas escenas de amor «a lo aldeano», llevadas con mucho gracejo, pero en las que se esconde, en definitiva, el desprecio aristocrático. Las variaciones escénicas y poéticas que permite el motivo del molino constituyen esencialmente el encanto de esta comedia. Sobre este soporte rústico concreto Lope levanta con virtuosismo un magnífico castillo de metáforas galantes. Por ejemplo, cuando el conde-molinero, enharinado, se hace reconocer por la duquesa, evoca lo que podría llamarse «el molino de sus pesares»:

> Poderoso fue el contrario;
> pero el amor le ha vencido.
> Y es molinero el amor;
> que también dentro del pecho
> un molino tiene hecho
> para moler mi dolor.
> La piedra del pensamiento
> con el agua de mis ojos,
> moliendo trigo de enojos,
> hace harina de tormento.
> De aquésta se cuece el pan
> del dolor que me sustenta
> . . . . [65]

Asimismo en una escena que sigue, en el preciso instante en que el príncipe rival del conde-molinero intenta abrazar a la duquesa, el falso aldeano puede aparecer en momento oportuno gracias al pretexto de la harina; y valiéndose de ésta puede hablarle a su amante en presencia del rival con palabras de doble sentido; fingiendo un encargo de su amo, declara:

> que me mandó os dijese
> lo que denantes no pude,
> porque el molino no mude
> si acaso el río creciese;
> y es que mandéis reformar
> la presa, que el agua bate;
> que el río al primer combate
> se la ha querido llevar.
> Esté más firme, y no sea
> causa que pierda el molino,
> porque al segundo camino
> más firme que antes la vea. [66]

> mis ojos contemplarán
> donde los tuyos están
> Celia hermosa, cielo mío.»

[65] B.A.E., XXIV, p. 32 a.
[66] *Ibíd.*, p. 32 c.

Naturalmente la duquesa sabe interpretar los consejos de firmeza y de resistencia que le son dirigidos de ese modo y contesta, con igual gracia, que la crecida no arrasará la represa. Estudiaremos posteriormente las canciones de molino en la comedia de ambiente rústico y con este motivo volveremos a ver algunos pasajes característicos de *El molino*. Mientras tanto ya podemos decir que son recuerdos líricos muy precisos los que han determinado la estructura de variaciones como la que acabamos de citar. El simbolismo inherente a la poesía tradicional llevó a Lope a estas ingeniosas invenciones teatrales. Se encuentra ya en el *Cancionero* de Juan de Molina, publicado en Salamanca, en 1527, el motivo del molino de amor, con el sistema del simbolismo poético que acabamos de encontrar. En el villancico «Muele molinico...» *(Villancico con su glosa nueva conforme al nombre del autor);* leemos:

> Muele molinico
> molinico del amor
> —que no puedo moler non.
> *Glosa*
> Molinico muy penado
> de las aguas de amargura
> no sé yo por qual ventura
> tu viuir no es acabado
> pues eres tan aquexado
> de los ríos de passión
> —que no puedo moler non.
> Pues el molino no queda
> de moler su gran passión
> morirá su coraçón
> porque vos seáys muy leda
> cubren tanto ya la rueda
> las crecientes del amor
> —que no puedo moler non. [67]

Con el ejemplo de *El molino*, vemos como el pretexto del disfraz rústico podía llevar a un dramaturgo a introducir en lo novelesco de la intriga un nuevo estilo de lirismo teatral, cuya inspiración ya no es mitológica o italiana como en el drama pastoril (por ejemplo, *Belardo el furioso)* sino que se sitúa ahora en la prolongación de la lírica peninsular tradicional. [68] Pero la ficción rústica no sólo incita al dramaturgo a volver a la lírica tradicional mediante fragmentos líricos recitados, sino que también lo hace con trozos cantados. *El molino* remata con un bonito cuadro de boda aldeana, en el que el falso molinero se casa con su duquesa, también disfrazada de villana. En relación con las bodas de pastores en *El verdadero amante* y *Belardo el furioso*, la de *El molino* representa un marcado adelanto en el sentido de la rusticidad pintoresca y poética, ya que la letra de la canción es indicada con precisión; como ya lo veremos en el capítulo reservado a las escenas y a las canciones de boda, por lo menos

---

[67] Cf. reimpresión de E. Asensio, Valencia, 1952, p. 49. El hecho de que el bachiller Juan de Molina haya puesto por título a esta canción «villancico con su glosa nueva» prueba que el estribillo ya tenía un carácter tradicional a principios del siglo XVI. La glosa era nueva, pero puede observarse que desarrollaba un procedimiento metafórico ya implicado en el estribillo. Nunca se insistirá lo suficiente en que, al lado del simbolismo culto existía en España un simbolismo popular (o llamémosle, si se prefiere, tradicional).

[68] Sobre los cantares de molino en la comedia, véase más adelante, pp. 581-88.

el estribillo es popular, y Lope, en su flexible inspiración, adaptó al canto al motivo del molino:

> Esta novia se lleva la flor
> que las otras no.
> Bendiga Dios el molino
> que tales novias sustenta:
> muela su harina sin cuenta
> a costa de tal padrino;
> éstas muelen de lo fino
> del trigo que muele amor,
> que las otras no. [69]

En *El vaquero de Moraña* (1599-1603), igualmente nos llama la atención el creciente aflorar de lo pintoresco y del lirismo rústicos propios de la comedia villanesca, cuyo héroe sigue siendo esencialmente un noble disfrazado. La intriga de esta pieza es de lo más corriente: dos amantes perseguidos, el conde de Saldaña y la infanta Elvira, se escapan de la corte de León, el uno de la cárcel en donde esperaba la decapitación, la otra del convento en donde la había recluido su padre. Un feliz azar reúne a los dos amantes entre aldeanos, en un lugar perdido de la región de Avila, en la Moraña. Disfrazados de villanos, con los nombres de María y Antón, pueden quererse con toda libertad, juguetear, reñir, reconciliarse, conforme al juego de los sentimientos y de los celos, practicado tan a menudo en la novela pastoril y en el drama pastoril antes de serlo, posteriormente, en la comedia galante de ambiente urbano. Una vez más aparece nítidamente el papel del disfraz villano como procedimiento de diversión aristocrática y los nobles disfrazados, el uno de segador o de vaquero, la otra de moza de alquería, son los primeros en reírse de su atuendo aldeano; [70] sus dúos seudo-rústicos, alegres y paródicos, son como guiños de complicidad entre ambos. El interés de la comedia estriba en el juego teatral permitido por el disfraz. Pero también surge del pintoresquismo rústico y del lirismo tradicional que implicaba el pretexto aldeano elegido por el dramaturgo.

En otra ocasión demostramos cómo el motivo de las mieses se plasmó en esta pieza en una gran escena ornamental y lírica. [71] Recordemos sencillamente que en los orígenes del título de la comedia, y de una de sus mejores escenas, hay un tema popular muy difundido en los siglos XVI y XVII: el de «Antón el vaquero de Moraña». La segunda serranilla del marqués de Santillana remata con la contestación de la serrana que declara:

> ... caballero,
> no penséis que me tenedes,
> ca primero provaredes
> este mi dardo pedrero;
> ca después desta semana
> fago bodas con Antón,
> vaquerizo de Moraña.

---

[69] Cf. B.A.E., XXIV, p. 40 c.

[70] Ya vimos en *El villano cómico* cómo el contraste entre la nobleza de Elvira y el papel villano que desempeña le concede valor teatral a algunas escenas. *Vide supra*, p. 36.

[71] Véase más adelante, pp. 606-609.

Como ya lo señaló Menéndez y Pelayo [72] el motivo de esta serranilla fue glosado, a fines del siglo XV o principios del siglo XVI, en coplas de estructura clásica (modelo: *non vi ... como*).

> En toda la trasmontana
> nunca vi cosa mejor,
> que era su esposa de Antón
> el vaquero de Moraña. [73]

En el transcurso del siglo XVI estas coplas fueron populares sin lugar a dudas ya que volvemos a encontrar el estribillo que acabamos de citar en el *Despertador que trata de la gran fertilidad...* (1578) de Juan de Arrieta entre una serie de «Adagios, refranes y cantares de bueyes y vacas» (éstos son los propios términos de Juan de Arrieta) incluidos en su Diálogo II. Se presenta bajo la siguiente forma, algo distinta de la que indicamos antes:

> En toda la trasmontana
> no vi cosa mejor
> que era la esposa de Antón
> el vaquero de Moriana. [74]

En tiempos de Lope las coplas seguían siendo populares ya que hay alusiones inequívocas en varias comedias. En *Las Batuecas del Duque de Alba* (pieza del mismo período que *El vaquero de Moraña* y del mismo grupo que las «comedias villanescas») oímos al villano Lucindo evocar la ciencia del cura del pueblo de El Castañar en estos términos:

> ... No ha dejado
> historia que no sabe. El otro día
> nos contó la del perro de Alba a todos,
> y las persecuciones de los Indios,
> con las coplas de pase la Galana,
> y de Antón, el vaquero de Moraña- [75]

---

[72] Menéndez y Pelayo, *ibíd.*, cita en su totalidad las coplas que sacó de «un rarísimo pliego suelto de letra gótica«: *Coplas de Antón, vaquerizo de Moraña, y otras de «Tan buen ganadico». Y otras canciones y un villancico* (reproducido en el número 569 del *Ensayo...* de Gallardo). Señalemos que también se encuentran las coplas en otro ejemplar sin fecha ni lugar, en letra gótica, de la Biblioteca Nacional de Madrid (R. 9452): *Aquí comiençan seys maneras de Coplas villancicos. Y el primero cuenta como un hombre que venía muy penado de amores: e rogaba a un Barquero que le passase el río. Y otras que dizen Romerico tú que vienes. Con otras de Antón del Baquero de Moraña.* (Cf. Simón Díaz, *Bibliografía de la literatura hispánica*, V, núm. 3.369.) Véase, por fin, como prueba de la popularidad de las coplas de «Antón el vaquero de Moraña», los dos pliegos sueltos góticos (el segundo impreso entre 1551 y 1564) reeditado por A. Rodríguez Moñino, en *Los pliegos poéticos de la colección del Marqués de Morbecq (siglo XVI)*, Madrid, 1962, p. 161 y p. 217. A. Rodríguez Moñino señala, p. 70, que unas glosas de la copla figuran en el *Abecedarium* (manuscrito de la Biblioteca Colombina) de Fernando Colón. M. Frenk Alatorre, *Cancionero de galanes y otros rarísimos cancionerillos*, en N.R.F.H., IX, p. 58, indica un ejemplo aragonés de 1508.

[74] Cf. *op. cit.* (B. N. Madrid, R. 48741).

[75] Acad., XI, p. 534 b. A propósito de las «coplas de pase la Galana», véase la poesía que lleva por título *Otras al tono de passe la galana* («Passe la galana, passe, / passe la galana»), en el *Cancionero de Nuestra Señora*, Barcelona, 1591, p. 20 (reed. Castalia, Valencia, 1952).

Asimismo en *La Gallega Mari-Hernández* (1612?), de Tirso, el gracioso Caldeira cita la figura del célebre vaquero para representar la situación de su amo (un conde) quien, porque tenido que huir de Portugal a Galicia, ha tomado traje rústico en el campo, algo así como el héroe de la pieza de Lope:

> *Beatriz.*
> ¿y mi conde?
> . . . .
> *Caldeira.*
> Imita
> al vaquero que en Moraina
> calza abarca y viste frisa
> *Beatriz.*
> ¡A qué no obligan traidores![76]

De no tratarse de una alusión tirsiana a la pieza de Lope, el diálogo de Beatriz y Caldeira puede significar que, a principios del siglo XVII, las coplas populares del «Vaquero de Moraña» se sentían como serranilla en la que bajo el atuendo de villano, era preciso descubrir héroes aristocráticos. Sea lo que fuere, cuando escribió la escena del acto III con el encuentro del rey Bermudo perdido durante una cacería y la Infanta vestida de serrana, Lope bien tenía la intención de lograr efectos pintorescos y líricos, dentro de la tradición de la célebre serranilla. A los cumplidos galantes del Rey, la Infanta-Serrana replica:

> No soy vaquero, señor;
> mujer soy, que Dios os valga,
> que en ausencia de mi esposo
> guardo sus toros y vacas.
> Antón es mi amado dueño,
> el vaquero de Moraña;

Y el Rey se hace eco diciendo:

> No he visto cosa más bella
> en toda la tramontana;
> que era la esposa de Antón,
> el vaquero de Moraña.[77]

En esta pieza aldeana, así como en *El molino,* la trama de toda una escena proviene de un recuerdo bien determinado de poesía clásica que se ha hecho popular,[78] y con este rasgo, vemos confirmarse el carácter lírico, al modo nacional, de la comedia villanesca en la que los héroes son aún falsos villanos. En relación con *El molino, El vaquero de Moraña* señala un nuevo paso en el sentido de la creación de una auténtica atmósfera rústica. Lope situó su acción en La Moraña como lo decía la canción

---

[76] B.A.E., V, p. 117 b-c.

[77] Acad., VII, p. 588 b-589 b.

[78] La asonancia *a-a* de la pareja *transmontana-Moraña* del estribillo se extendió a toda la escena (cf. Acad., VII, pp. 588-589). Tal fenómeno de irradiación del núcleo lírico original mediante la asonancia o la rima, es habitual en Lope cuando éste construye una escena a partir de un estribillo tradicional.

y él agrega (lo que no se dice ni en la serranilla[79] del Marqués de Santillana ni en la glosa de principios del siglo XVI) que se trata de la Moraña de Avila. La Moraña es topónimo bastante difundido en Galicia,[80] pero parece que La Moraña de Avila gozó de celebridad folklórica en el siglo XVI[81] y tal vez sea esta la razón por la cual Lope situó allí su acción. Este arraigo de la intriga en el terruño y el folklore constituye uno de los rasgos originales de *El vaquero de Moraña*.

Las Batuecas del Duque de Alba nos ubica de modo semejante en una comarca determinada de la península. Esta pieza también nos permite apreciar cómo los recuerdos de las cantigas de serrana y de las serranillas enriquecieron, a veces, las comedias novelescas en las que los nobles van a buscar refugio y clandestinidad de amores en el campo. Don Juan y Doña Brianda abandonan el palacio de Alba y se dirigen hacia la sierra de Béjar; perdidos por el monte, erran por ásperas cimas y hondos valles durante cuatro días, al cabo de los cuales los dos amantes acaban por encontrarse entre los rústicos atrasados de las Batuecas. Allí viven un idilio clandestino (clandestino ya que Brianda, con traje de hombre, pasa por tal a ojos de los Batuecos) hasta el día en que, perdonados por el duque de Alba, vuelven al palacio.

En varias ocasiones, esta comedia de aventura y de amor nos da la impresión de haber sido creada con el fin de provocar emociones fuertes, y casi nos atreveríamos a decir que exotismo rural facilón, para espectadores de la ciudad o de palacio, para quienes el motivo del campo respondía a una necesidad de extrañamiento. Primero se presenta un campo hostil y áspero en el que se adentran ambos cortesanos y les resulta, al primer contacto, como un sitio de tragedia y muerte, algo así como el infierno dantesco. Ya en el siglo XIV las cantigas de serrana del arcipreste de Hita habían expresado el espanto que sobrecoge al desgraciado caminante perdido en la sierra. Esta es la tradición en que, al parecer, se inspira Brianda al evocar en un soneto la sierra abrupta en la que se encuentra:

> Profundos valles del obscuro invierno,
> lóbrega habitación, piedras que trae
> de su furiosa lluvia el curso eterno.

---

[79] En la serranilla del Marqués de Santillana pueden espigarse lo siguientes topónimos: Trasmoz, Veratón, Conejares, Travessaña, Trassovares. Todos ellos designan lugares de una comarca intermedia entre Aragón y Castilla la Vieja (regiones de Zaragoza, Soria y Calatayud) situada bastante lejos de Avila.

[80] Esto es lo que se ve según Pascual Madoz, *Diccionario...*, que indica los sitios de San Lorenzo de la Moraña (provincia de Pontevedra) y de Santa Justa de la Moraña (provincia de Pontevedra). Suponemos que las formas *moraina, morana* o *moraña* derivan del *moraena* prerromana que indica P. Corominas, en *Diccionario etimológico...*, en el artículo *morena* y que parece haber proporcionado numerosos derivados en una amplia zona al norte y nordeste de la península. El sentido sería en este caso el de 'montículo' o 'montón' (piedras, trigo, heno, etc.).

En lo que atañe a Castilla, Pascual Madoz, *op. cit.*, sólo menciona Morañuela a cuatro leguas de Avila. Pero el *Censo de población de las provincias y partidos de la corona de Castilla en el siglo XVI...*, Madrid, 1829, cita varias veces el topónimo de Moraña en la provincia de Avila. Cf. p. 57 b: «Aldea nueva de la Moraña (Sesmo de Cobaleda).» Se trataba, al parecer, de colonias gallegas fundadas por emigrados como también lo eran las aldeas denominadas Gallegos, Hernán Gallego, Navagallegos, etc., en la misma comarca.

[81] Recordemos el texto de Sebastián de Horozco que evoca las fiestas de Toledo en 1555, por cuyas calles se vio pasar una mascarada rústica con el tema de la boda aldeana, al estilo de la Moraña de Avila. *Vide supra*, p. 37, donde citamos el pasaje:

> «Este día salió une máxcara muy graciosa y muy mirada y aun muy loada de toda la cibdad, por ir tanto al natural comme yva, y era boda de aldea a fuer de la Moraña de Avila, de labradores...»

Que bien puedo decir que amor me trae
a morir entre el cielo y el infierno,
si de vostros mi esperanza cae. [82]

Pese a los encarecimientos retóricos que lo caracterizan, un fragmento de género
como éste —efectivamente, hallamos otros ejemplos en las comedias— [83] correspondía
probablemente al sentimiento experimentado en la realidad por los ciudadanos del siglo XVI en presencia de la montaña y de la naturaleza salvaje; lo interpretaba con más
fuerza que las tiradas sobre el motivo inverso del «Beatus ille». Lo que se llamará, después del siglo XVIII, «el sentimiento de la naturaleza», no existía en el Siglo de Oro;
en opinión del cortesano, nada más feo que un monte y, para usar unas palabras de
Taine, en su *Voyage aux Pyrénées*, «elle rappelait milles idés de malheur». [84] Este
hecho podría confirmarnos, de ser necesario, que el hastío de su propia existencia era,
en efecto, para el cortesano y el noble de los siglos XVI y XVII el resorte de este movimiento que Isaza Calderón denominó «el retorno a la naturaleza» y que hemos definido ya varias veces, como huida de la existencia aristocrática, sumada a un retorno
hacia algunos valores rurales (del campo habitado y cultivado). Sea lo que fuere, recordemos como ejemplo de salvajismo pintoresco imaginado en los campos desconocidos, «ad usum urbis», la escena de *Las Batuecas del duque de Alba* que pone a doña
Brianda en contacto con el mundo de los batuecos. En tanto que ésta, extraviada en
el monte, se encuentra en el colmo de la desolación y de la desesperación, surge un
salvaje (tal como el cinematógrafo moderno podría imaginarlo en una selva amazóni-
ca o ecuatorial): un verdadero gorila de brazos velludos rapta a la señora antes de que
ésta pueda pedir ayuda. No puede evitarse el pensar que este episodio ha sido introducido para estremecer a un público convencido de los peligros del monte. El motivo
del salvaje era tradicional en el teatro de ambiente pastoril o rústico del siglo XVI [85] y

---

[82] Acad., XI, p. 515 a.

[83] En las comedias novelescas en donde el cortesano huye de la ciudad, es ritual el 'morceau de bravoure'
cuando el noble perdido en el monte cuenta el espanto que le infunde este tipo de soledad. Generalmente
precede al momento en que unos aldeanos encuentran y ayudan al fugitivo. Entre muchos ejemplos posibles, citemos *Los embustes de Celauro* (Lope) (Acad. N., XII, p. 126 b) donde Lope trata el motivo en un
soneto (forma estrófica que conviene al momento de la espera angustiada): «Asperos montes, de tinieblas
llenos...»

[84] Cf. ed. París, 1867, pp. 191-193. En las cartas de Lope al duque de Sessa tenemos dos textos significativos acerca de los verdaderos sentimientos del Fénix en lo que respecta a la sierra o la provincia alejada.
El primero evoca el paso de la sierra de Guadarrama entre el Escorial y Avila. Cf. *Carta al duque de Sessa*,
17-18 de agosto de 1615, en A. G. de Amezúa, *Epistolario*, III, p. 209: «... Luego, por no bolber por las
Navas y el Escorial, que es desesperado camino, dimos Albaro López y yo en venir por Segovia...» El segundo texto evoca las «soledades» de Galicia miradas como aburridas. Cf. *Carta al duque de Sessa, ibíd.*,
IV, pp. 59-60, en donde Lope escribe a propósito de un romance sobre las soledades gallegas:

«El romance es de los mejores que vi en mi vida: bien pareze escrito con tan justo como grande sentimiento. Sólo me pareze que no se debe creher lo que dize, porque no hallo a Galiçia para
tan dulces soledades buena, como dixo Liñán a un caballero que le persuadía que se fuese a olgar a Navarra: ¿Quándo ha oydo V. S. dezir que algun hombre se ha ydo xamás a olgar a Navarra?»

Aquí, tenemos, según parece, una expresión del sentimiento del cortesano ante el campo despoblado o
la provincia alejada.

[85] Antes de 1530 ya está documentada la presencia del 'salvaje' en las piezas rústicas. En la *Comedia
sobre a divisa da cidade de Coimbra* de Gil Vicente (cf. ed. Marques Braga, «Clás. Sá da Costa», II, p. 129)
(representada, al parecer, en 1527) una muchacha llamada Liberata canta en los montes de Coimbra. Se acerca un salvaje, Monderigou, seducido por el canto de la joven. Liberata se asusta, llama en su auxilio a su

es probable que la aparición en *Las Batuecas del duque de Alba* del batueco Mileno —éste es su nombre—, se deba a esta tradición, así como la de otros numerosos salvajes, hirsutos y vestidos con pieles, que irrumpen en las comedias novelescas de la escuela de Lope.[86] Pero el pintoresquismo bárbaro y primitivo de *Las Batuecas del duque de Alba* también se arraiga en el pasado más lejano de las cantigas de serrana medievales. En otra escena, el dramaturgo imagina el encuentro de una joven batueca, Taurina, con un personaje del palacio de Alba, con Mendo, extraviado, él también, en la sierra. La salvajilla primero tiene miedo, pero muy pronto, presa de deseo sexual hacia ese hombre, le invita, según la situación tradicional, a ir a su cabaña.[87]

Con este grupo de comedias lopescas constituido por *El molino, El vaquero de Moraña, Las Batuecas del duque de Alba*, vemos cómo el lugar común del noble que se disfraza momentáneamente de villano, podía llevar a un dramaturgo hacia toques

---

hermano Celipondio. Este toca la 'bozina' para solicitar la ayuda de la Sierpe y del León, quienes llegan para matar a Monderigou. En esta obra Gil Vicente escenificó temas heráldicos de la ciudad de Coimbra, temas que parecen derivar de mitos antiquísimos.

Las *Coplas de una doncella un pastor* (cf. *Catálogo de Salvá*, núm. 1.196 y núm. 1.197) atribuidas a Lucas Fernández por Gallardo y Manuel Cañete (anteriores, de todos modos, según parece, a 1530) también hacen intervenir a un 'salvaje'; pero este resulta mucho menos peligroso que su congénere de la leyenda de Coimbra. He aquí el título de la edición en letra gótica, sin fecha ni lugar de imprenta: *Coplas de una doncella y un pastor*:

«en las presentes coplas se trata como una hermos dõzella andãdo perdida por una mõtaña encõtro cõ un pastor; el q̃l vista su gẽtileza se enamoro della y con sus pastoriles razones la requirio de amores. A cuya req̃sta ella no quiso cõsentir: e despues vino un salvaje a ellos e todos tres se cõcertaron de yr a una devota hermita que alli estava a hazer oracion a nuestra señora: y comienza dezir la donzella en la forma siguiente.»

Recordemos que el personaje del salvaje también es frecuente en el teatro italiano del siglo XVI.

[86] De las piezas del Fénix en las que interviene un auténtico y seudo «salvaje»: mencionemos: *El ganso de oro* (Acad. N., III, p. 434); *El animal de Hungría* (Acad. N., III, p. 434); *Las grandezas de Alejandro* (Acad., VI, p. 332); *El premio de la hermosura* (Acad., XIII, p. 455); *Los celos de Rodamonte* (Acad., XIII, p. 377). No carece de interés el señalar que en la representación de *El premio de la hermosura*, llevada a cabo en Lerma en la fiesta del 3 de noviembre de 1614, tres damas de la cámara desempeñaban en la pieza los papeles de los salvajes Gosforosto, Bramarante y Solmarino. Fueron ellas doña Juana de Noroña, Doña María Jordán, Doña Leonor Quirós (cf. *Relación de la comedia del Premio de la Hermosura*, en Acad., XIII, p. 483). Este dato nos demuestra que estas descabelladas historias de salvajes, fantásticas, no sólo iban dirigidas a la imaginación del vulgo, como podrían pensarlo algunos. En general, parece haber sido duradero el éxito del motivo del salvaje en la literatura del siglo XV y luego del Siglo de Oro. Presente ya en *La Cárcel de Amor*, el tema vuelve a aparecer en *La Diana* (libro II) de Montemayor. Vuelve a encontrarse en el *Quijote* (episodio de las bodas de Camacho, parte II, cap. XX, p. 37, ed. Rodríguez Marín, «Clás. Castella.»; al ejecutar una danza hablada cuatro salvajes cubiertos con yedra y cáñamos teñido de verde provocan el espanto de Sancho. Véase a este respecto la interesante nota de Rodríguez Marín sobre los vestidos que solían presentar los salvajes). Los protocolos de notario permiten observar que los salvajes estaban de moda en las fiestas urbanas (por ejemplo, baile de salvajes, en la fiesta del Corpus de Segovia, de 1628; cf. documento núm. 102, in Jean-Louis Flecniakoska, *Les fêtes du Corpus a Ségovie (1594-1636). Documents inédits*, B. Hi., 1954, núm. 3). Una alusión a los bailes de salvajes en las fiestas aldeanas también se encuentra en *El engaño en la verdad* de Lope (Acad. N., V, p. 245 a). El estudio de conjunto del motivo del salvaje en la literatura, las ideas y el arte (véase sobre este particular, José María de Azcárate, *El tema iconográfico del salvaje*, en *Archivo Español de Arte*, Madrid, 1948, núm. 82, pp. 81-89) en el Siglo de Oro podría acometerse en una doble perspectiva: *a)* fuentes medievales, *b)* modificaciones traídas a la idea de salvaje por el descubrimiento de tierras americanas en algunas obras como el *Primaleón* (para ello sería preciso fechar con exactitud el capítulo de esta obra en el que aparece el «Patagón»).

[87] Acad., XI, p. 524 a.

pintorescos o líricos de inspiración más propiamente rural o tradicional sin que por ello abandonara, en el nivel más hondo, el enfoque aristocrático. Tal evolución es confirmada por el estudio de las piezas lopescas anteriores a 1600 en las que una señora refugiada en el campo no sólo se ve confrontada con auténticas serranas, sino que se vuelve, a su vez, en una serrana de verdad. Para ello, nos basta considerar *La serrana de Tormes* (1590?-1595?) y *La serrana de la Vera* (1595-1598).

En *La serrana de Tormes,* para evitar el matrimonio impuesto por su familia, una joven de Toledo disfrazada de hombre se escapa con la intención de llegar a Salamanca y reunirse allí con el estudiante Alejandro de quien está enamorada. Tras una estancia en una compañía de soldados, es recogida por unos carboneros de los montes de Salamanca. Allí adopta el traje y las costumbres de serrana hasta el día en que, tras múltiples peripecias, puede por fin casarse con el estudiante. En esta pieza, es evidente que los recuerdos de la pastoril siguen estando muy presentes como punto de partida. La heroína lleva un nombre harto significativo: Diana. No lo son menos las lecturas que la incitaron a abandonar la casa paterna para emprender la aventura: un cancionero y la *Primera parte de la Diana.* [88] No obstante, como en las piezas que analizamos antes, lo novelesco y el atractivo de la aventura que rigen el desarrollo de la comedia permiten, merced al disfraz rústico, la inserción de escenas amenas por su pintoresquismo rural o seudo-rural. Una de ellas, que vuelve a tomar el motivo consagrado de los cumplidos amorosos que el villano le dedica a la villana, saca todo su interés de las variaciones metafóricas a las que se presta el tema del carbón. A la seudo-serrana Elenco, carbonero auténtico, le espeta galanterías como éstas:

> Yo estoy desde que te vi,
> señora, de mi carbón,
> hechos los ojos doblón
> y el alma maravedí.
> . . . .
> Tal es la melancolía
> que ese tu rostro me ha dado,
> que ando hasta el alma tiznado
> del humo que no sabía.
> Que ha hecho de mi carbón
> amor fragua, y fuego tanto,
> que a no socorrerme el llanto
> derritiera el corazón.
> Con el viento de desgracia
> son fuelles temor y olvido,
> y por aquesto te pido
> el hisopo de tu gracia.

---

[88] Cf. Acad., N., XI, p. 445 a. El tío de Diana descubre en el cuarto de la joven estas lecturas que él considera peligrosas.

«*Seraldo:*   ¿El Oratorio y fray Luis dijiste?
          (Lee los títulos y dice)
          ¡Buena encuadernación! «*Primera parte
          de la Diana*», ¡bien, por vida mía!
          ¡Qué gentil fray Luis! Quisiera darte
          la culpa que tu culpa merecía.»

> No escribe sobre tiznado
> amor, sino en mi fiel
> pecho, que es blanco papel,
> las letras de mi cuidado. [89]

Volvemos a encontrar aquí, junto con la fragua y el carbón de amor, la veta del simbolismo tradicional que encontramos ya a propósito del molino de amor en *El molino*. Con anterioridad a Lope, Gil Vicente ya había utilizado la alegoría de la forja de amor, escribiendo *La fragua de Amor* [90] y es probable que uno y otro no hicieron otra cosa sino volver a tomar una metáfora de la lírica ya tradicional.

Con *La serrana de la Vera* (Lope) también se ve cómo el Fénix, impulsado por el gusto aristocrático del disfraz villano, volvió a emplear rasgos tradicionales de la poesía peninsular. El primer cuadro de la pieza nos presenta a tres damas nobles que se pasean en las fiestas de Plasencia, vestidas de serranas de la Vera; su disfraz, como lo hace resaltar una acotación escénica, no deja de tener una sabrosa nota de pintoresquismo regional: lo mismo que las aldeanas del terruño, disimulan su rostro con un rebozo aldeano y al brazo llevan un cesto de camuesas. Tan logrado es el disfraz que sus propios galanes no las reconocen, y, buscando estas aventuras sentimentales, he aquí que se ponen a requebrarlas; las seudo-serranas quedan así informadas acerca de la fidelidad de sus novios, y una de ellas, Leonarda, llevada por un despecho acentuado por el equívoco, decide hacerse serrana de verdad, y retirarse a las soledades agrestes, para vengarse allí cruelmente de los hombres. Pasamos así del simple entretenimiento aristocrático de la mascarada aldeana a una situación tradicional legada por la literatura folklórica de las serranas. En efecto, es cosa notoria que el folklore extremeño de los siglos XVI y XVII conocía una tradición llamada «de la serrana de la Vera», popularizada por romances, según la cual una joven de Garganta la Olla, por amores desgraciados se había marchado a vivir a la montaña, entre fieras y alimañas; decía la tradición que la heroína iba por lugares solitarios, asaltando a los viajeros, y obligándoles a acompañarla a su cueva donde los seducía antes de matarlos; las cruces que jalonaban la sierra recordaban, a todos, los crímenes de la serrana. [93]

Desde la literatura tradicional sobre la serrana de la Vera, algunos rasgos han pasado a la pieza de Lope. Por ejemplo, al jurar matar a los hombres que encuentre, Leonarda evoca las cruces con las que sembrará la sierra, [94] y cuando un desgraciado bu-

---

[89] Acad. N., IX, p. 457 a.

[90] Cf. ed. Marques Braga, «Clás. Sá da Costa», IV, p. 115.

[91] Para el rebozo aldeano, *vide infra,* p. 482, n. 28.

[92] Cf. Acad., XII, p. 4: «Salen Leonarda, Estela, y Teodora en hábito de serranas, embozadas, con sus cestillas.»

[93] Así como lo indicó Menéndez y Pelayo, en *Estudios,* ed. cit., V, pp. 393-408, la tradición de la serrana de la Vera queda documentada en la obra de Gabriel Azedo de la Berrueza, *Amenidades, flores y recreos de la provincia de la Vera alta y baja en Extremadura,* Madrid, 1667, cap. xx. Se hallará, en Menéndez y Pelayo, *op. cit.,* el texto de romances que todavía se cantaban, según Gabriel Azedo de la Berrueza a fines del siglo XVII. Recordemos también que R. Menéndez Pidal y M.ª Goyri de Pidal estudiaron la pieza de Lope y los romances de la serrana de la Vera en su edición de *La serrana de la Vera,* de Luis Vélez de Guevara, en *Teatro antiguo español,* I, Madrid, 1916.

[94] Acad. XII, p. 27 a:

> «Que haya por aquestas cuestas
> tantas cruces como matas.»

honero cae en sus amnos, ella marca tal como lo había prometido el sitio del crimen. Su retrato físico está inspirado en la tradición[95] y en el acto III, Lope introduce la siguiente serranilla (cantada a cuatro voces por villanos) que Menéndez y Pelayo calificó de estilo «antiguo y genuino»:[96]

> Salteóme la Serrana,
> junto al pie de la cabaña.
>
> La serrana de la Vera,
> ojigarza, rubia y branca,
> que un robre a brazos arranca,
> tan hermosa como fiera.
> Viniendo de Talavera
> me salteó en la montaña
> junto al pie de la cabaña.
>
> Yendo desapercibido,
> me dijo desde el otero:
> «Dios os guarde caballero».
> Yo dije: «Bien seáis venido».
> Luchando a brazo partido,
> rendíme a su fuerza extraña,
> junto al pie de la cabaña.[97]

Sin embargo, por la fecha en la que se sitúa *La serrana de la Vera* de Lope (antes de septiembre de 1598), el género verdaderamente rústico en el teatro aún no había alcanzado su apogeo, y, a pesar de algunos rasgos como los que acabamos de señalar, la pieza de Lope se queda a medio camino en el movimiento esbozado en dirección

---

[95] Acad., XII, p. 42 b:

> «Allá en Gargantalaolla,
> de esta Vera de Plasencia,
> salteóme una serrana
> blanca y rubia, zarca y bella
> . . . .
> El cabello en crespos rizos
> debajo de una montera,
> un arcabuz en el hombro
> y una espada en la correa.»

El movimiento del romance de Lope es bastante parecido al del romance más antiguo de los citados por Gabriel Azedo de la Berrueza, y conserva la asonancia *e-a,* acarreada por la localización en los alrededores de Plasencia:

> «Allá en Garganta la Olla
> en la Vera de Plasencia
> salteóme una serrana
> blanca, rubia, ojimorena.
> Trae el cabello trenzado
> debajo de una montera.»

[96] *Op. cit.,* V, p. 398.
[97] Acad., XII, p. 37.

de una literatura popular y tradicional. En el personaje de Leonarda, la señora no desaparece totalmente detrás del disfraz de serrana y la crítica concuerda en afirmar que ello le quita mucha fuerza teatral.[98] En particular el final de la comedia, que hubiera podido ser trágico, es de lo más soso y reintegra a Leonarda a su mundo aristocrático de origen. Prisionera de la Santa Hermandad, recibe el perdón del Rey pese a la gravedad de los crímenes cometidos; y la serrana (criminal, pero siempre casta) puede casarse con su pretendiente, quien, en realidad había permanecido fiel, contrariamente a lo que permitía suponer el quid pro quo hábilmente llevado por el dramaturgo. No queda sino comparar la pieza de Lope con la que escribió Luis Vélez de Guevara sobre el mismo tema —comparación hecha por Ramón y María Goyri Menéndez Pidal— para ver cómo la moda de la comedia sentimental[99] y novelesca, y la convención aristocrática del disfraz, le impidieron a Lope escribir una gran tragedia bárbara, apta para excitar el terror y la piedad, que hubiera podido elaborar a partir de la fuente folklórica.

El estudio de *La serrana de Tormes* y de *La serrana de la Vera* confirma pues este tránsito hacia el lirismo o el pintoresquismo rural que creemos ver iniciarse en las comedias villanescas escritas por Lope en su primera época (comedias anteriores a 1600 o apenas posteriores a esa fecha). La necesidad de romper con el acostumbrado medio social que impulsaba la imaginación de los nobles al sueño de aventuras novelescas en un ámbito campestre, contribuyó de esa manera a la formación del gusto rústico y favoreció la irrupción del lirismo popular en la comedia. Pero, también lo vemos, el dato del disfraz limitaba a veces ese paso esbozado hacia la materia popular. El falso aldeano o la señora serrana siempre dejan entrever, por algún rasgo, el ambiente de origen. Debemos recordar este hecho como capital, ya que revela el contenido de clase del lirismo y del pintoresquismo «populares» que encerraba la comedia de ambiente rústico en sus inicios.

La mora que, por necesidad de compensación imaginaria y de ruptura con lo cotidiano, impulsó a nobles y ciudadanos a interesarse por las manifestaciones del pueblo aldeano (la canción, el baile y la danza, el traje) no hizo sino acentuarse después de 1600, y a partir de esta fecha, tenemos otras numerosas comedias lopescas en las cuales interviene el motivo de la señora que gusta de acicalarse a lo aldeano. Al principio de *La corona merecida* (1603), una burgalesa de alta alcurnia, disfrazada de aldeana se dirige, a un pueblo de la comarca, para ver pasar a la nueva Reina que viene de Inglaterra; como el Rey también dio en disfrazarse de aldeano, resulta de ello un encuentro del que deriva el resto de la acción: el Rey se enamora de la seudo-villana. *La Burgalesa de Lerma* (1613), con un pasaje que nos confirma que el llevar traje aldeano por parte de las señoras de la aristocracia era una práctica real en Castilla la Vieja hacia 1613,[100] basa una parte esencial de su encanto en la exhibición de galas rústicas, en las fiestas aristocráticas celebradas en Lerma. Pero resultaría tedioso evocar todas las piezas lopescas en las que interviene, bajo uno u otro aspecto, el motivo del falso aldeano o de la falsa aldeana pintorescos, con sus atuendos rústicos. Mencio-

---

[98] Cf. Menéndez Pidal y M.ª Goyri de Pidal, *op. cit.,* p. 140: «... ni la "serrana de la Vera" es tal serrana sino una dama de Plasencia, ni el carácter y género de vida de la protagonista dan fundamento alguno para su furia salteadora...».

[99] Por ejemplo, cuando Leonarda descubre palabras trazadas en la arena por su propio novio, don Carlos, que, arrepentido, ha decidido retirarse, también él, de las soledades, algunas señales da de conmoverse; no está virilizada hasta el extremo de en ella borrar el amor.

[100] *Vide supra*, p. 429.

nemos simplemente que entre las comedias atribuidas al Fénix hemos contado aproximadamente ochenta en las que surge este tema del falso villano o del noble disfrazado de aldeano o de pastor [101] y que entre ellas numerosas son las que, gracias a este artificio, llevan a las tablas el lirismo y el pintoresquismo rústicos (lo pintoresco del traje en particular). Los discípulos de Lope siguieron el movimiento de interés estético por lo rural que él había contribuido a reforzar de tal manera, y, por ejemplo, podemos contar más o menos veinticinco comedias en las que Tirso hace intervenir el procedimiento del disfraz rústico. [102] Como no es posible detenerse en cada una, nos contentaremos con detenernos algo en una de ellas, especialmente representativa del estilo de Tirso cuando utiliza el motivo del falso villano: *La villana de Vallecas* (marzo de 1620).

---

[101] Señalemos los siguientes títulos:

La buena guarda (Acad., V, p. 355); *Santa Teresa de Jesús* (Ibíd., p. 494); *El truhán del cielo y loco santo* (Ibíd., p. 579); *El vellocino de oro* (Acad., VI, p. 163); *El marido más firme* (Ibíd., p. 287); *El esclavo de Roma* (Ibíd., p. 457); *El gran duque de Moscovia* (Ibíd., p. 621); *Los jueces de Castilla* (Acad., VII, pp. 379-381); *El vaquero de Moraña* (Ibíd., p. 549 et sq.); *El testimonio vengado* (Ibíd., p. 619); *Las almenas de Toro* (Acad., VIII, p. 103 a); *El hijo por engaño* (Ibíd., p. 194 b); *El valeroso catalán* (Ibíd., p. 442 b); *El caballero del sacramento* (Ibíd., p. 485); *La corona merecida* (Ibíd., p. 567); *Las dos bandoleras y fundación de la Santa hermandad* (Acad., IX, p. 16 a, 21 b); *La carbonera* (Ibíd., p. 531 a); *El más galán portugués* (Ibíd., p. 375 a); *El duque de Viseo* (Ibíd., p. 430); *Las Batuecas del duque de Alba* (Acad., XI, p. 529); *Los Porceles de Murcia* (Ibíd., pp. 561, 569); *Los palacios de Galiana* (Acad., XIII, p. 194); *Las pobrezas de Reinaldos* (Ibíd., p. 278); *El llegar en ocasión* (Acad., XIV, p. 367); *El halcón de Federico* (Ibíd., p. 468); *No son todos ruiseñores* (Acad., XV, p. 101); *La mayor vitoria* (Ibíd., p. 130); *Si no vieran las mujeres* (Ibíd., p. 163); *Castelvines y Monteses* (Ibíd., p. 353); *Los contrarios de amor* (Acad. N., I, p. 87); *El hijo venturoso* (Ibíd., p. 203); *La infanta desesperada* (Ibíd., p. 241); *El rey fingido y amores de Sancha* (Ibíd., p. 437, 454); *Alejandro el segundo* (Ibíd., pp. 606, 611); *La corona de Hungría y la injusta venganza* (Acad. N., II, pp. 40-41-47); *El abanillo* (Ibíd., p. 11); *La adversa fortuna de Don Bernardo Cabrera* (Ibíd., p. 80); *La amistad y obligación* (Ibíd., pp. 336, 347); *El animal de Hungría* (Acad. N., III, p. 450); *Los bandos de Sena* (Ibíd., p. 553); *La burgalesa de Lerma* (Acad. N., IV, p. 32); *Ello dirá* (Acad. N., V, p. 71); *El engaño en la verdad* (Ibíd., p. 244); *La fe rompida* (Ibíd., p. 550); *La firmeza en la desdicha* (Ibíd., pp. 654, 658); *La hermosa Alfreda* (Acad. N., VI, pp. 227-230); *El labrador de Tormes* (Acad. N., VII, p. 17); *El leal criado* (Ibíd., pp. 176-177); *Lo que está determinado* (ibíd., pp. 219-231); *Más valéis vos, Antona, que la corte toda* (Ibíd., p. 404); *El mejor maestro el tiempo* (Ibíd., pp. 516,519); *Los muertos vivos* (Ibíd., p. 651); *Nadie se conoce* (Ibíd., pp. 689, 691); *La piedad ejecutada* (Acad. N., VIII, pp. 485, 489); *Los pleitos de Inglaterra* (Ibíd., p. 526); *El poder vencido y amor preciado* (Ibíd., p. 560); *Los Ponces de Barcelona* (Ibíd., p. 581); *Quien más no puede* (Acad. N., IX, p. 261); *El satisfacer callando y princesa de los montes* (Ibíd., p. 269); *La selva confusa* (ibíd., p. 358); *La serrana de Tormes* (Ibíd., p. 437); *El soldado amante* (Ibíd., pp. 564, 577, 586); *La sortija del olvido* (Ibíd., p. 599); *El tirano castigado* (ibíd., p. 751); *El triunfo de la humildad y soberbia vencida* (Acad. N., X, p. 99); *El valor de las mujeres* (Ibíd., p. 145); *El vencido vencedor* (Ibíd., p. 154); *La ventura sin buscalla* (Ibíd., pp. 267, 270); *Los embustes de Celauro* (Acad. N., XII, p. 125); *Guardar y guardarse* (Ibíd., p. 206 b); *El hijo de los leones* (Ibíd., p. 281 a); *La mayor virtud de un rey* (Ibíd., p. 630 b); *El molino* (Acad. N., XIII, pp. 92-93); *Por la puente Juana* (Ibíd., p. 247 et sq.); *Porfiando vence amor* (Ibíd., p. 298); *Los ramilletes de Madrid* (Ibíd., p. 477).

[102] Señalemos los siguientes títulos:

El pretendiente al revés (B.A.E., V, p. 26); *La villana de Vallecas* (Ibíd., p. 47); *La gallega Mari-Hernández* (Ibíd., p. 109); *El vergonzoso en palacio* (Ibíd., p. 207); *La villana de la Sagra* (Ibíd., p. 315); *La ventura con el nombre* (Ibíd., p. 521); *La huerta de Juan Fernánd* (Ibíd., p. 641, 646); *Del enemigo el primer consejo* (Ibíd., p. 664); *El árbol del mejor fruto* (B.A.E.,

Una doncella noble de Valencia sale en busca de un supuesto don Pedro de Mendoza quien, tras haberla seducido, le ha abandonado. La joven se coloca de criada en casa de un aldeano de Vallecas, cerca de Madrid, con el nombre de Teresa. Pero, si es preciso, también adopta el de doña Inés de Fuenmayor. Es decir, que la heroína se presenta con tres identidades momentáneas y cambiantes. Este tema de la joven que sale en persecución de un amante infiel y el procedimiento de alternancia de personalidades son muy usuales en el teatro de intriga de Tirso, muy inclinado a las metamorfosis novelescas. Desde el punto de vista rústico que nos ocupa, digamos que el disfraz permite amenas escenas de género, a propósito de las cuales se comprende la inexactitud en la que incurren algunos al hablar de costumbrismo. Puede decirse con más precisión, que recuerdan, anticipadamente, los cartones de Goya o las escenas de género madrileño de un Ramón de la Cruz. Tenemos un cuadro de este tipo, por ejemplo, cuando Teresa va a Madrid, tal como lo hacían realmente las aldeanas de los alrededores hacia 1620, para vender «pan cocido».[103] Ella imita los pregones de las panaderas, anima a su burro con onomatopeyas aldeanas.[104] En otra escena, el mismo personaje sale vendiendo escobas, y otra vez, la escena es orquestada con gritos y pregones.[105] Pero no nos engañemos. Si bien el dramaturgo descuella en plasmar con mano maestra estos momentos populares, no le interesan como un fin en sí. Los detalles de costumbres están para dar marco y forma a la desenvoltura —en el sentido etimológico del término— de una típica heroína tirsiana. Es desenvuelto, en sentido italiano, lo que no está «envuelto», todo lo suelto, ágil, sin trabas ni cortapisas. A eso hay que añadirle la idea de un no sé qué de fresco, liviano, 'sans façon'. La desenvoltura es el resorte profundo de las heroínas tirsianas dedicadas a encontrar a un amante infiel y es la que, en definitiva, anima al personaje de la seudo-aldeana de *La villana de Vallecas*. Por el tono y la actitud, la falsa Teresa se desenvuelve como un modelo de soltura; el pretexto rústico le suministra oportunamente las libertades que necesita: ya sea para burlarse de la gente como en una pirueta, ya sea como una facilidad que se consiente a sí misma, una manera airosa de esquivar la explicación, de sustituirla ante el interlocutor atónito por una afirmación perentoria. En las escenas rústicas de esta pieza tenemos así un juego eminentemente teatral basado en el contraste entre la

---

IX (I), pp. 33, 57); *El melancólico (Ibíd.,* p. 75); *Tanto es lo de más como lo de menos (Ibíd.,* p. 139); *Quien habló pagó (Ibíd.,* p. 187 b); *Ventura te dé Dios (Ibíd.,* pp. 380-382-386); *La fingida Arcadia (Ibíd.,* p. 434); *Doña Beatriz de Silva (Ibíd.,* p. 514); *La Peña de Francia (Ibíd.,* p. 663); *La República al revés* (N.B.A.E., IX (II), pp. 104, 107); *La vida de Herodes (Ibíd.,* p. 183); *La firmeza en la hermosura (Ibíd.,* p. 349); *El honroso atrevimiento (Ibíd.,* p. 481); *Habladme en entrando (Ibíd.,* p. 505); *Quien da luego da dos veces (Ibíd.,* p. 564); *Bellaco sois Gómez (Ibíd.,* p. 613).

[103] En las *Actas de las Cortes* y los *Papeles de Jesuitas,* se encuentran, en la misma época, numerosos datos sobre esta venta de pan en Madrid por aldeanas.

[104] Cf. B.A.E., V, p. 53 c, pp. 54-55.

[105] *Ibíd.,* p. 64 ab. La *Parte I* (Madrid, 1626), fol. 115 v.º, proporciona la indicación: «Sale de ladradora, con una carga de escobas a cuestas.» Tirso gustó de estas escenas de pregones, animadas por una seudo-campesina. Otro ejemplo hallamos al final de *Bellaco sois Gómez,* en donde la heroína Doña Ana sale por una calle de Madrid vendiendo cuajada. Cf. N.B.A.E., IX (II), p. 613. La acotación escénica, muy minuciosa, demuestra la atención prestada a los detalles pintorescos en la escenografía. Leemos: «Sale Doña Ana de cuajadera: toca de rebozo hasta la nariz, sombrero, mangas, y fundillas blancas; enaguas de cotonía; delantal, con pliegues, blanco; una olla de cobre en una cesta, cubierta con unos manteles que lleva en una mano, y en la otra un cucharón de hierro.» (Indicación que presenta el mss. 16920 de la B. N. Madrid, sobre el cual figuran la licencia para la representación del día 27 de abril de 1643, en Madrid).

verdadera calidad del personaje y el papel que asume con virtuosismo. Volvemos a encontrar este rasgo en la mayor parte de las comedias tirsianas donde interviene el disfraz rústico,[106] y ya vimos cómo Lope ponía en práctica este manejo de la situación seudo-aldeana de sus nobles al escribir *El vaquero de Moraña* o *El molino.* ¿Habrán intervenido antiguos cañamazos de la commedia italiana en la elaboración de estas transposiciones basadas en el disfraz rústico y la capacidad para improvisar la comedia? Tal perspectiva resulta tentadora.

Con este nuevo ejemplo, entresacado de la obra de Tirso, vemos cómo se prestaba la comedia villanesca, por juego y entretenimiento, al pintoresquismo o al lirismo rústicos sin abandonar, en lo más hondo, la perspectiva aristocrática que había heredado del drama pastoril. Aristocrático, seguía siéndolo fundamentalmente por la calidad misma de sus héroes.

* * *

La costumbre del disfraz rústico (ora poético, ora novelesco) tomada de la antigüedad por los dramaturgos de fines del siglo XV y del siglo XVI, puesta en práctica en la novela pastoril y mantenida en el drama pastoril, parece haber facilitado la introducción de lirismo o del pintoresquismo en la comedia. Esta es la idea que colocó firmeza en cada etapa de nuestra investigación en este capítulo. Desde la comedia villanesca, cuyos héroes son falsos aldeanos (pero cuya acción nos pone en contacto con auténticos aldeanos) hasta la comedia auténticamente aldeana, cuyos papeles principales son aldeanos, mediaba sólo un paso. Como se sabe, fue dado bastante pronto, al parecer, ya que la comedia *San Isidro labrador de Madrid,* en la cual se explayan temas populares, puede ser fechada, según nuestra opinión, antes de septiembre de 1598. Aun cuando este paso pudo expresar, en algunos casos, un esbozo de sustitución de un contenido popular auténtico por un contenido aristocrático,[107] en la mayoría de las comedias aldeanas, la perspectiva aristocrática se mantuvo como orientación ideológica profunda. En efecto, lo que viene a determinar esencialmente el significado de clase de estas piezas es, en nuestra opinión, el público para el que fueron creadas y representadas, y que se complacía con ellas. Ahora bien, los documentos que poseemos a este respecto coinciden todos en un mismo aspecto: indican que fueron concebidas en primer lugar para divertir, apasionar, o educar, a públicos aristocráticos y urbanos. Así ocurre con el ciclo de las piezas dedicadas a san Isidro de Madrid, en las que el lirismo y lo pintoresco populares ocupan más espacio que en cualquier otro espectáculo de ambiente rústico de la época, y que fue de lo más cortesano. En otros términos, el lirismo o el pintoresquismo populares de la comedia aldeana propiamente dicha, así como los de la comedia villanesca, han de ser considerados como de *uso* aristocrático y urbano. Así es como en una sociedad dividida en clases, y dominada por la aristocracia, un mismo elemento podía ser a un mismo tiempo popular y aristocrático. Era preciso subrayar esto ya que existen muchas confusiones al respecto. Ahora estaremos mejor preparados para acometer el estudio de los distintos elementos de este pintoresquismo y de este lirismo 'populares' dentro del conjunto de comedias en donde intervienen, sean sus héroes auténticos o falsos villanos.

---

[106] Véase, por ejemplo, *El pretendiente al revés, Bellaco sois Gómez...*

[107] Pensamos en las piezas excepcionales del tipo de *Peribáñez y el Comendador de Ocaña, Fuenteovejuna,* que nos plantean delicados problemas ideológicos y cuyo estudio abordaremos en la última parte.

CAPITULO II

EL TRAJE ALDEANO EN EL ESCENARIO

Introducción del traje aldeano en el escenario. Elegancia y colorido del traje aldeano femenino en Lope y Tirso. La indumentaria de la serrana en Luis Vélez de Guevara. El traje aldeano masculino. La estilización del 'traje villano' en la comedia.

De momento notamos la ausencia de un estudio cronológico al par que geográfico sobre el traje villano en el siglo de Oro, ya que los historiadores se han interesado casi exclusivamente por las clases aristocráticas;[1] por otra parte, los informes que proporcionan acerca del traje de esta época provienen por lo general de la comedia y cabe preguntarse si este método no es discutible en sí, al considerar como reflejos sinceros de la realidad a textos elaborados estéticamente para espectáculos al uso en ciudades y palacios. Precisamente en las páginas que siguen, deseamos aquilatar el papel de la estilización estética en las comedias en las que los dramaturgos hacen intervenir, para recreo del espectador, telas y coloridos del traje villano. Es posible alcanzar esta meta siempre y cuando se tengan testimonios exteriores al teatro como puntos de referencia. Existen documentos fuera de la comedia, y su examen resulta fecundo. Primero están las definiciones de los diccionarios de los siglos XVII y XVIII. También son documentos las estampas que dejaron al pasar por España los viajeros en el Siglo de Oro. Y luego, están los libros de los sastres en donde se encuentran reproducidos modelos de trajes aldeanos de la época. Añadidas a estas tres fuentes esenciales otras categorías de testimonios (en especial los relatos de extranjeros, las pragmáticas y los lienzos de pintores) nos permiten enriquecer algo nuestros conocimientos acerca del traje popular en el Siglo de Oro.[2]

Cuando se determinan los rasgos esenciales del traje villano, en el Siglo de Oro, fuera del teatro, y, en un segundo momento, se vuelve la mirada hacia las imágenes de comedia de ambiente rústico, se ve mucho mejor cómo el traje aldeano sirvió para

---

[1] Para este tema remitimos a los clásicos estudios sobre los trajes: Juan Comba, *La indumentaria del reinado de Felipe IV en los cuadros de Velázquez en el Museo del Prado,* en *Revista de la sociedad de amigos del Arte,* IV, 1922-1923. Dalmao y Soler, *Historia del traje,* Barcelona, 1946. Deleito y Piñuela, *La mujer, la casa y la moda,* Madrid, «Espasa Calpe», 1946. Un interesante estudio sobre las prendas de vestir femeninas es el de Miguel Herrero García, *Estudios de indumentaria española en la época de los Austrias,* en *Hispania,* 1953, LI, pp. 185-215. En él se atisba la distinción que ha de hacerse según las clases (especialmente en lo que atañe el uso de telas).

[2] Estas fuentes pueden utilizarse para una serie de monografías sobre el traje villano en el Siglo de Oro.

efectos de espectáculos; en lo que atañe al traje en particular, se capta también este fenómeno de uso aristocrático y urbano de la materia popular que definimos ya en general.

*   *   *

Merced a distintos testimonios y en especial gracias a los dibujos a pluma, de colorido tan vivo, que nos dejó Cristóbal Weiditz en su viaje por la península en 1529[3] y a los numerosos y muy variados grabados en cobre de Enea Vico, ejecutados en 1572, [4] puede observarse que los trajes villanos de la realidad presentaban, con la luz de España, juegos de formas, oposiciones y gamas de tonos, centelleos o brillos, que ofrecían múltiples posibilidades de estética visual. Incluso el traje masculino con su color uniformemente pardo, terroso, no dejaba de presentar aspectos plásticos o pictóricos, pero sobre todo el traje femenino, con sus tonalidades vibrantes o abigarradas, mezclando y contrastando tintes, proporcionaba un rico despliegue de colores. Pensemos, por ejemplo, que en algunos pueblos a finales del siglo XVI, las mujeres según su condición (soltera, casada o viuda), se vestían aún con colores convencionalmente diferentes. La relación de la aldea de Boadilla del Monte (provincia de Madrid), en las *Relaciones topográficas*, dice así:

> ... andaban vestidas las mujeres de tres suertes o maneras de vestidos diferenciados de tres colores...[5]

Tampoco hay que olvidar que, en algunas regiones, con ocasión de bodas y bautizos, los villanos ricos rivalizaban en elegancia, arruinándose para que sus hijos y sus esposas ostentasen joyas de plata, corales, holandas, sedas. La relación de la aldea de Cobeña (provincia de Madrid), en las *Relaciones topográficas*, nos permite imaginar el espectáculo fastuoso que podía constituir en la realidad una boda o un bautizo, en casa de aldeanos ricos de Castilla la Nueva:

> ... Otrosí ha venido en gran perdimiento y disminución esta dicha villa por los trajes que los vecinos de esta villa han usado y usan por los gastos excesivos que facen e vestidos que sacan cuando se desposan e casan, porque sacan gran número de joyas, como es plata labrada blanca y dorada y corales y paños finos y sedas de tal suerte que se ha visto sacar joyas algunas personas en más cantidad que valían todos los bienes que tenían... y visto el desorden grande que había y perdición se acordó en el ayuntamiento y concejo de la dicha villa en el año de mil y quinientos y setenta y cuatro que no se sacase más de hasta una libra de plata y corales para cada desposada y de

---

[3] *Das Trachtenbuch des Christoph Weiditz von seinen Reisen nach Spanien (1529) und den Niederlanden (1531-1532) nach der in der Bibliothek des Germanischen National museums zu Nurnberg ausbewahrten Handschrift, hrsggb von Theodor Hampe...*, Berlin und Leipzig, W. de Gruyter, 1927, in-4.º, 164 p., CLIV tablas en negro y color. El original se halla en la Biblioteca del Museo Nacional germánico de Nuremberg: ms. 22414.

[4] Enea Vico, *Dessin des habillements de différtes parties de l'Espagne*, B. N. París, Cabinet des Estampes, Ob 51 a (serie de setenta grabados en cobre). Muchos dibujos fueron recopiados en el *Recueil de costumes étrangers, fait par M. de Gainières, faisant suite aux costumes de France*, B. N. París, Cabinet des Estampes, Ob 51.

[5] Carmelo Viñas y Mey y Ramón Paz, *Relaciones Histórico-Geográfico-Estadísticas de los pueblos de España hechas por iniciativa de Felipe II*, Madrid, 1949, p. 107.

ahí abajo lo que quisiesen, y visto por algunos pueblos comarcanos la orden se había dado porque también se había moderado el paño fino y seda que se había de sacar, y el provecho que de la dicha orden se había de sacar, llevaron un traslado de la dicha ordenanza...[6]

Ya se entiende cómo, por sus aspectos más coloridos y aparatosos[7] el traje aldeano podía atraer a los ciudadanos y a los nobles que manifestaban algún gusto por lo arcaico. En efecto, el traje rústico de fiesta no era a menudo más que un antiguo traje noble despreciado.[8] Tras el reinado de Felipe II, en el que la aristocracia iba vestida de gris y negro, el gusto español por el color y la tela triunfó otra vez en las clases altas. Pronto encontraría expresión plástica en los lienzos de Velázquez, que por cierto es el mejor pintor de telas y ropas que conocemos. También encontró una expresión en la imitación de formas rústicas por los sastres y la moda del disfraz villano. Desde este punto de vista, el gusto por las escenas aldeanas en la comedia, caracterizadas por la indumentaria aparatosa de los comparsas correspondió a un movimiento general. Ya que, es un hecho, el atavío aldeano no brilló de inmediato en las tablas.

En el teatro de Juan del Encina y de Lucas Fernández lo pintoresco del atuendo rural no parece haber interesado a los autores. El único efecto escénico basado en la indumentaria de las *Eglogas* de Juan del Encina está en la *Segunda Egloga en recuesta de unos amores,* pero no se trata de la exhibición del traje pastoril; por el contrario, se trata de la presentación del traje cortesano llevado cómicamente por un rústico. Así mismo podría buscarse en vano un encomio de la librea pastoril en la primera Egloga en recuesta de unos amores, en la que un noble se pone las ropas de un pastor. Gil Vicente otorga más importancia a los abigarrados atavíos de sus villanos (los de Beira, por ejemplo) y parece más sensible a su valor decorativo. No obstante hay que reconocer un hecho: la regla general, durante el siglo XV, la constituye la sencillez del vestuario de los personajes rurales destinados a salir a escena; así lo requiere el papel cómico que han de encarnar la mayoría de las veces y así también lo exige la situación económica de la mayoría de las compañías teatrales. Textos citados a menudo, que evocan el período difícil, hacia 1550-1580, en que las compañías se abrían heroicamente camino en medio de la miseria, dan una idea de la sobriedad del atuendo rústico al que recurrían por lo general: una sobrepelliz y un cayado, sin más, para los personajes rituales de pastores, ¡y nada de sedas! Juan Rufo, por ejemplo, al referirse a las representaciones en boga hacia 1550-1560, y pensando por contraste en las del último decenio del siglo, escribe en 1596:

---

[6] Carmelo Viñas y Mey y Ramón Paz, *op. cit.,* p. 182.

[7] No eran tan ricos los trajes villanos en la realidad.

[8] Sobre esta depreciación, recibimos un testimonio muy preciso a propósito de la patena, medallón, por lo general de plata, adornado con motivos religiosos, que llevaban las campesinas en el pecho (cf. coll. Gainières, Ob 51, n.º 30: «Femme de Verendeaulx, village de Castille Vieille, 1572»). De dar crédito a Covarrubias, el uso de las patenas había sido muy difundido en los ambientes aristocráticos, pero a principios del siglo XVII, únicamente las campesinas seguían ostentando esta alhaja; en efecto, en el artículo «patena», escribe: «Patena: una lámina ancha que antiguamente trahían a los pechos, con alguna insignia de devoción, que el día de hoy tan solamente se usa entre las labradoras» (*Tesoro...,* p. 929).

[9] Martín de Andúxar, *Geometría y trazas pertenecientes al oficio de sastre. Donde se contiene el modo y orden de cortar todo género de vestidos...,* Madrid, 1640 (B. N. Madrid, R. 2493).

> ¿Quién vio, apenas ha treinta años
> de las farsas la pobreza,
> de su estilo la rudeza
> y sus más humildes paños?
> ¿Quién vio que Lope de Rueda
> inimitable varón,
> nunca salió de un mesón,
> ni alcanzó a vestir seda?
> Seis pellicos y cayados,
> dos flautas y un tamborino,
> tres vestidos de camino
> con un fieltro... [10]

Por oposición conviene destacar que, con frecuencia, los dramaturgos se complacieron en poner de relieve sobre el tablado el lujo del vestuario festivo de los aldeanos. A este respecto, nada más revelador que los documentos notariales que atañen a la vida de las compañías teatrales: en ellos se habla ora de ropas aldeanas muy sencillas, bastas, y de escaso valor, ora de costosos trajes aldeanos de terciopelo brocado, adornados con seda. El 25 de abril de 1605, Baltasar Pinedo le vende a Juan Granados todo un vestuario en el que figuran, en una mínima parte, unas pocas prendas rústicas: viejos sayos y ocho caperuzas de damasco de color: los precios exigidos para estas prendas indican ya sea su mucho uso, ya sea su escaso valor, sobre todo si se los compara con la estimación de otras piezas no rústicas del mismo lote. [11] Se llega a idéntica comprobación al examinar un documento del 4 de marzo de 1602, por el cual Juan de Tapia y Paniagua, directores de compañía, le pagaron a Diego López de Alcarraz un pellico 22 reales, dos capas y dos ropillas a la antigua, amén de una saya aldeana, 80 reales; un sayo vaquero en tela negra y oro, 120 reales. [12] Por el contrario, otros contratos nos dejan la impresión contraria. Entre diferentes prendas de vestir que Gaspar de Porres se comprometía a pagar a Diego Páez, mercader, el 18 de marzo de 1592, vemos una «ropilla de villano de terciopelo negro quaxado de labores con sus pasamanos de seda». [13] Es un interesante detalle del inventario: nos demuestra que ya en 1592 se exhibe en el tablado el villano ricamente vestido de seda y terciopelo. El gusto por las ropas rústicas coloridas, cuando no fastuosas, no hizo sino crecer con los años, relacionado probablemente con la moda de los espectáculos de danzas y bailes aldeanos multicolores; otros documentos de archivos nos dejan testimonio de ello. Un contrato del 27 de marzo de 1619 nos habla de Pedro de la Cuesta, vecino de Colmenar de Oreja, que alquila varios trajes en previsión de las comedias que han de representarse en su pueblo para el Corpus. Observamos que la mitad del vestuario, por lo menos, lo constituyen los accesorios aldeanos; en efecto, notamos:

---

[10] Juan Rufo, *Las sesicientas apotegmas y otras obras en verso*, Toledo, 1596 (B. N. Madrid, R. 8770).

[11] Cf. Cristóbal Pérez Pastor, *Nuevos datos acerca del histrionismo español en los siglos XVI y XVII*, Bordeaux, 1914, 2.ª serie, n.º 85, p. 35 («Memoria del hato para representar que vendió Baltasar Pinedo a Juan Granados en 25 de abril de 1605»). Citemos: «de todos los sayos viejos de villanos y sayos de peregrinos y justillos y calzadillos... 236 reales». «Ocho caperuzas de villano de damasco de colores... 27 reales.»

[12] *Ibíd.*, la serie, p. 63.

[13] *Ibíd.*, la serie, p. 340.

Un vestido de sayo y calzón de labrador de paño blanco con ribetes; dos sayuelos de labrador, uno de grana de polvo y otro de paño azul; cuatro caperuzas de labrador, de brocatel; un sayo de bobo y caperuza.[14]

Hay pues azul, grana y blanco, y junto a un «sayo de bobo» de distintos colores, unas prendas de vestir para labriego rico que parecen ser de tela bastante fina; de ello sacamos la impresión de que, en el Corpus de Colmenar de Oreja, en 1619, fueron presentadas a los aldeanos del lugar escenas villanas en las que no fue todo de un pardo uniforme y también hubo colores llamativos y alegres. No vayamos a creer que la tela «parda» con la que se vestían tradicionalmente la mayoría de los villanos haya sido, obligatoriamente, de poca cuantía; en algunos espectáculos la tela parda resultó costosa y apreciada como tal por los espectadores. En el transcurso de las fiestas organizadas el sábado 18 de junio de 1622 para celebrar la canonización de cinco santos nacionales, entre quienes estaba San Isidro labrador, pudo verse en Madrid una representación alegórica de los cuatro elementos; la iniciaba una danza aldeana simbolizando el trabajo de la tierra, cuyas danzantes iban vestidos de costosa tela parda:

> ... Seguíalos una representación de los quatro elementos, artificiosa y natural; empeçó en una dança de labradores, costosamente vestidos de telas pardas, con monteras y cuellos de villanos y açadas plateadas, con que fingían en los movimientos ir cavando la tierra: la qual venía representada en una mujer encima de un carro de forma cuadrada, sentada en unas yerbas, con la copia de abundancia en las manos.[15]

¿En qué momento hay que situar la aparición del aldeano lujosamente ataviado en el teatro? Es probable que esta aparición esté conectada con la evolución del espectáculo de las comitivas de bodas aldeanas más o menos burlescas, así como con la multiplicación de ballets rústicos en las fiestas urbanas. En efecto, todo concuerda en indicar que las fiestas urbanas, que a veces presentaban a aldeanos endomingados bajo una perpectiva ridícula, evolucionaban en el sentido de una exigencia de lujo en el vestuario, así como lo hicieron también otros espectáculos preexistentes a un contexto dramático, por ejemplo, la Fiesta de moros y cristianos.[16] En un documento notarial acabamos de ver que ya en 1592, el villano ricamente trajeado se exhíbe sobre las tablas. Probablemente por esos mismos años Lope lo introdujo en sus acciones de ambiente rústico. Recordemos lo dicho anteriormente acerca de bodas y bautizos rústicos en los dramas pastoriles lopescos, *El verdadero amante, Belardo el furioso,* que se sitúan precisamente en este período. En ellos Lope presiente la posibilidad de un uso decorativo del traje aldeano de fiestas; pero también puede observarse que en esta etapa del drama pastoril, la elegancia rústica no asoma sino muy tímidamente por el escenario lopesco. En *El verdadero amante* encontramos un diálogo en el que queda claro que para las pastoras disfrazadas a lo villano, los criterios de elegancia siguen

---

[14] Cf. Cristóbal Pérez Pastor, *op. cit.,* la serie, pp. 179-180.

[15] Cf. *R. Hi.,* 1919, t. XLVI, p. 584.

[16] *Vide supra,* p. 27, para la boda cómica. Acerca de la evolución de los ballets villanos, en el sentido del mayor lujo del vestuario, hay numerosos testimonios en los documentos de archivos publicados por N. D. Shergold y J. E. Varey: pocos ejemplos salen en *Documentos sobre los autos sacramentales en Madrid hasta 1636,* en *Revista de la Biblioteca, Archivo y Museo,* XXIX, 1958, pero se encuentra muchos más en *Los autos sacramentales en Madrid en la época de Calderón (1637-1681),* Madrid, 1961.

siendo los palaciegos; Belarda y Amaranta, la novia ataviada con galas rústicas, dicen así:

>   *Amaranta.*
>
> . . . .
> Perdonad los ricos paños,
> que es de campo el aparato.
>
>   *Belarda.*
> Y vos palacio lo hacéis. [17]

Vale decir que el palacio sigue siendo el punto de referencia.

Tal vez sea poco después de una pieza como *El verdadero amante,* y con la campaña de canonización de San Isidro Labrador, cuando Lope le otorgó por primera vez todo el relieve estético al traje aldeano. En efecto, en el poema *Isidro* (1596-1597), y en la pieza *San Isidro labrador de Madrid* (antes de septiembre de 1598), hace intervenir pictóricamente elementos de trajes que debían aparecer luego a menudo en el teatro de ambiente rústico. En el folio 30 verso y en 31 recto de la edición príncipe del *Isidro* (canto II), el pincel del Fénix se complace en trazar y dar colores a un minucioso retrato de María de la Cabeza en su atavío de novia: la grana de la boca es más viva que la grana del collar de corales, [18] la patena [19] representa al cordero pascual, el «sayuelo de grana» forma contraste con la saya blanca («saya de blanca cotonía»), [20] la «cofia de pinos» [21] en la cabeza y la mantilla de «velarte» [22] que cae sobre los hombros:

---

[17] Cf. B.A.E., XXIV, p. 8 a.

[18] Por distintos testimonios sabemos que los collares de corales estuvieron muy difundidos en los pueblos de la península a fines del siglo XVI (cf. coll. Gainières, Ob 51, n.º 55: «Fille qui danse aux Asturies, 1572» (collar doble); n.º 30: «Femme de Verendeaulx, village de Castille Vieille, 1572»). Agustín de Rojas habla de la venta de corales a los aldeanos en una loa de *El viaje entretenido* y el flamenco Henrique Cock, en su *Relación del viaje hecho por Felipe en 1585* nos dice que Barcelona era un centro del comercic de corales que se extendía por toda España, *op. cit.,* pp. 127-128: «... entre las ganancias de los ciudadanos es muy de notar la de los vidrios y sus hornos y entre las mercaderías los corales que se llevan por toda España...». De creer al doctor Juan Alonso y de los Ruices, en su libro *Diez privilegios para mujeres preñadas* (Alcalá de Henares, Luis Martínez Grande, 1606, fol. 224), hasta las campesinas pobres se engalanaban con corales (por superstición, contra el mal de ojo, al parecer):

> «Que ya que al pobre le falte el pedaço honrrador y desmelancoliçador del oro, el saphiro... para colgar al cuello de su hija..., no le faltará un negro pedaço de azabache..., o unos granos de fino coral, pues no ay pobre labradora que no tenga sus sarticas...»

(citado por Francisco Rodríguez Marín, en *El ingenioso hidalgo D. Quijote de la Mancha,* ed. citada, V, pp. 127-128, 13). Rodríguez Marín indica en esa nota que la mención de corales es frecuente en las dotes de campesinas hechas ante escribano.

[19] Sobre la patena, *vide supra,* p. 475, n. 8.

[20] Encima del «cuerpo», muy ajustado al busto, la aldeana podía llevar el «sayuelo». Por oposición, la falda era llamada «saya». En efecto, Covarrubias nos lo dice muy claramente, en el artículo «sayo»: «... de allí se dixo "saya" el vestido de la mujer de los pechos abaxo, y lo de arriba sayuelo...» *(Tesoro,* p. 920 b).

La grana, paño delgado, de color rojo por lo general, se usaba los días de fiesta; en un sentido estricto, la palabra grana designa la cochinilla con la cual primitivamente se teñía la tela. Acerca de la cochinilla y su uso en tinturas, puede leerse una larga disertación del doctor Laguna, en *Disocórides,* lib. IV, cap. xlix. Véase también a Miguel Herrero García, *Para la historia de la indumentaria española. La grana. Noticia de algunas telas,* en *Hispania,* 1941, pp. 106-114. Rodríguez Marín, in *El ingenioso hidalgo D. Qui-*

Pues la novia, yo no sé
cómo pintarla podré
. . . .
No era su boca de grana;
que la que el pecho vestía,
y aun los corales vencía,
y de quien de filigrana
patena y Agnus pendía,
era un Fénix de hermosura,
y víase el alma pura
por su rostro celestial,
como si por un cristal
se viese alguna pintura.
Sayuelo de grana y saya
de una blanca cotonía
la santa novia traía,
cofia que con pinos gaya,
y con blanca argentería.
Manto fino de belarte
puesto en los ombros de arte,
que la cabeça descubre,
aunque del cabello cubre
por la espalda la más parte.

En la comedia correspondiente, *San Isidro labrador de Madrid,* volvemos a encontrar una escena paralela en la que se ven a muchachas aldeanas formando el séquito de María. Una acotación insiste sobre la elegancia de las villanas que salen al escenario:

Salen por una parte María, Teresa, y Costanza labradoras muy galanas, y por otra parte... labradores Esteban, Lorenzo y Tadeo.[23]

Los comentarios del criado Bartolo resumen los rasgos de la elegancia rústica puesta de relieve en esta escena; los colores con los que juega Lope son ahora la grana de los corpiños, el verde o el azul de las faldas de palmilla,[24] el destello dorado o platea-

---

jote de la Mancha, ed. cit., V, p. 82, 2, explica la expresión «grana blanca» por extensión del primer sentido. Dice: «... Tampoco entendió Clemencín qué fuese "grana blanca", por no saber que se llamó "grana" así como a este color, a una clase de paño que lo mismo podía ser blanco o morado que rojo, porque estotra clase de «grana» se nombró así por el «grano» que forma la tela...»

[21] Con las palabras «argentería» y «pinos», designábanse los adornos de oro y plata que podían ostentarse en cofias y tocas.

[22] Véase a propósito de «velarte», la nota de Rodríguez Marín, *El ingenioso hidalgo D. Quijote de la Mancha,* ed. cit., I, p. 78: «Era el "velarte" un paño de capas enfurtido, negro o azul... También solían ser de este paño los mantos domingueros de las aldeanas...»

[23] Acad., IV, p. 561 a.

[24] La palmilla era paño basto, casi siempre de color oscuro (tirando a azul paloma) pero también a veces de color verde. C. Oudin la define: «... une espèce de gros drap de petite valeur; selon aucuns de couleur de bleu obscur...» (Oudin, en *Tesoro de las dos lenguas española y francesa...,* art. «palmilla»). Covarrubias nos aporta aclaraciones acerca del colorido:

«... Una suerte de paño que particularmente se labra en Cuenca; y la que es de color açul se estima en más; y pienso que se dijo palmilla "quasi" palomilla, por tirar al color de la paloma

do de las patenas, lo blanco de las cintas, los collares de corales rojos o las perlas de un blanco inmaculado,[25] ya que Bartolo declara a Juan de la Cabeza, padre de María:

> Las hermosas labradoras
> que acompañaron tu hija,
> todas vestidas de grana,
> de azul y verde palmilla,
> con sus vestidos, que adorna
> oro y plata y blancas cintas,
> con sus patenas y sartas,
> corales y gargantillas,
> donde es el aljófar negro
> y fuera la nieve tinta,
> porque me dicen que viene
> de Isidro dichoso a vistas.[26]

Con *Los prados de León* (probablemente 1604-1608) queda confirmado el hecho de que Lope cobra conciencia de las posibilidades plásticas que permite, en escena, el traje de fiesta de la aldena. La heroína de esta comedia, la seudo-aldeana Inés, está espléndidamente ataviada con galas aldeanas; tal es su elegancia que dos infantes, que menosprecían a la aldea, no tienen más remedio que reconocer esta elegancia en su diálogo. Lope nos descubre todos los detalles del retrato de Inés, y este nos llama la atención por el sentido refinado de las correspondencias entre colores y por la composición: collares de corales que responden débilmente —así lo exige la hipérbole del tópico— a la nota roja de los labios; patenas que son el eco —siempre más tenue— de la tez de las mejillas; cabellos enroscados al estilo oriental, sombrero de cordón[27] que enmarca el rostro como un cuadro con una moldura de ébano, el «rebociño»[28] co-

---

sin embargo de que hay palmillas verdes o pudo ser que al principio se le pusiesse en la orilla texida una palma por señal» (Covarrubias, *op. cit.*, art. «palmilla»).

[25] Gargantilla y sarta eran ya sea de oro u plata, ya sea de perlas, y así las describe Covarrubias: «... sarta es collar o gargantilla de piexas ensartadas unas con otras, o hila de perlas o piezas de plata u oro pendientes del cuello...» *(op. cit.,* p. 929 b).

[26] Acad., IV, p. 56 a.

[27] El tocado de la aldeana registró grandes variaciones, al parecer, según los lugares y las modas durante el Siglo de Oro. En los grabados de Enea Vico, observamos distintas formas de sombreros entre las aldeanas aragonesas (cf. coll. Gainières, n.º 51: «Paisane des environs de Saragosse capitale d'Aragon en 1572»), de Castilla *(Ibíd.,* n.º 25: «Paisane d'Aharal ou d'Arevale en Castille Vieille, proche de la ville d'Avila en 1572») y de Asturias *(Ibíd.,* n.º 97: «Paisane en Astorgas dans le Royaume de Léon»).

[28] El sombrero se apareaba con las tocas (tocas de rebozo). El rebozo consistía en un corte de tela liviana, a veces de grana, que, cubriendo la cabeza, caía sobre hombros y cuello; su uso parece haber sido general en ambas Castillas, Aragón, Navarra y las provincias cantábricas (cf. coll. Gainières, n.º 40: «Paisane du village de la Rede en Castille Neuve, 1572»; n.º 51: «Paisane des environs de la ville de Saragosse capitale d'Aragon en 1572» n.º 77: «Paisane de la montagne de St Adrien en Biscaye, 1572»; n.º 108: «Paisane de la ville d'Aguillar dans la haute Navarre»; n.º 21: «Paisane de Ferrere en Castille Vieille, 1572»; n.º 29: «Paisane de Logrogne en la Castille Vieille»; n.º 25: «Paisane d'Aharal ou d'Arevale en Castille Vieille, proche de la ville d'Avila en 1572»); a veces este rebozo, conforme con la etimología (embozar proviene de «imbucciare») podía servir de velo para la parte inferior del rostro (así lo hacían, no mucho ha, las mujeres de la región de Nazaré en Portugal y en algunos pueblos andaluces de la región de Málaga) pero esto no parece haberse difundido mucho en la aldea hacia fines del siglo XVI, a juzgar pos los grabados de Enea Vico. (Entre los numerosos grabados de Enea Vico en los que sale una aldeana con rebozo, sólo una está velada. Cf. coll. Gainières, Ob 51, n.º 77: «Paisane de la montagne de St Adrien en Biscaye, 1572».) Por los lienzos de

lor del alba con flores esparcidas, el delantal blanco[29] probablemente también ladrado:

D. Blanca

. . . .

Patenas, sartas, corales
bordaban su hermoso cuello,
donde llegaba el cabello
con madejas orientales.
Estaba el coral corrido
de competir con su boca,
porque era su fuerza poca
para no quedar vencido.
Finalmente, no podía
vencer su labio encarnado,
de vergüenza que tenía.
Las patenas eran buenas;
mas su esmalte y sus cristales
no eran en color iguales
a sus mejillas serenas.
El sombrero a lo aldeano,
con el tejido cordón,
era, prima, guarnición
de su rostro soberano,
como cuando a una pintura,
para que salga el color,
hace el curioso escultor
con ébano la moldura.
El rebociño era el manto
con que el alba esparce flores.

. . . .

La aldea, prima, es ciudad,
y la ciudad es aldea.
En un blanco delantal
vi tanto donaire y gala,

---

pintores, en particular los de Murillo (cf. «La limosna de San Diego de Alcalá», San Fernando, Madrid), también puede observarse que, después de 1600, el rebozo fue usado como siguen llevándolo aún hoy las indias mejicanas, es decir, ciñendo la cabeza y cayendo sobre hombros y espalda. Una variante consistía en el rebociño. Tal vez se trataría de una forma reducida de rebozo. Covarrubias escribe: «... una mantellina corta de las damas que se reboçan». Sin embargo existía una forma particular de rebociño aldeano porque el maestro sastre Martín de Andúxar nos ofrece un patrón de ello en su *Geometría y trazas pertenecientes al oficio de sastres (op. cit.,* fol. 40 v.º: «rebociño para labradora»). Si se reconstituye la prenda, siguiendo las indicaciones del patrón, puede verse que se trata de una pañoleta o mantilla redonda, de tela liviana, semejante a la que muchas campesinas castellanas llevan hoy debajo del sombrero. Aún hoy, en algunas comarcas, se sigue usando la forma 'rebocillo' para designar un tipo de mantilla cruzada sobre el pecho. Este rebocillo existe en Mallorca, así como en La Alberca (Salamanca). No parece que el rebociño cuyo patrón nos ofrece Martín de Andúxar haya podido cubrir la parte inferior del rostro como un rebozo. Nuestra suposición se ve afianzada por una acotación escénica de *Lo que está determinado* (Lope) (Acad. N., VII, p. 231), donde leemos: «Sale Rosaura con sombrero, rebociño, y un velo por el rostro, y una cestilla en el brazo.»

[29] Para adornar la parte delantera de la falda se disponía un delantal, que tenía por misión formar contraste con su colorido. Cf. coll. Gainières, Ob 51, n.º 40: «Paisane du village de la Rede en Castille Neuve.» Parece que en la región cantábrica este delantal iba adornado con dibujos geométricos. Cf. Ch. Weiditz, Tafel XCVIII: «Allsso gandt sy auch Im Birg Zue Santt Andres auch im Biskaye.»

> que, si a la corte no iguala,
> no tiene la corte igual.
> Pues si hablase del chapín
> que con aire descubría,
> pienso que mejor sería
> comenzalla por el fin. [30]

Tal vez sea en *Peribáñez y el comendador de Ocaña* donde se encuentre el mayor número de alusiones y se conceda mayor importancia a detalles pintorescos del traje aldeano femenino; primero la joven Casilda habla de vestidos con sus compañeras Constanza e Inés. Los corpiños que Constanza piensa ponerse por las fiestas del Sagrario, en Toledo, van guarnecidos con pasamanería plateada:

> Yo llevo unos cuerpos llenos
> de pasamanos de plata, [31]

Casilda, conforme a su condición de recién casada, piensa vestir uno escarlata con guarnición de terciopelo; sabemos que en Castilla la Nueva, aún a fines del siglo XVI, tres colores correspondían a cada una de las tres condiciones de la mujer (niña, casada o viuda), [32] y probablemente sea un detalle folklórico, tan agradable a la vista, el que recoge el poeta al poner en boca de Casilda:

> ... de terciopelo
> sobre encarnada escarlata
> los pienso llevar, que son
> galas de mujer casada. [33]

Costanza pensaba obtener en préstamo una basquiña [34] de palmilla de Cuenca, pero será imposible, por lo cual Casilda le propone una de las suyas, de grana, la una blanca, la otra verde, realzada con vivos: [35]

> *Costanza.*
> Una basquiña prestada
> me daba Inés, la de Antón.

---

[30] Acad., VII, p. 164 b.

[31] Ed. Aubrun y Montesinos, versos 669-670.

[32] *Vide supra*, p. 474.

[33] Ed. Aubrun y Montesinos, versos 672-675.

[34] Otros tipos de faldas eran la basquiña y la faldilla. Llevada por encima o debajo de otra, la basquiña de la aldeana, tal como aparece en los patrones del maestro Martín de Andúxar, era ancha y amplia. Palet (1604) dice: «baaquiña o vasquina, cotillon de femme, vertugadin». Oudin parece confirmar esta acepción: «basquiña-vasquiña, cotillon ou juppe de femme, vasquine». Rosal (1601) permite apreciar que la basquiña era una falda que podía llevarse debajo de otra: «Basquiña: de baxo y quina, que en árabe es manto, de donde alquinal morisco, porque las basquinas comenzaron en uso de manteos o faldellines para debaxo de la saya.» Cf. Gili Gaya, *Tesoro lexicográfico...* Entre las damas de la ciudad parece que la basquiña fue una segunda falda, que se lucía por encima de la «pollera», ésta colocada a su vez sobre el «guarda-infante». Cf. Deleito y Piñuela, en *La mujer, la casa y la moda.* A propósito de saya leemos en Oudin: «... saya, cotte de femme, cotillon. C'est la robe qu'elle porte sous la mante».

[35] En los grabados de Enea Vico en 1572 las sayas y las basquiñas vienen adornadas en su parte inferior con un galón o una trencilla. Cf. coll. Gainières, Ob 51, n.º 77: «Paisane de la montagne de St Adrien en Biscaye, 1572.»

Era palmilla gentil
de Cuenca, si allá se teje,
y oblígame a que la deje
Menga, la de Blasco Gil,
porque dice que el color
no dice bien con mi cara.
                    Inés.
Bien sé yo quien te prestara
una faldilla mejor.
                    Costanza.
¿Quién?
                    Inés.
Casilda.
                    Casilda.
                    Si tú quieres,
la de grana blanca es buena
o la verde, que está llena
de vivos. [36]

Cuando a fines del acto I, ya en Toledo para la fiesta del Sagrario, cerca de la Catedral, vemos aparecer en el escenario a Inés, Costanza y Casilda, debemos imaginarlas con las coloridas galas de las que nos hablaron antes. Por otra parte, Lope no juzga necesario dar indicaciones detalladas sobre sus trajes y se contenta con señalar que están vestidas «a la moda de la Sagra», y tocadas con sombreros de borlas. La acotación escénica de la *Parte IV* sólo indica:

> Entren Inés y Costanza y Casilda, con sombreros de borlas y vestidas de labradoras a uso de la Sagra. [37]

No obstante el escenógrafo que desee saber algo más acerca de los atuendos de las aldeanas en este cuadro tan rico en pintoresquismo rural, hallará algunas indicaciones suplementarias en una escena posterior. El Comendador le pide a un pintor toledano que esboce en colores, a escondidas, el retrato en miniatura de Casilda. De su diálogo resulta que Casilda lleva un sayuelo por encima de la camisa y ostenta grandes patenas y largas sartas tradicionales:

                    Pintor.
¿Quiéresle entero?
                    Comendador.
Basta que de medio cuerpo,
mas con las mismas patenas
sartas, camisa y sayuelo. [38]

Es difícil no pensar que Lope escribió este cuadro de las aldeanas de fiesta en la puerta de la Catedral de Toledo, el 15 de agosto, como un gran colorista, enamorado

---

[36] *Ibíd.,* versos 676-689.
[37] Cf. *Parte IV,* fol. 85.
[38] Ed. Aubrun y Montesinos, versos 1024-1027.

de los tonos populares. Tanto las formas como los colores le interesan al Comendador (tras él, está Lope), y lo prueba su pregunta al pintor:

> *Comendador.*
> ¿Trae el naipe y colores?
> *Pintor.*
> Sabiendo tu pensamiento
> colores y naipe traigo.[39]

Además en el pintor que dibuja el retrato de Casilda vemos algo más que la utilización de un procedimiento clásico de la intriga; su intervención cifra para nosotros el símbolo mismo del valor pictórico y plástico otorgado por Lope a la aldeana en traje de fiesta. Sin embargo el interés del dramaturgo por el folklore vestimentario de la Sagra no se acaba con esta escena del 15 de agosto toledano; se prolonga en la respuesta en «romance» que Casilda le da al Comendador cuando éste, disfrazado de segador, le espeta su declaración de amor: a los vestidos de señora opone en antítesis los vestidos y galas de la aldeana. So color de una exaltación de las ropas de señora, se trata en realidad de una alabanza de las ropas de aldeana, y las antítesis con repeticiones —viejo recurso estilístico del romancero tradicional— les otorgan a las prendas aldeanas todo su relieve estético:

> El Comendador de Ocaña
> servirá dama de estima,
> no con sayuelo de grana,
> ni con saya de palmilla.
> Copete traerá rizado,
> gorguera de holanda fina,
> no cofia de pinos tosca
> y toca de argentería.[40]

Otros pasajes de esta comedia revelan la minuciosa atención que Lope le dedica a las prendas de vestir de la aldeana. Queriendo agasajar a su esposa, Peribáñez le regla

---

[39] *Ibíd.*, versos 1098-2010.

[40] Ed. Aubrun y Montesinos, versos 1570-1577.

[41] La chinela de las mujeres, así como el chapín, derivaba probablemente de esos chanclos usados a principios del siglo XVI, que se observan en las estampas (cf. Ch. Weiditz, Tafel XXXIII: «Allso seübern sy das drayt in Hispania»); era un tipo de patín de varias suelas, de punta no redondeada, y sin correas que lo atarace por detrás (en este punto, así como en la forma de las suelas, estribaba la diferencia con el chapín. Cf. Covarrubias, *Tesoro*, art. chapín: «... la suela es redonda, en que se distingue de las chinelas...»), atado al pie mediante correas. El *Diccionario de la lengua castellna...* de 1726, explica de la siguiente manera en qué consiste la chinela: «... calzado que cubre el medio pie delantero, que se diferencia del zapato en que no tiene talón. Usase para andar en casa por lo ligero y acomodado, y para tener calientes los pies. Viene del italiano «pianela». Lat. «Calceus mulieris, Crepida, oe» (*op. cit.*, art. «chinela»). El mismo diccionario cita un extracto de pragmática de 1627 y una frase del *Quijote* (*Ibíd., Prag. de tasas,* año 1627, fol. 7: «unas chinelas de hombre, de tres suelas, ocho reales». *Quijote,* cap. LIII: «y levantándose en pie su puso unas chinelas por la humedad del suelo...»), que prueban el espesor de las suelas de las chinelas (parece que fue utilizado a veces el corcho para esas suelas, ya que las pragmáticas prohíben su uso. Cf. pragmática del 14 de octubre de 1552, B. N. Madrid) y su uso en regiones de suelo húmedo. Aporta así más precisiones acerca de lo que era la chinela femenina: «... se llama también el calzado que trahen las mugeres en tiempo de lodos para evitar la humedad, que sólo se distingue del chapín en tener la suela prolonga-

chinelas abiertas y adornadas con cintas de reflejos nacarados, seis tocas plegadas y dos ceñidores con sus agujetas para sujetar la saya. [42]

> ... te traigo aquí
> para esos pies, que bien hayan,
> unas chinelas abiertas
> que abrochan cintas de nácar.
> Traigo más seis tocas rizas,
> y para prender las sayas
> dos cintas de vara y media
> con sus herretes de plata. [43]

Si bien no todas las comedias de ambiente rústico de Lope desarrollan con tanta complacencia como *Peribáñez y el comendador de Ocaña* el motivo decorativo de la aldeana en traje de fiesta, escasas son las que no presentan este motivo de alguna manera. Unas veces sólo se trata de leves toques, pero que bastan para ayudarnos a imaginar un ambiente colorido. He aquí, en *Los Tellos de Meneses*, el joven Tello enamorado de una nueva criada, Juana. ¿Qué le regalará? Un collar de corales (no igualan al rojo de sus labios, según la comparación ritual), unas arracadas, [44] grana y palmilla azul para las sayas y los sayuelos, etc.:

> *Tello.*
> ¡Oh, qué traigo de León
> para adorno a tu hermosura,
> si bien oro y plata pura
> cosas inútiles son!
>   Mas, finalmente, verás
> una sarta de corales,
> aunque a tus labios iguales
> no serán corales más;
>   Que estarán cuando los venza
> de su esmalte el vivo ardor,
> o de envidia sin color,
> o más rojos de vergüenza:
>   De los extremos recelo,
> aunque son de oro también,
> que no son de precio en quien
> es toda extremos del cielo.
>   Cuatro arracadas de perlas,
> de una esmeralda colgadas,

---

da...». En resumen: la chinela era para la aldeana lo que el chapín para la mujer de la ciudad y la que seguía la moda: un tipo de patín elevado.

[42] La aldeana solía llevar un cinturón de tela o de cuero claveteado, llamado cintero, que Covarrubias define en el artículo «ceñir» de su *Tesoro*: «Ceñidor: el cinto de seda o lana, a diferencia del cinto que es de cuero y encima seda u oro. Cintero: el de las aldeanas tachonado...» *(op. cit.,* p. 406 b).

[43] Ed. Aubrun y Montesinos, versos 2006-2013.

[44] En los últimos años del siglo XVI, arracadas y zarcillos parecen haberse vuelto adornos clásicos. Las arracadas podían cobrar significado nupcial: cf. Covarrubias, *Tesoro...,* p. 149 b; 11: «*Las arracadas.* Anillos con sus pinjantes que las mujeres se ponen en las orejas y que los desposados envían a sus esposas ordinariamente con los anillos que se han de poner en los dedos.»

dichosas y desdichadas,
si honrarlas es deshacerlas.
    Un Cupido de oro, a quien
lleva enfrenado un león:
tú entenderás la ocasión,
Juana, si me quieres bien;
    Ricas granas y palmillas
para sayas y sayuelos,
color de celos o cielos... [45]

En la misma pieza otra indicación del diálogo nos permite imaginar el delantal blanco de la aldeana Laura, labrado y bordado con flores:

Mendo.
Aquel blanco delantal
con mil randas y labores,
en que puede coger flores
la misma aurora oriental,
¿quién lo alaba y encarece
como yo? [46]

En *El galán de la Membrilla* se nos sugiere la elegancia del rebociño y del sombrero superpuestos —al estilo aldeano de Lagartera que subsistió hasta hace poco tiempo— en un cuadro de fiestas campestres en el que podemos admirar, en medio de un prado rodeada por la juventud de Manzanares y de la Membrilla, la belleza de Leonor:

Laurencia.
Enséñame a Leonor, que yo no he visto
a Leonor en mi vida.
                    Lucía.
            La que lleva
sombrero y rebociño. [47]

---

[45] Acad., VII, p. 318 a. El juego de palabras sobre «celos» y «cielos» se explica por ser el azul color simbólico de los celos. Los regalos (ropas, joyas) que evoca el joven Tello son los que acostumbra a presentar la comedia lopesca de ambiente rústico. En *El labrador venturoso* (Acad., VIII, p. 15 b), estos son los presentes con que quiere obsequiar el joven Lauro a una nueva criada de quien se ha enamorado:

«Daréle notables galas:
no habrá palmillas de Cuenca,
ni tendrá Valencia granas,
que no le sirvan, Fileno,
de sayuelos y de sayas.
¿Qué aparador de Toledo
tendrá potencias de plata,
corales de Barcelona,
de Córdoba filigranas,
que no adornen cada día
su bellísima garganta?»

[46] Acad., VII, p. 298 a.
[47] Acad., IX, p. 101 b.

Según el cuadro que se nos traza de una romería de la Alcarria, a la que acude la aldeana Lorenza, de *San Diego de Alcalá*, su rebociño, mancha de intenso color, ha de componer un conjunto encantador con el sombrero decorado con ramilletes agrestes:

> *Lorenza.*
> Yo pienso poner al mío
> mucha amapola y gamarza,
> y de espino y flor de zarza
> cubrille, en llegando al río.
> Pues rebociño, ya tengo
> uno de color, famoso. [48]

Este complicado andamiaje del sombrero, del rebociño y a veces, del rebozo (llamado «tocas de rebozo» o «rebozo de toca») adornado con dijes de plata, parece ser muy apreciado por Lope ya que lo pone reiteradas veces con algunas variantes, en sus acotaciones escénicas. En *La niñez de San Isidro* (1622), una aldeana que trae la comida al campo para los segadores, ostenta estas galas:

> Sale Inés con sombrero de paja, rebozo de toca de plata con argenterías, una vara y una cesta. [49]

En *Del monte sale* (1627) volvemos a leer:

> Narcisa y Juana y Tirso, ellas con tocas de rebozo y sombreros y rebociños. [50]

Tales ejemplos pueden multiplicarse. Citemos:

> *El cabellero del Sacramento:* Sale Gracia de villana, rebozada, con un sombrero de villana... [51]
> *Las dos bandoleras y fundación de la Santa Hermandad:* Vase Orgaz, y salen D.ª Teresa y D.ª Inés, de labradoras, cubiertas las caras con dos velos. [52]
> *Los Españoles en Flandes:* Entren Madama Rosela, labradora, con un rebozo, y Marcela, labradora, con unas cestillas. [53]
> *La mayor Vitoria:* Flora, Elena, Casandra y Fabia, de ladradoras, con rebozos y sombreros. [54]
> *La Burgalesa de Lerma:* Sale Leonarda, dama, que es la Burgalesa, e Inés, su criada, vestidas de labradoras, con unos velos de plata por el rostro. [55]
> *Lo que está determinado:* Sale Rosaura con sombrero, rebociño, y un velo por el rostro, y una cestilla en el brazo. [56]

---

[48] Acad., V, p. 37 a.
[49] Acad., IV, p. 512 a. La cesta o cestilla es accesorio que lleva a menudo la aldeana en las estampas de Enea Vico. Cf. «Paysanne d'Aharal ou d'Arevale en Castille Vieille, proche de la ville d'Avila en 1572».
[50] Acad., N., II, p. 65.
[51] Acad., VIII, p. 485.
[52] Acad., IX, p. 16 a.
[53] Acad., XII, p. 377.
[54] Acad., XV, p. 130.
[55] Acad. N., IV, p. 32.
[56] Acad. N., VII, p. 231.

En otras piezas Lope quiso atraer la atención de los espectadores sobre la elegancia del botín aldeano;[57] así, al principio de *La villana de Getafe* la heroína Inés está tejiendo una red sentada en el umbral de su casa en la calle mayor de Getafe, tal como lo hacían efectivamente las aldeanas de ese pueblo;[58] la delicadeza de su calzado despierta nuestra admiración y la del galán.[59] En otros lugares, la elegancia general del personaje aldeano o seudo-aldeano aparece subrayada mediante la escenificación. Leemos en *Guardar y guardarse* (Lope), esta indicación:

Entre doña Hipólita y doña Elvira en hábito de labradoras bizarras.[60]

Así mismo en *La mayor virtud* de un rey (Lope) tenemos:

Salen Sol, y Leonor, de labradoras bizzaras.[61]

Ya se ve, se trata de una repetida acotación escénica. Bien prueba esto que el traje de la aldeana era materia apta para efectos de elegancia en el escenario lopesco. Según el Fénix esta elegancia cobraba mayor garbo al ser una dama quien llevara el traje aldeano. Así lo dice un personaje de *La gallarda toledana*:

El campo y el traje dél / da a las damas gran donaire.[62]

Tirso también confiere alguna importancia a los colores pintorescos de los trajes de la aldeana y a lo largo de las escenas rústicas de su teatro, su pluma proporciona no pocos datos útiles al escenógrafo. Un pasaje de *El pretendiente al revés* nos permite ver cómo las aldeanas de Gabriel Téllez se complacen en superponer y ahuecar las faldas como lo hacen aún hoy las indias bolivianas, y cual lo hacían hasta hace

---

[57] Los botines o botinas podían llegar a distintas alturas por encima del tobillo. Con frecuencia son calzados de aldeanas en los grabados de Enea Vico. Cf. Oudin, *op. cit.:* «Botin» ou «botina», petite botte, bottine. «Botines» pour «borceguíes»; et se prennet aussi pour des escarpins de femmes. Covarrubias explica: «... a diferencia de bota, que es calçado de hombre, se dixo botín el de la muger, y botinillo en corto».

Este calzado se usaba tanto para el calzado de los campos como para lucirse los días de fiesta. A Barthélémy Joly le había llamado la atención el porte de este calzado desde su entrada en Cataluña entre Figueras y Gerona: «... les femmes, mesme aux champs, portant les souliers forts haults, qui fait croire qu'elles ne travaillent comme nos femmes de France...» *(op. cit.,* pp. 467-468).

[58] Cf. *Relaciones histórico-geográfico-estadísticas de los pueblos de España hechos por iniciativa de Felipe II* (provincia de Madrid), Madrid, 1949, relación de Getafe, p. 294:

«... hay otra labor de hacer redes labradas para arreos de camas y almohadas; hay hombres en el pueblo que las sacan por la mayor parte del reino, porque en este pueblo se hace mucha, y mucha de la gente pobre gana a esto su vida, y muchos de lo que algo tienen también las hacen por dar que hacer a niñas que han de andar jugando...».

[59] Acad. N., X, p. 372 a:

«D. Félix   ¡Quedo, bárbaro, que es ésta
              Inés!
«Lope: ¿Aquélla compuesta
              del botinillo polido?»

[60] Acad. N., X, p. 206 b.
[61] *Ibíd.,* p. 630 b.
[62] Acad. N., VI, p. 71 a.

poco las lagarteranas. [63] En cuanto a sayuelos y sayas, impera la misma práctica. Una señora noble, Sirena, le pide prestadas sus ropas a la aldeana Fenisa, y ésta le responde:

> ... que me place:
> tres sayas tengo, dos de cordellate [64]
> y una de paño fino; que la gala
> de nuestras labradoras los disantos
> es cargar de sayuelos y basquiñas. [65]

En *La villana de Vallecas* también hay una breve alusión a las guarniciones de seda roja en los sayuelos aldeanos. [66] Unas indicaciones escénicas espigadas al azar demuestran que Tirso, como Lope, recurre a menudo al rebozo para sus heroínas nobles, disfrazadas de aldeanas. Así ocurre en *La huerta de Juan Fernández:* la joven Tomasa se disfraza de lavandera, y esto da pie para la siguiente acotación escénica:

Tomasa, de labradora; rebozada con la toca. [67]

En realidad el rebozo aldeano le sirve a Tirso tanto como medio de intriga que como detalle pintoresco. Para verlo, basta con leer el diálogo que sigue la acotación. El amante infiel de Tomasa, que no la reconoce con su disfraz, la corteja y, tras insistentes requiebros, la invita a descubrir su rostro. [68] Esta termina por hacerlo, con el consiguiente estupor del inconstante.

---

[63] Los grabados de Enea Vico nos permiten observar que la saya de arriba era más corta que la de abajo, disposición que permitía lucir el escalonamiento de las faldas. Cf. coll. Gainières, Ob 51, n.º 108: «Paisanne des environs de la ville d'Aguillar dans la haute Navarre»; n.º 21: «Paisanne de Ferrere en Castille Vieille», etc.

Se confirma este detalle en lo que escribe G. Correas a propósito de la expresión «Ponéos en gradas, descubriréis las galas». Cf. *Vocabulario,* ed. 1924, p. 398 a:

«... Porque de alto se ven mejor y porque subiendo las gradas es menester alzar algo las sayas, y se descubre el faldellín y los bajos. De las cuales ocasiones gustan algunas damas vanas. También dice que se pongan las sayas a manera de gradas, descubriendo un poco de cada una, y aunque esto lo reprende a la que lo hace, conviene así con el otro de labradores: "La moza galana, la mantilla sobre la saya, o en par de la saya": junto la orilla, cerca, que no cubra el ribete...»

[64] El cordellate, era, según Covarrubias, un paño liviano, algo así como la estameña y con él se confeccionaban sayas. Cf. Covarrubias, *op. cit.,* p. 357 a, art. «cordellate»: «cierta especie de paño delgado como estameña, dicho así por un cordón que haze la trama». Oudin así define la tela: «... Du cordillat, une sorte de drap délié, comme de l'étamine» *(op. cit.,* p. 303 b). Para cordellate, véase también la nota de Rodríguez Marín, en *El ingenioso hidalgo D. Quijote de la Mancha,* ed. cit., V, pp. 82-83, 3: Rodríguez Marín indica que esa tela podía servir también para calzas.

[65] B.A.E., V, p. 40 a.

[66] B.A.E., V, p. 64 c.

> *«Doña Violante:* ....
> y en mostrándome un sayuelo
> con vivos de carmesí
> entre dientes le dí el sí.»

[67] B.A.E., V, p. 646.

[68] *Ibíd.:*

> «Ea, destapa la boca
> brilladora lavatriz.
> ¡No se atreva a la nariz
> la descomedida toca!»

En definitiva tal vez sea preciso ir a buscar en Vélez de Guevara más que en Tirso de Molina este gusto pictórico por la elegancia aldeana puesta de relieve plásticamente, tal como lo hemos visto expresado por Lope, en cuadros bien compuestos. En efecto, Vélez de Guevara, como Lope, solía evocar con complacencia y precisión las partes o todo el conjunto del traje aldeano. Uno de los mejores ejemplos de esta tendencia nos lo proporciona *La serrana de la Vera* (1613). Una escena de esta obra, que nos lleva a las fiestas de Plasencia, nos presenta a la heroína Gila, vestida con un abrigo largo, «ferreruelo», tocada con un rebozo muy fino, y llevando el sombrero de palma. La indicación escénica del manuscrito es precisa:

> Madalena y Gila con revozos en la cara de volante y sombreros de palma y erreruelos. [69]

En otro momento el retrato de Gila ha sido preparado de manera más minuciosa por el dramaturgo merced a las indicaciones escenográficas; una de las apariciones más logradas de Gila es aquella en que la vemos, cabalgando, huraña y bella a la vez, en su traje de serrana, con sayuelo, numerosas patenas, los esparcidos cabellos, montera de pluma, botines de reflejos plateados, con el puñal en el cinto; la acotación que precede su salida pormenoriza todos estos detalles:

> A caballo Gila, la serrana de la Vera, vestida a lo serrano de muger, con saiuelo y muchas patenas, el cabello tendido y una montera con plumas, un cuchillo de monte al lado, botín argentado, y puesta una escopeta debaxo del caparazón del caballo. [70]

Los romances tradicionales o seudo-tradicionales del ciclo de «la serrana de la Vera» incitaban, es cierto, a esas precisiones plásticas, [71] y Luis Vélez de Guevara no ha he-

---

[69] Cf. ed. Teatro antiguo, I, Madrid, 1916, p. 25.

[70] Cf. ed. Teatro antiguo, I, Madrid, 1916, p. 10.

[71] Por lo común, la descripción del vestuario es un aspecto genuino de la estética romanceril y la podemos encontrar desde los más antiguos romances («Cabalga Diego Laínez») hasta los del duque de Rivas, en la época romántica.

En lo que atañe al ciclo de «la serrana de la Vera» pueden citarse como ejemplo de esta tendencia, en *Quarta y quinta parte de flor de romances,* recopilados por Sebastián Vélez de Guevara, Burgos, 1592, fol. 101 rº:

> «En su Aldea una Serrana
> de la Vera de Plasencia
> . . . .»
> «Esto dixo la Serrana
> y como partir se piensa,
> trocó por vnos urracos
> el capillo y albanega,
> toca de gasa se puso,
> lechuguilla y arandela,
> y en el copete rizado
> claueles de la joyera.
> Yua en mangas de camisa
> y encima de la muñeca,
> encaxes almidonados
> porque la mano blanquean.
> En lugar de sus sartales
> pagiza vanda se cuelga,

cho más que desarrollar las sugerencias estéticas. Señalemos en especial el romance, fabricado probablemente por él mismo, cantado en el acto III por un viajero anónimo. Este romance rico en detalles dicta la escenografía. Luis Vélez de Guevara lo ha insertado con acierto interpolando una indicación que nos informa exactamente acerca del atavío de la heroína serrana en este acto:

> Entrese y comienze uno a cantar este romance desde adentro:
>> Allá en Gargantalaolla,
>> en la Vera de Plasenzia,
>> salteóme una serrana
>> blanca, rubia, ojimorena;
>> botín argentado calça,
>> media pagiza de seda,
>> alta vasquiña de grana
>> que descubre media pierna;
>> sobre cuerpo[s] de palmilla
>> suelto ayrosamente lleba
>> un capote de dos faldas
>> hecho de la misma mezcla;
>
> (Agora vaia baxando por la sierra abaxo,[72] abriendo una cabaña que estará hecha arriba, Gila la serrana como la pinta el romanze, sin hablar.)
>> el cabello sobre el ombro
>> lleva partido en dos crenchas,
>> y una montera redonda
>> de plumas blancas y negras;
>> de una pretina dorada,
>> dorados frascos le cuelgan;
>> al lado isquierdo un cuchillo,
>> y en el onbro una escopeta.
>> Si saltea con las armas,
>> también con ojos saltea.[73]

>> enfáldase sus vasquinas
>> quiçá por mostrar las medias,
>> que eran de azul granadino
>> con alpargatas de seda
>> verde, porque no dé passo
>> sin causas del bien que espera.
>> Vn sombrero boleado
>> con un cintillo de perlas,
>> que se las tiró su amigo
>> y aun la derribó con ellas.»

[72] Es preciso insistir en el movimiento de presentación plástica que, para centrar las miradas de los espectadores en la actriz femenina, la hace desplazarse desde una parte alta del escenario hacia una parte baja. Parece que este fue un procedimiento técnico de escenificación bastante usado en la comedia nueva para darle relieve a un personaje femenino que lleva una vida salvaje en un ámbito serrano. Compárese con varias acotaciones escénicas de Lope. *El Príncipe despeñado* (1602), en *Parte VII*, p. 233 bis: «Va bajando por la sierra la Reyna doña Elvira en hábito de salvaje con una piel y parece en medio de la sierra y prosigue.» *El Cardenal de Belén* (1610), in *Parte XIII:* «Elisa, el cabello tendido con un vestido de palma ceñido de hojas, vaya bajando de un monte con una cestica.»

[73] Cf. ed. Teatro antiguo, I, Madrid, 1916, pp. 81-82. La acumulación de detalles y adornos en el retrato de la serrana («botín argentado», «basquiña de grana», «cuerpo de palmilla», etc.) revela que nos encontramos aquí en presencia de un romance de fabricación tardía y probablemente debido a la pluma de Luis

Al bosquejar el retrato de su heroína e imaginando sus salidas al escenario, haciendo alarde de trajes, Luis Vélez de Guevara había pensado en la figura airosa de la «vedette» que iba a interpretar el papel de Gila (la media pierna, que permite entrever la falta o el «capote de dos haldas»).[74] Se trataba en este caso de la actriz Jusepa Vaca. ¿Era acaso mujer guapa, con garbo? Aunque existan a este respecto opiniones contradictorias, recordemos que algunas rúbricas subrayan su porte airoso. El final del manuscrito autógrafo lleva la dedicatoria:

> para la señora Jusepa Vaca;

al principio de la pieza también leemos la acotación escénica:

> Entrase el capitán retirando, y Gila poniéndole la escopeta a la vista, que lo hará muy bien la señora Jusepa.[76]

Esta misma Jusepa Vaca, a menudo calificada de «gallarda», había interpretado el papel de doña Elvira en *Las almenas de Toro* (probablemente 1610-1613) de Lope y también había salido vestida de aldeana.[77] No cabe duda alguna acerca del efecto que se quería lograr con el atuendo de serrana o de cazadora de algunas artistas. La falda corta, el capote «de dos haldas», o el «sayo vaquero».[78] con que las engalanaba a veces

---

Vélez de Guevara. Puede compararse con «En su aldea una serrana / de la Vera de Plasencia...», antes citado. Desde 1580-1590, esta excesiva pormenorización en la descripción, hecha con elementos del todo rituales, se había hecho la regla en los romances seudo-rústicos que evocaban retratos de aldeanas.

[74] Bien parece que éste fue detalle procedente de la tradición de la serrana, tradición muy apreciada. Vimos antes, en la *Quarta y quinta parte de flor*, Burgos, 1592, los versos:

> «enfáldase sus vasquiñas
> quiçá por mostrar las medias».

También Góngora se acordó de este detalle.

[75] Cf. ed. Teatro antiguo español, p. 122.

[76] Ibíd., p. 16.

[77] Cf. Acad., VIII, p. 103: «Sale doña Elvira de labradora.» Encabezando el reparto de papeles reproducido por Menéndez y Pelayo, léase: «Representó la Morales é hizo la gallarda Jusepa Vaca a doña Elvira.» Jusepa Vaca era la esposa de Morales. Tenía fama de recatada y las malas lenguas se lo achacaban a su fealdad. Robert Jammes, en *Les épigrammes burlesques de Juan Navarro de Cascante (Les langues néolatines*, 1961, IV; p. 10), reproduce los siguientes versos del ms. 3657 de la B. N. Madrid:

> «Si a Morales el decoro
> no guardara, por ser flaca,
> su vaca, casto thesoro,
> quien es caueza de vaca
> fuera cabeza de toro.»

Un soneto atribuido a Góngora («Si por virtud Jusepa no mancharas»), en Millé, *Obras completas*, p. 5 l) trata el mismo tema. Las distintas apreciaciones de lo que, en lenguaje de Hollywood, se llamaría hoy el sex-appeal de la estrella, se explica tal vez por la cronología de los testimonios...

[78] El *Diccionario de la lengua castellana...* de 1726, da la siguiente definición de «sayo vaquero»:

> «... vestido exterior que cubre todo el cuerpo, y se ataca por una abertura que tiene atrás, en lo que sirve de jubón. Oy se usa mucho en los niños y le llaman sólo vaquero». Lat: «stricta tunica talaris».

la puesta en escena, dejaba ver la pierna o ceñía el cuerpo. Esto, en una sociedad en la que el descubrir la punta del pie en presencia del galán, constituía fina merced amorosa por parte de la dama, representaba sin lugar a dudas una audacia y le daba sal al espectáculo. Probablemente Lope había pensado en las objeciones que presentarían los moralistas ante tamaña audacia teatral cuando, anteriormente a Luis Vélez de Guevara (antes de septiembre de 1598), escribió *La serrana de la Vera*. Al comparar las acotaciones escénicas y otras indicaciones de vestuario de Lope con las de Luis Vélez de Guevara vemos que el atuendo de la serrana lopesca es más novelesco al par que más sobrio, y sobre todo, Lope parece preocuparse por el respeto de las leyes del decoro. Efectivamente, una acotación escénica dice simplemente:

> Sale Leonarda, como serrana, con capote de dos haldas y faldón de pellejo de tigre y montera de lo mismo, zapato y polaina, espada en tahalí y arcabuz.[79]

Queda revelador que la preocupación por lo ejemplar haya llevado a la heroína lopesca a describir ella misma su atuendo, cuando abandona la ciudad para ir al monte, insistiendo en la castidad de su falda corta:

> Las botas me he calzado;
> la saya corta que ves,
> que honestamente los pies
> muestra de este y de aquel lado,
> esta espada, este sombrero,
> son para irme al monte.[80]

Tales son los principales rasgos de la elegancia femenina en el escenario del teatro de la escuela lopesca. En comparación el atuendo masculino escenificado en las mismas piezas puede parecer desprovisto de vistosidad, por lo menos a primera vista. Son numerosas las referencias escénicas que nos dicen que un personaje aparece «de villano» o de «labrador», o también «en hábito de villano», y, a menudo, sin mayor precisión. Parece que el traje masculino, con el color pardo dominante,[81] no dio lugar,

---

Datos suplementarios nos los proporciona el *Tesoro...* de Covarrubias. Cf. art. «marlota», 790, b, 57: «*marlota*. Vestido de moros, a modo de sayo vaquero». Covarrubias precisa: «... del verbo "leveta", que significa apretarse, porque se ciñe al cuerpo...». En el artículo «sayo vaquero» (993, b, 61), leemos: «da faldas largas como lo usan los vaqueros». Véase también los artículos «faltriquera» (583, b, 57): «Faltriquera; quasi faldriquera, la bolsa que se insiere en la falsa del sayo» (tiene pues bolsillo), y «arrapieços» (149, a, 27): «son las faldas del sayo o ropa» (faldones).

[79] Acad., XII, p. 30 b.

[80] Acad., XII, p. 18 b.

[81] Las ropas masculinas, especialmente para los días de fiesta, eran de buriel, paño de lana caracterizado por lo grueso y basto. El colorido muy poco variaba y no salía de la gama de los pardos o castaños. Covarrubias nos dice: «Buriel: Quasi burriel color roxo o bermejo, entre negro y leonado... El paño buriel usan los labradores en los días de fiesta» *(op. cit.,* p. 246 b). (Oudin, en *Tesoro de las dos lenguas española y francesa...,* p. 174: «buriel, une sorte de drap; ce peut-etre du bureau, ou burail, de couleur entre noir et tanné». Séjournant, *Nouveau dictionnaire espagnol-français et latin composé sur les dictionnaires des Académies royales de Madrid et Paris,* París, 1759, p. 177: buriel = sorte de gros drap dont s'habille le paysan en Espagne, espèce de burat ou bureau, de la couleur du tan ou de la chataîgne. Lat. «Solocis lanae pannus, i»-)

A veces este paño primitivo, cuando estaba confeccionado con lana no teñida, fue llamado sencillamente «paño pardo». En efecto, Covarrubias dice en el art. «pardo» de su *Tesoro:*

«Pardo: color, que es el propio que la oveja o el carnero tiene, y le labran y adereçan, haziendo paños dél sin teñirle. Pudo dezirse pardo, "quasi parato", porque trae consigo el aparejo sin

en las tablas, al mismo despliegue de colorido que el traje femenino, más vistoso y contrastado.

En *Los prados de León* (Lope) donde, como ya vimos, dos infantas confiesan el real atractivo de una seudo-aldeana con galas de fiesta, al extremo de hacer de ella un retrato en pie, las mismas infantas no tienen sino burlas ante el espectáculo del seudo-villano Nuño llevado a la corte en traje rústico; el desprecio de esas señoras tiene expresiones muy fuertes, tales como «asco de velle me dio», y Nuño bien marca, en un aparte, que su traje aldeano es blanco de las pullas;[82] no obstante la infanta doña Blanca se enamorará de este Nuño buen mozo, mas cuando haya vestido la librea palaciega.[83] También es fácil observar cómo en *Peribáñez y el Comendador de Ocaña*, en donde se dedica tanto interés al atuendo de las aldeanas, que el traje de Peribáñez no merece más que contadas indicaciones; fuera del himno a la «capa pardilla», de Pedro sencilla y basta, que Casilda prefiere a la rica y sedosa elegancia del Comendador con su hábito de Calatrava (este sí es evocado con complacencia) y fuera de una alusión al sombrero de Pedro, Lope no se detiene en decirnos en qué consiste, en realidad, el traje del protagonista. Esta ausencia de valoración escénica del traje masculino en *Peribáñez y el comendador de Ocaña* puede sorprendernos tanto más cuanto que Lope había evocado minuciosamente el atuendo de Isidro, el día de su boda, en el *Isidro:* el jubón de lino,[84] su capote de dos haldas,[85] el gregüesco[86] de cordones,

---

entrar en el caldero de la tinta; y no será fuera de propósito averse dicho del paxarillo pardal por ser desta color. El vestido pardo es de gente humilde y el más basto se llama pardillo» *(op. cit.,* p. 853 b).

Sejournant, *op. cit.,* p. 733 b, dice:

«Pardo: gris brun, gris noir, gris minime. Pardillo: qui tire sur le brun, tanné. Il se dit communément d'un certain drap grossier qui n'est point teint dont se vetent les paysans... Gente del pardillo: gens vetus de brun, pour dire un paysan.»

El colorido terroso (ora blancuzco, ora negruzco o acastañado) que implica el adjetivo pardo, parece haber sido común a una gran mayoría de aldeanos españoles hacia 1600, ya que Barthélémy Joly, en su viaje en 1603-1604, lo observó tanto en Castilla como en Cataluña, escribe, por ejemplo, acerca de la región de Poblet (Cataluña): «... les paisans y sont asses bien vestus d'un drap minime appelé "pardo", couleur comune en toute l'Espagne, le manteau, gamache de mesme...» *(op. cit.,* p. 498). Lo mismo dice este viajero del traje de los aldeanos de los alrededores de Almajo cerca de Almazán (Castilla la Vieja) *(Ibíd.,* p. 544).

[82] Acad., VII, p. 156 b: «Esta dama mem murmura y se burla de mi traje.»

[83] *Ibíd.,* p. 362 b. Nuño parece reconocer él también la escasa elegancia de su atuendo rústico:

«yo sé que en cierta ocasión
os parecí tan salvaje
que hecisteis burla del traje».

[84] La tela usada corrientemente en las aldeas no era el lienzo importado de Flandes u Holanda (conocida es la clásica expresión «sábanas de Holanda» así como el estribillo: «Caballero de Castilla / Camisa de Bretaña»). Esta última era privilegio de las clases aristocráticas y urbanas; la ropa blanca aldeana se confeccionaba con lino de la comarca y más generalmente con cáñamo, con el que se podía hacer una tela blanca y delgada. Poseemos numerosos datos acerca de la utilización del cáñamo en Castilla la Nueva en las encuestas de las *Relaciones topográficas* (hacia 1575-1580) y Covarrubias lo confirma, en 1611, en el artículo que dedica a la palabra «camisa». Escribe:

«... Otros dizen que camisa se dixo "quasi" cañamisa, lienço de cáñamo, por ser el primero que huvo antes del lino, fue del cáñamo; lo grossero llamaron cañamazo, y oy día le dura este

la «capa parda de capilla redonda»,[87] sus polainas[88] y zapatos finos, el sombrero de falda grande,[89] su camisa de cuello:

> ... y aunque de pardillo, en fin
> limpio, justo y aseado.

---

nombre, y del cerro del cáñamo se haze lienço delgado y muy blanco, de que los labradores hazen sus camisones, tovallas, sávanas, y todo el axuar de su ropa blanca, como yo he visto en muchos lugares de tierra de Toledo y Madrid...» *(op. cit.,* p. 278 ab).

[85] La prenda llamada «capotillo de dos haldas» es muy frecuente. El diccionario de la Academia de 1726 nos proporciona la siguiente definición:

> «... Casaquilla hueca, abierta por los costados hasta abaxo, de forma que viene a quedar como en dos mitades por estar cerrada por delante, con su abertura para meterla por la cabeza. Tiene mangas bobas, que se dexan caer a la espalda quando se quiere, por estar abiertas por debaxo del sobaco. Es trage muy común en la Mancha y Andalucía para los hombres del campo...» *(op. cit.,* art. «capotillo»).

Sejournant, *op. cit.,* art. «capotillo» indica:

> «Capotillo de dos haldas», espèce de casaque courte, ouverte entièrement des deux côtés, comme une dalmatique, et qui se met de même sur le corps avec les manches pendantes; habillement moresque et des gens du commun, quoique les gens de distinction s'en servent lorsqu'ils vont à la campagne, ou à la chasse. Lat. «Sagulum, i».

[86] Las calzas de los campesinos llevaban distintos nombres: «calzas», «calzones», «zaragüelles», «gregüescos» y «zahones». Estas calzas ora no bajaban de la rodilla, ora la cubrían o hasta se unían con el calzado. Así por ejemplo, los gregüescos. Cf. Oudin, *op. cit.,* «Gregüescos, sorte de haut de chausses, autrement, grègues».

[87] A menudo es difícil alcanzar a distinguir la diferencia entre la capa del aldeano y el gabán. El gabán consistía en un tipo de djellaba con capucha, con las mangas colgando por donde se podía o no, sacar los brazos, que llegaba a la altura de la rodilla. Así lo define Covarrubias en 1611:

> «... capote cerrado con mangas y capilla, del cual usa la gente que anda en el campo y los caminantes... El, finalmente, es hábito de aldea y pastoril...» *(op. cit.,* p. 634 a, art. «gaván»).

El diccionario de la Academia de 1726 confirma esta definición al decir:

> «... cierto género de capote con capilla y mangas, hecho de paño grueso y basto, de que usa generalmente la gente del campo para defenderse de las inclemencias del tiempo...».

Son estas las prendas de vestir que usaban las aldeanas de Almajo (cerca de Almazán), en 1604, cuando B. Joly pasó por allí, ya que anota en su relación de viaje:

> «... selon qu'ils sont gens de labeur, leur habit est une espèce de jupe longue comme un manteau et servent lieu d'iceluy, toute fermée hormis pour passer les bras et la teste, les manches pendans a costé, et le capuchon, le tout asses proprement...».

Puede verse uno de estos gabanes, con las mangas colgando, en el lienzo de Velázquez, «El aguador de Sevilla» (Duque de Wellington, Londres).

[88] La pierna solía protegerse con polainas, de género de punto, cuero o pellejo, a veces abotonadas por detrás y bajando hasta el talón. Cf. coll. Gainières, n.º 75: «Paysan de Biscaye en 1572, tenant en ses mains un long bâton»; n.º 39: «Paysan de Castille en manteau vu par derrière.» Eran de punto las polainas que llevaban los aldeanos de Almajo (cerca de Almazán), en 1604, cuando B. Joly pasó por ese pueblo; observaba a propósito de los pobladores del lugar: «... les tricouses se boutonnents par derrière...» *(op. cit.,* p. 545).

[89] Varios tipos de tocados masculinos se usaban en la aldea, ya sea turbante, ya sea sombrero, ya sea montera o gorra, ya sea caperuza. El turbante se llevaba a fines del siglo XVI en Castilla (cf. coll. Gainières, n.º 38, n.º 27: «Laboureur de Castille, 1572») y Navarra así como lo atestiguan los grabados de Enea Vico en 1572 *(Ibíd.,* n.º 107: «Paisan des environs de la Ville d'Aguillar en haute Navarre en 1572»). Un tipo de

Su jubón blanco de lino,
su capote de dos haldas,
con capilla a las espaldas
. . . .
De paño abierto el grigüesco,
no como agora, tudesco
con tan nuevas invenciones,
mas con pliegues y cordones,
más acomodado y fresco.
Capa parda de capilla
redonda, y conforme al trato,
nueva polayna, y çapato
delgado para la villa,
no tan durable, y barato.
Sombrero de falda grande
sobre quien el cordón ande,
y con borlas negras cuelgue,
que el cuello a vezes se huelgue
de que por él se desmande.
La camisa presentada,
más que otras vezes senzilla,
pequeña la lechuguilla,
pero de asiento colchada
y a la fe con su vaynilla. [90]

sombrero pequeño era usado tanto por los catalanes como por los vizcaínos, de dar crédito a B. Joly, quien escribe a propósito de los aldeanos de la parte de Poblet, en 1604: «... Les paisans y sont asses bien vestus... le petit chapeau et la fraize comme en Biscaye...» *(op. cit.,* p. 498). Sombreros de ala ancha y cordón (parecidos a los que llevaban los eclesiásticos españoles hasta hace poco) se llevaban también en Castilla hacia 1572 (cf. coll. Gainières, n.º 26: «Laboureur de Castille»), y el sombrero de paja servía para trabajar al sol (cf. Ch. Weiditz, Tafel XXXII: «Allso tryst man das koren in Hispanien»). En el campo también se veían monteras, de tela parda y con visera pequeña por delante, en forma de casco, ciñendo la cabeza a manera de un pasamontaña (cf. Weiditz, Tafel XXXIV: «Allso fiern sy die mell seck auf den Eslen in die Müll in Hispanien»); Barthelémy Joly observó esta montera entre las gentes de Almajo (cerca de Almazán), en 1604, y la describe con gran precisión: «... le bonet, de l'estoffe de l'habit, à petit bord en pointe devant, "montera". Je n'y vis pas quatre chapeaux...» *(op. cit.,* p. 545). Covarrubias, *op. cit.,* p. 813 a:

«montera»: «cobertura de cabeça de que usan los monteros y a su imitación los demás de ciudad». Oudin, *op. cit.,* art. «montera»: «une sorte de chapeau de drap ou aultre estoffe qui n'a qu'un petit bord par le devant et se porte au logis en esté. Il est quasi fait comme un morrion». Sejournant, *op. cit.,* art. «montera»: «bonnet de drap fort pesant que les gens de la campagne portent pendant le jour au lieu de chapeau et aussi le menu peuple dans les villes et meme les femmes des halles et d'ouvriers».

La gorra era de paño (cf. Weiditz, Tafel XXIX u XXX: «Also gand sy su acker in Spania.» Sejournant, art. «gorra»: «... espece de bonnet de drap que les gens de la campagne portent ordinairement.» Lat. «Galeri rustici genus»). Por fin la caperuza, a veces en forma de punta, era usada por los aldeanos desde por lo menos el siglo XIII (cf. Weiditz, Tafel CV: «Alsso lauffen Bauren Inn Biskayn mit Irer Werr»; cf. también en «Hispanici vestitud et habitus verri» (B. N. París, Estampas, Coll. Gainières, Ob 51); la lámina «Biscaiensis vel Cantaber». Así define C. Oudin la caperuza: «... selon aucuns, un capuchon, un bonnet de paysan...» *(op. cit.,* art. «caperuza»). Y el Diccionario de la Academia da mayores precisiones al describirla:

«Cobertura de la cabeza o bonete, que remata en punta inclinada hacia atrás. Recop. Libr. 7, tít. 12, 1, 1: Mandamos que los oficiales menestrales de manos... no puedan traher, ni trahigan seda alguna, excepto gorras, caperuzas, o bonetes de seda» *(op. cit.,* art. «caperuza»).

[90] *Isidro*, fol. 29 v.º a fol. 30 v.º

Muchos de estos rasgos podrían componer el traje del héroe de *Peribáñez y el comendador de Ocaña* en el día de la boda (primer cuadro). Fuera de esta escena, evidentemente, hay que imaginar al villano de Ocaña con su capa pardilla —recuerdo preciso, como ya sabemos, de un estribillo tradicional. En este caso, Lope siguió las indicaciones del folklore para el traje del personaje.

La tendencia a la sobriedad de indicaciones en lo que atañe al traje masculino en el escenario también es propia de Luis Vélez de Guevara, quien, sin embargo, como vimos antes, se complace en detalles del traje femenino. Verbigracia, en *La luna de la sierra,* Pascuala exalta la elegancia de Antón en su traje de fiesta, pero apenas lo hace con más detalles que Casilda cuando exalta la «capa pardilla» de Peribáñez:

> Me empeño en un serrano
> . . . .
> tan galán a mis ojos,
> que ninguno en la aldea
> (de muchos que hay) no trajo,
> los domingos y fiestas,
> gabán más aliñado,
> cabeza con más trenzas,
> zapatos con más lazos,
> polaina más bien hecha. [91]

En realidad, no convendría generalizar lo que no es sin duda más que una tendencia explicable por la sobriedad misma del traje masculino que solían llevar la gran mayoría de los aldeanos. Ya que —lo prueban los documentos notariales— también hubo trajes masculinos en las tablas. La aparición de seda, brocados y terciopelo en la aldea les permitió a los labradores ricos alardear por las calles de sus pueblos, ataviados con medias de color y gabanes de seda. En los grabados de cobre de Enea Vico hay algunos ejemplos de labradores adinerados con ricas galas. Así por ejemplo, este «labrador del Reino de Castilla en 1572» en el que observamos un gabán acuchillado, adornado con galones o bordados. [92] El atuendo de estos villanos ricos no tardó en pasar de la realidad aldeana al escenario, y el paso fue más fácil en la medida en que las escenas de las fiestas rústicas, como espectáculo, tendían a ser un adorno lujoso y colorido. En *La villana de Getafe* de Lope, tenemos así a un joven labrador, llamado Hernando, que se pasea por la calle de Getafe, llevando medias tejidas, zapatos cordobeses, jubón de holanda, cuello con vainilla, gregüescos y un sayo [93] de raja, [94] y por

---

[91] Luis Vélez de Guevara, *Flor de las doce mejores comedias,* Madrid, 1652 (*La luna de la Sierra,* acto I, fol. 3).

[92] Colección Gainières, núm. 26.

[93] Por encima de la camisa el aldeano común llevaba un sayo, un tipo de casaca muy ancha sin botones ni ojales, que hacia 1572, llegaba hasta la pantorrilla o la rodilla (Covarrubias, en *Tesoro,* art. «saco», tiene las siguientes palabras:

> «Saco es una vestidura vil de que usan los serranos y gente muy bárbara, *latine sagum,* del nombre griego σαχπος, *saccus,* que vale lo mesmo que sayal, por ser la tela de que se hace el saco... de aquí entiendo yo que se dixo sayo... En tierra de Zamora ay cierta gente que llaman sayagueses, y al territorio tierra de sayago, por vestirse desta tela basta...»

Más tarde, el *Diccionario de la lengua castellana...* de 1726, había de definir al sayo del siguiente modo: «Sayo: casa hueca, larga y sin botones, que regularmente suele usar la gente del campo, u de las alfin un sombrero con cordón de seda. [95] La evocación, con palabras de la aldeana Pascuala, nos informa acerca del traje festivo del joven:

> Que es mozo, aunque labrador,
> que no le dará ventaja,
> el día que no trabaja,
> al cortesano mejor.
> Media de punto, zapato
> de cordobán, de telilla
> jubón, cuello con vainilla
> a quien no es el rostro ingrato;
> grigüesco y sayo de raja,
> sombrero y cordón de seda. [96]

Por la intriga, nos enteramos, es cierto, que éstos son villanos a pesar suyo, descendientes de nobles arruinados que no aspiran sino a recobrar las antiguas costumbres. Con su caso llegamos al de los nobles que se disfrazan de villanos, y con su nueva librea —tan rica como la anterior—, hacen efectos de «gala»; así ocurre con este Busto que sale «a lo villano», pero vestido de seda y muy galán, en *El rey Don Pedro en Madrid, y el infanzón de Illescas:*

... sale Busto, de labrador bizarro con gabán de seda, dice una acotación.

Aunque el traje aldeano masculino parece haber sido menos usado escénicamente que el traje femenino, resulta evidente que los dramaturgos de la comedia supieron sacar efectos pictóricos y plásticos de ambos, y que los utilizaron para dar colorido a sus cuadros. Cabe preguntarse si este colorido fue «avant la lettre», lo que llamaron los románticos el color local. Menéndez y Pelayo en sus *Estudios sobre el teatro de Lope de Vega* echa mano con frecuencia de esta expresión. En verdad, en materia de traje aldeano, el color local parece haberse conseguido únicamente en las piezas cuya acción se desarrolla en Castilla y especialmente en las comarcas madrileña o toledana, que conocen mejor los autores. «Sub specie theatri», todo ocurre, como si en efecto, el traje villano hubiese sido uniforme e idéntico en todo tiempo y lugar al de la zona central de la península. Los villanos de otras naciones europeas, hasta los de la antigüedad griega, latina o bíblica, llevan en la comedia el traje de las regiones de Madrid y Toledo. En *El pretendiente al revés* (Tirso), unas villanas bretonas se visten a la castellana. En *El vellocino de oro* (Lope), la hermosa Elena mitológica aparece ante

---

deas. Lat. Tunica, saccus.» Este tipo de túnica podía ceñirse a la cintura con un cinto y adornarse en el escote con un cuello encañonado, formado por pedazos triangulares, colocados en círculo; cuando el sayo llevaba ese tipo de cuello, considerado como índice de elegancia por los campesinos, se le decía entonces «sayo gironado» y a veces, entre los labradores más afortunados, siendo el sayo de terciopelo, el cuello era de brocado o lienzo blanco. (Cf. Covarrubias, *op. cit.*, p. 642 a: «Girones: Tómase comúnmente por ciertos pedaços triangulados que ingerían en el ruedo de los sayos, para que hiziesen más ruedo, y en los que eran de terciopelo echavan estos girones de brocados o telas y se llamavan sayos agironados».)

[94] Covarrubias define la «raja», in *Tesoro,* p. 894 b: «Cierto género de carisea o paño prensado. Díxose assí, *quasi* «rasa», porque no le queda pelo como a los demás paños.» Los autores franceses del siglo XVII usan la palabra «ras» (cf. Littré, *Dictionnaire de la langue française)* para designar esta tela cruzada y lisa, cuyo pelo no aparece.

[95] Cf. Acad. N., X, p. 372 a. Reza una acotación escénica: «Sale Hernando, labrador con espada debajo el brazo, capa y sombrero.»

[96] Cf. Acad. N., X, p. 370 b.

[97] Acad., IX, p. 477 a.

una platea aristocrática, en Aranjuez, el 16 de mayo de 1622; en una escena sale vestida y ataviada según la tradición de las serranas de Castilla la Nueva; leemos, en una acotación escénica:

> Sale Helenia en hábito de serrana con patenas, corales, sombrero de villana, sayuelo y manteo. [98]

Lope engalana con un rebociño a la manchega Leonor de *El galán de la Membrilla* y a la alcarreña Lorenza de *San Diego de Alcalá* cuya acción es casi contemporánea; pero lo mismo hace con Nise, de *Los prados de León*, que vive en los montes leoneses en el siglo IX. En *Los Tellos de Meneses*, acción también situada en un remoto pasado medieval astur-leonés, el viejo Tello le declara a su sobrina a propósito de una nueva criada:

> Pues bien la puedes comprar,
> a la usanza de esta tierra,
> arracadas y corales. [99]

Evidentemente, en esto, Lope no hace sino proyectar en el pasado y en el decorado asturiano, una nota villana de su época, y la expresión «a la usanza de esta tierra» es una fórmula de estilización. Queda claro que en ese momento existió un «modelo» bastante repetido de la villana castellana, y en especial de Castilla la Nueva, con sus atributos rituales, patenas, corales, sayuelos, palmilla de Cuenca, etc. No sólo se la encuentra en las tablas sino finalmente por doquier en la literatura, y especialmente en los romances, a partir de 1580-1590 aproximadamente. En la primera *Flor de varios romances nuevos y canciones, recopilados por Pedro de Moncayo*, publicada en Huesca en 1589, fol. 9, la composición: «La villana de las borlas / con la medalla de plata...» (pieza que Millé atribuye a Góngora) presenta como ejemplar a la villana fiel al terruño y al traje regional; su figura es presentada por oposición a la de la aventurera que, por amor, sigue a los tercios, y vuelve de la guerra en harapos y desespañolizada» en su traje... El romance: «Contenta estava Menguilla / porque Sebastián del valle...», fol. 411 rº, del *Ramillete de Flores, sexta parte de Flor de romances, recopilados por Pedro de Flores*, Lisboa, 1593, dibuja el retrato de una villana ataviada convencionalmente con patena de plata (ésta representa a una Magdalena), sarta de corales, cofia de pinos, etc. La saya verde, la patena, la cofia, los corales, también salen en el

---

[98] Acad., VI, p. 163 a.

[99] Acad., VII, p. 309 b.

[100] Al principio este figurín inspirado por el traje que se usaba en la región central de la península fue probablemente estilizado con sus atributos convencionales en las mascaradas rústicas de usanza en la ciudad.

[101] El texto de este romance fue recopilado en la *Flor...*, Barcelona, 1591.

El romance: «Toquen apriessa a rebato», en *Séptima parte de flor de varios romances nuevos, recopilados por Francisco Enríquez*, Madrid, 1595 (romance que viene a ser una revista satírica de los romances más conocidos y celebrados) dedica ocho versos a «la villana de las borlas».

[102] Esta composición —que también sale, sin nombre del autor, en *Sexta parte* (Toledo, 1594), fol. 182— es atribuida aquí a Pedro Liñán de Riaza. Está colocada, efectivamente, en la categoría de las «Burlas de Pedro Liñán de Riaza».

El hecho de que se trate de una burla parece indicar que, efectivamente, antes de 1593, el pintoresquismo rústico no se había desprendido aún de lo cómico propio de las mascaradas aldeanas a usanza de ciudades. Con todo, la estilización era nítida. Así es cómo debió prepararse una promoción estética del motivo, lograda probablemente unos diez años más tarde.

romancillo: «Bien aya la paz / mal aya la guerra.», fol. 1.100 v.º, de las *Flores del Parnaso, octava parte, recopilado por Luis de Medina* (Toledo, 1596). Corales, zarcillos y patenas, vuelven a figurar entre los regalos que le hace el novio a la novia en una canción —danza de *La Maya,* auto sacramental de Lope, en forma de estribillo:

> diole el novio a la desposada
> corales y zarcillos y patenas de plata.

El mismo estribillo es cantado con acompañamiento de caramillo en un romance espiritual de Valdivieso que relata las bodas rústicas de un hijo de mayoral con una serrana. [103] Vuelven a aparecer las patenas y la palmilla en el atavío de las aldeanas de las bodas de Camacho en el *Quijote,* [104] y los mismos atributos, completados con collares de corales, reaparecen en la descripción de las aldeanas encontradas por Periandro y sus compañeros en *Persiles y Sigismunda:*

> ... y vieron venir hasta donde ellos estaban escuadrones no armados de infantería sino montones de doncellas sobre el mismo sol hermosas, vestidas a lo villano, llenos de sartas y patenas los pechos en quien los corales y la plata tenían su lugar y asiento; campeó aquel día en ellas antes la palmilla de Cuenca que el damasco de Milán, y el raso de Florencia... [105]

Por consiguiente parece que existió literariamente, algo así como una reducción de la «aldeana» o del «aldeano», tomados ambos como tipos uniformes y casi invariables. Quizás es lo que explica en el teatro las acotaciones vagas e imprecisas del estilo de «de labrador», «de labradora». Por otra parte, cuando aparecen precisiones regionalistas en las indicaciones escénicas, o en el texto, casi siempre remiten a este modelo inspirado en el modelo castellano. En *El capellán de la Virgen* cuatro bailarinas vienen a bailar en el escenario una danza de la Sagra. Lope nos indica con esmero en una acotación cómo ha de ser el vestido de las aldeanas:

Salgan cuatro labradoras con sayuelos y patenas, y sombreros de borlas. [106]

Así mismo en *Peribáñez y el comendador de Ocaña,* como hemos visto, Lope indica que Casilda, Costanza e Inés, delante de la catedral de Toledo, el 15 de agosto, van vestidas «a uso de la Sagra». [107] Es comprensible este predominio de la estilización vestimentaria inspirada por el tipo castellano en el teatro de la escuela lopesca: Madrid y Toledo constituían los dos focos principales de este grupo dramático; los trajes aldeanos que introdujeron los dramaturgos en sus comedias fueron los que ya habían estilizado las fiestas rústicas a partir de la observación de la realidad regional; [108] por otra parte, viajando de una ciudad a otra o por sus alrededores, poetas y representantes podían observar a villanos y villanas. Lope que había vivido en Ocaña y había re-

[103] Cf. Valdivieso, *op. cit.,* p. 215.
[104] Cf. segunda parte, cap. xxi.
[105] Cf. lib. III, cap. viii.
[106] Acad., IV, p. 495.
[107] Ed. Aubrun y Montesinos, p. 52.
[108] Remitimos al texto de Sebastián de Horozco que describe la boda aldeana presentada en Toledo en 1555 *(vide supra,* p. 37). El cronista subraya el carácter a la par realista y regionalista del espectáculo:

> «... una máscara muy graciosa y muy mirada y aun muy loada en toda la cibdad, y por yr tan al natural como yba, y era una boda a fuer de la Moraña de Avila...».

corrido, por todos los rumbos, los itinerarios de Madrid a Toledo, bien sabía cómo solían vestirse las aldeanas de la Sagra.[109] También es posible que merced a algunos viajes por Castilla la Vieja, el Fénix haya conservado una imagen definida de las villanas burgalesas, cuyo traje, según las estampas, no parece haber acusado muchas diferencias con el de las villanas toledanas. Su teatro refleja este parecido. Una señora de Burgos acude de aldeana a un pueblito de la comarca burgalesa un día de fiesta, al principio de *La corona merecida* (1603) que también pone en escena a una gran señora de Burgos disfrazada de aldeana, con motivo de una fiesta, en un relato de precisiones acerca del atuendo de la burgalesa visto por Lope; la propia señora describe en estos términos su galas:

> Traté con esa criada,
> bien entendida y secreta,
> ir a las fiestas vestida
> de villana burgalesa.
> Tomé basquiña de paño,
> tomé sayuelo de seda,
> delantal bien guarnecido,
> cadena y sarta de perlas,
> listón con cabos de plata,
> sombrero con borlas negras,
> rebozo de argentería...[111]

En la realidad, el traje popular variaba o en una prenda o en un color, de una provincia a otra, y hasta de una aldea a otra.[112] Pero la comedia no da testimonio de esta

---

[109] Se sabe que el manuscrito autógrafo de *El Cordobés valeroso Pedro Carbonero*, tiene al final la mención: «En Ocaña, a 26 de agosto de 1603. M. Lope de Vega Carpio.» Acerca de los contactos entre compañías teatrales y aldeanos de las comarcas de Madrid y Toledo, puede consultarse nuestro estudio, *Sur les représentations théatrales dans les pueblos des provinces de Madrid et de Tolède* (1589-1640), en *B. Hi.*, LXII, pp. 398-426.

[110] Cf. Ed. Teatro antiguo español, Madrid, 1923, V, p. 16: «(En) tren doña Sol, hermana del Conde Don Nuño (ves)tida de labradora, con sayuelo y sombrero con borlas...»

[111] Acad. N., IV, p. 60 b. Esta descripción precisa parece apoyarse en un recuerdo del viaje que hizo Lope acompañando a la corte, en septiembre de 1613, por Segovia, Lerma, Ventosilla. Como en el caso de *La serrana de la Vera* de Luis Vélez de Guevara, conocemos el nombre de la hermosa actriz que lució esos atuendos aldeanos, lujosos y atractivos (¡hasta hay seda!...): se trata de Jerónima de Burgos, la «burgalesa». Tales indicaciones hacen pensar que la coquetería de las estrellas femeninas pudo contribuir algo a hacer más lujosas las ropas aldeanas presentadas en las tablas.

[112] Los dibujos a pluma de Cristóbal Weiditz (1529) permiten percibir una diferencia bastante grande ya entre los trajes de las regiones cantábricas o del País Vasco y los castellanos. Los grabados de Enea Vico (1572), confirman esta diferencia y permiten obtener una visión bastante matizada del traje que se llevaba en ese momento en las aldeas de Aragón, Navarra, Vascongadas, Asturias, León, y ambas Castillas. Si bien se destacan algunos rasgos comunes en el detalle, es grande la diversidad registrada (especialmente en lo que atañe al tocado femenino). Merced a esos documentos, y a otros, puede comprenderse que el traje aldeano variaba desde la más basta sencillez hasta la ostentación de lujo y colorido; allí se reflejaba la jerarquía de las clases campesinas. Gran distancia mediaba entre el traje del pastor serrano y aquel del villano rico, de los pueblos trigueros o viñateros de las tierras llanas, hombre principal en su rincón, cuya elegancia vestimentaria se medía con la de los «burgueses». B. Joly dice de los aldeanos que vio en 1603 en Peña, pueblo de Aragón:

> «... couchâmes à la villette de Peña, ne méritant le nom de bourgs ni villages, n'y ayant rien de rustre, les gens estans vestus en bourgeois, et comme ils ne mettent leurs grains en grange, les

diversidad. Fuera de las que atañen a ambas Castillas, escasas son las indicaciones escénicas del traje que realmente puéden calificarse de regionalistas. [113] Esta escasez pone
de relieve el error que se cometería si se quisiera considerar el vestuario teatral como
un documento etnográfico fidedigno; nos invita a no caer en la tentación de interpretar al pie de la letra las fórmulas de estilización del tipo de «a la usanza de esta tierra».

* * *

Al término de este estudio de los trajes aldeanos de la comedia de la época lopesca
se observa cómo, y dentro de qué límites, el traje popular fue un elemento teatral pintoresco, colorido y hasta lujoso. Al examinar al villano ejemplar en capítulos anteriores, hemos subrayado la función ética de este traje. Hemos visto entonces que constituyó, por oposición al traje aristocrático, una cifra y un símbolo de pureza moral.
Descubrimos ahora su función estética en el espectáculo. Pudo surgir a veces una contradicción entre la función ética y la función estética, contradicción que no deja de
aflorar en algunas obras. Sin embargo, por lo general, la función de ambos significados del traje aldeano fue lograda por los dramaturgos en magníficos cuadros idílicos.
Uno de los más hermosos es tal vez el que nos propone Tirso de Molina al final de
La mejor espigadera: Rut, la espigadera bíblica, sale cogida de la mano de Booz, que
la toma por esposa; toda la compañía teatral, sale vestida a lo aldeano, rodeando a
los recién casados en forma aparatosa; [114] según afirma un personaje secundario, Asael,
las galas rústicas, por su propia sencillez, le dan todo su relieve, todo su esplendor a
la belleza de Rut:

> Vestida de labradora,
> porque luzca su belleza,
> como el sol entre las nubes,
> flores vierte y rosas siembra. [115]

«¡Como el sol entre las nubes!» Esta imagen, volvemos a encontrarla en otras comedias para subrayar que el traje aldeano, incluso cuando es sobrio, resalta la belleza
de la heroína (en realidad, la belleza de tal o cual actriz). En *Ya anda la de Mazagatos*,
por ejemplo, oímos a Elvira, una aldeana, declararle de manera parecida a doña Elvira (señora que ha huido del palacio y ha adoptado el disfraz rústico):

> En ese traxe me alegras.
> ¡Qué linda y gallarda moza!
> También el sol se reboza
> en nubes pardas y negras,

---

battans chaudement sur le champ en peu de jours, tout l'embarras du mesnage est detrapé» (B.
Joly, *op. cit.*, p. 520).

[113] Tirso, por lo que parece, introdujo algo de precisión regionalista en sus trajes cuando la acción los
lleva hasta las regiones del noroeste de la península (Galicia o Asturias). Citemos esta acotación escénica
de *Habladme en entrando* (N.B.A.E., IX (II), p. 496 a): «Sale Toribia con capa aguadera, a lo asturiano,
y con aguijada, y Lucía, su criada de la misma suerte, haya ruido de carretas y cantará Lucía al son del
ruido de la carreta.»
[114] N.B.A.E., IX (I), ed. Cotarelo, p. 342: «Sale toda la compañía de labradores y de las manos Booz y Rut.»
[115] *Ibíd.*, p. 342 a.

> y cuando la sombra oscura
> nos ympide la luz nuestra,
> el sol disfrazado muestra
> bislumbres de ermosura.
> Nube es, y sonbra billana,
> el trage de labradora,
> y en él descubres, señora,
> grazia y beldad cortesana. [116]

El topos poético del sol entre las nubes simboliza, con esplendor, la función aristocrática del vestido popular en el escenario. De hecho el traje «aldeano» evolucionó en el escenario —con todo el vestuario teatral— después de 1610 aproximadamente en el sentido de una riqueza y una suntuosidad decorativas en armonía con el ambiente lujoso de las fiestas aristocráticas y urbanas. Hacia 1620-1622 este proceso estaba terminado y el padre de la comedia nueva, comedia que hacía concesiones a las exigencias de un público cada vez más enamorado del brillo de los adornos y de la escenificación, no dejaba de lamentar esta transformación. A propósito de *La niñez de San Isidro* y de *La juventud de San Isidro* las dos piezas rústicas compuestas para las fiestas madrileñas de 1622, escribía, en efecto, en su *Relación de las fiestas del glorioso San Isidro:*

> La riqueza de los vestidos fue la mayor que hasta aquel día se vio en teatro, porque aora representan las galas como en otro tiempo las personas, supliendo con el adorno la falta de las acciones... [118]

Frase semejante nos remite al fenómeno cultural (aristocrático y urbano) que expresan en lo más hondo los temas del villano lírico y pintoresco.

---

[116] Ed. S. G. Morley, versos 630-641. Asimismo en la escena de *Peribáñez y el Comendador de Ocaña*, en la cual el Comendador visita el taller del pintor que ha pintado el retrato de Casilda.

[117] Ya en *El viaje entretenido* (1603), de Agustín de Rojas, el actor Nicolás de los Ríos subraya la importancia del adorno del vestuario en las representaciones de la comedia nueva: «... empezaron a hacerlas costosas (las comedias) de trajes y galas...».

[118] En otro pasaje de este texto, declara Lope: «... Quiso la villa que fuessen mías, representáronlas con rico adorno Vallejo y Avendaño...»

CAPITULO III

LOS INSTRUMENTOS DE MUSICA, LOS GRITOS, LOS CANTOS, LAS DANZAS Y LOS BAILES

Los instrumentos de la «música de aldea» en la realidad y en el escenario. Los relinchos. La danza de espadas en la aldea, en las calles de las ciudades y en el teatro. Las «folías». Las sortijas rurales y las danzas de caballitos. El gusto ciudadano por bailes y danzas aldeanas hacia 1600. El zéjel y el villancico en el escenario. El romance en la vida aldeana y su papel en la comedia de ambiente rústico.

Si queremos abarcar en toda su extensión el fenómeno de utilización aristocrático de la materia popular que descubrimos en las escenas rústicas de la comedia, también hemos de intentar definir el aspecto musical y coreográfico de los cuadros aldeanos. Así como no podríamos imaginar las escenas de la comedia sin las coloridas manchas del traje, debemos pensar igualmente en los contrasentidos en que podemos incurrir con respecto a un teatro del que sólo nos llega el texto, cuando música y baile tenían en él tanta importancia. Piezas líricas alternadas con música y danza, en eso consisten a menudo las piezas rústicas. Los instrumentos musicales que se usaban en estas piezas ¿eran acaso auténticos instrumentos aldeanos? Cantos, bailes y danzas ¿eran los mismos que se practicaban por los años 1600 en las aldeas? Cabe plantearse estas preguntas si se considera que los públicos para quienes los dramaturgos componían tales espectáculos, eran en primer lugar urbanos y aristocráticos. En este capítulo intentaremos esbozar una respuesta general a estos problemas, reservando para más adelante la ocasión de tratarlos con detalle.

* * *

Las acotaciones escénicas de la comedia nos proponen con parsimonia datos precisos acerca de los instrumentos utilizados por los músicos en las numerosas escenas en donde, vestidos de aldeanos (con frecuencia, de segadores), forman una orquesta de acompañamiento en los festejos aldeanos. La mayoría de las veces nos encontramos en presencia de fórmulas del tipo de «Toquen los músicos», «Cantan los músicos», «Tocan, cantan y bailan», «Salgan músicos cantando» o más escuetamente: «Músicos». En *San Isidro labrador de Madrid*, por ejemplo, leemos:

Salen pastores con su cruz de espigas e instrumentos y cantan así.

Tal imprecisión deja presentir que la orquestación de las escenas rústicas se daba por sentada. En efecto, otras acotaciones, más escasas, bien demuestran que los instrumentos usados por los personajes rústicos debían corresponder a la categoría social puesta en escena. En *La piedad executada* de Lope, una indicación dice: «Sale Lucinda con un instrumento de villana» (Acad. N., VIII, p. 485). ¿Qué habrá de entenderse con ello sino que existía un acompañamiento típicamente aldeano? ¿De qué se trataba?

Una primera observación salta a la vista: los instrumentos de la comedia de ambiente rústico no parecen ser exactamente los mismos que los de la novela pastoril. Esta hace resonar, imaginariamente, por los prados y las selvas de sus Arcadias, dos instrumentos realmente rituales: el rabel y la zampoña, y rara vez menciona otros.[1] El rabel es el rudimentario antepasado del violín; caracterizado por sus tres cuerdas de fabricación local y un agrio chirrido, este instrumento todavía existe en Marruecos (el rabeb) y en España se lo veía hasta hace poco en algunos pueblos con una tradición viva (en Lagartera, por ejemplo); hacia 1600, era de uso corriente en los campos peninsulares y tenemos algunas indicaciones al respecto. Según un romance al Santísimo sacramento de Valdivieso, el rabel podía acompañar el baile del villano y de dar crédito al héroe de *Con su pan se lo coma,* el espectáculo del pastor esgrimiendo el arco era uno de los entretenimientos de la aldea; sin embargo, a pesar de tales alusiones, no encontramos en ningún sitio prueba cabal de que este instrumento haya sido utilizado en el escenario para acompañar musicalmente una escena aldeana.[3] La zampoña de la novela pastoril era un instrumento de viento del tipo del oboe;[4] se la encuentra entre los pastores de Montemayor, de Gil Polo, de Cervantes y de Lope; pero

---

[1] Unicamente *La Galatea* de Cervantes, más impregnada de realismo rústico (bajo la forma de detalles concretos ingeniosamente esparcidos por las obras), parece hacerse el eco de un mayor número de instrumentos rústicos o seudo-rústicos, como son: rabel y zampoña *(passim);* arpa (ed. Aguilar, p. 645); laúd (p. 655); caramillos (p. 657); tamborino y flauta (p. 666); gaita (p. 666); antiguo salterio (p. 666); albogues (p. 666); castañetas (p. 666); lira (p. 671); bocina (p. 735).

[2] Cf. Oudin, César, *trésor...:* «Rabel: rebec, violon.» En los numerosos documentos sobre las danzas del Corpus publicadas por N. D. Shergold y J. E. Varey, en *Los autos sacramentales en Madrid en la época de Calderón,* Madrid, 1961, no se encuentra más que un ejemplo de uso del rabel (n.º 114, año 11650).

[3] Cf. Acad. N., IV, p. 310:

«Más precio...
ver...
. . . .
y a su pastor aserrando
les tres cuerdas de un rabel.»

[4] Lope proporciona algunos datos sobre la zampoña de la novela pastoril en varios pasajes de *La Arcadia.* Citemos, en B.A.E., XLV, p. 55:

«... Cantó desta manera, ayudado a veces de une zampoña de silvestres cañas...»; p. 135: «... colgando la rústica zampoña destos enebros...» «Suspended el desentonado canto rústica zampoña, que con el amor de Anfriso habéis excedido de vuestra natural rudeza. El perdone, y vos quedad colgada...» «... y donde si el aire os toca...».

En lo que atañe a los problemas planteados por la zampoña (etimología e instrumento designados con este nombre), puede consultarse: G. Cirot, «Zanfoña» et «zampoña», en *B. Hi,* 1941, XLIII, pp. 152-161; Adolfo Salazar, *Música, instrumentos y danzas en las obras de Cervantes,* N.R.H.F., 1948, II, hoja suelta entre pp. 160-161; Robert Ricard, *Symphonia, zampoña, zanfoña. Une lettre de M. le chanoine Labourt* (nota complementaria de C. V. Aubrun), en *B. Hi.,* 1949, LI, pp. 160-163.

ninguna indicación nos permite suponer que fuera utilizada teatralmente para las escenas de fiesta aldeana.

¿Cuáles fueron pues los instrumentos de los que echaba mano una compañía cuando un dramaturgo hablaba, en una acotación suya, de música de aldea? Entre los instrumentos de viento de uso en el campo, hay que citar chirimías, sacabuches, flautas, gaitas y salterios.[5] En las *Relaciones topográficas,* un pasaje de la relación de Carrascosa del Campo (provincia de Cuenca) evoca la procesión que iba cada año a la ermita de Santa Ana para la romería; son mencionados los instrumentos que acompañaban la procesión, eran chirimías, sacabuches y flautas:

> ... sale de la iglesia de ella [Carrascosa del Campo] una muy solene procesión, donde va con número de clerecía, y cruces, y pendones y música, toda la que se puede juntar, y alguna vez cheremía, y sacabuches, y flautas: van muchas danças...[6]

Barthélémy Joly escuchó instrumentos del mismo tipo, acompañados con una pandero, durante su viaje de 1604, por los pueblos de Poblet. De una de sus frases entresacamos las siguientes palabras:

> ... nous accompagnant au chemin où les personnes des bourgs étaient assemblées avec tambours de basque, hautbois et sacquebuttes de jubilation...[7]

Posiblemente sea la chirimía la que designa aquí el viajero con el nombre de «hautbois» (oboe) ya que era efectivamente un tipo de oboe. No se trataba de un instrumento específicamente villano,[8] pero se lo encontraba en las aldeas; toscamente labrada, constaba por lo general de seis agujeros arriba y dos abajo, y medía aproximadamente un metro de largo.[9] Parece que los oboes del tipo de la chirimía, junto con las trompetas, con acompañamiento de pandero o tamboril, fueron característicos de las or-

---

[5] Bien parece que los instrumentos de viento hayan sido considerados como más vulgares que los instrumentos de cuerda. A este respecto encontramos bajo la pluma de Covarrubias, en *Tesoro...* en el artículo «flauta», p. 600, a, 42, palabras harto reveladoras:

> «La música de flauta no es exercicio ni entretenimiento de hombre noble, por quanto priva de poder hablar teniendo ocupada la boca con el instrumento, y lo mismo se entiende de los instrumentos de boca, como chirimía, sacabuche, baxón, dulçaina, etc.»

[6] Cf. Relación de Carrascosa del Campo, rúbrica número 40.

[7] *Op. cit.,* p. 499.

Las chirimías son instrumento ritual de todas las fiestas de gran pompa. Covarrubias, *Tesoro,* p. 436 b, dio la siguiente definición:

> «Instrumento de boca, a modo de trompeta derecha sin buelta, de ciertas maderas fuertes, pero que se labran sin que tengan repelos porque en los agujeros que tienen se ocupan casi todos los dedos de ambas las manos...»

Oudin la asimiló al oboe y también lo hace Sobrino, *Dictionnaire nouveau des langues françaises et espagnole,* Bruxelles, 1705, añadiendo, sin embargo, una precisión:

> «Chirimía; chelemine; instrument à vent qui ne diffère du hautbois qu'en ce qu'il a le pavillon plus large et plus ouvert.»

[9] Puede observarse un ejemplar de chirimía aldeana (provincia de Toledo) en el Museo del Pueblo Español (Madrid).

questas pueblerinas del siglo XVI ya que, en la *Orchésographie* de Thoinot-Arbeau (1588), leemos a propósito del apareamiento de trompetas y oboes:

> ... Ceste couple est bonne pour faire résonner un gran bruit tel qu'il fault es festes de villages e grandes assemblées, mais si elle était joincte avec la flutte elle offusquerait le son de ladite flutte: bien la peult-on joindre avec le tabourin ou le gran tambour...[10]

Tenemos múltiples ejemplos del uso teatral de las chirimías y otros instrumentos del tipo de la trompeta o del sacabuche.[11] La chirimía era entonces el instrumento ritual de las fiestas del Corpus y de allí había pasado, muy naturalmente, al final glorioso de ciertos autos sacramentales; tampoco deja de estar ausente de algunas comedias de ambiente rústico, en especial los cuadros de romería. Así se oyen tañer chirimías en varias oportunidades durante una procesión de romería alcarreña en *San Diego de Alcalá* de Lope.[12] En una procesión de la romería de la Virgen de la Cabeza, cerca de Andújar, en *La tragedia del Rey Don Sebastián,* tu tañido se suma al de las campanas.[13] También se encuentra este instrumento para introducir una fiesta de bautizo en *La niñez de San Isidro:*

> Chirimías, y el bautismo con grande acompañamiento.

Reza una acotación escénica.[14]

Un instrumento de viento usado frecuentemente en la aldea fue la gaita. Pero ¿en qué consistía esta gaita? Ya se sabe que hay que distinguir por lo menos tres tipos de gaita: la gaita gallega, la gaita zamorana y la gaita a secas.[15] La primera es una gaita

---

[10] Cf. copia ms. 1021, p. 47, B. N. Madrid.

[11] La palabra española «sacabuche», así como la francesa «sacquebute» (o «saquebute»), designa un instrumento de viento, de cobre, con boca y jareta, usado en la Edad Media. Covarrubias, in *Tesoro,* art. «Sacabuche», p. 918 b, lo define así:

> «Instrumento de metal que se alarga y recoge en sí mesmo; táñese con los demás instrumentos de chirimías, cornetas y flautas. Díxose así, porque qualquiera que no estuviese advertido le parecería quando se alarga sacarle del buche.»

El uso aldeano del sacabuche parece confirmarse con el pasaje de *La vida del Buscón,* lib. I, cap. ix, dedicado al sacristán de Majadahonda, en las cercanías de Madrid:

> «... habiendo más de catorce años que hago yo en Majalahonda (donde he sido sacristán), las chanzonetas al Corpus y al nacimiento, no me premiaron en el cartel unos cantarcicos... y comenzó desta manera»:
>
> «Pastores ¿no es lindo chiste
> que es hoy el señor San Corpus Christe?
>
> . . . .
>
> Suene el lindo sacabuche
>
>   ...»]

El sacabuche podía aparearse con la chirimía. Cf. Covarrubias, *Tesoro,* art. «chirimía», p. 436 b: «... acomodánse con el sacabuche que tañe los contrabaxos».

[12] Cf. Acad., V, p. 39 a.

[13] Cf. Acad., XII, p. 548 a.

[14] Cf. Acad., IV, p. 517 b.

[15] Aquí no tenemos en cuenta más que los grandes prototipos de «gaitas». De cada uno se derivan variantes: la «gaita asturiana», por ejemplo, semejante a la «gallega», pero que se diferencia de ésta por el

de sonido gangoso del tipo del «biniou» bretón o de la cornamusa escocesa, y consta de un pequeño odre en donde se acumula el aire para alimentar los bordones; parece que antaño su área de expansión rebasó en mucho los límites de la Galicia actual. [16] La segunda no tiene nada que la vincule de modo particular con la ciudad de Zamora, como podría sugerirlo el seudo-adjetivo zamorana, que no viene a ser sino la transcripción de la palabra árabe «zamr» (en Marruecos: «zamra», «zamora») (oboe). [17] Se trata de un instrumento sin odre, de doble tubo, que aún subsiste en algunos pueblos de la región burgalesa. La gaita a secas es del mismo tipo que la precedente y como ella, parece ser de origen árabe. En todo caso lo es su nombre. [18] Por lo general es un tipo de oboe agudo, de unos 40 centímetros de largo. En algunas aldeas serranas de la provincia de Madrid (Lozoyuela, Bustarviejo, La Cabrera), todavía se puede ver este instrumento compuesto de tres partes: un tubo de madera de 15 a 20 centímetros y dos trompas de cuerno de toro ajustadas la una a la otra; esta gaita tal como subsiste aún en nuestros días al norte de Madrid consta de cuatro o cinco agujeros y en la embocadura, una lengüeta móvil llamada «mansiega». [19] En otras regiones (por ejemplo, Salamanca y Ledesma) la gaita es una verdadera flauta y entonces pueden usarse indis-

---

número de tubos. La «gaita de sapo» deriva de la «gaita zamorana» (de lengüeta móvil). También se conoce la «gaita de rueda», que nada tiene que ver con los tipos anteriores y resulta una variante de la gaita provenzal con una rueda que viene a rozar cuerdas y teclas; la pone en acción una manivela, con la mano derecha.

[16] Covarrubias, in *Tesoro*, art. «gayta», describe esta gaita de pellejo sin decir expresamente que es gallega:

> «Instrumento conocido del odre y la flauta de puntos con sus bordones, uno de los que se tañen con aire..., y lo es [alegre, gaya] en su armonía y también por la cubierta del odre, que de ordinario es de quadrillas y escaques de diversos colores...»

Como lo observa Adolfo Salazar, *op. cit.*, lámina entre pp. 160 y 161, nota 1, este tipo de gaita parece haber sido corriente en el siglo XIV: «La gaita de pellejo (tibia utricularis), en tiempos trovadorescos, era el instrumento que tocaba el «gaite de la tor», el guardián de la más alta torre, según puede verse en la miniatura de la *Crónica trojana* (1350), reproducida por Menéndez Pidal, *Poesía juglaresca y juglares*, Madrid, 1924, p. 70. En el caso de este instrumento, la palabra gaita posiblemente está relacionada etimológicamente con «guet» en francés y en inglés «gaite, guette, wayte».

En los espectáculos, la gaita gallega no debe de haber salido fuera de las escenas rústicas percibidas como típicamente gallegas. Hay referencias a esta gaita de pellejo en algunos documentos publicados por N. D. Shergold y J. E. Varey, en *Los autos sacramentales en Madrid...*, en especial con motivo de una danza de «chanza de una voda de gallegos», en 1656 (p. 123).

[17] A este respecto recordemos la nota de F. Rodríguez Marín, en *El ingenioso hidalgo Don Quijote de la Mancha*, ed. cit., V, p. 113, 5:

> «Paul Ravaisse, en su estudio sobre *Les mots arabes et hispano-morisques du "Don Quichotte"*, después de observar que todos los traductores de la inmortal obra de Cervantes han visto en la voz "zamorana" un étnico de Zamora, ciudad del reino de León que los árabes llamaban "Sammoura", sostiene que tal instrumento se llamó así "non de *Zamora*, mais de la *Zámmara*, qui est, en arabe, une flute à deux 'neî' ou pipeau, 'a double rede pipe', comme dit Lane". Merece leerse despacio cuanto agrega acerca del dicho instrumento» *(Revue de linguitique et de philologie comparée*, 1910, XLIII, p. 119).

[18] Cf. Adolfo Salazar, *op. cit.*, quien cita del árabe de los siglos XII y XIV «ghaîda», y del árabe moderno «z'aita». Véase también a G. Cirot, *«Gaita» et «Rhatia»*, en *Mélanges Lopes-Cenival*, Lisbonne-Paris, 1945, pp. 41-52.

[19] Puede verse una gaita de pastor en el *Museo del Pueblo español*, de Madrid. Cf. pieza núm. 6734. Ese ejemplar tiene 41 cm de largo, seis agujeros arriba y dos de lado. Está adornado con dibujos que representan ovejas, peces, etc.

tintamente las palabras «gaita» o «flauta» para designar el mismo objeto.[20] La gaita se emparentaba con el instrumento llamado «dulzaina» en el norte de la península («donzaina» en el este) y a veces resulta difícil distinguir entre ambas. Todavía hoy existe la dulzaina en la provincia de Burgos y en Navarra[21] y parece que antaño este instrumento, cuyo nombre es de origen árabe (la palabra dulzaina deriva probablemente del árabe «dusai»), estuvo muy difundido en el Levante.[22]

Sea del tipo oboe, sea del tipo flauta, la gaita o la dulzaina tal como acabamos de definirla intervenía acoplada con el pandero como instrumento aldeano clásico. El mismo instrumentista podía, efectivamente, tocar la flauta y el pandero a la vez. Thoinot-Arbeau describió esta orquesta rudimentaria y sencilla en su *Orchésographie:*

> ... Le tabourin accompaigné de la flutte longue entre aultres instruments, estoit du temps de nos pères emploié pour ce qu'un seul joueur suffisait à mener les deux ensemble, et faisoient la symphonie et accordance entière sans qu'il fust besoing de faire plus grand despence et d'avoir plusieurs aultres joueurs comme violons et semblabes...[23]

La comedia se vale con frecuencia de la gaita para animar los cuadros de fiestas rústicas y desde este punto de vista permanece fiel a la realidad aldeana. Por ejemplo, suena una gaita, con acompañamiento de tamboril, con motivo de la boda campestre de *Belardo el furioso* de Lope. Dice la acotación:

> Salen a la boda de Amarilis ella y Bato, villano, su esposo. Nemoroso, padrino, y otros labradores, con tamboril y gaita.[24]

---

[20] Es el caso del pasaje del «tatarabuelo tāborilero y gaytero» del «Número segundo de l'abolengo festivo», de *La pícara Justina,* ed. 1605, Barcelona, p. 41:

> «... el qual, viéndole descuydado le dio una gran puñada en la hondonada de la flauta, y astestósela en el garguero. Devía de tener el pasapán estrecho, y atoró la gayta como si se la huvieran encolado con las vías del gargüelo.»

[21] Cf. *Museo del Pueblo español,* pieza núm. 5833, dulzaina de la región de Pamplona, largo 39 centímetros.

[22] El *Diccionario de la Real Academia* (ed. 1783), da la siguiente definición:

> «Instrumento músico a manera de trompetilla. usase en las fiestas principales para baylar: tócase con la boca, y es de tres quartas de largo poco mas o menos, y tiene diferentes taladros en que se ponen los dedos. Parécese en la figura a lo que hoy llamamos "flauta dulce".»

[23] *Op. cit.,* p. 47. Este tipo de orquesta (flauta y tamboril) fue muy difundido en los distintos países europeos por los juglares en los siglos XIII y XIV. Hacia 1600 se conservaba en el campo como lo es aún en Vascongadas (chistu y tamboril) o entre los indígenas del Paraguay o del Norte argentino (flauta y tambor). Un largo pasaje de *La Pícara Justina* está basado en el empleo simultáneo, por un mismo instrumentista, del «tamboril» y de la «flauta» o «gaita», el del «tamborilero y gaytero de Malpartida». Cf. «Número segundo del abolengo festivo», ed. 1605, Barcelona, p. 40:

> «Mi tatarabuelo materno, fue gaytero y tamborilero, vezino de un lugar de Estremadura q̃ llaman Malpartida...«, p. 41: «Yendo un día de Corpus como capitán de más de dozientos tamborileros, que se juntan en Plasencia a tamborilar la procession, tañendo su flauta y tamborino bien devoto...»

Del apareamiento de la gaita (o flauta) y del tamboril en las danzas del Corpus, hay ejemplos en varios textos publicados por N. D. Shergold y J. E. Varey, en *Los autos sacramentales en Madrid...*

[24] Acad., V, p. 687 a.

También oímos la gaita, junto con el tamboril y las sonajas, en una escena de romería de *Los lagos de San Vicente* de Tirso. Dice la rúbrica:

> Salen cuatro cuadrillas por entrambas puertas, cada una por sí, todos los de la compañía cantando con pandero, sonajas, tamboril y gaita, vestidos de villanos. [25]

Por el contrario hemos de comprobar que las acotaciones escénicas de las comedias que hemos estudiado no proporcionan un ejemplo formal del uso escénico de la dulzaina. Pero tal vez sólo se trate de una cuestión de términos, ya que la palabra dulzaina no era corriente en la región de Madrid y Toledo, en donde trabajaban por lo general los dramaturgos de la escuela lopesca. En *La niñez de San Isidro* de Lope, podemos destacar algunos versos que dejan entrever que Lope percibía la palabra dulzaina como no castellana. Antón que le gasta una broma a Bato con una flauta de varios agujeros, llena de harina, empieza diciendo:

> Te daré, Bato, una flauta
> que no la hay tal en la villa,
> que es la que llaman dulzaina
> en los reinos de Aragón. [26]

Otros instrumentos de viento, que solían usarse, en el campo, hacia 1600, tampoco aparecen en las rúbricas escénicas de las comedias: en especial el salterio y el albogue. Con el nombre de salterio se designa por lo general un derivado del antiguo «psalterion», instrumento de cuerda usado en las iglesias para acompañar el canto de los salmos; [27] pero el mismo nombre también podía designar el instrumento de viento del tipo de la flauta o de la corneta. En efecto, leemos en el Diccionario de Autoridades:

> Salterio: ... instrumento músico, de que se hace mucha mención en la sagrada Escritura, y se ignora totalmente la forma y hechura. En algunas partes dan este nombre à un especie de clavicordio de figura triangular, que tiene trece hileras de cuerdas, que se tocan con un alambre, o un palito encorvado, y en otras partes se llama así a una especie de flauta, o corneta, con que se suele acompañar el canto en las iglesias.

Probablemente era del tipo de la flauta o de la corneta el «salterio» usado en las fiestas aldeanas al par del tamboril. Basándose en una explicación que le da don Quijote a Sancho, algunos autores han descrito los albogues como un tipo de címbalos. Según parece, no conviene confundir estos albogues con el albogue (en singular), ins-

---

[25] N.B.A.E., IX, p. 53.

[26] Acad., IV, p. 516 a. En los textos publicados por N. D. Shergold y J. E. Varey, en *Los autos sacramentales en Madrid...,* no hay más que tres empleos de la palabra «dulzaina». Los dos primeros intervienen a propósito de una danza valenciana. El tercero permite entrever que «gaita» y «dulzaina» podían desempeñar funciones de acompañamiento muy similares: «... sino se allare dulçaina para esta danza puede llebar una gaita...» (años 1676, p. 311).

[27] La palabra salterio se encuentra con el sentido de salmo, recopilación de salmos. Cf. Hita, *Libro de Buen Amor,* 1307: «Muchos religiosos rreçando el salterio». Cf. Berceo, *Vida de San Millán,* 53: «Rezaba su salterio por uso cada día.» Puede verse un ejemplar de salterio de cuerdas aldeano en el *Museo del Pueblo español,* de Madrid, pieza núm. 12943. Fabricado en 1750, este salterio consta de una caja de resonancia en forma de prisma y una serie de cuerdas de metal que se tañían ya sea por medio de un martillito, ya sea con los dedos o una uña. El sonido de este tipo de salterio era claro y metálico.

trumento del tipo oboe como la chirimía, la dulzaina o aun la gaita zamorana:[28] los albogues (en plural) y el albogue (en singular) son mencionados a menudo en los textos antiguos *(Libro de Alexandre, Libro de Buen Amor)* o de fines del medioevo.[29] Si no se encuentra en ninguna acotación escénica de comedia hacia 1600, es porque, verosímilmente, el objeto cayó en desuso en el transcurso del siglo XVI en las zonas de lengua castellana.[30]

Los instrumentos de cuerda usados en el pueblo hacia 1600 fueron esencialmente el salterio, la vihuela y la guitarra. Del salterio con cuerdas ya vimos que se lo encontraba en las iglesias. Pero también hubo un salterio de dimensiones más reducidas, muy usado para acompañar la flauta en las procesiones, bailes y bodas. Covarrubias lo describe con precisión (art. «salterio», p. 922, b, 32):

> ... el instrumento que agora llamamos salterios es un instrumento que tendrá de ancho poco más de un palmo, de largo una vara, hueco por de dentro, y al alto de las costillas de quatro dedos; tiene muchas cuerdas, todas de alambre y concertadas de suerte que tocándolas todas juntas con un palillo guarnecido de grana haze un sonido apazible; y su igualdad sirve de bordón para la flauta que el músico de este instrumento tañe con la mano siniestra, y conforme al son que quiere hazer, sigue el compás con el palote. Usase en las aldeas, en las procesiones, en las bodas, en los bayles y danças.

Todo parece indicar que este tipo de salterio definido por Cervantes como «antiguo salterio» en *La Galatea* (ed. Aguilar, pp. 666-67), es al que aluden, de manera

---

[28] Cf. F. Rodríguez Marín, *El ingenioso hidalgo Don Quijote de la Mancha*, ed. cit., VIII, p. 160:

> «Albogues son —respondió don Quijote— unas chapas a modo de candeleros de azófar, que dando una con otra por lo vacío y hueco, hace un son que, si no muy agradable ni armónico, no descontenta y viene bien con la rusticidad de la gaita y del tamborín...»

Adolfo Salazar, in *Música, instrumentos y danzas en las obras de Cervantes*, N.R.F.H., 1948, I, p. 54, estima que la definición de Don Quijote tendría que ser avalada por otros testimonios. Este musicólogo no parece tener en cuenta la distinción que establece Rodríguez Marín *(op. cit.,* pp. 160-161, 7) entre los albogues (plural) y el albogue (singular). Lo cierto es que Ibn-Khaldun describió con precisión «el albogue» como un tipo de trompa (cf. Rodríguez Marín). Otra certeza la da una definición que leemos en el *Tesoro* de Covarrubias, y nos extraña que no haya sido señalada por ningún comentarista:

> «alboge: es cierta especie de flauta, *latine, calamus aulos,* αυλος, *tibia;* de la qual usaban en España los moros especialmente en sus çambras. Está el vocablo corrompido de albuque, que en su terminación arábiga se dize *bucum,* que vale tanto como trompetilla o instrumento de boca para sonar, Urrea. El padre Guadix dize que alboge es un género de gaita que usan los moros, y le llaman "buque", que vale gaitá; todo parece que viene a significar una cosa».

[29] Cf.   [29] Cf. Lucas Fernández, *Farsas y églogas,* ed. Real Academia, p. 87:

> «Ya no quiero churumbela
> los albogues, ni el rabel.»

[30] Parece probatorio el recurso de Covarrubias a otros autores para establecer su definición, como si él mismo no estuviese seguro del instrumento designado con este nombre. La pregunta de Sancho a Don Quijote nos orienta hacia el mismo significado: «¿Qué son Albogues? —preguntó Sancho— que ni los he oído nombrar ni los he visto en toda mi vida.» Subsiste el albogue en Vizcaya con el nombre de «alboka» (el instrumentista se llama «el albokari»). Hay un ejemplar de «alboka» en el *Museo del Pueblo español;* se trata de dos cañas, con ocho agujeros para la gama. El sonido es ampliado por un cuerno de vaca.

casi ritual, los textos de ambiente rústico que encontramos a fines del siglo XVI. [31] Pero, comprobémoslo, no hemos apuntado ninguna acotación escénica que designe al salterio como instrumento de acompañamiento en el escenario. Por el contrario se alude al uso teatral de la vihuela y de la guitarra. Pero, ¿qué debemos entender por estos términos? ¿De qué vihuela se trataba? También en este caso una misma palabra correspondió a varios instrumentos y hemos de ser prudentes. Grosso modo podían distinguirse tres tipos de vihuela: Primero, la «vihuela de rueda» que fue un tipo de instrumento popular semejante a la zanfoña que hasta hace poco tocaban los ciegos en Galicia y Asturias. Luego la «vihuela de arco» que fue una viola de arco. [32] Por fin la «vihuela de mano» cuyas cuerdas se tentaban, como el nombre lo indica, con los dedos. La última era muy parecida a la guitarra y a menudo se confundió con ésta a partir del siglo XVI; en realidad, la única diferencia que había entre ambos instrumentos radicaba en el número de cuerdas; la guitarra derivada de la «khitara» clásica, instrumento esencialmente popular para acompañamiento de canto, no contaba sino con cuatro mientras que la vihuela, instrumento más refinado, de salón, tenía seis. [33] Al correr del siglo XVI la vihuela de seis cuerdas de los salones fue dejada de lado paulatinamente en pro de un instrumento intermediario entre ésta y la guitarra popular: fue la guitarra de cinco cuerdas, pronto conocida en los ambientes aristocráticos de España, Francia e Italia, con el nombre de «guitarra española». El primer tratado sobre la práctica de este nuevo instrumento es el del catalán Juan Carlos Amat, en 1586. [34]

---

[31] En el romance *En el baile del ejido* (1609), de Góngora (cf. ed. Millé y Giménez, núm. 60), leemos:

> «Al son dijo del salterio
> que tañía Gil Perales.»

Así mismo en el cap. XIX, II parte del *Quijote*, espigamos esta frase: «Oyeron... sonidos de diversos instrumentos, como de flauta, tamborinos, salterios...» En *Peribáñez y el Comendador de Ocaña*, entre los instrumentos musicales que Casilda evoca para expresar las alegrías que le brinda su esposo, menciona el salterio al par del adufe (versos 101-102):

> «¿Cuál adufe bien templado,
> cuál salterio te ha igualado?»

En la misma pieza, Luján, el lacayo del Comendador, al evocar la tradición folklórica de la boda de los novios de Hornachuelos, también asocia tamboril y salterio (versos 2550-2554):

> «Vino el cura y desposado,
> la madrina y el padrino,
> y el tamboril también vino
> con un salterio extremado.»

El aparear estos instrumentos nos sugiere que en este caso se trata de un salterio del tipo flauta *(vide supra,* p. 520).

[32] ¿Existió acaso un uso aldeano de la vihuela de arco? Es arriesgado aducir el testimonio de una novela pastoril: no obstante, observemos que Lope en su *Arcadia* presenta a sus pastores con una vihuela de arco entre manos. Cf. B.A.E., XLV, p. 90 b: «acompañado del armonía de su vihuela de arco, cantó así».

[33] La viola de mano era en el siglo XVI un instrumento aristocrático. Tenía poco más o menos el cuerpo de una guitarra muy plana y el acorde del laúd: seis cuerdas dobles acordadas en «sol» (primera línea, clave de fa), «do», «fa», «la», «re», «sol». Las primeras piezas para uso exclusivo de los vihuelistas fueron escritas por Luis Milán y publicadas en 1536 en su *Libro de música de vihuela de mano intitulado el Maestro* (Bibl. del Conservatorio Nacional de París, Rés. 820). No obstante, como lo hizo observar atinadamente Adolfo Salazar, en *Música, instrumentos y danzas en las obras de Cervantes*, p. 33, el nombre no define al objeto y, al mencionar un texto la vihuela de mano, puede tratarse sencillamente de una guitarra popular.

[34] Juan Carlos Amat, *Guitarra española...,* Barcelona, 1586.

Así puede afirmarse que a partir de la segunda mitad del siglo aproximadamente, la «vihuela» tendió a desaparecer, mientras que dos tipos de guitarra empezaban a coexistir: la tradicional guitarra de cuatro cuerdas en el ambiente popular y la nueva guitarra de cinco cuerdas en los ambientes aristocráticos.[35] Es patente el triunfo de la guitarra después de 1600, y queda comprobado, a nuestro parecer, por la publicación de numerosos tratados y métodos: en tanto que en el siglo XVI los profesores escribían para la vihuela,[36] en la centuria siguiente ya no lo hacen más que para la guitarra.[37] La vihuela de seis cuerdas —instrumento aristocrático de los años 1500-1600—, cayó en desuso durante el reinado de Felipe III y ya no se la encontró sino entre gente del pueblo, que seguía la moda con atraso. En 1611, Covarrubias aludía a este desplazamiento cuando escribía:

> «Vigüela. El instrumento músico y vulgar de seis órdenes de cuerdas... Este instrumento ha sido hasta nuestros tiempos muy estimado, y ha avido excelentíssimos músicos; pero después que se inventaron las guitarras, son muy pocos los que se dan al estudio de la vigüela. Es una gran pérdida...»

Dicho esto cabe preguntarse cuáles fueron los respectivos usos de la vihuela y de la guitarra en las escenas rústicas del teatro. Encontramos escasas menciones de la vihuela. Por ejemplo, en *El villano en su rincón* (Lope), un instrumento de este tipo acompaña una canción-danza del tipo «romance-serranilla» cantada y bailada al pie de un olmo, en la plaza mayor de Miraflores. Lo deducimos de un pasaje del diálogo que precede la canción-danza:

Salvano.
. . . .
¿Traes tu vihuela ahí?
Tirso.
Aquí traigo mi vihuela.[38]

Existen posibilidades de que el instrumento evocado aquí sea efectivamente una vihuela de seis cuerdas del tipo antiguo. Su uso —en una representación por los años

---

[35] Acerca de esto, véase el artículo erudito de Adolfo Salazar, *La guitarra heredera de la «khitara» clásica*, N.R.F.H., Homenaje a Amado Alonso, enero-junio de 1953, I, pp. 118-126.

[36] Citemos:

> Luis Venegas de Menestrosa, *Libro de cifra nueva para tecla, arpa, y vihuela*, Alcalá, 1577; Esteban Daza, *Libro de música en cifras para vihuela intitulado El Parnaso*, Valladolid, 1576; Antonio de Cabezón, *Obras de música para tecla, arpa, y vihuela*, Madrid, 1578 (Biblioth. Escorial).

[37] Citemos:

> Luis de Briceno (Briceño), *Método muy facilíssimo para aprender a tañer la guitarra a lo Español*, París, 1627; Gaspar Sanz, *Libro primero de cifras sobre la guitarra española*, Zaragoza, 1674 (B. N. Madrid, R. 14513); Lucas Ruiz de Ribayaz, *Luz y norte musical para caminar por las cifras de guitarra y arpa*, Madrid, 1677 (B. N. Madrid, R. 9402); Nicolas Doizi de Velasco, *Nuevo modo de cifra para tañer la guitarra con variedad y perfección*, Nápoles, 1645 (B. N. Madrid, R. 4042).

[38] Acad., XV, p. 289 b.

1613-1614— tiene por misión acentuar, pensamos, la estilización arcaizante y «popular» que caracteriza la canción-danza de los villanos de Miraflores. Pero en otros casos (por ejemplo, en *El santo negro Rosambuco* de Lope, antes de 1604, Acad., IV, p. 381 b y p. 383 a) cuando el mismo instrumento es llamado indistintamente vihuela (p. 381 b) y guitarra (p. 383 a), la palabra vihuela tal vez no designe (como en la lengua gauchesca argentina) más que a una guitarra popular. En la mayoría de los pasajes musicales de la comedia donde figuran informes acerca de la orquestación, parece que las escenas aldeanas del teatro acataron el movimiento general en favor de la guitarra; un personaje aldeano de *Gravedad en Villaverde* (Montalbán) nos muestra esta evolución; al evocar el baile por la noche en la plaza de Villaverde, declara que bailan al son de la guitarra y lo considera como adelanto:

> Ven al bayle que se junta
> en la plaça aquesta tarde
> . . . .
> no es gente de tamboril,
> ya se bayla a la guitarra. [39]

De hecho, tenemos algunos ejemplos más de uso de la guitarra por parte de los villanos del teatro. Los segadores de *Peribáñez y el comendador de Ocaña* que, en una tibia noche de agosto, cantan un trébole antes de dormirse, se acompañan con este instrumento. Lo dice una acotación escénica: «Canten con las guitarras». [40] En *La tragedia del rey Don Sebastián,* guitarras y adufes dan el ritmo de la canción y la danza dedicados a la Virgen de la Cabeza por hombres y mujeres que van a la romería. En efecto podemos leer en la acotación:

> Salgan, con gran fiesta, a armar una tienda, mujeres y hombres con guitarras y adufes... [41]

Vuelve a encontrarse la guitarra como instrumento de una fiesta primaveral de *La Maya,* auto sacramental de Lope, y Juan Labrador, héroe de *El villano en su rincón* de Valdivieso, se complace en escucharla.

Los instrumentos de percusión, destinados a marcar los ritmos o a hacer ruido, son numerosos aún hoy, en las orquestas pueblerinas españolas. No lo eran menos en 1600 y el teatro los usó prácticamente todos en las escenas de festejos aldeanos. En primer lugar venían los distintos tipos de tamboriles cuya misión era la de acompañar la flauta, la gaita o la guitarra, al par que las voces de los cantores. El «pandero» [42] era lo que los franceses llamaban «tambor vasco». Característico de las regiones del Norte, Barthélémy Joly observó que lo usaban en las aldeas de la región de Poblet (Cataluña). Los panderos tenían forma ya sea redonda, ya sea cuadrada o apaisada (como lo

---

[39] Pérez de Montalbán, *Gravedad en Villaverde,* Ac. II, en *Comed. escog. de los mej. ing. de España* (1652-1704), IX, p. 440.

[40] Cf. ed. Aubrun y Montesinos, p. 82.

[41] Acad., XII, p. 542.

[42] C. Oudin, *Trésor...,* art. «pandero»: «Les basques ont le 'pandero''.» Según Covarrubias, *tesoro,* p. 162 b (art. «atambor»), el pandero constaba de dos caras y era instrumento femenino:

> «... y los [atambores] que tienen dos [haces] en plano que son de plazer y regozijo, que tañen las mujeres, se llaman panderos.»

son hoy los «tin-tunaks» estrechos y alargados de los vascos. Covarrubias señala en efecto, en el artículo «pandero» de su *Tesoro:*

... los panderos fueron primero redondos y después cuadrados.

Generalmente el pandero tenía en el interior, o en su alrededor, cascabeles, o discos de metal, algo cónicos, dispuestos por parejas, o sea «sonajas»[43]; en su *Orchésographie,* Thoinot-Arbeau nos dice cómo se tocaba el pandero con sonajas:

... Les Basques et Bearnois usent d'ung aultre tabourin qu'ils tiennent suspendu à la main gauche et le touchent avec les doigts de la main droite, le bois est seulement creux de demy pied, et les peaux d'un petit de diamètre, et est environné de sonnettes et petites pièces de cuyvre rendants un bruit agréable...[44]

El sonido del pandero sumado al de las sonajas, constituía un acompañamiento colorido, agudo y penetrante, para cantos y danzas. El «adufe»[45] o tamboril moro de remoto origen oriental, llevaba sonajas igualmente y servía de acompañamiento. Por fin el «tamboril», de ritmo saltarín y animado, «stridule et tremblotant», según la expresión de Thoinot-Arbeau en su *Orchésographie,* era batido con un palo; tal acompañamiento convenía en particular para las canciones y danzas de Castilla y del Norte.

Distintos tipos de tambores y «atabales»[46] también estaban presentes en las fiestas aldeanas. Barthélémy Joly nos habla de:

petits atabales de cuivre comme chaudrons, portez aux deux costés des arçons[47]

que viera en Valencia para la escena de la jura al Virrey. Estos atabales de forma semiesférica eran llevados por mulas y caballos,[48] y hacían mucho ruido.[49] Pero otros

---

[43] Covarrubias, *Tesoro...,* art. «sonajas»: «... un cerco de madera, que a trechos tiene unas rodajas de metal que se hieren unas con otras y hazen un gran ruydo, latine *crepitaculum*». Véase también el art. «atambor»: «... les ponían dentro de las caxas campanillas, como hazen a los panderos...»

[44] *Op. cit.,* p. 47.

[45] C. Oudin: «Adufe, tabourin ou espèce d'instrument à faire du bruit, comme portent les maures.»

[46] Sabido es que la palabra proviene del hispano-árabe *tabál.* El *Poema de Mio Cid* menciona el uso de atabales por los guerreros almohades. En lo que atañe al uso medieval del «atabal», véase a R. Menéndez Pidal, *Poesía juglaresca,* 70. Covarrubias, en *Tesoro,* p. 161, también dio como primer sentido de atabal el de tambor militar. Este atabal tenía dos caras. Poco diferente, en suma, del atambor, se apareaba con las trompetas mientras que el atambor acompañaba los pífanos: «con los atabales andan juntas las trompetas como con los atambores los pífanos».

[47] *Op. cit.,* p. 517.

[48] C. Oudin, *Trésor...,* art. «atabales», escribe: «les Allemands à cheval ont les atabales».

[49] Puede uno hacerse idea del ruido que hacían estos atabales de caballería leyendo a Gonzalo Correas, *Vocabulario,* 1924, p. 228 a:

«Haber traído atabales, es tener experiencia y estar curtido en mala ventura. Tomóse la metáfora de las mulas en que van los atabaleros tañendo los atabales en las entradas de juegos de cañas y grados de doctores y otros paseos. Las cuales, por viejas y usadas, no se espantan con estos ni otros ruidos...»

Según Covarrubias, en *Tesoro,* art. «atabal», el instrumento mencionado, a diferencia del atabal militar, no tenía más que una cara: «también significa los instrumentos de regozijo que se tocan a los juegos de cañas y fiestas. Estos no tiene más que una haz y llévanlos en bestias».

atabales eran verdaderos tambores o tamboriles. [50] Estos son, sobre todo, los que se oían en las fiestas populares. Covarrubias nos habla de los «atabalillos» que acompañan las flautas:

> ... Los atabalillos a cuyo son bailan en las aldeas con el sonido de la flauta...

dice en su *Tesoro*, art. «atambor», 162, a, 56. Otros textos mencionan a los atabalillos como acompañamiento (junto con los sonajas) de la guitarra.

Para terminar con los instrumentos de percusión, digamos que las castañuelas y las «castañetas» eran tan comunes en 1600 como lo son hoy y sus juegos (deslizados, trinos y redobles) son sobradamente conocidos como para que nos detengamos en ellos. Por fin mencionemos la presencia, en las fiestas populares, de sartas de cascabeles que los bailarines se ataban alrededor de las piernas; agitados al ritmo de la canción, estos cascabeles le daban un volumen sonoro pintoresco y colorido, muy apreciado a juzgar por la cantidad de protocolos notariales en los que se habla de estas «danzas de cascabel». Covarrubias en su *Tesoro...*, art. «cascabel», alude a este tipo de regocijo popular:

> Cascabel: la nuez o avellana de metal, hueca y agujereada, con cierto escrupulillo dentro, que la haze sonar regocijadamente... Los dançantes en las fiestas y regozijos se ponen sartales de cascabeles en los jarretes de las piernas, y los mueven al son del instrumento... [53]

---

[50] En la comarca santanderina, existían aún recientemente atabales de gran diámetro y altura reducida (10 cm a 30 cm). Se llevaban terciados. La misma forma tiene el tabal de sardinas, en el cual se colocan en rueda los pescados.

[51] Cf. B. de Las Casas, *Apol. Hist. de Indias*, ed. N.B.A.E., t. 13, p. 573, col. 2: «Solamente por decir: mochachas atabal suena ¿adónde cantan? o ¿adónde bailan? encarcelaban las amas...»

[52] Cf. Letrilla, fol. 190 r.º, en *Ramillete de flores, quinta parte de flor de romances recopilados por Pedro de Flores*, Lisboa, 1593:

> «Mañana domingo
> . . . .
> que ya dixo padre
> que fuesse mañana
> a bailar la fiesta
> con los que allá baylan.
> Tú el atabalillo
> lleva y las sonajas,
> yo mi guitarrilla
> llevaré templada.»

El atabalillo sólo contaba con un cara. Cf. Covarrubias, *Tesoro*, art. «atambor», p. 162 b: «... de manera que los demás que tienen un haz serán atabales o atabalillos...».

[53] *Op. cit.*, p. 513 a. En *La Pícara Justina*, ed. 1605, p. 40 («número segundo del abolengo festivo»), hallamos una alusión al uso de los cascabeles por danzantes rústicos:

> «Mi bisabuelo era mascarero, y aun más q̃ carero, que era caríssimo. Vivía en Plasencia, donde ganó en alquileres de máscaras, cascaveles y adereços de farsas muy buenos reales. En lo que solía echar mucho clavo, era en la cuenta de los cascaveles que dava a los dançantes de las aldeas, porq̃ los buenos de los labradores, como venían con grã prissa de llevar los vestidos para ponerse galanes, malcontávanse porq̃ al llevar contávase a lo sordo, y al traher contávase de fortuna, y con esto pagavã la cascavelada...»

Los instrumentos de percusión que acabamos de evocar intervienen en la mayoría de las escenas aldeanas llevadas a las tablas. El ritmo saltarín del tamboril está presente en el cuadro de la boda de *Belardo el furioso;* también en el de *La infanta desesperada* (Lope), ya que un personaje declara:

> Cese agora el tamboril
> y báilese en este prado
> algún buen zapateado
> y algún canario gentil. [54]

Volvemos a oír el tamboril, acoplado con la flauta, en la boda de *Más valéis vos Antona, que la corte toda* (probablemente de Lope); leemos en la indicación escénica: Sale Bato con tamboril y flauta, los músicos de villanos. [55]

Que lo consideraran al tamboril como tosco y pasado de moda, de eso no cabe duda. Ya vimos que en *Gravedad en Villaverde (vide supra,* p. 524), Montalbán subraya este aspecto al oponer a los rústicos atrasados, que todavía bailan al son de tal instrumento, los aldeanos que están «al tanto» y bailan acompañados por una guitarra. De la misma manera, en *La dama boba* de Lope (Acad. N., XI, p. 607), a un maestro de baile le parece vulgar el tamboril:

> *Finea:* ¿Trae mañana un tamboril?
> *Maestro:* Ese es instrumento vil
> aunque de mucha alegría.

Queda claro que para el público aristocrático y urbano, el recurrir al tamboril acentuaba la rusticidad y el cariz popular de las escenas en donde aparecía.

La pandereta mora o adufe constituye junto con la guitarra la «sinfonía» [56] de un baile de romería andaluza en *La tragedia del Rey Don Sebastián,* y no por mera casualidad Lope introdujo este instrumento de origen oriental en una escena en la que parece haber querido respetar un estilo local andaluz, que observara él mismo, según parece, en dicha región. En efecto las indicaciones escénicas son muy precisas:

> Salgan, con gran fiesta, a armar una tienda, mujeres y hombres con guitarras y adufes, bailando como se usa en Andalucía en la fiesta de la Virgen de la Cabeza. [57]

En cambio hallamos el pandero del norte al lado del tamboril y de la gaita en una escena de romería de La Bureba, en los confines septentrionales de Castilla la Vieja,

---

[54] Acad. N., I, p. 240 a.

[55] Acad. N., VII, p. 419 b.

[56] Entendemos la palabra «sinfonía» en el sentido etimológico que le otorga San Isidoro de Sevilla. Cf. Thoinot-Arbeau, en *Orchésographie,* p. 42 v.º:

> «Il vous faut permectre qu'à la similitude du tambour duquel nous avons parlé ci-dessus, on en a faict un petit que l'on appelle tabourin a main, long d'environ deux petitz piedz, que Ysidorus appelle moitié de simphonie...»

[57] Acad., XII, p. 542.

en *Los lagos de San Vicente* de Tirso. Una acotación pormenoriza los instrumentos:

> Salen cuatro cuadrillas por entrambas puertas, cada una por sí, todos los de la compañía cantando con pandero, sonajas, tamboril, y gaita, vestidos de villanos. [58]

El pandero vuelve a aparecer acompañando un canto de boda en *El tirano castigado* (Lope), donde leemos:

> Salga con música una boda de villanos. Los señalados della sean: Torindo desposado, Risela desposada, Celino padre, Rotundo alcalde; Elisa labradorcilla con el pandero. [59]

También tañen un pandero dos bailarinas aldeanas en *La hermosura aborrecida* [60] (Lope) y se lo vuelve a escuchar, con sonajas, en la fiesta primaveral de la Maya, auto sacramental de Lope. El ruido metálico de las sonajas resuena a menudo en las escenas de festejos rústicos imaginadas por el Fénix. Por ejemplo, se halla en *Los Guzmanes de Toral* para celebrar con alborozo la llegada del hacendado:

> Sonajas y músicos, cantando, detrás Doña Greída de Guzmán, de labradora, y Mireno y Silvio, Verveco, canten.

reza la acotación. [61] Se tendrá una idea del dinamismo de los cuadros lopescos en los que intervienen así las sonajas, si se observa que, a menudo, en Lope «sonajas» rima con «hacerse rajas» [62] expresión definida del siguiente modo por Covarrubias:

> fatigarse y darse prisa a concluir alguna cosa con demasiado afecto

---

[58] N.B.A.E., IX (II), p. 53 b.
[59] Acad. N., IX, p. 746 b.
[60] Acad. N., VI, Ac. II: «Flora y Costanza con panderos».
[61] Acad. N., XI, p. 7.
[62] Cf. Canción-danza de *Al pasar del arroyo:*

> «¿Qué moza desecharía
> un mozo de tal donaire
> que da de coces al aire
> y a volar le desafía?
> A lo menos más sutil
> cuando baila se hace rajas
> la chacona a las sonajas
> y el villano al tamboril.»

Cf. en *pastores de Belén:*

> «Pascual, si el ganado ves,
> baila, salta, y hagámonos rajas;
> que aquí traigo las sonajas
> y el pandero para después.»

Cf. también *Auto de los Cantares,* en donde hallamos un pasaje que presenta escasas diferencias con el anterior:

y que Oudin traduce: «esclatter, fendre, braver, faire des bravades». El chasquido seco de las castañuelas acompasa el baile de una falsa aldeana en *Por la puente Juana;*[63] también acompaña, nervioso y dinámico, el villancico final de *El villano en su rincón,* auto sacramental de Valdivieso, y para sostener el coro dedicado a la gloria divina de Rut, la espigadera bíblica, en el final de *La mejor espigadera* de Tirso.[64] Digamos, por fin, que los cascabeles, prendidos a las piernas de los bailarines esparcen sus tintineos en una secuencia de ritmo veloz de *El capellán de la Virgen;* unos danzantes de la Sagra remedan una carrera de sortijas[65] y por si el ruido de los cascabeles fuera poco, lo refuerzan con la percusión de atabales: así lo expresa la indicación escénica:

... y siempre que corrieren se ha de tocar dentro una caja a modo de atabales.[66]

El recurrir en el escenario a todos estos instrumentos, ya fuesen de cuerda, de viento, o de percusión, nos permite imaginar cuán bulliciosas o rítmicas debían ser la mayoría de las fiestas aldeanas en el teatro: bodas, bautizos y festejos rústicos de todo tipo. Para el público de los años 1600-1620, independientemente del contexto aldeano, la música o el ruido emitido por cada uno de esos instrumentos expresaba, en efecto, el gozo y la alegría de vivir. Lo prueba claramente el sistema de significados alegóricos que funciona en el auto sacramental. Hallamos en un auto de *El peregrino en su patria,* tres personajes llamados «Regocijo», «Contento» y «Alegría». No es significativo acaso que sus instrumentos sean —en suma, por código— algunos de los que acabamos de enumerar? Leemos en una acotación: «Entraron a este tiempo el Regocijo, el Contento, la Alegría con sus instrumentos, pandero, guitarra, sonajas» (p. 152). Tampoco parece dudoso que, por parte de los dramaturgos o de los autores, existiera la intención de conferir a estos cuadros una impronta musical realmente rústica. Aunque las indicaciones de orquestación, como ya hemos dicho, son bastante escasas, o vagas, suele ocurrir, en efecto, que el carácter «aldeano» de los instrumentos requeridos sea subrayado en una acotación. Por ejemplo, cuando la boda rústica de *Antona García* de Tirso, sale al escenario con los novios vestidos a lo aldeano, los instrumentos que aparecen, y que hasta ese momento sólo se habían escuchado entre bastidores, son percibidos por el dramaturgo como típicamente aldeanos; en efecto, dice: «Música de aldea...».[67] Otra acotación anterior añade datos acerca de la composición de esta orquesta cuando sólo se la oía desde adentro; dice así: «Suenan adentro gaita y tamboril

---

«Pascual, si el muchacho ves,
baila, salta y hagámonos rajas;
que aquí llevo las sonajas
y el salterio para después.»

[63] Acad. N., XIII, p. 256 b. Lo deducimos de las palabras de un personaje, Inés: «Ponte aquesas castañuelas». La acotación escénica sólo dice después: «Los músicos cantan y bailan.»

[64] N.B.A.E., IV (I), p. 342 b. Se deduce del diálogo inmediatamente anterior al canto en elogio de Ruth:

«Lisis:	Aquí traigo castañetas como el puño.
«Gomor:	Y yo pulgares que las arrojan más tiesas.»

[65] Acad., IV, p. 495: «Con sus cascabeles en las piernas.»
[66] Acad., IV, p. 495.
[67] N.B.A.E., IV (I), p. 617 b.

y fiesta».[68] Tal ejemplo nos permite ver que la pareja rudimentaria de la gaita y del tamboril bastaba para otorgar cariz netamente agreste a un fondo sonoro.

Bullanguera y sonora, la fiesta rústica en el teatro también lo era gracias a los gritos y relinchos que emitían los comparsas agrupados en el escenario o entre bastidores. La costumbre debe remontarse muy atrás en la historia de los campesinos del ámbito mediterráneo, ya que la Biblia evoca, en varias oportunidades, los gritos de los vendimiadores. Es el «Rêdad» mencionado en Isaías, XVI, 10; Jeremías, XVI, 30; XLVIII, 33. En los siglos XVI y XVII, estos gritos que tienen mucho alcance en el campo (hasta dos leguas, dice Lope en *El remedio en la desdicha*)[69] aún eran familiares a los aldeanos españoles y portugueses como siguen siéndolo para los vascos de hoy, y la escuela lopesca los usó con frecuencia para acentuar el carácter de sus cuadros rústicos: bodas, bautizos, homenajes al amo, mieses, vendimias, etc. En *La niñez de San Isidro* los segadores dan relinchos para descansar cuando dejan de segar[70] y vuelven a hacerlo, a pleno pulmón, por la noche al volver con el trigo en el carro, dirigiéndose hacia la ermita de la Virgen de Atocha.[71] Idéntica manifestación de colorido y de vitalidad campesina se halla entre los segadores de *Peribáñez y el Comendador de Ocaña*, cuando, a la llamada de Casilda, salen al alba, para el trabajo de la jornada.[72] También se oyen relinchos varoniles en una escena de bautizo aldeano inserta en *El príncipe despeñado* (Lope).[73] El recurso de los relinchos daba realce fácilmente a una escena de regocijo aldeano y lo utilizaron mucho los dramaturgos en su escenografía; se los oye hasta en las escenas de pastores de la comedia pastoril y mitológica.[74] A veces los gritos que acompañan la fiesta rústica y anuncian su llegada al escenario no son relinchos, en sentido estricto, sino gritos desordenados que expresan alegría. A menudo surgen de los bastidores como signo premonitorio de la salida de las comitiva aldeanas a las tablas.[75]

---

[68] *Ibíd.*, p. 617.

[69] Cf. Lope, *El remedio en la desdicha*, ed. «Clás. castell.», ac. I, versos 323 y sigs:

«Que se escuchan a dos leguas
los relinchos y algazaras
con que se celebran las treguas.»

[70] Acad., IV, p. 508 a.

[71] Acad., IV, p. 528 b:

«*Don Juan:*   «Con sonorosos relinchos
vienen a ofrecer la cruz.»

[72] Cf. ed. Aubrun y Montesinos, versos 1626-1629:

«*Casilda:*   «Segadores de mi casa,
no durmáis que con su risa
os está llamando el alba;
ea, relinchos y grita.»

[73] Acad., VIII, p. 135 a: «Grandes voces de relinchos: todos los villanos que puedan, con el bautismo del niño.»

[74] Verbigracia en *El amor enamorado* (Lope) (1625-1635, según la métrica). Cf. Acad., VI, p. 260 b: «Dentro relinchos; pastores y pastoras con instrumentos, cantando y bailando, y Cupido detrás de ellos» (la escena transcurre delante del templo de Diana cazadora). Cf. también p. 282: «En este baile y relinchos entren Venus y Cupido y los aparten.»

[75] Cf. *Ya anda la de Mazagatos*, ed. S. G. Morley, p. 74 (al margen de los versos 2097-2100). Gritos que anuncian la llegada de una boda: «Grita dentro como de fiesta, y música de billanos.»

Con el análisis de la instrumentación y del acompañamiento sonoro, vemos que la fiesta rústica de la comedia, concebida primeramente como una diversión para el público aristocrático o urbano tenía un indudable aspecto popular. Este rasgo sólo nos autoriza a pensar que bailes y cantos, acompañados por tal orquestación aldeana, también eran de inspiración auténticamente aldeana. A esta pregunta daremos ahora una respuesta tan solo provisional. Mas esta será a veces doble y contradictoria, ya que algunas canciones, danzas y bailes «populares» han sido asimilados y recreados hasta tal extremo por el uso aristocrático que vacilamos en llamarlos populares. A la inversa, también descubrimos que algunas formas líricas o coreográficas típicamente populares pueden tener en determinado momento origen aristocrático. En resumidas cuentas, debido al intercambio permanente de motivos artísticos entre grupos sociales de la sociedad monárquico- señorial, hay casos en los que resulta imposible dar una respuesta unilateral, tajante y definitiva.

Lo que sí puede afirmarse es el colorido popular de danzas, bailes o ballets cuyo origen parecía remoto a los eruditos del siglo XVII. En el campo el pueblo las conservaba como tesoro. Así ocurría con la famosa «danza de espadas», danza de aires guerreros, relacionada sin duda primitivamente con los ritos de fertilidad[76] de los que subsisten hoy algunos vestigios. Estaba muy difundida en Castilla en los siglos XVI y XVII, y especialmente en la comarca toledana. En 1611, Covarrubias nos habla de ello dos veces, en su *Tesoro...*; la describe con la suficiente precisión como para que la pintoresca adustez de las figuras nos resulte todavía sensible:

> Dança de espadas. Esta dança se usa en el reyno de Toledo y dánçanla en camisa y en gregüescos de lienço, con unos tocadores en la cabeça, y traen espadas blancas, y hazen con ellas grandes bueltas y rebueltas, y una mudança que llaman la degollada, porque cercan el cuello del que los guía con las espadas, y quando parece que le van a cortar por todas partes, se les escurre de entre ellas...[77]

> Dança de espadas, cosa usada en el reyno de Toledo y en otras partes. Trae origen de aquellas danças que llamaban pírricas, que saltaban armados y se herían a son y compás.[78]

Unos años después de Covarrubias, Rodrigo Caro adoptaba en sus *Días geniales o lúdricos* la explicación de la danza de espadas comparándola con las danzas pírricas, pero agregaba una comparación con las danzas de las mujeres espartanas:

> Es tan uno éste [baile] de las mujeres espartanas con el baile de los lusitanos, y de las mujeres bastetanas, que no se puede negar, y muy semejante todo lo dicho a lo

---

[76] Tal es, por lo menos, la opinión de los etnólogos.

[77] *Op. cit.*, pp. 442-443. Por la descripción de Covarrubias sabemos que una de las figuras, la «degollada» evoca el ademán de la decapitación. Este ademán volvía a encontrarse, poco ha, en todas las danzas de espada, en cualquier región de la península. Sobre la danza de espada existen varios escritos de folkloristas. Citemos:

> Capmany, *El baile y la danza*, in Carreras y Candi, *Folklore y costumbres de España*, Barcelona, 1931-1933, II; Antonio Carbonell, *El patatús (danza de espadas) en Ovejo*, in *Boletín de la Real Academia de Ciencias y Bellas Artes de Córdoba*, abril de 1930; Anonyme, *Danza de las espadas en Redondela*, in *Galicia diplomática*, 1896, núm. 6; Saíd Armesto, *Papeletas comparativas sobre danzas de espadas*, in Museo de Pontevedra, II, p. 75; Enrique Casas Gaspar, *Ritos agrarios. Folklore campesino español*, Madrid, 1950, pp. 136-137.

[78] *Op. cit.*, p. 549 b.

que vemos en la danza de espadas que es aquella saltación pírrhica o ballimachia de que primero dijimos, que hiriendo los pies el suelo al compás, usan de las espadas y broqueles haciendo un género de batalla muy graciosa...[79]

También encontramos en la segunda parte del *Quijote* una evocación de la danza de espadas tal como podía practicarse a principios del siglo XVII en una aldea de Castilla la Nueva. Con ocasión de las bodas de Camacho, asistimos en un pueblo de La Mancha, a una danza de éstas, ejecutada por veinticuatro muchachos vestidos de fino lienzo, con adornos de seda de color:

> De allí a poco comenzaron a entrar por diversas partes de la enramada muchas y diferentes danzas, entre las cuales venía una de espadas, de hasta veinticuatro zagales de gallardo parecer y brío, todos vestidos de delgado y blanquísimo lienzo, con sus paños de tocar, labrados de varias colores de fina seda; y al que les guiaba, que era un ligero mancebo, preguntó uno de las yeguas si se había herido alguno de los danzantes.
> —Por ahora, bendito sea Dios, no se ha herido nadie; todos vamos sanos.
> Y luego comenzó a enredarse con los demás compañeros, con tantas vueltas y con tanta destreza, que aunque Don Quijote estaba hecho a ver semejantes danzas, ninguna le había parecido tan bien como aquélla.[80]

Esto coincide con los datos que proporciona Covarrubias a propósito del bastonero[81] y del traje de los bailarines;[82] además insistiese en que la danza de espadas es dan-

---

[79] *Días geniales o lúdricos (sic)*, en *Obras de R. Caro*, Sevilla, «Bibliófilos andaluces», 1883, I. Como se ve, Rodrigo Caro, coincide con Covarrubias en atribuirle un origen antiguo a la danza de espadas. Ya que existió en otros países, verbigracia en Inglaterra, sería preciso determinar la posible deuda que tenía en España esta danza con los mudéjares y los moriscos en la forma en que se bailaba en los siglos XV y XVI. Leopoldo Torres Balbás, *Algunos aspectos del mudejarismo medieval*, 1954, p. 41, indica que los danzantes de la morería de Avila bailaron una danza de espadas en las fiestas funerarias para la muerte de Enrique IV en 1474.

[80] Parte segundo, cap. XX.

[81] El bastonero desempeñaba un importante papel en las antiguas danzas mimadas y narrativas del campo. De su existencia derivó la falsa etimología de «dança», muy instructiva por cierto, que nos proporciona Covarrubias, *Tesoro...*, p. 442 b, art. «dança»:

> «Dança. *Quasi* ducança, a ducendo, porque va uno delante, que es el que la guía y los demás le siguen; y por alusión dezimos el que guía la dança, por el que maneja algún negocio y lleva tras sí los votos de los demás, siendo la guía y la cabeça dellos...»

Los protocolos de notarios llaman a menudo a este personaje «maestro».

[82] Puede observarse que el tocado es el mismo. «Con unos tocadores en la cabeça», dice Covarrubias, «con sus paños de tocar», labrados de varios colores de fina seda», escribe Cervantes. ¿No se tratará de turbantes amoriscados? Observemos también lo delgado de las telas con que se confeccionan los trajes. Todos los textos confirman esto. Cf. *Relación de las fiestas que se han hecho en esta corte a la canonización de cinco santos: copiada de una carta que escrivió Manuel Ponce en 28 de junio de 1622* (cf. *R. Hi.*, 1919, núm. 49, p. 583): «... después de ellos una dança de labradores, vestidos de tafetán carmesí, a la ligera, para voltear sobre espadas...». En la Montaña a principios del siglo XX el traje que llevaban los bailarines era bastante semejante al que describen Cervantes y Covarrubias (cf. *Enciclopedia Espasa Calpe*, p. 477 b- 478 c). Notemos por fin que el atuendo blanco de los bailarines al que alude Cervantes es mencionado a menudo en los protocolos notariales de las fiestas del Corpus. Un documento de 1640, en N. D. Shergold y J. E. Varey, *Los autos sacramentales en Madrid* (núm. 26, p. 24), evoca la «cotonía blanca con guarnición negra y virretes de flores...» de estos bailarines. En lo que concierne al tocado que asimilamos aquí a un tipo de turbante, indiquemos en la misma colección, el texto núm. 302 (año 1673) que describe el traje exigido para una «danza de zancos»: «... todos los ocho onbres an de ser bestidos con una casaca de damasco de lana y calzones de cotonía blanca y encarnada... y sus turbantes en las cabezas guarnezidos de cotonía...»

za varonil por excelencia, un tipo de esgrima basada en la fuerza muscular y la agilidad física. [83]

La costumbre de ofrecer como espectáculo a la gente de ciudad esta danza de espadas aldeana ha de remontarse por lo menos a mediados del siglo XVI. Una relación de las fiestas toledanas de febrero de 1555, debida a Juan de Angulo, menciona que tal danza fue presentada por hombres disfrazados de indios:

> ... salió otra máscara de hasta veinte, vestidos como indios muy a lo propio, dançando una dança de espadas, que fue harto graciosa cosa de ver... [84]

Esta costumbre de insertar una «danza de espadas» aldeana en los espectáculos de fiestas urbanas se volvió casi ritual después de 1600, y tenemos múltiples reflejos de ello en las relaciones y los documentos notariales de la época. Por ejemplo, en Madrid, en el desfile de la tarde del 18 de junio de 1622, en honor de San Isidro, pudo verse una danza de espadas tras el paso de los gigantes. [85] A menudo se recurría a auténticos bailarines aldeanos, que llegaban de sus pueblos para presentar estas danzas en las calles [86] y no resultaría nada extraño que las compañías teatrales hayan recorrido, a veces, a alguno de estos equipos de fama regional para sus representaciones.

Hayan o no pasado al escenario estas «danzas de espadas», constatemos, de todas formas, su presencia en el teatro de Lope. *La corona merecida* (1603) presenta un esbozo de ello con ocasión de la entrada de la nueva Reina, en una aldea de la región burgalesa. El alcalde del lugar ha encargado esta danza característica a unos danzantes

---

[83] También se encuentra en una nota de la *Memoria sobre las diversiones públicas*, de G. M. Jovellanos, leída el 11 de julio de 1796, una nota descriptiva de la «danza de espadas», en Asturias. Cf. p. 17 de la ed. de Madrid, 1812 (imprenta de Sancha):

> «... todas sus mudanzas o evoluciones terminan en una rueda en que los danzantes teniendo recíprocamente sus espadas por la punta y pomo, forman la figura de un escudo. Formada, sube en él el caporal o guión de la danza, y alzado por sus camaradas en alto, y vuelto en torno a las quatro plazas principales del mundo, hace con su espada ciertos movimientos como en desafío de los enemigos de su gente. Los que saben la fórmula de la elevación de los reyes visigodos, poco trabajo tendrán en atinar con el origen, o por lo menos con el tipo de esta danza.»

[84] Cf. Relación publicada por Alvarez Gamero Santiago, en *R. Hi*, 1914, XXI, p. 471.

[85] Cf. *R. Hi.*, 1919, núm. 46, p. 583, *Relación de las fiestas que se han hecho en esta corte a la canonización de cinco santos: copiada de una carta que escrivió Manuel Ponce en 28 de junio de 1622:* véase anteriormente una frase que citamos; p. 534, núm. 82.

[86] Francisco Asenjo Barbieri, *Danzas y bailes de España en los siglos XVI y XVII*, en *La Ilustración española y americana*, 1877, p. 346: «Para las fiestas de Agosto de 1634 se llevaron a Toledo danzantes de Torrijos, los cuales ejecutaron "danzas de espadas" y "danzas de cascabel"...»

Los documentos que publican N. D. Shergold y J. E. Varey, en *Los autos sacramentales en Madrid en la época de Calderón*, demuestran que las danzas de espadas realizadas en el siglo XVII para las fiestas del Corpus madrileño ya en 1638 fueron monopolio casi exclusivo de equipos de bailarines de Brunete: se menciona la danza de espadas de Brunete (núm. 10, p. 10), y vuelve a hablarse de ella en 1677 (núm. 352, p. 323). En efecto se trataba de una danza local genuina de este pueblo de Castilla la Nueva, ya que un texto de 1665 declara que Matías Gómez y sus compañeros de Brunete se comprometen a intervenir: «con la dança de espadas de la dicha uilla de Brunete con las personas, tanborilero y matachín, según y en la forma que se ha hecho en los años pasados». Es repetida la expresión «dança de Brunete».

ya que estima imprescindible este número en una fiesta aldeana.[87] Al anunciarse la
comitiva de la Reina, vemos pasar, por el escenario, a cuatro bailarines con sus espadas; cuando van a entrar, del otro lado del escenario, empiezan a ejecutar algunos pasos y suertes; no se trata más que del esbozo de la danza ya que se supone que la bailan en la entrada misma del pueblo, es decir, entre bastidores; en realidad, por razones
de construcción dramática, Lope no puede desarrollar aquí su fresco; no obstan te, proporciona suficientes indicaciones sobre el traje de los danzantes, sus desafíos, sus saltos, como para que el espectador pueda imaginar el movimiento del espectáculo ofrecido a la Reina:

> Entra una danza de espadas de quatro, con sus camisas y espadas asidas, y los al-
> caldes detrás y regidores:

Danz 1.º:	Ea, que hoy no ha de quedar
	en nuestros cuerpos pedazo.
Danz 2.º:	Anda, hijo.
Danz 3.º:	Alarga el brazo.
Escu. :	No hay más que verlos danzar.
. . . .
Danz 1.º	Buela.
Danz 2.º	Corre.
Danz 3.º:	Salta.
Danz 2.º:	Toca.

Éntrese la danza.[88]

En *El conde Fernán González* (probablemente 1610-1612) Lope vuelve a introducir el motivo. Unos aldeanos, fieles vasallos, agasajan a la señora Doña Sancha, esposa del Conde, con la danza; en ese mismo momento, doña Sancha recibe la noticia de
que el valiente caballero castellano ha caído prisionero del Rey de León; esta circunstancia acorta la fiesta aldeana, pero le otorga a la danza colectiva con los seis bailarines[89] el significado casi litúrgico de un holocausto de energía vital; es calificada de

---

[87] Cf. ed. «Teatro antiguo español» (J. F. Montesinos), V, p. 13:

> «No son las fiestas honradas
> de la menor aldegüela
> si no hay hasta lentejuela,
> arroz y danza de espadas.»

En *La discordia de los casados* (Acad. N., II, p. 129 a), un alcalde evoca los distintos festejos rústicos
con los cuales las gentes de su aldea han querido agasajar al Rey de paso. No se olvida de la danza de espadas:

> «Bras de Poca Sangre dijo
> que danza de espadas fuese
> y que el lugar la vistiese
> porque es danzante su hijo.»

[88] Ed. «Teatro antiguo español», V, p. 13. La versión reproducida por J. F. Montesinos es mucho más
sugestiva que la de Menéndez y Pelayo, en Acad., VIII, p. 572. Las acotaciones escénicas son más ricas y el
recorte del diálogo permite comprender mejor el carácter del pasaje.

[89] Acad., VII, p. 449 a. Cuatro bailarines, seis bailarines, estos son los números que observamos en las
danzas de espadas de *La corona merecida* y *La niñez de San Isidro*. Los protocolos notariales que conciernen las danzas efectuadas en la calle aluden —la mayoría de las veces— a ocho bailarines. ¿Se explica
la reducción por lo exiguo del escenario?

belicosa;[90] la acompaña la música de una flauta,[91] y el estribillo que le sirve de libreto consta de dos versos eneasílabos, populares según parece:

> Perantón, dame de las uvas.
> Perantón, que no están maduras.

En *La niñez de San Isidro* (1622), la «danza de espadas» es llevada al escenario con motivo de un bautizo.[93] El carácter bullanguero, animado y bravo del espectáculo va subrayado una vez más, por el diálogo[94] y nos resulta fácil imaginar la gesticulación y el movimiento de los bailarines en el escenario, el desbordamiento de su alegría vital, con las notas claras y estridentes del acompañamiento musical.

Tras la danza de espadas hay que mencionar, como forma lírica y coreográfica practicada hacia 1600 en las aldeas, la «folía». Covarrubias en su *Tesoro...*, la describe como una danza de origen portugués, bulliciosa y ajetreada:

> Es cierta dança portuguesa, de mucho ruido; porque ultra de ir muchas figuras a pie con sonajas y otros instrumentos, llevan unos ganapanes disfraçados sobre sus ombros unos muchachos vestidos de doncellas, que con las mangas de punta van haziendo tornos y a vezes bailan, y tambíén tañen sus sonajas; y es tan grande el ruido y el son tan apresurado, que pareçen estar los unos y los otros fuera de juyzio...[95]

En efecto, la palabra portuguesa «folia» significa una «diversión ruidosa y desordenada».[96]

---

[90] *Ibíd.*, p. 449 b:

Bertol:	Aguárdese aquí, y verá
	la danza que le traemos;
	que, como guerras tenemos,
	danza de espadas será.
	Ea, Aparicio, ¿qué hacéis?
	Tocadnos el tamboril.»

[91] *Ibíd.*, p. 451 a:

«Aparicio:	No alcanza
	tanto el aliento, Bertol;
	dame con qué remojar
	la flauta.»

[92] *Ibíd.*, p. 451 a. «Perantón» es un nombre de formación antigua y contribuye a conferir tono arcaizante al estribillo.

[93] Acad., IV, p. 517 b.

[94] *Ibíd.*, p. 517 b:

| «Antón: | Bato, relincha, voltea, |
| | hazte rajas.» |

[95] F. Salinas, in *De musica libri septem*, antes de Covarrubias había definido las folías como siendo de origen portugués. Habla de ello a propósito del metro hipercataléptico: «... Ut ostenditur in vulgaribus, quas Lusitani Folias vocant, ad hoc metri genus et ad hunc canendi modum institutis qualis est illa»: «No me digáis, madre, mal del Padre Fray Antón, que es mi enamorado y yo téngole en devoción.»

[96] Los derivados portugueses de «folía» también pueden aportarnos más precisiones:

«foliada» = festejos, entretenimiento, diversión.

«foliar» = bailar al son del pandero, bailar brincando.

«foliâo» = el que baila folía, el saltimbanqui.

Citemos también la expresión «Pede-lhe o corpo folía»: no caber en sí de ganas de...

Acerca del uso de estas «folías» en los pueblos españoles hacia 1600-1630 tenemos una que otra indicación dispersa. Por ejemplo, en 1623, Alonso Remón evoca en sus *Entretenimientos y juegos honestos...*, los concursos de folías y seguidillas[97] que organizaban las aldeanas entre sí cuando se divertían; expresa el deseo, es cierto, de que los temas sean menos profanos de lo que acostumbran:

> También cantan y se suele tomar por juego el dezir al pandero algunos cantarzicos graciosos si bien es verdad que sería razõ que los cantares fuessen honestos y christianos, porque se suelen usar algunos no muy a propósito para ponerse en bocas de donzellas honradas; ya que se aya de jugar a quien mejor cantar dixiere, o a quien más folías supiere, o siguidillas, o como las llaman, sean buenas y de cosas buenas.[98]

Que sepamos, el primero en llevar las «folías» populares al teatro fue el portugués Gil Vicente. En el *Auto da Sibila Cassandra* (representado probablemente en la Nochebuena de 1513), Salomón, Isaías, Moisés y Abraham son pastores. Por eso nada hay de anormal en que entonen una canción con aire de folia.[99] Otro ejemplo de esta canción lo encontramos al final del *Auto da feira* y nos permite entender su organización coreográfica: mientras bailan algunos personajes, alternan dos coros paralelos de muchachas; probablemente los coros se unen a los danzantes en el estribillo.[100]

También Lope insertó algunas folías populares en sus comedias. Una de ellas alegra la boda del primer acto de *Peribáñez y el Comendador de Ocaña;* volvemos a hallar la alternancia de canto y baile. Por lo menos tal es la opinión de Aubrun y Montesinos, quienes escriben en su estudio de la obra:

> La danse de l'acte I de *Peribáñez* semble avoir été exécutée par des solistes et chantée par un choeur qui, dans sa «folía», se melait aux danseur.[101]

Otro ejemplo de folía se da en un cuadro de *Los Ramilletes de Madrid* en donde Lope evoca los festejos vascos de Pasajes, con ocasión del embarque de un rey.[102] Su interés radica en que está en lengua vasca —prueba, al parecer, de su carácter popu-

---

[97] Alonso Remón, muy significativamente, acerca «folías» y «seguidillas». G. Correas, en *Arte Grande*, pp. 271 y 282, también lo hace y define a ambas como «coplas desiguales de tres o cuatro versos, de más o menos sílabas, dispuestas a cantar con guitarra, sonajas y pandero, que hacen perfecto sentido y andan solas».

[98] *Entretenimientos y juegos honestos, y recreaciones christianas, para que en todo género de estado se recreen los sentidos, sin que estrague el alma,* Madrid, 1623, in cap. XV: «De los entretenimientos, recreaciones y juegos que parecen convenientes a las labradoras, mugeres de aldeas», fol. 96 (B. N. Madrid, R. 1028).

[99] Cf. «Clas. Sás da Costa», ed. Marques Braga, I, p. 62: «Tras Salomâo Esaias e Moyses e Abrahâo, cantando todos quatro de folia a cantiga seguinte.»

[100] *Op. cit.*, p. 245: «Ordenadas em folia cantarâo a cantiga seguinte, com que se despedirâo.»

[101] Cf. ed. Aubrun y Montesinos, pp. 6-7; p. xxi. Cabe preguntarse si en este caso Lope no elaboró un tipo de folía de boda, cuyo modelo en los orígenes había sido proporcionado por algunos bailes portugueses. El documento 119 (año 1652), in N. D. Shergold y J. E. Varey, *op. cit.*, invita a plantearse la pregunta:

> «Tres danzas de cascabel, queste presente año an de ser una de foliones portugueses... con ocho personas, siete onbres y una muger, uno con un tanbor colgado al cuello, otro con una guitarra, otro con sonajas, la novia con un pandero y los demás con diferentes instrumentos, borçeguíes negros a uso de Portugal.»

[102] Acad. N., XIII, Ed. Cotarelo y Mori, p. XXVIII, de la Introducción a ese tomo, ve en el cuadro un recuerdo directo de las fiestas populares del otoño de 1615, organizadas con motivo del viaje regio a Irún, para el intercambio de infantas con la Casa Real francesa.

lar— y en las indicaciones precisas de escenificación que la enmarcan. Los músicos ostentan traje vasco; tres bailarinas, llevando sendos panderos de su tierra, bailan bajo la dirección de un bastonero. La acotación escénica precisa:

> ... la música saldrá de vizcaínos y el baile de tres vizcaínas, con panderos, y un vizcaíno que las guíe. [103]

Después de un canto de bienvenida en castellano los músicos emprenden el movimiento de folía:

> Muden el son a folías

dice la acotación y tenemos el texto siguiente:

> Zure, vegi ederro
> enel astaná
> cativaturic nave
> librea ninzapá. [104]

A estos cuatro versos sigue la indicación:

> En bailando esta folía, diga una: «zatoz, zatoz», y respóndanle: «zatoz, andrea, vay, vay, andrea zatoz, enequin» y otra diga: «Vay jauna» y éntrense con regocijo. [105]

Como ya sabemos, las folías fueron después objeto de composiciones cultas y las músicas española y francesa de la segunda mitad del siglo XVII nos legaron hermosos ejemplos de ello. Conviene destacar que a principio del siglo XVII en los intermedios aldeanos de la comedia, las folías aún conservaban su carácter popular y provinciano. [106]

---

[103] Acad. N., XIII, p. 495.

[104] Acad. N., XIII, p. 495. Cotarelo y Mori cita la traducción de estos versos por Hartzenbusch:

> ¡Caray! ojos hermosos,
> amada mía,
> me tienen cautivo
> siendo libre.»

[105] Hartzenbusch había introducido «Vente, vente, vente mujer. Sí, sí, mujer, vente conmigo, Sí Señor». E. Cotarelo y Mori, p. xxviii de la introducción del tomo III, Acad. N., estima probable que Lope haya oído estos versos vascos en la fiesta de Pasajes. Esto puede justificarse pero también hay que tener en cuenta el hecho de que en las ciudades castellanas hacia 1610, se había desarrollado el gusto por el folklore vasco en las fiestas. Lo prueban los protocolos notariales. Cf. Flecniakoska, *les fetes du Corpus à Ségovie (1594-1636). Documents inédits*, en *B. Hi.*, 1954, LVII, documento núm. 29 (4 de mayo de 1609) que evoca la danza de ocho vizcaínos en Segovia. En la acotación escénica, Lope recalca en tres ocasiones que la danza es vizcaína. La letra de la canción sería en efecto, más vizcaína que guipuzcoana: «Ellos me tienen» se dice «naute» en Guipúzcoa, «naue» («nave») en Vizcaya. Esta es la última forma verbal que encontramos en el tercer verso de la folía.

[106] Hasta podía conservar su estilo original portugués. Este caso se da, en nuestra opinión, en *No son todos ruiseñores* (1630 o posterior) de Lope. Una acotación escénica lo subraya in Parte XXII, p. 24: «Entren unos foliones portugueses con atambor, sonajas y instrumentos.»

Una danza-entretenimiento que parece haber gozado de cierto éxito en los pueblos es la de las sortijas rurales. El juego de sortijas fue una distracción aristocrática en sus orígenes, y no nos faltan estampas o descripciones para informarnos cómo se presentaba en las grandes ciudades. Covarrubias en su *Tesoro...* de 1611, lo define así:

> ... un juego de gente militar, que corriendo a caballo apuntan con la lança a una sortija que está puesta a cierta distancia... [107]

De este juego los aldeanos parecen haber sacado tempranamente (a principios del siglo XVI, por lo menos [108]) una danza imitativa, algo cómica, y hasta burlesca, en la que palos o juncos simbolizaban las lanzas y las túnicas de los jinetes eran de papeles de color. Era quizás una danza semejante, en algunas figuras al menos, a la de los «caballets» de la región valenciana, o de los «saldicos» de Navarra, [109] en otros términos a la del «cheval-jupon» en francés. En los contratos notariales de las fiestas del Corpus, hacia 1600, se mencionan a veces «danças de caballitos» y suponemos que ha de ser alguna danza de la misma familia que estos «caballins», «caballs cotoners» y otros «caballets» llegados hasta nuestros días. [110] Algo más adelante estas «danças de caballitos» fueron muy pedidas en las fiestas urbanas y los documentos permiten imaginar su desarrollo y el traje de sus ejecutantes. He aquí agrupados algunos textos sugestivos al respecto, que extraemos de la valiosa colección de N.D.Shergold y J. E. Varey, *Los autos sacramentales en Madrid...* (Madrid, 1961):

> 8 dançantes vestidos de judíos a caballo con un tambor. Agan su entrada de juego de cañas; y un toro con que se acave la fiesta (n.º 147, 1656).
> Otra danza de caballitos con su toro; estos an de ir los honbres bestidos con unos sayos baqueros de telas damascos y tafetanes de colores alegres, sombreros con dos plumas, açagayas con sus banderolas, sus targetas pintadas de colores, con un tamborilero (n.º 252, 1667).
> La primera una de muchachos con caballitos repartidos de quatro en quatro dos quadrillas, en que después de sus parejas y lazos han de correr un toro, el qual a de estar imitado y no con canasta, y éstos han de salir vestidos de telas, tafetanes o damascos de seda de colores, con su tamborilero (n.º 261, 1669).
> Una dança de cavallitos de ocho muchachos vestidos de diferentes colores cada parexa de damascos de sedas y los tirones de chamelote de plata con sus adargas y lanzas y los caballitos aderezados con sus clines y pretales de cascabeles (n.º 280, 1671).

---

[107] *Op. cit.,* p. 946 a.
[108] El pastor prologuista del Introito de la *Comedia Jacinta* de Torres Naharro ya hace alusión al juego de sortijas en la aldea.
[109] Cf. José María Iribarren, *Historias y costumbres,* Pamplona, 1949, p. 200.
[110] He aquí la descripción que proporciona la Enciclopedia Espasa-Calpe, tomo España, p. 465:

> «Bailes guerreros... de varios puntos de la corona de Aragón, principalmente en Cataluña y Mallorca, consistentes en unos caballitos de cartón que los muchachos se ponen en la cintura (la mitad superior del caballo solamente), con un volante de lienzo que cuelga a su alrededor para ocultar las piernas del bailarín, llevando, en cambio, otras postizas colgando, para que parezca en realidad un jinete. Divídense los danzantes en dos bandos que evolucionan a las órdenes de un capitán, y esgrimiendo las espadas van llevando el ritmo. Análoga es la mascarada suletina...»

En la comarca de Saint Jean Pied de Port, en Francia, unas sociedades folklóricas siguen bailando el «cheval-jupon», o sea, danza del caballito (por ejemplo, en Ispour).

Otra de 8 muchachos con sus baqueros de damasco y jirones de telas o chamelotes de plata, y sus caballitos. An de llevar el adorno ordinario de sombreros con plumas y bandas, y dos toros para quando se quiebra el uno. Esta a de ser un juego de cañas y tambor de guerra (n.º 302, 1673).

Lope introdujo danzas del mismo género en algunas escenas rústicas de sus comedias. En *El capellán de la Virgen* (probablemente 1615) podemos seguir un entretenimiento de sortijas rurales, y entrar en el juego, gracias a la evocación muy precisa que hacen los músicos en un como canto-comentario en romance, en el que aparece periódicamente un estribillo irregular tradicional. Lo ejecutan villanos de la Sagra en presencia de las aldeanas cuya belleza puede provocar la envidia de las señoras toledanas (aparece aquí un enfoque del «menosprecio de corte» que no es auténticamente aldeano); tras el prólogo los danzantes-jinetes irrumpen por ambos lados del escenario, enmascarados, cabalgando varas de junco, con sartas de cascabeles atados en las piernas;[111] remedan las carreras de los jugadores hasta que los detiene la orden de sus «damas»:

Gran regocijo, y los músicos cantando así:
> ¡Afuera, afuera, afuera,
> aparta, aparta, aparta!,[112]
> ¡que entran a correr sortija
> labradores de la Sagra!
> Nadie se ponga delante,
> que traen yeguas y lanzas;
> quien corre con cascabeles,
> dicen que no debe nada.
> Ya salen a los balcones
> las labradoras de Vargas,
> de Sonseca y de Burguillos,
> de Olías y de Cabañas;
> con sus caras dan envidia
> a las damas toledanas;

---

[111] Indiquemos que en La Sagra antes de 1936 se bailaban aún con sartas de cascabeles en las piernas (por ejemplo, en Alameda de la Sagra).

[112] Naturalmente este estribillo es tradicional: volvemos a encontrarlo con una variante en una *Ensaladilla para Navidad*, del *Romancero espiritual* de Valdivieso (B.A.E., XXXV, p. 240): «Aparta, aparta, afuera, afuera, afuera, aparta, aparta.» La *Ensaladilla* de Valdivieso nos permite comprender que este estribillo correspondía al momento de la salida de las cuadrillas contrarias a la plaza, en el juego de cañas o sortijas. Traducía posiblemente los gritos de la multitud cuando los equipos llegaban al galope para detenerse bruscamente en medio de la pista (lo deducimos de Valdivieso: «Qué bien entra su cuadrilla / qué bien corre, qué bien para»). También puede citarse en *Flor de varios romances nuevos, primera y segunda parte, recopiladas por Pedro de Moncayo*, Barcelona, 1591, f.º 1.74 r.º:

> «Afuera, afuera, aparta, aparta
> que entra el valeroso Muça
> quadrillero de unas cañas,
> treynta lleva en su quadrilla
> Abencerrajes de fama
> . . . .
> Aquí corren, allí gritan,
> aquí buelven, allí paran,
> acullá los veréys todos...»

> que sus jazmines y rosas
> son del campo y no del arca.
> A un hombre que miente, dicen
> que ha mentido por la barba;
> y una mujer con afeites,
> miente por toda la cara.
> ¡Afuera, afuera, afuera,
> aparta, aparta, aparta,
> que entran a correr sortija
> labradores de la Sagra!

Salen otros dos labradores, con sus caballos asimismo, y máscaras, y siempre que corriendo van se ha de tocar dentro una caja a modo de atabales. [113]

> *Músicos.*
> Famosamente lo han hecho,
> ricos premios los aguardan;
> pero ya dejan las yeguas
> por mandado de sus damas
> ...[114]

En *El labrador venturoso* (1620-1622) (Lope?), encontramos otra escena de sortijas aldeanas. Se nota en esta pieza que se trata de una adaptación aldeana del juego aristocrático. Antes del desarrollo del espectáculo, el villano Alfonso le explica a un rey moro, que debe asistir a él, que no encontrará allí el lujo y el esplendor de las sortijas urbanas;[115] y poco falta para que la imitación rústica del juego caballeresco llegue a la parodia; los concursantes no tienen ni monturas de verdad ni atuendos suntuosos; sus túnicas son de papel y, sobre todo, uno de los «caballeros» es Fileno, villano socialmente inferior y cómico; al leer las indicaciones escénicas, se desprende la impresión de que el autor pasó de lo pintoresco a lo burlesco[116] en una pieza que, no lo olvidemos, fue representada varias veces por la compañía de Cristóbal de Avendaño durante fiestas palaciegas hacia 1622.[117]

No podemos dudar del éxito de las danzas aldeanas del tipo de las «danzas de espadas» y las carreras de sortijas o de cañas en los espectáculos urbanos después de 1600: «paloteados» y «danzas de cascabel» aparecen mencionados a menudo en los contratos notariales que se refieren a las fiestas del Corpus. Nuestro colega J. L. Flecniakoska publicó un cierto número de estos documentos sobre las fiestas del Corpus en

---

[113] La *Ensaladilla para Navidad* de Valdivieso nos confirma la intervención de los atabales para acompañar la carrera de los jinetes: «atabales tocan, suenan clarines».

[114] Acad., IV, p. 495 a, b.

[115] Acad., VIII, p. 19 b:

> «No es compuesta
> de galas, ni caballos, ni colores;
> la rústica pobreza manifiesta,
> dirigida al favor de unos amores.»

[116] Acad., VIII, p. 19 b: «Sale Lauro con baquero y máscara, lanza pintada, y por padrino dos damas con máscaras, y dos tarjetas, en una pintada la luna y en la otra el sol», p. 20 a: «Sale Fileno vestido de papel, como los muchachos que van a los gallos, con su rehilero, y por padrinos todas las tres damas que han salido.»

[117] Cf. Rennert, *The Spanish Stage*, pp. 233-235; Morley-Bruerton, en *Chronology*, p. 212, precisan: «The play was performed before, february 8, 1623 (see R. C., p. 490: 5 de febrero is a misprint).»

Segovia de 1594 a 1636.[118] Varios documentos nos enseñan que, en el público de la importante ciudad lanera, las danzas de aldeanos gozaban de un interés igual al que provocaban los volatineros italianos, los saltabancos gitanos, los franceses y francesas, los turcos o los negros. En estos espectáculos, que recuerdan algo al music-hall de nuestros días, las gentes de la ciudad, bastante ignorantes de la comarca que se extendía más allá de las murallas de su ciudad, parecían gustar de la variedad y del movimiento. Por ello los protocolos notariales que determinan las condiciones de los contratos con los aldeanos que bailarían en el Corpus, se demoran en definir con precisión el atuendo de los danzantes rurales, el color de sus trajes, los instrumentos musicales, las figuras presentadas. Citemos un solo ejemplo, dentro de una serie bastante rica:[119] el del 18 de mayo de 1622:

> En la dha ciudad de Segovia a diez y ocho días del mes de mayo de mil y seis cientos y beinte y dos años... parescieron Juan Herrero como principal deudor y obligado y Juan de Pasqual y Pedro Palomo como sus fiadores todos vecinos del lugar de Martinmiguel jurisdicción de esta ciudad. Otorgamos por esta carta que nos obligamos... de sacar y que haremos y sacaremos una dança para el dia del Corpus deste año de ocho honbres con un tanboril que an de yr cada uno bestido de blanco con sus valonas y jubones medias azules y çapatos blancos y caperuças negras y unos capotillos de dos aldas de telillas de lana y seda y para diferenciar la dança an de bestirse el mismo dia del Corpus quando los señores comisarios de la ciud. para las fiestas del dho dia hordenaren todos los dhos ocho honbres con sayos pardos a lo sayagues y con caveçones y las alcaperuças pardas y nuevas an de hacer mudanças de paloteado y otras mudanças a contento...[120]

Por lo que acabamos de observar acerca de las danzas de espadas, o las carreras de sortijas rurales, y por la cita que acabamos de hacer, puede hablarse de un gusto ciudadano por las formas líricas o coreográficas en uso en las aldeas hacia 1600-1630.[121]

---

[118] *Op. cit.*

[119] Citemos como interesantes los documentos: núm. 10 (20 de mayo de 1607); núm. 29 (4 de mayo de 1609); núm. 33 (30 de mayo de 1609); núm. 39 (14 de abril de 1611); núm. 53 (9 de mayo de 1613); núm. 54 (25 de mayo de 1613); núm. 55 (31 de mayo de 1613); núm. 67 (9 de mayo de 1616); núm. 94 (23 de mayo de 1624).

[120] «Protocolo de Juan de Benavente», núm. 1012, año de 1622, fol. 428, núm. 86 de J. Flecniakoska, *Les fêtes du Corpus à Ségovie...* Se ve que el mismo grupo se comprometía a representar dos números con distintos trajes.

[121] Lope da testimonio a menudo de este gusto ciudadano por las «danzas labradoras», en *La Carbonera* (1623-1626), así describe el aldeano Bras la procesión del Corpus en Sevilla:

> «Discurriendo a todas partes,
> las danzas pasan y tornan,
> ya de galanes y damas,
> y ya de moros y moras,
> con lazos, con toqueados,
> con palos que nunca aflojan,
> invención original
> de las danzas labradoras;
> otros tras ellos venían
> que, con las espadas rotas,
> vestidos de lienzos y randas,
> lucen más a menos costa.»
>
> (Acad. N., X, p. 727 a.)

Lo que sigue de nuestro estudio nos permitirá ver que este gusto se extendió a la gran mayoría de los «cantos de baile»[122] aldeanos de la época; cantos de novios, de boda, de bienvenida, cantos para los trabajos del campo (para labrar, trillar, cosechar, segar vendimiar) por último cantos de festejos de la estación (primavera, verano, etc.). A propósito de cada una de estas categorías trataremos de problemas de forma y de contenido que plantean cuando se nos presentan bajo el aspecto teatral. Perc antes de llegar a este análisis quedan por decir algunas palabras acerca de dos formas líricas y coreográficas que también tenían vigencia en las aldeas hacia 1600 y que hallamos en el escenario: el «villancico» (y la forma cercana del «zéjel») y el «romance». A propósito de ambas formas el problema de la distinción entre arte popular y arte culto alcanza matices muy sutiles, complejos, por el único hecho de que, hacia 1600, villancico (y zéjel) y romance se usara tanto en la aldea como en la ciudad, en ambientes no cultos y en ambientes cultos.

En efecto, no cabe duda de que entre las canciones-danzas más usadas en la aldea en los siglos XVI y XVII, estaban el zéjel y el villancico. No deseamos abordar aquí el delicado problema del origen musulmán o litúrgico del villancico, ni de sus relaciones estructurales con el «zéjel» o el «virelai». No entra en nuestros propósitos y remitimos a los eminentes especialistas que han tratado este tema.[123] Entendemos subrayar únicamente que, como canciones de forma fija de las más arcaicas de la lírica peninsular,[124] el zéjel y el villancico gozaron a fines de la Edad Media, durante todo el Renacimiento y hasta más allá del siglo XVI de un uso indudablemente popular. Parece que a fines del siglo XVI, el término de villancico surge para designar la forma métrica a la que correspondería en adelante y que ya existía antes. Pero, como lo hace observar Tomás Navarro, la palabra villancico no tuvo en sus primeros usos el valor de una definición métrica estricta, si no que, ante todo, tuvo por misión traducir el carácter popular de determinado género de composiciones líricas.[125] Y en efecto, la eti-

---

[122] Hablaremos a menudo de canción-danza, ya que ambos elementos son muchas veces inseparables en el arte popular. Observemos a este respecto que, en algunas lenguas, la misma palabra designa tanto el canto como la danza (en armenio, v. gr.: «khal»). Puede afirmarse que, en España, así como en los países eslavos y orientales, la danza y el baile constituyen la escuela donde se formó la lírica popular.

[123] Para la cuestión de los orígenes del villancico, el libro que ofrece el mayor número de datos, es, a nuestro parecer, el de Pierre Le Gentil, *Le virelai et le villancico; le problème des origines arabes*, París, 1954. El autor estudia minuciosamente las formas métricas románicas («virelai», «villancico») y árabes («zéjel»), las analogías entre ambas. Presenta la tesis de los orígenes litúrgicos y la de los orígenes árabes. Intenta presentar una síntesis a partir de los elementos precedentes. Tres valiosos apéndices contienen una bibliografía sobre la tesis árabe, la tesis litúrgica y los trabajos de los musicólogos. Un último apéndice trata los géneros de forma fija en la península.

[124] Para tener una idea clara y sencilla de los aspectos métricos del «zéjel» y del «villancico», véase a Tomás Navarro, *Métrica española, reseña histórica y descriptiva*, Syracuse-New York, 1956, p. 154. Este autor hace la distinción entre el «zéjel» y el «villancico»:

> «... desde el punto de vista métrico el villancico y el zéjel se diferenciaban por la forma de la mudanza, redondilla en el primero y terceto monorrimo en el segundo; además el tema o estribillo que en el villancico constaba ordinariamente tres o cuatro versos, en el zéjel se limitaba de ordinario a dos, y los versos de enlace entre la mudanza y la vuelta, de uso corriente en el villancico, no figuraban con regularidad ni frecuencia en la composición del zéjel.»

[125] Tomás Navarro, *Métrica española...*, p. 150:

> «... si se dio tal nombre a la poesía compuesta por Santillana para que la cantaran sus hijas, no se hizo en relación con su forma métrica, que es, como se ha indicado, la de un simple decir de estribillos sino teniendo en cuenta el carácter popular de los estribillos mismos. Análoga co-

mología de «villancico» (de «villanus»: el villano, hombre de campo) no deja lugar a duda acerca del carácter rural de las canciones designadas en un principio mediante tal vocablo. A partir de fines del siglo XV, la moda de los villancicos entra a desempeñar un importante papel en la poesía aristocrática y religiosa de la Corte, y, en manos de refinados poetas al par que músicos, el villancico cobra entonces los caracteres de una composición consciente y plenamente elaborada. Sin embargo, la originalidad de este género poético, estriba precisamente en haber conservado este sabor rústico. Tal colorido rural es la fuente de los efectos más logrados bajo la pluma de los mayores poetas y en ambiente aristocrático. Las palabras de Covarrubias bien reflejan la personalidad propia del villancico cuando, en 1611, da en su *Tesoro* esta definición, que ya tuvimos ocasión de citar:

> Villanescas: canciones que suelen cantar los villanos cuando están en solaz. Pero los cortesanos remedándolas han compuesto a este modo y mensura cantarcillos alegres. Esse mesmo origen tienen los villancicos tan celebrados en las fiestas de Navidad y Corpus Christi.

En el mismo momento en que los mejores poetas y músicos del siglo XVI y XVII ponían de moda el villancico en palacios y capillas de la aristocracia, los villanos seguían cantando y bailando sus propios villancicos al estilo tradicional, ingenuo y sencillo. Los villancicos navideños en especial prosiguieron su carrera rural, y sabemos que esta se prolonga hasta nuestros días.[126] C. Oudin traduce villancico por «villanelle sorte de chanson de village, chanson de Noël». Barthélémy Joly también dice haber escuchado villancicos populares en el monasterio de Monserrat, en Nochebuena del año 1604:

> ... Nous y entendismes le sermon et la grande messe avec petites chansonnettes en vulgaire, qu'ilz appellent «villancicos», qui excite autrement à rire qu'à dévotion...[127]

El carácter alegre y divertido del villancico aldeano que Barthélémy Joly señala aquí, parece haber sido en efecto uno de los aspectos típicos de su modo rústico ya que insisten en este rasgo otros autores.

El estilo divertido del villancico aldeano vuelve a encontrarse en muchos villancicos llevados al escenario por los dramaturgos.[128] Al introducir en sus églogas los vi-

---

rrespondencia con el asunto se observa en el nombre de villancete dado a otra poesía del *Cancionero de Stúñiga*, p. 312, la cual no es sino una serranilla en la forma propia de la canción en serie...»

[126] Si bien los villancicos y en especial los de Navidad (en Asturias, por ejemplo) perduraron en gran número hasta nuestros días, hay que aceptar por el contrario que son escasos los «zéjeles» cantados aún en el siglo XX. Uno de los más célebres es el de las morillas de Jaén, que expresa el amor de un castellano por tres muchachas moras de Jaén, llamadas Axa, Fátima y Marién. La melodía, recogida y armonizada por Garorca, es la de un villancico del siglo XV, cuyo texto y música figuran en el «Cancionero musical de Palacio» publicado por Asenjo Barbieri (texto núm. 17, p. 68; partitura: p. 260). Cf. *Cancionero musical español de los siglos XV y XVI*, Buenos Aires, 1945.

[127] *Op. cit.*

[128] Si merecen alguna fe las notas de vida rústica real que, en contraste con los precedentes autores pastoriles, Cervantes supo esparcir por la trama de *La Galatea* hay, por ejemplo, en esta novela, unas pocas líneas acerca del uso del villancico en la aldea:

llancicos de los aldeanos salmantinos, ya Encina supo conservar los gritos alegres que los ritmaban; su ciencia polifónica de maestro de capilla no le impedía recurrir a toques sonoros sacados del mundo rústico real.[129] Asimismo Lope de Vega y sus discípulos han mantenido en no pocos villancicos de sus escenas aldeanas el carácter basto y campesino de aquellos. Ya sea con ocasión de los festejos que acompañan o rematan la siega, ya sea en otras circunstancias, el villancico aparece como una canción de danza animada y alegre; a veces la adornan saltos y brincos. Podemos notar que en los versos del estribillo a menudo hay eneasílabos, decasílabos, endecasílabos o dodecasílabos de arte mayor con predominancia dactílica, es decir metros de danza popular. Un buen ejemplo de este carácter del villancico auténticamente aldeano en el teatro lo proporciona una escena de *El saber por no saber y vida de San Julián de Alcalá* (cuyo verdadero autor desconocemos).[130] Mientras los músicos van dando el tono, es decir, entonan el estribillo, salen dos bailarines rústicos; su danza endiablada es comentada por el aldeano Tomé que arde en deseos de unirse a ellos; de repente se pone a danzar, con grandes castañuelas, y entre otras figuras, da grandes brincos... Pero el desarrollo mismo de esta escena es lo suficientemente locuaz como para que la citemos junto con sus acotaciones escénicas muy reveladoras:

> *Los músicos y un baile de labradores y labradoras.*
> *Músicos.*
> Por aquí, por allí, por allá
> anda la niña en el azahar;
> por acá, por allí, por aquí
> anda la niña en el toronjil.[131]

«... y llegando ya cerca de nosotros, todos seis entonaron sus voces, y comenzando el uno y respondiendo todos, con muestras de grandísimo contento, y con muchos placenteros alaridos dieron principio a un gracioso villancico...» (lib. I).

Covarrubias, in *Tesoro*, art. «chançoneta», confirma el carácter alegre del villancico:

«Chançoneta. Corrompido de cancioneta, diminutivo de canción. Dízense chançonetas los villancicos que se cantan las noches de Navidad en las yglesias en lengua vulgar, con cierto género de música alegre y regozijado.»

[129] Véase, por ejemplo, el villancico final de *La égloga en recuesta de unos amores*, ed. Kohler, pp. 71-72.

[130] Tradicionalmente se atribuyó esta comedia a Lope de Vega, por el hecho de salir en la *Parte veinte y tres de las comedias de Lope de Vega* (Madrid, 1638), publicada después de la muerte del dramaturgo por su yerno Luis de Usátegui. El estudio de la métrica, tal como lo señalábamos, invita a poner en tela de juicio esta atribución.

[131] Una variante muy próxima de este estribillo se encuentra en *La Carbonera* de Lope de Vega (Acad., X, p. 731):

«Por aquí, por aquí, por allí,
anda la niña en el toronjil;
por aquí, por allí, por acá,
anda la niña en el azahar.»

También una canción-danza interpretada por unas aldeanas, en *El valor de las mujeres* (Lope), oímos el estribillo:

«Por aquí, por allí los vi,
por aquí deben de estar.»

(Acad. N., X, p. 146.)

Tomé.
¡Bravo baile!, ¡vive Dios!
que me retozan los pies.
    Lorenzo.
¿Es Tomé?
        Tomé.
    ¿Pues no lo ves?
¡Oh qué bien bailan los dos!
. . . .

   Saque Tomé unas castañuelas grandes, y bailen aquel villancico, y cuando él esté dando mayores saltos, salga San Julián.[132]

No todos los villancicos de la comedia de ambiente rústico tienen estilo tan viril y dinámico, pero presentan todos la misma nota de alegría y a menudo un retornelo de tipo tradicional constituye el estribillo. El ambiente aldeano de la acción lleva a veces a los caballeros que intervienen en estas comedias, a adoptar el modo tradicional y popular del villancico, en especial cuando dan una serenata en la ventana de una hermosa aldeana. En *El cuerdo en su casa* de Lope, oímos así en honor de una muchacha el conocido estribillo:

   Más valéis vos Antona
   que la Corte toda.[133]

Junto a estos villancicos tradicionales o populares insertos en las acciones aldeanas, naturalmente cabe considerar otra categoría de villancicos, debidos estos a la pluma de poeta dramaturgos. Aún conservan aire tradicional, pero son el resultado de una sabia fabricación. Lope descolló en la composición de tales villancicos en perfecta armonía con la intriga o la acción; como no hallamos en ningún sitio una composición que se les parezca en punto alguno, hemos de considerarlos como no-tradicionales. Uno de los más bellos ejemplos de este tipo de villancico, debidos en lo esencial a la pluma de Lope, es aquel que el Comendador manda entonar en honor de Casilda, en *Peribáñez y el Comendador de Ocaña* y que Cejador escogió para su colección *La verdadera poesía castellana...*[134]

Citemos también, en la *Ensaladilla para Navidad* del *Romancero espiritual* de Valdivieso (B.A.E., XXXV, p. 240):

   «Las canitas que tiran los niños
   hasta el cielo volando van,
   el viento las vuelve
   por aquí, por allí,
   por acá, por allá.»

[132] Acad., V, p. 215.
[133] B.A.E., XLI, p. 457. Vuelve a encontrarse el mismo estribillo en una escena de boda de *Antona García* de Tirso (N.B.A.E., IX (I), p. 618). Lo menciona G. Correas, *Vocabulario...*, p. 456. También se lo encuentra en *La Pícara Justina* (ed. Puyol, I, p. 89).
[134] Cf. C. Cejador y Frauca, *La verdadera poesía castellana. Floresta de la antigua lírica popular*, Madrid, 1921..., 10 vols., t. III, núm. 1624? Cejador comenta exclamando:

   «¡Qué aire aldeaniego!» Dans ce cas, comme dans plusieurs autres, le collectionneur semble avoir pris pour de la poésie authentiquement villageoise une habile fabrication de Lope. Nous n'excluons pas l'idée cependant que l'«estribillo» «linda casada / no dijiste Dios te valga» ait été populaire.

> Cogióme a tu puerta el toro,
> linda casada,
> no dijiste: ¡Dios te valga!
> El novillo de tu boda
> a tu puerta me cogió;
> de la vuelta que me dio
> se rió la aldea toda,
> y tú, grave y burladora,
> linda casada,
> no dijiste: ¡Dios te valga!

Con los romances tenemos los mismos problemas que con los villancicos, para saber si han de considerarse como populares o cultos. Conocido es el inmenso esfuerzo acometido por R. Menéndez Pidal para aclarar este problema. Lo mejor que podemos hacer es consignar brevemente algunos de sus argumentos en favor de una poesía «tradicional» practicada —y por ello, constantemente reelaborada— por el pueblo. No cabe duda, en efecto, que el romance, cualquiera sea su origen,[135] conoció durante mucho tiempo un uso popular. A mediados del siglo XV el aristocrático marqués de Santillana declaraba en un pasaje de su *Prohemio*:

> ... Infimos poetas son aquellos que sin ningún orden regla ni cuenta facen estos cantares e romances de que la gente baja e de servil condición se alegran...

¿Quiénes eran estas gentes humildes, despreciadas por el marqués de Santillana, que cantaban romances en el siglo XV? Un verso de las *Trescientas* de Juan de Mena da a entender que los aldeanos se contaban entre ellos; al mencionar la leyenda de Fernando el Emplazado y las canciones que circulaban sobre este tema, Juan de Mena agrega estas palabras que parece constituir un testimonio:

> Segun dizen rusticos déste cantando.[136]

R. Menéndez Pidal estima que estas fórmulas de Santillana y de Juan de Mena son el resultado de una exageración aristocrática[137] y demuestra fácilmente que el romance era apreciado en la corte de Alfonso V de Aragón. Pero lo uno no obsta a lo otro, y las palabras de Juan de Mena y Santillana reflejan que *también* existió un uso popular del romance, particularmente entre los aldeanos castellanos.[138] Tanto es así que

---

[135] Tratándose de un tipo de poesía oral cantada o bailada, ampliamente difundida entre las masas populares, no por escrito ni impreso sino por lo que llaman los sociólogos «memoria colectiva», el problema de los orígenes del poema nos parece tan «formalista» (lo cual no significa carente de interés) como el de las fuentes griegas o latinas a que se limita a veces un cierto estilo de crítica de obras renacentistas. Es el «contenido» envuelto en la «forma» lo que importa sobremanera destacar. Ahora bien, en materia de romance oral, bailado o cantado, pensamos que el contenido (acento emocional, tendencias de la imaginación, sentimientos, etc.) es esencialmente el que le otorgan quienes lo usan en determinado momento. Como dice Hegel en su *Estética*, la obra maestra siempre es «mediación» y en esta medida, perdura por los siglos. Este es el enfoque de los estudios de Ch.-V. Aubrun acerca del significado de los romances viejos españoles, y los fenómenos de actualización de los que fueron objeto.

[136] Copla 587.

[137] Cf. *Romancero hispánico*, II, p. 21: «Pero esta calificación del romance como poesía especial de rústicos y artesanos es errónea exageración de Mena, Santillana, y demás cultivadores de extremados refinamientos literarios entonces en moda...»

[138] Además es posible que no fuesen los mismos romances los que circulaban, al mismo tiempo, en el

este uso subsistió en los siglos XVI y XVII. Hacia 1535, Fernández de Oviedo da testimonio de ello en un pasaje bien claro de su *Historia general de las Indias* donde evoca los «areitos» (danzas mimadas y colectivas, adornadas con largos relatos) de los indios de la isla Hispaniola; detalle instructivo: compara estos cantos, danzas y bailes con los de los aldeanos españoles, cuando estos se divierten en verano, al son del tamboril;[139] y, para ilustrar su idea con un ejemplo habla de los viejos romances de Fernán González y el Cid. Unos sesenta años más tarde un texto de Valdés de la Plata, alias doctor Juan Sánchez, nos confirma que estos cantos y danzas eran practicados por los aldeanos «en toda Castilla la Vieja, en tierra de Salamanca y León». A principios del siglo XVII, Cervantes nos permite ver la función aldeana del romance. En un pasaje de la segunda parte del Quijote presenta a un aldeano que, al alba, va al campo con las mulas y el arado, y canta la vieja endecha de Roncesvalles:

> Estando los dos en estas pláticas vieron que venía a pasar por donde estaban uno con dos mulas que por el ruido que hacía el arado que arrastraba por el suelo, juzgaron que debía de ser labrador, que habría madrugado antes de ir a su labranza y así fue la verdad. Venía el labrador cantando aquel romance que dice:

> Mala la hubistes, franceses,
> en esa de Roncesvalles.[140]

¿Cómo cantaban romances los villanos en la realidad, con sus propios medios? Puede deducirse de las palabras de F. Salinas en su *De musica...* que existían en su tiempo dos modos de cantar romances: el uno, popular, consistía en salmodiar sobre el «ambitus» reducido de dos o tres notas, el otro, con una melodía comodín y algo gastada, válida indistintamente para todo tipo de libretos. Era un canto melódicamente muy sencillo, un «tonus simplex ferialis» y que, tal vez, en sus orígenes se había inspirado en las melodías religiosas.[141] Entre los ejemplos que nos proporciona de esta recitación popular el maestro salmantino hallamos un aire de ritmo ternario muy elemental sobre las palabras de *Retraída está la infanta...,* libreto que después se hizo tan corriente que fue objeto de parodia.[142] Otro ejemplo de romance de «tonus simplex ferialis», dado por F. Salinas, es el de *El Conde Claros.*

---

medio aristocrático y entre aldeanos. R. Menéndez Pidal, en *Poesía juglaresca y juglares,* estima que la fórmula del *Prohemio* de Santillana se aplica a romances de estilo épico pasados de moda en los ambientes refinados, pero cuya tradición perpetuaba el pueblo.

[139] Oviedo, *Historia general de las Indias,* Salamanca, 1547, lib. V, cap. I, fol. 45. «Esta manera de baile parece algo a los cantares y dánças de los labradores, quando en algunas partes de España, en verano, con los panderos hombres y mujeres se solazan.» Este ejemplo citado por el propio R. Menéndez Pidal, en *Romancero hispánico,* II, p. 98.

[140] *Quijote,* II parte, cap. ix.

[141] Manuel de Falla se inspiró en este estilo recitativo muy sencillo (agregándole una nota burlesca) en el *Retablo de Maese Pedro.* Un antiguo romancillo popular recogido por García Lorca entre aldeanos permite observar en qué consistía la recitación salmodiada del pueblo: el *Romance de Don Boyso.* La melodía se repite cada cuatro versos; corta y escueta, mira ante todo a la valoración del texto recitado (cf. interpretación de Margarita González, disco microsurco B.A.M.L.D. 041 (A). García Lorca también había recogido el romance salmantino de *Los mozos de Monleón* (cf. *Folklore o cancionero salmantino,* Madrid, 1907, de Dámaso Ledesma). Es otro ejemplo de la melodía puesta al servicio de la recitación.

[142] G. Correas, *Vocabulario...,* p. 480, indica:

> «Retraída está la infanta
> detrás de la manta

En lo que atañe a las danzas que acompañan a veces el relato del romance en la aldea, también hay algunos informes. En el manuscrito 3913 de la Biblioteca Nacional de Madrid se encuentra una ensaladilla de autor anónimo, con el tema de los festejos de algunos villanos y villanas para la fiesta de San Juan. Allí fue inserto el estribillo:

> Río verde, río verde,
> más negro vas que la tinta.

Los pocos versos que precedían este estribillo nos revelan que podían ser bailados colectivamente por el grupo de jóvenes aldeanos mientras que un cantor entonaba la balada:

> Y luego un corro hizieron
> los zagales namorados
> con sus mozas a los lados
> de cuyas manos se assieron;
> con sus manos en la cinta
> cantó Benito Monterde:
> Río verde, río verde
> mas negro vas q̄ la tinta. [143]

Más tarde, en su célebre carta sobre las romerías asturianas, Jovellanos confirmó esta manera aldeana de acompañar el cantar del romance con una danza, esta vez en el caso de la «danza prima» asturiana; y también nos indicó, detalle valioso, que los aldeanos intercalaban estribillos en la trama del romance:

> Los hombres danzan al son de un romance de ocho sílabas cantado por alguno de los mozos que más se señalan en la comarca por su clara voz y por su buena memoria; y a cada copla o cuarteto del romance responde todo el corro con un especie de estrambote, que consta de dos solos versos o media copla... [144]

Al indicar que la coreografía masculina es diferente de la coreografía femenina, Jovellanos destaca los rasgos comunes a ambas, y en especial el lento movimiento giratorio de los danzantes dándose la mano en círculo, mientras se oye la canción:

> ... Aunque las danzas de los hombres se parecen en la forma a la de las mujeres, hay entre unas y otras ciertas diferencias bien dignas de notarse. Seméjanse en unirse todos los danzantes en rueda, asidos de las manos, y girar en rededor con un movimiento lento y compasado, al son del canto, sin perder ni interrumpir jamás el sitio

> bien así como solía
> sin basquiña.»

---

[143] Ms 3913 (B. N. Madrid, fol. 50) (este manuscrito de fines del siglo XVII agrupa poesías de principios de siglo: Quevedo, Góngora, etc.). El modo de cantar y bailar colectivamente los romances al que aluden estos versos, es confirmado por Gonzalo Fernández de Oviedo, *op. cit.*, fol. 45. Tras un pasaje en el cual compara los «areitos» indios con los «romances» de los labradores españoles, escribe: «... y en Flandes he yo visto la mesma forma de cantar, baylando hombres y mujeres en muchos corros, respondiendo a uno que los guía o se anticipa en el cantar según es dicho».

[144] B.A.E., L, p. 299.

ni la forma. Son una especie de coreas a la manera de las danzas de los antiguos pueblos, que prueban tener su origen en los tiempos más remotos y anteriores a la invención de la gimnástica. Pero cada sexo tiene su poesía, su canto y sus movimientos peculiares, de que es preciso dar alguna razón...[145]

Numerosos son los pasajes de la comedia en los que encontramos romances en boca de aldeanos. Las investigaciones llevadas a cabo por M. Bataillon sobre las relaciones entre la comedia y el romancero han puesto de relieve que los romances han fecundado realmente la génesis y el desarrollo de la comedia lopesca, proporcionándole temas y situaciones dramáticas, emociones, medios estilísticos,[146] etc. Esto que resulta cierto en el caso de la comedia en general, lo es quizás más aún en el caso de la comedia de ambiente rústico o seudo-rústico, por la sencilla razón de que el romance sentido como canto del pueblo por Lope, encuentra muy naturalmente su lugar en boca de los aldeanos de su teatro. Hasta resulta ser un procedimiento corriente en el dramaturgo, en las piezas de ambiente no rústico (galante o heroico), el hacer entonar un romance relacionado con la acción a un villano anónimo que encarna una como «voz populi» impersonal. El Fénix parece, en efecto, haber abrigado la convicción de que algunos tipos de romances podían surgir naturalmente, sin preparación cultural o literaria, como un producto bruto y espontáneo de la gente del campo.[147] En *Con su pan se lo coma,* un romance sencillo y lleno de humor poético, va seguido de un comentario muy revelador:[148]

> Estos romances, señora,
> nacen al sembrar los trigos.

Ya vimos cómo Cervantes hablaba en el Quijote de un romance canturreado por un labrador al arar su campo. Podemos comprobar que Lope une a menudo el canto del romance en la comedia con una faena del campo. El mejor ejemplo de ello lo dan los cuatro versos del romance de «la muger de Peribáñez», a cuyo propósito ya dijimos que figuran tanto en *San Isidro labrador de Madrid* como en *Peribáñez y el Comendador de Ocaña.*[149] En *San Isidro labrador de Madrid,* el molinero Bartolo canta el estribillo al «son de la rueda» («Bartolo dentro, cantando al son de la rueda», precisa la acotación):

---

[145] Cf. *Annuaire du Collège de France,* année universitaire 1947-1948, XLVII, pp. 178-186.

[147] Como ya hemos visto, se trataba de la teoría de la Naturaleza opuesta al Arte. A este respecto recordemos el artículo de R. Menéndez Pidal, *Lope de Vega, el arte nuevo y la nueva biografía,* R.F.E., XXII, 1935, pp. 337-398.

[148] Acad. N., IV, p. 306 a. El texto mismo de este romance subraya con gracia y malicia (gracia y malicia que nos llevan a pensar que tal vez Lope asignara límites a su teoría de la creación popular espontánea) el aspecto misterioso del nacimiento del romance:

> «Por las sierras de Altamira
> huyendo va el rey Marsilio
> un domingo de mañana,
> si entre moros hay domingos.
> Siguiéndole va don Sancho
> en un caballo morcillo,
> y a quien hizo este romance
> lo dijo el caballo mismo.»

[149] *Vide supra,* p. 383.

> Más precio yo a Peribáñez
> con la su capa pardilla,
> que no a vos, Comendador
> con la vuesa guarnecida. [150]

En *Peribáñez y el comendador de Ocaña* el motivo aparece en dos oportunidades; en la segunda adopta la forma precisa del canto de labrador en el trabajo. Cuando vuelve de Toledo, preocupado por los manejos del Comendador de Ocaña con su esposa, Peribáñez oye a uno de los segadores de su campo («canta un segador») entonar lo que los propios trabajadores llaman «el cantar de la mujer de nueso amo»:

> La mujer de Peribáñez
> hermosa es a maravilla;
> el Comendador de Ocaña
> de amores la requería.
> La mujer es virtuosa
> cuanto hermosa y cuanto linda;
> mientras Pedro está en Toledo
> desta suerte respondía:
> «Más quiero yo a Peribáñez
> con su capa la pardilla
> que no a vos, Comendador,
> con la vuesa guarnecida.» [151]

Peribáñez no duda de que esta balada, que ya corre de boca en boca, narra los acontecimientos tal como han ocurrido en su ausencia:

> Notable aliento he cobrado
> con oir esta canción,
> porque lo que éste ha cantado
> las mismas verdades son
> que en mi ausencia habrán pasado. [152]

Con ello tenemos un palmario ejemplo de la función dramática del romance, sentido por Lope como canto del pueblo, como crónica de acontecimientos en la que se expresan los sentimientos colectivos que suscitan: alegría, admiración o preocupación. El romance de los villanos, considerado como un producto anónimo de la comunidad, permite así la extensión de las emociones suscitadas por el drama a todo el grupo social. [153] Hallamos un caso notable de recurso a este procedimiento de amplificación lírico-dramática, en *El Conde Fernán González* (Lope) (1606-1612, probablemente 1610-1612, según la versificación), cuando interviene una voz aldeana para acentuar y elevar el fervor patriótico. Unos aldeanos que han asistido a la jura de los nobles castellanos decididos a liberar a su Conde, quedan solos en el escenario y uno de

---

[150] Acad., IV, p. 570 a.

[151] Cf. ed. Aubrun y Montesinos, versos 1917-1933.

[152] *Ibíd.*, versos 1229-1233.

[153] Menéndez y Pelayo había propuesto la idea de la comparación con el coro antiguo y la habían desarrollado magistralmente Aubrun y Montesinos en el prólogo, p. XXI, de su edición de *Peribáñez y el Comendador de Ocaña*: «Les villageois de Lope servent donc de décor et de choeur; mais, pour «Peribáñez», il faut entendre le choeur dans un sens rigoureux, dans un sens antique.»

ellos, Bertol, comenta el acontecimiento, rodeado por el grupo silencioso de sus compañeros:

> Juramento llevan hecho
> todos juntos a una voz
> de no volver a Castilla
> sin el conde su señor
> ...[154]

Bien puede afirmarse que aquí el romance de los villanos sentido como «voz populi» por Lope cimenta la comunión del grupo social y exalta sus valores. [155] El caso en que, como sucede en *Peribáñez y el Comendador de Ocaña,* el héroe o la heroína de la pieza oye contar su propia historia por los aldeanos, es repetido por Lope y el romance desempeña entonces el papel de auténtico espejo lírico de la acción. En *Los Tellos de Meneses,* verbigracia, la infanta Elvira oye cantar la historia de su huida por los montes de León, para evitar el matrimonio con el rey moro de Valencia que le quería imponer su padre. Puesta en presencia de su propia desgracia no puede sino considerarla mayor aún:

> Aquí llegan mis desdichas,
> pero si la causa llega,
> tan triste como atrevida,
> ¿qué mucho que lleguen ellas? [156]

Se trata, como queda claro, de un procedimiento de intensificación trágica. El romance no es la única forma usada por Lope para lograr este efecto, [157] pero es preciso reconocer que esta forma es muy adecuada, merced al octosílabo y a la vuelta de la asonancia, que crean un tono grave, despojado y tenso dramáticamente. Por lo tanto, para otorgarle a la acción un eco que la repercuta en resonancias armónicas, Lope no vacila en poner en boca de sus aldeanos romances que fabrica pieza por pieza imitando así la factura tradicional de las viejas endechas populares. *Fuenteovejuna* presenta así una composición de tono tradicional, pero que, a todas luces, se debe a la pluma del Fénix. [158] Estos romances perfectamente incorporados a la acción son a veces

---

[154] Acad., VII, p. 440 b. Estos cuatro versos quizás sean tradicionales, ya que se los vuelve a encontrar de «incipit» en un romance sobre el mismo tema en la *Cuarta y Quinta parte de Flor de romances* de Sebastián Vélez de Guevara (Alonso y Esteban Rodríguez, Burgos, 1592), p. 33 b. Lo que sigue de ambas versiones, bordadas sobre un mismo cañamazo, no ofrece sino escasos puntos en común y queda claro que Lope se dedicó a la refundición de un poema conocido.

[155] Quede claro que mediante esa expresión «vox populi», definimos la función sociológica del canto. Esta función que consiste en expresar el «alma colectiva», no deja de serlo aun cuando el autor del canto es un individuo, incluso si es Lope.

[156] Acad., VII, p. 300 a.

[157] En *El caballero de Olmedo,* una conocida seguidilla en el siglo XVI (ya había sido recogida por Cabezón) es cantada por un labriego que va a trabajar. Entraña el valor intensamente trágico del anuncio del destino (el ananké de la tragedia griega). Cf. Acad., X, p. 181 a.

[158] Acad., X, p. 549 b:

> «Al val de Fuenteovejuna
> la niña en cabellos baja;
> el caballero la sigue
> de la cruz de Calatrava.»

la fuente misma de la tragedia;[159] pero cuando, por casualidad, son el producto de una fabricación «a posteriori» del dramaturgo, se integran tan perfectamente en la pieza que siempre nos resulta difícil conocer su origen; tal como van imbricados en la estructura del drama, todo se desprende de ellos y remite a ellos:

Peribáñez y el Comendador de Ocaña no es más que una pieza entre otras muchas en la que el canto del romance va unido a una faena rústica de carácter cotidiano (arada, siega, etc.). En *Los Tellos de Meneses,* un campesino que está cargando ramas en su carro canta así:

> Triste está la infanta Elvira,
> días ha que no se alegra;
> que la casa el rey, su padre,
> con el moro de Valencia. [160]

En *La juventud de San Isidro* (1622), durante una escena de molino («suene la tolva del molino y canten dentro», dice la acotación), oímos:

> Retraída está la Infanta,
> bien así como solía,
> porque el Rey no la casaba,
> ni tal cuidado tenía.
>
> (Acad., IV, p. 548 b.)

Naturalmente, los discípulos de Lope han puesto en práctica esta manera de utilizar escénicamente el romance como medio de amplificación lírica, y entre otros muchos ejemplos, puede citarse el de *La Montañesa de Asturias* de Luis Vélez de Guevara. Aquí la aldeana Olalla, montando un rucio, canta un romance que resume la

---

[159] Este es el caso de *Peribáñez y el Comendador de Ocaña.* En sus *Estudios sobre el teatro de Lope de Vega,* Menéndez y Pelayo, con su sensibilidad acostumbrada, presintió ya que el romance de la mujer de Peribáñez, insertado en el hilo dramático, existía independientemente y constituía el embrión del drama lopesco. Sólo faltaba demostrarlo. El hecho de que cuatro versos del romance salen en *San Isidro labrador de Madrid* («comedia que consideramos anterior a *Peribáñez y el Comendador de Ocaña*») prueba que por lo menos estos cuatro versos eran tradicionales. Pero hay más: estos cuatro versos, tal como tendremos ocasión de comprobarlo, son cantados en la pieza junto con otros: «Río verde, río verde...» y «Retraída está la infanta». Ahora bien en razón del comprobado carácter tradicional de «Río verde, río verde» y de «Retraída está la infanta», es preciso pensar que «Más precio yo a Peribáñez», también presentaba la misma autenticidad popular.

W. L. Fichter, en *The probable sources of certain character names used by Lope de Vega,* en *Hispanic Review,* XXX, October 1962, p. 269, no cree en la existencia independiente de la copla «Más precio yo a Peribáñez», fuera de las dos comedias lopescas, porque la anterioridad de *San Isidro labrador de Madrid* no ha sido demostrada de manera decisiva en nuestro estudio, en *B. Hi.,* LXIII (1961), pp. 5-27. Estamos de acuerdo con él sobre la importancia que ha de otorgarse a los problemas de las relaciones entre *San Isidro* y *Peribáñez.* Pero incluso suponiendo que la cronología tuviera que ser invertida —lo cual tampoco queda probado de manera decisiva—, ¿no habrá que seguir teniendo en cuenta el comprobado carácter tradicional de «Río verde, río verde» y «Retraída está la infanta»? W. L. Fichter no tiene en cuenta este elemento de la discusión que, a nuestro parecer, es de capital importancia.

[160] Acad., VII, p. 300 a. Lo deducimos del diálogo:

> «*Labrador:*   Conmigo vino Teresa
> para ayudarme a cargar
> de carrascas la carreta.»
>
> (Acad., IV, p. 301 a.)

aventura de Pelayo; como esto habría podido ocurrir en la vida normal, el romance va entrecortado de una orden al animal. [161]

Se plantea el problema de saber cómo, en el teatro, eran tarareados estos romances relacionados con las faenas aldeanas. Los musicólogos tendrán la última palabra sobre los problemas de la lírica tradicional (cantada) y únicamente un musicólogo podría contestar realmente a la pregunta. No obstante nos atrevemos a pensar que la melodía de los romances teatrales objeto de nuestro estudio debía de ser sencilla y a semejanza de este «tonus simplex ferialis», del cual ya vimos, gracias a F. Salinas, que era el modo popular de los romances. Hasta podemos, con gran probabilidad de exactitud, ser más precisos en algunos casos que nos interesan en primer lugar. En *San Isidro labrador de Madrid,* el molinero Bartolo que canta, el son de la rueda, el estribillo de «la muger de Peribáñez», entona primero otros dos estribillos, bien conocidos éstos y antiguos:

> Río verde, río verde,
> más negro vas que la tinta,
> de sangre de los cristianos,
> que no de la morería.

y

> Retraída está la Infanta,
> bien así como solía,
> porque el rey no la casaba,
> ni tal cuidado tenía. [162]

Aunque con la regularidad octosilábica del romance haya sido relativamente fácil pasar de una melodía a otra, [163] pensamos poder imaginar que Bartolo seguía en «Retraída está la infanta», la misma melodía que indica F. de Salinas a propósito de este romance. Por analogía, podría suponerse que otra melodía muy sencilla, fiel a un modo popular de salmodiar los romances, acompañaba a «Más precio yo a Peribáñez». [164]

Pero no conviene generalizar y mucho menos sistematizar. Sabemos que los villanos y los segadores que cantaban a veces no eran sino los mismos músicos disfrazados de villanos y segadores. Entonces podía surgir la tentación de dar rienda suelta a los recursos vocales e instrumentales. Si bien hay que admitir que el canto del romance en algunas escenas de ambiente aldeano, como en *San Isidro labrador de Madrid,* [165]

---

[161] Cf. *Com. escog. de los mej. ing. de España,* 1652-1704, XXX, p. 73.

[162] Acad., IV, p. 570 a. Lope volvió a tomar el romance «Retraída está la infanta», en *La juventud de San Isidro.*

[163] Por el contrario, en el caso de la versificación irregular, libreto y melodía forman un conjunto prácticamente indisoluble en la memoria popular.

[164] Abogando en pro de nuestra hipótesis, también hay que tener en cuenta la renovación del canto monódico a fines del siglo XVI y principios del siglo XVII. Desde la época de los Reyes Católicos, la música polifónica había predominado en cortes y palacios. Hacia 1600, al público le gustó volver a escuchar melodías sin complicaciones refinadas. La monodia era arcaizante y, al parecer, convenía al arcaísmo de un texto en el cual da el tono el nombre compuesto de Peribáñez (de formación antigua como los otros: «Perantón», «Peranzules», etc.).

[165] Podría citarse también el caso de *El amor como ha de ser* de Cubillo de Aragón. Cf. *Comedias escogidas de Cubillo de Aragón,* Madrid, 1826, I, p. 368 (B. N. Madrid, t. 135), en donde está el romance

debía respetar la sobriedad monódica del «tonus simplex ferialis», ¿igualmente hay que suponer que otras comedias de ambiente rústico podían ofrecer romances susceptibles de una interpretación musical más culta? Era lo que solía ocurrir cuando se le pedía a un músico de talento como el célebre Juan Blas que escribiera la partitura. Apoyándose en una melodía popular, obrando como siempre lo han hecho los grandes músicos cuando van a las fuentes folklóricas, escribía una composición más refinada. Tenemos un ejemplo de esta reelaboración en el magnífico romance a cuatro voces *Estábase la aldeana...* que figura en el número 11 del *Cancionero poético y musical del siglo XVII*[166] y sobre el cual atrajo nuestra atención el musicólogo R. Mitjana.[167] La música es de Juan Blas y el motivo del libreto el mismo que canta la aldeana Bartola, en medio del acto II de *La luna de la sierra* de Luis Vélez de Guevara, mientras Pascuala espera la vuelta del esposo al anochecer:

> Estábase la aldeana
> a las puertas de su aldea
> viendo venir por la tarde
> los zagales de las eras.
> Cargados los altos carros
> de espigas doradas llevan
> y a sus rústicos cantares
> van ayudando las ruedas.
> El zagal de Inés venía,
> el de Casilda y Lorenza;
> como son vecinas suyas
> crece su envidia y su pena;
> a todos pregunta Silvia
> aunque con mucha vergüenza
> de que recién desposada
> por cuidadosa la tengan.
> En esta imaginación
> salieron Luna y Estrella
> a ver tan lejos del Alba
> la suya llorando penas;
> cuando vio que ya tañían
> la campana de la queda
> a recoger los zagales
> dixo mirando a la puerta:
> «Tocan a la queda, mi amor no viene
> algo tiene en el campo que le detiene.»[168]

Como la versión musical de Juan Blas es contemporánea de la pieza de Luis Vélez de Guevara, puede considerarse la melodía como un excelente ejemplo de lo que pu-

---

de *El conde Claros* en boca de una aldeana. Recordemos que una melodía de este romance también es citada como ejemplo de «tonus simplex ferialis», por F. Salinas.

[166] Cf. *Cancionero musical y poético del siglo XVII recogido por Claudio de la Sablonara y transcrito en notación moderna por... Jesús Aroca*, 1916 (B. N. Madrid, M. 4332).

[167] R. Mitjana, *Comentarios y apostillas al Cancionero poético y musical del siglo XVII, recogido por Claudio de la Sablonara y publicado por D. J. Aroca, R. F. E.*, 1919, VI, p. 44.

[168] *La Luna de la Sierra*, A, II, en Luis Vélez de Guevara, *Flor de las doce mejores comedias*, Madrid, 1652, fol. 12.

dieron ser musicalmente algunos romances escenificados en boca de aldeanos. La seguidilla final puede ser considerada como un cordón umbilical que une la composición al arte «tradicional»,[169] pero resulta difícil no ver lo que ésta entraña de culto en

___

[169] El estribillo más antiguo de los que se emparentan con esta seguidilla se encuentra en la canción de Melibea, en el acto XIX de *La Celestina:*

> «La media noche es pasada
> mi amor no viene:
> sabedme si ay otra amada
> que lo detiene.»

En el punto de partida de este tipo de estribillo debió de haber una canción de amigo. Leemos, en el *Cancionero de Upsala* (ed. Mitjana, p. 53, núm. XIV):

> «Si la noche hace escura
> y tan corto es el camino,
> ¿cómo no venís, amigo?
> La media noche es pasada
> y el que me pena no viene:
> mi desdicha lo detiene,
> ¡que nací tan desdichada!
> Háceme vivir penada
> y muéstraseme enemigo.
> ¿Cómo no venís amigo?»

El mismo texto, con unas pocas variantes, vuelve a encontrarse in Diego Pisador, *Libro de música para vihuela,* Salamanca, 1552, lib. III, fol. 9. También puede citarse a Gil Vicente, *Tragicomedia de Don Duardos:*

> «Tres días ha que no viene:
> guisándome está la muerte
> mi señora.
> Señora, ¿quién te detiene?»

Quiñones de Benavente, *La puente segoviana:*

> «¿Dónde está Manzanares?
> ¿Cómo no viene?
> Algo tiene en agosto
> que lo detiene.»

Isabel de Flores y Oliva (alias Santa Rosa de Lima):

> «Las doce son dadas
> mi Esposo no viene:
> ¿Quién será la dichosa
> que lo entretiene.»

(Variante «a lo divino», citada por Ventura García Calderón, en *La literatura peruana, R. Hi.,* XXXI, 1931, p. 312).

En *Cantos populares españoles,* Sevilla, 1882, III, Rodríguez Marín cita la seguidilla andaluza:

> «Las ánimas han dado,
> mi amor no viene;
> alguna picarona
> me lo entretiene.»

Gracias al testimonio de Jovellanos hemos visto que la costumbre de insertar estribillos conocidos en el desarrollo del romance era popular en el siglo XVIII. Como señala Tomás Navarro *(Métrica española...,*

varios rasgos. Pensamos que existe una relación entre estos elementos cultos y el hecho de que el romance haya podido cantarse con una polifonía de Juan Blas. Lope —que más de una vez recurrió al arte de Juan Blas— nos proporciona también ejemplos de uso del estilo contrapuntístico en intermedios rústicos. En *La serrana de la Vera* el canto:

> Salteóme la Serrana
> junto al pie de la cabaña,
> la Serrana de la Vera
> ojigarza, rubia y branca...

va precedido de la indicación escénica: «vienen baxando por lo alto Bartolo, Turino, Antón, Corveo, villanos, por agua, cantando a cuatro voces» en la que define este estilo la expresión «a cuatro voces».

Las comedias de ambiente rústico o seudo-rústico también nos ofrecen escenas coreográficas en las que encontramos el romance (o su pariente, el romancillo) no sólo cantado, sino también «representado» por la danza de los aldeanos o seudo aldeanos. Nos resulta imposible definir cuál es la parte realmente popular y tradicional de estos fragmentos y cuál la que corresponde a la pluma del dramaturgo. Lo único que se puede afirmar con alguna certeza, en presencia de estas danzas «habladas» teatrales, es que se inspiran en el estilo popular de los romances danzados en las aldeas en los siglos XVI y XVII de la manera que intentamos definir antes (conservada, según parece, en la «danza prima» asturiana).

En *Los prados de León,* Lope puso en escena una canción-danza de estas en romancillo. El baile se arma en un prado, cerca de una fuente, con jóvenes aldeanos. El libreto consiste en un diálogo galante entre un conde y una aldeana. Primero viene la reverencia del seductor, y luego su declaración. En un primer momento la aldeana esboza un rechazo, pero después de una nueva solicitación amorosa, otorga imprudentemente su mano; pese a protestas poco sinceras, se deja raptar en brazos del desconocido, quien se la lleva hacia uno de sus barcos que lo esperan en la orilla; el mar, sím-

---

pp. 273-274), la incorporación de complementos de carácter lírico al romance fue practicada a partir del siglo XV, y se desarrolló de manera particular a fines del siglo XVI. Pero pensamos que este procedimiento fue percibido como «popular» a partir de 1600 aproximadamente. Por ejemplo, nos parece sintomático que se encuentren numerosos casos de estribillos de este tipo en *Juegos de noches buenas* de Alonso de Ledesma, en 1605 (cf. in B.A.E., XXXV, pp. 419-426). Tal ocurre con este «Luna que reluces / toda la noche me alumbres» ya mencionado por el *Cancionero de Upsala* en 1556 y que vuelve a aparecer bajo la pluma de Alonso de Ledesma, así como bajo la de Luis Vélez de Guevara, en *La luna de la Sierra).* Basta con abrir el *Romancero general* de 1604 para ver hasta qué punto estaba en boga el procedimiento. El ms 3913 de la B. N. Madrid nos proporciona también ejemplos, y en especial en composiciones que pretenden cobrar un estilo rústico.

[170] Este tema del mar de donde llegan la aventura y la felicidad es un tópico de la antigua lírica castellana (cf. Romance del Infante Arnaldos, en su versión fragmentaria). Probablemente había pasado a las endechas y canciones populares, ya que volvemos a encontrarlo en los *Juegos de Noches Buenas* (1605) de Alonso de Ledesma:

> «Que miraba la mar
> la mal casada;
> que miraba la mar
> como es ancha y larga.»

bolo de la salida a la aventura, llena con su horizonte y su misterio el final de la canción-danza, como en algunos viejos romances tradicionales:

Reverencia os hago,
linda vizcaína,
que no hay en Vitoria
doncella más linda.
Lleváisme el alma
que esos ojos mira,
y esas blancas tocas
son prisiones ricas.
Más preciara haceros
mi querida amiga,
que vencer los moros
que a Navarra lidian.
—Id con Dios, el Conde:
mirad que soy niña
y he miedo a los hombres[171]
que andan en la villa.
Si me ve mi madre,
a fe que me riña.
Yo no trato en almas, [Sic en Parte XVI, fol. 45 r.º]
sino en almohadillas.
—Dadme vuestra mano;
vámonos, mi vida,
a la mar, que tengo
cuatro naves mías.
—¡Ay Dios que me fuerzan!
¡Ay Dios que me obligan!
Tómala en los brazos
y a la mar camina.[172]

¿Lope reproduce en este caso una pieza conocida y bailada realmente por los villanos de su época? ¿O fabrica un romancillo-serranilla a partir de una estructura tradicional? Nos inclinamos por la segunda hipótesis, porque tenemos la impresión de estar aquí en presencia de un arte refinado de manera exquisita, que en el teatro supone cierto humor de demiurgo. Lo cierto es que el romancillo-serranilla de Los prados de León presenta un parentesco bien preciso con fragmentos de romances hexasílabos conservados por judíos marroquíes. Arcadio de Larrea Palacín cita:

De Valencia os pido
de la Blanca niña;

---

[171] Estos dos versos se inspiran en un estribillo tradicional. Cf. Séptima parte de flor de varios romances nuevos, recopilados por Francisco Enríquez, Madrid, 1595, fol. 137 v.º:

«Ten amor el arco quedo,
que soy niña y tengo miedo.»

Lope utilizó este estribillo en una gallarda seudo-aldeana de Con su pan se lo coma (Acad. N., IV, p. 322 b).

[172] Acad., VII, p. 149 b. Tal vez haya que sustituir «en almas» por «amores».

>   yo no trato amores
>   sino almohadillas,
>   que en ella labraba
>   y en ella cosía;
>   en ella me enseñé
>   desde chiquita
>   ...[173]]

El mismo autor nos proporciona una versión más larga, aunque truncada, de este texto en la que la relación con nuestro romancillo-serranilla resulta evidente:

>   De Valencia pido,
>   de la Blanca Niña,
>   *que en toda la España*
>   *no la había tan linda.*
>   Vuestras manos blancas
>   son prisiones mías;
>   matáis a los hombres,
>   *que andan por la vía.*
>   —*Vaite, por Dios, conde;*
>   *mira que soy niña,*
>   *si mi padre lo sabe,*
>   *por Dios que a ti riña;*
>   *que no trato amores*
>   *sólo almohadillas,*
>   *en ella labraba,*
>   *en ella cosía,*
>   *en ella gastaba*
>   *oro y seda fina.*
>   Tate, por Dios, conde;
>   *mira que soy niña,*
>   *que si mi padre lo sabe*
>   *por Dios que a ti riña;*
>   *que no trato amores,*
>   *sólo almohadillas,*
>   *en ellas labraba*
>   desde yo chiquita
>   ...[174]]

Ya en 1946, Paul bénichou había proporcionado la versión completa del romance hexasilábico de los judíos marroquíes. El tema es exactamente el mismo que en la canción-danza de *Los prados de León,* ya que se trata de un rapto amoroso por mar:

>   —Reverensia os pido
>   de la Blanca Niña,
>   *que en toda la España*
>   *no la hubo tan linda.*
>   Huestras manos blancas
>   son priziones mías;

---

[173] Arcadio de Larrea Palacio, *Romances de Tetuán recogidos y transcritos,* Madrid, 1952, I, p. 224.
[174] *Ibíd.,* p. 224, texto núm. 141.

matáis a los hombres
que andan por la vía.
—*Vaite por Dios, conde,*
mira que soy niña;
yo no trato amores
sino almohadita,
que en eya labraba
y en eya cuzía,
y en eya gastaba
oro y seda fina,
y en eya me enseñí
desde yo chiquita.
Arsóla en sus brazos
y a la mar se iría.
Havó un barquito pronto,
en él se embarcaría;
...[175]]

Como ya se ve, el romancillo de Lope localiza en el norte de España (Vizcaya-Navarra) algunos elementos de su historia: esto podría corresponder a una necesidad de armonizar la canción con la acción de la pieza que transcurre en una comarca norteña de la península.[176] Pero eso es todo lo que podemos afirmar. Nos vemos en la imposibilidad de saber si la canción-danza de Lope da origen a este romancillo, vivo aún, o si por el contrario, ambos derivan de una tradición anterior.[177] Dicho esto, nada impide pensar que las figuras y el libreto se inspiran, estilizándolos, en algunos elementos de danzas aldeanas de 1600-1620; el diálogo que precede nos permite ver claramente que, en efecto, es ejecutada al estilo aldeano: en corro.[178]

Llegamos a conclusiones similares en presencia de otro romance en dos partes danzado por aldeanos en *El villano en su rincón* de Lope. Nos encontramos en una plaza de aldea, a la sombra de un olmo, sitio clásico donde acostumbraban bailar los aldeanos de la realidad por los años de 1600-1630. El canto-danza que se inicia exige dos ejecutantes: un hombre y una mujer. En una primera parte el hombre empieza a bailar mientras el romance (asonantado en -i) cuenta su salida de cacería (encarna el

---

[175] Paul Bénichou, *Romances judeo-españoles de Marruecos*, Buenos Aires, 1946, p. 94, texto núm. XXXIII. No citamos más que la parte del romance que nos interesa. El final, que trata de los padres de la Blanca Niña, parece agregado, y como lo decía atinadamente Paul Bénichou: «... por lo menos ganaría mucho el romance si se suprimiera este pasaje». En realidad, Lope nos propone la forma corta. Por este motivo el final —como en «Cabalga Diego Laínez»— resulta más misterioso aún.

[176] En lo que sigue del texto de Paul Bénichou, a la joven víctima del rapto le prometen hacerla reina de Andalucía; el romance se localiza en el Sur.

[177] De tener la seguridad de que los romances judeo-marroquíes fueron importados a Marruecos en el momento de la expulsión de los judíos (alrededores de 1500) entonces sí existiría la prueba de que Lope utilizó una canción anterior a él.

[178] Acad., VII, p. 149 a:

«*Un músico:*   ¿Qué son habemos de hacer?
«*Lucindo:*   Uno que andemos en corro.»

A propósito de la expresión «en corro», recordemos la frase muy sencilla de Alonso Remón al hablar de los festejos aldeanos, en *Entretenimientos y juegos honestos*..., fol. 95, v.º: «... Aquellos sus bayles en las calles y en lugares públicos, a que llaman el corro y el olmo.»

papel de un caballero), su correría por los bosques, su encuentro con una señora vestida de serrana. En este momento su pareja entra en la danza para tomar el papel de la señora-serrana. Se inicia entonces la segunda parte del romance (asonantado en -a) precedida de un zéjel. Se entabla un diálogo según el patrón clásico de la serranilla. Su galán se ha alejado para matar un oso, y al quedarse sola, ella se ha perdido en el monte; pide entonces auxilio al caballero; este no puede negarse a ayudar a la señora y ambos pasarán la noche, esperando el alba al pie de una roca, protegidos de la lluvia por la capa del caballero:

> *Canten los músicos y Bruno baile solo.* [179]
> A caza va el caballero
> por los montes de París, [180]
> la rienda en la mano izquierda
> y en la derecha el neblí.
> Pensando va en su señora
> que no la ha visto al partir,
> porque como era casada
> estaba su esposo allí.
> Como va pensando en ella,
> olvidado se ha de sí;
> los perros siguen las sendas
> entre peñas y peñas mil. [181]
> El caballo va a su gusto
> que no le quiere regir;
> cuando vuelve el caballero
> hallóse de un monte al fin;
> volvió la cabeza al valle
> y vio una dama venir,
> en el vestido serrana,
> y en el rostro serafín.
> *Sale Lisarda a bailar.*

---

[179] Es preciso corregir la indicación «Canten los músicos y Bruno cante solo» que trae la *Parte VII*, fol. 10 v.º (Madrid), en «y Bruno baile solo». La corrección es imprescindible si se considera el final del diálogo de la escena anterior: cf. fol. 19 v.º:

> «*Bruno:*   Salga Lisarda a bailar.
> «*Lisarda:*   ¿Sola? No tenéis razón.
> «*Bruno:*   Yo bailaré una canción
>   con que la quiero sacar.
>   . . . .
>   Dançaré pues que no sales:
>   vaya de gala y de flor.»

El personaje baila mientras los músicos cantan el romance.
La lección de la edición de Barcelona, 1617, también presenta este error.

[180] Esste «incipit» de romance, como ya se sabe, es clásico. Cf. *La muerte ocultada:* «A cazar iba don Pedro / por esos montes arriba.» Cf. también *La Infantina encantada:* «A cazar va el caballero / a cazar como solía.» Los «montes de París» son producto, casi seguro, de la pluma de Lope; se trata de una armonización con la acción de *El villano en su rincón* que es considerada situarse cerca de París.

[181] Se observará, en los perros que van y vienen, una transposición del soñar del caballero. Este procedimiento de transposición vuelve a hallarse en *La Infantina encantada,* en donde expresa el cansancio del caballero: «Los perros lleva cansados.»

> —Por el montecico sola
> ¿cómo iré?
> ¡Ay Dios! ¿Si me perderé?
> ¿Cómo iré triste cuitada,
> de aquel ingrato dejada?
> Sola, triste, enamorada,
> ¿dónde iré?
> ¡Ay Dios! ¿Si me perderé? [182]
> —¿Dónde vais, serrana bella
> por este verde pinar?
> Si soy hombre y voy perdido
> mayor peligro lleváis.

---

[182] Este estribillo fue muy difundido en los siglos XVI y XVII. Ya se encuentra el movimiento de interrogación en futuro seguido de la pareja de adjetivos, en Juan Vázquez, *Villancicos y canciones a tres y a cuatro*, Osuna, 1551 (cf. Gallardo, *Ensayo...*, núm. 14, col. 924):

> «Quiero dormir y no puedo
> que el amor me quita el sueño
> . . . .
> ¿qué haré? ¡Triste, cuitado!«

En el *Romancero de la Biblioteca Brancacciana*, ed. R. Fouché-Delbosc, en *R. Hi.*, LXV, p. 378, leemos:

> «Por el montecico sola,
> ¿cómo iré, cómo iré?
> ¡Ay, Dios! ¿Si me perderé?
> Soledad me guía,
> llévanme deseos
> tras perdidos bienes
> que gozar solía.
> Con tan triste compañía,
> ¿cómo iré, cómo iré?
> ¡Ay, Dios! ¿Si me perderé?
>
> Deslúmbranme antojos,
> que apenas diviso
> la tierra que piso
> qu'es mar de mis ojos,
> a buscar voy los despojos
> de mi fe.
> ¡Ay, Dios! ¿Si me perderé?«

Una letra, *Ramillete de Flores, sexta parte de flor de romances, recopilados por Pedro de Flores*, Lisboa, 1593, fol. 409, propone con otras variantes los tres versos:

> «Por el montezillo sola
> como yré
> ay Dios si me perderé.»

El estribillo: «Por el montezillo sola / como iré» sale en una letrilla del manuscrito 17557 de la B. N. Madrid, que puede estimarse de fines del siglo XVI.

Indiquemos por fin que el estribillo «Por el montecico sola», bajo la forma que le da Lope, fue tratado «a lo divino» por Valdivieso en el auto sacramental *La Serrana de Plasencia*.

Gracias a G. COrreas, *Arte Grande*, p. 271, conocemos la música de este fragmento lírico (cf. Menéndez Pidal, *Romancero Hispánico*, II, p. 183).

—Aquí cerca, caballero,
me ha dejado mi galán
por ir a matar un oso
que ese valle abajo está.
—Oh mal haya el caballero
en el monte Allubricán. [183]
que a solas deja su dama
por matar un animal; [184]
si os place, señora mía,
volved conmigo al lugar,
y porque llueve, podréis
cubriros con mi gabán.
Perdido se han en el monte
con la mucha obscuridad,
al pie de una parda peña,
el alba aguardando están;
la occasión y la ventura
siempre quieren soledad.

Esta composición es un magnífico mosaico de motivos tradicionales de romance novelesco y lírico, engarzados con virtuosismo; se trata probablemente de una imitación del brillante Lope, escrito para un público aristocrático y urbano, empapado de reminiscencias romanceriles. No obstante, nada impide suponer una vez más, que este tipo de canción-danza, en forma menos refinada, haya existido entre los aldeanos, a principios del siglo XVII. La interpolación de un elemento lírico (aquí un típico zéjel con una mudanza en terceto morrimo) que acompaña la danza prima descrita por Jovellanos en el siglo XVIII, es un detalle que nos llama la atención y que incita a pensar

---

[183] J. F. Montesinos, in *Poesías líricas de Lope de Vega*, «Clás. castell.», La Lectura, ed. 1951, p. 65, nota verso 14, propone interpretar «al lubricán», es decir, al crepúsculo. Esta interpretación es conforme con el lugar común de este tipo de romance que sitúa por lo general el encuentro al atardecer. Volvamos otra vez a *La Infantina encantada*: «Cuando se le hizo noche / en una oscura montiña.» G. Correas, in *Vocabulario...*, p. 202, explica la expresión «Entre lubricán»:

«Lubricán y lubricano es el tiempo de anochecer, que ni bien es de día. Cortóse de "lubricus" o "lubricanus" latino. "Lubricán" quiso decir allá cosa deslizadiza, y así es el "lubricano" del anochecer, que se nos desliza el conocimiento distinto de las cosas. El Comendador lo quiso componer de lobo y can, porque no se distingue entonces si es lobo o can; no me satisface y le contradice la erre y mudar letras.»

Por otra parte no es preciso recordar que en la lírica tradicional el monte es sitio privilegiado para la aventura. «El monte», «la montiña», se habían vuelto verdaderos tópicos hacia 1600. Esto permite explicar parodias como la que cita G. Correas, *Vocabulario...*, p. 112:

«En el monte anda la niña
sin basquiña.»

[184] Se observará que este movimiento de maldición puede cotejarse con el de *La Infantina encantada*:

«¡Oh mal haya el caballero
que al encanto no servía;
vase a tomar buen consejo
y deja sola la niña!»

que Lope dibuja aquí sus arabescos sobre la trama de una estructura que se ha hecho popular.[185]

Lo que embrolla el problema sobre el carácter popular o aristocrático de este tipo de canción-danza es que, para nosotros, desde una perspectiva del siglo XX, tienen un aire aristocrático. De hecho, en la mayoría de los casos, se trataba de antiguas danzas aristocráticas del siglo XV y primera mitad del XVI, que pasaron al ámbito popular y cayeron en desuso en los ambientes aristocráticos. Por ello, para esos círculos, podían pasar hacia 1600-1630, por populares y arcaicas.

* * *

El final de este primer intento de definir lo que podría llamarse la ornamentación sonora (y por ende, lírica y coreográfica) de la comedia de ambiente rústico, vemos cuán necesario sería que, en este caso, el historiador del teatro español fuese también musicólogo. Los textos que han llegado hasta nosotros sólo nos ofrecen, aparentemente, su silencio. Sin embargo, era preciso intentar reconstituir algunos elementos de la vida sonora de las escenas de canto y danza, tan numerosas en la comedia de ambiente rústico. Hemos empezado a hacerlo con los medios de que disponíamos y en primer lugar buscando las sugerencias de los propios textos. Los resultados obtenidos en estas condiciones no pueden ser sino incompletos, provisionales y a menudo difusos. Así y todo, nos permiten comprender sin embargo que el fenómeno de utilización aristocrática de la materia popular comprobada a propósito del traje fue también nítido en el plano lírico y coreográfico. No cabe duda de que los instrumentos de música que salen en no pocas escenas rústicas de la comedia fueron los de la realidad aldeana: tamboril, gaita y guitarra, en primer lugar; tampoco resulte dudoso que los dramaturgos amenizaran las escenas de festejos rústicos con relinchos estridentes idénticos a los de nuestros campesinos. En lo que respecta a cantos y danzas, no podemos ser tan categóricos, ya que las fronteras entre lo «popular» y lo «culto» son más imprecisas y más inestables. Sin embargo puede formularse una respuesta clara cuando se trata de algunas danzas practicadas por los aldeanos. Así ocurre por ejemplo con las danzas de espadas y algunas carreras de sortijas rurales. Del zéjel, del villancico y del romance arcaicos, podemos decir que fueron formas cantadas y danzadas, de moda en el campo hacia 1600; pero, en razón de su adopción en masa por los círculos letrados y por el público aristocrático y urbano a partir del siglo XV, y más aún a fines del siglo XVI y principios del siglo XVII, no se dejan incluir en ninguna clasificación estricta y rigurosa. Es una ley sociológica: la adopción de un arte determinado por parte de un público que no es el propio público de origen, acarrea, en breve plazo, y en algún grado, su modificación. Cada fragmento cantado o bailado exige entonces una definición particular y, en la mayoría de los casos, se presenta a la vez como «popular» y como «culto» según proporciones variables en cada caso. Rara vez se da el caso de que no sea el resultado de una fabricación refinada (debida a la pluma del poeta) realizada con materiales populares o tradicionales. Lo cierto es que así conserva el tono popular o arcaico y crea la ilusión del arte fresco y espontáneo del pueblo. Esta intención de los dramaturgos y de los poetas de tener estilo «popular» (y «antiguo») representa precisamente el fenómeno cultural que queríamos poner de manifiesto.[186] Este movimien-

---

[185] Un romance de aldeano (en estilo seudo-rústico) con interpolación de un estribillo irregular sale también en *El pretendiente al revés* de Tirso (cf. B.A.E., V, p. 42).

to que impulsaba a los hombres de las ciudades y de los palacios, de los siglos XVI y
XVII, a situar «en el campo» los valores estéticos, al par que los valores éticos, era algo
más que una moda superficial; expresaba en una época de crisis la profunda necesidad que sentían estos hombres de volver —por medio de la imaginación y de la sensibilidad— a las fuentes de su nación y de tornar a la infancia, ya perdida para ellos,
de la humanidad española. Tal es el hondo sentido sicológico (y sociológico) de algunos romances hieráticos y de algunos villancicos ingenuos, bailados sobre las tablas
por villanos; tal es el de las danzas que parecían muy antiguas y cuyo origen se re-
montaba a la antigüedad según los eruditos (por ejemplo, la danza de espadas). Veremos, en los próximos capítulos, que otros cantos y danzas de la misma hechura contribuyeron a recrear (a veces de modo ilusorio) en la comedia de ambiente rústico esta
infancia social de la humanidad española, rebosante de salud, lozanía y vitalidad.

CAPITULO IV

JUEGOS Y TRABAJOS

Tradición del idilio y aportes del terruño al motivo de los juegos rústicos en el teatro. Tema del molino o de la harina. El colmenar. Cosecha de las aceitunas o de las avellanas. La siega. El ciclo de los trabajos y los días.

En el capítulo anterior, ha atraído nuestra atención el hecho de que, a menudo, las canciones villanas en la comedia vayan unidas con una actividad agraria. En esto los dramaturgos parecen haber reproducido, estilizándolo dramáticamente, un colorido aspecto de la realidad campestre. ¿Por qué extrañarnos de esta relación entre el trabajo y las canciones durante milenios? El trabajo del pastor y del agricultor, fue acompañado de cantos, danzas, y juegos rituales, con valor religioso. Aún en nuestros días subsiste en España un rico folklore lírico de la siega, la trilla, la cosecha de aceitunas, la recolección de miel, el molino, etc., al que especialistas de tradiciones populares han podido compilar en un importante corpus, desde hace cincuenta años, en cada provincia, por toda la península. [1] La riqueza de estos vestigios permite imaginarnos lo que debía ser el folklore relacionado con el trabajo rural por los años 1600, cuando el campo español apenas emergía de la Edad Media y aún conservaba intactas antiguas costumbres agrarias (comunitarias) herencia a veces de la época prerromana. [2] A fines del siglo XVIII, Jovellanos todavía podía notar que los estribillos de las canciones entonadas por las mujeres asturianas con ocasión de las romerías tenían por tema ora el amor, ora los trabajos rurales. [3] Ello prueba hasta qué punto fiestas y trabajos estaban fusionados en la vida de la comunidad rural de aquellos tiempos.

---

[1] Para tener una idea de conjunto de estos cantares de oficios, véase a Felipe Pedrell, *Cancionero musical popular español*, 2.ª ed., Barcelona (Casa editorial de música Boileau), sin año, I, pp. 72-76, y canciones 90 a 127:

a) Canciones callejeras y de oficios: traperos, serenos, molineros, segadores, panaderos, cazadores, labradores, arrieros, etc.

b) De faenas campestres: arar, segar, podar, trillar, aventar, deshojar, espadar, o peinar cáñamo, trasegar, esquilar, desgranar, desembajar, desvainar, etc.

[2] Puede observarse de una manera general, que la división capitalista del trabajo, la creciente especialización y la fragmentación del hombre que de ello resulta, son los que han acarreado la desaparición del folklore en las sociedades modernas. Los pueblos en donde el folklore (artesanal, agrario, etc.) permanece vivaz aún hoy, son los llamados «sub-desarrollados».

[3] Cf. B.A.E., L, p. 300 b:

«... Los "estribillos" con que se alternan estas coplas son una especie de retahila que nunca

La comedia nos propone numerosos ejemplos de danzas y cantos rústicos inspirados, en mayor o menor grado, por este folklore del trabajo y de los juegos aldeanos. Los espectáculos después de 1600 pusieron de moda los bailes de pastores, vendimiadores, segadores, etc., y esto hasta el extremo que algunos teóricos del teatro pudieron, a este respecto, establecer comparaciones entre el teatro español y el teatro greco-latino. El comentarista aristotélico González de Salas escribe en su *Nueva Idea de la tragedia antigua* (1633):

> --- Así casi me persuado, no haber hoi en esta parte artificiosa de la Música, invención, o differencia, que no huviese sido antes de los Griegos frequentada, i sucesivamente de los Romanos; pues hallo memoria de Bailes de Pastores, de Vendimias de Segadores, de Pescadores...[4]

¿Cuáles son pues estas danzas de segadores o cosechadores de aceitunas, estos cantos de molino o de colmenar, estos juegos rústicos que nos ofrece la comedia? Al intentar contestar a tal pregunta, volveremos a encontrarnos con algunos de los problemas ya evocados en el capítulo precedente a propósito del arte popular y del arte culto. Pero, ya lo sabemos, no puede hablarse de arte popular o culto en general, y cada canto o baile, desde este punto de vista, requiere una definición particular. Por lo tanto nuestro objetivo consiste en aportar, en las páginas siguientes, alguna precisión acerca de los juegos, cantos y danzas más característicos de la comedia en tiempos de Lope, relacionados con las faenas campesinas. Así y sin dejar de recurrir a una clasificación morfológica o temática útil, seguiremos esclareciendo sobre la utilización aristocrática del material popular que hemos descubierto como fenómeno ideológico esencial.

*   *   *

Aquí y allí podemos espigar datos sobre los juegos de los aldeanos españoles de los siglos XVI y XVII, ya sea en los días de fiesta, ya sea en los días de labor, para amenizar sus trabajos. Por ejemplo, Gutiérrez de los Ríos, en su *Estimación de las artes* (1600), menciona las pruebas deportivas de salto, lanzamiento de jabalina, carrera, lucha, a los que se dedicaban los aldeanos después de las cosechas:

> Después de cogidos los frutos, cosa es también de ver a los labradores con el regozijo que saltan, tiran, corren, y luchan, apostando y porfiando los unos con los otros...[5]

Este motivo de los juegos campestres entra tempranamente en el escenario español y, como ya hemos dicho, el teatro de Juan del Encina, de Lucas Fernández y de Gil Vicente nos proporciona varios ejemplos de ello. Desde este punto de vista, el terruño ofrecía a los primitivos dramaturgos coloridos elementos (juego de la chueca, de pares y nones, del abejón, etc.) que supieron aprovechar en sus sainetes. Pero no sólo la realidad agreste ambiente sugirió a la literatura el tema de los juegos campestres. También desempeñaron su papel los recuerdos de la bucólica greco-latina. Inspirándose

---

he podido entender; pero siempre tienen sus alusiones a los amores y galanteos, o a los placeres y ocupaciones de la vida rústica...»

[4] Ed. Madrid, 1633, fols. 125-26 (B. N. Madrid, 1521).
[5] *Op. cit.*, fol. 241.

en la vida real de los cabreros y vaqueros sicilianos, pero con una previa elaboración y purificación estética, Teócrito, viejo maestro del idilio griego, había fijado el modelo de los concursos poéticos entre pastores galantes. Tal motivo fue recogido por la literatura pastoril y así quedó instituida en el siglo XVI una doble tradición: una, que podría calificarse de enciniana (más próxima del terruño) y otra aparentemente más literaria y más sentimental. Ambas corrientes mezclan sus aguas en algunas comedias de ambiente rústico y a menudo resulta difícil separarlas.

Con *El verdadero amante,* que es tal vez la primera pieza de Lope, tenemos un buen ejemplo de esta confluencia. En un intermedio de esta comedia pastoril y sentimental, vemos a unos pastores dedicarse a un entretenimiento: el juego del soldadito. El soldadito es, en este caso, un cayado que un director de juego viste imaginariamente con prendas de distintos colores. En cuanto el guía menciona un color, el pastor que lo ha elegido antes debe repetirlo sin demora, so pena de pagar una prenda. ¿Acaso practicaron tal juego los pastores en la realidad de los años 1600? Puede ser, ya que volvemos a encontrarlo en *Juegos de noches buenas a lo divino* de Alonso de Ledesma (1605),[6] y que todavía existe en nuestros días un juego infantil muy similar.[7] Pero en este caso lo que nos parece importante es el uso simbólico de este juego al relacionarlo el dramaturgo con la vida sentimental de los pastores. Como en las novelas pastoriles anteriores a esta pieza, y también en algunas piezas tirsianas posteriores, cada color se refiere a un estado anímico: Coridón elige el verde porque ha perdido toda esperanza, Doristo el rojo porque es sinónimo de alegría, Argasto el color turquesa, porque es símbolo de lealtad, etc. Esto nos recuerda irresistiblemente algunos juegos apreciados por uno que otro pastor de Teócrito. Pero, como acabamos de ver, este no sólo fue poeta de lo pastoril y lo galante; también supo hacer correr por sus versos el hálito de la vida real de los cabreros y vaqueros sicilianos.[8] Asimismo Lope sabe introducir en el desarrollo del juego alegórico de los pastores de *El verdadero amante* toques de realismo familiar, que, más allá de las sabias elaboraciones de la égloga, según el modo itálico del Renacimiento, vuelven a ponernos en contacto con la tradición legada por Encina, L. Fernández y Gil Vicente, prueba de ello es la prenda que debe pagar el viejo pastor Peloro. Distraído al pensar en los mozos que ha mandado a buscar harina al molino, Peloro se olvida de repetir su color cuando es enunciado. ¿Qué prenda le imponen? Le condenan a recibir de su mujer una mamona, es decir, un pellizco en la mejilla: ahora bien, tal mamona[9] era un gesto tradicional. El castigo es público, acompañado de algunas palabrotas del viejo pastor.[10]

---

[6] Pieza que lleva por título «A las obras de virtud», núm. 380, in B.A.E.

[7] Vimos practicarlo en las aldeas del norte de la provincia de Madrid, por ejemplo, en Cercedilla.

[8] Cf. *Idilio X,* donde Milón aparece como un segador realista frente a Bucaios, soñador y sentimental.

[9] Covarrubias, in *Tesoro...:*

«... diéronle este nombre porque el ama cuando da la teta al niño suele con los dedos apartados uno de otro recogerla, para ayudar a que salga la leche...» «Vulgarmente se toma por una postura de los cinco dedos de la mano en el rostro de otro, y por menosprecio solemos dezir que le hizo la mamona...»

Sobre la mamona se encontrarán datos muy claros, basados en varias citas en la nota de Rodríguez Marín, *Mamona y mamola,* pp. 122-131, X, *El ingenioso hidalgo don Quijote de la Mancha,* ed. cit.

[10] B.A.E., XXIV, p. 9 b:

«*Danteo:*   Mando con su parecer
que Ereusa su mujer...

En este estadio primario de la formación de la comedia rústica representado por *El verdadero amante* (aún se trata de comedia pastoril, y lo rústico auténtico no entra sino como elemento aislado), observamos como el motivo de los juegos campestres permite una curiosa hibridación de lo que puede denominarse la tradición folklórica enciniana y la tradición más pulida de la tertulia galante pastoril. Tal unión subsistiría posteriormente en comedias más distantes del ambiente pastoril y orientadas más decididamente hacia lo rústico. *Con su pan se lo coma* (probablemente, 1613-1614) nos proporciona un hermoso ejemplo en una escena donde tres pastores, Belardo, Fabio y Silverio, bien rústicos en el resto de la pieza, inician un concurso sobre el tema de las penas de amor, clásico entretenimiento de los personajes de novela pastoril. Entre los premios de las apuestas, encontramos un vaso esculpido en madera de taray,[11] un cabrito, un cinto:

> Contra un cabrito y un cinto
> pongo un vaso de taray,
> que en el monte no le hay
> mejor (labróle Jacinto),
> sobre cuál pena es mayor
> de tres penas.[12]

Resulta evidente que lo pintoresco del motivo del juego rústico es artificial en este caso, traído por el recuerdo de un pasaje bien concreto de Teócrito. En el *Idilio I* (Thyrsis), escuchamos:

> ... Y si me cantas como una vez cantaste en pugna con Cromis, el de Lidia, te daré una cabra —madre de dos— lista para ordeñarla tres veces, pues criando un par de cabritos aún llena al ordeño dos tarros. Te daré también un hondo vaso untado con fragante cera, de doble asa, en recién labrado, y aún con olor a cincel.[13]

No es este el único pasaje de Teócrito que ha inspirado, de modo más o menos remoto o indirecto,[14] una escena rústica de Lope de Vega, pero nos basta con leerlo

> «Padrino: ¿Qué?
> «Danteo: Le haga una mamona.
> «Padrino: Obedezco aunque es mi daño.
> «Danteo: ¿Quién la sella?
> «Coridón: Por Dios, yo.
> «Padrino:
>
> ¡Qué papirote me dio!
> (Aparte): ¡Oh hideputa picaño!»

---

[11] «Taray» es el equivalente de «tamarisco», si damos crédito al doctor Laguna (*Dioscórides*, lib. I, cap. CVI). Ahora bien, el tamarisco es uno de los árboles del paisaje siciliano que sirve de decorado a las églogas de Teócrito (cf. *Idilio I*). Si bien se lo encuentra en la parte mediterránea de España, no crece en las sierras castellanas en donde se supone que transcurre la acción.

[12] Acad. N., IV, p. 327 b.

[13] *Idilio I*, en *Idilios*. Nueva versión, noticias y notas de Antonio González Laso, Aguilar, 1963.

[14] Virgilio trata el mismo motivo. Cf. *Egloga III*, ed. E. de Saint-Denis, París, 1942 (Les Belles Lettres), p. 34:

> «... pocula ponam
> fagina, caelatum divini opus Alcimedontis;
> lenta quibus torno facili superaddita vitis
> diffusos hedera vestir pallente corymbos.»

para comprender cuál pudiera ser la deuda del motivo de los juegos rústico-poéticos en la comedia para con la tradición greco-latina del idilio.

El peso de las situaciones literarias convencionales es menor en otras escenas de juegos campesinos ofrecidos por la comedia; para ello basta con que irrumpan en el escenario sugerencias folklóricas de la realidad viva, como en tiempos de los dramaturgos del teatro primitivo castellano. Este es el caso, en especial, de los cuadros inspirados en la práctica de las pullas y de las vayas. Gracias a numerosos testimonios sabemos en qué consistía esta distracción favorita de los trabajadores rurales con ocasión de la mayor parte de sus tareas. «Echar pullas», dice Oudin, es «brocarder». En otros términos, estas pullas, cuya práctica se remonta muy atrás en la Antigüedad, consistían en un tipo de concursos amebeos de injurias o expresiones groseras, o de burlas y desafíos, que los trabajadores del campo organizaban entre sí para descansar de la tarea.[15] A veces las pullas se intercambiaban con los viajeros que pasaban por los caminos. Barthélémy Joly nos cuenta que una lluvia de pullas le acogió así por las viñas de la huerta de Lérida en 1604:

> ... à la sortie de l'autre part et le long du fleuve durant une lieue qu'ils appellent «la huerta», ce sont jardinages de toutes sortes d'herbes et fruicts, puis les terres labourables et vignes, eschallasées de petits pieux en telle sorte que la charrue laboure sans endommager le bois; ils la talloient en ce mois de janvier et vismes grandes trouppes de «podadores», nous criant comme c'est la coustume quelques railleries dont rendions le change...[16]

¿Es preciso decirlo? La obscenidad era ingrediente frecuente de estas improvisaciones y los moralistas las denunciaban a veces como un juego deshonesto. Alonso Remón, por ejemplo, en sus *Entretenimientos y juegos honestos,* subraya la grosería de gestos y palabras que caracterizaban esta costumbre campesina:

> ... pero no las [se trata de las «recreaciones»] querría yo como las que algunas vezes passan entre los caminantes, assí con los que encuentran por el mismo camino o caminando o labrando sus tierras, o guardando sus ganados o en las calles de los lugares pequeños, por donde passan diziéndose los unos a otros, muchas palabras descompuestas y disparatadas de donde a vezes no solo resulta enfado y pesadūbre, escándalo y mal exēplo, pero se ha visto suceder algunas desgracias, heridas y muertes, en los unos y en los otros. Llama a esto comúnmente dar la vaya y echar pulla, vocablos inventados por la misma costumbre y mal uso, aunque Don Sebastiā de Covarrubias, en su tesoro de la lengua castellana, en la interpretación de la Etimología deste vocablo Pulla, dize que se llamó assí, porque se usó primero en la Apulla, Provincia y parte del Reyno de Nápoles, y trae en comprobación de la antiguedad lo que dize Horacio acerca desta materia en el libro de sus sermones, pero yo, con su buena licencia, por más cierto tengo que la costumbre inventó el vocablo, porque la misma acción dél lo dize quando se haze burla de otro, juntando los labios y haziendo formas ridículas ges-

---

[15] Véase el artículo de J. P. W. Crawford, *«Echarse pullas». A popular form of Tenzone,* R. R., VI, 1915, pp. 150-164. El autor cita numerosos textos que ilustran esta costumbre, después de Rodrigo Caro quien ya la había observado, y nota su semejanza con las «festae fescenninae» de los Latinos. Discute la etimología dada por Covarrubias (Puglia = comarca italiana) y propone otra nueva. Son interesantes los ejemplos de pullas que J. P. Crawford saca de las «Cantigas d'escarnho» y de las «Cantigas de maldizer» portuguesas. También cita ejemplos provenzales.

[16] *Op. cit.,* p. 502.

ticulares, que es lo que acompaña de ordinario este género de pullas y vayas: lo qual querría yo quitar si pudiesse, y arrastrar esta ruyn costumbre, y quebrarle como dize al mal uso las piernas: porque esso se pretende en darles como se entretengan y recreen honestamente... [17]

Aun quienes se interesaban por esta costumbre en lo que tenía de antiguo, no podían disimular su carácter grosero, y Rodrigo Caro, etnólogo «avant la lettre» escribía:

Cuando tan licenciosas fiestas hace la gente rústica no perdona los oprobios que la lengua pueda decir, dándose grita unos a otros, costumbre que dice Horacio, en «Epist. ad August.» que se tenía después de alzados los Agostos... [18]

Leyendo estos testimonios, uno deduce fácilmente que se trataba de una costumbre de tono subido (demasiado tal vez) y vivaz. Al componer cuadros presentando en las tablas a trabajadores del campo, los dramaturgos no podían pasar por alto rasgo tan pintoresco, y lo adoptaron con frecuencia, depurándolo de sus obscenidades, para salpimentar sus evocaciones. Gil Vicente ya había visto el interés escénico de las pullas. En su *Triunfo do inverno,* introduce un juego de este género en el que intervienen el personaje alegórico del Invierno y el villano Brisco: es una verdadera justa de maldiciones y desafíos. [19] Una escena del acto II de *Peribáñez y el Comendador de Ocaña* también presenta el motivo para recrear la atmósfera de la siega. Peribáñez, que vuelve de Toledo, pasa cerca del campo donde siegan sus obreros: desde el campo (entre bastidores) llegan los gritos de los hombres: uno de ellos, Ginés, le desafía a otro a beber y éste, llamado Andrés, lo acepta encareciendo:

Un segador (dentro):	Echote una pulla, Andrés,
	que te bebas media azumbre
Otro segador (dentro):	Echame otras dos, Ginés.

(Vers 1907-1909.)

Este Ginés debía ser un personaje folklórico célebre por sus pullas, ya que, así como su compañero Andrés, [20] no figura en la lista de los personajes reales de la comedia; por otra parte, Ginés vuelve a ser evocado como famoso por sus pullas en una escena de siega en *La niñez de San Isidro de Lope;* dos segadores cansados de trabajar, al evocar las pullas y los relinchos con que alivian la faena, declaran:

Bato:	De estar en pie como grullas,
	aunque corra viento manso,

---

[17] *Op. cit.,* cap. xiii, fol. 80 r.º-v.º

[18] Rodrigo Caro, *Días geniales o lúdricos (sic.),* 1626, ed. «Bibliófilos Andaluces», Sevilla, 1884, pp. 217-218.

[19] Clás. Sá da Costa, ed. Marques Braga, IV, pp. 274 y sigs.

[20] También es posible que el nombre de Andrés haya estado relacionado en el folklore con algún cuento de borracho siempre dispuesto a tomar vino. G. Correas, *Vocabulario...,* ed. 1924 a, menciona: «Hijo Andrés embúdamelo otra vez» como un dicho muy conocido de una mujer ebria:

«... Dicen los de Olmedo, que allí sucedió este cuento: que un hombre tenía la mujer bebedora; él la amenazó con un gran castigo si más la acontecía. Volvióla a hallar beoda, y para hartarla de una vez, tomó una media arroba, y con un embudo en la boca se la envasó, con que durmió y cuando despertó decía: «Hijo Anés, o Andrés, embúdamelo otra vez.»

>   tengo fundado el descanso
>   en los relinchos y pullas.
> *Helipe:* Si aquí estuviera Ginés,
>   ¡qué bravas que las dijera![21]

Cuando nos detengamos en el tema de las romerías, veremos que Tirso, más que ninguno se valió de estas mofas aldeanas para crear la atmósfera de sus cuadros rústicos, pero quede claro desde ya que se trata de un motivo realmente inspirado en la vida cotidiana de los aldeanos y en el folklore.

Las dos corrientes que acabamos de señalar, a propósito del motivo de los juegos rústicos en el teatro vuelven a encontrarse en el ámbito de los cantos y las danzas unidos a las faenas, así como en algunas escenas dialogadas (no cantadas) elaboradas a partir del recuerdo de una canción o de una danza de trabajo. Unas veces las anima el aliento de la realidad aldeana y de la poesía popular, otras en cambio, las sostiene una tradición literaria ya elaborada y culta. Ambos aspectos se mezclan siempre en proporciones difíciles de aquilatar con exactitud. Lo veremos primero, con el motivo del molino.

Este del molino y de la harina, es un ciclo particularmente rico en la Edad Media. Los cantos del molinero o de la molinera (o que tratan del molinero o de la molinera) persisten aún en numerosas regiones de la península (muinheiras gallegas, molineras castellanas) y, tanto por su diversidad como por su número, permiten atisbar la importancia del género. Como la mayoría de las otras labores aldeanas, el trabajo de la molienda, o el del tamiz, rara vez se efectuaba sin canto de acompañamiento, y así probablemente, nació el ciclo. Pero después, no pocos cantos de molino o de harina fueron perdiendo su valor original de canto de acompañamiento, unido a determinado trabajo, y por el tema conservado del molino, el molinero, la molinera o la harina, sólo siguieron siendo «cantos de molino» o «de harina». Cuando poetas de talento se adueñaron de estos motivos tradicionales, impulsaron algo más adelante la evolución al utilizarlos como medio de expresión simbólica de los sentimientos: se llegó así a un nuevo ciclo, puramente metafórico, que puede ser llamado «ciclo del molino de amor».[22] El único elemento unificador que subsistió entre los primeros cantos, en relación directa con el trabajo mismo, y los últimos, puramente simbólicos, fue a veces la cadencia de los versos: la cadencia llamada de «gaita gallega» (decasílabo, endecasílabo o dodecasílabo de arte mayor con predominancia dactílica).

La comedia no nos ofrece ejemplos de auténticos «cantos de molino» o «de harina» (esto es, «con el tema del molino o de la harina») en su función original de canto de acompañamiento del trabajo de molienda o de tamizado. Sin embargo, pueden descubrirse algunas escenas en las que, con o sin melodía, el lirismo de una de estas antiguas canciones de molino sostiene el movimiento del diálogo o del juego teatral. Ya hemos tenido ocasión de aludir a este problema de la creación teatral con un germen lírico al tratar de la introducción de los elementos folklóricos tradicionales en el drama pastoril y la comedia villanesca. Ahora, tenemos que abocarnos a su estudio ya que las cuestiones de génesis se confunden aquí con las de la utilización aristocrática de la materia popular.

---

[21] Acad., IV, p. 508 a.
[22] *Vide supra,* pp. 452-454.

En su *Vocabulario de refranes...* G. Correas menciona la expresión proverbial:

> Apártese allá,
> que lo enharinaré,
> Señor Don Miguel. [23]

Ha de tratarse de la réplica de una molinera o una aldeana, quien, con el cedazo en la mano, rechaza las insinuaciones apremiantes de un galán. [24] Por si nos queda alguna duda, tenemos como prueba en el *Romancero general* (2.ª parte, 1605), una canción sin equívoco alguno sobre el tema de la aldeana que está tamizando la harina y rechaza las insinuaciones de un «caballero». El estribillo es:

> Déjeme cerner mi harina
> no porfíe, déjeme,
> que le enharinaré. [25]

Ahora bien, en Lope y Tirso y sus imitadores, se repiten bastante las escenas pintorescas, más o menos inspiradas en el estilo de la pantomima, en las que un personaje aldeano le echa harina a otro, o simplemente le amenaza con echarle. En el curso de un intermedio rústico de *El molino* (1585-1595) (de Lope), la hija del molinero, Laura, se divierte en perseguir amenazando con enharinar al mozo de molino, Melampo, que la ha molestado. La misma Laura, al encontrar cerca del molino a un conde dormido disfrazado de villano, lo despierta echándole en la cara un puñado de harina. [26] Lope vuelve a utilizar el ademán en una escena de *San Isidro labrador de Madrid* (antes de 1598) en donde quiso reconstruir la atmósfera de un molino. Como ya sabemos, el molinero Bartolo, entre bastidores, canta «al son de la rueda» versos de

---

[23] *Op. cit.,* ed. 1924, p. 57 b, *Ibíd.,* p. 431 b, variante: «Quítese allá / Señor Don Miguel / apártese allá / que le enharinaré.»

[24] Cabría otra explicación con los juegos de echarse harina a los que se dedicaban lacayos y criadas en algunas fiestas, por ejemplo en Carnaval. Pero se trata siempre de carantoñas de enamorados y esta explicación se suma a la primera. Cf. Henrique Cock, *Relación del viaje hecho por Felipe II en 1585,* ed. Morel-Fatio-R. Villa, p. 38:

> «... estos tres días, desde tres de Março hasta seis del dicho eran las carnestolendas, y es en España la costumbre que van en máscaras por las calles diciendo coplas y cosas de reír, echando huevos llenos de aguas de olores donde ven doncellas en las ventanas, porque ésta es la mayor inclinación de los de esta tierra, que son mu deseosos de luxuria... La gente baja, criadas y moços de servicio echan manojos de harina unos a otros en la cara cuando pasan, o masas de nieve, si ha caído, o naranjas en Andalucía mayormente donde hay cuantidad dellas...»

[25] *Romancero general,* ed. A. González Palencia, núm. 1287 («Letra»). Citemos también:

> «¡Abaté, abaté!
> Que soy molinerillo
> y te enharinaré.»

versos con los que se acaba el *Baile del Molinero,* tal vez escrito por Agustín de Salazar y Torres (Ms. B. N. Madrid, 15765, fol. 17. Letra del siglo XVII). (La atribución a Agustín de Salazar es propuesta por Julián Paz, en *Catálogo de las piezas de teatro que se conservan en el departamento de manuscritos de la Biblioteca Nacional,* 2.ª ed., Madrid, 1934, I, p. 362.) «¡Abaté!», es forma leonesa que tiene el valor de «¡Guárdate!».

[26] B.A.E., XXIV, pp. 26 b-26 c.

romances. Pronto la aldeana Constanza sale precipitadamente del molino, perseguida por Bartolo que la quiere besar; la joven, para defenderse, amenaza a su perseguidor con enharinarle y le echa tres veces un «Hágase allá, que le enharinaré». Por fin Constanza lleva a cabo su amenaza tirándole el puñado de harina que traía escondido debajo del delantal.[27] Aunque el estribillo, que ritma la escena con acierto, no está cantado, nos suena a aire conocido y es difícil no compararlo con el «Apártese allá que le enharinaré», señalado por G. Correas y del estribillo armónico del *Romancero general*.[28] En estas dos piezas, unido tal como lo está con los arrumacos amorosos, el motivo de la harina ya no es un motivo de farsa grosera del tipo de las que ya hemos visto al estudiar el villano cómico,[29] sino un motivo de galanteos, pintoresco y divertido, con un sello agradablemente rústico. La evolución en este sentido está plenamente lograda en *La dama del Olivar* de Tirso, en donde un cruce con el cañamazo tradicional de la pastorela le permite al dramaturgo escribir una escena con un movimiento muy matizado y muy teatral. Se presenta el Comendador de Montalbán intentando seducir con sus promesas a la villana Laurencia que tiene un cedazo en la mano. Laurencia le contesta a los galantes cumplidos del seductor —todos en una relación metafórica con la harina— con rechazos progresivamente atenuados, acompañados todos ellos de la amenaza risueña: «que le enharinaré». La cuarta y última amenaza de enharinarle, cuando el Comendador intenta tomar la mano de la joven, es ya casi una promesa de Laurencia, pronta a ceder. Aunque la amenaza de enharinamiento no se ve ejecutada en este caso, el movimiento general de la escena hace pensar evidentemente, con la reiteración de «que le enharinaré», en el de *San Isidro labrador de Madrid*, y esta vez, no cabe duda de que le impulsa el recuerdo de una antigua canción.[30] Este «que le enharinaré» vuelve exactamente, como el estribillo de la com-

---

[27] Acad., IV, p. 570. La acotación escénica «Debajo del delantal lleve un puñado de harina y tírele, y vase».

[28] M. Bataillon ya sugirió, mas sin relacionarlo con el refrán de G. Correas, que tal vez sea origen de esta escena, una canción de danza del estilo de la que remata la diversión-ballet de *Don Gil de las calzas verdes*. Cf. *La nouvelle chronologie de la «comedia» lopesque: de la métrique à l'histoire*, B. Hi., 1946, XLVIII, núm. 3, p. 235, note 1. Aquí no hacemos más que desarrollar la sugerencia de M. Bataillon. La idea de la canción-danza se ve reforzada por el hecho de que se conserva efectivamente un *Baile del Molinero* en un manuscrito del siglo XVII (véase mss. 15765 de la B. N. Madrid, citado en una nota anterior).

[29] *Vide supra*, pp. 23-24.

[30] La influencia de esta canción o de alguna otra de idéntica estructura, no sólo se manifiesta en la génesis de las escenas analizadas de *El Molino, San Isidro labrador de Madrid* y *La Dama del Olivar*. Vuelve a encontrarse un «que la enharinaré», en *La juventud de San Isidro*. Cierto es que se trata de una «reprise» de la escena correspondiente de *San Isidro labrador de Madrid*. Por el contrario, puede atisbarse una filiación más sutil pero evidente también, en *La Santa Juana II* de Tirso. Al volver de la fuente con el cántaro, la aldeana Mari-Pascuala es blanco de los requiebros del Comendador Don Jorge. El habla de la sed de amor que le atormenta:

«Mari:	Déjeme, que vo de prisa:
	¡qué importuno es su mercé!
«Jorge:	María, escúchame un poco.
«Mari:	Dado le ave, apartesé
	que me aguarda mi marido.
«Jorge:	Aquí os aguarda también
	aguadora de mis ojos,
	un alma muerta de sed.
«Mari:	Pues ¿qué quiere el alma agora?
«Jorge:	¿Qué? que la deis de beber.

posición sobre el mismo tema del *Romancero general.* Y también puede notarse que el verso «Dejeme cerner mi harina» se encuentra en boca de Laurencia. [31]

Tenemos otros ejemplos de la influencia ejercida por el motivo lírico del molino o de la harina en la comedia. Al citar la fórmula «que le enharinaré», G. Correas menciona el dístico trocaico:

> Molinero sois, amor
> y sois moledor. [32]

También da su variante:

> Parecéis, molinero, amor
> y sois moledor. [33]

	Dadme solamente un trago,
	mitigaráse con él
	mi fuego.
«Mari:	Allí esta la huente
	si no, yo le llevaré
	al pilón donde se harte.
«Jorge:	Ea, no seáis cruel.
«Mari:	¿Bebe el alma?
«Jorge:	Por los ojos
	bebe el veneno que ven.
«Mari:	No se llegue, que en mi alma...
«Jorge:	¿Qué?
«Mari:	Que le remojaré.»

(N.B.A.E., IX (II), pp. 282 b, 283 a.)

La escena tiene una base lírica innegable, constituida por el cantar de molino de donde partimos. No carece de interés observar que esta canción no sólo proporcionó a la escena fórmulas rituales transpuestas y un ritmo interno, sino también la asonancia del romance, en *é.* Aquí presenciamos con nitidez un fenómeno de génesis teatral partiendo de un elemento lírico inicial.

[31] Citemos el ejemplo:

«Laurencia:	Déjeme cerner mi harina.
«Guillén:	Laurencia hermosa, cerned
	pensamientos de mi amor,
	porque la harina apuréis
	de esperanzas candeales,
	que con el agua amaséis
	de mis ojos, y cozáis
	en el horno de mi fe;
	celos serán levadura,
	tan agria cuanto cruel,
	que os dará pan blanco y tierno.»

(N.B.A.E., IX (II), p. 212 a.)

Se ve en qué estriba el procedimiento metafórico. El poeta hace desfilar las palabras concretas que designan las distintas actividades de la aldeana y las aúna con los términos abstractos del lenguaje sentimental clásico. Tirso manejó a menudo este procedimiento fuera del ambiente aldeano. Véase *Por el sótano y el torno,* en donde Tirso elabora y ensaya metáforas semejantes a partir de la idea del «torno de amor».

[32] *Vocabulario...,* ed. 1924, p. 316 b. Este estribillo figura ya en el *Romancero general.*

[33] *Ibíd.,* p. 284 b. G. Correas comenta: «El que es pesado y cansativo.»

variante que figuraba ya en la *Flor de varios romances nuevos, tercera parte,* Madrid, 1593. [34] En fin, G. Correas menciona este dístico constituido por un eneasílabo y un endecasílabo de gaita gallega:

> ¿Molinillo, por qué no mueles?
> Porque me beben el agua los bueyes. [35]

Ahora bien, volvemos a hallar, más o menos parecidamente, estos estribillos en la pluma de Lope o la de Tirso. En *El molino* (1585-1595), de Lope, el conde y el príncipe, ambos pretendientes de la duquesa, se han disfrazado de molineros. El príncipe Pascual es obstáculo a los amores del conde Martín. La duquesa y el conde se valen del pretexto del molino para expresar a la vez cuanto les molesta el importuno y cuanto se quieren; ello da el siguiente diálogo en el cual vemos despuntar el primer dístico citado por G. Correas:

> *Duquesa:*   Pues Martín ¿y todavía
>   sois de Pascual compañero?
> *Conde:*   Después que soy molinero,
>   me muele de noche y día.
> *Duquesa:*   Parecéis molinero, amor
>   y sois moledor. [36]

En *San Isidro labrador de Madrid* (antes de 1598), los festejos de la boda de Isidro y María contienen una danza ritual del matrimonio que analizaremos posteriormente;

---

[34] Cf. ed. Rodríguez Moñino, Madrid, 1957, fol. 67 v.º Una letrilla de Trillo y Figueroa vuelve a tomar esta variante.

[35] *Vocabulario...,* p. 316 b. Cejador, en *La verdadera poesía...* (I, núm. 502), indica este dístico con Cosme Gómez de Tejada. También se lo encuentra en Padilla, *Thesoro,* fol. 269 r.º Por otra parte, ya tuvimos ocasión de citar este estribillo, de inspiración similar, que aparece en el *Cancionero* de Juan de Molina, publicado en Salamanca, en 1527:

> «Muele, molinico,
> molinico de amor.
> Que non puedo moler non.»

[36] B.A.E., XXIV, p. 40 a. En su edición, Hartzenbusch escribió «Pues sois molinero, amor». Corrigió así equivocadamente un verso tradicional. Nuestro amigo Damien Saunal, en una ponencia presentada ante el Congreso de Hispanistas franceses en marzo de 1964, *«Intéret, source et date de la «Comedia del Molino»,* *B. Hi.,* demostró que las ediciones más antiguas presentan todas la lección «Parecéis molinero» conforme al estribillo de la letra de la *Tercera Parte de Flor de varios romances* (1593). En este estribillo ve la fuente de la comedia lopesca. Compartimos su opinión.

[37] En *El molino,* Lope ya había fundido el tema del molino con el de la boda. En la canción final que celebra el casamiento de la duquesa con el conde seudo-molinero, oímos:

> «Esta novia se lleva la flor
> que las otras, no.
> Bendiga Dios el molino
> que tales novias sustenta.
> Muela su harina sin cuenta
> a costa de tal padrino.
> Estas muelen de lo fino
> del trigo que muele amor,
> que las otras, no.»

pero el libreto nos interesa desde ahora, porque retoma el tema del molino; sus versos ofrecen una mezcla de versos decasílabos dactílicos y de versos de arte mayor, muy característica de algunos cantares de molino populares; su *incipit* «Molinito» (o «molinico»), también recuerda el principio del segundo dístico de G. Correas, citado anteriormente. He aquí esta canción:

> Molinito que mueles amores,
> pues que mis ojos agua te dan,
> no coja desdenes quien siembra favores
> que dándome vida matarme podrán.
>
> Molinico que mueles mis celos,
> pues agua te dieron mis ojos cansados,
> muele favores, no muelas cuidados,
> pues que te hicieron tan bello los cielos.
>
> Si mis esperanzas te han dado las flores,
> y ahora mis ojos el agua te dan,
> no coja desdenes quien siembra favores,
> que dándome vida, matarme podrán. [38]

Como ya se ve, el metro es, con su irregularidad y sus derrengamientos, el mismo de las danzas de «gaita gallega», la estructura rítmica es hondamente popular y el simbolismo refinado del molino de amor, en la medida misma en que deriva de una tradición de simbolismo popular, no contradice estos rasgos. Sin lugar a dudas, Lope —de ser éste el autor del libreto que aquí tenemos— conocía a fondo los cantos populares nacionales. Pero queda patente también que el simbolismo amoroso es aquí esencial en lo que atañe al sentido de los versos y, desde este punto de vista, no estamos en presencia de lo que podría llamarse un «cantar de molino» en sentido estricto. [39] Esta canción nada tiene que ver ya —aparte el ritmo— con las molineras o las muñeiras y los cantos de oficios.

Con un ballet-divertimiento de *Don Gil de las calzas verdes* (Tirso), alcanzamos el término de la evolución autónoma del tema lírico del molino de amor, fuera de todo contexto aldeano susceptible de darle cualquier justificación, y entonces vemos hasta qué punto podía llevarse la utilización aristocrática refinada de la materia po-

---

[38] Acad., IV, p. 564. En *Treinta canciones de Lope de Vega,* ed. de Jesús Bal y Gay, Residencia de Estudiantes, Madrid, 1935, figura el texto de una canción casi idéntica a ésta: «Molinillo que mueles amores...» Este texto y la melodía que lo acompaña son de Juan del Vado, conocido compositor del siglo XVII (violinista de la capilla real en 1635, junto con su hermano). Este texto y la melodía fueron encontrados por Jesús Bal y Gay en Madrid (Biblioteca Nacional, Papeles sueltos).

[39] También es la idea del «molino de amor» la que inspira desde el comienzo hasta el final el *Bayle del Molinero* (tres personajes: Casilda, Gila, Antón) del manuscrito 15765 de la B. N. Madrid. Citemos los primeros versos, cantados por Casilda:

> «Molinico del amor,
> que con raudales de perlas
> del afán de mis cuydados
> saves moler la tarea,
> rueda, rueda
> que yo de tus raudales seré la pressa.»

pular. La escena ya no está localizada en un molino, en una granja o en un Madrid rural de antaño, sino a la sombra de los álamos de la Fuente del Prado, en un Madrid urbano. El molino y la harina son aquí estrictamente metafóricos y bailan dos señoras y un caballero de ambiente aristocrático. En resumen, el «cantar de molino» se ha desprendido aquí de todo contexto «rústico». Sin embargo vale la pena mencionarlo, ya que repite, mezclado con pasajes de romance, los dos estribillos indicados por G. Correas, cuyos motivos hemos vuelto a encontrar en varias piezas de Lope, y en *La Dama del Olivar* de Tirso:

> Molinero sois, amor
> y sois moledor.
> —Si lo soy apartesé
> que le enharinaré.

y:

> Molinico ¿porqué no mueles?
> —Porque me beben el agua los bueyes. [40]

Estas comparaciones entre *El molino, San Isidro labrador de Madrid, La Dama del Olivar* y *Don Gil de las calzas verdes* nos han permitido ver cómo los cantares de molino, folklóricos y populares en su origen, llegaron a ser el soporte de bonitas escenas de aire aldeano o seudo-aldeano en las que la alegoría sentimental cifró lo esencial.

El tema del colmenar también fue objeto de un ciclo de canciones bajo el signo del simbolismo amoroso, y es fuente de inspiración para algunas escenas de la comedia de ambiente rústico. Su importancia merece que nos detengamos en él. G. Correas cita, en su *Vocabulario...,* un dístico, formado por un heptasílabo y un octosílabo, de sabor a la vez popular u anacreóntico:

> Besóme el colmenero,
> y a la miel me supo el beso. [41]

Ahora bien, Tirso nos propone una variante endecasilábica dactílica (metro de gaita gallega) en *La villana de la Sagra,* al final de una escena muy bonita, situada en una colmenar de la Sagra, donde el trabajo apícola, una vez más, no es sino pretexto para más amable galanteo amoroso. Un noble, don Luis, enamorado de la joven aldeana Angélica, logra entrar a servir al padre de ésta, como obrero gallego llamado Tomé. Hélo aquí en el colmenar. Una acotación escénica dice que lleva la máscara tradicional de los apicultores. [42] Pero el trabajo rústico no sirve más que de decorado y el colmenar es el soporte de las metáforas y de las alegorías sentimentales. En un primer monólogo (un soneto), Don Luis Tomé identifica los amantes con las abejas

---

[40] B.A.E., V, p. 407 a. Este estribillo debía de estar muy presente en la memoria de Tirso, ya que lo introdujo también en *Deleitar aprovechando,* Madrid, 1635, fol. 307 r.º

[41] *Vocabulario...,* ed. 1924, p. 82 b. El estribillo sale en la *Flor de varios romances nuevos y canciones,* Huesca, 1589, fol. 104 v.º El tema del colmenar de amor ya es motivo de la canción, en la que aparece periódicamente.

[42] Cf. *Parte III* (Tortosa, 1634), fol. 224: «Sale don Luys con mascarilla de castrar colmenas.»

que elaboran la más dulce miel; pero temores y quejas pueden volverla amarga, los
celos son abejones y pueden comérsela:

> ....
> Ya sé que los amantes son abejas
> que en el jardín que ostentan sus amores
> labran panales dulces, si temores
> no mezclan el acíbar de sus quejas.
> Abeja soy, amor; dame palabra
> de darme miel sabrosa de consuelos,
> que la esperanza entre sus flores labra.
> No sequen mi ventura tus desvelos;
> que si es abeja amor, y el panal labra,
> los zánganos le comen, que son celos. [43]

Este simbolismo será desarrollado al salir Angélica. Luego, Don Pedro, noble rival
de don Luis, entra después en el colmenar. Apremiante con Angélica, quiere besarle
la mano. Don Luis Tomé que ha recibido ya este favor, canturrea burlonamente el
estribillo popular, fingiendo trabajar en las colmenas:

> Que bésela en el colmenaruelo
> y yo confieso
> que a la miel me supo el beso.

Entretanto Don Luis Tomé se interpone entre Angélica y Don Pedro cada vez que
este quiere acercarse a Angélica para besarle la mano, con el pretexto de que le ha pi-
cado un zángano y volverá a picarlo. Angélica acaba por dejar a don Pedro en el colmenar llevándose al seudo-apicultor don Luis Tomé.

Como vemos, Tirso nos propone aquí una muy bonita transposición escénica de
un esquema metafórico que podría llamarse «el colmenar de amor», ya que antes hablamos del molino de amor. Este motivo que debía agradar a Tirso, pues volvió a tomarlo en un estilo satírico, sin la canción, cierto es, en *La Dama del Olivar*. [44] En
cambio en su auto sacramental *El colmenero divino* pasa «a lo divino» con la canción y todas sus virtualidades alegóricas:

> *Colmenero:*   Que besóme en el colmenaruelo
> y yo confiesso,
> que mi paz le dio su beso. [45]

Del mismo modo el significado amoroso también domina en el estribillo de base
eneasilábica que insertó Lope, mezclado con hexasílabos de romancillos en una

---

[43] B.A.E., V, p. 320 b.

[44] Cf. *La Dama del Olivar*, N.B.A.E., IX (II), p. 218 b. Maroto cuenta que ha soñado con osos de Montalbán que venían a robarle la miel virgen de un magnífico colmenar que le había vendido Niso. Para el
«simpre» Maroto resulte una manera alegórica de decir que el Comendador de Montalbán persigue a la hija
del aldeano Niso, con la que quieren casarlo: los colmenares son harto difíciles de guardar, concluye Maroto, hastiado del matrimonio por el dúo de amor que presenció, desilusionado, entre el Comendador y su
prometida.

[45] En *Deleytar aprovechando*, Madrid, 1635 (B. N. Madrid, R. 5997), fol. 77 r.º

canción-danza, valiosa y mitológica por cierto, de *El galán de la Membrilla* (1615):

> Por los jardines de Chipre
> andaba el niño Cupido,
> entre las flores y rosas
> jugando con otros niños.
> La aljaba tiene colgada
> de las ramas de un aliso;
> por jugar con ella el viento,
> volaba, de Amor herido.
> Las aves que en él cantaban,
> los enamorados picos
> trocaron, cuando la vieron,
> en hacer casados nidos.
> Ibase el Amor
> por entre unos mirtos
> en la verde margen
> de un arroyo limpio.
> Los niños con él
> tras los pajarillos
> que de rama en rama
> saltan fugitivos.
> En un verde valle
> de álamos ceñido,
> vieron dos colmenas
> en guardando sitio.
> Los niños temieron
> y Amor, atrevido,
> probar de la miel,
> codicioso, quiso;
> picóle una abeja,
> y dándo mil gritos,
> mostrando la mano
> a su madre dijo:
> «Abejicas me pican, madre;
> ¿Qué haré? Que el dolor es grande»
> Madre, la mi madre,
> picóme la abeja,
> que no hay miel tan dulce
> que después lo sea,
> porque no hay colmena
> que después no amargue:
> Abejitas me pican, madre;
> ¿Qué haré? Que el dolor es grande.[46]

---

[46] Acad., IX, p. 102 b. Esta canción-danza (cuyo estudio en su totalidad ofrece gran interés por la alternancia entre los movimientos llamados de baile y de danza) la compuso Lope sobre el cañamazo de un romance escrito mucho antes de *El galán de la Membrilla* (manuscrito autógrafo de la comedia, en el British Museum, fechado al 20 de abril de 1615). Cf. in *Flor de varios romances nuevos y canciones recopilados por Pedro de Moncayo*, Huesca, 1589, fol. 7, el romance «Por los jardines de Chypre», cuyos cuatro primeros versos —con una sola y leve variante— son los mismos que en *El galán de la Membrilla*. Véase

No citamos aquí sino uno de los momentos de la canción-danza ofrecida por Lope, pero ello es suficiente para demostrar el carácter fundamental del simbolismo amoroso. La colmena, las abejas tampoco constituyen allí motivos que se bastan a sí mismos, y estos motivos sólo intervienen como medios de expresión poética de los sentimientos. Ya no tienen más valor que el de metáforas y signos patentes del amor.

Así con temas del molino y del colmenar, la comedia de ambiente rústico tiende a no ser más de lo que tan a menudo es: un poema de amor. El lirismo no pierde nada con ello, pero lo que Menéndez Pelayo llamó color local se va atenuando en la misma medida. Sin embargo, a propósito de algunas canciones y bailes relacionados con el trabajo agrario puede hablarse de pintoresco rural. Tenemos un primer caso con dos canciones de recolección de aceitunas y de avellanas que nos ofrece *El villano en su rincón,* de Lope, y que hemos de examinar ahora.

No es necesario insistir aquí en qué consiste en la realidad el vareo de aceitunas. Aún hoy, en España y en Marruecos, este trabajo va acompañado de cantos y a veces danzas rituales. En su *Cancionero musical popular español,* Felipe Pedrell cita como ejemplo una de estas canciones recogidas en Mallorca,[47] y por nuestra parte, tenemos actualmente el texto de un canto destinado a ritmar la tarea de recolección en la región de Marrakech.[48] Lope debe de haberse inspirado en cantos semejantes a estos, muy difundidos otrora en las comarcas mediterráneas, para escribir la escena del vareo de aceitunas en *El villano en su rincón.* Una acotación escénica indica que el decorado representa un olivar y que los trabajadores en el escenario traen varas.[49] Los obreros ponderan la calidad de las aceitunas que harán caer de los árboles cuando un grupo de aldeanos se acerca y canta; entre los recién llegados, como suele ocurrir en este tipo de escenas, están en realidad los músicos de la compañía disfrazados de aldeanos.[50] Una primera canción dice cuán largo es el tiempo necesario para que madure la aceituna, la dureza del hueso escondido debajo de la envoltura verde y tierna; también afirma que la aceituna es como la fortuna y como el amor: amarga e inconstante. ¿Será este un auténtico cantar de vareo de aceitunas, pasado directamente a la comedia, sin reelaboración o intervención del Fénix? No sería prudente afirmar tal cosa.[51]

---

también *Flor...,* Barcelona, 1591, fols. 51-52. La alusión a la picadura de Cupido por una abeja «en los jardines de Chypre» fue por otra parte motivo reiterado en el romancero de fines del siglo XVI. Cf. *Flor...,* 1589, fol. 46. Véase también *Flores del Parnaso octava parte. Recopilado por Luis de Medina,* Toledo, 1596, fol. 25 r.º y fol. 33. No obstante se observará en los romances «Por los jardines de Chypre» de las *Flores* la ausencia del estribillo de estilo tradicional «Abejitas me pican, Madre / ¿qué haré? ¡Que el dolor es grande!», introducido por Lope en la canción-danza de *El galán de la Membrilla.* El escenario de los romances y el de la canción-danza de la comedia son el resultado de una fusión de elementos procedentes unos de Anacreonte, otros del Seudo-Teócrito. En Anacreonte, la herida acaece en un jardín mientras Cupido intenta cortar una rosa. En el Seudo-Teócrito (quien imitó a Anacreonte en el *Idilio XIX,* «el ladrón de miel»), se produce en un marco más rústico, cuando Cupido quiere robar la miel de un colmenar. El estribillo de estilo popular («¡Abejitas me pican madre! ¿Qué haré?, ¡qué el dolor es grande!», de la canción-danza lopesca puede derivar de Anacreonte («En seguida rompió a llorar, y corriendo a más no poder hacia Citerea, la hermosa, Estoy perdido, madre —exclamó— estoy perdido y me estoy muriendo...») tanto como del Seudo-Teócrito («Enseñó su herida a Afrodita, quejándose: la abeja es un animalito muy pequeño, pero ¡cuántos dolores causa!»).

[47] *Op. cit.,* I, núm. 120.

[48] Lo obtuvimos gracias a la amabilidad de nuestro amigo M. Fioux, profesor en el Liceo de Marrakech.

[49] Acad., XV, p. 299 b: «Un olivar. Fileto, Bruno, Salvano, con unas varas.»

[50] *Ibíd.,* p. 300: «Los músicos, de villanos; Costanza y Lisarda, con varas, villanos, dichos.»

[51] No parece dudoso aquí el simbolismo amoroso de la aceituna, fruto tierno al exterior, pero amargo por dentro y, desde este punto de vista, parece que hubo una armonización con el clima sentimental vivido

Pero la inspiración, el tono y tal vez hasta la propia estructura de una canción hayan constituido la trama sobre la cual nuestro autor ha bordado sus variaciones, esto sí que puede admitirse como posible.[52] El texto de Marrakech que poseemos es un himno a la aceituna, en el cual alternan, verso tras verso, la voz de una recitadora y la de un coro (de hombres y mujeres).[53] El análisis de la canción de *El villano en su rincón* demuestra que, sobre el motivo de la recolección de la aceituna, en el desarrollo del canto, también un coro se opone a una solista. En efecto, puede comprobarse que la estructura de conjunto de la canción lopesca es la de la forma arcaica del zéjel de tipo simple aa:bbba. Ahora bien, en este tipo de zéjel, como es sabido, la copla era cantada por lo general por una sola voz y el cuarto verso (que venía detrás del terceto mono-

---

por la heroína Lisarda, o sea, a todas veras, intervención de Lope. La canción expresa líricamente el tormento amoroso de la joven aldeana que sueña con el caballero Otón, con quien se ha encontrado antes. Este significado aparece muy claramente en lo que sigue del diálogo:

«*Costanza:*	Esténse las aceitunas
	por un rato entre sus hojas
	y templemos las congojas
	de algún disgusto importunas.
	Ansí Dios os dé placer
	. . . .
«*Costanza:*	¿De qué estás triste, Lisarda?
«*Lisarda:*	No veo, y quisiera ver.
«*Costanza:*	Ya te entiendo, pero advierte
	que el bien, que no ha de venir,
	es discreción divertir.»
	(Acad., XV, p. 300 a.)

[52] En las canciones de cosechadores de aceitunas, aparece a menudo el tema amoroso. Dámaso Ledesma, en *Folklore y cancionero salmantino,* Madrid, 1907, p. 251, cita la copla:

> «Apañando aceituna
> se hacen las bodas;
> el que no va a aceituna
> no se enamora.»

Indiquemos también que la canción de los vareadores de aceitunas de *El villano en su rincón,* aún podía oírse hasta hace poco en la región de Soria. Cf. Miguel Herrero García, en *El olivo a través de las letras españolas,* 1950, p. 26: «Y lo maravilloso y que nadie podría pensar es que aún hoy se canta esta canción en la provincia de Soria. Don Gonzalo Menéndez Pidal tuvo la sorpresa gratísima de oírla cantar a los aceituneros, y pudo felizmente impresionar un disco fonográfico de la canción...» Sería preciso saber si hay coincidencia parcial o total con la versión de Lope. Acerca de la explicación de estas coincidencias, son posibles dos teorías. Trataremos el problema en las páginas siguientes.

[53] Citemos el principio:

> Nuestras aceitunas, nuestras aceitunas
> Nuestras aceitunas han producido mucho (coro).
> Nuestras aceitunas son como la plata
> Nuestras aceitunas son como el oro (coro).
> Nuestras aceitunas, nuestras aceitunas
> Nuestras aceitunas son nuestra fortuna (coro).
> Nuestras aceitunas nos pertenecen
> Nuestras aceitunas no son como las otras (coro).
> Nuestras aceitunas las entresacamos
> Nuestras aceitunas las elegimos (coro).

rrimo) tenía por misión hacer resurgir la rima de la copla, repetida en coro. El texto es el siguiente:

> ¡Ay, fortuna,
> cógeme esta aceituna! [54]
> Aceituna lisonjera,
> verde y tierna por de fuera,
> y por de dentro madera:
> fruta dura e importuna.
> ¡Ay, fortuna,
> cógeme esta aceituna!
>
> Fruta en madurar tan larga
> que sin aderezo amarga,
> y aunque se coja una carga,
> se ha de comer sólo una. [55]

---

[54] En estos dos versos, la aceituna, cuyas cosechas son irregulares, simboliza la inconstancia de la fortuna. G. Correas, *Vocabulario de refranes*, p. 218, cita:

> «Fortuna y aceituna,
> a veces mucha,
> y a veces ninguna.»

Para Lope, tal vez el olivo sea también el alegórico «árbol de la fortuna» que evocaban al parecer muchas canciones del folklore aldeano. El propio poeta nos da la explicación en *La Noche toledana:*

> «Oí cantar en mi aldea
> que la Fortuna tenía
> un árbol donde ponía
> el bien que el mundo desea,
>   y que en las ramas colgadas
> estaban joyas, banderas,
> libros, honras, armas fieras,
> dineros, togas, espadas;
>   en fin, todo estado humano;
> debajo estaba la gente,
> y la fortuna insolente
> con una vara en la mano:
>   con ella en el árbol daba,
> cayendo en varias cabezas
> alegrías o tristezas,
> como la suerte alcanzaba.»
>   (Acad. N., XIII, 104 a.)

[55] Los dos últimos versos expresan una idea muy repetida en una sentencia que ha llegado hasta nuestros días en el campo español. Pedro Vallés, *Libro de refranes*, Zaragoza, 1549, cita: «Aceituna una» y «Una aceituna es plata, dos son oro, y tres son lodos». En Hernán Núñez, *Refranes o proverbios*, 1555, leemos: «Aceituna, una es oro, dos plata, y la tercera mata.» Véase también a G. Correas, *Vocabulario de refranes* (55 y 166) quien, comenta: «Porque muchas no hacen provecho y son melancólicas.» En la *Medicina española contenida en proverbios vulgares de nuestra lengua muy provechosa para todo género de estados, para philosophos y médicos, para theólogos y juristas para el buen regimiento de la salud y más larga vida,* del doctor Juan Sorapán de Rieros, Madrid, 1616, refrán XXVI, pp. 230-231 (B. N. Madrid, R. 6622), se lee:

> «Tan común se trae este refrán en las bocas de los hombres como las aceitunas de que trata. Dícese de la cantidad de ellas: el cual nos da a entender que comidas con moderación son útiles,

¡Ay, fortuna,
cógeme esta aceituna! [56]

Es de suponer que este canto acompañaba, en el escenario, el trabajo del vareo, [57] ya que pronto los trabajadores dejan sus varas para presenciar una canción-danza que van a ejecutar tres jóvenes aldeanas. [58] Ahora el tema es el del vareo de las avellanas, variante del de las aceitunas. La canción-danza se caracteriza otra vez por la disposición en forma de balada con estribillo. Un estribillo de cuatro octosílabos da el tema del vareo de las avellanas; una larga glosa en romance viene después, cortada una primera vez por la vuelta del estribillo; tras un largo rodeo, es coronada por la repetición de este último. La originalidad de esta canción-danza reside sobre todo en la reiteración incansable del segundo (y cuarto) verso del estribillo («que yo me las vareará») reaparece incansablemente tras cada octosílabo del romance:

Deja las avellanicas, moro;
que yo me las vareará.
Tres y cuatro en un pimpollo,
que yo me las vareará.

Al agua de Dinadámar,
—que yo me las vareará,
allí estaba una cristiana;
—que yo me las vareará,
cogiendo estaba avellanas;
—que yo me las vareará.
El moro llegó a ayudarla
—que yo me las vareará.
Y respondióle enojada:
—que yo me las vareará.

Deja las avellanicas, moro,
que yo me las vareará.
Tres y cuatro en un pimpollo,
que yo me las vareará.

que eso significa: "una es oro". Y comidas con menos moderación no serán tan buenas; pero usándolas con exceso, no sólo no son útiles y provechosas, pero melancólicas y perniciosas para el linaje humano. Lo cual da a entender la sentencia diciendo "la tercera mata".»

[56] Acad., XV, p. 300 a.
[57] Acad., XV, p. 300 a:

«*Salvano:*   ¡Qué bien se hará el varear
                  con cantar y con bailar!»

[58] *Ibíd.:*

«*Lisarda:*   . . . .
                  Vaya, Tirso, una canción,
                  y bailaremos las tres.
«*Bruno:*   Vaya, pues habrá después
                  para la vara ocasión.»

Era el árbol tan famoso,
—que yo me las vearearé,
que las ramas eran de oro,
—que yo me las vearearé,
de plata tenía el tronco,
—que yo me las vearearé;
hojas que le cubren todo,
—que yo me las vearearé,
eran de rubíes rojos;
—que yo me las vearearé,
puso el moro en él los ojos;
—que yo me las vearearé.
quisiera gozarle solo;
—que yo me las vearearé.
Mas díjole con enojo:
—que yo me las vearearé;

Deja las avellanicas, moro,
que yo me las vearearé.
Tres y cuatro en un pimpollo,
que yo me las vearearé.

Es probable que una recitadora o un recitador cantara el romance y que el coro repitiera sin tregua la fórmula incantatoria «que yo me las vearearé». Tal fórmula monorrima combinada con el romance correspondía a un tipo lírico muy antiguo, que puede haberse originado en algunas canciones arabo-andalusíes que oponen coro y recitador como ocurre en el canto responsorial de la liturgia cristiana. Podemos comprobar que la canción árabe de la recolección de aceitunas de la región de Marrakech, de la que hablamos antes, presenta una estructura muy semejante en lo que atañe a la oposición verso tras verso de la voz de la recitadora y de la del coro. Pero veremos también que se encuentran glosas monorrimas parecidas en una fiesta de romería andaluza de *La tragedia del Rey Don Sebastián* (Lope), en un segundo festejo de romería de La Alcarria de *El lego de Alcalá* (Luis Vélez de Guevara) y en una tercera fiesta de la Vírgen en la *Comedia famosa de San Antonio de Padua* (atribuida erróneamente quizás) a Montalbán, sin hablar del harto conocido romance de *La serrana de la Vera* (Luis Vélez de Guevara).[59]

Sea cual fuere el origen de la estructura de la canción de vareo de avellanas de *El villano en su rincón,* es probable que existiesen otras canciones del mismo grupo, menos perfectas y menos elaboradas estéticamente, en el folklore de principios del siglo XVII. El folklore vivo del siglo XX conservó, en la tradición oral, variantes del motivo del estribillo (y únicamente del estribillo), y tanto E. M. Torner como Kurt Schindler

---

[59] Indiquemos también que se encuentran ejemplos de esta glosa monorrima en canciones-danzas que quieren cobrar una apariencia exótica (africana, al parecer). J. Cejador, en *La verdadera poesía castellana,* indica una canción de negros del entremés *Los Negros* de Simón Aguado:

«Dominga más beya
tú pu tu tú
que una cara estreya
tú pu tu tá... Etc.»

pudieron recogerlas en las regiones de Salamanca y de La Rioja. [60] ¿Habrá que admitir que estas variantes derivan de las canciones lopescas de *El villano en su rincón*? Sería una manera de explicar la analogía, y otrora algunos eruditos como la señora M. Frenk Alatorre, parecían contestar afirmativamente a nuestra pregunta. [61] Pero, no es esta la única hipótesis; pensamos por nuestra parte, que el estribillo —con algunas variantes poco más o menos— ya existía en el folklore de los siglos XVI y XVII y que el resto de la canción representa una adaptación culta de temas tradicionales, por parte de Lope. Y bien parece, en el caso que tratamos, que el poeta haya procedido a un tal arreglo. Ya en *La dama boba* (28 de abril de 1613), pieza que debe ser apenas anterior a *El villano en su rincón*, el Fénix había utilizado los dos versos «Deja las avellanicas, moro / que yo me las varearé», de estribillo inicial y final de una canción-danza en la que se repite incansablemente «yo me las varearé» cada dos versos según el procedimiento de la glosa monorrima:

> Deja la avellanicas, moro,
> que yo me las varearé.
> El Amor se ha vuelto godo,
> que yo me las varearé.
> Puños largos, cuello corto,
> que yo me las varearé.

---

[60] Kurt Schindler, *Folk, music and poetry of Spain and Portugal*, New York (Hispanic Institute), 1931, región de Logroño, pieza núm. 466:

> «Las avellanitas, mora,
> ya te las varearé,
> si quieres que te las caiga
> ayúdamelas a coger.»

Cf. E. M. Torner, *Indice de analogías entre la lírica española antigua y la moderna*, «Symposium», May 1948, pp. 87-88, pieza núm. 97:

> «Las avellanitas, madre,
> ya me las varearé,
> todas cuatro en un pimpollo
> ayúdamelas a coger.»
> (Canción de danza de Salamanca.)

E. M. Torner añade: «La persona que me ha dictado esta letra de danza no recordaba la continuación ni sabía si los cuatro versos o algunos de ellos repetían como estribillo en la letra que debía de seguirles.»

[61] *La lírica popular...*, ed. cit., pp. 63-66. El autor no estudia el caso de nuestra canción de varear avellanas, pero considera otros muchos motivos de versos comunes de Lope y al folklore actual. Concluye, p. 66:

> «... La otra teoría que pudiera intentar la explicación del fenómeno —que las poesías que hoy canta el pueblo son las mismas que el pueblo cantaba en los siglos XV a XVII y que los poetas no hicieron más que copiarlas— resulta enteramente insostenible.»

A esta conclusión opondremos el hecho de que las analogías no se dan entre canciones, en su totalidad, sino simplemente entre algunas retornelas características. (El carácter limitado de las coincidencias fue confirmado, en la mayoría de los casos, por los valiosos ejemplos que Margit Frenk Alatorre clasificó con precisión, en *Supervivencias de la antigua lírica popular. Homenaje a Dámaso Alonso*, Madrid, 1960, I, pp. 51-78.) Ahora bien, las inserciones de motivos populares de este género en nada alteran el genio creador de los grandes poetas y de los grandes músicos, quienes no reducen por ello su proceso creativo a una rastrera labor de copista.

Sotanilla y liga de oro,
que yo me las varearé, etc. [62]

Al contrario a lo que ocurre con la canción de *El villano en su rincón*, no había esta vez ninguna relación temática inmediata entre el estribillo (o la glosa monorrima) y el tema de la canción. El motivo intervenía con ocasión de una lección de baile, en un palacio, y no al aire libre, en una escena de vareo. Todos estos hechos incitan a colegir el uso por parte del Fénix de un estribillo de poesía tradicional con existencia autónoma. En *El villano en su rincón*, el proceso de creación de la canción-danza pudo ser el mismo. Queda patente que el romance de la canción-danza de nuestros aldeanos contiene, engarzados en su trama, como pedrería, algunos elementos poéticos elaborados anteriormente. Se los vuelve a encontrar, efectivamente, con algunas variantes, en el romance de *La Infantina encantada* (A caçar va el caballero / a caçar como solía...) que figura ya en el *Cancionero de Amberes* (entre 1545 y 1550). [63] El arte del Fénix consistió en fundir todos estos elementos y organizarlos sobre la base de un estribillo popular según una estructura verosímilmente tradicional de los cantos de recolección.

La canción y la danza sobre el tema de la cosecha de aceitunas y de avellanas que acabamos de examinar nos permite ahondar algo más en lo que entendemos por utilización aristocrática y culta de la materia popular. Es muy posible, en efecto, que la

---

Citemos un ejemplo: en «Petrouchka», Igor Stravinski le hace tocar a un organillo unos compases de una cantinela cantada por 1900 en el café-concierto y por las calles en Francia («Elle avait une jambe de bois....»). El autor de esta cantinela era poco conocido. Hoy ya no lo es. Mañana, ¿se afirmará que la melodía de esta cantinela —aún viva en el folklore francés— es de Igor Stravinski en función de la teoría de que su genio excluye el préstamo de un tema que se ha hecho popular?

[62] Acad. N., XI, p. 621.

[63] Cf. *Cancionero de Romances que están recopilados la mayor parte de los romances castellanos que fasta agora se an compuesto*, Amberes, Martín Nucio, sin año (B. N. Madrid, R. 8415), fol. 192 r.º-v.º En el romance de *El villano en su rincón*, leemos:

«Era el árbol famoso
. . . .
que las ramas eran de oro
. . . .
de plata tenía el tronco
. . . .
Hojas que le cubren todo
. . . .
eran de rubíes rojos.»

Estos versos nos recuerdan irresistiblemente el monte encantado en donde está prisionera la infantina. El elemento maravilloso (tan escaso en la lírica castellana) es idéntico:

«El troncón tenía de oro,
las ramas de plata fina;
. . . .
cabellos de su cabeza
con peine de oro partía
y del lado que los parte,
toda la rama cubrían.»

Recordemos que ya hemos indicado analogías entre el romance de *La Infantina encantada* y otra canción-danza de *El villano en su rincón*. *Vide supra*, pp. 567-568, n. 180.

obra *El villano en su rincón* haya sido una obra de circunstancias, representada ante una platea de nobles en la corte, hacia 1614-1615. Por otra parte, nuestro análisis nos ha permitido captar el carácter a la vez popular y refinado (adornado con todos los sortilegios del arte) del ballet rústico de esta comedia. Bástanos extender esta indagación a los cantos y danzas de siega en la comedia para volver a encontrar el mismo fenómeno cultural con las mismas oscilaciones y las mismas ambigüedades.

De todos los motivos de los trabajos campestres que sirven de soporte a escenas de la comedia de ambiente rústico, el tema de la siega es con mucho el más rico y repetido. Allí late, por cierto, un motivo tradicional de la literatura idílica desde la antigüedad griega. Teócrito, en su *Idilio X* (titulado generalmente *Los segadores)* trató poéticamente de manera magistral una de esas ὡςαύ θεριστῶυ (canciones de segadores) que acostumbraban a entonar, por coplas de dos versos con dichos festivos y preceptos rústicos, los trabajadores agrícolas de su época. [64] Por su parte, el arte románico de España, que se inspiraba en la vida ambiente, no había desdeñado el motivo y lo trata en no pocos tímpanos de monumentos levantados en las comarcas trigueras. [65] Por fin, varios pasajes de las Escrituras, y en especial el libro de Ruth, invitaban a los dramaturgos de los espectáculos «a lo divino» a abordar el tema en tablados y carros de las fiestas del Corpus. Encontramos así en la *Representación de la famosa historia de Ruth,* incluida en el *Cancionero* de Sebastián de Horozco, publicado en Toledo en 1580, un espectáculo que cuenta no sólo con pastores y gañanes, sino también con segadores. Asimismo, más tarde, en su auto *La Siega,* sólo con seguir muy de cerca el texto sagrado, Lope escribió «a lo divino» una bellísima égloga de siega. [66]

La vida aldeana que tenían ante la vista, al par de la tradición literaria, artística o escrituraria, inspiró a los dramaturgos de la comedia al esbozar sus cuadros de siega. Aún en nuestros días el folklore de la siega es muy vivaz en las regiones madrileña y toledana, las que conocieron mejor los autores teatrales, y las segaoras o canciones de siega no han desaparecido ni mucho menos. En la provincia de Madrid, conservan aún la antigua forma amebea que ya encontramos en el *Idilio X* de Teócrito: cantada generalmente por dos segadores, la constituyen una serie de coplas de uno o dos versos con apariencia de un concurso de improvisación y contestándose alternativamente en una estructura paralela. El dúo de ambos segadores es rematado, la mayoría de las veces, por el relincho prolongado y en coro de todos los segadores presentes. [67] Otras se-

---

[64] Cf. ed. Ph.-E. Legrand (coll. Budé), París, 1925, pp. 63, 66.

[65] Citemos el hermoso ejemplo de la pequeña iglesia de Belaña (provincia de Guadalajara) del siglo XIII, en donde pueden verse todos los detalles de la siega y de la trilla.

[66] El propio Lope nos dice al final de *La Siega:*

«Y demos fin a la Siega,
perífrasis del sagrado
texto evangélico.»

Lope alude aquí a la parábola del sembrador (Mateo, XIII, versos 24-34).

[67] Citemos como ejemplo el siguiente tipo de «segaora», publicada en G. García Matos, *Cancionero popular popular de la provincia de Madrid,* Madrid, I, p. XXXVI:

«Segador 1.º: Cuando me parió mi madre
me parió en un centenal.
«Segador 2.º: Cuando vino la comadre
yo ya sabía segar.
«Todos: ¡Iiiiiiiiiiiijijijijiii!

gaoras madrileñas se caracterizan por un clásico movimiento de llamada de los segadores al trabajo o si no por un apóstrofe —con un significado por lo general galante— al segador o a la espigadora. Esta canción recogida en Navarredonda, aúna ambos tipos pasando con humor de la llamada al trabajo a la alusión amorosa:

> A segar, segadores,
> tres, con una hoz.
> Mientras el uno siega
> descansan los dos.
> Descansan los dos, niñas,
> descansan los dos.
> A segar, segadores,
> tres con una hoz. [69]

Esta otra, oída en Robregordo, se dirige directamente a la segadora:

> Segadora, segadora
> ¡qué aborrecida te ves! [70]

Puede afirmarse que muchas de estas segaoras, unidas a la práctica anual de la siega, ya existían en los siglos XVI y XVII, con mayor riqueza y colorido. Suele ocurrir,
en efecto, que se encuentren frases sueltas, que conmueven, en alguno que otro autor.
Por ejemplo, G. Correas ya señala con pocas palabras de variante, la copia recogida
hoy en Navarredonda. [71] Acerca de la costumbre de los cantos de siega en el siglo XVI,
tenemos el valioso testimonio del maestro Salinas que, en su *De musica libri septem*,
pone una melodía de romance a los dos versos de entrada:

> Segador, tirate afuera,
> deja entrar a la espigadera.

---

[68] Decimos «clásico movimiento de llamada al trabajo» porque se encuentran numerosos ejemplos de
esta forma de «incipit» en la lírica tradicional («A la viña, viñadores...» «A serrar, serradores...», etc.) Al
final de la escena III de *La Siega*, auto de Lope, oímos:

> «A sembrar, a sembrar, labradores,
> que las aves del cielo
> cantan amores.»

El recuerdo de este tipo de llamada pudo inspirar, de lejos, los versos de *Peribáñez y el Comendador
de Ocaña*, cuando Casilda llama a sus segadores:

> «Segadores de mi casa,
> no durmáis, que con su risa
> os está llamando el alba
> ¡Ea, relinchos, y grita!»
>   (Versos 1626-1629.)

[69] *Ibíd.*, canción núm. 362, melodía núm. 391. También puede citarse como perteneciente al mismo
tipo la canción núm. 359, melodía núm. 396, recogida en La Cabrera.

[70] *Ibíd.*, canción núm. 388, melodía núm. 386.

[71] Cf. *Vocabulario de refranes*, ed. 1924, p. 67 b:

> «A segar son idos
> tres con una hoz;
> mientras uno siega,
> holgaban los dos.»

Hablando en dos ocasiones de este estribillo de inicio, lo califica sin equívocos la primera vez de rústico («et hoc initium rusticae cantionis Hispaniae»)[72] y la segunda vez de canto de segador («et hoc rusticum hispanum a messoribus cantari solitum...»).[73] Desde luego no se puede poner en duda el uso popular y aldeano de tal canto.

Pero el folklore unido a la siega no se limitaba a las canciones; también conllevaba costumbres muy coloridas, tal como la de la mansiega, practicada aún ahora en los campos castellanos. En la parte norte de la provincia de Madrid, por ejemplo, cuando los segadores han terminado su tarea en los campos y vuelven a las eras de la aldea con los carros cargados de gavillas, tienen por costumbre acompañar al vehículo con un canto llamado mansiega. Pero también se llama mansiega a la cruz formada por tres haces de espigas que jóvenes de ambos sexos yerguen sobre los carros. En la alegría general, los segadores cantan:

> Ya venimos de la siega,
> ya venimos de segar,
> ya traemos la Mansiega,
> Virgen Santa del Henar.[74]

Por lo general, la cruz de espigas se coloca en la pared de la casa del campesino, y allí permanece hasta el año siguiente. Pero, como lo indica la canción ya citada, también puede ser ofrecida esta cruz a la Virgen.

La primera pieza lopesca en la que encontramos un desarrollo importante del tema de la siega y sus costumbres nos parece ser *San Isidro labrador de Madrid* (antes de septiembre de 1598). A lo lejos se oyen voces: son los trabajadores que vienen a ofrecer la tradicional cruz de espigas a la ermita de la Virgen, situada en la confluencia del Manzanares y el Jarama,[75] La comitiva no tarda en salir al escenario y una acotación escénica pone de relieve la importancia que cobra, para el dramaturgo el detalle folklórico de la cruz de espigas; dice así: «... salen Bartolo, Constanza, Teresa, Lorenzo, Esteban y otros pastores, con su cruz de espigas e instrumentos; cantan así...»[76] Se ini-

---

[72] *De musica libri septem...*, 1577, p. 344 (B. N. Madrid, R. 14080).

[73] *Ibíd.*, p. 344. La frase citada en su totalidad contribuye a aclarar el problema de las relaciones entre metro y melodía:

> «Et hoc rusticum Hispanum a messoribus cantari solitum priori quarti pedis longa in duas breves soluta: "Segador tirate afuera / Deja entrar la espigaderuela" quo si ponas "espigadera", pro "espigaderuela", metrū erit manifeste quod hic ipsius cātus ostēdit.»

[74] G. García Matos, *op. cit.*, II, núm. 388, melodía, núm. 386. Se documentó esta canción en Robregordo. El mismo *Cancionero* cita en el núm. 389, otra canción de mansiega recogida en Ambite. También ofrece canciones de siega de carácter erótico u obsceno recogidas en las aldeas de Meco, Pezuela de las Torres, Torres de la Alameda (en este lugar las canciones de carácter erótico u obsceno se llaman «tunarias»). Véanse también las canciones de acarreo del grano, recogidas bajo los números 377 (en Santorcaz) y 378 (en Talamanca de Jarama), una obscena, otra erótica.

[75] Cf. Acad., IV, p. 587 a:

> «*Envidia:* Pastores deben de ser,
> que como el agosto han hecho,
> a la ermita de María
> traen una cruz.»

[76] Acad., IV, p. 587 a. A través de otros ejemplos teatrales veremos que la cruz de espigas era un objeto indispensable en este tipo de escenas inspiradas en las costumbres reales. A veces fueron ejecutadas danzas

cia entonces una canción que, en un primer momento, glosa musicalmente el gesto de la ofrenda de la cruz de espigas a la Virgen; en un segundo movimiento, se amplía esta ofrenda a Cristo, a San Juan Bautista, a San Pedro apóstol, a San Roque, a San Sebastián y a San Cristóbal, a quienes van dedicados sucesivamente el lirio, las hierbas perfumadas, la menta de hojas redondas y la verbena, el trigo, el trébol y la mosqueta, los pinos de la montaña... Este canto, en forma de romancillo hexasilábico asonantado *e-a* es alternado, es decir, va repartido entre dos segadores que se completan mutuamente; el primero enuncia un verso al cual contesta o trae un complemento el segundo; el autor retoma y lleva a las tablas la misma estructura de los cantos amebeos de los trabajadores aldeanos. Un estribillo octosilábico, cuyo esquema vuelve a encontrarse hoy en algunas canciones populares y en ciertas fórmulas incantatorias de los juegos infantiles,[77] es entonado tres veces por el coro y encuadra los dos movimientos de ofrenda del romancillo:

Músicos:	Vuela, caballito, vuela;
	darte he yo cebada nueva.
Músico 1.º:	Hicieron su agosto
Músico 2.º:	Por aquestas vegas,
Músico 1.º:	Donde se juntan
Músico 2.º:	Y casados quedan,
Músico 1.º:	Manzanares verde
Músico 2.º:	Y Jarama bella.
Músico 1.º:	Los pastores suyos,
Músico 2.º:	Después de la siega,
Músico 1.º:	Y de espigas rojas
Músico 2.º:	Una cruz compuesta,
Músico 1.º:	Vienen a la ermita,
Músico 2.º:	Quieren ofrecella.
Músicos:	Vuela, caballito, vuela,
	darte he cebada nueva.
Músico 1.º:	A Santa María,
Músico 2.º:	Rosa madreselva;
Músico 1.º:	A su hijo hermoso,
Músico 2.º:	Lirios y azucenas;

---

de la cruz de espigas en las fiestas urbanas del Corpus a lo largo del siglo XVII. Es posible que se inspirasen con alguna elaboración —así como las danzas de espadas de los mismos espectáculos— en danzas practicadas por los campesinos. Tampoco ha de rechazarse la posibilidad de que las hayan interpretado grupos llamados para el caso (danzantes de Torrijos, Brunete, Getafe, etc.) que intervenían frecuentemente en Madrid o Toledo por esta misma época. He aquí un texto de 1665 que nos ayuda a imaginar lo que era la danza de espigas destinada a los ciudadanos:

> «una danza de ocho segadores bestidos de pellicos guarnecidos con armiños blancos, calzones de damascos o gorgueranes, los pellicos con medias mangas con contramangas de seda de diferentes colores, con caperuças de seda con la mesma guarnición, medias de estambre y zapatos blancos; an de llevar una cruz de espigas en una bara alta» (en document núm. 138 de N. D. Shergold.J. E. Varey, *Los autos sacramentales en Madrid...*).

[77] «Vuela, caballito, vuela», que hallamos en la segunda variante de este estribillo recuerda —muy lejanamente— a «vuela, vuela, palomita», que aparece a menudo en los corridos mejicanos. En cuanto a «caballito» puede citarse el «caballito, caballito», en *La serrana de la Vera* de Vélez de Guevara. «Volar» es evidentemente una hipérbole de «correr».

Músico 1.º:	A San Juan Bautista,
Músico 2.º:	Olorosas hierbas;
Músico 1.º:	A san Pedro Apóstol,
Músico 2.º:	Mastranzo y verbena;
Músico 1.º:	A san Roque hermoso,
Músico 2.º:	Trigo de las eras;
Músico 1.º:	A san Sebastián,
Músico 2.º:	Trébol y mosquetas;
Músico 1.º:	Al gran San Cristóbal,
Músico 2.º:	Pinos de la sierra.
Músicos:	Vuela, caballito, vuela;
	darte he yo cebada nueva.

Con la pintoresca costumbre folklórica de la mansiega Lope ha podido trazar un gran cuadro ornamental, rebosante de colorido lírico y perfumes campestres. En cierto modo el motivo aparecía muy naturalmente en una pieza dedicada a san Isidro, venerado, como ya se sabe, como santo protector de las mieses. Es normal que el tema se encuentre en *La niñez de san Isidro,* otra pieza del ciclo isidriano, escrita en 1622, para las fiestas de la canonización. Esta comedia, en la forma bajo la cual ha llegado hasta nosotros, no tiene más que dos actos, y termina con el cuadro de los festejos y los cantos de los segadores delante de la ermita de la Virgen de Atocha. Para este cuadro de apoteosis cerealera, nos ha preparado una primera escena en la que vemos a los segadores, con hoces,[78] en los campos a orillas del Manzanares. El diálogo hace resaltar primero la abundancia de la cosecha. Después, detalle verista y pintoresco, Isidro niño viene a traerles la comida a los braceros. Tras algunas escenas intermedias en las que el futuro santo se extasía sobre la belleza del paisaje madrileño y se le aparece Jesús volvemos a encontrar a los segadores. Bajo las miradas de ilustres personajes del Madrid de antaño, van a ofrecer sus cruces de espigas a la Virgen de Atocha. Los nobles admiran la carreta adornada con su cruz.[79] Los trabajadores se adelantan dando relinchos, y como Lope le da mucha importancia a la puesta en escena de un tal cuadro, no deja de precisar, en la acotación escénica, que deberá crearse la ilusión de la carreta sobre el escenario, con la carga de gavillas doradas y la cruz; es más: al llegar a la ermita, los segadores simularán bajar de la carreta:

> Dé vuelta el carro, y como si lo fuese, se vean manadas de espigas, y todos los labradores, Antón, Helipe, Bato, Isidro y Pedro, con la cruz, y por una escala bajen al teatro como que se apean.

---

[78] Acad., IV, p. 525 a: «Entren Antón, Bato, Helipe y Pedro con sus hoces.»

[79] *Ibíd.,* p. 528 b:

«*Don Alvaro:*	¡Oh, cómo viene lucido
	el carro y la cruz!
«*Don Juan:*	Es Pedro
	muy su devoto.
«*Don Alvaro:*	Hoy confirmó
	sus santas costumbres.»

Entonces, como expresión de regocijo, se inician delante de la ermita, cantos y danzas, especialmente villancicos. [80] La admiración que puso Lope en sus personajes nobles, quienes, sobre el escenario mismo, asisten a este cuadro de costumbres del Madrid rural de antaño, no es privativa de aquéllos: en ella vemos la proyección escénica del interés que los espectadores aristocráticos y urbanos de 1622 podían sentir por las costumbres aldeanas.

Lope no sólo insertó el hermoso motivo ornamental de la siega en las piezas del ciclo isidriano. Tal vez muy poco tiempo después de la creación de *San Isidro labrador de Madrid,* el Fénix lo desarrolló en un fresco ricamente decorado de *El vaquero de Moraña* (1599-1603). Como en *San Isidro labrador de Madrid* vemos a los trabajadores volver del campo; van cargados de espigas, flores y alegría, dice un personaje, [81] y en efecto, mientras avanzan con música, traen sombreros adornados con espigas; también aparece la cruz o mansiega. Lope vuelve a ser explícito en la acotación escénica en la que prevé la escenografía:

> Salen Antón y pedro, y algunos pastores con las espigas en las caperuzas, con algunos músicos; lleva Tirreno una cruz hecha de espigas. [82]

Se inicia entonces una verdadera fiesta del trigo. Se abre con un himno a la mies, en el que se oponen las voces del coro y la de un solista. Mientras el coro repite un estribillo en forma de dístico, el solista glosa el estribillo en un terceto monorrimo seguido de un cuarto verso que recuerda la rima del último verso del estribillo; en otros términos, en un canto en forma de zéjel con su «markaz» inicial, su mudanza y su vuelta, entonada ésta por los segadores:

Todos:	Esta sí que es siega de vida, ésta sí que es siega de flor.
Tirreno:	Hoy, segadores de España, vení a ver a la Moraña trigo blanco y sin argaña, que de verlo es bendición.
Todos:	Esta sí que es siega de vida,· ésta sí que es siega de flor.
Tirreno:	Labradores de Castilla, vení a ver a maravilla, trigo blanco y sin neguilla; que de verlo es bendición.

---

[80] Acad., IV, p. 528 b:

> «Bato: Vaya de baile, zagales:
> cantemos mil villancicos
> a la divina abogada
> de Madrid por tantos siglos.»

[81] Acad., VII, p. 569 b:

> «Ana: Ya vienen todos cargados
> de espigas, flores y gozos.»

[82] *Ibíd.*

Todos: Esta sí que es siega de vida,
                      ésta sí que es siega de flor. [83]

Ya encontramos la estructura estrófica del zéjel en el canto del verso de las aceitunas que presentó Lope en *El villano en su rincón.* El hecho de que la encontremos
ahora en un canto de siega (aunque el tipo de zéjel *ab:cccb* sea aquí menos sencillo)
nos lleva a preguntarnos si esta estructura arcaica no era frecuente en los cantos de
trabajo rural hacia 1600. Pero en esta canción de siega no hay que tomar en cuenta
únicamente la estructura del zéjel. El estribillo en sí llama la atención por la forma
paralela del dístico, su métrica eneasilábica y su ritmo con predominancia dactílica
emparentado con el de los versos de gaita gallega: [84]

                    Esta sí que es siega de vida,
                    ésta sí que es siega de flor.

Sabido es que el dístico con forma paralela era característico de la poesía gallega; [85]
también se sabe que el verso eneasílabo desaparece de la poesía culta en el siglo XV y
que desde entonces sólo subsistirá en la poesía relacionada con la danza y el baile; finalmente pueden citarse numerosos estribillos de base eneasílaba, que se parecen como
hermanos al que aquí tenemos. [86] Estas consideraciones, en conjunto, nos permiten lle-

---

[83] Acad., VII, p. 569 a.

[84] P. Henríquez Ureña, in *La versificación irregular en la poesía española,* 2.ª ed., Madrid, 1933, p.
187, indica que el metro eneasilábico está vinculado estrechamente con los versos de gaita gallega, ya que
funciona como variante cataléctica del decasílabo (los versos de ambos tipos a menudo están mezclados).

[85] *Ibíd.,* p. 248:

    «... cabe atribuir parentesco galaico-portugués a los versos de gaita gallega, a los eneasílabos
y las estrofas paralelísticas y encadenadas...», p. 251: «... No sólo los cantares gallegos y portugueses demuestran la influencia occidental en Castilla: también la revelan los cantares castellanos relativos a la gaita, como el de "Andese la gaita por el lugar" o los que tienen las peculia-
ridades de las muñeiras (no sólo el metro y la división de los versos en hemistiquios, y la frecuente disposición en dísticos, sino también las repeticiones de palabras del primer verso en el
segundo y a veces el paralelismo elemental).»

[86] Citemos:

    «Este sí que es Rey poderoso.»
        (Valdivielso, *El villano en su rincón.*)
    «Esta sí que se lleva la gala,
    que las otras que espigan non.»
        (Tirso, *La mejor espigadera.*)
    «Este sí que es mayo famoso,
    que los otros mayos no.»
        (Lope?, *La esclava de su hijo.*)
    «Este sí que es pan de los cielos,
    que no lo encarecen los panaderos.»
        (Moreto, *La gran casa de Austria.*)

Es muy posible que el prototipo de esta clase de estribillos haya sido proporcionado por canciones mayas del tipo ofrecido por *La esclava de su hijo.* Sea lo que fuere, se encontrarán numerosos ejemplos de
fórmulas análogas (con o sin el «sí» afirmativo, con o sin la negación de refuerzo en el segundo verso), en
P. H. Ureña, *La versificación irregular en la poesía española,* ed. cit., pp. 144-145. Caracteriza a estos estribillos el procedimiento de afirmación repetida y reforzada. El primer verso se inicia con un presentativo

gar a la conclusión de que la canción de segadores escenificada por Lope tiene un sello tradicional y popular. Claro que probablemente sea Lope el autor de esta canción,[87] mas, al escribirla, permaneció fiel a patrones arcaicos y consagrados. Nuestro parecer de que podían existir unas canciones análogas —aunque menos refinadas— como cantares de siega entre los aldeanos de tiempos de Lope, se ve apoyado por el hecho de que el poeta toma el estribillo —con variante en una palabra («amos» en lugar de «flor»)— y la estructura en su auto sacramental *La Siega,* también con el tema de la siega:

> Esta sí que es siega de vida
> ésta sí que es siega de amor.[88]

La canción que acabamos de analizar no es más que el primer momento de la fiesta celebrada a la vuelta de los segadores en *El vaquero de Moraña.* Un segundo movimiento le sigue, menos popular por su factura e inspiración, cuando uno de los trabajadores, Antón, le presenta al amo de las tierras los votos de abundancia y de prosperidad agraria de todos sus operarios. Es un hermoso himno de espíritu geórgico, que ya hemos estudiado en otro momento.[89] Lo que nos interesa aquí es el gesto que viene después de la tirada: Antón propone que se cuelgue la cruz de espigas en el «portal de la casa». Este es el rito tradicional, llegado hasta nuestros días, y resulta significativo que Lope no haya querido olvidarlo en un cuadro cuyo colorido se nutre de la vida misma de los aldeanos.

El festejo triunfal de la siega con las notas pintorescas y líricas inspiradas en la realidad española no fue monopolio exclusivo del autor de *San Isidro labrador de Ma*

(«este», «esta» o «esto») más o menos reforzado (con o sin el «sí» afirmativo). Este primer verso es un eneasílabo o un decasílabo de predominancia dactílica. El segundo verso presenta dos formas posibles: ya sea la del redoble paralelo de la afirmación, ya sea la de la negativa de comparación. En ambos casos, se alcanza un mismo encarecimiento hiperbólico.

Sería preciso iniciar el estudio sistemático de este tipo de figuras retóricas propias de la poesía llamada «popular y tradicional». La repetición de algunas fórmulas fijas y el recurso a algunas figuras estereotipadas es, en efecto, uno de los aspectos formales fundamentales de esta lírica. M. Frenk Alatorre, *La lírica...,* pp. 54-58, esboza el trabajo por hacer. Escribe, atinadamente:

> «La frase estereotipada fue uno de los recursos que facilitaron a los poetas popularizantes de los siglos de oro la imitación de las canciones populares. Bastaba con empezar una poesía con la frase "aquel caballero, madre" para sugerir la atmósfera de la lírica popular.»

[87] La rima *aña* de la primera glosa parece haber sido determinada por «La Moraña». Esta armonización con el tema de la comedia denuncia, a nuestro parecer, la intervención del poeta dramaturgo.

[88] El auto de *La Siega* es posterior a *El vaquero de Moraña* ya que una profecía alude a Felipe IV:

> «Y entre los Reyes de Europa
> deberás a un Quinto Carlos
> oponerse la herejía
> de un labrador temerario,
> por quien a sus descendientes
> segundo, tercero, y cuarto
> Felipes, dará otro mundo
> nunca visto, el cielo en pago.»
>
> (B.A.E., LVIII, p. 180.)

[89] *Vide supra,* pp. 285-287.

drid y de *El vaquero de Moraña.* Tirso, discípulo de Lope en tantos aspectos, también esbozó un opulento fresco con este motivo, en *La mejor espigadera* (fechada en 1614, por D.ª Blanca de los Ríos). El tema en sí era propicio para tal cuadro, ya que la heroína de la obra es Ruth, la espigadera moabita, símbolo de una fecundidad femenina que tiene su armónico en la abundancia cerealera. Sobre el decorado del Oriente hebreo, Tirso proyecta no pocos rasgos de la realidad agreste castellana, y aquí el sol de las grandes tierras trigueras dora las espigas bíblicas. Cuando descubre a la bella espigadera desconocida detrás de los segadores, en su campo, Booz supone que esta mujer viene de las montañas de Judea, como bajaban de las sierras del Norte de la península segadores y espigaderas de Castilla en el siglo XVI. [90] Mientras él se va acercando, se oyen los gritos de los obreros y un primer estribillo va subiendo por entre los bastidores: se trata de una variante del refrán eneasílabo que F. Salinas señala precisamente en su *De Musica libri septem,* calificándolo de «canto de segadores de España»: [91]

> Segadores, afuera, afuera,
> dejen llegar a la espigaderuela. [92]

El retornelo es repetido en coro inmediatamente después de la copla que cada segador lanza, uno tras otro, en un tipo de concurso improvisado de homenajes galantes a la hermosa espigadera. Así, por ejemplo, el primer segador le dice:

> Quien espiga se tornara,
> costara lo que costara,
> porque en sus manos gozara
> las rosas que hacen su cara
> por agosto primavera.

Su creación es celebrada por vibrantes vítores («¡Vitor! ¡Vitor!») y un segundo segador encarece el mismo tema con la siguiente copla:

> Si en las manos que bendigo
> fuera yo espiga de trigo,
> que le hiciera harina digo,
> y luego torta o bodigo,
> porque luego me comiera.

Nuevas aclamaciones surgen para proclamar vencedor al segundo cantor; éste se jacta de ser un buen coplero a pesar de su rusticidad, [93] pero aparece una rival en la lid; su copla es menos basta, más preciosa, más femenina también:

---

[90] N.B.A.E., IV (I), p. 336 a:

> «No la he visto en esta tierra
> otra vez; mas bajará
> a la siega de Judá,
> como suelen, de la sierra,
> con los demás montañeses.»

[91] *Vide supra,* p. 602.
[92] N.B.A.E., IV (I), p. 336 b.
[93] Dicho sea esto independientemente del hecho que, desde Juan del Encina y Gil Vicente hasta Santa

> Si yo me viera en sus manos
> perlas volviera los granos,
> porque en anillos galanos
> en sus dedos soberanos
> eternamente anduviera.

Se observa que cada copla se caracteriza por cuatro versos monorrimos, seguidos por un quinto verso cuya rima es obligatoriamente la del estribillo inicial (en *-éra*), el cual es repetido en coro tras cada copla. Es decir, que nos encontramos aquí otra vez en presencia de un tipo de zéjel, como en el canto de los segadores de *El vaquero de Moraña* y en el canto de vareo de aceitunas de *El villano en su rincón.*.

Ya lo sabemos, las justas poéticas entre segadores son vieja tradición entre los campesinos mediterráneos (mantenida hasta nuestros días) y este hecho, unido al que el estribillo glosado en este caso es atestiguado como rústico por F. Salinas, nos permite pensar que también Tirso se inspiró en tradiciones folklóricas contemporáneas para escribir un tal movimiento escenográfico; la coincidencia de *El vaquero de Moraña* y *El villano en su rincón* en lo que atañe al empleo del zéjel parece confirmarnos también que esta forma estrófica sencilla y arcaica debía de conservarse, hacia 1600-1630, en los cantos que solían alegrar las faenas rurales. La única diferencia entre la composición de *La mejor espigadera* y las de *El vaquero de Moraña* o de *El villano en su rincón,* estriba en que el zéjel tirsiano es de un tipo apenas más sencillo *(aa:bbbaa* en vez de *aa:bbba* en *El villano en su rincón)* y que sus diferentes coplas están distribuidas entre varios cantores sucesivos y entrecortadas por gritos y exclamaciones destinados a darle vida y movimiento a la escena; en otros términos, Tirso ha desarrollado algo más teatralmente que Lope los recursos de arquitectura vocal que podía proporcionar un zéjel de siega.

Pero el concurso poético de los segadores de *La mejor espigadera* no es más que un preludio. Las coplas de los improvisadores se oyen entre bastidores y preparan la aparición de la hermosa espigadera; ésta viene detrás de los segadores que salen cantando al escenario: su delantal rebosa de espigas.[94] El coro y el solo de un segador, como en casos anteriores, intervienen en la canción, ya que el coro tiene por misión repetir el estribillo, mientras que el segador glosa el tema propuesto por éste; aunque ya no se trata de un zéjel, encontramos, no obstante, algunos aspectos derivados de esta forma métrica; así es como el último verso de cada copla de glosa recuerda la rima del primer verso del estribillo:

> *Todos:* A la espigaderuela linda
>   el amor sus flechas rinda;
>   a la espigaderuela honesta
>   hagan estos campos fiesta.
> *Uno:*   Arcos haga nuesas hoces,
>   flechas las espigas bellas,

Teresa, los poetas usaron a menudo esta estructura estrófica en composiciones en las que querían lograr un estilo «popular».

[94] N.B.A.E., IV (I), p. 337 a: «Dichos y salen los segadores cantando y Rut tras ellos lleno de espigas el delantal.»

que tire al amor con ellas
contra las suyas veloces;
las nuesas con tiernas voces
cantando le den la gala,
y a los pies de la zagala
Flora ramilletes rinda

Todos: A la espigaderuela linda
... etc.

Uno: Vuélvase a vestir de flor
el prado que agosto seca,
pues con su vista se trueca
en primavera mejor.
Más pica el fuego de amor
que el fuego del sol ardiente.
Su hermosura es fresca fuente
que en vasos de cristal brinda.

Todos: A la espigaderuela linda
... etc. [95]

En realidad, en este caso se trata de un villancico de tipo clásico, forma estrófica que se halla en otras comedias en boca de aldeanos segadores. Comprobamos también que si el estribillo está compuesto de una combinación *AaBb* de eneasílabos y octosílabos, el eneasílabo («A la espigaderuela linda») tiene el dejo tradicional de los auténticos cantos de siega dedicados a la espigadera. La conjunción de estos elementos le confiere a la canción un sabor popular que no alcanza a disipar el recurso culto a imágenes de origen mitológico (el arco y la flecha de Cupido) o cortés (la mirada de la espigadera que transforma el campo agostado por el sol en prado primaveral). El fin del cuadro es el de la Escritura: el amor de Booz y Rut y su unión. Del tema de la mies, Tirso pasa entonces al del matrimonio; analizaremos, cuando llegue el momento, este entrecruzamiento de motivos colocado al final mismo de la pieza, en una como apoteosis de la siega; bástenos con decir por ahora que la fiesta del trigo cálida y soleada llega a su cúspide coreográfica y lírica ampliándose en múltiples armónicos.

Todas las escenas de segadores que nos ofrecen las comedias de Lope y su escuela no vienen tan desarrolladas y organizadas teatralmente como lo están las de *San Isidro labrador de Madrid, La niñez de san Isidro, El vaquero de Moraña* o *La mejor espigadera.* En estas últimas piezas, en efecto, el tema de la siega es tratado por sí solo; [96] en otras muchas comedias, por el contrario, el motivo no es abordado sino de forma indirecta, y sirve, en verdad, de pretexto rústico a un momento lírico cuyo último resorte es el amor o algún otro sentimiento. Pese a ello, vale la pena detenerse en estas obras ya que nos permiten volver a encontrar el fenómeno de inflexión metafórica y alegórica de los motivos rústicos ya examinados a propósito de los cantares de molino o de colmenar; nos permiten apreciar mejor en qué aspecto la utilización aristocrática y refinada de la materia popular ha podido aportar, en algunos casos, una modificación de esta materia sin quitarle por ello el sello del terruño.

La lírica popular de la siega relacionaba ya el motivo del trabajo con el de los sentimientos. En el *Vocabulario de refranes* de G. Correas, podemos leer un estribillo

---

[95] N.B.A.E., IV (I), p. 337 b.

[96] Si bien en *San Isidro labrador de Madrid* y en *La mejor espigadera,* el motivo queda envuelto en resonancias anagógicas o místicas, no por ello deja de ser tratado por sí mismo en ambas piezas.

formado por un endecasílabo y un dodecasílabo en el cual se entrecruzan los motivos del amor y del trabajo:

> Estoy a la sombra y estoy sudando.
> ¿Qué harán mis amores que andan segando?[97]

Esta hibridación de motivos es frecuente en la comedia y especialmente en la serie de escenas inspiradas por el ciclo de canciones de base eneasilábica, dedicadas a la espigadera o a la segadora («segaderuela»). En *Los Benavides* de Lope (1598-1602), son cuatro los músicos de la compañía disfrazados de segadores:

> Salen cuatro segadores y serán de los músicos.

precisa la acotación escénica.[98] Esta indicación nos hace presentir que la canción es interpretada con maestría a cuatro voces. Basta con leerla para comprender que, sobre el estribillo inicial —tradicional—, Lope bordó una variante armonizada con un lugar común filosófico («fugit tempus») que nada tiene que ver con la siega en sí:

> ¡Oh, cuán bien segado habéis,
> la segaderuela!
> Segad paso, no os cortéis,
> que la hoz es nueva.
> Mira cómo va segando
> de vuestros años el trigo;
> tras vos, el tiempo enemigo
> va los manojos atando.
> Y ya que segar queréis,
> la segaderuela,
> segad paso, no os cortéis
> que la hoz es nueva.[99]

En *El gran duque de Moscovia* (Lope) (¿hacia 1606?), otros segadores, cuya función sigue siendo decorativa y coreográfica, entonan una canción de base eneasilábica sobre el motivo de la segadora; encontramos allí una reminiscencia de una fórmula muy difundida en el siglo XVI, especialmente en las canciones eneasilábicas, y que deriva del célebre «nigra sum sed formosa» del *Cantar de los Cantares:*[100]

> Blanca me era yo
> cuando entré en la siega;
> diome el sol, y ya soy morena.
> Blanca solía yo ser
> antes que a segar viniese.
> Mas no quiso el sol que fuese
> blanco el fuego en mi poder.

---

[97] Ed. 1924, p. 214 b.
[98] Acad., VII, p. 532 b.
[99] Acad., VII, p. 533 b.
[100] Acad., VI, p. 622.

Mi edad al amanecer
era lustrosa azucena;
diome el sol, y ya soy morena.[101]

En *El labrador de Tormes* (atribuida durante mucho tiempo a Lope, pero esto ha de volver a ponerse en tela de juicio),[102] los músicos también hacen de segadores; esta vez van acompañados por bailarines disfrazados de trabajadores.[103] El entretenimiento que vienen a proponerle al público es, una vez más, un homenaje a la segaderuela y el metro de base del estribillo es eneasílabo como en casos precedentes:

Garridica yo, si morena
es la segaderuela.[104]

En *Púsoseme el sol, salióme la luna,* atribuida a Lope, pero cuya atribución también ha de volverse a enjuiciar,[105] oímos otro canto de siega donde el motivo esencial lo constituye el homenaje galante a la segaderuela; ahora, se trata de una seguidilla:

Cuando la segaderuela
con los segadores anda,
las espigas de oro
en sus manos blancas
parecen de plata.[106]

Con estos ejemplos puede apreciarse cuán rico debió ser el ciclo de la segaderuela, y una encuesta que se extendiera por otros ámbitos que el de la comedia nos aportaría probablemente nuevas canciones para gloria de la segaderuela.[107]

---

[101] Francisco Salinas, en su *De musica...* cita:

«Aunque soy morenica y prieta,
¿a mí que se me da?
que tengo amor que me servirá.»

Acerca de estas numerosas reminiscencias de la fórmula del *Cantar de los Cantares,* véase P. Henríquez Ureña, *La versificación irregular...,* ed. cit., pp. 196-197, nota 3; y J. F. Montesinos, en su introducción de *Lope de Vega. Poesías líricas,* «Clás. Castell.», Madrid, 1926, p. 38.
Muy parecido al canto de *El gran duque de Moscovia,* en la manera de transponer rústicamente (con un simbolismo sentimental) la fórmula del *Cantar de los Cantares;* está la canción:

«Con el aire de la sierra
híceme morena...»

del *Laberinto amoroso,* 1.ª ed., Barcelona, 1618 (reedición de J. M. Blecua, Valencia, 1953, p. 127).
[102] Cf. Morley-Bruerton, *Chronology,* p. 298, quienes clasifican la pieza en la categoría «Doubtful authenticity».
[103] Acad. N., VII, p. 2: «Salen músicos y bailarines de segadores y Casilda y Silena cantando y bailando.»
[104] En el siglo XVI, existían numerosas canciones tradicionales que iniciaban con «Garridica...».
[105] Cf. Morley-Bruerton, *Chronology...,* p. 333.
[106] Acad. N., IX, p. 23: «Salen Alcina, Glorindo y Ergasto, Salucio y Anfriso, villanos, y cante uno...»
[107] En un baile del siglo XVII encontramos una canción de segaderuela eneasilábica con estructura paralela. Cf. E. Cotarelo y Mori, *Colección de entremeses, loas, bailes, jácaras y mojigangas,* N.B.A.E., XVIII, p. 485:

«Falsa me es la segaderuela,
falsa me es y llena de mal;

Los cantos entonados por los segadores de la realidad no siempre tenían por motivo la siega, y por ello encontramos en la comedia varios ejemplos en los que el canto que acompaña al trabajo de los segadores es un romance u otra composición poética de tema extraño a la circunstancia rústica. Entonces se destaca nítidamente el hecho de que la siega no es sino pretexto para introducir un elemento lírico, eco de la acción principal. Ya señalamos esta función lírico-dramática del canto aldeano en la comedia, al hablar del papel de los romances. En *Las almenas de Toro* de Lope (probablemente, 1610-1613), leemos la siguiente indicación:

> Sale D.ª Sancha con el sombrero de paja y cuatro segadores; Nuño, Suero, Tello, labradores. [108]

Una vez más, adivinamos que va a intervenir un cuarteto vocálico; en efecto es de notar que los segadores anónimos introducidos en esta acotación no participan del diálogo y sólo cantan. El estribillo de su canción es uno muy difundido (que se deriva probablemente de un pasaje clásico de serranilla) que ha sido armonizado con el tema de la comedia:

> Por aquí daréis la vuelta,
> el caballero;
> por aquí daréis la vuelta
> si no me muero. [109]

En *El labrador venturoso* (1620-1622), también encontramos una escena de segadores en la que entonan una composición relacionada con la intriga de la pieza. Cansados por el sol, dicen, que quieren cantar para descansar. Salen con sus sombreros de anchas alas, sus hoces y sus instrumentos. [110] Cantan un romance que cuenta las desgracias de la infanta Elvira que se ha negado a casarse con el rey moro de Sevilla; es el tema mismo de la comedia:

> Escondida está la Infanta
> Doña Elvira de Castilla,
> por no casar con Zulema,
> el Rey de Andalucía;

> falsa me es la segaderuela,
> falsa me es y llena de mal.
> La segaderuela ingrata
> que con celos fieros mata
> y mil tormentos me da,
> falsa me es la segaderuela,
> falsa me es y llena de mal.»

---

[108] Acad., VIII, p. 89 a.

[109] El estribillo: «Por aquí daréis la vuelta / el caballero» corresponde quizás al movimiento de serranilla, mediante el cual después de una primera negativa, la serrana llama al caballero que la había requebrado y empezaba a retirarse. Un movimiento de escena muy característico de *La Dama del Olivar*, parece haberse inspirado en este lugar común lírico, cuando la aldeana Pascuala vuelve a llamar al comendador que antes ha rechazado. Dice: «¡Volved acá, el caballero!» (cf. N.B.A.E., IX (II), p. 212 b). El estribillo «Por aquí daréis la vuelta / el caballero», vuelve a encontrarse en boca aldeana en *El conde Fernán González* de Lope.

[110] Acad., VIII, p. 27 b.

ninguno sabía della,
aunque dicen en Sevilla,
que Don Manrique de Lara
en Zamora la tenía.[111]

En *Quien habló, pagó* de Tirso, una aldeana canta «al son de las espigas» para aliviar la tarea de los segadores.[112] Allí no está en relación con el tema de la siega el motivo de la canción, pero hemos de comprobar una vez más que el metro de base es el eneasílabo y que ofrece una estructura paralelística:

Alabástisos, caballero,
gentil hombre aragonés,
no os alabaréis otra vez.
Alabástisos en Castilla
que teníais linda amiga
gentil hombre aragonés,
no os alabaréis otra vez.[113]

Los ejemplos citados demuestran hasta qué punto supieron sacar partido coreográfico y lírico los poetas dramaturgos del motivo de la siega, ora al tratarlo en sí, ora al valerse de él como de un decorado apropiado para la expresión (directa o metafórica) de los sentimientos. Considerando la frecuencia de estas escenas de segadores —falsos o verdaderos— en la comedia, queda claro que encantaban a los espectadores aristocráticos y urbanos después de 1600. Pero la presencia de refundiciones también permite juzgar del éxito de un tema o de una situación dramática frente a un público.

---

[111] Aquí tenemos un romance inventado por Lope a partir del comienzo tradicional «Retraída está la infanta...», que el poeta hace canturrear al molinero Bartolo en *San Isidro labrador de Madrid*. El verso «por no casar con Zulema» presenta una situación exactamente inversa a la evocada largamente en «Retraída está la infanta». En *Los Tellos de Meneses*, vuelve a ser un villano que canta la historia parecida de otra infanta:

«Triste está la infanta Elvira,
días ha que no se alegra;
que la casa el rey su padre
con el moro de Valencia.»

Puede observarse que estos romances seudo-históricos sobre el tema de la infanta desgraciada interviene en piezas rústicas cuya atmósfera se sitúa en los primeros tiempos de la Reconquista. Frente al Islam y sus grandes urbes (Sevilla, Valencia) el refugio español de la cristiandad es percibido como rústico. Hay armonía entre rusticidad y amor, pero también entre rusticidad y caballería cristiana.

[112] N.B.A.E., IV, p. 184 a, b:

«Sancha: Canta, Tirrena, que quiero
               que alivies nuestras fatigas.
«Uno: Vaya al son de las espigas
               nuesama que es un jilguero.»

(Canta dentro una mujer.)

[113] Este canto se encuentra con leves variantes (la forma completa «alabásteisos» por «alabástisos», y «Sevilla» por «Castilla»), en el *Baile curioso y grave*, impreso en 1616, con *La rueda de la Fortuna* de Mira de Amescua (cf. E. Cotarelo y Mori, *Colección de entremeses...*, N.B.A.E., XVIII, p. 481). También se encuentran en el siglo XVI, en las colecciones de Juan Vázquez y de Pisador, composiciones de idéntica hechura e idéntico sabor. Cf. P. Henríquez Ureña, *La versificación irregular*, ed. cit., p. 242.

Ahora bien, tenemos un caso de éstos con *Más vale salto de mata que ruego de buenos* que sigue muy de cerca los pasos de las escenas más poéticas de *El vaquero de Moraña* de Lope. El autor anónimo de *Más vale salto de mata que ruego de buenos* —como lo demostró M. Bataillon, no puede ser Lope— [114] imitó de manera patente el «gran» cuadro del triunfo de la siega de la obra lopesca. Una acotación escénica subraya la función decorativa asignada a tal escena; intervienen todos los músicos de la compañía en una brillante figuración, con el consabido traje de segador y no falta el motivo tradicional de la cruz de espigas:

> Salen los músicos cantando y todos de segadores. Salen Carlos, Fabio, Cosme, Gila, Mendoza, con una cruz de espigas cantando. [115]

La canción entonada es una acción de gracias dedicada al amo de la heredad, como en *El vaquero de Moraña,* y el estribillo que la sostiene es del tipo ya analizado antes:

> Alabanza al Señor,
> que la siega es acabada
> y [el sol] nos deja templada
> la furia de su rigor.
> Labradores de Girona
> venid todos en persona
> a la siega que el cielo nos dio;
> ésta si que es siega famosa,
> ésta sí, que las otras no.

La moda de los cuadros sobre el tema (o con pretexto) de la siega gozaría de larga vida. El teatro de Calderón nos proporciona hermosos ejemplos en los que se explaya todo el arte coreográfico del sabio dramaturgo. [116] El siglo XVIII tampoco abandonó el motivo, y se lo halla bajo forma de zarzuela en el teatro de Ramón de la Cruz. [117] La permanencia del tema, su inagotable éxito esclarecen una vez más el papel decisivo desempeñado por Lope en el desarrollo del lirismo y de la coreografía rústicas, cuando escribió *San Isidro labrador de Madrid* y *El vaquero de Moraña.*

Tanto con el motivo de la siega como con el del vareo de aceitunas o de avellanas, del colmenar o del molino, hemos podido observar que un tema no es en sí ni culto ni popular, pero que puede ser tratado de uno y otro modo por un mismo poeta; incluso a veces, ambos estilos se mezclan íntimamente en una sola composición. La dualidad y la ambigüedad estéticas constituyeron a menudo el tributo de un género que nacía del uso aristocrático de la materia popular: tal es el hecho que se destaca de nuestro estudio. ¿Quedaría entonces vedado a la crítica el hablar de poesía «popular» en

---

[114] E. Cotarelo y Mori, en Acad. N., VII, p. xx (Introducción), atribuía con certeza a Lope esta pieza. El estudio de la versificación llevó a Morley y Bruerton, en *Chronology,* pp. 306-307, a clasificarla dentro de la categoría de «plays of doubtful authenticity». Finalmente, M. Bataillon, en *La nouvelle chronologie de la «comedia» lopesque de la métrique à l'Histoire, B. Hi.,* 1946, xlviii, núm. 3, p. 231, ve en el plagio de *El vaquero de Moraña* un nuevo argumento en contra de la atribución a Lope. No es esa la manera lopesca de autoimitación.

[115] Acad. N., VII, p. 378.

[116] Cf. el auto sacramental *Las espigas de Ruth.*

[117] *Los segadores de Vallecas* (1768). Esta zarzuela le dan gran importancia a los aires tradicionales.

la comedia de ambiente rústico? No, precisamente, en la medida misma en que el estilo tiene mucha más importancia que el tema, y en que el público arisotcrático y urbano de 1580-1636 apreciaba y pedía el estilo «popular». Lo veremos de manera mucho más clara aún al considerar ahora el motivo del ciclo de los trabajos rurales tomados en su conjunto.

Este motivo del ciclo «los trabajos y los días» en el campo es uno de los más repetidos en la escultura y la iconografía medievales. La tradición del tema tiene raíces remotas en la Antigüedad (se lo encuentra en mosaicos de todo tipo, romanos y prerromanos) y fue tratado por tantos artistas, de valía o no, que sería erróneo calificarlo a priori de culto o popular. Lo único que se puede afirmar es que el tema no pudo previvir indefinidamente sino en el seno de formas de civilización fundamentalmente rurales, que, de época en época, le permitían regenerarse gracias al contacto con la vida agraria siempre reiterada. Así el medioevo español nos proporciona hermosos ejemplos de menologios o calendarios rústicos. Citemos la magnífica representación de los meses del año en la sexta bóveda de los Reyes de San Isidoro de León (siglo XII[118]). Citemos también el frontispicio del monaterio de Ripoll (probablemente del siglo XI) y un tapiz de la catedral de Gerona (del siglo XII al parecer) en donde aparece el motivo. Con el Renacimiento la tradición no se interrumpe y se amplía a las miniaturas de los libros impresos. Tenemos así varios misales toledanos que ofrecen el motivo ilustrado con colores pintorescos y vivos, testimonios valiosos sobre algunos aspectos de la vida campestre del siglo XVI. El más hermoso de estos calendarios toledanos es sin lugar a dudas el que nos proporciona un gran códice de la catedral.[119] La literatura no podía dejar de tratar el motivo y queda un hermoso ejemplo de literatura medieval en un pasaje del culto *Livre d'Alexandre,* en el cual el autor hace desfilar, estrofa tras estrofa, los meses y las faenas rústicas que le son propias.[120] Otro ejemplo, toledano este, es el que nos proporciona el *Libro de Buen Amor* (representación de las cuatro estaciones en la tienda de Don Amor). La poesía culta del siglo XVI, con la influencia de Virgilio, también se complace en esbozar calendarios rústicos de este tipo, insistiendo estéticamente en la decoración y los adornos a los que se podía prestarse el motivo.

La comedia de ambiente pastoril o rústico, en la medida en que no pudo sustraerse ni a las sugerencias de las églogas cultas del siglo XVI (española o italiana) ni a los recuerdos de la bucólica greco-latina, no deja de ofrecernos algunas huellas de estos menólogos poéticos trabajados con algún refinamiento. Tenemos uno en *La Santa Juana ·II* de Tirso. Ante una campiña poblada de pájaros, surcada por un río en el que abunda la pesca, Juana, la santa franciscana de la Sagra, canta a la Providencia que ha hecho la armonía de los meses; su calendario empieza en el mes de abril:

> Junto al líquido marfil
> pasa la fresca ribera,
> con cortes que primavera
> trujo al apacible Abril.

[118] Una buena descripción de ello se encontrará en J. Pérez Llamazares, *Iconografía de la Real Colegiata de San Isidoro de León,* León, 1923, pp. 175-177.

[119] Se encuentra en el cajón número 21.

[120] Cf. «Coplas», 2519 a 2530, del texto publicado por Morel-Fatio, *El libro de Aleixandre, manuscrit esp. 488 de la Bibliothèque nationale de Paris,* Dresde, 1909, pp. 315-317.

Luego dio al Mayo sutil
tornasolados plumajes
de ramas y flores, trajes
con que sus pajes compuso,
que, pues casa al hombre puso,
bien es que le vista pajes.
Después el pródigo Agosto
cubrió de manojos rubios
las eras desde los ubios
del carro largo y angosto;
y luego, en sabroso mosto,
pasado el estío enjuto,
dio generoso tributo
Septiembre a los labradores,
porque después de las flores
quiere Dios que demos fruto.
Reinó luego el cierzo frío:
de Enero, la barba cana
dando de nieve la lana
al monte, el cristal al río;
el escarchado rocío
sobre campo siembra y vierte;
que como año (si se advierte)
llega la edad más cumplida
desde el Abril de la vida
al invierno de la muerte. [121]

Basta con leer esta tirada con sus imágenes cultas y sus rimas preparadas artísticamente, para comprender que no estamos aquí en presencia de un fragmento rural de inspiración popular, sino de un tipo de ejercicio de escuela ejecutado con bríos. Por lo tanto se entiende que tales fragmentos —harto bien escritos de antemano— llegaron a cansar al auditorio. Lope se percató de ello, ya antes de 1600, si tenemos en cuenta un pasaje de su *Belardo el furioso,* comedia pastoril de los años 1586-1595, en la que escuchamos al rico pastor Nemoroso evocar ante la pastora Jacinta, las riquezas rústicas que se propone obsequiarle. El calendario poético iniciado por Nemoroso en redondillas *abba,* no exento de reminiscencias virgilianas fácilmente identificables,[122] pronto es interrumpido por Jacinta:

No más...
basta aquesa descripción:
no hagas la del verano. [123]

Esto es indicio de que, ya en 1586-1595, un autor tan consciente como lo era Lope, percibía lo trillado del lugar común de los bienes rústicos en las cuatro estaciones, tratado a la manera convencional renacentista. [124] Por lo tanto, Lope abordó de una ma-

---

[121] N.B.A.E., IX (II), p. 296 b.

[122] *Vide supra,* pp. 295-297.

[123] Acad., V, p. 679 b.

[124] En todas las literaturas del siglo XVI, vuelve a encontrarse este topos. Véase, v. gr., *The shepheardes calendar* de Edmond Spenser.

nera más auténticamente popular y rural el tema del calendario rústico para convertirlo en un adorno de la comedia de ambiente realmente aldeano: sin pasar por los libros, sencillamente tomando el motivo de la vida rural de su tiempo, bajo la forma que le daba el pueblo, y, conservándole su vigor rústico, volvió a elaborarlo.

En *San Isidro labrador de Madrid* vemos este proceso de creación artística en obra, inspirado por el material popular. La escena de la boda de Isidro y María apunta, en efecto, una bonita danza de villano que reitera en un estilo popular, el viejo esquema del calendario rural. Mucho se ha escrito ya acerca del «villano» en general, de ello se desprende que uno de los rasgos más marcados de esta canción-danza, adoptada por los medios aristocráticos y urbanos después de 1600, es la repetición del estribo:

> Al villano se lo dan
> la cebolla con el pan. [125]

---

[125] El *Diccionario de Autoridades* da la siguiente definición: «Tañido de la danza española, llamado assí porque sus movimientos son a semejanza de los bailes de los aldeanos.» Queda por hacer un estudio de conjunto sobre el «villano» y su evolución, apoyándose en los diferentes libretos de que disponemos (ver varios ejemplos de villanos en Fouché Delbosc, *R. Hi.*, 1906, 104; Gallardo, *Ensayo...*, I, 334, 1197). También habría que tener en cuenta los villanos que llegaron hasta el folklore contemporáneo (cf. Kurt Schindler, *op. cit.*, núm. 780, música recogida en San Andrés de Soria, Castilla la Vieja, y núm. 838, música y letra recogidas en Sotillo del Rincón, provincia de Soria). El «villano» era, por los años 1600, una danza antigua sin lugar a dudas, ya que como lo observaron Schevill y Bonilla (in *Comedias y entremeses de Cervantes*, IV, p. 191), *La Farsa nuevamente compuesta sobre la felice nueva concordia y paz...* de Hernán López de Yanguas, compuesta hacia 1526, ya lo menciona como una danza de antaño:

> «*Plazer:*   ¡Baylemos a la barrisca!
> «*Tiempo:*   No nos tañas la morisca
>   sino el villano de antaño.»

Al parecer una moda del «villano» se difundió por los ambientes aristocráticos y urbanos del siglo XVII, por lo cual fueron compuestos numerosos villanos para representaciones y fiestas, y también bajo forma de glosas a lo divino (cf. Valdivieso, el auto *El Peregrino*; A. de Rojas, *Loa sacramental*; Lope, *Auto de los cantares*). El único rasgo común que ostenta la mayoría es la repetición del estribillo: «Al villano se lo dan / la cebolla con el pan» (cf. Cotarelo, I, cclxiii). Este estribillo constituía probablemente el núcleo lírico de los antiguos villanos, puesto que ya se encuentra una variante en el *De musica* (1577) de Francisco Salinas: «Al villano se lo dan / la ventura con el pan.» También hubo villanos satíricos. Se encuentra uno en Luis Brizeño, *Método muy facilissimo para aprender a tañer la guitarra a lo Español*, París, Pierre Ballard, 1626: «El caballo del Marqués / cojo, manco y rabón es / ..., etc.» Del villano han tratado E. M. Torner, *Cuatro danzas españolas de la época de Cervantes*, Londres, 1947, 15 p., y sobre todo, E. Cotarelo y Mori, *Colección de entremeses...*, I, p. cclxiii. El estudio de Cotarelo reproduce datos que Juan de Esquivel Navarro proporciona acerca de este baile del villano en sus *Discursos sobre el arte del dançado y sus excelencias*, Sevilla, 1642, mas parece ser que el villano descrito sea un villano pasado a palacios y ambientes aristocráticos, y por ello mismo, transformado en algunos aspectos. No obstante conserva el zapateo que, según el *Diccionario de Autoridades*, caracterizaba esta danza:

> «Zapatear: acompañar el tañido, dando golpes en las manos y dando alternativamente con ellas en los pies los que se levantan a este fin con varias posturas siguiendo el mismo compás. Usanse más frecuentemente estas acciones en la danza llamada el villano.»

El texto de Esquivel Navarro (cf. fol. 19, también subraya el carácter animado y casi acrobático del villano):

> «El boleo se obra en el villano: Es un puntapié que se da en algunas mudanzas de él, levantando el pie lo más que se pueda, tendiendo bien la pierna y hase de ejecutar levantando el pie con todo extremo: pónese tanta diligencia que, por levantar el pie lo posible, he visto caer a al-

Pero el «villano» de *San Isidro labrador de Madrid* presenta otros rasgos más sa-
lientes. Conserva sus características de danza auténticamente aldeana. Lo que el campesino Bartolo propone bailar en la boda de Isidro y María es, en efecto, lo que él llama «todo un villano cifrado».[126] Basta con leer el texto de la canción para aproximar-
nos al sentido de esta expresión: el «villano» de Bartolo traza, resumiéndolo, todo un
ciclo de la vida agraria, el de los trabajos y los días que van desde la arada de las tierras trigueras hasta la cocción del pan, pasando por todas las tareas intermediarias:
siembra, siega, trilla, etc.:

> *Toquen los músicos, y Bartolo y Constanza bailen este villano.*
>   *Músicos:*
>   Al villano se lo dan
>   la cebolla con el pan
>   para que el tosco villano,
>   cuando quiera alborear,
>   salga con su par de bueyes
>   y su arado; ¡otro que tal!
>   Le dan pan, le dan cebolla,
>   y vino también le dan;
>   ya camina, ya se acerca,
>   ya llega, ya empieza a arar.
>   Los surcos lleva derechos;
>   ¡qué buena la tierra está!
>   «Por acá», dice al *manchado,*
>   y al *Tostado,* «Por allá».
>   Arada tiene la tierra:
>   el villano va a sembrar;
>   saca el trigo del alforja,
>   la falda llenando va.
>   ¡Oh, qué bien arroja el trigo!
>   ¡Dios se lo deje gozar!
>   Las aves le están mirando:
>   que se vaya aguardarán.

---

gunos de espaldas. Y para más exageración: en la escuela de José Rodríguez un discípulo suyo
con un boleo que hizo en el villano derribó con el pie un candelero que estaba colgado a manera
de lámpara más alto que su cabeza dos palmos.»

Unos versos de un romance de las *Flores del Parnaso, octava parte, recopiladas por Luis de Medina,*
Toledo, 1596, fol. 80, permiten colegir igualmente que el villano, acompañado con guitarra era muy ritmado:

> «...
> trayendo aquí la vihuela,
> que despertará un difunto
> si suelto las diferencias,
> va de redoble un villano
> porque el auditorio entienda
> que he de serlo en la porfía.»

[126] Acad., IV, p. 564 b:

> «*Bartolo:*   A bailarte voy
>   todo un villano cifrado.»

Junto a las hazas del trigo
no está bien el palomar;
famosamente ha crecido:
ya se le acerca San Juan
segarlo quiere el villano.
¡La hoz apercibe ya!
¡Qué de manadas derriba!
¡Qué buena prisa se da!
Quien bien ata, bien desata;
¡Oh, qué bien atadas van!
Llevándolas va a las eras;
¡Qué gentil parva tendrá!
Ya se aperciben los trillos,
ya quiere también trillar.

Pónganse juntos, y bailen con los pies, haciendo que trillan.

¡Oh, qué contentos caminan!
Pero mucho sol les da.
La mano en la frente ponen,
los pies en el trillo van;
¡Oh, qué gran sed les ha dado!
¿Quién duda que beberán?
Ya beben, ya se recrean;
Brindis. ¡Qué caliente está!
Aventar quieren el trigo,
ya comienzan a aventar.
¡Oh, qué buen aire les hace!
Volando las pajas van;
extremado queda el trigo,
dese limpio y candeal;
a Fernando, que Dios guarde,
se pudiera hacer el pan;
ya lo llevan al molino,
ya el trigo en la tolva está.
Las ruedas andan las piedras,
furiosa está la canal;
ya van haciendo la harina,
que presto la cernerán.
¡Oh, qué bien cierne el villano!
El horno caliente está:
¡Qué bien masa! ¡Qué bien hiñe!
Ya pone en la tabla el pan,
ya lo cuece, ya lo saca,
ya lo quiere presentar.

Lleguen todos con una rosca de picos con muchas flores.

Tomad, novio generoso;
hermosa novia, tomad;
que con no menor trabajo
habéis de comer el pan. [127]

---

[127] Acad., IV, p. 564 b.

Unas acotaciones escénicas indican a las claras que varios trabajos, la trilla por
ejemplo, van mimados por los bailarines: nada nos impide suponer que las otras faenas estacionales (labranza, siembra, etc.) también lo son, y más si se tienen en cuenta
las numerosas exclamaciones descriptivas contenidas en el libreto. El estudio de la métrica (son octosílabos asonantados) y del estilo de la canción (son oraciones independientes, yuxtapuestas, sin que intervenga subordinación alguna) confirma el carácter
fundamentalmente narrativo y descriptivo de la canción-danza;[128] reiteradas pausas en
la mitad del verso acentúan el carácter jadeante y cortado de la enumeración y expresan directamente la actividad sin tregua ni descanso, algo monótona, del campesino.
En fin no pensamos errar al decir que nos encontramos aquí con una danza que imita
las labores de aldeano, cuyo origen es probablemente muy antiguo;[129] hasta hace poco
el país vasco nos ofrecía el «makil dantza», danza mimada de los trabajos rústicos, y
tales danzas persisten aún en numerosas aldeas de América latina, ya sea como puras
reminiscencias hispánicas, ya sea como fruto de una hibridación con ritos agrarios precolombinos. El «villano» de *San Isidro labrador de Madrid* por otra parte no es el
único ejemplo de «villano» en el tema del ciclo de los trabajos agrarios, y se encuentra
otro a lo divino, de la misma factura, en los *Juegos de noches buenas* de Alonso de
Ledesma.[130] Allí se representan las faenas agrícolas como un sufrimiento y un acto de
contrición para redimir el pecado del Alma que ha contraído matrimonio adulterino
con el Mundo y ha abandonado al verdadero Esposo. Si se despoja a este «villano» a
lo divino de su significado simbólico aparece como una canción-danza inspirada en
el ciclo de los trabajos agrarios. Vuelven a encontrarse versos que figuran en el «villano» de *San Isidro labrador de Madrid*, lo que hace suponer que eran tradicionales; así:

> el villano va a sembrar,
> Dios se lo deje gozar.[131]

---

[128] Aún hoy el estilo de enumeración sigue siendo característico de algunos cantos de trabajo en el campo castellano. En la comarca madrileña, vuelve a encontrarse ese modo de yuxtaponer proposiciones, octosílabo tras octosílabo, iniciándose el verso con «ya». De ejemplo citemos el canto de mansiega recogido
en Robregordo por G. García Matos, en *Cancionero popular de la provincia de Madrid* (núm. 388 y melodía núm. 386):

> «Ya venimos de la siega,
> ya venimos de segar,
> ya traemos la mansiega,
> Virgen santa del Henar.
> Ya traemos la mansiega,
> ya traemos la mansiega,
> Virgen santa del Pimpollo.»

Hacia 1600, el romancero nos presenta algunas composiciones en las que el «ya» es repetido, de ese
modo, en inicio de verso. Un ejemplo —si bien breve, es cierto— está en «Amada pastora mía», en *Flor
de varios romances nuevos...*, Huesca, 1581, fol. 25 v.º Puede apreciarse otro ejemplo más interesante aún,
en la misma colección, fol. 85. Léase en especial, fol. 85 r.º, el pasaje que empieza:

> «Ya los christianos avisan
> ya los están esperando...»

[129] No excluimos la posibilidad de que estas danzas imitativas que derivan de antiguos ritos agrarios
hayan cobrado nueva vida gracias a los pioneros del teatro eucarístico. La pieza de los *Juegos de noches
buenas* de Alonso de Ledesma que citamos en la nota siguiente, muestra cual pudo ser su utilización
religiosa.

[130] Cf. B.A.E., XXXV, *Juegos de noches buenas*, pieza número 412.

[131] Estos versos forman un dístico en la pieza de Alonso de Ledesma; están separados en la de Lope.

Por fin, puede observarse que el pan (pan de comunión y de redención en Alonso de Ledesma) remata el ciclo de los trabajos rústicos en ambos «villanos».

Estas formas de «villano» tenían hasta hace poco su equivalente en Extremadura, en Canarias y aun en el folklore sefardí de Africa del Norte. En Hornachos, provincia de Badajoz, Bonifacio Gil[132] pudo documentar una *Oración del trigo* en la que, en un estilo enumerativo bien característico,[133] el grano de trigo cuenta su odisea desde el día en que cae en el surco hasta el momento en que se vuelve pan de los hombres, y hasta pan de comunión como en el «villano» a lo divino de Alonso de Ledesma.[134] José Pérez Vidal señaló también la existencia en la isla de La Palma de una danza del trigo, en que los bailarines aldeanos simulan sucesivamente las distintas operaciones del cultivo de los cereales.[135] Varias parejas se colocan cara a cara en doble hilera. En una de las extremidades se coloca el que dirigirá la danza ritmándola golpeando en el suelo con un bastón. Alrededor de este bastonero está agrupado un coro tanto femenino como masculino, con castañuelas cuya función es la de lanzar el estribillo de la canción y repetirlo tras cada intervención de un danzante. Los bailarines intervienen individualmente y miman un trabajo agrícola, acompañado de versos muy sencillos en los que el cantor-danzante explica en qué consiste el trabajo. A cada repetición del estribillo (cantado por el coro) todos los danzantes evolucionan juntos. También subsiste entre los judíos españoles de Tetuán una danza del trigo bastante semejante, cuyo libreto presenta puntos comunes con el de la danza canaria.[136]

Estas supervivencias nos ayudan a comprender el contenido realmente agrícola del «villano» llevado al escenario en *San Isidro labrador de Madrid;* como el «villano» a lo divino de Alonso de Ledesma, nos permiten captar las resonancias de rito ancestral (tanto pagano como cristiano) y cuasi religiosas que rodeaban tal danza para los aldeanos de los años 1600; y al mismo tiempo comprendemos el encanto que podía ejercer sobre los ciudadanos y los cortesanos atentos a rechazar el mundo fabricado y artificial de la corte; los sumergía, estéticamente, en la pureza ingenua de las gentes sencillas y les permitía volver a los ciclos naturales, a los ritmos telúricos.

Pero, una vez más, no nos dejemos engañar, ya que si el hábito aldeano de un «villano» como el de *San Isidro labrador de Madrid* es de los menos discutibles ello no significa que el Fénix copiara pasivamente su texto entre los aldeanos de su tiempo;

---

[132] Bonifacio Gil, *Romances populares de Extremadura,* Badajoz, 1944, p. 146.

[133] Citemos estos versos que comienzan con «ya», como otros del «villano», de *San Isidro labrador de Madrid:*

> «Ya llegué a hacerme hombre
> y también a ser anciano.
> Ya no puedo con mis pies...»

[134] *Ibíd.:*

> «Adoremos usté, Señó,
> a un todo Dios consagrado,
> que para levantarme a mí
> se arrodillan los cristianos.»

[135] Cf. José Pérez Vidal, *El baile del trigo,* en *Revista de dialectología y tradiciones populares,* 1955, XI, pp. 145-154.

[136] Cf. Arcadio de Larrea Palacín, *Canciones rituales hispano-judías,* Madrid, Instituto de estudios africanos, 1954.

junto a los elementos tradicionales y estereotipados que podemos encontrar, también distinguimos indicios de arreglos efectuados por la mano del poeta dramaturgo; el más aparente es la referencia al rey Fernando:

A Fernando, que Dios guarde,
se pudiera hacer el pan.

J. F. Montesinos vio en estos versos una alusión a Fernando el Católico. [137] Pero resulta evidente que es más bien una alusión a Fernando I, el Grande (muerto en 1065). Si bien Lope no se informó con total exactitud acerca de los años en los que se supone vivió Isidro en Madrid, queda claro sin embargo que el Fénix situaba la vida del santo varón hacia el siglo XI y no a fines del siglo XV o a principios del siglo XVI; para convencerse de ello, basta con leer el interrogatorio a propósito del santo al que se prestó Lope en 1612; [138] un pasaje de *La niñez de San Isidro* aún nos prueba que, en la mente de Lope, la infancia del labrador coincidió con la transferencia de las reliquias de Isidoro de Sevilla a León en 1063; [139] la alusión al rey Fernando que encontramos en el «villano» representa por lo tanto una adaptación cronológica de la canción-danza a la época de la acción de la comedia; esta armonización nos permite entrever la labor de reelaboración a la que se dedicó el poeta.

* * *

Al finalizar este capítulo sobre el motivo de los juegos y los trabajos rústicos en la comedia en tiempos de Lope vemos destacarse nítidamente los dos polos entre los que puede oscilar el motivo. El juego y el ciclo de los trabajos, la siega y el molino, son otros tantos temas que pueden recibir dos interpretaciones e inflexionarse según dos estilos: uno llamado «popular» y otro llamado «culto»; el primero no es menos artístico que el segundo ya que las nociones de «popular» o «culto» derivan aquí de conceptos sociológicos tanto como de normas estéticas; a grandes líneas y en lo que atañe el motivo estudiado en este capítulo, es «popular» el estilo lírico que se inspira en una poesía oral, cantada y bailada, practicada por la gente de campo, al realizar sus trabajos; es «culta» la expresión poética o dramática nutrida en los rígidos y acompasados recuerdos de la literatura escrita del Renacimiento o de la Antigüedad. Claro está

---

[137] Cf. *Lope de Vega, poesías líricas,* Madrid, 1926, «Clás. Castell.», I, p. 178, nota al verso 25; J. F. Montesinos escribe: «La acción de comedia pasa en tiempo de los Reyes Católicos.»

[138] *Vide supra,* p. 249, nota 2.

[139] Inés, madre de Isidro de Madrid, hace alusión a este traslado:

«Y, en efecto, me dijeron
que aquella gente llevaba
del divino Isidro el cuerpo,
arzobispo de Sevilla,
para el rey Fernando el Bueno,
que en la ciudad de León
le estaba labrando un templo.»

(Acad., IV, p. 512 a.)

En 1603, el emir de Sevilla, Ibn Abbad, devolvió al rey de Castilla las reliquias de Isidoro de Sevilla, que fueron depositadas en la iglesia de San Juan Bautista de León, levantada por Fernando para recibir los cuerpos de los santos rescatados de manos de los infieles.

que tal distinción entre las dos escrituras jamás es tan nítida en la realidad viva; y frecuentes son las interferencias entre ambas modalidades. [140] La refinada elaboración de la materia popular a la que se dedicaron los poetas al escribir para un público aristocrático pudo obtener como resultado la modificación de la materia en sí: asistimos a un proceso de interacción de este tipo en las canciones en donde el motivo del trabajo rústico pierde su significado concreto para no ser más que un soporte metafórico y alegórico (aunque también haya existido por sí sólo un cierto simbolismo «popular»). Es una ley de sociología literaria comprobable en otros muchos ámbitos: la recepción de una forma de arte «popular» por parte de un público «no popular» no puede operarse sin influencias por parte del público receptor sobre la forma adoptada. Y también resulta cierta la inversa, en el constante intercambio artístico que caracteriza a las sociedades divididas en clases del período pre-capitalista. Sobre el tema de los trabajos y los juegos, tenemos en la comedia de ambiente rústico logros excepcionales en materia de arte «popular» concebidos para deleite de un público esencialmente aristocrático y urbano. Cansado de los lugares comunes de la gran literatura escrita, éste apreció los de la literatura oral. El genio de Lope radicó en haber sabido identificarse con esa vivencia de su público y, por consiguiente, en haber contribuido a reforzar sus mitos. Al hacer brillar ante sus espectadores los destellos poéticos de la vida productiva que existía solamente en el pueblo trabajador, respondía a la honda exigencia de volver a encontrar la vitalidad ancestral española y de beber en las fuentes de una cultura humana situada en las antípodas de la vida restringida, rígida y ociosa del «cortesano». Volveremos a encontrar esta búsqueda de la vitalidad primitiva y ancestral a propósito de las fiestas de la primavera y del verano, motivo al que dedicaremos nuestro próximo capítulo.

---

[140] Fuera del ámbito de la comedia, también podríamos encontrar hermosos ejemplos de ambos estilos en Góngora.

CAPITULO V
FIESTAS DE PRIMAVERA Y DE VERANO

Celebración de fiestas de mayo y de la fiesta de San Juan. Los temas ma-
yos en el teatro. La fiesta de San Juan. Moda de los «tréboles».

La energía vital, las fuerzas naturales y telúricas expresadas por el villano de la comedia por medio de algunos juegos y cantos de trabajo surgen, con más fuerza aún,
en las escenas inspiradas en el motivo de las fiestas de primavera o de verano. Estos
festejos que celebran el renacer o el florecimiento de la naturaleza derivan de antiguas
usanzas entre los pueblos que vivían bajo climas que presentan el contraste del invierno y del verano. En sus orígenes, están ligadas a ritos agrarios, densos de significados
mágicos que remontan a la prehistoria y cuyos vestigios se encuentran en toda Europa. Primavera y verano se confundieron a menudo en uno y una rigurosa distinción
entre fiestas de primavera y fiestas de verano no siempre es posible;[1] sin embargo, puede distinguirse a este respecto dos ciclos principales: el de mayo y el de San Juan.
¿Cómo se presentaban ambos ciclos folklóricos en la vida rural española de los años
1580-1635? ¿Qué sugerencias proporcionaron al teatro? Intentaremos contestar a estas
preguntas. En este caso, el fenómeno cultural que viene a ser el atractivo de la aristocracia y del público urbano por las manifestaciones populares, cobrará precisión
bajo su aspecto dionisiaco.

* * *

Las prácticas de la celebración de mayo existían hasta hace poco en numerosas regiones de la península ibérica y todavía en nuestros días puede observarse su persistencia. Antes de 1936, en muchos pueblos catalanes, el primer domingo de mayo se
celebraba lo que se llamaba el «Roser»: los jóvenes cortaban un álamo y lo plantaban
en la plaza en la noche del sábado al domingo.[2] En Castilla, en Covaleda y Molinos
de Duero, plantaban un pino.[3] En la actualidad, en varios pueblos del Norte y del

---

[1] Testimonio de ello es la etimología de la palabra «verano» en castellano, que ahora significa estío,
derivada del latín «ver-veris», o sea primavera. Tanto es así que en textos antiguos se encuentra verano con
el significado de «primavera».

[2] Valerio Serra y Boldú, in *La Vanguardia*, 26 de mayo de 1934.

[3] Aitken, *The burning of the May at Belorado,* en *Folklore,* 1926, cit., en Enrique Casas Gaspar,
Ritos agrarios, Folklore campesino español, Madrid, 1950, p. 246.

Este de la provincia de Madrid, perviven ritos de celebración de la primavera, que se extienden del 1 de mayo al día de San Pedro, de Pentecostés, o al día de San Juan. Por ejemplo, en Montejo de la Sierra, en la noche que precede el 1 de mayo, los jóvenes van a buscar un árbol (pino o chopo) que plantarán en la plaza. En El Molar, se observa la misma costumbre, en la misma fecha. En Montejo de la Sierra, en la noche de la Ascensión, los jóvenes —llamados en esta ocasión los «mayos»— cuelgan ramas floridas de los balcones de las muchachas —llamadas también «mayas». Vuelven a repetir este gesto por el Corpus, Pentecostés y el día de San Juan.[4] En las riberas del Besaya (Santander), son las muchachas quienes eligen el árbol de mayo (por ello llamado «maya») y alrededor de este, acompañándose con panderetas, cantan elogios al árbol alto y erguido.[5]

Resulta fácil ver que el árbol de mayo representa simbólicamente el renacer en las plantas al par que la fecundidad en los humanos y los animales. Según los etnólogos, en algunos casos, el árbol tiene tal vez un significado fálico. A veces, el «mayo» (o la «maya») no es un árbol sino una persona recubierta con hojas y hierbas. De este tipo son los «mayos» gallegos que van de casa en casa, vestidos con hinojo, coronados de flores, para traer la fecundidad y recibir obsequios.

Entre las costumbres del «Mayo», también hay que mencionar la de la «maya» o «belle de mai».[6] Consistía en elegir entre las jovencitas o las niñas una «Reina de mayo»; engalanada con flores, se sentaba en un estrado adornado con hojas y recibía la pleitesía de la gente joven de la aldea. A fines del siglo XIX, la fiesta de la maya aún era corriente en el propio Madrid.[7] En nuestros días, subsiste en las provincias vascas y en Navarra; las niñas de diez o doce años eligen una reina para todo el año y a fines del mes de mayo puede vérsela ir de puerta en puerta ataviada con claveles rojos y blancos, acompañada por sus damas de honor cantando y bailando al son del pandero, para hacer una colecta.[8]

Ritos de la juventud y de la primavera, las fiestas mayas se confundieron a menudo con aquellas que, en el día de San Juan, saludan el primer día del estío. Una de estas contaminaciones naturales atañe a las ramas, los follajes o los ramilletes que los jóvenes aldeanos cuelgan de ventanas y puertas de la casa de su enamorada. Parece que tal costumbre fue practicada a veces en mayo. Pero también se la encuentra en el día de San Pedro,[9] y sobre todo para el día de San Juan. A fines del siglo XIX, este

---

[4] García Matos, *Notas sobre el folklore de la provincia de Madrid*, en *Cancionero popular de la provincia de Madrid*, 1951, Madrid, I, p. xxix.

[5] Enrique Casas Gaspar, *op. cit.*, p. 247, cita la letra de la canción.

[6] Así le seguía llamando a la Maya en Toulon (Var, Francia), hacia 1925. La costumbre de la elección de una reina «maya» sigue vigente entre las niñas en Inglaterra.

[7] Antonio Flores, *Tipos y costumbres*, Madrid, 1877.

[8] Irigaray y Caro Baroja, *Fiestas de mayas*, en *Boletín de la Sociedad Vascongada de Amigos del País*, 1946, p. 423.

[9] Hasta hace poco se cantaba en la provincia de Santander (al Oeste, lindante con Asturias):

> «La noche de San Pedro
> te puse el ramo
> La de San Juan no pude *(bis)*
> que estuve malo *(ter).*»

Los dos primeros versos de esta seguidilla se encuentran casi idénticos en el sainete de Ramón de la Cruz, *La víspera de San Pedro:*

rito llamado «de la enramada» seguía practicándose. En la región de Albarracín, el joven añadía racimos de frutas a las ramas: cerezas, naranjas, etc. [10] En Villareal y en Fuente del Maestre, en Extremadura, el novio ofrecía un ramillete de flores y unos huevos. [11] Otra de las costumbres peninsulares del día de San Juan es la hoguera, alrededor de la cual bailan los jóvenes; por lo general los muchachos saltan por encima de la fogata. Se trata de un antiguo rito de lustración por medio del fuego, común a varios pueblos de Europa. Aún subsiste en numerosos lugares de España, en Castilla la Vieja, [12] Extremadura y Galicia, en especial, y algunos lo explican como un rito celtíbero. [13]

Es fácil imaginar que, puesto que han tenido la suficiente vitalidad para llegar hasta nosotros, que las fiestas de la celebración de la llegada de la primavera y del verano gozaron de una preferencia excepcional en los siglos XVI y XVII. Varios testimonios de la época prueban hasta qué punto las costumbres «mayas», por ejemplo, estaban arraigadas en el terruño peninsular. Covarrubias, en su *Tesoro* de 1611, nos propone una definición de la costumbre «maya», que es también una interpretación:

> ... mayo y maya es una manera de representación que hazen los muchachos y las donzellas, poniendo en un tálamo un niño y una niña, que significan el matrimonio. [14]

Hacia 1626, Rodrigo Caro también atestigua, por boca de los personajes de su diálogo VI, en *Días geniales o lúdricos...*, que la práctica de las mayas es entonces una de las costumbres más tradicionales de España. El primer personaje declara:

> --- y porque la envejecida y continuada costumbre de celebrar las muchachas el mes de mayo en todas las ciudades de España las fiestas de las Mayas, me ha dado siempre motivo de pensar que, con ser cosa muy antigua, asimismo encierra en sí algún oculto misterio, discurriendo, podía ser saquemos (como dicen) el ovillo por el hilo... [15]

Otro interlocutor subraya el interés que despertaban las costumbres de la maya en algunos ambientes cultos de España; esas fiestas habían sido motivo de una disputa en Salamanca:

> ... Certifico a V. m. que ha tocado el punto de mi deseo, porque estando en Salamanca oí disputar hombres doctos de esta materia. [16]

> «La noche de San Pedro
> te puse un ramo
> y amaneció florido
> con mil mayos.»

(in R. de la Cruz, *Colección de sainetes tanto impresos como inéditos*, Madrid, sin año, I). En este caso los ramos o las flores que han permanecido lozanos hasta la mañana cobran valor premonitorio (la misma costumbre, con igual significado, existe en Portugal).

[10] Enrique Casas Gaspar, *op. cit.*, p. 248.
[11] Isabel Gallardo de Alvarez, *El día de San Juan*, en *Revista del Centro de Estudios extremeños*, 1941.
[12] Taracena, *Notas folklóricas de la división entre Duero y Ebro*, in *Berceo*, 1946.
[13] Mariano Iñiguez, *Ritos celtibéricos. La fiesta de San Pedro Manrique* y Jesús Taboada, *La noche de San Juan en Galicia*, en *Revista de dialectología y tradiciones populares*, 1952, VII, pp. 600-632.
[14] *Tesoro*, p. 780 b.
[15] *Obras de R. Caro*, Sevilla, 1883, ed. «Bibliófilos andaluces», p. 279.
[16] *Ibíd.*, pp. 279-280.

El mismo personaje del diálogo VI nos ofrece una detallada descripción de la fiesta de la Maya, tal como se practicaba a principios del siglo XVII, y podemos comprobar que algunos de sus formas siguieron intactas hasta fines del siglo XIX:

> ... Júntanse las muchachas en un barrio o calle, y de entre sí eligen a la más hermosa y agraciada para que sea la Maya; aderézanla con ricos vestidos y tocados; corónanla con flores o con piezas de oro y plata, como reina; pónenla un vaso de agua de olor en la mano; súbenla a un trono, donde se sienta con mucha gracia y majestad, fingiendo la chicuela mucha mesura; las demás la acompañan, sirven y obedecen, como a reina, entreteniéndola con cantares y bailes y suélenla llevar al corro. A los que pasan por donde la Maya está piden para hacer rica a la Maya: y a los que no les dan les dicen «Barba de perro, que no tiene dinero» y otros oprobios a este tono. [17]

No podemos dudar de la veracidad de esta descripción, pues uno de los participantes en el diálogo VI subraya más adelante tan meticulosa exactitud. [18]

También hallamos informe preciso acerca de la práctica de levantar un árbol de mayo a fines del siglo XVI. Es el testimonio del flamenco E. Cock, que observó esta costumbre en las aldeas catalanas, en el año 1562, indicando que era común a los pueblos de España y de Flandes:

> ... llegamos a Hospitalet, çerca del mediodía, donde aguardamos la venida de su Majestad. Aquí quedamos tres días, y conforme al uso de nuestra patria, celebramos la fiesta del primer día del mes de Mayo con voto de todos, alçando un muy alto pino adereçado con flores y naranjas y dedicándolo a Su Majestad... Los Catalanes, más inclinados a fiestas, bailes y alegría que ninguna gente de España, guardan con nosotros esa costumbre poniendo en todas partes altos árboles por los pueblos y villas de su provincia... [19]

Covarrubias, art. «mayo», p. 780 a, 39 de su *Tesoro*, confirma la costumbre aldeana del árbol de mayo:

> «... el *mayo* suelen llamar en las aldeas un olmo desmochado con sola la cima que los moços o çagales suelen el primer día de mayo poner en la plaça o en otra parte.»

En cuanto al rito que consiste en decorar las fachadas de las casas con hojas o ramas, un pasaje de la *Colecctio concilium hispaniae*, aparecida en Madrid en 1603, nos demuestra su persistencia. Aunque el primer concilio de Braga lo considerara en 561 rito pagano, seguía siendo practicado a pesar de todo:

> Non liceat iniquas observationes agere kalendarum et otiis vacare gentilibus neque lauro aut viriditate arborum cingere domos. Omnis haec observatio Paganissimi est. [20]

---

[17] *Obras de R. Caro*, p. 283. Más adelante en el mismo diálogo, R. Caro cita otros ejemplos de estos «oprobios» con que las niñas denostaban a los mezquinos: «Cara de perro / que no tiene dinero.» «Barbas de gato / que no tiene cornado.»

[18] *Ibíd.*, p. 283: «... paréceme que lo ha descrito V. M. muy puntualmente; y es tan común la ceremonia que pocos la ignorarán.» Quien desee más detalles sobre la costumbre de la «Maya», en la segunda mitad del siglo XVII, los encontrará en *Tarasca de parto en el mesón del infierno y días de fiesta por la noche*, de Francisco Santos.

[19] Henrique Cock, *op. cit.*, pp. 120-121.

[20] *Colecctio concil. Hispn.*, Madrid, 1603, cap. LXXIII. Los intentos —siempre ineficaces— de suprimir mayos y mayas fueron repetidos constantemente al correr de los siglos. Un bando del 21 de abril de 1769

En efecto, en 1611, en su *Tesoro,* Covarrubias en el art. «lámpara», p. 479 b, 46, después de recordar que los latinos ponían antorchas en las puertas de los templos, escribe:

> «De aquí pudo traer origen llamar lámpara los ramos que se ponen a las puertas la mañana de San Juan en las aldeas...»

Finalmente, acerca de las hogueras de San Juan de 1600, vuelve a informarnos Rodrigo Caro, etnólogo anticipado; trata el tema con el título «Hogueras de la noche de San Juan» y cala perfectamente su significado, ya que explica que con ello se trata de una práctica de lustración por medio del fuego:

> ... He visto en algunas fiestas o regocijos, y en especial la noche de San Juan, hacer la gente rústica y mozuelos grande hogueras, por cima de las cuales saltan con mucha porfía y regocijo... [21]

En primavera y principios del verano, muy especialmente para el día de San Juan, hacia 1600, los jóvenes solían ir a cortar juntos hierbas olorosas, con poderes mágicos, en especial verbena y trébol. Era esta una manera simbólica (y quizás no tan simbólica) de ir a cortar las plantas del amor en el solsticio de verano, en el instante cósmico privilegiado en el que, según una antigua creencia, gracias a la influencia solar «máxima», las plantas habían alcanzado el más alto grado de virtud. Covarrubias nos da claras explicaciones sobre el sentido de este rito amoroso, probable herencia de los cultos solares prehistóricos:

> Las yerbas cogidas la mañana de San Juan dizen tienen más virtud que en otro día. Dexemos aparte lo que puede ser devoción; es cosa natural (a lo menos fuelo en años atrás quando concurrían el solsticio vernal y el día de San Juan en un mesmo día) ir tomando virtud las plantas hasta el día del dicho solsticio, y desde allí en adelante enxugarse y recogerse. [22]

(cf. *Novísima recopilación,* núm. 5, lib. I, del tip. 1) renovado el 20 de abril de 1770 *(Nov. recop.,* núm. 15, lib. 19, tip. 3), reiteraba vanamente el intento de prohibirlos.

[21] *Op. cit.,* p. 181. Acerca de las costumbres de las fiestas de San Juan, en la segunda mitad del siglo XVII, la *Tarasca de parto en el mesón del infierno y días de fiesta por la noche,* de Francisco Santos también proporciona detalles interesantes.

[22] *Tesoro,* p. 718 a. La idea de que las hierbas cortadas en la mañana de San Juan provocan mágicamente el amor, se expresa a menudo en la literatura. Cf. el romance *De tus cabellos ingrata,* fol. 166 r.º, en *Séptima parte de Flor de Varios romances nuevos, recopilados por Francisco Enríquez,* Madrid, 1595:

> «De tus cabellos ingrata
> aunque los gane por fuerza
> assi enlaçaron mi Alma
> como si tú me la dieras,
> ymaginabas señora
> que tu dorada madexa
> de su valor perdería
> si adorase yo sus obras
> la mañana de San Juan
> cuando se coge las yervas
> ...»

Berceo, en los *Milagros de Nuestra Señora,* I, «la abadesa encinta», ed. Clás. Castell., 1958, p. 121, alude

La comedia que confería tanto espacio a los motivos rústicos, encontró en los de Mayo y del día de San Juan, ricos «condimentos» en el sentido aristotélico de la palabra; estos motivos proporcionaron decorados, canciones, efectos líricos y pintorescos. Por lo demás, para determinados temas una tradición literaria había sido ya elaborada por la lírica medieval peninsular y, para llevarlos al escenario los dramaturgos no precisaron más que conjugar esta tradición con el espectáculo de la vida aldeana real de su tiempo.[23] Pero sólo a fines del siglo XVI, los motivos mayos o del día de San Juan cobraron valor pintoresco o decorativo sobre los tablados, valor exento de toda visión ironizante del campo. Hallamos por ejemplo, en el Introito de la *Comedia Aquilana* de Torres Naharro, una alusión a la costumbre amorosa de la enramada.[24] Pero no se trata de una poetización en el escenario, del gesto del joven aldeano para expresar, por medio de hojas y ramos, el amor que siente por una muchacha. En un contexto de estilización cómica de los usos aldeanos, no es, en ese estadio, más que una nota de amor ingenuo y rústico, divertido para un público cortesano acostumbrado a expresar sus sentimientos de otra manera. En la comedia de escuela lopesca el motivo suele conservar aún su resonancia cómica. Así ocurre en un pasaje de *El villano en su rincón* de Lope, en el que el rústico Fileto en presencia del rey, tiene la misión de hacer reír al público con sus salidas:

> Rey: ¿Sois muy discreto vos?
> Fileto: Notablemente:
> he jugado a la chueca y a los bolos,
> yo pinto con almagre ricos mayos
> la noche de San Juan y San Pedro.
> Y pongo: Juana, Antona, y Menga, vítor.[25]

En otras piezas, la nota pintoresca y poética se superpone a la nota cómica y nos encontramos con un inicio de valorización estética de la costumbre aldeana. Se da este

---

a una hierba cuyo simple contacto provocó el embarazo de una casta abadesa. Echa mano aquí de una metáfora erótica, cargada de picardía, que se apoya en las creencias mencionadas:

> «Pero la abadessa cadió una vegada,
> Fizo una locura que es mucho vedada,
> Pisó por su ventura yerba fuert enconada,
> Quando bien se catido, fallóse enbargada.»

[23] Uno de los más antiguos ejemplos de poesía medieval sobre el tema mayo es el ofrecido por las Coplas, 1788-1792, del *Libro de Alexandre* (cf. F. Haussen, *Las coplas, 1788-1792, del Libro de Alexandre*, R.F.E., 1915). Sobre el tema mayo en España desde la Edad Media hasta nuestros días, existe una monografía de Angel González Palencia y Eugenio Mele, *La maya, notas para su estudio en España*, Madrid, 1944 (Bibl. de Trad. Populares, VII). R. Menéndez Pidal trató el tema mayo en la lírica primitiva en 1910, en su conferencia, *La primitiva poesía lírica española* (publicada en *Estudios literarios*, «Austral», Buenos Aires, 1943, p. 223). Sobre el mismo tema, puede consultarse a Carolina Michaelis Vasconcellos, *Cancionero da Ajuda*, Halle, 1904, II, p. 858. Véanse también los Cancioneros musicales de los siglos XV y XVI, empezando por el *Cancionero musical de palacio de los siglos XV y XVI*, editado por F. A. Barbieri, Madrid, 1890 (piezas núms. 61-69).

[24] Cf. edición E. Gillet, p. 460:

> «Hete aquí, cada San Juan
> yo le enrramava la puerta,
> _*

[25] Acad., XV, p. 284 a.

caso en *La esclava de su hijo,* pieza atribuida a Lope (pero que quizás no sea suya en la forma en que la conocemos).[26] La comedia se inicia con un cuadro de aldeanos que bailan alrededor de un árbol de Mayo. La acotación escénica subraya la mezcla de tonos de tal escena; dice así:

> Salen los músicos cantando y bailarines bailando y Lisardo villano galán, y Fineo y Tirso y otros y Garbín villano gracioso con un mayo.

Los aldeanos cantan un estribillo, en el que encontramos una estructura y una retórica populares ya analizadas:

> Este sí que es mayo famoso;
> que los otros mayos, no;
> éste sí que se lleva la gala
> que los otros mayos no.[27]

Hallamos una escena de género campestre del mismo tipo al principio del acto III de *La Peña de Francia* de Tirso, donde se ve una fiesta maya en honor de una joven aldeana, en cuya ventana los pastores colocan las ramas rituales. Reza la acotación escénica:

> Salen cantando los pastores y Tirso con el mayo.[28]

La escena cantada expresa un sentimiento de alegría primaveral y el goce de las gentes sencillas en presencia del renacer de la Naturaleza. Tras la serenata que le brindan, la joven aldeana acaba saliendo a la ventana para admirar el «mayo verde». La canción, como ocurre a menudo en Tirso, opone un coro a un solista, y el estribillo, repetido por el coro, es el tradicional en los cantos mayos:

> Entra mayo y sale abril
> cuan garridico le vi venir.[29]

Lope, por su parte, alude a menudo poéticamente a los ramos de hierbas olorosas colgadas en la mañana de San Juan en las puertas de la amada. En *El cuerdo en su casa,* al contar el villano Mendo como conquistó a Antonia, la hermosa lavandera, dice:

---

[26] Cf. Morley-Bruerton, *Chronology,* p. 282.

[27] Acad. N., II, p. 166 a.

[28] N.B.A.E., I, p. 665 a. Corregimos «catando» por «cantando».

[29] Este estribillo vuelve a encontrarse en *El baile de la Maya* (probablemente de Miguel Sánchez). Cf. E. Cotarelo y Mori, *Colección de entremeses...,* II, p. 484. Cf. también F. A. Barbieri, *Cancionero musical de los siglos XV y XVI,* pieza núm. 61, en donde la glosa cobra la forma del zéjel del tipo más sencillo. Cf. J. de Valdivieso, *Romancero espiritual,* Madrid, 1880, p. 297. El estribillo persistió con variantes en Castilla la Vieja. Cf. F. Olmeda, *Folklore de Castilla o Cancionero popular de Burgos,* Sevilla, 1903.

Es de notar que muchos cantos en honor de la primavera, en boca de aldeanos teatrales, se caracterizan por la asonancia en *i* (cf., por ejemplo, el canto de romería de *La Santa Juana I,* de Tirso, N.B.A.E., IX (II), p. 247 b; que analizamos en otro momento). Tal vez sea la palabra «abril» la que determinó esa asonancia característica de toda una categoría de canciones aldeanas de primavera.

> Llegó el día de San Juan
> hice un jardín a su puerta
> y puse con rojo almagre
> «Mendo de Antona la bella».[30]

En *Al pasar del arroyo* le toca evocar esa bonita costumbre a Jacinta, heroína de la ciudad que ha vivido en la aldea:

> Labradores mozos
> a perder llegaron
> por mi amor el seso
> pero ¡todo en vano!
> Noches de San Juan
> me colgaban ramos
> de juncia y verbenas,
> trébol y mastranzos.[31]

Probablemente, a la misma costumbre hace alusión Casilda en *Peribáñez y el comendador de Ocaña*, cuando dice entre otros cumplidos galantes a su esposo:

> En mañana de San Juan
> nunca más placer me hicieron
> la verbena y arrayán.[32]

Claro está, cabía una transposición del motivo a lo divino, según el estilo rústico propio del *Cantar de los cantares,* y el Fénix nos proporciona un buen ejemplo en el *Auto de los cantares:*

> Si queréis que os ronde la puerta,
> alma mía de mi corazón,
> seguidme despierta,
> tenedme afición:
> veréis como arranco
> un álamo blanco,
> y en vuestro servicio
> le pongo en el quicio;
> que vuestros amores míos son.[33]

La costumbre de la Maya fue motivo de varios cuadros en el teatro. Antes de 1604, Lope escribió incluso a lo divino un auto sacramental completo sobre el esquema de la Maya: *La Maya y el hijo pródigo.*[34] La Maya no es sino el Alma, ataviada para el

---

[30] B.A.E., XLI, p. 447 a.
[31] Acad. N., XI, p. 271.
[32] Ed. Aubrun y Montesinos, versos 96-98.
[33] Acad., II, p. 415 a.
[34] Lope introdujo ese auto en *El peregrino en su patria* (lib. III), impreso en Sevilla. Es probable que se representara con ocasión de una fiesta del Corpus en Sevilla así como otros dos autos incluidos en la obra *(El viaje del alma, Las bodas del alma y el amor divino)* en la época que Lope residió en la ciudad andaluza hacia 1602-1604. Cf. J. Sánchez Arjona, *Noticias referentes a los anales del teatro en Sevilla desde Lope de Rueda hasta fines del siglo XVII,* Sevilla, 1898, p. 115.

caso con sus mejores galas. Las canciones que amenizan esta representación están inspiradas en las que, en la realidad, acompañaban las danzas de la gente joven, alrededor de la Maya, engalanada con flores y sentada en su trono. También encontramos allí los estribillos consagrados y las fórmulas acostumbradas que acompañaban la colecta de la Maya, de casa en casa, que nos indican Covarrubias, Rodrigo Caro, etc. Primero se halla la exaltación de la belleza de la reina en una estructura lírica tradicional, que puede servir tanto para los temas de bautizo o de boda como para los de la Maya:

Esta maya se lleva la flor
que las otras, no.
Esta maya tan hermosa
tan compuesta y tan graciosa
viene a ser de Cristo esposa
y la Palabra le dio,
que las otras, no.
Las otras que en el pecado
están feas, no han llegado
a tan alto Desposado,
y ésta por limpia llegó,
que las otras, no. [35]

Luego, vemos a la Maya sentada detrás de una mesa sobre la cual está un plato para recibir las ofrendas, exactamente tal como se suele hacer aún hoy en algunos pueblos de la comarca madrileña. [36] Pasan tres personajes, «El Mundo», «La Carne», «El Rey de las Tinieblas», pero la Reina de Mayo rechaza sus ofrendas porque son malas. En cambio acepta la de un cuarto personaje: «El Príncipe de la Luz». Es interesante desde el punto de vista del ritmo dramático observar cómo los cuatro momentos correspondientes a las cuatro ofrendas van encadenados líricamente gracias a una inserción de estribillos tradicionales de colecta, repetidos tres veces por los músicos. Escuchamos sucesivamente:

Las costumbres del Mayo andaluz aparecen en varias oportunidades en la obra de Lope. En *El Arenal de Sevilla*, Acad. N., IX, p. 700 b, se menciona la de la «cruz de mayo» en Sevilla (invocación de la Cruz, el 3 de mayo):

«Paseando por Sevilla
día de la Cruz de Mayo
en que muestra más grandeza
que en el discurso del año,
porque con su devoción
en mil partes levantando
pirámides a la Cruz
al mismo sol vence en rayos,
entre unos altares vi,
en su riqueza admirado
a Lisardo...»

[35] El uso en el tema de la Maya, de fórmulas líricas reservadas por lo general a los temas de boda o de bautizo, es normal aquí si se tiene en cuenta que esta glosa a lo divino anuncia el tema de los desposorios místicos del desenlace.

[36] En Colmenar Viejo (al norte de la provincia de Madrid), la Maya se colocaba así detrás de una mesa.

Dad para la maya,
gentil caballero

. . . .

Dad para la maya,
gentil mi señora

. . . .

Dad para la maya,
ombre y Dios eterno;
más valéys vos solo
que el suelo y el cielo.

Al acercarse «El Rey de las Tinieblas», surge un estribillo de repulsa, y es fácil volver a encontrar, apenas modificadas, algunas de las fórmulas de oprobio señaladas por Rodrigo Caro en sus *Días geniales o lúdricos...* y que mencionamos ya antes:

Passe el pelado
que no lleva blanca ni cornado,
passe el pelado.
Passe, passe el mal vezino
que afrentar la Maya vino
porque de Cristo divino
vio que era mesa y estrado,
passe el pelado pelado. [37]

En el canto opuesto que acoge a «El Príncipe de la Luz», se descubren también, apoyando los símbolos eucarísticos, unas formas laudatorias inspiradas en las que Covarrubias nos indica como existentes en el folklore contemporáneo. Escribe Lope:

Rosa de rosa nacido,
lirio entre espinas hallado,
trigo blanco en cruz molido,
del dedo de Dios sembrado,
echad mano a esse costado;
y dadnos alguna cosa,
cara de rosa. [38]

---

[37] Las mismas fórmulas rituales y otras más fueron insertas en *El baile de la Maya*, divertimiento-ballet constituido por una serie de estribos tradicionales de las fiestas de «Mayo» y de «Maya». *El baile de la Maya* ha sido publicado en la *Parte V* o *Flor de comedias de España de diferentes autores*, Barcelona, 1616. En esta edición así como en todas las posteriores, precede a *La guarda cuidadosa*, de la que se sabe con certeza que pertenece a Miguel Sánchez. Esta razón —no decisiva— es la que incita a algunos críticos (por ejemplo, P. Henríquez Ureña, en *La versificación irregular*, pp. 143-144) a atribuir *El baile de la Maya* a Miguel Sánchez. Este falleció antes de 1609 y su producción se sitúa principalmente a fines del siglo XVI. De ser válida la atribución, esto podría significar que el tema de la maya triunfó tempranamente en el teatro.

[38] Las mismas fórmulas vuelven a encontrarse en *El baile de la Maya:*

«Echad mano a la bolsa,
cara de rosa;
echad mano al esquero,
el caballero.»

(Cf. ed. Cotarelo y Mori, *Colección de entremeses*, II, p. 484)

Ahora bien, de pluma de Covarrubias, leemos las siguientes palabras en el *Tesoro*, en el art. «cara»:

> ... cara de rosa, al que la tiene buena. Les donzellas que piden para hazer rica la maya dizen este cantar:
>
> > Echa mano a la bolsa, cara de rosa;
> > echa mano al esquero, caballero.

En el art. «esquero», el mismo autor escribe estas líneas que atestiguan la antigüedad de una de las fórmulas líricas populares que subyacen en la transposición de Lope:

> ... Usáronse pocos años ha cierta manera de bolsas que colgavan del cinto; por la haz tenían un anillo redondo y un apartado para poner lo que fuesse manual, y en el reverso una bolsa recogida con sus cerraderos que también le llamaron los antiguos esquero, como consta por el cantarcillo de las donzellas, en tiempo de las mayas, que dize:
>
> > «Echa mano al esquero, cavallero,
> > echa mano a la bolsa, cara de rosa.» [39]

Lope también sacó partido teatral de la costumbre aldeana de la «Maya», en una escena de comedia profana, *El laberinto de Creta*, anterior a 1618. [40] Tema de la obra es el conocido mito griego, pero tratado completamente al estilo español, y los pastores que en ella figuran recuerdan a los de Castilla, pese a sus nombres helénicos. Poco importa si en la canción-danza que interpretan, la Maya sea Venus, diosa del amor. Lo interesante, para nosotros, reside en los estribos folklóricos que Lope insertó en el desarrollo de la canción-danza y que le dan su verdadero carácter:

> . . . .
> Den para la maya
> que es hermosa y galana.

Quevedo, en *Calendario nuevo del año y fiestas que se guardan en Madrid* (ed. Astrana Marín, *Obras completas, verso*, Madrid, 1932, p. 276), escribía:

> «Mayo que es el mes bonito,
> maya y aruña las fiestas
> y el "eche mano a la bolsa"
> hace al dinero pendencia.»

[39] Parece que la expresión «cara de rosa» haya sido empleada ritualmente por las muchachas, al pedir limosna por la calle, cuando querían atraerse los favores de los transeúntes. En *El Arenal de Sevilla* de Lope (acto I, escena I), recita la invocación una seudo-gitana de Sevilla:

> «Cara de rosa,
> ansí Dios haga dichosa
> tu vida y tu pretensión,
> me des una cosa buena
> de esa generosa mano.»

[40] Esta pieza fue publicada ya en la *Parte décima sexta...*, que salió en 1621, pero su título sale ya en la segunda lista de *El Peregrino...* (1618).

. . . .
Pase, pase el pelado,
que no lleva blanco ni cornado.

. . . .
Dad para la maya,
el caballero,
que más vale honra
que no el dinero. [41]

Junto con los festejos de «mayo», [42] el día de San Juan es evocado frecuentemente en la comedia, pero forzoso es observar que el tema primordial, el de la hoguera, en torno a la cual bailan jóvenes de ambos sexos, no fue tratado por Lope y sus discípulos. No vemos sino una explicación de tal ausencia: el peligro de incendio que se correría al encender una hoguera en un escenario. Del día de San Juan, Lope conservó principalmente la tradición que le otorga a esta fiesta la realización de los deseos matrimoniales de las muchachas. [43] A veces escenificó la libertad de costumbres que podía ser la característica de esta noche privilegiada, los paseos de los enamorados y las citas galantes de los jóvenes; pero esos rasgos no fueron captados únicamente en el campo; también los vio en los ambientes urbanos y aristocráticos; [44] en cambio, en las escenas de ambiente rústico, reserva bastante espacio a la costumbre de muchachos y muchachas de ir a cortar rosas, verbena o trébol, por la mañana de San Juan, para hacer ramilletes o guirnaldas. En *La hermosura aborrecida* (1604-1610), tenemos una escena cantada y bailada sobre dicho tema. El decorado es una plaza de aldea con gradas al fondo, y delante un olmo:

---

[41] Acad., VI, pp. 138-139.

[42] También se encuentra el tema de la maya, en *El truhán del cielo y loco santo* (Acad., V, escena 2), que Menéndez y Pelayo atribuía a Lope pero que probablemente no lo sea. Otros temas mayos salen también en *El robo de Diana* (Lope), *Ello dirá* (Lope) (Acad. N., V, p. 65). Pero las canciones a las que dan lugar no son necesariamente tan aldeanas como las vinculadas con el motivo de la maya. Se relacionan con el riquísimo ciclo del «mes de amor», al que pertenecen tipos harto difundidos, en los *Cancioneros*, como «Por mayo era, por mayo» o «Mañanicas floridas del mes de mayo».

[43] Este significado de San Juan «casamentero», va nítidamente subrayado por el poeta en *Lo cierto por lo dudoso* (1620-1624). Cf. Acad., IX, p. 370 b:

«... las oraciones
y respuestas fabulosas
en que han dado las doncellas,
haciendo casamentero
a San Juan...»

[44] El mejor ejemplo lo proporciona *La noche de San Juan*, pieza escrita para ser representada el 24 de junio de 1631, en los jardines del conde de Monterrey. El ambiente es únicamente palaciego y madrileño, y en vano se busca una nota rústica.

En *Lo cierto por lo dudoso*, Lope evoca el altar florido que una niña de la aristocracia sevillana erige en honor de San Juan. Cf. Acad., IX, p. 374 a:

«Hice en efecto este altar
a San Juan. Robé las flores
al jardín, y a los mayores
naranjos su blanco azahar.
Trajeron del Alameda
los olmos que ves aquí,
con que la sala por mí
transformada en selva queda.»

Haya un olmo en el teatro, como aldea, con sus gradas.

reza la acotación.[45] Dos aldeanos van acompañados por dos aldeanas con panderos; los rodea el coro,[46] que, en oposición con la voz de un cantor, repite el estribillo popular:

> La mañana de San Juan
> ¡vamos a coger rosas, mozas![47]

Las mocedades de Bernardo del Carpio, comedia atribuida a Lope, pero que tal vez no sea suya,[48] igualmente nos ofrece una canción muy bonita, con el tema de las coronas, las guirnaldas y los ramilletes que tejían las muchachas de la aldea por san Juan, con verbena o menta.[49] Un pareado octosilábico de estructura retórica popular

---

[45] Acad. N., VI, p. 266.

[46] Cf. la acotación escénica: «... salen los músicos de villanos, en una aldea y dos labradores bailando; Flora y Constanza con sus panderos; Bartolo, Enio, villanos.»

[47] G. Correas, *Vocabulario de refranes...,* ed. 1924, p. 191 b, cita: «Mañana de San Juan, mozas, / vámonos a coger rosas», leve variante del estribillo de la canción de *La hermosura aborrecida.* Este tipo de «incipit» que menciona «la mañana de San Juan» fue muy difundido en los romances por 1600. Citemos, in 6 a parte del *Romancero general* (1604), fol. 203 a:

> «La mañana de San Juan
> salen a coger guirnaldas
> Zara su muger del Rey chico
> con sus más queridas damas.»

[48] Cf. Morley-Bruerton, *Chronology...,* p. 315. Si es de Lope, la métrica la situaría hacia 1599-1608.

[49] En *El último godo* de Lope (Acad., VII, p. 77 a), una canción también alude a esta costumbre:

> «Vamos a la playa,
> noche de San Juan,
> . . . .
> coronados todos
> de verbena y ramos.»

La ensaladilla anónima *Quien madruga, Dios le ayuda,* que se encuentra en el folio 50 del mss. 3913, B. N. Madrid, dedicada por completo al tema de la fiesta de San Juan, evoca también las guirnaldas y las coronas con las que se engalanan los jóvenes aldeanos en esa fecha:

> «...
> cada cual ató su haz
> y destrenzando el cabello
> ponen guirnaldas sobre ello;
> por más contento y solaz
> partiéronse acia el lugar
> y el trabiesso de Urguilla
> con sus medias amarillas
> cantó a Elvira este cantar:
> llena va de flores la blanca niña,
> llena va de flores, dio la vendiga;
> fuéronse a la procesión
> contentas y enguirnaldadas
> ...»

Lo que podría interpretarse como un tema idílico transmitido por Teócrito pertenecía a la realidad aldeana. En el episodio de las bodas de Camacho, rico labrador de la Mancha, Cervantes también nos ofrece

repetida en otros muchos estribillos tradicionales se encuentra al principio y final de
la canción. Encuadra un romancillo asonantado en *-ea:*

> *Que si buena es la verbena,*
> *más linda es la hierbabuena.*
> La verbena verde,
> que viste las selvas,
> los claros arroyos
> y las fuentes frescas,
> albas de San Juan,
> las zagalas bellas
> de toda esta villa
> salen a cogella;
> Guirnaldas componen
> para la cabeza;
> oro es el cabello
> y esmeraldas ella.
> Hacen ramilletes
> de la hierbabuena,
> dando a los sentidos
> olor y belleza.
> *Que si linda era la verbena,*
> *más linda era la hierbabuena.* [50]

---

el cuadro de púdicas muchachas bailando al son de una gaita zamorana; en la cabeza llevan coronas de jaz-
mín, rosas, amaranta y madreselva: «... sobre los cuales traían guirnaldas de jazmines, rosas, amaranto y
madreselva compuestas» (parte II, cap. xx).

La costumbre de las guirnaldas de flores hechas por las niñas queda atestiguada por el doctor Laguna,
en especial para las de amaranta (o sea, la manzanilla silvestre), en *Dioscórides,* lib. 4, cap. 58, a propósito
de la palabra griega.

[50] Acad., VII, p. 254 a. Esta figura de encarecimiento se encuentra a menudo en las canciones de las escenas aldeanas, de la comedia. Podemos citar, en *Santa Margarita,* de Diego Jiménez de Enciso *(Parte
XXXIII de doce comedias famosas de varios autores,* Madrid, 1642, fol. 223, B. N. Madrid, R. 22134):

> «Que si linda era la novia,
> la madrina era más hermosa.»

In *El conde Alarcos,* de Mira de Amescua *(Comed. escog. de los mej. ing. de España,* 1652-1704, V,
p. 129, B. N. Madrid, R. 22658):

> «Si era hermosa la mañana,
> más hermosa es la aldeana.»

En *El lego de Alcalá,* de Luis Vélez de Guevara *(Ibíd.,* IV, p. 56, B. N. Madrid, R. 22657):

> «Que si linda es la çarçamora,
> más linda es nuestra señora.»

En *El príncipe viñador,* de Luis Vélez de Guevara *(Ibíd.,* XXX, p. 278, B. N. Madrid, R. 22683):

> «Que si linda era la berbena,
> más linda era la yerba buena.
> Si hermoso es el trébol,
> la blanca azucena,

Un destino particular tuvo el trébol en las canciones aldeanas del ciclo de San Juan, quizás por el valor mágico que se le atribuía, al considerarlo como amuleto de amor. Existe así un verdadero género de canciones del trébol o «tréboles». La comedia de ambiente rústico ha recogido varias adaptando y armonizándoles con sus acciones hasta el extremo de constituir una verdadera poda lírica teatral, que pronto se haría cansina para los críticos conscientes de los peligros de la estereotipia.

En los ejemplos de tréboles que nos ha dejado la comedia, el parentesco con el tema del día de San Juan se atenúa hasta desaparecer. Mas, si se toman en consideración los «tréboles» que se pueden coleccionar fuera del teatro, hacia 1600, ese parentesco puede darse por supuesto en la mayoría de los casos. El ejemplo de trébole más antiguo que hemos encontrado figura en una ensaladilla, en el folio 43 de la *Flor de varios romances, novena parte,* editada por Luis de Medina en Madrid en 1597. Toda la ensaladilla gira en torno de las particularidades del día de San Juan y la costumbre de las flores y hierbas olorosas cortadas al alba por las muchachas:[51]

> . . . .
> Quien madruga Dios le ayuda.
> . . . .
> Fueron a ver qué passava
> en el Val Daratuçan,
> la mañana de San Juan
> al tiempo que alboreava:
> y a coger flores también,
> para que en Missa mayor
> el cura Frutos Gotor
> les dé bendición solén.
> . . . .
> Luego Juana Santorcaz
> y Aldonça la de Valbuena,

> los lirios azules,
> moradas violetas,
> más linda es la yerba buena.»

Es de notar que, en este último ejemplo, se trata de una canción de primavera como en *Las mocedades de Bernardo del Carpio.* Los campesinos cantan estos versos en el momento en que van a adornar el balcón de una princesa de León con flores y ramos.

In *Desta agua no beberé,* de Andrés de Claramonte:

> «Que si lindo es el poleo,
> más lindo era el Rey don Pedro.»

Una fórmula de retórica popular próxima de las anteriores aparece en una canción de la boda aldeana de *La Santa Juana I,* de Tirso (N.B.A.E., IX (II), p. 242 b), que evocaremos más adelante:

> «Que si linda era la madrina,
> por mi fe, que la novia es linda.»

[51] Es posible que también el trébol cortado por San Juan sirviera para trenzar guirnaldas y coronas; leemos, en una canción-danza de *El Aldegüela* (Acad., XII, p. 337 a):

> «Cual hace verdes guirnaldas
> de trébol y toronjil.»

Ursola de la patena,
y Agustina Fuentelsaz:
porque aguardava a su Andrés,
que allá a buen Alva vendría,
aqueste cantar dezía,
ordenando un passatrés:

quando saldréys el alva galana
quando saldréys el alva.
Resplandece el día,
crecen los amores
y en los amadores
aumenta alegría,
alegría galana,
quando saldréys el Alba.
En llegando al Valflorido,
do estava todo el lugar,
cantó Casilda un cantar
bien cantado y bien tañido:
Trébole, ay Jesús, como huele
trébole, ay Jesús que olor.
Trébole de la niña dalgo
que amava amor tan loçano,
tan escondido, y celado,
sin gozar de su sabor.
Trébole, ay Jesús como huele,
trébole, ay Jesús qué olor.
Mencía la ganadera,
porque Alonso de Algezilla
se yva a vivir a la villa,
cantó de aquesta manera:
que no cogeré yo bervena
la mañana de San Juan,
pues mis amores se van.
Que no cogeré yo claveles
madreselva, ni miraveles,
sino penas tan crueles,
qual jamás se cogerán
pues mis amores se van,
......................................etc. [52]

---

[52] P. Henríquez Ureña, en *La versificación irregular*, ed. citada, p. 235, nota 1, afirma, sin explicar en qué basa su aseveración, que esta ensaladilla es posterior a otra, muy semejante, que nos ofrece el ms. 2913 de la B. N. Madrid, en el folio 50. La relación entre ambas ensaladillas no es dudosa, pero es difícil fechar la ensaladilla del manuscrito, si bien éste, hasta el folio 110, parece haber sido escrito hacia 1600. Puede observarse que agrupa en su segunda parte (fol. 111 y sigs.) poesías de principios del siglo XVII (especialmente un epitafio a Quevedo, numerosas composiciones de Góngora, entre las que se encuentra el *Polifemo*). Consideramos provechoso el citar los pasajes más característicos de la ensaladilla del manuscrito, ya que confirman el vínculo existente entre el motivo lírico del trébole y la fiesta de San Juan:

«...
Barbosa la de Loys
Costanza de Gil Marruecos
Petronila rompecueros

Una letrilla con el tema del trébol también figura en el folio 453 v.º, de la 13.ª parte del *Romancero general*, publicado en Madrid en 1604. El estribillo presenta una estructura algo diferente del de la ensaladilla de 1597, pero la relación con el día de San Juan resulta igualmente evidente:

A coger el trébol damas,
la mañana de San Juan,
a coger el trébol damas,
que después no avrá lugar.
Salid con la aurora,
quando el campo dora,
y veréys bordado
de aljófar el prado,
cogeréys las flores
de varias colores,
de que, en vuestras faldas
texeréys guirnaldas,
con que al niño ciego
podréys coronar.
A coger..., etc.
Veréys cómo el alva,
haze al mundo salva,

y Margarita Solys
fueron a ver que passava
la mañana de San Juan
al punto que alboreava.
Y a coger flores también
para que en missa mayor
el cura y señor dotor
les dé bendición solén.
Llegaron al val florido
do estava todo el lugar
Peroniño el escolar
y Luquillas el garrido;
porque Lucas se consuele
cantó su prima Leonor:
Trébole ay Jesús cómo huele,
trébole ay Jesús qué olor,
trébole de la blanca niña
que amores cinco tenía
y aunque mucho los quería,
a ninguno da favor.
     Trébole, etc.
La cejunta sospechó
que Eugenio se iva a casar
con otra al otro lugar
y desta suerte cantó:
que no cogeré yo berbena
la mañana de San Juan
pues mis amores se van;
que no cogeré yo clabeles,
albahaca ni mirabeles,
sino penas las más crueles
          ..., etc.»]

> y cantan las aves
> con vozes suaves,
> veréys en la fuente
> cristal transparente,
> que por mil soslayos
> le hieren los rayos,
> adonde del fresco
> podréys bien gozar
> *A coger...,* etc.
> Cogeréys la rosa,
> con la viola hermosa,
> el jazmín preciado,
> y el lirio morado,
> los roxos claveles,
> con los miraveles
> y a bueltas de grama,
> pajiza retama,
> con otras mil flores
> dignas de loar.
> *A coger el trébol damas*
> *que después no avrá lugar.*

En la mayor parte de los tréboles que han pervivido en el folklore hasta nuestros días, permanece la asociación con el día de San Juan, razón de más para relacionar estas canciones con el ciclo que estamos estudiando. Hace poco se escuchaba, aún, con pocas variantes, en toda Castilla la Vieja, León y Asturias, un estribillo en el que distinguimos algunos vestigios de algunos estribillos de la ensaladilla ya citada, de la Novena parte de la *Flor de varios romances* de 1597. E. M. Torner cita como corriente en las romerías del concejo de Oviedo hacia 1920:

> A coger el trébole y el trébole y el trébole,
> a coger el trébole los mis amores van.
> A coger el trébole y el trébole y el trébole,
> a coger el trébole la noche de San Juan.
> ¡Ay! morena, los mis amores van,
> ¡ay! salada, la noche de San Juan.[53]

Se ve que subsistían elementos de los versos:

> Que no cogeré yo verbena
> la mañana de San Juan
> pues mis amores se van.[54]

de la ensaladilla, del folio 43 de la «Novena Parte» de la *Flor de varios romances* de 1597, versos que se encuentran por otra parte en la ensaladilla del ms. 3913. Por el

---

[53] E. M. Torner, *Cancionero musical de la lírica popular asturiana,* p. 150, núm. 385.
[54] Este octosílabo (o su variante «los mis amores se van») nos remite al estilo de las cantigas de amigo. Notemos también el eneasílabo «que no cogeré yo bervena». ¿Estos detalles acaso han de orientarnos hacia la idea de un origen occidental de estos motivos?

tema y el movimiento, este estribillo de la canción asturiana también recuerda el del folio 453, de la «13.ª parte» del *Romancero general* de 1604:

> A coger el trébol damas,
> la mañana de San Juan,
> a coger el trébol damas
> que después no avrá lugar.

Pero, a principios de siglo, no sólo en Asturias se oían los cantos del trébole. En 1914, Narciso Alonso Cortés escribía que en todos los pueblos de Castilla se cantaban los estribillos del trébole y citaba:

> A coger la verbena
> madruga un tuerto,
> madruga un tuerto,
> madruga un tuerto,
> con un ojo cerrado
> y el otro abierto,
> y el otro abierto,
> y el otro abierto,
> a coger el trébole, el trébole, el trébole,
> a coger el trébole la noche de San Juan,
> a coger el trébole, el trébole, el trébole,
> a coger el trébole los mis amores van. [55]

Asimismo, Kurt Schindler en 1931 recogía en Navarrevisca, provincia de Avila, la variante:

> ¡Como quieres que olvide
> y habiendo estado y olé!
> Serrana y habiendo estado
> a cortar el trébole, el trébole, el trébole,
> a cortar el trébole la noche de San Juan
> las horas olvidadas
> contigo hablando y ¡olé!
> Serrana contigo hablando
> a cortar el trébole, el trébole, el trébole,
> a cortar el trébole la noche de San Juan. [56]

Otro tipo de canción sobre el motivo del trébol en flor, con una estructura lírica totalmente diferente, también existió en los siglos XVI y XVII; pero parece haber sido mucho menos común. En un *Auto de la Resurrección* del siglo XVI, se encuentra una seguidilla:

> Trébol, florido trébol,
> trébol florido. [57]

---

[55] Narciso Alonso Cortés, *Cantares populares de Castilla, R. Hi.,* XXXII, p. 93, 1914.

[56] Kurt Schindler, *Folk, music, and poetry of Spain and Portugal,* Hispanic Institute, New York, 1941. Una encuesta en las aldeas del norte de la provincia de Avila (comarca de Piedrahita) nos permitió saber que hace unos cincuenta años esta canción estaba difundida por toda la región.

[57] Cf. *Colección de autos, farsas y coloquios del siglo XVI,* ed. L. Rouanet, Barcelona, 1901.

Los tréboles de esta serie no parecen presentar relación con el día de San Juan y quizás tengan su origen en los pregones cantados por las calles por los vendedores de ramilletes y hierbas olorosas.[58]

Todos los tréboles que utilizó teatralmente la comedia de ambiente rústico derivan de la primera categoría. ¿Cuál fue el autor que tuvo la iniciativa de introducir este tipo lírico en las tablas? Bien podría serlo Tirso de Molina[59] si *La villana de la Sagra* es de 1612 o anterior a dicha fecha.[60] En esa pieza con motivo de los festejos de una romería en honor de San Roque, en la Sagra toledana, una aldeana baila, acompañada por dos cantores y en el estribillo por todo el coro:[61]

> Trébole; ¡ay Jesús, cómo huele!
> Trébole, ¡ay Jesús, qué olor!
> Tus plantas divinas,
> Angélica hermosa,
> en trébol y rosa
> vuelven las espinas;
> rosas clavellinas
> y lirios criaron
> cuando se estamparon
> tus pies entre flor.

Todos: Trébole; ¡ay Jesús, cómo huele!
Trébole; ¡ay Jesús, qué olor![62]

---

[58] Nos sugiere esta idea una escena de *La Santa Juana* (III). Una aldeana, Aldonza, va a la ciudad donde ofrece a la gente ramilletes de hierbas olorosas (entre las que hay trébol) que lleva un cestillo. Cf. N.B.A.E., IX (I), p. 310 b: «Sale Aldonza, labradora con una cesta de zarzamoras, unos manojos de trébol y poleo y otros de pajuelas...» Repite varias veces:

> «¿Quieren trébole y poleo,
> pajuelas y zarzamoras?»

[59] E. Cotarelo y Mori estima que la comedia fue escrita en 1606 apoyándose en el relato de Doña Inés (en el segundo acto) que alude a la vuelta de la Corte a Madrid en ese año (cf. *Catálogo razonado del teatro de Tirso, Comedias de Tirso de Molina*, N.B.A.E., IX (I), p. xliii). La prueba no es decisiva y no se puede sacar de la alusión más que un «terminus a quo». Pero es posible que la pieza no sea muy posterior a 1606, ya que no se suele hacer alusión a hechos menores muy alejados en el pasado. Doña Blanca de los Ríos, en *Tirso de Molina. Obras dramáticas completas*, II (Aguilar), p. 113, piensa que la pieza ha sido escrita durante la estancia de Tirso en Toledo, en el verano de 1612: pero tampoco aporta ninguna prueba decisiva.

Al plantear implícitamente el mismo interrogante de prioridad que nosotros, Aubrun y Montesinos, en la Introducción a su edición de *Peribáñez y el Comendador de Ocaña*, opinan como nosotros, que la iniciativa del recurso teatral al «trébole» podría corresponder a Tirso y no a Lope. Pero por plantear el problema de los «trébole» sólo dentro del ámbito más general de las relaciones entre *Peribáñez y el Comendador de Ocaña* y *La Santa Juana*, dejan suponer que es la primera parte de la trilogía tirsiana la que sugirió a Lope el uso escénico de los tréboles. En la página XXIV, dicen: «Tirso a pu suggérer à Lope la première scène de *Peribáñez*. L'action dans les deux pièces commence par une noce de village célébrée par des chansons et des danses entre autres un "trébole"...» Aubrun y Montesinos incurren aquí en una leve confusión. El trébole tirsiano de *La Santa Juana* no interviene más que en la segunda parte de la trilogía, y ello con ocasión de un bautizo y no de una boda (cf. N.B.A.E., IX (I), ed. Cotarelo, p. 285). Aubrun y Montesinos parecen admitir, además —cosa nada imposible—, que la segunda parte de *La Santa Juana* podría ser posterior a *Peribáñez y el Comendador de Ocaña* (cf. p. xxv y p. xxvii de su «Introducción»). En lo que atañe al uso escénico de los tréboles, tendrían que deducir de su hipótesis (muy verosímil) que no fue *La Santa Juana* la que sugirió a Lope ese empleo.

[62] B.A.E., V, pp. 311 c-312 a.

Volvemos a encontrar aquí el estribillo característico constituido por un decasíla-bo dactílico y por un eneasílabo, ambos de corte ternario,[63] que ya hallamos en una ensaladilla de *Flor de varios romances,* editada en Madrid en 1597. En cuanto a la estrofa en alabanza de la heroína de la pieza, es evidente que resulta de una creación algo amanerada y convencional de Tirso. En la segunda parte de *La Santa Juana* con motivo del bautizo —otra vez en la Sagra—, oímos el canto del trébole.[64] Del es-tribillo característico, Tirso se queda con la estructura métrica (endecasílabo seguido de un enasílabo); conserva intacto el segundo verso: «Trébole; ¡ay Jesús qué olor!» La estrofa situada entre dos estribillos está consituida por una sucesión de octosílabos en los que cada verso es iniciado por la voz de un solista y terminado por el coro, que repite invariablemente: «trébole».

Todos (cantan):	Trébole danle al niño,
	trébole; ¡ay Jesús qué olor!
Labrador 1.º:	Trébole y poleo.
Todos:	Trébole.
Labrador 1.º:	Alegre el bateo.
Todos:	Trébole.
Labrador 1.º:	Rosas y junquillos.
Todos:	Trébole.
Labrador 1.º:	Para los padrinos.
Todos:	Trébole.
Labrador 1.º:	Para el señor cura.
Todos:	trébole.
Labrador 1.º:	Lirios de los valles.
Todos:	Trébole.
Labrador 1.º:	Para el padre y madre.
Todos:	Trébole.
Labrador 1.º:	Y para el Alcalde la hierba del sol.
Todos:	Trébole, denle trébole al niño
	trébole; ¡ay Jesús, qué olor![65]

Comprobamos otra vez cómo, en Tirso, los motivos populares pueden constituir la base de efectos vocálicos ordenados arquitectónicamente.

Con toda verosimilitud, debe ser en *Peribáñez y el comendador de Ocaña,* donde Lope insertó por primera vez un canto de trébole en una comedia. Mientras Peribáñez está en Toledo, enviado por la cofradía de San Roque, los segadores que trabajan en sus campos se acomodan en el sobradillo de la casa para pasar allí la noche. A pesar

---

[63] El decasílabo dactílico modelo va acentuado rítmicamente sobre la tercera, sexta y novenas sílabas: (oo / - oo / - oo / - o). Cuando la palabra empieza por un proparoxyton trisilábico, suele intervenir un apoyo rítmico sobre la última sílaba del proparoxítono. Este es el caso en: «Trébole, ¡ay Jesús, cómo hue-le!», que ha de leerse: «Trébole, ¡ay Jesús! ¡cómo huele!» Sobre esta cuestión de apoyo rítmico que no ha de confundirse con el acento prosódico, véase a Tomás Navarro, *Métrica española...,* pp. 9-10: «La parte del verso comprendida desde la sílaba que recibe el primer apoyo hasta la que precede al último, constituye el período rítmico interior...»

[64] N.B.A.E., IX (II), p. 285:

«Salen los labradores todos con música o bateo.»

[65] N.B.A.E., IX (II), p. 285.

de su cansancio antes de dormir, quieren solazarse un momento. Entonces resuena en la cálida noche de agosto el himno al trébol florido, entonado a varias voces (tal vez sean seis, a juzgar por el número de segadores presentes en el escenario) y con acompañamiento de guitarra:

> Trébole; ¡ay Jesús cómo güele!
> Trébole; ¡ay Jesús qué olor!
> Trébole de la casada,
> que a su esposo quiere bien;
> de la doncella también,
> entre paredes guardada,
> que fácilmente engañada,
> sigue su primero amor.
> Trébole; ¡ay Jesús, cómo güele!
> Trébole; ¡ay Jesús, qué olor!
> Trébole de la soltera
> que tantos amores muda;
> Trébole de la viuda
> que otra vez casarse espera:
> tocas blancas por defuera
> y el faldellín de color.
> Trébole; ¡ay Jeús, cómo güele!
> Trébole; ¡ay Jesús, qué olor! [66]

Volvemos a encontrar aquí en el estribillo, el decasílabo y el eneasílabo de la ensaladilla de la *Flor de varios romances* de 1597. En cuanto a las coplas, se componen de una estrofa de seis octosílabos con rima *abbaac,* correspondiendo a una repetición de la rima del segundo verso del estribillo (olor-amor-color) la última rima *c.* En otros términos, Lope adapta la estructura popular del villancico al motivo no menos popular del trébol. ¿Esta idea de glosar el estribillo del trébole será original del Fénix? No parece que lo sea. Existen muchas posibilidades de que la estructura, ya sea del villancico, ya sea del zéjel, haya sido tradicional en los cantos de trébole, ya que volvemos a encontrarla con el mismo movimiento, en la mayoría de los ejemplos que nos lega la literatura del Siglo de Oro. Es una forma de zéjel mono-asonantado la que tenemos en la ensaladilla de la novena parte de la *Flor de varios romances,* editada en Madrid en 1597:

> Trébole, ¡ay Jesús, cómo huele!
> Trébole, ¡ay Jesús qué olor!
> Trébole de la niña dalgo
> que amava amor tan loçano
> tan escondido, y celado
> sin gozar de su sabor.

Esta misma disposición vuelve a encontrar exactamente en un trébole eucarístico inserto por Valdivieso en su *Ensaladilla al Santísimo Sacramento:*

> Trébole, ¡ay Jesús, cómo huele la Niña!
> Trébole, ¡ay jesús, qué olor!
> Trébole, del pan saludado,

---

[66] Versos 1460-1477.

hecho de la flor del campo,
noche buena del esclavo,
con la furta del hombre y Dios;
Trébole, ¡ay Jesús, cómo huele la Niña![67]
Trébole, ¡ay Jesús, qué olor!

También tenemos una glosa del mismo tipo en la estrofa del trébole eucarístico que ofrece *El villano en su rincón,* auto sacramental de Valdivieso; en este caso la estrofa no cuenta más que con un sólo verso de mudanza antes del verso de la vuelta, pero el procedimiento es el mismo:

Trébole, ¡ay Jesús, cómo huele!
Trébole, ¡ay Jesús, qué olor!
Trébole que ya al Rey ha visto
el villano en su rincón.
Trébole, ¡ay Jesús, qué olor!
Trébole, que por el costado
le descubre el corazón.
Trébole, ¡ay Jesús, qué olor!
Trébole que por pan y vino
su sangre y cuerpo le dio.[68]

Por fin, en *El capellán de la Virgen* de Lope, volvemos a encontrar el sistema de la glosa, en terceto asonantado, en la mudanza de la estrofa; además, el movimiento lírico es muy semejante al de la ensaladilla de la *Flor de varios romances* de 1597 y de *Peribáñez y el Comendador de Ocaña:*

Trébole, ¡ay Jesús, cómo huele!
Trébole, ¡ay Jesús, qué olor!
Trébole de la doncella
cuando sacarse desea
que es cogollo de azucena
y flor de primer amor.
Trébole, ¡ay Jesús, cómo huele!
Trébole, ¡ay Jesús, qué olor!
Trébole de la casada
que ajenos amores trata
que parece hermosa garza
que está temiendo el amor.
Trébole, ¡ay Jesús, cómo huele!
Trébole, ¡ay Jesús, qué olor!
Trébole de la soltera
cuando de común se precia
que parece en lo que pela
tijera de tundidor.
Trébole, ¡ay Jesús, cómo huele!
Trébole, ¡ay Jesús, qué olor!

---

[67] B.A.E., XXXV, p. 239 a. A consecuencia del apoyo rítmico sobre la *e* final de trébole, hay que admitir la existencia de un anacrucis al principio del primer verso. Este funciona como dodecasílabo.

[68] Joseph de Valdivieso, *Doze autos sacramentales y dos comedias divinas,* Toledo, Juan Ruiz, 1622 (B. N. Madrid, T. 1356), fol. 11 v.º

Si bien parece fundamental la disposición de las estrofas en forma de zéjel o de villancico en las canciones de «trébole», también importa subrayar tanto en las estrofas como en el estribillo la insistencia de los ritmos ternarios. Están ligados a la repetición de la palabra leitmotiv (trébole) y a la disposición de los puntos de apoyo rítmicos en el verso. C. Oudin traduce trébole por «trèfle»·y «triolet». Si bien «triolet» es el nombre vulgar del trébol y de la alfalfa lupulina no dejemos de lado el significado que comporta este vocablo, amén del botánico. En Francia también designa una pequeña composición poética de ocho versos, octosílabos por lo general, con dos rimas, en la que son iguales los versos primero, cuarto y séptimo, la palabra «triolet» subraya el aspecto esencial de la estructura ternaria de este género. En cierto modo las canciones españolas que estamos estudiando son también «triolets» poéticos, aunque de un modo distinto. Suele ocurrir, en efecto, que la estructura ternaria sea dominante en estas canciones o danzas hasta el extremo de imponerse al ritmo tanto como al número de estrofas y al tema. El caso más sobresaliente es el del trébole de *El capellán de la Virgen* de Lope, que citamos anteriormente. Puede observarse que evoca las tres categorías posibles de la mujer enamorada:[69] A cada categoría le corresponde una estrofa de glosa (un terceto más un verso de vuelta). En este caso también es ternaria la manera de bailar el trébol. Una primera indicación escénica nos dice que las bailarinas, primero cuatro, tienen anchas cintas: «Salgan cuatro labradores con sayuelos, y

---

[69] En el simbolismo lopesco de las flores (valdría la pena reconstituir el código en su totalidad), el trébol expresa siempre la esperanza amorosa. Véase, a este respecto, el célebre romance autobiográfico: «Ortelano era Belardo / de las güertas de Valencia», in *Ramillete de Flores cuarta parta de Flor de romances, recopilados por Pedro de Flores,* Lisboa, 1593, fol. 23 v.º:

> «...
> passado el hebrero loco
> flores para mayo siembra,
> que quiere que su esperança
> dé fruto a la prima vera;
> el trébol para niñas
> pone a un lado de la güerta,
> porq̃ la fruta de amor
> de las tres hojas aprenda.»

Pero este significado de trébol no queda limitado a Lope. Cf. *Flor de varios romances nuevos primera y segunda parte, recopilados por Pedro de Moncayo,* Barcelona, 1591, fol. 97 v.º:

> «Tenía una viuda triste
> dentro de su casa un huerto
> . . . .
> en los quadros dél avía
> . . . .
> de cerezas garrofales
> un muy hermoso cerezo,
> golosina de las moças
> que cogen en Mayo el trébol.»

Véase también la composición del ms. 996, fol. 160 r.º, Bibl. del Palacio Real, Madrid, que tiene de estribillo:

> «Trébole oledero, amigo,
> trébole oledero, amor.»

patenas y sombreros de borlas y unas bandas en los brazos.»[70] Después del estribillo tradicional «Trébole; ay Jesús...», una segunda acotación precisa: «Retírese una de ellas y tome las bandas de las otras en la mano, y ella que vaya haciendo una trenza.»[71] Probablemente habría una correspondencia simbólica entre las tres cintas, las tres hojas de trébol y los tres destinos de la mujer, y quizás sería preciso remontar hasta alguna antigua superstición relacionada con el trébol para entender el sentido primigenio de las figuras de esta danza[72] de cintas sobre el esquema de la trinidad del trébole.

Lo cierto es que los cantos y danzas del trébole exhalaban un perfume auténticamente campestre para los dramaturgos que los escenificaron. En *El capellán de la Virgen* la danza es presentada como típica de La Sagra. En efecto, unos versos que tienen por misión el introducir el espectáculo rezan así:

> Cuatro bellas labradoras,
> con un baile de la Sagra,
> salen con gran regocijo,
> y desta manera bailan.[73]

Asimismo el carácter aldeano de los tréboles es subrayado en *El villano en su rincón* de Valdivieso. Para celebrar la presencia de Juan en su mesa, el Rey divino pide a los rústicos que le rodean que caten algo típicamente aldeano:

> Cantad una letra alegre
> muy al uso de la aldea

les manda. Entonces se inicia el trébole a lo divino que antes citamos.[74]

---

[70] Acad., IV, p. 495.

[71] *Ibíd.*

[72] Esta danza debía parecerse a la llamada de «los lazos» que existía aún a principios de siglo en Castilla la Vieja. Cf. Enciclopedia Espasa Calpe, vol. España, p. 473:

> «... para hacer los lazos, colócase en el centro un individuo sosteniendo una pértiga de la cual penden tantas cintas como danzantes; cada uno toma una cinta y cruzándose alrededor de la pértiga forman un tejido simétrico...»

Esta danza también existe en el País Vasco francés, bajo otro aspecto («Ikurrin dantza»).

[73] Acad., IV, p. 495.

[74] El «trébole» eucarístico de la ensaladilla *Al Santísimo sacramento* que presenta el *Romancero espiritual* de Valdivieso (B.A.E., XXXV, p. 239), también es un canto aldeano. Entonado en gloria del pan de vida, es introducido como si fuera una canción de regocijo aldeano (la alegría, en este caso, es la que proporciona el ver una hermosa cosecha):

> «De trigo un montón se ve,
> que alegra los labradores,
> cercado de blancas flores,
> porque es trigo de la fe;
> olió el suelo al paraíso,
> mejor que el otro de Adán
> pues que huele a Dios el pan;
> a quien cantó así Fronisio:
> Trébole, ¡qy Jesús, cómo huele la Niña!
> ...»

Hemos de consignar pues la boga de los tréboles en el teatro de ambiente rústico entre 1606 y 1616.[75] Hay que pensar que pronto llegó a hastiar, ya que Tirso, que tal vez la había creado con *La villana de la Sagra*, entre 1606 y 1612, habría de burlarse de ella en *La fingida Arcadia*, hacia 1622-1623.[76] Sabido es que esta pieza es una fina sátira de los lugares comunes de la literatura pastoril convencional. En el acto III presenciamos una pastoral aristocrática y galante, en la cual unos nobles engalanados con cintas adoptan las actitudes consagradas del juego arcádico. Una escena en especial los presenta a todos adornados con flores, con cántaros, al lado de una de esas imprescindibles fuentes, a cuya vera sitúa la novela pastoril tantos episodios sentimentales.[77] Allí cantan un trébole. Lo menos que se puede decir es que esta canción en este caso es falsamente agreste, y que al pasar por Grecia, ha perdido el auténtico aroma a terruño español.

Ellas:	Trébole ¡ay Jesús! ¡cómo huele el Arcadia!
	Trébole ¡ay Jesús! ¡qué olor!
Ellos:	Trébole ¡ay Jesús! donde está Belisarda
	Trébole ¡ay Jesús! ¡qué amor!
Ellas:	El Arcadia todo es flores.
Ellos:	Belisa es toda amores.
Ellas:	Aquí cantan ruiseñores.
Ellos:	Aquí penan los pastores.
Ellas:	Aquí corre el Erimanto.
Ellos:	Aquí amores, risa y llanto.
Ellas:	Aquí hay gloria.
Ellos:	Aquí hay dolor.
Ellas:	Trébole ¡ay Jesús! ¡cómo huele el Arcadia!
	Trébole ¡ay Jesús! ¡qué olor!
Ellos:	Trébole ¡ay Jesús! dónde está Belisarda
	Trébole ¡ay Jesús! ¡qué amor!

¿Decayó en ese momento la moda teatral de los tréboles? Encontramos un trébole en *La Virgen de la Aurora* de Moreto y Cáncer *(Parte XXXIV*, Madrid, 1670, p. 299) (otro igualmente debido a Moreto figura también en un romance, en la p. 101 del ms. 17666, B. N. Madrid), pero no conocemos ninguno en la obra calderoniana, en la cual sin embargo, los motivos rústicos a lo divino son numerosos. Para volver a oír un trébole en el escenario, hay que esperar hasta el siglo XVIII, el día en que, Antonio de Zamora, inspirándose en *Las famosas asturianas* de Lope, escribió *Quitar de España con honra el feudo de cien doncellas*.[78] En el ámbito de las altas mon-

---

[75] La segunda fecha es la de *El capellán de la Virgen* (1613-1616) probablemente 1616, según Morley y Bruerton, in *Chronology*...

[76] La fecha va establecida por Ruth Lee Kennedy, *On the date of Five plays by Tirso de Molina, Hisp. Rev.*, X, 1942, pp. 191-197.

[77] N.B.A.E., IV (I), p. 452 a:

«Salen por una puerta bizarramente vestidos de pastores Conrado, Carlos, Rogerio, y Hortensio; por otra con Angela, Lucrecia y Alejandra, de pastoras con cantarillas coronadas de albaca y claveles; todos salen cantando.»

[78] A. de Zamora, *Quitar de España con honra el feudo de cien doncellas*, Suelta, Valencia, 1768 (B. N. Madrid, T. 12577).

tañas del Noroeste unos villanos reciben al noble García que vuelve de León. Primero resuena entre bastidores, acompañado por instrumentos rústicos el canto del trébole:[79]

> O qué alegre a la aurora
> celebra el valle,
> cuando el sol va dorando
> blancos celajes:
> Trébole, que le adulan las fuentes
> Trébole, que le cantan las aves.

Acto seguido salen cuatro pastores y pastoras al escenario danzando sobre estos mismos versos.[80] Alentados por una de las señoras presentes, siguen con otras dos estrofas nuevas. Una pastora en un solo, canta cada estrofa y el estribillo se repite a cuatro voces:

> *Siéntanse los tres en un asiento grande de peñascos y baylan los zagales quedando Abdalla y Nuño en pie a los lados:*

Sol:	Ea, compadres,
	andar, y otra vez repitan
	los acentos de andenantes
Canta:	Como con los reflexos
	que Apolo esparce
	cobran muchos alientos
	rosas y sauces
	Trébole, que le adulan las fuentes,
	trébole, que le cantan las aves.
Canta Zagala I:	Como en toda la selva
	desde él sale
	los corderillos balan
	las fieras pacen.
A 4:	Trébole, que le adulan las fuentes
	trébole que le cantan las aves.

Es de notar cómo el decasílabo dactílico está presente aún en el estribillo, si bien con palabras nuevas. Esta permanencia del ritmo dactílico (con puntos de apoyo distribuidos invariablemente en las tercera, sexta y novena sílabas) nos demuestra la importancia de la danza en los tréboles. En efecto, lo que sigue inalterable durante el mayor tiempo posible en una canción-danza es la estructura rítmica.

* * *

Así la comedia reservó un espacio notable, y a veces duradero, a los géneros líricos y coreográficos relacionados con las fiestas aldeanas. El ciclo de Mayo y el ciclo de la fiesta de San Juan proporcionaron material para hermosas escenas coloridas o sabias arquitecturas vocálicas por las que pasaba el hálito popular. Sin lugar a dudas, ambos ciclos contribuyeron a conferir a la comedia ese auténtico aroma a naturaleza, a cam-

---

[79] *Op. cit.,* p. 9: «Suena dentro ruido de instrumentos pastoriles y canta la música.»
[80] *Op. cit.,* p. 10: «Salen cantando y baylando quatro zagales y zagalas. García, Nuño, Tello, Toribión y Sol.»

po, que tan a menudo se desprende de ella. Las fiestas de primavera y de verano eran el exponente de determinadas relaciones, íntimas, del villano español con su medio natural y su clima; por ello, persistieron a pesar de su evidente paganismo, a través de los siglos. Las clases dominantes no pudieron pasar por alto prácticas tan arraigadas en la gente de campo y en más de una ocasión, les dieron su consagración oficial o religiosa. En los siglos XIII y XIV, el primero de Mayo, los reyes de Navarra y Castilla tenían por costumbre vestirse simbólicamente de verde: era la fiesta de «Santiago el Verde». Después, esta fiesta de Santiago el Verde fue celebrada tradicionalmente en una romería en la que se erigía el «Mayo» o árbol de mayo, con cintas y flores, y era elegida la Reina de Mayo (en Madrid esta romería tenía lugar en el Sotillo). La fiesta de San Isidro de Madrid, celebrada el 15 de mayo, a partir de la época en que se hizo nacional (a principios del siglo XVII, como ya hemos demostrado en otro lugar) fue una expresión más de esa necesidad ancestral del pueblo español de celebrar las promesas de la naturaleza en su renacer. La moda de los temas mayos o del día de San Juan, en la comedia de tiempos de Lope, no puede separarse de esta afición de los medios aristocráticos y urbanos por costumbres seculares de un pueblo que vivía en profunda comunión con su tierra y su cielo.

CAPITULO VI

LAS ROMERIAS

Localización de las romerías escenificadas en la comedia. Las romerías en la realidad y su transposición en la dramaturgia de Lope y Tirso. El motivo de las rivalidades y de las mofas aldeanas. Canciones de romería en honor de la Virgen.

El estudio del motivo de las fiestas de primavera y de verano en la comedia de ambiente rústico nos ha revelado en qué hondo y remoto pasado popular —anterior a la formación de las clases aristocráticas feudal o agrarias— se arraigaba un tema que agradaba a los ambientes aristocráticos y urbanos. Con el motivo de las romerías seguimos en presencia de este legado ancestral, siempre redidivivo en el pueblo campesino de los siglos XVI y XVII. Con ello volvemos a encontrarnos con lo absoluto de la espontaneidad ingenua y primitiva que los hombres de la ciudad y de la corte iban a buscar en lo pintoresco y lo lírico del campo. Ya se sabe que los puntos altos (cabeza, peña o sierra) y las fuentes milagrosas, donde tenían lugar estas reuniones rurales, alejados de las aldeas, en despoblado, rodeados de roquedales, páramos o pinares, a menudo no eran sino emplazamientos tradicionales de cultos pre-cristianos. El desbordamiento dionisiaco de la alegría, las canciones, las comilonas, la animación de la gente, el fervor y la comunión religiosas, hasta incluso la apoteosis del milagro, constituían otros tantos elementos de estas fiestas colectivas de los aldeanos, que, en muchos casos, no hacían sino perpetuar las antiguas fiestas paganas.

Los dramaturgos tomaron el motivo de la romería por lo que contenía de vitalidad sana y natural. De él hicieron tema de grandes escenas del terruño en las que lo pintoresco se combinaba con la salud y la exuberancia. Intentaremos captar lo esencial de su proceso creativo partiendo de la realidad en la que se inspiraban, ya que, ni que decir tiene, ninguna tradición literaria pre-existente se interpone aquí entre la imagen teatral y lo real. Los dramaturgos tallaron y cincelaron en un mármol popular bruto sus escenas rústicas de romería.

* * *

Un primer aspecto digno de ser considerado es la localización bien precisa de las romerías puestas en escena. La fiesta llevada al teatro, es, por lo general, festejo de alguna nombradía, y, en muchos casos, tan exactos resultan algunos datos topográficos y otros que parece que el dramaturgo asistió a la concentración popular. En *La tra-*

gedia del rey don Sebastián, Lope escenifica la fiesta de la Virgen de la Cabeza, en plena Sierra Morena, a tres leguas al Norte de Andújar, celebrada el último domingo de abril.[1] Hay muchas posibilidades de que Lope reproduzca aquí con algún arreglo, recuerdos vividos. Por ejemplo, el dramaturgo entiende prestarles a los danzantes un estilo local andaluz bien concreto, cuando esperando la llegada de la procesión, esbozan unos pasos de baile.[2] J. F. Montesinos ya observó en su estudio sobre Pedro Carbonero que los nombres geográficos citados en la pieza pertenecen a una región bastante delimitada entre Córdoba y Jaén, y más precisamente, que el escondite de Pedro Carbonero es indicado como próximo de Andújar, en la Sierra Morena.[3] *La tragedia del rey don Sebastián* (fechable según la métrica, según Morley y Bruerton, por los años 1593-1603), también parece recordar el viaje de Lope por la región de Granada, en 1602, y este hecho podría incitarnos a situar la pieza en 1603, como *Pedro Carbonero.*[4] Un recuerdo topográfico bien preciso se perfila en la localización de la romería que se encuentra en *El Aldegüela,* pieza atribuida a Lope, pero que quizás no sea suya en la forma en que ha llegado a nosotros.[5] La fiesta se celebra cerca de una ermita, a medio camino entre dos aldeas de la región de Barco de Avila: Santiago del Collado y El Aldegüela:

> Entre la Aldegüela está
> y Santiago del Collado
> una ermita, y ha llegado
> hoy su fiesta; aqui vendrá
> lo mejor destas aldeas
> y las mozas de más brío.[6]

Estos nombres no son pura invención y el sitio indicado para la romería era efectivamente el de una celebrada concentración aldeana. Tirso es quizás el más «topógrafo» de todos al tratar el motivo. En *Los lagos de San Vicente* (1606-1607?)[8] recrea la atmósfera de la romería de Santa Casilda, en la Bureba de Castilla, cerca de Briviesca (provincia de Burgos). La escena tiene lugar en un otero cerca de la flamante ermita que acaban de levantar los villanos de la Bureba. En el diálogo y los cantos surgen los nombres de los pueblos que participan en la fiesta: Quintana de Bureba, Rojas, Galbarros, Bueso, Blanca de los Ríos ha indagado cuidadosamente para saber si dichos nombres eran o no mera invención de Tirso. Quintana de Bureba, Rojas, Galbarros, pertenecen en efecto al distrito de Briviesca, como da fe de ello el *Nomenclator de los Ayuntamientos de España.* Puede suponerse con razón que el cuarto nom-

---

[1] P. Madoz, *Diccionario geográfico-estadístico-histórico de España y sus posesiones de ultramar,* Madrid, 1845-1850, 16 vols., artículo «Andújar»: «... la fiesta que más se celebra es la de Nuestra Señora de la Cabeza, el último domingo de abril...»

[2] Cf. Acad., XII, p. 542, donde encontramos la siguiente acotación escénica: «Salgan con gran fiesta, a armar una tienda, mujeres y hombres con guitarras y adufes, bailando como se usa en Andalucía en la fiesta de la Virgen de la Cabeza.»

[3] *Pedro Carbonero,* ed. Teatro español antiguo, p. 202, nota 1.

[4] Sabido es que el manuscrito autógrafo de *Pedro Carbonero* está fechado el 26 de agosto de 1603.

[5] Morley-Bruerton, *Chronology,* p. 252.

[6] Acad., XII, p. 234 a.

[7] P. Madoz, *op. cit.,* art. «El Aldegüela». La fiesta se celebraba el 8 de septiembre. Los vecinos de Piedrahita, El Barco de Avila y toda la comarca iban para ver representaciones dramáticas debajo de un pórtico. Con tal motivo tenía lugar un mercado.

[8] Es la fecha que propone D.ª Blanca de los Ríos.

bre mencionado sea tan real como los cuatro primeros.[9] Notemos además que una de las canciones-danza evoca un motivo folklórico comarcal: el del baño curativo del lago de San Vicente, y de la piedra tirada a sus aguas para conjurar la esterilidad femenina:

> Quien tuviere flujo de sangre
> entre en los lagos y en ellos se bañe
> . . . .
> la mujer que no es paridera
> lléguese al baño y tírele piedras.[10]

Sigue vigente un antiguo rito, por la parte de Briviesca, para las muchachas casaderas que buscan novio, que consiste en tirar una piedra en la fuente que se halla cerca del convento fundado por Santa Casilda. Al final del primer acto de *La Santa Juana I* [11] Tirso nos lleva a la Sagra toledana, comarca que parece haber conocido tan bien como Lope. Se trata de la vela en honor de la Virgen de la Cruz. En el diálogo se citan nombres de aldeas, lo cual le confiere al cuadro un fondo de terruño real (Torrejón, Ugena, Casacubillos, Hazaña...) y sabemos, por unas palabras de la heroína que el monasterio de la Virgen de la Cruz está en el término de la villa de Cubas:

> ... en la humilde villa,
> de Cubas, que aquí cerca
> sus términos dichosos
> alcanzan fama eterna,
> nació una santa niña.[12]

La exactitud de la indicación tirsiana viene confirmada por un pasaje de la relación de Cubas que puede leerse en las *Relaciones Topográficas* de 1575-1580:

> ... en el término e juridicción de esta villa dos tiros de ballesta hay un monasterio de monjas de la orden de Sant Francisco... llámase Nuestra Sra Santa María de la Cruz...[13]

---

[9] En la Enciclopedia Espasa Calpe se menciona «Buezo de Bureba».

[10] Sobre este tema folklórico, así como sobre la historia de Santa Casilda, Alberti compuso hacia 1930 un «misterio medieval» escrito con toda clase de metros y ritmos cuyo manuscrito, desgraciadamente, perdió el poeta (según una conversación que tuve con María Teresa León y Alberti en Buenos Aires).

[11] N.B.A.E., IX (II), p. 247 a.

[12] N.B.A.E., IX (II), p. 248 b.

[13] Lo que sigue del texto cuenta la aparición de la Virgen con la cruz a una pastorcita, milagro que dio origen al culto. La aparición se produjo un 9 de marzo, y en esa fecha tiene lugar la peregrinación ritual:

> «Guárdanse en esta villa el día postrero de la aparición de la Virgen Santíssima a nueve de marzo de cada año, adonde se hace gran fiesta, y van en procesión al dicho monasterio, y de él sacan la imagen de Nuestra Señora con la Cruz que llevava en sus manos, y puso en el dicho lugar e sitio que está dicho, y sale a rescevir a la procesión de esta dicha villa, en el cual dicho monasterio se hace y celebra el dicho día muy grande fiesta, en la cual se allega muy grande cantidad de gentes naturales y de otras partes, que concurren a ver la dicha reliquia...» *Op. cit.*, relación de Cubas, núm. 42.

De este modo cuando fue representada la primera parte de *La Santa Juana* en 1613, probablemente en Toledo,[14] los espectadores vieron la teatralización de una realidad folklórica muy próxima. También en la Sagra toledana está situada otra escena de romería en *La villana de la Sagra*. Tirso no sigue en este caso una tradición fijada de antemano como en *La Santa Juana* y lo esencial es la intriga: con ello, el dramaturgo tiene más libertad de acción. Por eso, tal vez, no cita el lugar preciso donde transcurre la velada de romería. Una indicación escénica nos dice de manera bastante vaga:

Campo de la Sagra a vista de una ermita de San Roque. Va anocheciendo.

No obstante el dramaturgo respeta la verdad geográfica global. A medida que van apareciendo en el escenario los representantes de los distintos pueblos que acuden a la vela se lanzan «vayas», otros dan vivas. Así se van voceando los nombres de Magán, Mocejón, Olías, Vargas, Varguillas, Villaluenga, Villaseca. Ahora bien, todos estos pueblos existen en tierras de la Sagra, agrupados dentro de un círculo de unos diez kilómetros de diámetro a lo sumo; las dos leguas que separan el sitio de la romería de Toledo no contradicen las restantes premisas topográficas[15] que sitúan la ermita de San Roque a orillas del Tajo, sin indicar con precisión el lugar. Tirso no se toma sino muy escasas libertades novelescas; tanto es así que el culto de San Roque, por los años en que fue creada *La villana de la Sagra* había llegado a ser culto privativo de la Sagra y a este respecto también, Tirso sigue fiel a la verdad del terruño.

Uno de los rasgos más impresionantes de las romerías del siglo XVI parece haber sido la espectacular concentración de masas campesinas que conllevaban. Ejercían una inmensa irradiación, que rebasaba con mucho los límites de la comarca donde tenían lugar. Veamos por ejemplo, por los años 1575-1580, a una legua de La Roda (provincia de Albacete), el monasterio de los Trinitarios, llamado Nuestra Señora del Remedio de la Fuensanta. Rodeado de tierras secas, posee una fuente de aguas generosas, a las que se atribuyen virtudes milagrosas y con la esperanza de salud, numerosos enfermos se bañan en ellas, por la fiesta de la Virgen en septiembre: ciegos, lisiados, etc. Vienen de pueblos situados a quince o veinte leguas a la redonda y cada año el 8 de septiembre se agolpa una multitud alrededor del monasterio. Nada menos que novecientos carros de aldeanos llegan al lugar, acuden una diez mil personas por devoción y con la fe en nuevos milagros.[16] Por los mismos años, igual concentración villana se daba alrededor de la ermita de Santa Ana, en Carrascosa del Campo (provincia de Cuenca). Los de Carrascosa del Campo estaban muy orgullosos de su romería y por ello, cuando los agentes del censo de Felipe II les interrogaron a este respecto, no vacilaron en describirla como una de las fiestas más notables e importantes de la diócesis de Cuenca: la multitud es tan numerosa, decían, que por cada habitante de Carrascosa se encuentran muchos venidos de fuera:

---

[14] Sabido es que el manuscrito autógrafo de *La Santa Juana I* lleva la indicación: «Acto primero en Toledo. A veynte de mayo de mil y seyscientos y trece..., etc.» Tras esta indicación vienen los nombres de los actores.

[15] B.A.E., V, p. 310 c:

«*Carrasco:* Dos leguas ponen de aquí
      hasta Toledo no más.»

[16] Cf. *Relaciones topográficas*, Relaciones de Cuenca, editadas por el Padre Zarco, I, p. 84.

> Es tanta la gente que viene de fuera, que con ser esta villa de la vecindad que que-
> da dicha, para topar uno del pueblo se topan muchos de fuera de él, de manera que
> es una de las fiestas notables y principales de este obispado de Cuenca...[17]

La atracción de estas romerías se extendía a veces hasta límites insospechados: así
ocurría por ejemplo con Nuestra Señora de Riánsares, cerca de Tarancón (provincia
de Cuenca) adonde llegaban peregrinos de Castilla la Vieja, Burgos y otros sitios.[18]
Por lo general, todos los pueblos de la región se dirigían en procesión hacia el lugar
del culto, y esta llegada convergente de procesiones, a menudo numerosas y solemnes,
cobraba siempre un carácter impresionante. En Valtablado del Río (provincia de Cuenca) por ejemplo, en la ermita de San Vicente, santo al que los campesinos rogaban
que lloviera, pudo verse hasta veintinueve aldeas reunidas con sus cruces correspondientes, hacia 1575-1580:

> ... con la cual relica tienen muchos pueblos comarcanos gran devoción, y se juntan
> en romería en la dicha iglesia en cada un año, por voto que tienen hecho, un día de
> letanías, y en tiempos de necesidad de agua occuren otros muchos pueblos a la dicha
> relica: y se han juntado a veces veinte y nueve cruces de otros tantos pueblos: y juntos
> sacan la dicha relica y la llevan con gran veneración y reverencia, y la llevan a una
> fuente y la bañan y ha seido la voluntad de nuestro Señor que muchas veces les ha
> dado mucha agua...[19]

En la romería de Santa Ana de Carrascosa del Campo (provincia de Cuenca) la llegada de las distintas procesiones con sendas cruces, procedentes de todas las aldeas de
la comarca, era asimismo uno de los momentos culminantes de la fiesta; la comitiva
más espectacular era la que salía del pueblo mismo de Carrascosa, compuesta de numerosos clérigos, cruces, pendones al viento, músicos, carros alegóricos y mimos para
alegrar el camino:

> ... Sale de la iglesia de ella un muy solene procesión, donde va con número de cle-
> recía, y cruces, y pendones y música, toda la que se pueden juntar, y alguna vez che-
> remía, y sacabuches, cornetas, y flautas: van muchas danças... hay muchos entremeses...

Puede afirmarse que los movimientos de masa propios de las romerías reales impusieron a los dramaturgos que abordaban este motivo rústico una cinemática y una
dinámica teatrales particulares. Los cuadros folklóricos de las romerías se caracterizan, en efecto, por la importancia que otorgan al movimiento, el ritmo de sus secuencias y generalmente su escenografía espectacular. Ya sea la llegada de la procesión al
lugar de la romería (o sea sobre el escenario), ya sea la de los distintos grupos aldeanos, proporcionan al dramaturgo los elementos de la cinemática y de la dinámica del
juego teatral.

Lope parece haber sentido viva inclinación por explotar escénicamente el motivo
de la procesión «en movimiento». En *La tragedia del rey Don Sebastián* (1593-1603),
tras un largo preludio, llega la procesión para concluir el segundo acto. La anuncian
repiques de campanas y sonar de chirimías, que como vimos antes, eran el acompañamiento las procesiones en la realidad. El movimiento de la comitiva ha sido regu-

---

[17] Cf. *Relaciones topográficas*, II, p. 21 núm. 40.
[18] *Ibíd.*, II, p. 59, núm. 51: «... Y de Burgos y otras partes han venido en romería...»
[19] *Ibíd.*, II, p. 155, núm. 51.

lado con cuidado por la acotación escénica: aquella entrará por un palenque,[20] si es que el teatro cuenta con este accesorio; si no, la comitiva desfilará de un lado a otro del escenario; las villanas con traje de fiesta (probablemente según la moda andaluza) los cirios, la imagen de la Virgen, los pendones y las danzas de los gitanos, que siguen detrás, todo ello constituirá un «gran» cuadro con efecto solemne al par que colorista.[21] Este desfile, con miras a impresionar por medio de su escenificación tiene que introducir la conversión milagrosa de un príncipe musulmán llegado a la romería para mofarse de ella.[22] En *San Diego de Alcalá* (1613), también hay una procesión. Va de la aldea de San Nicolás, en la Alcarria, a una ermita situada en despoblado. Es el mes de mayo, el campo está florido; las campanas —fondo sonoro de romería que ya encontramos en Lope— anuncian la llegada de la comitiva.[23] Esta aparece por fin trayendo la estatua de la Virgen de la Esperanza rodeada de flores, en cuyo honor se elevan los cánticos. Tras cada estrofa —otro rasgo repetido en Lope—, se oyen chirimías. La procesión cruza lentamente el escenario de un lado a otro. También esto nos recuerda el desfile espectacular que nos propone el cuadro análogo de *La tragedia del rey Don Sebastián*.[24] Estas repeticiones prueban que se trata efectivamente, de procedimientos escénicos.

En las escenas de romería, Tirso ha conseguido obtener valores de arquitectura teatral y de ritmo de la llegada de las distintas delegaciones aldeanas a la ermita. También ha explotado los recursos de colorido y de pintoresquismo local que se desprenden en las rivalidades entre aldeas, ya sea en el momento en que llegaban las comitivas a la ermita, ya sea durante la velada que por lo general precedía la fiesta. En efecto, solía hacerse una velada durante la noche al aire libre, en la que se cantaban, se bailaba y bebía hasta el amanecer. A fines del siglo XVIII, en su carta sobre las romerías asturianas, Jovellanos describió la atmósfera dionisiaca que caracterizaba esas veladas, teóricamente dedicadas a la oración y a los cánticos, y podemos colegir que sus palabras también son válidas para las romerías de principios de siglo XVII:

> ... como el mayor número de estas romerías es por el verano, desde la víspera empiezan a concurrir al sitio acostumbrado todos los buhoneros, tenderos, y vendedores de frutas y licores, y aun algunos de los romeros, que forman debajo de los árboles sus pabellones para pasar la noche y guarecerse en el siguiente día de los rayos del sol, o bien de las lluvias, que aquí son frecuentes y repentinas en todas estaciones.

---

[20] Así define «palenque» el *Diccionario de Autoridades:*

> «Camino de tablas, que desde el suelo se eleva hasta el tablado de las comedias quando hay entrada de torneo, y otra función semejante.»

[21] Acad., XII, p. 548 a:

> «Tocándose campanas y chirimías, venga por un palenque, si le hubiere o si no por una puerta del vestuario y entre por la otra la procesión, con velas y labradoras, y detrás las andas en que vaya la Virgen; llebarán algunos estandartes, y una danza de gitanos o zapateadores.»

[22] Lope se vale de un acontecimiento mencionado por distintos testimonios (por ejemplo, el de León Pinelo). El propio Lope tuvo ocasión de ver a este príncipe musulmán convertido.

[23] Todas esas indicaciones de decorado y de ambiente las proporciona un diálogo que precede la aparición de la procesión sobre el escenario.

[24] Acad., V, p. 39 a: Primera acotación: «Sale la procesión, y detrás, en unas andas pequeñas con muchas flores, la imagen, y los músicos sobre un libro cantando así.» Segunda acotación: «Toquen las chirimías, y luego tornen a cantar.» Tercera acotación: «Tocan otra vez las chirimías hasta entrarse por la otra parte...»

Se pasa toda la noche en baile y gresca a orilla de una gran lumbrada que hace encender el mayordomo de la fiesta, resonando por todas partes el tambor, la gaita, los cánticos y gritos de algazara y bullicio, que son los precursores de la diversión esperada...[25]

Del propio Jovellanos, las siguientes líneas nos permiten atisbar cómo las ancestrales rivalidades entre las tribus volvían a aparecer a través de los desafíos y pullas, con que se asaetaban los representantes de las aldeas reunidos para la fiesta; lo que hubiera podido ser sencillamente nada más que una pintoresca costumbre de competición entre aldeas, degeneraba a veces en riña sangrienta:

... Como quiera que sea, estas danzas varoniles suelen rematar muchas veces en palos, única arma de que usa nuestro pueblo; y como nunca la sueltan, vería usted a todos los danzantes con su garrote al hombro, que sostienen con los dos dedos de la mano izquierda, libres los otros para enlazarse en rueda, seguir danzando en ella con gran mesura y seriedad. Sucede, pues, frecuentemente que, en medio de la danza, algún valentón caliente de cascos empieza a vitorear a su lugar o a su concejo. Los del concejo confinante, y por lo común rival, vitorean al suyo, crece la competencia y la gritería, y con la gritería, la confusión; los menos valientes huyen; el más atrevido enarbola su palo; le descarga sobre quien mejor le parece, y al cabo se arma tal pelea de garrotazos, que pocas veces deja de correr sangre, y alguna se han experimentado más tristes consequencias...[26]

De estas prácticas (expurgadas de su barbarie) y de los movimientos de los séquitos que iban a la romería, Tirso sacó «grandes» escenas reguladas y organizadas con maestría. En *Los lagos de San Vicente,* hace salir sucesivamente, por ambas puertas laterales, cuatro grupos aldeanos que avanzan cantando, acompañados por panderos, sonajas, tamboriles y gaita.[27] A medida que van llegando, los tres primeros grupos se desafían mutuamente, por boca de un pastor que suelta un dístico concebido a partir de una fórmula tradicional. Un dístico suplementario se distribuye entre los tres primeros cantores y el representante del cuarto grupo, quien, como es el último que interviene, pretende, con un postrer verso y desafío, asegurar la victoria de su aldea:

> *Músico 1.º:*   ¡Ay que a las velas de Casilda santa
> Quintana de Bureba se lleva la gala!
> *Músico 2.º:*   ¡Ay que a la vela de la ermita nueva
> Rojas y Galbarros la gala se llevan!
> *Músico 3.º:*   ¡Ay que a la vela de los lagos nuesos
> a todos se la gana la gaita de Bueso!
> *Músico 1.º:*   Bueso.
> *Músico 2.º:*   Quintana.
> *Músico 3.º:*   Rojas y Galbarros.
> *Músico 4.º:*   ¡Vítor Quintana, cola todos cuatro![28]

---

[25] Cf. Jovellanos, carta *Sobre las romerías de Asturias,* en B.A.E., I, p. 298 b.

[26] Cf. Jovellanos, p. 299 b.

[27] N.B.A.E., IX (II), p. 53 b:

«Salen cuatro cuadrillas por entrambas puertas, cada una de por sí, todos los de la compañía cantando con pandero, sonajas, tamboril y gaita, vestidos de villanos.»

[28] *Ibíd.,* en la *Parte V* (Madrid, 1636), fol. 48 v.º, en el último verso, se lee: «Quintanabria» en vez de «Quintana».

Así pues, a partir de una costumbre popular, comprobada, Tirso construye un hermoso edificio vocal. En *La Santa Juana I* utiliza la llegada de los grupos aldeanos a la vela de la romería de la Virgen de la Cruz, para ritmar su cuadro con alternancias de fases dinámicas y estáticas. El primer grupo, el de Ugena, surge gritando y cantando. [29] El coro de este primer grupo entona una seguidilla a la que contesta un solo:

Todos (cantando):	Que la Sagra de Toledo mil fiestas hace
	A la virgen de la Cruz, que es virgen madre.
Labrador 1.º:	Que la Sagra de Toledo contenta envía
	vuestros hijos devotos, Virgen María,
	y con fiestas y alegría van los luhares.
Todos:	A la Virgen de la Cruz, que es Virgen madre. [30]

Luego los campesinos que acaban de llegar se sientan y dialogan encareciendo la noche estrellada. Gritos entre bastidores anuncian acto seguido la llegada de una segunda aldea. Los gritos aumentan y aparece el grupo de Torrejón; vuelven los cantos, sabiamente repartidos entre el coro y dos voces en solo, que van alternando; esta vez, en la versificación, encontramos un estribillo de enhorabuena constituido por un eneasílabo y un endecasílabo, y hexasílabos. El segundo grupo acaba sentándose, como el primero, [31] y tenemos otro momento de diálogo en el cual el grupo de Ugena echa pullas al de Torrejón que le contesta. El intercambio de vayas es interrumpido por la entrada de un tercer grupo, el de Casacubillos, [32] acompañado por el tañido de tamboril y flauta. Tras nuevas vayas, surge un cuarto grupo, el de Hazaña; esta vez, las pullas cesan, porque entre los representantes de Hazaña viene Juana de la Cruz, heroína de la pieza, que impone respeto a todos por su valor moral. Resulta evidente que el ritmo de las secuencias ha sido perfectamente calculado por Tirso y que éste se ha preocupado por el interés plástico de los movimientos de llegada de cada grupo. También resulta patente que en esta escena es diestra en extremo la disposición arquitectónica de las voces, su manera de mezclarse, entrecruzarse, matizarse según los metros, desaparecer, volver a salir. Tal perfección técnica en el calculado reparto de los efectos musicales tiene poco que ver con lo que debía de ser el desorden vocal y la gran algazara villana de una auténtica romería popular en la Sagra, y será más bien un cuadro de ópera a lo Monteverdi —creador de la ópera y contemporáneo de Tirso— el que proporcionará un punto de comparación si se quiere tener idea de la dimensión musical de tal pasaje. Aquí, Tirso, en mayor medida que Lope, anuncia las minuciosas organizaciones arquitectónicas de Calderón. Efectivamente, no es una técnica ocasional la que utilizó en este caso, ya que volvemos a encontrarla en la escena de romería de *La villana de la Sagra.* Una seguidilla en honor de San Roque anuncia entre bastidores la salida de un primer grupo de aldeanos y una indicación escé-

---

[29] N.B.A.E., IX (II), p. 247 a: «Salen labradores a la vela, cantando con grita y fiesta.»

[30] *Ibíd.*

[31] *Ibíd.*, p. 247 b: «Salen más labradores con grita y música», reza la acotación de introducción. Después de la canción, tenemos la indicación: «siéntanse», indicación que se repite a lo largo del cuadro conforme van llegando los distintos grupos.

[32] In *Parte V*, Madrid, 1636, fol. 223 v.º, se encuentra la grafía «Casa Rubillos». De la propia pluma de Tirso, en el mss. Res. 249, fol. 12 r.º (B. N. Madrid), leemos «Casarubillos». Ha de tratarse de «Casarrubios», villa situada en la comarca de los demás pueblos mencionados en la escena de romería (cf. *Relaciones topográficas,* prov. Toledo, relación de Alamo). También podría pensarse en Casarrubuelos, villorrio más próximo a Ugena, Hazaña y Torrejón, pero el manuscrito autógrafo no tolera esta lección.

nica dice claramente que las apariciones han de ser sucesivas: «Van saliendo.»[33] A medida que van apareciendo en el escenario los representantes de los distintos pueblos de la Sagra que se dirigen a la romería, se echan las acostumbradas vayas. Detrás de los grupos de aldeanos, vienen luego aldeanas cantando.[34] El efecto vocal consiste ahora en una oposición entre voces femeninas y voces masculinas, ya que el coro femenino repite la misma seguidilla en honor de san Roque. Después de la llegada de las aldeanas cantando, toda la comparsa se sienta en el escenario y se inicia una fase estática del diálogo, en la que se lanzan desafíos y provocaciones. La interrumpe la aparición de un postrer grupo de aldeanas, encabezado por un tamborilero.[35] Pero claro está, esta comitiva es acogida por los sarcasmos de los otros aldeanos. En esto puede apreciarse cómo Tirso aplica una fórmula de organización escénica que parece ser bien peculiar de sus escenas de romería y cómo los movimientos convergentes de los aldeanos hacia el lugar de la romería, sus desafíos, han sido transformados estéticamente, bajo su pluma, en un espectáculo coreográfico y dialogado, en que cada ademán y cada palabra se insertan en una arquitectura y una cinemática de conjunto muy estudiadas.

La sabia organización de los motivos no les quita su cariz popular. En las vayas que se echan los aldeanos rivales, los cantos y danzas que interpretan, siempre palpita el pueblo y aquéllas no pueden explicarse sino por él. Por ejemplo, el motivo de las rivalidades aldeanas y las burlas entre grupos exigiría, para un análisis detallado, un hondo conocimiento del folklore del Siglo de Oro. Por la frecuencia de las anécdotas relacionadas con el tema en el *Vocabulario de refranes...* de Gonzalo Correas o en las colecciones de apotegmas, se atisba la importancia y el gran número de esas pullas aldeanas. A menudo la literatura se hace eco de ello: Cervantes ha recurrido a una de esas tradiciones folklóricas en el famoso cuento de los rebuznos, en el capítulo XXVII de la Segunda Parte del *Quijote...* En la comedia de ambiente rústico a menudo aparecen alusiones a tales rivalidades y burlas entre pueblos. En *El Aldegüela* los vecinos no quieren ser menos que los de Santiago del Collado.[36] En *La tragedia del rey Don Sebastián* los representantes de Jaén se pelean con los de Ecija. En *La serrana de la Vera,* de Luis Vélez de Guevara, también hay una alusión a las rencillas entre aldeanos de Cuacos y de Gargantalaolla.[37] Mas que ningún otro dramaturgo de su tiempo, Tirso parece haber gustado del tema de las rivalidades pueblerinas que aparecen con casión de las fiestas y romerías. Como no se contenta con salpicar su diálogo de fórmulas tradicionales de desprecio del tipo de «daca», «cola», o «mamóla»,[38]

---

[33] *Parte III* (Tortosa, 1634), fol. 215 r.º

[34] *Ibíd.:* «Salen todos y mugeres cantando.»

[35] *Ibíd.,* fol. 215 v.º: «Salen por otra puerta con tamboril.»

[36] Acad., XII, p. 237 b.

[37] Cf. ed. Teatro antiguo, versos 586-597.

[38] «Cola» es expresión que incita a la vergüenza y a la humildad. ¿Será de origen estudiantil (cf. «graduarse de cola en Alcola», in *La Pícara Justina)* o provendrá de la lengua de los veterinarios? No lo sabemos. Puede leerse de pluma de Covarrubias, en *Tesoro:*

> «... Castigo de cola dezimos al que aviendo sido altivo y soberbio le ha dado una vuelta la fortuna, que le tiene humilde.» «... Castigar de cola se dixo por los cavallos que llevan la cola alta, cosa fea, y los albéitares los curan de aquel vicio, causándoles dolor en ella y forçándolos a que la recojan cortándoles ciertos niervos.»

También son de recordar las vayas lanzadas en *La Ilustre fregona:* «Asturiano, ¡daca la cola! ¡daca la cola asturiano!»

a veces añade de alusiones a anécdotas aldeanas bien precisas, que los villanos contaban bajo forma de chascarrillos. En *Los lagos de San Vicente* uno de los motivos de la canción-danza en honor de Santa Casilda es el siguiente:

> Que el pandero y la gaita de Ontoria
> táñela tú, que a mí no me toca.

Doña Blanca de los Ríos ha indagado cuál podía ser la Ontoria mencionada en esos versos de ritmo típicamente popular, de gaita gallega. Guiada por la idea de que la mayoría de los nombres de lugar citados por Tirso en la escena de romería de *Los lagos de San Vicente* son topónimos reales de la Bureba, pensó que también lo era Ontoria. [39] No es imposible. Pero también es preciso aclarar que la alusión a la gaita de Ontoria se apoya en una frase hecha, relacionada con un cuento folklórico de la región segoviana, de la que se encuentran rastros en el *Tesoro* de Covarrubias:

> ... La gaita de Ontoria y el gaitero de Ontoria, lugar del obispado de Segovia; quedó en proverbio, y cuentan dél cierta patraña.

De haber existido efectivamente la Ontoria de la Bureba, la ingeniosidad de Tirso, consistió tal vez en jugar con la homonimia de los dos topónimos. El intercambio de pullas en la romería de *La Santa Juana I* descansa de la misma manera en un trasfondo de folklore y de psicología propios de la Sagra toledana. [40] Un representante de

---

«Mamola» parece derivar efectivamente del verbo «mamar». Lo indicaría el movimiento del texto de dos letrillas atribuidas a Góngora, en donde «mamola» interviene como estribillo cómico. Cf. R. Jammes, *D. Luis de Góngora y Argote, Letrillas,* París, 1963, núms. 87 y 95.

En *Los lagos de San Vicente* (N.B.A.E., IX (II), p. 53 b), un aldeano suelta a los representantes de Bueso, Rojas y Gabarros: «¡Vítor Quintana, cola todos cuatro!» Volvemos a encontrar «cola» asociado a «daca» y «mámola», en *La villana de la Sagra (Parte III,* Tortosa, 1634). Cf. fol. 215 r.º: «Cola Magán / cola los de Mocejón.» Cf. fol. 215 v.º: *«Todos:* ¡Bueno! mamóla, mamóla» - «Cola Burguillos» - «Calla y daca la arandela».

[39] Cf. ed. Aguilar, II, p. 11:

> «... mi hermano Isidro de los Ríos ha encontrado en el *Nomenclator* otros tres nombres de pueblos pertenecientes a la provincia de Burgos: "Hontoria de Valdearados", "Hontoria del Pinar" y "Hontoria de la Cantera". Uno de estos tres lugares será el de Hontoria perteneciente a la Bureba citado en *Los lagos de San Vicente.»*

[40] La comarca toledana parece haber gozado de un folklore muy rico en el siglo XVII, cuyo estudio merecería emprenderse, ya que se inspiraron en él muchos escritores que vivían ya sea en Madrid, ya sea en Toledo. Así por ejemplo, se columbra todo un ciclo de anécdotas y de cuentos cómicos a expensas de la gente de Orgaz. A propósito de la expresión «la danza de Orgaz», leemos en Covarrubias, in *Tesoro:*

> «La dança de Orgaz, no estoy cierto por qué se dixo; sé que unos lugares tienen con los otros vezinos ciertas maneras de pullas, burlándose unos con otros como el que dizen de echa caldo a los de Orgaz, y por donde va la dança, del dançante que, acompañando la fiesta y procesión del Corpus Christi, entró a bever en una taberna, y de cansado y bien bevido se durmió y no despertó hasta otro día; y pareciéndole que no avía sido sueño, sino una traspuesta de un credo, salió preguntando ¿por dónde va la dança?»

Se encuentra otra versión de esta anécdota in *Libro de apotegmas,* de Melchor de Santa Cruz. También leemos en Luis Montoto y Rautenstrauch, *Personas...,* II, p. 104:

> «¡Caldo a los de Orgaz, que los de Aranjuez no quieren más! Da en entender que se rechaza alguna proposición que no conviene, mayormente si se hace con insistencia importu- y se fun-

Ugena cuenta que los habitantes de Torrejón jamás habían visto una carroza y confundieron a una, detenida a orillas del arroyo, con un dragón, tocaron a rebato.[41] No obstante Torrejón y Ugena están de acuerdo para abrumar a los de Casarrubillos cuando llegan. Vienen, dice Torrejón, con el concejo por delante.[42] Esta afirmación deja traslucir algo de envidia, ya que Casarrubillos (o alias Casarrubios) en la realidad era una villa, que como tal, contaba con un verdadero concejo, lo que no ocurría en el caso de aldeas como Torrejón de Illescas o Ugena.[43] Ugena suma otra chanza dirigida al pueblo, diciendo que en su mercado se vendieron, en total, dos cebollas en un día.[44] Sabido es que el privilegio de tener mercado quedaba reservado a las villas de alguna importancia. Las dos pullas lanzadas a los de Casarrubillos están fundadas en un rasgo de sicología municipalista típica de los años 1600: la aspiración de los pueblos a ser «villa». Atacado y despreciado, el representante de Casarrubillos se desquita contando[45] la historia ridícula de la cigüeña de Ugena agasajada con gran pompa por la municipalidad.[46] En *La villana de la Sagra* volvemos a encontrar estas rivalidades cómicas de los pueblos de la Sagra. Gentes de Olías y gentes de Cabañas se reprochan vehementemente el ladrocinio de sus venteros; estas pullas están ligadas a la realidad viva, ya que tanto Olías como Cabañas se encontraban en el camino real de Madrid a Toledo, y por su proximidad recíproca entre Toledo e Illescas, se hacían competencia.[47] Cuando llega el grupo de Burguillos, todas las aldeas se ponen de acuerdo para cubrirlos de sarcasmos. Se divierten con el cuento de la arandela,[48] alquilada por los

---

da este dicho en una tradición que corre acerca de los naturales de Orgaz, la cual dice que habiéndose presentado en la mesa de una boda celebrada en aquella localidad un perro rojo en el cocido, juzgaron los circunstantes que los pelos de aquel animalito eran azafrán.»

[41]   «Calla tú, Torrejón, aunque sin torres,
          que diré lo del Drago.»

[42] «Casarubillos viene y su concejo.»

[43] Cf. *Relaciones topográficas,* provincia de Toledo, relación de Illescas, núm. 55: «Tiene tres aldeas que son Ugena, Valaguera, Torrejón de Illescas...» No pensamos que el texto aluda a Torrejón de Velasco.

[44]   «Daca el mercado donde todo un día
          vendiste solamente dos cebollas.»

[45] La estilización teatral de la réplica estriba en un uso reiterado y paralelo de «Daca» encabezando la frase.

[46] N.B.A.E., IX (II), pp. 247 b- 248 a:

          «Daca tú la cigüeña de tu torre,
          a quien saliste a recibir un día
          con danzas, procesión, y monacillos,
          y enviaste al Alcalde a convidalla
          con la casa del cura, pensando era
          alguna viuda honrada y forastera.»

[47] Queda patente que Tirso conoció muy bien los itinerarios de Toledo a Madrid y todo el folklore que les era propio. Proporcionan una prueba más los cantos populares, en donde intervienen los hombres de pueblos de la Sagra, con los que animó su comedia *Desde Toledo a Madrid.*

[48] Covarrubias, *Tesoro:*

     «Arandela: Una defensa de la mano derecha que se clave en lo gruesso de la lança de hombres de armas, para defensa de la mano en forma de un embudo... un género de cuello liso que oy usan las mujeres llaman arandela por la semejança que le tiene.»

de Burguillos; no hay más que una, según dicen, para toda la aldea y las novias se la ponen sucesivamente previa reunión solemne y autorización de los alcaldes y del concejo. La cuchufleta radica aquí en sugerir la avaricia de los de Burguillos que se precian además de seguir la moda. [49] También está en burlarse de la importancia bien reducido de Burguillos: [50] no era más que una aldea-apéndice de Toledo y no gozaba de autonomía administrativa suficiente como para contar con un concejo. [51] Una vez más el espíritu municipalista es fuente de la broma aldeana.

Ya tuvimos ocasión de decirlo, en los festejos de romería no faltaban cantos y danzas. Naturalmente, la comedia sacó partido de este aspecto lírico y coreográfico de la asamblea popular. Las canciones que ponen en escena en esta ocasión no tienen todas la forma característica de la «canción de romería». Algunas por su fórmula lírica, se vinculan con ciclos exteriores al tema de la peregrinación. Por ejemplo, en la escena de romería de *La Santa Juana I,* escuchamos una canción de bienvenida dirigida a la primavera: «Norabuena vengáis abril....» [52] Se justifica por la fecha en la que tiene lugar ritualmente la peregrinación de la Virgen de la Cruz, o sea el 9 de marzo. En *La villana de la Sagra* escuchamos un trébole, dedicado a san Roque. Como la fiesta de San Roque es el 16 de agosto, en pleno verano, es fecha en que una fórmula lírica del ciclo del día de San Juan no entra en contradicción con la circunstancia. Sin embargo también existe un tipo de canción popular que puede considerarse como íntimamente ligada por su forma y contenido con el tema de la romería y de manera más precisa con el de la romería en honor de la Virgen. Merece la pena dedicarle un momento de atención.

En la romería de *La tragedia del rey don Sebastián* de Lope, la primera canción-danza al son de la guitarra y del tamboril es la siguiente:

Oudin define la arandela: «... une sorte de grand rabat à femme, enrichi de fil d'or et de paillotes et se porte ordinairement sous la fraise.» J. Corominas estima que la palabra deriva del francés «rondelle».

[49] El uso de este cuello femenino en ambientes aristocráticos y urbanos se remonta por lo menos a los últimos años del siglo XVI, ya que lo encontramos mencionado en un texto del *Romancero general* del 1604:

> «¿Qué se me da...
> . . . .
> ni que traygan vertugados,
> alçacuellos, y gorgeras
> urracos, bobos, chaconas,
> çarabandas ni arandelas?»

(Fol. 387 verso.)

Se observa que la arandela era considerada entonces como una novedad en el traje. En 1613 cuando Tirso escribió su pieza, los aldeanos imitaban con algún atraso las modas urbanas y la intención satírica se apoya en esta imitación.

[50] Volvemos a encontrar el mismo espíritu de escarnio para con este villorrio en el seudónimo burlesco de «Licenciado Tomé de Burguillos» elegido por Lope.

[51] Cf. *Relaciones topográficas,* provincia de Toledo, relación de Burguillos, núm. 3:

> «Este dicho lugar es y ha sido siempre bodega de Toledo, y ansí ni es concejo, ni hay en él otra justicia más que dos regidores, que nombran cada un año entre sí los herederos que aquí tienen heredades, y son vecinos de Toledo, los cuales confirma el ayuntamiento de la dicha ciudad de Toledo, para la buena gobernación del dicho lugar, y ansí está debaxo de la jurisdicción de la dicha ciudad de Toledo.»

[52] N.B.A.E., IX (II), p. 247 b.

> Virgen pura, estrella,
> norte de la Mar,
> llevadme a la orilla,
> que me voy a anegar.
> Pues hecha de soles
> la cabeza es
> desta virgen santa,
> y estrellas sus pies.
> Rayos de sus ojos,
> norte de la mar,
> llebadme a la orilla
> que me voy a anegar. [53]

Tenemos aquí una serie de seguidillas de una gran flexibilidad métrica, en la que domina el hexasílabo del ritual de las letanías latinas en honor de la Virgen, «stella Maris» según el topos siempre repetido. Como observa F. Salinas en su *De Musica...,* el ritmo de estas letanías y su melodía habían pasado a la canción profana y es natural que se las vuelva a encontrar en su función original. Otra seguidilla que empieza por un hexasílabo está en la canción de romería presentada en *San Diego de Alcalá,* de Lope:

> Dulce Virgen bella
> de la Esperanza,
> Posesión de la gloria
> de quien os ama. [54]

La tragedia del Rey Don Sebastián contiene una segunda canción popular en honor de la Virgen. Su fórmula lírica, más compleja, merece nuestra atención pues vuelve a encontrársela en una canción puramente profana en honor de una serrana en *La serrana de la Vera* de Luis Vélez de Guevara. Un coro y una voz femenina en solo se oponen verso tras verso; mientras la voz enuncia las virtudes y los méritos de la Virgen, el coro contesta incansablemente: «¡Quién como ella!»

Canten:	La Virgen de la Cabeza.
Respondan todos:	¡Quien como ella!
Mujer:	Tiene la frente de perlas.
Todos:	¡Quién como ella!
Mujer:	Y de oro fino las hebras.
Todos:	¡Quién como ella!
Mujer:	Sana cuantos van a vella.
Todos:	¡Quién como ella!
Mujer:	Vista al ciego, al mudo lengua.
Todos:	¡Quién como ella!
	La Virgen de la Cabeza,
	¡Quién como ella! [55]

---

[53] Acad., XII, p. 542.
[54] Acad., V, p. 39 a.
[55] Acad., XII, p. 542.

La estructura lírica que hallamos en este caso es la de las letanías de la Virgen con responso. El hecho de que el mismo «¡Quién como ella!» se encuentre repetido sin cesar en una canción de *La serrana de la Vera* de Luis Vélez de Guevara, nos parece una prueba de que la canción profana se inspira en la fórmula practicada en estas letanías. Otras escenas de romería en el teatro confirman, por otra parte, que el procedimiento de la reiteración incantatoria de un verso o un grupo de versos está relacionado a menudo con el motivo mariano. En *El lego de Alcalá* de Luis Vélez de Guevara tenemos una escena de vela en honor de la Virgen de la Salceda. La primera canción es cantada y bailada por villanos.[56] Se basa esencialmente sobre la repetición de «Señora de la Salceda»:

Músicos:	Allá van los de la vela,
	Señora de la Salzeda.
Uno:	Allá van a vuestra casa,
	allá van los de la aldea,
	Señora de la Salzeda,
	a daros la bien llegada,
	Señora de la Salzeda.
Todos:	Allá van los de la vela,
	Señora de la Salzeda.
Solo:	A daros la bien venida,
	Señora de la Salzeda.
Todos:	Allá van los de la vela,
	Señora de la Salzeda.[57]

Una comedia atribuida a Montalbán, que lleva por título *Comedia famosa/San Antonio de Padua*,[58] se inicia con una escena de pastores que cantan y danzan, a orilla del mar, honor de la Virgen de la Mar. La reiteración de una misma fórmula constituye igualmente el principio lírico esencial y volvemos a encontrar la expresión laudatoria «Quién como...» que ya encontramos antes.

> *Sale una tropa de pastores Tamiso, Fireno, y Diana con guitarras tañendo y bailando.*

Cantan:	¿Quién como vos
	nos puede ayudar
	Virgen de la mar?
Una Voz:	Quiē como vos soberana.
Todos:	Virgen de la Mar.
Uno:	Hija hermosa de Santa Ana.
Todos:	Virgen de la Mar.
Uno:	Fuiste puerto singular.
Todos:	¿Quién como vos
	nos puede ayudar,
	Virgen de la mar?

---

[56] «Salen todos los músicos de labradores. Un alcalde y un regidor; y salen bailando otros», reza la acotación escénica.

[57] L. Vélez de Guevara, *El lego de Alcalá*, en *Comed. escog. de los mej. ing. de España* (1652-1704), IV, acto I, fol. 53.

[58] El título completo es: *Comedia famosa / San Antonio de Padua / Del Doctor Juan Pérez de Montalván*. Sale en la colección *La Comedia / de la reyna / de las flores / loa y entremés / que representaron*

Libretos como este bien dejan ver que la canción litúrgica es una de las fuentes de la canción popular en los siglos XVI y XVII en España: le ofrecen estructuras rítmicas y métricas, así como los procedimientos del canto responsorial. [59]

* * *

El tema de la romería es uno de los que proporcionan a la comedia escenas de género rústico, coloridas, pintorescas, localizadas con precisión en el terruño. De las comilonas, la abundancia, los festejos desenfrenados a los que daban pie las romerías en la realidad, [60] queda en los cuadros teatrales un dinamismo y una alegría vital, estilizados y controlados dramáticamente. El gusto por las pullas, las rivalidades aldeanas, son la sal acostumbrada de estas escenas en las que los dramaturgos —Tirso en particular— utilizan, con arte, los recursos vocales y musicales de las compañías teatrales y apelan al gusto del público por los grandes efectos del espectáculo. El tema de la romería en la comedia nos permite comprender una vez más en qué sentido puede afirmarse que una imagen teatral se inspira en la realidad ambiente; no al modo de la fotografía que es copia fiel, sino al modo de la pintura que compone y reorganiza los elementos de la realidad según la ley estética interna del cuadro. Las romerías de la comedia conservan la atmósfera dionisiaca de las romerías reales: reproducen ese grito vital de las gentes sencillas al que eran sensibles, inconscientemente o no, los espectadores urbanos y aristocráticos que buscaban una humanidad despojada de los adornos artificiales de la «Civilización». No obstante, las romerías teatrales no dejaban aparecer al desnudo al hombre primitivo que se manifestaba a veces en las romerías reales, y cuya barbarie denunciaron algunos autores en el siglo XVIII, entre quie-

---

en el Palacio de Bruselas en este año de 1643 (B. N. Madrid, R. 11269). Hay muchas posibilidades de que esta comedia no sea en realidad de Montalbán ya que de este tenemos otra comedia sobre San Antonio de Padua en el segundo tomo de sus «comedias» (1638, licencia de 1637) en la que la concepción de los personajes no es la misma. George W. Bacon, en *The comedias of Montalbán, R. Hi.,* 1907, XVII, no parece haber visto que había dos comedias.

[59] Estos procedimientos vuelven a encontrarse, a partir del siglo XVI, en el «son» cubano (cf. *El son de la M.ª Teodora).* Algunos autores como Fernando Ortiz y Alejo Carpentier *(La Música en Cuba,* México, 1946, p. 40), en este caso piensan en un origen africano y caribe juntamente. El asunto sea tal vez más complejo aún.

[60] Leemos, por ejemplo, en la relación de El Acebrón, en *Relaciones topográficas* (prov. de Cuenca, ed. P. Zarco), I, 354, núm. 52:

> «... la fiesta del señor San Gabriel, en la cual daba gran cantidad de comer y beber a todos los que a ella acudían el concejo desta villa, e ya se ha quitado por los visitadores... Demás destas se guardan la fiesta de señor Santo Domingo, que cae en diciembre, y la fiesta de señor San Miguel de mayo: que son dos cofradías en esta dicha villa; hacíanse grandes gastos de comidas e ya se han quitado de veinte años a esta parte...»

La intrusión de elementos paganos en las manifestaciones religiosas fue objeto de censuras y observaciones. Resulta sintomático que la obra en latín de Leuvis Dionisos de Richel, alias Denys el Cartujo (editada sobre todo en Colonia en la segunda mitad del siglo XVI) que trata este asunto, haya sido traducida al castellano por su «común utilidad» con el título de: *Cōpedio breve que trata de la manera de como se ha de hazer las pcessiones: compuesto por Dionisio Richel cartuxano: q̄ esta ē latī ē la pmera pte d sus p̄ciosos oposçulos: romançado por comū utilidad* (editado en México en 1544, ejemplar de la B. N. Madrid, R. 9667). El primer artículo empieza así: «... ay un pueblo muy famoso derredor del qual es traydo en procession una vez cada año un cuerpo de un santo pero esto se haze con tantas liviandades, comeres y beberes y otras dissoluciones y peccados que es de temer que nstro señor no sea por ello muy provocado a yra...»

nes puede contarse a Feijóo.[61] Era un «buen salvaje», disciplinado por la coreografía y suavizado por la música y siempre ejemplar por el fervor religioso de sus cantos. Puede afirmarse que los espectadores aristocráticos y urbanos, cuya imaginación buscaba un mundo distinto del suyo en el espectáculo rústico de la comedia, lo hallaban con su lozanía nativa y su vigor; pero también se encontraban con el suyo, cultivado y refinado, con costumbres estéticas bien definidas. Al principio de este capítulo, decíamos que, para cincelar las escenas de romería, los dramaturgos tallaron en el mármol popular. La imagen cobra precisión a nuestros ojos: la estatua sale de manos del escultor, es estatua en la medida en que se compone de mármol y algo más. Nos queda por ver ahora este entrelazamiento de lo «popular» y de lo «culto» a propósito de la boda y del bautizo rústicos.

---

[61] Conocida es la profunda hostilidad que manifestara Feijóo ante las romerías populares, a causa de la barbarie de sus costumbres, lo que le impulsó a pedir su prohibición. El opúsculo de Jovellanos, *Memoria sobre las diversiones públicas,* Madrid, 1812, que asume la defensa de las romerías asturianas, se sitúa en prolongación de un debate en pro o en contra de las romerías que se remonta al siglo XVI.

CAPITULÓ VII

LA BODA Y EL BAUTIZO ALDEANOS

Promoción estética del motivo de la boda aldeana en San Isidro labrador de Madrid *y* Con su pan se lo coma. *Motivo de los parabienes a los recién casados. Poesía popular espontánea y poesía popular elaborada en las escenas de boda aldeana. El cruce de los temas de la boda aldeana y de la primavera o de la siega. El bautizo aldeano en Lope y en Tirso.*

La escena de género rústico más repetida en la comedia es, sin lugar a duda, la de la boda o la del bautizo. Es este un motivo lírico y coreográfico privilegiado al que los dramaturgos han recurrido tantísimas veces. Permitía dar amplio desarrollo al sentimiento de alegría vital y natural que, como ya hemos visto, es el centro de no pocos cuadros campestres de la comedia. Se prestaba en especial a cruces y armonizaciones con otros motivos (de Mayo, del día de San Juan, de los trabajos, de la bienvenida, de la siega), que sumaban su virtud lírica y coreográfica a la suya propia, para alcanzar excepcional densidad poética. Fácil es comprender que la comedia, que tan a menudo es un poema de amor, le haya otorgado un lugar privilegiado. Sobre estos motivos, los autores arreglaron de mil maneras distintas las fórmulas estereotipadas de la poesía oral del pueblo y nos dejaron las más hermosas muestras de lo que se suele llamar poesía «popular» y que es, sobre todo, un estilo popular cultivado por poetas cultos. Aquí triunfa el idilio castellano (idilio en el sentido griego de «pequeño cuadro») como cuadro del género culto y popular a la vez, rústico por el terruño de donde procede y refinado por el público a quien se dirige.

En las siguientes páginas queremos destacar los principales aspectos del motivo de la boda y del bautizo, para aclarar más la contradicción, íntima y fecunda, de un arte que, por su sabia ingenuidad, encantó al público de la aristocracia y de las ciudades.

* * *

Ante todo, conviene destacar la evolución que sufrió a lo largo del siglo XVI, el motivo de la boda aldeana. Como ya lo vimos antes, en las fiestas urbanas del siglo XVI, existió una tradición de la boda aldeana, burlesca o cómica, para divertir al ciudadano a expensas del rústico.[1] Ahora bien, en algunas comedias escritas hacia 1600, o más tarde, la boda aldeana se desprendió de ese caparazón cómico para llegar a ser un espectáculo teatral válido por lo pintoresco, su lirismo y su coreografía; en una palabra, el motivo gozó de una promoción estética. Si se considera el conjunto de las comedias de Lope de Vega, resulta evidente que gran número de las escenas aldeanas o seudo-aldeanas son esencialmente cómicas; además desde luego, el dramaturgo no percibió de buenas a primeras el partido decorativo y ornamental que podía sacar del motivo. La boda de pastores que ofrece *El verdadero amante,* pieza considerada por lo general como la primera de Lope (1588-1595), no da precisiones sobre la coreografía ni las canciones, y llama la atención que el diálogo sustituya pronto a cantos y danzas. Las mismas observaciones pueden hacerse a propósito de la boda de pastores de *Belardo el Furioso* (1586-1596 según Morley y Bruerton): tiene sobre todo una intención burlesca y allí también, el diálogo sustituye en seguida el divertimiento coreográfico acerca del cual no tenemos mayores informes excepto una indicación de instrumentación.[2] Al contrario, tenemos más datos en lo que atañe a la boda pastoril de *La infanta desesperada* (fechable en 1588-1595, según Morley y Bruerton). Esta vez sabemos por lo menos que se baila un canario y un zapateado.[3] Pero sigue siendo poco.

En realidad, hay que ir a buscar en *San Isidro labrador de Madrid* (antes de 1598) la primera inserción de una boda aldeana concebida como un gran cuadro de comedia, válida estéticamente por su colorido, su pintoresquismo, y su relieve plásticos. Gran parte del primer acto de la pieza está consagrado al tema de la boda, y el espectador es llevado progresivamente a la expectativa de una escena culminante: la boda en sí y los festejos. Primero, como prólogo del desposorio, es evocada la costumbre de las vistas. Sabido es que esta costumbre sigue vigente en Navarra en donde se usa la expresión «ir a vistas». Covarrubias la explicaba en su *Tesoro:*

> Yr a vistas es propio de los que tratan casamiento, para que el uno se satisfaga del otro, y no se diga lo que comunmente anda en proverbio: el novio, no vio, quando no ha visto la novia hasta que se la ponen delante, y fea o hermosa se ha de casar con ella.

De este motivo folklórico bien conocido por Lope,[4] el dramaturgo saca un primer cuadro en el que vemos a las aldeanas con traje de fiesta y a los jóvenes que vienen a visitarlas. La escenografía prepara con cuidado el efecto plástico de simetría y de ele-

---

[1] *Vide supra,* pp. 37-38.

[2] Acad., V, p. 687 a. Sólo disponemos de la acotación: «Salen a la boda de Amarilis ella y Bato, villano, su esposo; Nemoroso padrino; Jacinta madrina y otros labradores, con tamboril y gaita y siéntanse en bailando.»

[3] Acad. N., I, p. 240 a. Lo deducimos del diálogo. El padre de la novia, Castalio declara:

> «Cese agora el tamboril
> y báilese, en este prado,
> algún buen zapateado
> y algún canario gentil.»

[4] La alusión a las vistas en Lope es frecuente. Cf. *Fuenteovejuna* (Acad., X, p. 541 b):

«J. Rojo: No hay en cuatro haciendas para un dote
                   si es que las vistas han de ser al uso.»

gancia rústica que debe resultar, sobre el tablado, del movimiento de encuentro de ambos grupos. Dice una acotación:

> Salen por una parte María, Teresa y Costanza, labradoras muy galanas, y por otra parte Isidro y otros labradores, Esteban, Lorenzo, y Tadeo.[5]

Prólogo de los esponsales son igualmente el enunciado de la dote que le corresponde a la novia, o las palabras de un comparsa, Bartolo, que promete festejar la boda con toda clase de manifestaciones de alegría: guitarra, baile, gritos, castañuelas, zapateta:

> Bartolo: Traeré una danza bizarra
>   en honra de su hermosura.
> Juan: Mañana ha de ser la boda,
>   y habrá naranja y ofrenda.
> Bartolo: Como la fama se extienda,
>   bailará la villa toda.
>   Tañe el tamboril, Miguel,
>   que al relincho y castañeta,
>   yo daré la zapateta
>   que se oiga en Carabanchel.[6]

Tras haber preparado así el interés de su auditorio, Lope llega por fin al cuadro de la boda en sí. Esta llega con música: el escenario se llena con una muchedumbre abigarrada en la que se destacan, acompañando a los novios, los amos de Isidro, Juan de Vargas y doña Inés. Su presencia da esplendor a los festejos. Entonces se desarrolla el fresco de las danzas villanas para el cual el público ha sido cuidadosamente preparado por el dramaturgo. Mientras la mayoría de los miembros de la comitiva se sientan en sillas o almohadones en el fondo del escenario, se coloca una bandeja de plata sobre una mesa en primer plano: empieza la danza de la ofrenda, danza ritual de la boda. Una acotación escénica subraya lo espectacular del cuadro:

> Salen los villanos referidos y los labradores detrás, Iván con Isidro vestido, y Doña Inés con María; lleguen a una mesa y siéntense en sillas, y ellas en almohadas, Bartolo y los músicos tañendo, y pongan una fuente de plata en la mesa.[7]

Ponen dos reales sobre una naranja y ésta encima de un palo. Mientras los músicos cantan una canción con el tema del molino de amor, el bailarín-villano Lorenzo toma el palo y la naranja y empieza a danzar con Teresa, la bailarina-villana. Entrega el palo y la naranja a Teresa que sigue bailando sola y termina por ofrecer la naranja a la novia:

> Lorenzo: La naranja tengo aquí,
>   ¡pardiez! con dos reales.
> Bartolo: ¿Dos?
> Lorenzo: Dos puse en ella, ¡Por Dios!

---

[5] Acad., IV, p. 561 a.
[6] Ibíd., p. 562 b.
[7] Acad., IV, p. 563.

Bartolo: Sal.
Lorenzo: Toca.
Bartolo: Comienza.
Lorenzo: Di.

Tome una naranja puesta en un palo, y dos reales metidos en ella, y saque con reverencia a Teresa, y bailen los dos.

Músicos: Molinito que mueles amores,
             pues que mis ojos agua te dan,
             no coja desdenes quien siembra favores,
             que dándome vida, matarme podrán.

Dale la naranja a ella y baile sola.
             Molinico que mueles mis celos,
             pues agua te dieron mis ojos cansados,
             muele favores, no muelas cuidados,
             pues que te hicieron tan bello los cielos.
             Si mi esperanzas te han dado las flores,
             y ahora mis ojos el agua te dan,
             no coja desdenes quien siembra favores,
             que dándome vida, matarme podrán.

Ofrezca la naranja en el plato de la mesa.
Teresa: Esta te ofrezo, y me pesa,
             María, de no tener
             un mundo que te ofrecer. [8]

Es extraño que nadie haya subrayado el carácter ritual al par que popular de la danza de boda que aquí tenemos. Sobre el libreto de la canción del molino de amor, cuyo tema fue, como ya sabemos, muy difundido en el siglo XVI[9] Lope llevó al escenario una costumbre de boda muy antigua: la redoma de la novia, tal como se la llamaba en los pueblos[10] en los siglos XVI y XVII. Aún hoy quedan supervivencias en algunas aldeas de la provincia de Madrid (Navalagamella, Valdemorillo) donde puede verse una danza a la novia llamada «manzana». Recibe este nombre porque, no mucho ha, el padrino, durante la danza, le ofrecía ceremoniosamente a la novia una manzana. Varios testimonios nos prueban el carácter realmente aldeano que presentaba en el siglo XVI esta costumbre. En la descripción que nos dejó Sebastián de Horozco de la boda aldeana de La Moraña de Avila que desfiló por calles toledanas el 17 de febrero de 1555, leemos:

---

[8] Acad., IV, p. 564.
[9] *Vide supra*, pp. 581-588.
[10] Covarrubias, *Tesoro...*, p. 899 a:

   «Redoma, llaman en las aldeas lo que se ofrece a los novios el día de la boda, "a reddendo", porque quando los que les han ofrecido se casan, ellos o sus hijos están obligados a bolberlo en buena cortesía y comedimiento; y assí tienen ciertas palabras solemnes, assí los que dan como los que reciben. El que ofrece dize: Prestado vos lo doy; y el novio responde: Aquí estoy, papagayo; que quiere dezir para pagarlo...»

[11] M. García Matos, *Cancionero popular de la provincia de Madrid*, I, p. xxxiv.

... y muchos de ellos traían la redoma para la novia en unas mançanas puestas en unos palos y las mançanas llenas de reales hincados en ellas hechos de lata, y otro llevava un plato para en que ofrecer, con dineros de la ofrenda, y jugava de palo quando alguno la metía la mano... [12]

Este texto nos explica que la *naranja,* en la danza de *San Isidro labrador de Madrid,* cumplía el mismo papel que la *manzana* en las danzas nupciales practicadas aún hoy en las aldeas de la comarca madrileña. Pero asimismo existen textos que nos hablan de naranjas. Una segunda relación de las fiestas toledanas de 1555, debida a Juan de Angulo, evoca igualmente un espectáculo de boda aldeana concebido para divertir a un público urbano y leemos:

... Los dichos de la dicha boda que salieron el dicho día y domingo fueron como ciento y veinte, muy a la villanesca, cavalleros en vnos iumentos, con vnos niños delante entre los braços y con unos ramos en las manos con muchas naranjas, metidos en las dichas naranjas reales de a quatro, y algunas coronas, y otros doblones. E yva detrás vn novio y una novia, y un cura y sacristán, y vn alcalde y dos alguaciles, ni más ni menos, muy a fuer de aldea, y también los padrinos de los novios que fue la cosa más graciosa y de ver que jamás se vido para en su estado. [13]

Las monedas introducidas en la naranja evocadas en esta descripción, así como las indicaciones escénicas de la danza de *San Isidro labrador de Madrid* entrañaban un significado simbólico: el mismo que tienen las trece monedas bendecidas que, aún en la actualidad, se entregan a la novia en algunas aldeas. [14] Es reminiscencia de una antigua tradición de casamiento propia de algunos pueblos visigóticos que conocían el matrimonio llamado «per solidum et denarium», en el transcurso del cual se entregaba a la desposada una moneda de oro y otra de plata (el precio de la esposa probablemente comprada). [15] La Iglesia de España adoptó este uso a partir del siglo XI contribuyendo así a su expansión. [16] Vemos entonces en qué fuentes folklóricas va a surtirse

---

[12] Cf. *R. Hi.,* 1914, XXXI, p. 400.

[13] Cf. *R. Hi.,* junio 1914, XXXI, p. 468 (relación de Juan de Angulo, publicada por Santiago Alvarez Gomero).

[14] Esta costumbre cobra a veces formas menos concretas. Cf. Enciclopedia Espasa-Calpe, tomo *España,* p. 472:

«... en parte de la provincia de Toledo... los mozos solteros acuden a dejar a la madrina dinero o especias para poder bailar con la novia, haciéndose de esta manera el regalo de la boda...»

[15] Algunos fueros consignaron esta práctica corriente en Castilla la Nueva. Cf. *Fuero de Cuenca* (21 de septiembre de 1177) publicado por Rafael de Ureña, Madrid, 1935 (B. N. Madrid, I-87405), tít. IX, art. 1, sobre las bodas rústicas: «... e el que se desposare con moza rústica o aldeana déle diez mr en arras; e la bifda 5 mrs...»

[16] Sobre esta costumbre y su antigüedad, véase E. Casas Gaspar, *Costumbres españolas de nacimiento, noviazgo, casamiento y muerte,* Madrid, 1946, p. 185. Covarrubias, in *Tesoro,* art. «arras», p. 149 a, 51, atestigua que la Iglesia española aconsejaba esta práctica:

«En los manuales eclesiásticos se mandan antes de las velaciones bendezir doze monedas de oro o plata y una de metal, que llaman arras, en que parece sinificar que el marido comunica todos sus bienes con su mujer, sinificados en las doze monedas, número de universalidad, y porque viene a ser divisible le añaden la otra moneda ametalada, que sinifica la unión e indivisibilidad, como ellos entre sí son indivisibles y dos en una carne.»

Lope cuando lleva al escenario la «danza de la naranja» en *San Isidro labrador de Madrid.* Aunque sea más prudente, por lo general, darle un crédito limitado a la fórmula «a vuestra usanza» (vimos por otra parte que a veces no es más que una expresión de estilización «regionalista» sin valor testimonial) de la que echa mano el dramaturgo de vez en cuando, en el caso de la danza de la naranja en *San Isidro labrador de Madrid,* quizás haya que interpretarla al pie de la letra. Efectivamente, Lope la usa en dos ocasiones para caracterizar la danza ofrecida a los espectadores. Primero dice un aldeano:

> Manda que bailen, Juan,
> la naranja a nuestra usanza. [17]

y el amo, Juan, repite:

> Bailad a la usanza vuestra;
> saquen los mozos las mozas. [18]

La novedad en *San Isidro labrador de Madrid* estriba en la promoción estética de un motivo de la boda aldeana, que hasta ese momento, al parecer, sólo había sido pretexto de burlas y mascaradas en las fiestas toledanas de 1555. Lope consciente del valor artístico latente en una pintoresca costumbre popular, ha extraído de ella el primer elemento del verdadero ballet nupcial que quiso componer entonces.

Porque, en *San Isidro labrador de Madrid,* se trata efectivamente de un verdadero ballet artístico de la boda. Al acabar la danza de la naranja, prosiguen los festejos de la boda aldeana con otra danza: la del villano. En páginas anteriores ya analizamos a este villano que representaba los trabajos rústicos. Su inserción en el cuadro de la boda de *San Isidro labrador de Madrid* es un logro teatral ya que, con suma ingeniosidad, el dramaturgo ha sabido articular el final de la canción-danza con el tema mismo de la boda. Todo el ciclo de los trabajos aldeanos evocados concluye con la cocción del pan, y éste, en un postrer gesto, es ofrecido por los bailarines a los recién casados, bajo forma de rosca de picos [19] o pan de boda, ofrecido tradicionalmente a los novios. [20] De ese modo, en este ballet rústico magníficamente armonizado con la profunda inspiración de la escena, llegamos a un segundo movimiento de ofrenda a los novios, especie de apoteosis del trabajo aldeano. [21] Lope ha logrado en este caso, a partir del tema de la boda, una extraordinaria fusión lírica de motivos auténticamente populares tratados con virtuosismo.

---

[17] Acad., IV, p. 563 b.

[18] *Ibíd.*

[19] Covarrubias, in *Tesoro,* así define la rosca: «Una manera de bollo rolliço que se viene a cerrar en redondo, quedando vacío en medio.» Oudin traduce: «Tourteau, gateau, tortis.»

[20] Hasta hace poco subsistían numerosos vestigios de tal costumbre en el folklore peninsular. En algunos pueblos del Norte de la provincia de Madrid (por ejemplo, en El Berrueco, distrito de Torrelaguna), los novios ofrecían a los asistentes lo que se llamaba «las tortas». También podía verse por la parte de Salamanca la «charrada» danza ejecutada generalmente con ocasión de una boda, cuyo premio al mejor bailarín, consistía en una rosca, de ahí le venía su nombre de «baile de la rosca».

[21] El mismo movimiento final se encuentra «a lo divino» en el «villano» de Alonso de Ledesma, en *Juegos de Noches Buenas,* 1605 (B.A.E., XXV, composición núm. 402): mas ahora, se trata del pan de comunión y redención, como remate y término del ciclo de las faenas agrícolas.

Ninguna de las escenas de boda aldeana pintoresca, en la comedia de Lope, alcanza la riqueza ornamental del espectáculo de *San Isidro labrador de Madrid*, mas todas quieren ser una fiesta alegre y un himno a la vida con algo de sanamente dionisiaco y exuberante. En *Con su pan se lo coma* (1612-1615) de Lope, encontramos en el segundo acto un gran fresco desarrollado libremente en torno al motivo central del matrimonio del villano Fabio con la hermosa Inarda. Primero se ve llegar el séquito al escenario acompañado de músicos; alrededor de los recién casados, con trajes rituales, están los pastores.[22] En un himno alegre (en sextillas construidas *aBaBcC*), el novio proclama su felicidad por tener una esposa tan «gallarda» e invita a los aldeanos a festejos rústicos: dedíquense los vaqueros de las montañas a mil juegos, enciendan antorchas los pastores alrededor de sus chozas y decórenlas con ramas, persigan los jinetes con sus picas a los toros por las dehesas. Rebosa la alegría del aldeano rico que se casa y debe contagiar la aldea y el campo todo. Pero esta exhortación al festejo sin límites no es más que el primer movimiento de la escena. El novio ha exaltado la gallardía de su esposa, para disponer sutilmente al espectador para la canción-danza que le van a ofrecer ahora: una «gallarda» ejecutada por la hermosa Inarda con un compañero, Fineo.[23] Ya hemos dicho que esta danza no podía infringir las exigencias de los moralistas más severos.[24] Digamos aquí que se armoniza con el motivo de la boda por cuanto su libreto traza líricamente la emoción de la joven ante el amor y la incapacidad de ofrecerle resistencia. Es una evocación simbólica de las fases de la seducción amorosa en las que se distinguen deliciosos movimientos alternados de alarma, huida, súplica femenina, anuncio de la victoria masculina final:

> Al casamiento de Fabio,
> mayoral del monte nuestro,
> previenen fiestas y bailes
> los pastores y vaqueros.
> A danzar sale gallarda
> la bella Inarda y Fineo,
> y aunque fuera diferente
> fuera la gallarda en veros.
> Con una y otra mudanza
> dan vueltas y trocan puestos,
> ya de guerra, ya de paz,
> siguiendo los instrumentos.
> ¡Al arma! ¡al arma!
> ¡Al arma! ¡pensamientos,
> que quieren defenderse los deseos!
> En alto me veo,
> capillo de oro tengo.
> Moros veo venir;
> no puedo huir,
> y aunque pudiera no quiero.

---

[22] Acad. N., IV, p. 322 a: «Salen música, y los pastores, Ina

[23] Precisa una acotación: «A danzar sale gallarda la bella Inarda y Fineo.» El hecho de que no sea Fabio, el esposo de la hermosa Inarda y galán de la pieza, quien venga a bailar la «gallarda» parece indicarnos que no era bailarín el actor que debía interpretar el papel de Fabio cuando fue creada la pieza. No encontramos otra explicación ante la aparición de este Fineo que, por otra parte, no figura entre las «dramatis personae».

[24] *Vide supra*, pp. 230-232.

Ten, Amor, el arco quedo,
que soy niña y tengo miedo.
Erame yo niña
y niña en cabello,
guardaba ganado,
no guardaba el pecho.
Andando cazando
viome el caballero,
palabras me dijo
que me enternecieron.
Ten, Amor, el arco quedo,
que soy niña y tengo miedo.
¡Al arma! ¡al arma!
¡Al arma, pensamientos,
que quieren defenderse los deseos!
En alto me veo,
capillo de oro tengo.
Moros veo venir;
no puedo huir,
y aunque pudiera no quiero.
Ten, Amor, el arco quedo,
que soy niña y tengo miedo. [25]

Puede ser que la gallarda, antigua danza aristocrática del siglo XVI, se haya mantenido hasta 1600, en las aldeas, con el estilo mesurado con que se bailaba otrora en los palacios mientras que en las ciudades evolucionaba y a veces degeneraba bajo la influencia de nuevos ritmos más rápidos y menos armoniosos, y no es nada inverosímil que Lope haya introducido una ceremoniosa gallarda en una boda campesina. [26] Ahora bien, existen muchas posibilidades de que el libreto de la canción-danza insertada en *Con su pan se lo coma* se deba en gran parte a la mano de Lope: es una taracea de motivos de serranilla, [27] de tópicos de romances, [28] de fórmulas de cancione-

---

[25] Acad. N., IV, p. 322 b.
[26] *Vide supra,* p. 232.
[27] Cf.:

«Guardaba el ganado,
no guardaba el pecho,
andando cazando
viome el caballero,
palabras me dijo
que me enternecieron.»

[28] Cf.:

«Erame yo niña
y niña en cabello.»

La «niña en cabello» es expresión ritual que, en tiempos de Lope, debía tener un dejo arcaico. Se trata, en efecto, de una antigua fórmula jurídica del *Fuero Juzgo* y de las *Partidas,* que designaba a las muchachas de diez a dieciséis años, que todavía no llevaban la toca y tenían el cabello suelto. En la lírica antigua, era símbolo de virginidad.

Lope introdujo a menudo esta fórmula estereotipada en sus poesías al estilo popular: cf. *Fuenteovejuna:*

«Al val de Fuenteovejuna
la niña en cabellos baja.»

ro.[29] Ya lo sabemos, Lope gozaba de una extraordinaria facilidad para fabricar fragmentos de poesía «tradicional» a partir de frases y retornelos procedentes de la remota lírica medieval y que pasaron al dominio popular: en este caso, creemos, se trata de una fabricación por medio del estilo.

A menudo otorgan su tonalidad «popular» a las escenas de boda aldeana de la comedia, los votos y los parabienes a los recién casados. La razón se comprende fácilmente: eran un elemento característico de las bodas aldeanas en la realidad. Las felicitaciones a los novios siguen siendo, aún hoy, el objeto de un rito en algunos pueblos españoles, y los cantos de epitalamio, atestados de fórmulas estereotipadas y frases hechas, todavía no han desaparecido del folklore contemporáneo. Desde este punto de vista, las escenas de boda en la comedia no representan más que una etapa en el largo camino seguido por las costumbres y los cantos o danzas cuyos orígenes van hasta muy adentro en la noche medieval, y cuya vida palpita aún ante nuestros ojos. Hasta las bodas presentadas con un cariz cómico o burlesco en la comedia ofrecen este motivo pintoresco de votos y cumplidos, y este único hecho bastaría para probarnos su autenticidad popular. En *El verdadero amante,* oímos: «Gócense muchos años»;[30] en *El tirano castigado,* resuena una bonita canción algo burlona, para desearle a la joven pareja buen vino, buen trigo, buen aceite, buen tocino, etc.

> A la novia y al novio
> les guarde Dios,
> y al que no dijere amén
> no le guarde, non.
> Al novio garrido,
> y a la novia bella,
> que parecen juntos
> el sol y la estrella,
> más frescos que mayo,
> más dulces que almendras,
> más blancos que natas
> y cuajada fresca,
> el cielo les guarde
> y les dé y ofrezca
> buen vino en las viñas,
> buen trigo en las eras,
> buen aceite en casa,
> buen puerco y manteca,
> buen hijo arzobispo,
> si sigue la iglesia,

Cf. *Lo que ha de ser:*

> «Salió la niña en cabello
> a coger flores de azar.»

[29] Cf. el estribillo: «Ten, Amor, el arco quedo.» Como ya dijimos se trata de un motivo muy difundido. *Vide supra,* p. 564. En esta canción puede verse una transposición en estilo lopesco de un socorrido tópico en la poesía y la música cortesana a principios del siglo XVII. Por ejemplo, se halla en Monteverdi una larga serie de «madrigali amorosi et guerrieri» construidos sobre el mismo tema.

[30] B.A.E., XXIV, p. 3.

maestre de campo
si se fuere a la guerra,
y toda la aldea
diga lo que yo,
y a quien no dijere amén
no le guarde, non. [31]

En *La Infanta desesperada* volvemos a oír: «Muchos años os gocéis»; [32] en *La discordia de los casados,* se celebran los desposorios de Siralbo y Celia con un canto que invita a la novia a la alegría, con la copla tradicional:

Estad muy alegre,
dichosa y bella novia,
en tanto que coméis
los picos de la rosca. [33]

En *Los novios de Hornachuelos* de Luis Vélez de Guevara, la visión caricaturesca de la boda aldeana no les impide a los músicos entonar, en alabanza de la desposada, un estribillo también clásico de la lírica popular:

Esta novia se lleva la flor,
que las otras no. [34]

Este estribillo, como ya lo veremos, se repite mucho en los cantos de boda rústica de las comedias, y hay posibilidades de que haya existido fuera del teatro, porque G. Correas lo cita, exactamente bajo la misma forma, en su *Vocabulario de refranes.* [35] Su estructura métrica (un pareado desigual, constituido por un decasílabo dactílico y un hexasílabo trocaico) es en otras ocasiones el soporte de fórmulas retóricas idénticas a ésta, excepto algunas palabras, en otras canciones adaptadas al tema del bautizo o del mes de mayo, [36] lo cual viene a ser, en nuestra opinión, una prueba más de su autenticidad popular.

El cariz cómico no le impide a Luis Vélez de Guevara insertar el mismo estribillo en la escena de boda aldeana de *La rosa de Alexandría,* combinándola con una copla por la que pasan fórmulas, algunas muy rituales:

---

[31] Acad. N., IX, p. 746 b.

[32] Acad. N., I, p. 240. El octosílabo «Muchos años os gocéis» era de lo más ritual en las canciones de boda. Lo encontramos para celebrar las Bodas del Salvador con la Naturaleza humana, a lo divino, en un romance «A la Natividad» de la *Segunda parte de los conceptos espirituales y morales* de Alonso de Ledesma, Barcelona, 1607; p. 13:

«Muchos años os gozeys
con hijos de bendición.»

[33] Acad. N., II, p. 152 a, b. En esta estrofa, lo tradicional es sobre todo «en tanto que coméis / los picos de la rosca».

[34] Acad., X; p. 58 b.

[35] Cf. ed. 1924, p. 212 b.

[36] Se pasa del canto del epitalamio al canto de bautizo sustituyendo «niño» o «niña» a «novia». También vimos que el mismo estribillo puede convertirse en canto «mayo»: «Esta maya se lleva la flor, / que las otras, no» (en *El truhán del cielo* o el auto *La maya* de Lope).

> Esta novia se lleva la flor
> que las otras no.
>
> Copla: Lupino y Tirrena
> para en uno son;
> su gala y belleza
> para en uno son:
> el sol y la estrella,
> jazmín y azucena,
> trébol y berbena,
> chorizo y cerezas,
> anís y agua fresca,
> vino sobre peras.
> ¡Esta novia se lleva la flor
> que las otras, no![37]

Por fin, en *La obligación en las mujeres,* el mismo dramaturgo exalta la belleza de la novia en un canto alegre, de hechura antigua, y cuyo pintoresquismo acentúa al recurrir al arcaísmo muy raro que tanto apreciaba: el adjetivo «genzor»:

> Esta sí que es novia garrida
> ésta sí que es cuerpo gençor.
>
> Copla: Moças de la sierra
> a quien haze el sol
> morenas de embidia
> y blancas de amor,
> venid en cabello
> todas como sois
> a ver a Bartola
> de las novias flor.
> Esta sí que es novia garrida
> ésta sí que es cuerpo gençor. [38]

---

[37] Vélez de Guevara, *La rosa de Alexandría,* en *Comed. escog. de los mej. ing. de España* (1652-1704),. II, fol. 189.

[38] Luis Vélez de Guevara, *La obligación en las mugeres,* en *Comed. escog. de los mej. ing. de España* (1652-1704), II. ac. II, fol. 225.

A propósito del arcaísmo «genzor», R. Menéndez Pidal y María Goyri de Pidal observaron (en *La serrana de la Vera),* ed. Teatro antiguo español, Madrid, 1916, I, p. 151) que no se encuentran ejemplos en la literatura medieval escrita y que ha de tratarse de un arcaísmo transmitido hasta la época de Vélez de Guevara por la tradición oral. Por nuestra parte, indicaremos que el dramaturgo usó a menudo «gençor» aliado a «cuerpo», como nota colorida para dar un sesgo pintoresco y rural a sus cuadros rústicos. Volvemos a encontrar dicha expresión en los versos que cantan los aldeanos para celebrar el martirio de Santa Catalina, en *La rosa de Alexandría:* «Moças de la sierra / del cuerpo genzore» (ed. cit., fol. 197).

Ya sabemos que es popular la estructura paralela: «Esta sí que es... / ésta sí que es...». La encontramos en el canto de los segadores en *El vaquero de Moraña* de Lope, y con una forma cambiada, en una canción maya de *La esclava de su hijo (Lope), vide supra,* pp. 607 y 638. En *Los celos de San José* de Cristóbal de Monroy, unos pastores celebran el nacimiento del salvador con pandero, flauta y sonajas, cantando y bailando:

> «Esta sí que es Noche buena
> en que nace el niño Dios,
> ésta sí que es noche buena,
> ésta sí que las otras no.

En *El bandolero de Flandes,* de Cubillo de Aragón, una breve escena de boda campesina nos permite escuchar el clásico voto de longevidad y de prosperidad dirigido al novio, sobre un ritmo descendente bien característico:

> La novia gozad Llorente
> muchos años. [39]

Todos los ejemplos que acabamos de citar pertenecen a escenas de boda aldeana cómica, y como ya lo hemos dicho, esto probaría, de ser necesario, el carácter auténticamente popular (no culto) de algunas fórmulas líricas de votos y parabienes de boda, repetidas ritualmente en canciones de boda rústica de la comedia. En la serie de bodas aldeanas, donde no es la intención cómica la que predomina, el pintoresquismo y el lirismo de los mismos votos y cantos de epitalamio cobran naturalmente mayor intensidad, y entonces se obtienen cuadros que merecen el nombre de idilio. Tal es el caso en la boda colocada al final de *El Molino,* sabrosa comedia sentimental de Lope, en la que una duquesa disfrazada de aldeana logra casarse con un conde, disfrazado de molinero, por intermedio de la persona que quería impedir esta unión: el Rey. La escena tiene lugar en un vergel florido y es orquestada por cantos en los que el motivo del «molino de amor», predominante en toda la pieza, vuelve a aparecer como en apoteosis; pero también entra, en alabanza de la novia, el estribillo tradicional que acabamos de encontrar en *Los novios de Hornachuelos* y *La rosa de Alexandría:*

> Esta novia se lleva la flor
> que las otras, no.
> Bendiga Dios el molino
> que tales novias sustenta,
> muela su harina sin cuenta
> a costa de tal padrino.
> Estas muelen de lo fino
> del trigo que muele amor
> que las otras, no. [40]

La inserción de tales fórmulas rituales de bendición, de ditirambo y de exaltación dan su estilo folklórico a estas escenas de boda aldeana o seudo-aldeana, y el dramaturgo rara vez arma un cuadro de boda rústica sin recurrir a ellas. Una de las más repetidas es la de «para en uno son», fórmula inspirada en el Evangelio de san Mateo y que pasó a la lengua popular como expresión consagrada y típica del matrimonio. En su *Vocabulario de refranes,* G. Correas cita varios pareados irregulares en los que el hexasílabo «para en uno son» se repite como segundo verso:

> Esta sí que es Noche buena
> donde no reina la pena,
> de plazer y gusto llena
> de regocijo y amor,
> ésta sí que las otras no.»

(In *Comedias de varios autores,* IV, p. 15, B. N. Madrid, T. 14831.)
[39] *El bandolero de Flandes,* en *Suelta,* p. 15.
[40] B.A.E., XXIV, p. 41.

> Belera y Antón
> para en uno son. [41]
> La doncella y el garzón
> para en uno son. [42]
> María y Pachón
> para en uno son. [43]
> Menga y Antón
> para en uno son. [44]

«Vivan muchos años» (o a la inversa, «muchos años vivan») también es fórmula hexasilábica, sencilla y escueta, del repertorio de los parabienes de boda. Finalmente, gracias al *Tesoro* de Covarrubias, sabemos que una de las figuras retóricas populares de los cantos de epitalamio, a principios del siglo XVII, era el dístico de base eneasilábica:

> Que si linda era la madrina,
> por mi fe, que la novia era linda. [45]

A un dramaturgo poeta le bastaba con sumar una u otra de estas expresiones fijas a unos pocos versos más para crear el tono de la canción de boda «de aldea».

Como ya sabemos, sobre la base de fórmulas líricas populares, Lope ha cincelado a menudo con virtuosismo, diminutas y exquisitas obras maestras. Pero también se complugo en respetar el estilo basto y rudo de algunas canciones aldeanas, ingenuas y directas en su desnudez. La más bonita muestra de esta búsqueda (voluntaria, por un a priori estético) de la rusticidad bruta, sin complicaciones de forma, atañe precisamente a una copla de epitalamio aldeano. Figura en la escena de boda colocada al final del primer acto de *Fuenteovejuna*. El séquito sale al escenario como de costumbre con los músicos por delante; dice la acotación:

> Sale la boda, músicos, Mengo, Frondoso, Laurencia, Pascuala, Barrildo, Esteban y alcalde, Juan Rojo. [46]

Los músicos entonan una primera canción, muy sobria, ya que no se compone más que de tres versos y no descansa, a decir verdad, más que sobre el estribillo clásico: «¡Vivan muchos años!»:

> ¡Vivan muchos años
> los desposados!
> ¡Vivan muchos años!

---

[41] Ed. 1924, p. 81 a.

[42] *Ibíd.,* p. 163 b.

[43] *Ibíd.,* p. 191 b.

[44] *Ibíd.,* p. 308 b.

[45] Cf. *Tesoro,* art. «epitalamio», G. Correas, en *Vocabulario,* ed. citada, p. 418 b, también menciona este estribillo. Vimos antes *(vide supra,* p. 647, nota 50), que la figura del encarecimiento fue usada a menudo.

[46] Citamos según la variante A de la *Parte dozena* de 1619. Una variante B, «Y Esteban alcalde» puede parecer más satisfactoria, ya que Esteban y el alcalde no son sino la misma persona. Pero hay casos de usos de «y» con valor de «esto es», y la lección A tan válida como la B.

Tan poco novedosos resultan estos tres versos que el gracioso Mengo (y tras él, Lope) no deja de subrayar lo trivial; exclama:

> A fe que no os ha costado
> mucho trabajo el cantar,

pero le toman la palabra a nuestro crítico e inmediatamente le piden que improvise una copla de epitalamio más original; la copla que surge de la improvisación no resulta más novedosa que la primera; no es sino la glosa caricaturesca del estribo: «Vivan muchos años»:

> Mengo: Vivan muchos años juntos
> los novios, ruego a los cielos,
> y por envidia ni celos
> ni riñan ni anden en puntos.
> ¡Lleven a entrambos difuntos,
> de puro vivir cansados!
> ¡Vivan muchos años!

Entonces el novio condena al poetastro que ha hecho tan pésimos versos.[47]

No cabe duda de que Lope se ha divertido con el juego de la cortedad y la ramplonería poéticas: torpeza y ramplonería que eran evidentemente propias de muchos improvisadores —no todos tienen dotes— de las bodas aldeanas en la realidad. La escena que tenemos ahí es el reflejo sincero de la existencia de una poesía popular del matrimonio, algo inculta e ignorante, sin más regla que su capricho, desprovisto de artificio y de retórica culta; espontánea e ingenua, nacía bajo la impresión directa del acontecimiento o del sentimiento, apoyándose únicamente en la trama de algunas fórmulas rituales ya señaladas. No era más que un caso de la verdadera poesía popular (ya esta vez en el sentido de «creada por el pueblo») de la cual afirmó Grimm que no encierra ninguna mentira y de la que España ha sido muy rica hasta la época moderna.[48] Aún hoy pueden recogerse en el campo coplas de epitalamio, en las que subsiste el despojo de forma y la ausencia de metáfora característicos de la copla de Mengo en *Fuenteovejuna*. En el Berrueco (distrito de Torrelaguna, al norte de Madrid), por ejemplo, mientras los novios entran en su casa, acompañados por sus padres y padrinos, todos los participantes cantan en coro, en la calle, ante la casa, este cuarteto en el que una simple exclamación estereotipada suple las complicaciones del lenguaje:

---

[47] *«Frondoso:*   Maldiga el cielo el poeta
que tal coplón arrojó.»

[48] Jovellanos es testigo, a fines del siglo XVIII, de esta creación popular espontánea. En su carta sobre las romerías asturianas (B.A.E., L, p. 300 a), menciona las coplas que inventan las jóvenes aldeanas asturianas en las fiestas:

«... Aquella persona que más sobresale en el día de la fiesta por su compostura, o por algún caso de sus amores; aquel suceso que es más reciente y notable en la comarca; en fin, lo que en aquel día ocupa principalmente los ojos y la atención del concurso, eso es lo que da materia a la poesía de nuestros improvisantes asturianos...

Supongo que para estas composiciones no se valen nuestras mozas de ajena habilidad. Ellas son las poetisas así como las compositoras de los tonos, y en uno y otro género suele su ingenio, aunque rudo y sin cultivo, producir cosas, que no carecen de numen y gracia...»

> A la señora novia
> ¿qué le diremos?
> ¡Que viva muchos años
> con su moreno!

También puede oírse:

> A la señora novia le digo, digo
> que viva muchos años
> con su marido. [49]

Por si fuese necesaria una prueba más decisiva del juego de la poesía bruta y no elaborada, al modo auténticamente aldeano, con el que Lope se divirtió en la escena de boda de Fuenteovejuna, la encontraríamos en las explicaciones que da Mengo (y detrás está la sonrisa maliciosa del autor) a propósito de la creación improvisada. La compara con la fabricación de los buñuelos. El buñolero, dice, echa su masa en el aceite hirviendo hasta llenar la sartén. Los resultados son bien variados; unos buñuelos están hinchados, o deformes, o bien fritos, otros salen torcidos o quemados. El poeta es como el buñolero; en el momento de comer los versos, suele pasar que nadie los quiera y que el poeta buñolero se vea condenado a comérselos:

> Mengo: . . . .
> ¿No habéis visto un buñolero,
> en el aceite abrasando
> pedazos de masa echando
> hasta llenarse el caldero?
> ¿Qué unos le salen hinchados,
> otros tuertos y mal hechos,
> ya zurdos y ya derechos,
> ya fritos y ya quemados?
> Pues así imagino yo
> un poeta componiendo,
> la materia previniendo,
> que es quien la masa le dio.
> Va arrojando verso aprisa
> al caldero del papel,
> confiado en que la miel
> cubrirá la burla y risa.
> Mas poniéndolo en el pecho,
> apenas hay quien los tome;
> tanto, que solo los come
> el mismo que los ha hecho. [50]

---

[49] García Matos, *op. cit.,* I, canción núm. 418, melodía núm. 426.

[50] Acad., p. 549 a, b. Esta teoría de la contingencia de la creación literaria que cobra cuerpo en la imagen del buñolero, parece haber estado de moda hacia 1610-1615, ya que volvemos a encontrarla bajo la pluma de Cervantes. Cf. *Quijote,* parte II, cap. iii (ed. «La Lectura», Madrid, 1951, V, p. 79).

Lope se vale a menudo de imágenes para expresar la idea de la creación espontánea de la canción popular por el bardo rústico. En *El ejemplo de las casadas,* la improvisación de una canción de bienvenida aldeana con estribillo tradicional es explicada en el siguiente diálogo en donde Belardo representa evidentemente a Lope:

Lo que sigue de la escena bien muestra la diferencia entre la poesía popular en estado bruto y la poesía popular practicada por un poeta culto. Los villanos de la boda, como siempre, imploran la bendición del cielo para la pareja y al pronunciar un «para en uno son» ritual, uno de ellos invita a los músicos a que vuelvan a tocar; esta vez, se trata de un fragmento lírico muy hermoso, de hechura tradicional con una mezcla de octosílabos de romance, un estribo irregular con base pentasilábica, los lugares comunes poéticos procedentes de la lírica antigua. Pero ésta no es poesía auténtica y sencillamente pueblerina como el caso de la copla anterior; sentimos fácilmente que Lope se ha complacido maliciosamente en ofrecernos un buñuelo bien dorado tras un buñuelo quemado:

> Al val de Fuenteovejuna
> la niña en cabellos baja;[51]
> el caballero la sigue
> de la Cruz de Calatrava.
> Entre las ramas se esconde,
> de vergonzosa y turbada;
> fingiendo que no le ha visto
> pone delante las ramas
> ¿Para qué te escondes,
> niña gallarda?

El romance-serranilla entonado expresa por una parte la fuerza irresistible de la pasión que impulsa al caballero de Calatrava a violentar a la recién casada, y, por otra, la debilidad y el pudor grácil de la campesina: estos motivos líricos se armonizan con demasiada perfección con la dramática amenza que se cierne sobre la boda —y que se abatirá repentinamente sobre ella— para que no sea todo casi exclusivamente obra de Lope.

Peribáñez y el comendador de Ocaña nos demuestra con qué arte Lope sabía elaborar estéticamente, cuando se lo proponía, los elementos proporcionados por las bodas aldeanas de la realidad; cómo superando el simple pintoresquismo ornamental, realizaba la fusión de estos elementos en el crisol poético o dramático de la pieza. Esta comedia se inicia con la boda de Peribáñez y Casilda. Desde luego, esta boda de villa-

---

«Danteo:	. . . .
	y es que éstos han de cantar
	una canción que Belardo
	compuso al niño gallardo.
«Fenisa:	¿Tú?
«Belardo:	Yo; dígalo el lugar.
«Fenisa:	¿Cómo fue?
«Belardo:	Allá me subí
	a un cerro que estaba solo;
	llamé Apolo, y dijo Apolo
	que se entraba todo en mí;
	y ¡par Dios, que salió fuera,
	redonda como una bola!»

(Acad., XV, p. 28 a.)

[51] El «val» es topos clásico de la lírica castellana tradicional. Vimos poco antes que la niña en cabellos también es fórmula ritual.

nos, como ya dijimos en otra ocasión,[52] conserva aún alguna relación con la tradición de la boda cómica pero el aliento lírico que corre por ella es lo que realmente le confiere su carácter. Un sabio crescendo lleva a los cantos y a las danzas, que vienen a ser como un espejo lírico en el que se refleja, con toda su pureza y sano vigor, la alegría de las gentes sencillas. Primero, con el tema de los parabienes, hay un diálogo entre el cura y los villanos, diálogo que se inicia con la tradicional fórmula: «Largos años os gocéis»,[53] y que acaba con un no menos tradicional «En que sois uno los dos».[54] Después viene un dúo de elogios amorosos entre los novios. Por fin se oye la música y empieza una canción-danza que al parecer es danza de ofrenda a los recién casados[55] y seguramente una manifestación de vitalidad exuberante y tumultosa: es un himno al mes de mayo, interrumpido por movimientos de folía que aúnan el tema mayo con el tema de los votos a los novios:

(Canten y dancen.)

Músicos: Dente parabienes
el mayo garrido,
los alegres campos,
las fuentes y ríos.
Alcen las cabezas
los verdes alisos,
y con frutos nuevos
almendros floridos.
Echen las mañanas,
después del rocío,
en espadas verdes
guarnición de lirios.
Suban los ganados,
por el monte mismo
que cubrió la nieve,
a pacer tomillos.

(Folía.)

Y a los nuevos desposados
eche Dios su bendición;
parabién les den los prados,
pues hoy para en uno son.

(Vuelvan a danzar.)

Montañas heladas
y soberbios riscos,
antiguas encinas
y robustos pinos,
dad paso a las aguas
en arroyos limpios,

---

[52] *Vide supra*, p. 42.
[53] Ed. Aubrun y Montesinos, verso 1.
[54] *Ibíd.*, verso 27.
[55] Puede deducirse, al parecer, de las palabras del cura (versos 121-122):

«Ea, bastan los amores,
que quieren estos mancebos
bailar y ofrecer.»

que a los valles bajan
de los hielos fríos.
Canten ruiseñores,
y con dulces silbos
sus amores cuenten
a estos verdes mirtos.
Fabriquen las aves
con nuevo artificio
para sus hijuelos
amorosos nidos.

                         (Folía.)
Y a los nuevos desposados
eche Dios su bendición;
parabién les den los prados,
pues hoy para en uno son. [56]

Por medio de esta canción-danza, como suele ocurrir a menudo en las escenas de boda aldeana, la naturaleza toda, en la que irrumpe la primavera, [57] es invitada a hacerse eco de la boda. Hay un movimiento de apertura y de desbordamiento de la alegría rústica que ya encontramos en la boda de *Con su pan se lo coma*. Lo más interesante, a nuestro parecer, es la estructura misma de la canción-danza escenificada en este caso por Lope, estructura que nos hace pensar que el poeta ha seguido un cañamazo auténticamente aldeano, sobre el cual ha bordado con mano maestra. Aún hoy, en Castilla la Nueva, y especialmente en los pueblos de la región toledana en donde se desarrolla la acción de *Peribáñez y el Comendador de Ocaña*, subsisten cantos mayos cuyos motivos y estructuras se parecen de modo extraño a los de la canción-danza que aquí tenemos. Estas canciones relacionadas con la costumbre de la «enramada» van dedicadas a la amada, y su característica estructural estriba en combinar un movimiento de «folía» (en un cuarteto octosílabo) con una serie de hexasílabos asonantados (un romancillo) que celebran, por lo menos al inicio, la llegada del mes de mayo. Citemos como ejemplo este mayo a lo divino en el que la Virgen ocupa el lugar de la amada, documentado en Miguel Esteban (Toledo):

---

[56] Cf. ed. Aubrun y Montesinos, versos 126-165.

[57] En una nota muy precisa (nota 1, p. xii) de la introducción a la edición de *Peribáñez y el Comendador de Ocaña*, Aubrun y Montesinos demuestran que en esta pieza Lope fue más explícito que de costumbre en lo que concierne al tiempo que requiere la acción. Estima, que este tiempo debe ser como mínimo de un mes aproximadamente. Por nuestra parte, preferimos prolongar la duración y, teniendo en cuenta la canción maya de la escena de la boda, fijar el inicio de la acción en el mes de mayo. Puede esgrimirse otro argumento a favor de nuestra hipótesis con las palabras del Comendador en la escena segunda del acto I (versos 528-533):

«Parece que cogiste
con esas blancas manos
en los campos lozanos
que el mayo adorna y viste
cuantas flores ahora
céfiro engendra en el regazo a Flora.»

Así la historia del loco amor del Comendador de Ocaña por Casilda se desarrollaría desde mayo hasta fines de agosto.

Folía: Gracias a Dios que he venido,
          gracias a Dios que he llegado,
          a cantarle el mayo hermoso
          a la Virgen del Rosario.
Mayo: Ya estamos a treinta
          del abril cumplido,
          ahora viene mayo,
          sea bienvenido.
          Mayo, mayo, mayo,
          bienvenido seas,
          alegrando valles,
          caminos y aldeas.
          Ya ha venido mayo,
          bienvenido sea,
          para que galanes
          cumplan con doncellas.
          Ya ha venido mayo
          por esas cañadas,
          floreando trigos,
          dorando cebadas.
          A tu puerta llego
          a cantarte el mayo,
                      ... etc. [58]

Al final de la canción, el movimiento de folía, que ya apareciera al principio, resurge, caracterizado por sus versos octosilábicos. No es distinta la arquitectura de conjunto en la canción-danza de *Peribáñez y el Comendador de Ocaña* y presentimos por esta analogía que, en su pieza, Lope conservó la estructura métrica y rítmica de un canto mayo auténticamente aldeano; para que haya armonía entre este cantar y la circunstancia de la boda, le bastó al poeta hacer de la cuarteta de la folía una cuarteta de votos a los novios y rematarla con una variación sobre la fórmula popular «para en uno son»;[59] también puede observarse que la cuarteta de Lope adopta la forma ar-

---

[58] Cf. Pedro Echeverría Bravo, *Cancionero musical manchego*, C.S.I.C., Madrid, 1951, núm. 228. También pueden verse las canciones núms. 231-233-234, recogidas respectivamente en las aldeas de Villanueva de Alcardete (Toledo), Almodóvar del Campo (Ciudad Real), Las Mesas (Cuenca). Los mayos núm. 233 («En comedio de esta iglesia») y núm. 234 («El señor sacramentado») reproducen de manera muy exacta la misma disposición estructural.

[59] Lope no es el primero en haber utilizado como estribillo «para en uno son». Unos años antes, Alonso de Ledesma ya usa esa fórmula («a lo divino») en la *Segunda Parte de los conceptos espirituales y morales*, Barcelona, 1607 (B. N. Madrid, 8307). Véase, pp. 12-14, el romance «A la Natividad», en donde el poeta celebra las bodas del Príncipe celestial con la Naturaleza humana:

          «Amor es quien los desposa,
          y por más satisfacción
          pregunta: ¿son para en uno?
          Y responden a una voz:
          Para en uno son.
          . . . .
          Tres vezes dizen de sí:
          mas ¿quando dizen de no,
          dos amantes que se quieren?
          Y más en esta ocasión:
          Para en uno son.
          . . . .

tística de la redondilla *abab,* relativamente arcaica,[60] de la que carece la cuarteta aldeana de hoy, simplemente asonantada.

El cruce del tema de la boda con el de la primavera ofrecía amplias posibilidades líricas y, en el teatro de Lope, encontramos otros ejemplos. En la canción-danza de la boda aldeana de *Mas valéis vos, Antona, que la corte toda*[61] el mes de abril también se asocia a la alegría del desposorio; los versos del libreto ofrecen un curioso ejemplo de encuentro entre el estilo «culterano» y el estilo «popular», que nos muestra hasta qué punto pudo hacerse la imbricación entre lo culto y lo popular en algunos casos y cuán insuficientes resultan las definiciones unilaterales en presencia de este tipo de composiciones; si bien hallamos, por una parte, palabras características del repertorio culterano (dedos de marfil, cristal, corales), por otra parte, para rematar la canción-danza, tenemos un dodecasílabo dactílico[62] de ritmo bien popular de gaita gallega:

> Cuando Antona, siempre igual,
> con flores al verde abril
> toca en dedos de marfil
> castañuelas de nogal,
> cuando el sudor de cristal
> corales la bañan toda,
> me repica, me bulle, me brinca la boda.[63]

Tirso, discípulo de Lope, cruzó también él los temas armónicos de la boda y de la primavera. En *La Santa Juana I,* al principio de la pieza, se celebra el enlace de dos campesinos de la Sagra, Elvira y Gil. Los músicos cantan primero una cuarteta octosilábica en donde figura una variante sobre la expresión «para en uno son» (¡otra vez!)[64] unida a una comparación de los novios con los meses de abril y mayo. Luego

---

> Dad la mano a vuestra esposa,
> mas no le deys sino dos,
> una en señal que soys hombre,
> otra en señal que soys Dios.
> Para en uno son.»

En realidad, existen muchas posibilidades de que el uso de «para en uno son» en el estribillo de una canción de boda, hunda sus raíces en una tradición muy antigua. El origen de la expresión está en el evangelio *(vide supra,* II, *op. cit.,* c. VI, n. 35). En el siglo XVI, la *Farsa sacramental* (colección Rouanet) acababa con un villancico, cuyo estribillo es: «el divino amor y España / para en uno son».

[60] Por lo menos esta es la idea de Rodrigues Lapa —discutida por P. Le Gentil— que este tipo de redondilla, llamada «cruzada», es el más antiguo y que deriva del dístico octonario latino con rimas internas. Fue muy usado desde el siglo XI hasta el siglo XIV.

[61] La pieza es probablemente de Lope. Tal era la opinión de Cotarelo y Mori, de Rennert, y A. Castro. Por el estudio de la métrica no hay óbice a tal atribución (cf. Morley y Bruerton, *Chronology...,* p. 307).

[62] Es preciso admitir que hay anacrusis al principio del verso.

[63] Acad. N., VII, p. 419 b.

[64] N.B.A.E., IX (II), p. 238 a. Calderón es quien, al parecer, aprovechó mejor en el aspecto lírico y coreográfico esta fórmula ritual. En su auto histórico-alegórico, *Primero y segundo Isaac,* intervienen dos coros de villanos y villanas que celebran las bodas de Isaac y Rebeca. Repiten incansablemente la fórmula, invirtiéndola a veces:

> «Coro 1:   Sean para uno.
> «Coro 2:   Para en uno sean.
> «Coro 1:   El galán Isaac.
> «Coro 2:   La hermosa Rebeca.
> «Todos: Sean para en uno, para en uno sean.»

interviene, con hexasílabos asonantados en i [65] (romancillo) una letanía bastante larga de comparaciones en alabanza de los novios, en la que un solista opone su voz a la del coro: es preciso observar aquí el esfuerzo del poeta para armonizar sus metáforas encomiásticas con el ambiente rústico, especialmente con la naturaleza que verdea y florece; algunas comparaciones provienen, cierto es, del repertorio poético más común del cultismo, pero otras se nutren de auténtica savia rural:

Músicos (canten):	Novios son Elvira y Gil
	él es Mayo y ella Abril;
	para en uno son los dos
	ella es luna y él es sol.
Toribio:	Elvira es tan bella.
Todos:	Como un serafín.
Toribio:	Labios de amapola.
Todos:	Pechos de jazmín.
Toribio:	Carrillos de rosa.
Todos:	Hebras de alelís.
Toribio:	Dientes de piñones.
Todos;	Y aliento de anís.
Toribio:	Gil es más dispuesto.
Todos:	Que álamo gentil.
Toribio:	Tieso como un ajo.
Todos:	Fuerte como un Cid.
Toribio:	Ella es hierbabuena.
Todos:	Y él es perejil.
Toribio:	Ella la altemisa.
Todos:	Y él el torongil.
	Novios son Elvira y Gil,
	él es Mayo y ella Abril,
	para en uno son, [66] etc.

Es difícil no comparar la estructura de esta canción, en la que se unen los motivos de la primavera y de la boda, con la de la canción que sobre el mismo tema tenemos en *Peribáñez y el Comendador de Ocaña;* como ella, se caracteriza por la alternancia de la cuarteta octosilábica y del romancillo. Si se considera que la acción de *La Santa Juana* se sitúa también en la Sagra toledana (en el pueblo de Hazañas), y que esta parte de la pieza fue escrita en Toledo, [67] cabe preguntarse si la canción tirsiana no tiene alguna deuda también para con auténticas canciones campesinas de la comarca. Tras el canto de epitalamio viene el no menos acostumbrado tema de los votos de abundancia y fecundidad. El villano Crespo las formula en un estilo bien directo por donde pasa el hálito de la Castilla real, tierra triguera y vitícola: ¡Ojalá los recién casados tengan muchos hijos, amontonen mucho trigo en sus trojes y rebosen de vino sus grandes cubas!

En *La Santa Juana I* una segunda canción-danza llama nuestra atención por la hechura popular de los estribillos que constituyen su base:

---

[65] Ya hicimos observar que muchas canciones sobre el motivo de la primavera tienen asonancia en *i*, pedida por la palabra rectora «abril». Vuelve a darse el mismo caso aquí.

[66] N.B.A.E., IX (II), p. 238.

[67] Así como da fe de ello el manuscrito autógrafo de la pieza, la primera parte de la trilogía fue iniciada en Toledo el 20 de agosto de 1613.

Músicos: A la boda y velación
que hace Elvira de Añover
con Gil, de quien es mujer,
cantó el pueblo esta canción:
«La zagala y el garzón
para en uno son.»
Y después de haber cantado,
viendo a la madrina al lado,
que es para alabar a Dios,
bailaron de dos en dos
los zagales de la villa,
que si linda era la madrina,
por mi fe que la novia es linda.
Y por el viento sutil
los pájaros a quien llama
el canto de mil en mil
saltando y volando de rama en rama
pican las flores de la retama
y las hojas del torongil.
Prendó amor a Gil Pascual
(que es alguacil del que mira)
de la hermosura de Elvira,
y a ella dél otro que tal,
y al desposarse el zagal
levantan esta canción:
«La zagala y el garzón, etc.» [68]

Ya se ve, Tirso cinceló una variación a su manera a partir del estribillo:

La zagala y el garzón
para en uno son.

del que sabemos que lo menciona el *Vocabulario* de G. Correas. [69] Ya que el trabajo de G. Correas es posterior (1626) a *La Santa Juana I* (agosto de 1613), podría objetársenos que el estribillo quizás fue creado por Tirso y se hizo «tradicional» más tarde. El valor de tal objeción se desdibuja si se considera que, en la misma canción, nos encontramos con el estribillo:

Que si linda era la madrina,
por mi fe, que la novia es linda.

ya citado por Covarrubias en su *Tesoro*, [70] en 1611, es decir, anterior a *La Santa Juana I*. Tal testimonio tiene tanto más peso cuanto que subraya con precisión el uso pueblerino de este estribillo a principios del siglo XVII:

Epithalamio; el cantar o himno que se dezía en las bodas en honor
de los novios; que oy día se usa en las aldeas de Castilla la Vieja, donde yo he oydo muchos que los cantan los moços y las donzellas y las

---

[68] N.B.A.E., IX (II), p. 242 b.
[69] *Op. cit.,* p. 163 b.
[70] *Op. cit.,* p. 528 a.

casadas, quando les van a ofrecer o dar la redoma. Entre otros ay uno cuyo tema es:

> Que si linda era la madrina,
> Por mi fe, que la novia es linda.

El motivo de la fecundidad humana al par que agraria que alienta siempre los votos formulados a los recién casados villanos podía permitir otra fusión lírica, de inspiración tan dionisiaca como la de boda y primavera: la de la boda con la siega. A esta fusión procede Tirso en el cuadro final de *La mejor espigadera* que pone en escena el enlace de Rut, la espigadera bíblica, con Booz, el amo de los trigales en los que ella estuvo espigando. Un canto, ora en solo, ora en coro, se eleva ensalzando a Rut. Descansa sobre un estribillo, exaltando a la espigadora, muy ritual ya que repite con algunas variantes el que ya encontramos en otras escenas de boda aldeana:

> Esta sí que se lleva la gala
> de las que espigaderas son:
> ésta sí que se lleva la gala,
> que las otras que espigan, non.[71]

Este estribillo, que le confiere a la boda bíblica un sabor a terruño castizo va seguido de exhortaciones del estilo de los festejos desbordantes de vida y colorido que encontramos antes: coronen todos la cabeza de Rut con espigas, cólmenla de bendiciones, que el cielo, la tierra, los campos, coronen a la espigadera (suponemos que de espigas). Lo que llamamos inspiración dionisiaca en las escenas de boda aldeana alcanza aquí un grado que denominaríamos pagano si no fuera Rut la espigadera de las Escrituras, la figura central de la escena, sino Demeter o Ceres o alguna divinidad precolombina de la fecundidad vegetal y femenina. Pero, ya lo sabemos, en la época en que escribía Tirso, hay que hablar más bien de un sentido isidoriano de las fuerzas vitales.

Estos son los cuadros pintorescos o líricos que la comedia, en tiempos de Lope, supo sacar del motivo de la boda rústica. Por su parte, el tema del bautizo en la aldea proporcionó material para escenas parecidas basadas a menudo en el recurso a las mismas fórmulas poéticas. En él nos detendremos ahora. Tema muy repetido, en efecto, que también llegó a ser un lugar común teatral. Lo encuentra uno reiteradamente a lo largo de la carrera de Lope y en varios dramaturgos del tiempo. Por nuestra parte, en una investigación que no consideramos exhaustiva, observamos el motivo en las siguientes comedias:

a) De Lope: *Los amores de Albanio e Ismenia* (1590-1595); *San Isidro labrador de Madrid* (antes de 1598); *Vida y muerte del rey Bamba* (1597-1598); *El príncipe despeñado* (noviembre de 1609); *Nadie se conoce* (1615-1621); *La niñez de San Isidro* (1622); *El piadoso aragonés* (agosto de 1626).

b) De Tirso: *Santa Juana*, II parte (entre mayo de 1613 y agosto de 1614).

c) De Mira de Amescua: *El Conde Alarcos*.

d) De Francisco Tárrega: *El esposo fingido*.

---

[71] N.B.A.E., IV (I), p. 342 b. En este caso la palabra «gala» sustituye a la palabra «flor». Es frecuente tal variante.

¿Acaso existió en las fiestas aristocráticas y urbanas del siglo XVI una tradición del motivo del bautizo rústico, el «bateo»,[72] como suelen llamarlo la mayoría de los dramaturgos, para crear un ambiente rural o regional? No es imposible. Pero no encontramos rastros de ella en nuestra encuesta y hemos de reconocer que, en el estado actual de las investigaciones, el primer autor que ha presentado en escena un bautizo rústico bien parece ser Lope de Vega, en *Los amores de Albanio e Ismenia*, pieza pastoril que pertenece seguramente al período albino, y por ende, debe ser de 1590-1596.[73] Un sólo poeta entre los que conocemos podría haber escenificado antes que Lope el motivo del festejo aldeano de un bautizo: se trata del valenciano Francisco Tárrega (1554 ś 1556-1602), con *El esposo fingido*, pero en esta comedia apenas se esboza el motivo y no hay ninguna mención de canto. Sólo hay una acotación escénica en la que leemos:

> Salen al bautismo el Escudero, la vieja con el niño en los brazos, un tamborinero y quatro villanos baylando.[74]

En *Los amores de Albanio e Ismenia*, ya hemos trazado los principales rasgos con que los dramaturgos intentaban dar colorido a sus cuadros de bautizo rústico. Primeramente el decorado es indicado minuciosamente con algunos utensilios rituales: fuentes y un aguamanil;[75] tampoco falta la consabida rosaca de bautizo y lo recuerda una indicación escénica:

> Salen a un bateo los pastores que sean menester para las fuentes, rosca y aguamanil y niño, luego Albanio, padrino, y Ismenia madrina, y Ascanio y Vireno pastores.[76]

Otro hecho característico: la atención va dirigida de inmediato hacia la hermosa Ismenia, la madrina, por quien suspiran de amor varios pastores presentes. El séquito, después que finge entrar en una iglesia, vuelve a salir al escenario para la merienda acostumbrada (se parte la rosca) mientras los músicos entonan a la gloria de la hermosa madrina un zéjel regular con estribillo tradicional que, cambiando algunas palabras, podría dirigirse tanto a una novia como a una reina maya:

> A la gala de la madrina
> que nadie la iguala en toda la villa.[78]

Como se adivina fácilmente, en este caso el bautizo no es más que pretexto para la exaltación galante de la hermosa pastora que ha de ser la heroína de la pieza. Pueden hacerse aproximadamente las mismas observaciones a propósito de la escena del bau-

---

[72] Covarrubias, *Tesoro...*: «... en algunas partes dizen por bautismo bateo / ...»

[73] Cf. J. F. Montesinos, *R.F.E.*, 1926, XIII, 143-146, en lo que atañe el vínculo indudable con el período albano. La fecha precisa, 1595-1596, preferida por Montesinos es menos segura (cf. a este respecto Morley y Bruerton, *Chronology...*, pp. 31-33).

[74] *Comedias de Francisco Tárrega*, 1861; *El esposo fingido*, ac. III; fol. F 5 (B. N. Madrid, R. 18081).

[75] Así define el «aguamanil» el *Diccionario de Autoridades*:

> «Jarro de metal, o barro, que tiene el cuerpo ancho, el cuello angosto, con su asa, y en la boca un pico, para que el agua salga poco a poco. Sirve más comúnmente para dar aguamanos.»

[76] Acad. N., I, p. 1.

[77] *Ibíd.*, p. 2 a.

[78] *Ibíd.*, p. 2.

tizo de *El príncipe despeñado,* pieza que fue representada en Madrid el 9 de agosto de 1603 y en Valladolid en 1604 y 1605 (probablemente ante la Corte). [79] El cuadro no figura por sí solo y no es más que un medio de la intriga para provocar el encuentro de un Rey de Navarra, de cacería por el campo, y la esposa de su mayordomo, la encantadora madrina del bautizo aldeano, en el pueblo de Peñalón. Del encuentro entre el rey don Sancho y doña Blanca de Peñalén, la madrina, nace en el rey una pasión trágica que lo llevará a deshonrar a doña Blanca y a morir luego en manos del esposo de la dama. El colorido rústico es menos ostensible que en la pieza anterior (no hay cantos ni danzas) y se obtiene sobre todo recurriendo a algunos elementos clásicos, que bastan para crear un ambiente: la entrada bulliciosa del séquito y la presencia en el escenario de los accesorios clásicos del bautizo: las fuentes, el aguamanil, la rosca. [80]

Si bien los cuadros de bautizo están organizados a menudo alrededor de la figura central de la madrina hacia quien hay que atraer la atención, sin embargo suele ocurrir a veces que se honre al recién nacido como conviene. En *Nadie se conoce* (1615-1621, posiblemente 1618), [81] una señora noble, que por intrigas se ha visto obligada a venir a vivir al campo como una aldeana, da a luz a una niña. Su bautizo es celebrado con todo el colorido aldeano necesario; vibrantes relinchos ritman el festejo y en el escenario vemos los objetos significativos del bautizo: platos y aguamaniles; [82] los músicos entonan un canto de «parida» en alabanza de la madre, y sobre todo, del niño; descansa sobre un estribillo eneasilábico de estructura tradicional:

> Que si linda era la parida
> por mi fe que la niña es linda.

La glosa que sigue presenta detalles prosaicos que remiten a esa vena de poesía en estado bruto, y sin depuración estética, que ya hallamos en algunos cantos de epitalamio rústico:

> La parida linda era,
> pero la niña no hallara
> belleza que la igualara
> si tal madre no tuviera:
> bien lo dijo la partera
> en viéndole la barriga,
> por mi fe, etc.

Con esta glosa aparece claramente cómo lo pintoresco y lo lírico del bautizo rústico sobre las tablas pueden relacionarse, como en el caso de la boda aldeana, con una visión cómica y caricaturesca de la rusticidad; hasta nos recuerda un crudo realismo,

---

[79] El manuscrito autógrafo de la pieza (Acad. esp.) tiene por fecha el 27 de noviembre de 1602. Lleva la mención «Representóse en Madrid a 9 de agosto de 1603». También contiene licencias para representar en Valladolid en 1604 y 1605.

[80] Cf. Acad., VIII, p. 135 a. Una acotación escénica resume muy bien las características rústicas de la escena diciendo:

> «Grandes voces de relinchos: todos los villanos que puedan, con el bautismo del niño, sus fuentes, aguamanil, y rosca; el alcalde por padrino, y D.ª Blanca, muy bizarra, de madrina.»

[81] Cf. Morley y Bruerton, *Chronology...,* p. 224.
[82] Acad. N., VII, p. 708 b.

como el de los capiteles medievales, cuando tras la canción oímos decir a un villano truhán, Bato, que durante el bautizo el niño ha hecho subir el nivel del agua bendita en la pila bautismal.[83]

Uno de los motivos más rituales del bautizo rústico que facilitaba el tránsito de lo cómico hacia lo pintoresco, o a la inversa, era naturalmente el de la merienda; ya sea la rosca o el mazapán, ya sean las torrijas,[84] componentes clásicos del refrigerio de bautizo, consentían una variación sobre el tema de la glotonería, los dramaturgos, como ya lo hemos visto,[85] la utilizaron a veces: así ocurre con Lope en *San Isidro labrador de Madrid* (antes de 1598) y en *La niñez de San Isidro* (1622). También es el caso de Mira de Amescua en *El conde Alarcos* donde en la que la glotonería del villano Gil se expresa con la trama de una fórmula lírica tradicional:

> (Canta Bartola.)
> Si era hermosa la mañana,
> más hermosa era la aldeana.
> (Canta Gil.)
> Que si linda es la parida,
> las torrijas son más lindas.[86]

Observemos, no obstante, que la comicidad no es el único significado de estos motivos y por ello también cabe hablar de pintoresco. En *San Isidro labrador de Madrid*, donde Lope introdujo tantos cantos y danzas, especialmente con motivo de las bodas de Isidro, no era posible dar cabida a un fresco del bautizo, desarrollado de manera decorativa. En cambio es posible en *La Niñez de san Isidro* donde está ausente naturalmente el motivo de la boda y Lope se detiene en el bautizo. El tema del bautizo ocupa todo el final de un acto. Interviene en primer lugar el motivo de la glotonería suscitada por las torrijas o el mazapán,[87] y queda claro que fuera del significado cómico existe una función dramática: la de preparar la llegada de la escena culminante de los festejos y las danzas. Llega por fin el cuadro coreográfico al que converge todo el movimiento de este final de acto: suenan las chirimías y la comitiva se pone en movimiento con numerosos pastores que rodean al niño y sus nobles padrinos, don Juan Ramírez y doña Elvira. Traen los manjares acostumbrados, y se ejecuta una danza de espadas con ritmo endemoniado, en medio de los relinchos y los vivas de todos en honor del recién nacido.[88]

---

[83] Acad. N., VII, p. 709:

> «Que cuando el Rey la tenía
> sobre la pila desnuda
> más agua dejó que había.»

[84] Aún hoy se fabrican estas tradicionales torrijas (en el Norte de la península se les llama «torrajas»), por Semana Santa. Sabido es que las torrijas son pan empapado de leche con azúcar, pasado por huevo, todo en aceite.

[85] *Vide supra*, p. 17.

[86] Cf. *Comedias escogidas de los mejores ingenios de España*, 1652-1704, V, *El conde Alarcos*, acto I, p. 129.

[87] Acad., IV, pp. 515-516 y 517 a.

[88] Cf. la acotación escénica, Acad., IV, p. 517 b: «Chirimías, y el bautismo con grande acompañamiento: los zagales, una danza de espadas; fuentes, niño, padrinos, y D. Alvaro.»

En *El piadoso aragonés* (agosto de 1626)[89] Lope nos ofrece otro ejemplo de exaltación del recién nacido de amoríos nobles clandestinos, disimulados tras un velo rústico (el tema de la comedia es el del príncipe de Viana). El cuadro del bautizo rústico, como suele ocurrir a menudo en las comedias de ambiente novelesco y aristocrático, sólo es un corto intermedio, destinado a contrastar por su colorido. Una vez más se adelanta una comitiva: en 1626, este tipo de séquito había sido repetido tan a menudo en el tablado, durante treinta años, que ya no era menester definirlo con precisión, y la acotación escénica trazada de mano de Lope se contenta con indicar que es «en forma de bautismo»:

> Entre los músicos de labradores y luego, en forma de bautismo, con el niño, Laurencia y el alcalde de padrinos.

El canto que entona el coro a la gloria del recién nacido, era novedoso, ya que volvía a presentar pura y simplemente, una fórmula lírica que ya encontramos en piezas de fecha anterior, en honor de una novia o de una reina de mayo:

> Este niño se lleva la flor,
> que los otros no.

Tal vez sea en la obra de Tirso, donde hallemos en definitiva, el más bello, el mayor de los cuadros de bautizo aldeano, pintoresco y lírico. La segunda parte de la Santa Juana (entre agosto de 1613 y mayo de 1614) ofrece, en efecto, un fresco de festejos aldeanos, con ocasión de un nacimiento, de gran valor decorativo, con coro y ballet rústicos. En algunos aspectos, nos parece que, por la amplitud ornamental y el aliento campestre, sólo es comparable con el «gran» cuadro de boda de *San Isidro labrador de Madrid*, de Lope. La comitiva aldeana sale al escenario como siempre, con música.[90] En el telón de fondo, se ve la puerta de la iglesia.[91] El coro canta un estribillo con el motivo muy tradicional del trébole:

> Trébole danle al niño,
> trébole, ¡ay Jesús, qué olor!

Hemos analizado anteriormente el motivo del trébole y sus formas de expresión lírica. Bástenos comprobar que aquí, jugando con la plasticidad de la fórmula de base —plasticidad propia de todos los estribillos y refranes populares—, Tirso inadapta el motivo al tema mismo de su cuadro haciendo del trébol una ofrenda al niño.[92] La idea de la ofrenda se repite en la glosa expuesta, alternativamente por el coro y un solista. Mientras el coro repite incansablemente la ofrenda del trébol, la voz del solista

---

[89] Cf. manuscrito autógrafo en la B. N. Madrid, fechado al 17 de agosto de 1626.

[90] N.B.A.E., IX (II), p. 285:

> «Salen los labradores todos, con música y bateo.»

[91] Esta puerta de iglesia, más·o menos concreta según el esmero que se ponga en la puesta en escena. es, según parece, uno de los elementos fijos del decorado de las escenas de bautizo.

[92] No encontramos un «trébole» armonizado con el tema de la boda, pero es fácil imaginar cuál podría ser la forma del estribillo de un tal «trébole», de haberla escrito algún dramaturgo:

ofrece sucesivamente rosas y junquillos, gladiolos, espadaña y juncia, lirios de los valles y hierba del sol para el padre, la madre, el padrino y la madrina.[93]

Así se distribuye líricamente por medio del canto de un ramillete perfumado con las mil hierbas y flores del campo en gozo. Nos encontramos aquí con una de esas enumeraciones poéticas de plantas agrestes y perfumadas que intervienen en numerosos pasajes bíblicos (cantados o no) de la comedia de ambiente rústico, y que corresponden indudablemente al gusto por las flores y las hierbas en la sociedad aristocrática de fines del siglo XVI y principios del siglo XVII.[94] Cuando acaba el canto, el padrino y la madrina entran en la iglesia con el recién nacido pero el resto de la comitiva se queda en el escenario: los villanos-bailarines presentan una canción-danza sobre el tema del aprendizaje de la vida por parte del niño campesino, hasta el día en que, ya grande, irá al campo y se iniciará en el trabajo de labrador y también vestirá el traje típico del aldeano. Los primeros versos, basados en una alusión al «hijo de Marina de Orgaz» (personaje folklórico muy difundido en numerosas coplas burlescas de fines del siglo XVI) quizás no son lo mejor del fragmento,[95] pero pueden justificarse como

> «Trébole denle al novio
> trébole, ¡ay Jesús qué olor!»

o:

> «Trébole de la novia
> trébole, ¡ay Jesús qué olor!»

[93] N.B.A.E., IX (II), p. 285. Citamos este texto, p. 655.

[94] Conocido es el cariño de Lope para con las flores y su jardín cuando vivía en la casa de la calle de los Francos en Madrid. Pero el gusto por las flores fue general hacia 1600. De ello da testimonio la obra, dedicada a Felipe II, de Gregorio de los Ríos, *Agricultura de jardines que trata de la manera que se ha de criar, governar, y conservar las plantas,* Madrid, 1592 (B. N. Madrid, R. 29587). Este libro contiene en especial un esbozo de diccionario de flores (trébol, toronjil, yerba, etc.). Su interés, en nuestra opinión, estriba en el trasfondo de espiritualismo: el jardín es ocupación de un alma escogida, sutil y sensible, acostumbrada a descubrir a su Creador detrás de cada flor. Citemos este pasaje del prólogo que define el tono de la obra:

> «Por ser tan agradable y prouechoso el exercicio y entretenimiento de los jardines, he querido hazer este tratado dellos: el qual no solamente creo será luz y prouecho para los jardineros, pero también para los dueños de los jardines en todos estados de gentes, assí caualleros, como Príncipes, Reyes, o Emperadores: y para Religiosos es honesto y loable quādo después de cumplir con sus obligaciones, ocupan la vista en aquella hermosura y variedad de flores y verduras: con lo qual y con la suauidad de sus olores leuantan el espíritu en gloria y alabança de su criador, que tan agradables cosas crió para el seruicio y regalo de los hombres; cōforme a aquel prouerbio, que dize, todo fue criado para el hombre, y el hōbre para Dios...»

[95] Citemos:

> «Envidiosa Gila en Cubas,
> del hijo que sin razón
> parió Marina en Orgaz,
> un muchacho rempujó;
> ¡oh qué lindo y grande que es!
>   ...»]

Se conoce la letrilla atribuida algo apresuradamente por Millé y Giménez a Góngora (cf. *Obras completas,* en «Letrillas y otras composiciones de arte menor», año 1597, X):

> «De su esposo Pingarrón
> parió Marina en Orgaz
> un Minguillo por detrás
> y fue muy buena invención.»

variante de un tema de moda y por la localización de la pieza en la región toledana. Lo que sigue nos parece más digno de interés. Las primeras palabras articuladas por el niño, sus primeros pasos, la entrada a la escuela, son el tema de los versos que siguen y pasan como otras tantas evocaciones ingenuas y sin afeites. El movimiento general del fragmento sugiere la idea de que Tirso siguió en ella un esquema popular de canción (quizás una canción de cuna) donde se describían imaginariamente los primeros pasos del niño en la vida. La estructura es muy sencilla ya que se trata de un romance narrativo asonantado en *-o* en cuya trama han sido interpolados retornelos hexasilábicos o de gaita gallega tradicionales sin lugar a dudas. Los pasajes en romance se caracterizan por un estilo de enumeración (una serie de oraciones independientes yuxtapuestas que empiezan siempre por «ya») muy parecido al que hallamos en el villano descriptivo de las faenas del campo en *San Isidro labrador de Madrid* y que, como sabemos, se encuentra en algunas canciones campesinas de hoy. Recuérdese que tenemos en el villano de *San Isidro labrador de Madrid*, versos como:

> Ya camina, ya se acerca,
> ya llega, ya empieza a arar
> . . . .
> Ya se le acerca San Juan,
> segarlo quiere el villano
> . . . .
> Ya se aperciben los trillos,
> ya quiere también trillar
> . . . .
> Aventar quieren el trigo,
> ya comienzan a aventar
> . . . .
> Ya pone en la tabla el pan,
> ya lo cuece, ya lo saca,
> ya lo quiere presentar.

Esta enumeración nos lleva irresistiblemente a relacionarla con la escena de bautizo de *La Santa Juana II:*

> . . . .
> Ya le van a bautizar
> ya le llama Perantón,
> ya le vuelven a casa,
> ya sacan la colación
> . . . .

_____

Como puede apreciarse, la canción-danza de *La Santa Juana II* y la letrilla atribuida a Góngora tienen en común un verso; se trata a todas luces de un verso tradicional y folklórico. Lope de Vega lo traspuso a lo divino en *Los Pastores de Belén:* «Parió María en Belén / y a ver su niño vinieron» *(Obras sueltas,* t. XVI, p. 291). En las *Coplas de trescientas cosas más,* puede encontrarse todo el ciclo de Marina de Orgaz y su hijo. Cf. Fouché-Delbosc, *R. Hi.,* 1902, IX, p. 262. Véase también a John M. Hill, *Adiciones a las coplas de trescientas cosas más, R. Hi.,* 1928; 72, pp. 527-529, y sobre todo el artículo muy preciso de M. Chevalier y R. Jammes, *Supplément aux «Coplas de disparates»,* en *Hommage a Marcel Bataillon,* Bordeaux, 1961, pp. 358-393.

Ya el muchacho se gorjea;
ya sabe decir «ajó»
ya le han sacado los brazos,
ya le han puesto un correón
ya le hacen hacer pinitos
. . . .

Ya ha crecido y va a la escuela,
ya en el cristo da lición,
ya sabe jugar al toro,
ya corren de dos en dos
. . . .

Ya quieren que vaya al campo
y aprenda a ser labrador;
ya le visten de sayal
. . . .

En cuanto a los retornelos que introducen sabrosos derrengamientos del ritmo en medio de la monotonía del romance, tienen un sello de auténtica creación folklórica: Existen muchas probabilidades de que Tirso no haya hecho sino tomarlos del medio popular para organizarlas, ligándolos (como lo seguían haciendo los aldeanos asturianos, en tiempos de Jovellanos) con pasajes recitativos de romance, en un ballet rústico animado y variado. El primer estribillo (octosilábico):

Si merendares, comadres,
si merendares, llamadme...
. . . .

tiene todo el estilo de un refrán y tal vez se trate de una fórmula de un juego infantil. El segundo, de base hexasilábica, nos sugiere alguna canción o fórmula mágica de nodriza o de madre:

Anda niño, anda
que Dios te lo manda
y Santa María
que andes en un día;
Señor San Andrés
que andes en un mes;
Señor San Bernardo
que andes en un año,
sin hacerte daño
en esta demanda.

El tercero corresponde a un estribillo muy difundido hacia 1600 y se explica por un juego y una danza que imitan el galope del caballo:

A la trapa, la trapa, la trapa
en mi caballito de caña. [96]

---

[96] Covarrubias, in *Tesoro*..., p. 292 a, 9 (art. «caña»), menciona el juego de niños que al principio pudo dar origen al estribillo: «Los niños hazen unos cavallitos de cañas, en los quales todos dimos nuestras carreritas...»

Por fin el último estribillo, con su metro decasílabo y el ritmo de gaita gallega (dactílico) está hecho sobre el molde de un dístico documentado como folklórico por G. Correas. Tirso dice:

> Que la caperuzita de padre
> póntela tú, que a mí no me cabe.

Y G. Correas menciona:

> Póntela tú, la gorra del fraile
> póntela tú, que a mí no me cabe. [97]

* * *

Vemos ahora cuáles fueron las variaciones líricas desentrañadas del motivo de la boda rústica por los dramaturgos poetas, motivo cómico o burlesco en sus inicios. Comprobamos también que el tema del bautizo aldeano se vincula con el de la boda. Los autores pasaron fácilmente de uno a otro, en escenas de género construidas sobre bases líricas suministradas por la poesía oral y cantada del pueblo. Un repertorio de fórmulas tradicionales ya hechas, pero flexibles, maleables, permitía pasar insensiblemente de un motivo a otro. Es más, en estos cuadros, los motivos de la boda o del bautizo de aldea se confundieron a menudo con otros motivos líricos de la comedia de ambiente rústico: el de mayo, de la primavera o de la siega. Por ello, las escenas de boda o de bautizo rústicos rebosan, a su vez, de un sentido casi cósmico de la naturaleza y de la tierra, que descubrimos en lo más hondo del lirismo popular rústico de Lope y de Tirso, y que parece haber sido muy vivaz por esos años, que vieron el desarrollo de manera decisiva, del culto a San Isidro labrador. Sumiéndose en la excepcional plenitud poética ofrecida por los motivos de la boda o del bautizo, el público de la aristocracia y de las ciudades se sumergía en la vida, en lo que tiene de más virginal y más auténtico, como en aguas hondas y puras.

En una *Ensaladilla para Navidad,* del *Romancero espiritual* de Valdivieso (B.A.E., XXXV, p. 240) entre los estribos tradicionales de un juego de cañas interpretado a lo divino por los serafines en honor de la Reina de los Cielos, leemos:

> «Que por vos, la mi señora,
> la carita de plata
> correría yo mi caballo
> a la trapa, la trapa, la trapa.»

También puede citarse la seguidilla mencionada por G. Correas, en *Arte grande de la lengua castellana,* 1626, ed. Viñaza, 1903, p. 203:

> «Que por vos, la mi señora
> la cara de plata,
> correré yo mi caballo
> a la trápala trapa.»

Lope, in *Auto de los cantares,* introduce los dos versos:

> «Corren caballos aprisa
> tápala, tapa, tápala, tapa.»

Véase finalmente a Valdivieso, *El hospital de los locos,* en donde volvemos a encontrar el verso:

> «a la trápala, trápala, trápala».

[97] G. Correas, *Arte grande,* ed. cit.

CAPITULO VII

LAS FIESTAS DE HOMENAJE Y BIENVENIDA

El «Carmen triunfale» y el canto de homenaje vasálico en las comedias de Lope y de Tirso. Los cantos de bienvenida.

En los capítulos anteriores hemos intentado poner de manifiesto las raíces populares de algunos motivos tratados en las escenas de género lírico y pintoresco de la comedia de ambiente rústico. Pero, simultáneamente, nunca hemos dejado de insistir en la idea de que el recurso a los temas del villano lírico y pintoresco en la comedia, remite a un uso aristocrático de estos temas: lo interpretamos como un reflejo estético (e ideológico) del intento de los hombres de la aristocracia de corte y de medios urbanos de huir de sí mismos y de las condiciones alienantes de su sociedad. Las tentativas estéticas de alcanzar la «riqueza humana» son esfuerzos para trascender la condición social en lo que puede tener de empobrecedor y anti-humano; pero esos esfuerzos no se desarrollan nunca sino *dentro* y *mediante* las relaciones sociales en que viven artista y público; en otros términos, en una sociedad alienante, el creador alcanza la belleza *mediante* y *a pesar* de los factores de alienación; por eso, la obra de arte, por duradera que sea, como obra de arte, conserva siempre en algún aspecto el reflejo objetivo de la circunstancia histórica que la vio nacer. En este sentido, el gusto por la belleza «popular» en la comedia de ambiente rústico es un fenómeno con su impronta histórica que es su contenido aristocrático.

Más que cualquiera de los motivos estudiados anteriormente, el de las fiestas aldeanas de bienvenida y de homenaje (ambas variantes de una misma costumbre, a veces difíciles de separar) pone de relieve el significado de clase del tema teatral del villano lírico y pintoresco. Resulta revelador, en efecto, que una de las escenas de género lírico ofrecidas por la comedia de ambiente rústico haya tenido por tema la relación fundamental de la sociedad feudalo-agraria y monárquico-señorial: la misma relación que subordinaba el villano a un jefe social, terrateniente, señor o rey. En efecto, danzas y canciones de «homenaje» y «bienvenida» que también pueden llamarse de «enhorabuena» —cuyo origen remonta posiblemente a la época de formación de la sociedad medieval castellana y leonesa— fueron llevadas a menudo a las tablas por los dramaturgos. De esa manera, armonizando la belleza «popular» con las divisiones de clase de la sociedad feudal o agraria, los autores expresaron, sin hacerlo a propósito, en el modo lírico, las bases mismas de su mundo.

* * *

Hace tiempo ya que R. Menéndez Pidal en su *De primitiva lírica española y antigua épica,* señaló la existencia de bienvenida dedicada por los vasallos a su señor o al soberano que vuelve de la guerra.[1] En un artículo más reciente podía citar un pasaje de la *Chrónica Alfonsi Imperatoris,* que trata de las fiestas que celebraron la vuelta a Toledo de Alfonso VII, vencedor de los almorávides en 1139.[2] Conviene ir a buscar en la historia de las costumbres propias de la sociedad de los primeros siglos de la Reconquista, tanto como en la historia de la música, uno de los orígenes de fórmulas líricas o coreográficas de las canciones villanas de bienvenida o de enhorabuena de las que el teatro nos ofrece numerosos ejemplos en los siglos XVI y XVII. La comedia de ambiente histórico nos proporciona varios cuadros que representan tales ceremonias de homenaje «vasálico» y es preciso analizar estos cuadros si se quiere captar la función más significativa de la canción aldeana de bienvenida y enhorabuena.

Un gran fresco decorativo de *El Conde Fernán González* (1610-1612) de Lope, presenta a los campesinos castellanos celebrando la victoria sobre los moros que acaba de obtener su Conde. Ataviados con guirnaldas,[3] cantan y danzan sobre los siguientes versos, en que es manifiesta la búsqueda del arcaísmo (particularmente en el uso de la *-e* paragógica):

Música:	Bien vengáis triunfando,
	conde lediadore;
	bien vengáis el conde.
Una voz:	Nunca entró Pelayo,
	nunca entró en Leone,
	en la santa igreja
	de San Salvadore
	con laureles tantos,
	con tantos pendones,
	con tantos moricos
	puestos en prisione.
	Bien vengáis el Conde,
	bien bengáis triunfando,

---

[1] R. Menéndez Pidal, *De primitiva lírica española y antigua épica,* Buenos Aires, 1951 («Austral»), pp. 116 y sigs. En español la palabra «vasallo» no presenta exactamente el mismo contenido que su homóloga francesa «vassal». En la Edad Media francesa, el «vassal» es un noble vinculado a otro noble por un pacto de fidelidad. En Castilla (especialmente en los siglos XVI y XVII) los vasallos son a menudo los villanos de un señor o los súbditos de un rey. El sentido de vasallos se acerca así al de «sujet» sin carecer por ello de algunos ecos de la palabra francesa «vassal» (especialmente, la fidelidad). Covarrubias, *op. cit.,* p. 994 b, art. «vasallos», da la siguiente definición: «... El que vive en tierra de algún señor, al qual reconoce y respeta como a tal; y assí se dixo de *vas, dis,* en quanto promete ser fiel. Estos dos nombres, señor y vassallo, son correlativos; porque no avrá señor sin vassallos, ni vassallos sin señor en este sentido; y assí parece dezirlo la ley primera, tit. 25, part. 4...» Una de las etimologías fantasiosas que proporciona Covarrubias presenta la ventaja de ser significativa desde el punto de vista semántico:

«... Otros piensan ser nombre metaphórico, *a vasse,* por el vasso, tomada la comparación de los olleros, porque assí como el alfaharero puede hazer y deshazer del varro que tiene entre las manos a su voluntad; assí el rey sobre la rueda de la fortuna y su imperio puede hazer y deshazer al súbdito, honrando y acrecentando al que fuere virtuoso, y castigando y apocando al que fuere ruyn...»

[2] R. Menéndez Pidal, *Cantos románicos andalusíes,* 1951, B.A.E., XXXI, p. 200.
[3] Acad., VII, p. 424: «Salen labradores y labradoras con guirnaldas, y este baile.»

Conde lediadore,
bien vengáis el Conde.
Cordobeses moros
de allende las torres,
castillos del Tajo,
de Toledo montes,
sobre Guadarrama
sus banderas ponen;
sáleles al paso
la flor de las flores.
Bien vengáis triunfando,
Conde lediadore;
bien vengáis el Conde.[4]

Hallamos reunidos en este canto varias características del género de los «carmina triunfalia» entonados en el escenario por los villanos (y sobre todo después de 1610 aproximadamente, al parecer, como ya se verá, en los ejemplos que hemos recogido). El estribillo está compuesto de un terceto hexasilábico en el que la palabra «conde» desempeña un papel determinante tanto por su musicalidad como por su sentido: es el que le impone la asonancia fundamental *o-e*, asonancia que se extiende desde el estribillo a toda la canción (un romancillo):

Bien vengáis el Conde,
bien vengáis triunfando,
Conde lediadore.

Del mismo estilo, tenemos en *Fuenteovejuna* (1612-1614) de Lope, un himno de alabanza dedicado al Comendador de Fuenteovejuna por los campesinos del pueblo. El contexto histórico (o mejor seudo-histórico) es el mismo: los campesinos cantan para recibir a su señor Fernán Gómez, que vuelve después vencedor junto al Maestre de Calatrava, de una expedición contra Ciudad Real. Delante del castillo decorado con flores por los aldeanos está el concejo en pleno, con el alcalde en cabeza para expresar al jefe feudal el cariño que le tienen sus vasallos; es un verdadero tributo en sentido feudal, lo que traen los villanos a su señor, y en unos carros decorados con ramas, le ofrecen vasijas de barro, gansos, carne salada y ahumada, capones, con diez odres de vino, quesos.[5] La canción de bienvenida entonada cobra todo su sentido entonces, en relación con estas manifestaciones concretas de fidelidad vasálica:

---

[4] *Ibíd.,* pp. 424-425.
[5] Acad., X., p. 537 a, b:

«*Esteban:* Fuenteovejuna
y el regimiento que hoy habéis honrado,
que recibáis os ruega y importuna
un pequeño presente, que esos carros
traen, señor, no sin vergüenza alguna,
de voluntades y árboles bizarros
. . . .
... justo pecho
de voluntades que tenéis ganadas,
y a vos y a vuestra casa buen provecho.»

Sea bien venido
el Comendadore
de rendir las tierras
y matar los hombres.
¡Vivan los Guzmanes!
¡Vivan los Girones!
Si en las paces blando,
dulce en las razones.
Venciendo moricos[6]
fuerte como un roble
de Ciudad-Reale
viene vencedore:
que a Fuenteovejuna
trae sus pendones
¡Viva muchos años!
¡Viva Fernán Gómez![7]

Aparece nítidamente otra vez, el metro hexasilábico y la asonancia fundamental *o-e* (con recurso a la *-e* paragógica arcaizante), ahora a partir de la palabra Comendadore. En algunos aspectos, la canción se debe a la pluma del Fénix;[8] pero su estructura está determinada, en conjunto, por las leyes de un género, el del «carmen triunfale» (siempre con un trasfondo de Reconquista) al cual se adapta el poeta con cultura y fantasía. Por ejemplo los moricos a quienes se alude, no son más que un *topos* estereotipado,[9] ya que la expedición a Ciudad Real, tanto en la obra como en la historia, no es contra musulmanes sino contra partidarios cristianos de la reina Isabel. Estos moriscos representan a nuestros ojos un *lapsus* revelador de lo convencional del género.[10]

Para comprobar que se trata efectivamente de un género teatral vinculado con una ideología de lealtad vasálica, baste considerar el cuadro de la acogida que los villanos

---

[6] Algunas ediciones ofrecen la lección «moriscos» en vez de «moricos». En la *Parte XII*, Madrid, 1619, p. 266, léese: «moricos».

[7] *Op. cit.*, p. 537 a.

[8] «Vivan los Girones», por ejemplo, es halago dirigido a la familia de los Girones.

[9] Ya vimos, en el canto de *El conde Fernán González* antes citado, los versos: «con tantos pendones / con tantos moricos / puestos en prisione».

[10] También es posible, teniendo en cuenta la probable fecha de *Fuenteovejuna* (1612-1614) (según Morley y Bruerton, *Chronology...*, p. 201), que «moricos» haya cobrado un significado contemporáneo de alusión a la campaña contra los moriscos. No olvidemos, en efecto, la escéptica definición de «moriscos» que da Covarrubias. *Tesoro*, p. 815 a, 1: «Moriscos. Los convertidos de moros a la Fe Católica, y si ellos son católicos, gran merced les ha hecho Dios y a nosotros también.» Para pasar de «moriscos» a «morico» bastaba con suprimir una letra y era frecuente la asimilación. Ciudad Real había albergado una numerosa colonia de moriscos granadinos desde 1570-1571. Expulsados estos en 1611, volvieron clandestinamente en 1612. A este respecto, véase Henri Lapeyre, *Géographie de l'Espagne morisque*, París, 1959, pp. 122, 125, 159, 185. Sansueña es nombre de lugar que no existe, si bien algunos quisieron asimilarlo a Zaragoza. R. Menéndez Pidal *(Romancero hispánico*, I, p. 256) hace derivar «Sansueña» de «Sansoigne» (Sajonia). Varios ejemplos literarios nos prueban el carácter mítico del lugar así llamado. Cf. el romance de Melisendra (burlesco) de Góngora. Véase también el *Retablo de Maese Pedro* en el *Quijote*. Los moros de Sansueña no son más reales que los de Ciudad Real en *Fuenteovejuna*. Ya que Tirso se inspira mucho en *Fuenteovejuna* para escribir *La Santa Juana*, cabe preguntarse si no existe en este caso alguna segunda intención por su parte. Otra vez es de recordar la expulsión de los moriscos (1609-1611), a la que siguió en algunos casos una vuelta clandestina (1612), protegida por la aristocracia, en especial en la comarca toledana y el Campo de Calatrava.

de Hazañas dispensan a su nuevo señor, el comendador de Cubas, en La Santa Juana II (1613) de Tirso. Como en el ejemplo anterior la canción es hexasilábica y la asonancia se ve determinada por el a-o de «comendadore»; no obstante, como si Tirso se dedicara a un tipo de burla tradicional, teje su canción con fórmulas hechas, yuxtapuestas sin trabazón rigurosa, y algunas, una de las cuales se refiere a los moricos, son de la más pura invención poética y burlesca:

Músicos (cantan):	El comendadore [sic dans le ms.] bendiga vos Dios.
Mús. 1.º:	La Virgen de Illescas.
Mús. 2.º:	Señor San Antón.
Todos:	Pues venís a Cubas.
Mús. 2.º:	El comendador [sic dans le ms.].
Mús. 1.º:	A ser dueño nuevo [sic].
Mús. 2.º:	Bendiga vos Dios.
Mús. 1.º:	La Virgen de Illescas.
Mús. 2.º:	Vos dé su favor [sic dans le ms.].
Mús. 1.º:	El cirio pascual.
Mús. 2.º:	Señor San Antón.
Todos:	El Comendador [sic dans le ms.].
Mús. 1.º:	La vuesa esposica.
Mús. 2.º:	Os para un garzón.
Mús. 1.º:	Como un Holofernes.
Mús. 2.º:	Como un Rey Salmón [sic dans le ms.].
Mús. 1.º:	Que vaya a la guerra.
Mús. 2.º:	Y como un Sansón [sic dans le ms.].
Mús. 1.º:	Prenda los moricos.
Mús. 2.º:	Que en Sansueña son. [11]
Todos:	El comendaor [sic]. [12]

La única originalidad de Tirso reside aquí en dividir y repartir la canción entre varias voces, con arreglo a una técnica que le es peculiar.

La relación con el prototipo lírico de los cantos villanos de bienvenida dirigidos al jefe feudal no es siempre tan nítida como en los ejemplos anteriores, pero es significativo que siempre quede algún rasgo. En Las Batuecas del duque de Alba de Lope unos rústicos semi-salvajes que vienen a reconocerse como vasallos del duque de Alba y del rey de Castilla cantan su entusiasmo vasálico, repitiendo incansablemente una fórmula de votos para el amo: «¡Que le guarde Dios!» [13] Es interesante notar que también es hexasilábica y asonantada en -ó, y que da el tono de todo el himno:

---

[11] M. García Matos, Cancionero popular de la provincia de Madrid, I, p. XXXIV.

[12] Consignamos las acotaciones escénicas de la N.B.A.E., II, p. 280 a, porque destacan nítidamente la distribución de las voces. Pero reproducimos el texto del manuscrito conservado, con los autógrafos de la primera y tercera parte, en la B. N. de Madrid (Res. 249). Ni la edición de la N.B.A.E., ni la de la colección Aguilar (Doña Blanca de los Ríos), siguen fielmente el manuscrito. En realidad ambas ediciones modernas reproducen pura y simplemente la lección de la Parte V de las comedias del maestro Tirso de Molina, Madrid, 1636 (B. N. Madrid, R. 23801). Cf. fol. 250.

[13] Recordemos que ya en tiempos de A. de Guevara, la gente de la Corte consideraba como arcaica y poco refinada esta fórmula «¡que le guarde Dios!», incluso hasta ridícula. El testimonio de A. de Guevara es ampliamente avalado por A. de Torquemada, en su Coloquio de la honra. Cf. Coloquios satíricos, en Menéndez y Pelayo, Orígenes de la novela (N.B.A.E.), vol. III, p. 538 a:

Músicos (cantan)

Uno:	Al rey castellano, que le guarde Dios.
Otro:	Al rey que ha venido, más bello que el Sol, todos juntos digan:
Todos:	¡Que le guarde Dios!
Uno:	Corone su frente de olorosa flor el valle, diciendo:
Todos:	¡Que le guarde Dios!
Uno:	¡Vida el Duque de Alba, que es nuestro señor! Digan sus vasallos:
Todos:	¡Que le guarde Dios!
Uno:	Montes de Batueca, que de nieve sois, decid humillados:
Todos:	¡Que le guarde Dios!
Uno:	Al rey castellano, más bello que el Sol, todos juntos digan:
Todos:	¡Que le guarde Dios! [14]

En *Ello dirá* (1613-1615) de Lope, una fiesta campestre celebra los desposorios de un conde que ha vuelto al pueblo con su esposa: la canción-danza que el dramaturgo ha insertado allí, combina los motivos de Mayo y de la boda con los de la bienvenida

«... digo que solían en otros tiempos saludarse las gentes con bendiciones y rogando a Dios, diciendo: Dios os dé buenos días; Dios os dé mucha salud; Dios os guarde; Dios os tenga de su mano; manténgaos Dios; y agora, en lugar desto y de holgarnos de que así nos saluden, sentímonos afrentados de semejantes salutaciones, y teniéndolas por baxeza nos despreciamos dellas...» Cf. p. 539 a: «... Por menosprecio decimos a uno: en hora buena vais, vengáis en buena hora, guárdeos Dios, y si no es a nuestros criados o a personas tan baxas y humildes que no tienen cuenta con ello, no osaríamos decirlo...»

Conocido es el pasaje del *Lazarillo* (Tractado III) cuando el escudero declara no sufrir que le traten con antiguas fórmulas de saludo basadas en la bendición y en el ruego:

«Vos, don villano ruin, le dixe yo ¿porqué no soys bien criado? ¿Manténgaos Dios, me avéys de dezir, como si fuese quienquiera? De allí adelante, de aqui acullá, me quitaba el bonete y hablaba como devía. ¿Y no es buena manera de saludar un hombre a otro, dixe yo, dezirle que le mantenga Dios? ¡Mirad mucho de enhoramala! dixo él. A los hombres de poca arte dizen esso; mas a los más altos como yo, no les han de hablar menos de: "Beso las manos de vuestra merced" o por lo menos "Bésoos, señor, las manos", si el que habla es cavallero y ansí, aquél de mi tierra, que me atestaba de mantenimiento, nunca más le quiso sufrir, ni sufriría, ni sufriré a hombre del mundo del rey abaxo que "Manténgaos Dios", me diga.»

Leyendo estos textos escritos hacia 1550, aquilatamos mejor la valorización que recibió el estilo «popular» en los ambientes aristocráticos, unos cincuenta años más tarde. El encanto de las canciones de bienvenida que estudiamos en este capítulo estriba precisamente en el uso lírico de estas fórmulas de saludo basadas en la bendición o el ruego, despreciadas por los cortesanos antes de 1550.

[14] Acad., XI, p. 527 a.

al jefe que vuelve de una expedición militar contra los musulmanes; en este caso puede considerarse también que el metro fundamental es hexasilábico,[15] y ha de observarse que lo esencial del efecto lírico se logra gracias a la repetición incansable, cada dos versos, de la fórmula clave: «Y viva el Conde», en la que se encuentra la palabra básica «conde» con la asonancia característica *o-e*:

> Música de labradores y baile; Salicio, Laura, Claridabo, Elpino, Marcela y Fabio.
>
> Viva el mayo y los amores
> y viva el Conde;
> viva el mayo que florece,
> y viva el Conde;
> los montes con los laureles,
> y viva el Conde;
> los jardines con claveles,
> y viva el Conde.
> Viva el Capitán valiente,
> y viva el Conde
> para que los turcos tiemblen,
> y viva el Conde.
> Su esposa, que con él viene,
> por muchos años le goce,
> y viva el Conde.
> Viva el mayo y los amores,
> y viva el Conde;
> viva el Conde vitorioso,
> y viva el Conde;
> que mata turcos y moros,
> y viva el Conde.
> En estos prados y sotos,
> y viva el Conde,
> salten venados y corzos,
> y viva el Conde;
> sus frutos le rindan todos,
> ,y viva el Conde;
> y por mil años dichosos
> Marcela y él se desposen,
> y viva el Conde;
> viva el mayo con sus flores
> y viva el Conde.[16]

La convergencia de los distintos ejemplos que hemos reunido bien prueba que la asonancia *ó* (u *o-e*) es realmente ritual en estos cantos relacionados con la manifestación de homenaje al jefe social y que parece haber estado en boga en el teatro entre 1610 y 1615. Es probable que una investigación más amplia aportaría pruebas suplementarias de este hecho.[17]

---

[15] Para ello, como ocurre a menudo en las canciones (y en las exclamaciones) basta admitir el hiato: «viva-el».

[16] Acad. N., V, p. 65 a. Sobre la repetición incantatoria del coro: *vide supra,* pp. 680-681.

[17] Citemos en *Los hermanos parecidos,* pieza publicada por Cotarelo y Mori, en *Comedias de Tirso de Molina,* N.B.A.E., IX (II), p. 710, esta canción regida por la palabra «gobernador»:

En la comedia existe otra variante de los cantos de bienvenida campesinos; su fórmula lírica también estriba en el empleo predominante del hexasílabo (organizado a menudo en tercetos rimados) y tiene por característica fundamental el uso repetido de las expresiones rituales de saludo, «Bienvenida sea» o «Sea bienvenida», «Norabuena venga» o «Venga norabuena», de ritmos trocaico y cuya asonancia *i-a* o *e-a* se extiende a toda la canción. A veces el hexasílabo se transforma fácilmente en octosílabo añadiendo un troqueo suplementario (del tipo: «Norabuena quede, Menga»). A buen seguro tal categoría de cantos tenía, hacia 1600, un cariz netamente arcaico y rústico. Ya hemos visto, en efecto, que los cortesanos de tiempos de Carlos V consideraban ya que las fórmulas del tipo de «Norabuena», «Dios le guarde», denotaban rusticidad. [18] Su empleo en algunos espectáculos de principios del siglo XVI (introitos de Torre Naharro), no carecía de intenciones cómicas, pero gracias al movimiento general de promoción estética de los motivos populares, que se fue ampliando a lo largo del siglo XVI, a partir de esta época se dejaron oír simultáneamente canciones de «Norabuena» cuya intención no era exclusivamente la irónica. El teatro de Gil Vicente nos proporciona varios ejemplos cuya meta es la introducción de una nota lírica, conmovedora

> «Sea bienvenido
> por gobernador
> el virrey del orbe,
> el mundo menor,
> el retrato vivo
> de su mismo autor,
> padre de las gentes,
> juguete de Dios;
> su vicemonarca,
> su recreación,
> blanco de su gusto,
> centro de su amor.
> Sea bienvenido
> por gobernador
> el virrey del orbe,
> el mundo menor.»

El canónigo Felipe Fernández Vallejo, en el siglo XVIII, menciona una canción de representación teatral, copiada de un manuscrito escrito por Juan Chaves de Arcayos, prebendado de la catedral de Toledo, de 1589 a 1643. Los plurales «pastores», «flores» y «señores» desempeñan en ella el papel de «gobernadore», «comendadore» o «conde», en los textos antes citados. Se trataba verosímilmente de una transposición a lo divino:

«Canto llanista:	¡Bien vengades, Pastores
	que bien vengades!
	¿Pastores do anduvistes?
	¿Decidnos lo que vistes?
«Cantores:	¡Que bien vengades!
«Canto llanista:	Pastores del ganado,
	decidnos buen mandado
«Cantores:	¡Que bien vengades!
«Melódicos:	Vimos que en Bethlén señores,
	nació la flor de las flores.»

(Cf. Richar R. Donovan, *The liturgical drama in Medieval Spain,* Toronto, 1958, p. 33.)
[18] Cf. carta de Antonio de Guevara a Francisco de Mendoza, obispo de Palencia (B.A.E., XIII, p. 190 a). *Vide supra,* p. 144.

y colorista, en el desarrollo del espectáculo, y no de la burla. En el *Auto pastoril castellano* —por no citar más que esta pieza— el divertimento acaba con una «chançoneta» de este tipo en la que se expresan los votos que hacen los campesinos para su ganado:

> Norabuena quedes, Menga,
> a la fe que Dios mantenga.
> Zagala santa bendita,
> graciosa y morenita
> nuestro ganado visita
> que ningún mal no le venga.
> Norabuena quedes, Menga,
> a la fe que Dios mantenga.[19]

La fórmula «Vengais norabuena» también se encuentra en un canto de un auto viejo, *El sacrificio de Jeté,* en un momento de la acción en el cual la intención —antes del sacrificio de la hija de Jefté— no puede ser considerada como cómica. Es interesante el cruce que nos ofrece esta canción de los cantos de bienvenida triunfal asonantados en -ó (dirigidos a un amo o a un capitán) con la fórmula de los cantos de norabuena:

> Vengais norabuena,
> duque mi señor,
> pues venís vencedor.[20]

Esto significa que cuando los dramaturgos de la comedia cultivaron a su vez el motivo de los cantos campesinos de enhorabuena, aquel había adquirido ya un valor estético. Lo que nos interesa es ver cómo este tipo de canto interviene en las fiestas de homenaje que hacen los villanos a un jefe social. En *Los Guzmanes de Toral* (1599-1603), un hacendado, que regresa de la Corte, es recibido por el siguiente canto de sus campesinos, basado en el tema de «menosprecio de corte»:

> Venga norabuena
> nueso amo a su tierra,
> venga norabuena.
> Olvide la corte
> quien vivir desea
> pues traen sus glorias
> por sombras las penas.
> Vanos vientos son
> todas sus promesas,
> y el que en ella fía
> en el mar se entrega.

---

[19] El estribillo octosilábico de esta canción vuelve a encontrarse también en *Cancionero musical de los siglos XV y XVI,* de Barbieri, p. 186, núm. 369. Gil Vicente lo retomó a lo divino, con una leve variante, en *As matinas de Natal:*

> «Norabuena vengas, Menga,
> a la fe que Dios mantenga.»

[20] *El sacrificio de Jeté,* en *Colección de autos...,* ed. L. Rouanet, Barcelona, 1901.

>Ciego es el que aguarda
>sus canas en ellas,
>pues un desengaño
>es la paga cierta.
>Venga norabuena. [21]

En *La juventud de San Isidro* (1622), la canción-danza de enhorabuena que eje-cutan los villanos madrileños con ocasión de las bodas de Isidro y María también pre-senta una trabazón con el rito de homenaje al jefe. El estribillo entonado en coro des-pués de un movimiento de baile celebra la victoria del alcaide de Madrid García Ra-mírez, sobre los moros de Toledo:

>Bien venga el Alcaide,
>norabuena venga,
>Don García Ramírez,
>venga norabuena,
>de vencer moros,
>norabuena venga:
>banderas azules,
>venga norabuena,
>entolden la ermita,
>norabuena venga,
>de la hermosa Virgen,
>venga norabuena,
>que le dio victoria,
>norabuena venga.
>No hay dama en Madrid,
>que esclavo no tenga:
>bien venga el Alcaide,
>norabuena venga. [22]

En *Los ramilletes de Madrid* (1615), unos aldeanos vascos celebran la llegada a tierra española de una infanta de la casa real francesa. Su canto es una composición muy estudiada, debida en lo esencial al arte del Fénix, a juzgar por las simetrías, las oposiciones, los entrecruzamientos, los sabias construcciones retóricas (quiasmas, por ejemplo) o estróficas. No obstante, no queda anulado todo recuerdo del género tradi-cional de los cantos de Norabuena: volvemos a encontrar el verso hexasilábico, el ter-ceto monorrimo, en el estribillo y, en la estrofa, el principio de la glosa monorrima repetida cada dos versos:

>Sea bienvenida
>la Reina linda,
>sea bienvenida.
>Venga el sol de España
>muy en hora buena,
>norabuena venga
>la linda señora.

---

[21] Acad. N., XI, p. 7.

[22] Acad., IV, p. 533 b. (Nótese otra vez la repetición incantatoria de una misma fórmula por el coro, con recurso al quiasma para variar, como en algunos «sones» del poeta cubano Nicolás Guillén). *Vide su-pra*, pp. 680-681 y 731.

Sea bienvenida
para ser aurora,
sea bienvenida
de Francia dichosa.
Sea bienvenida,
Guipúzcoa la adora;
sea bienvenida,
provinciana toda,
que no vizcaína.
Sea bienvenida
la Reina linda,
sea bienvenida.
Filipe divino
vengan norabuena;
los franceses lirios,
vengan norabuena;
junte a sus castillos,
venga norabuena;
que duren mil siglos,
venga norabuena;
mas no vizcaíno,
guipuzcoano sea.
Venga norabuena,
norabuena venga,
venga norabuena. [23]

De la misma manera en *Valor, fortuna y lealtad,* unos villanos festejan la llegada de una infanta a la aldea con dos pareados:

Sea bien venida
la hermosa Elvira,
sea bien llegada
la hermosa Infanta. [24]

Se colige que esto daba pie a una transposición de estos cantos a lo divino y no hay pocos. [25] Uno de los más hermosos es el que inserta Tirso en *El colmenero divino* (1621), [26] canto de acogida que ofrecen los pastores al Divino apicultor bajado a la tierra; para ello, se vale de su sabia técnica coral: canta un grupo:

Norabuena venga, venga,
el colmenero en la tierra.

---

[23] Acad. N., XIII, p. 495 a, b.
[24] Acad., VII, p. 346 b.
[25] Señalemos: Gil Vicente, en *As matinas de Natal (vide supra,* n. 19). Lope, en *Los pastores de Belén* (libro III), con forma de seguidilla y de estribillo en el romance de Niseida: «Norabuena vengáis al mundo / niño de perlas / que sin vuestra vista / no hay nora buena.» Calderón, en *Las espigas de Ruth, La primer flor del Carmelo.*
[26] E. Cotarelo y Mori, en *Catálogo razonado del teatro de Tirso de Molina* (N.B.A.E., IX (II), indica que este auto sacramental fue reimpreso a principios del siglo XVIII con el título de *El Colmenero divino. Auto sacramental. Del Maestro Tirso de Molina. Representóle Pinedo año de 1621).*

y otro grupo contesta:

> Venga en horas buenas mil
> como Mayo y como Abril.

Entonces se alza una voz solitaria a la que se opone el coro que repite como una incantación la misma fórmula: «Qué galán venís» (el procedimiento de la glosa monorrima, según se observa, es harto repetido); por fin vuelve a la fórmula de saludo inicial, que había dado el tono de la canción:

Uno:	Norabuena venga, venga,
	el colmenero en la tierra.
Otros:	Venga en horas buenas mil
	como Mayo y como Abril. [27]
Uno:	El zagal polido.
Todos:	Qué galán venís.
Uno:	De cuerpo garrido.
Todos:	Qué galán venís.
Uno:	El capote y sayo.
Todos:	Qué galán venís.
Uno:	Branco y encarnado.
Todos:	Que galán venís.
Uno:	Pues con él cobrís
	el brocado y seda.
Todos:	Norabuena venga, venga,
	el colmenero en la tierra,
	venga en horas buenas mil,
	como Mayo y como Abril. [28]

Esta canción, en la que se han cruzado los motivos de la bienvenida al amo de las tierras y de saludo a la primavera, ha de relacionarse con otro canto de norabuena introducido por Tirso en la escena de romería de *La Santa Juana I* (1613). Durante la velada, cerca de la ermita de la Virgen de la Cruz, en la Sagra toledana, los campesinos cantan:

Todos:	Norabuena vengáis, Abril;
	si os fuéredes luego volvéos por aquí.
Labrador 1.º:	Abril carialegre.
Labrador 2.º:	Muy galán venís. [29]
Labrador 1.º:	El sayo de verde.
Todos:	Muy galán venís.
Labrador 1.º:	La capa y sombrero.
Todos:	Muy galán venís.
Labrador 1.º:	De flor de romero.
Todos:	Muy galán venís.

---

[27] La asonancia *mil-abril* es tradicional entre el pueblo. Cf. el refrán «En abril aguas mil».

[28] En *Deleytar aprovechando,* Madrid, 1635, fols. 71 v.º-72 r.º

[29] Este verso leit-motiv es común a la canción de *La Santa Juana I* y a la de *El colmenero divino,* antes citada. Puede pensarse que era tradicional. En efecto, se encuentra en otras canciones de primavera del tipo «norabuena». Cf. Gallardo, *Ensayo...,* I, col. 1193 a 1203, *Tonos castellanos:*

Labrador 1.º:	Blancos los zapatos.
Todos:	Muy galán venís.
Labrador 1.º:	Morados los lazos.
Todos:	Muy galán venís.
Labrador 1.º:	Pues que sois tan bello, risueño y gentil.
Todos:	Norabuena vengáis, Abril,
	si os fuésedes luego, etc.[30]

No hemos mencionado todos los cantos de norabuena aldeanos que pueden encontrarse en las comedias, pero bástenos con lo que acabamos de citar para dejar sentado que constituyen, en efecto, una categoría lírica. Con los cantos de bienvenida y de homenaje dedicados a un superior social, de los que a veces no se diferencian, constituyen un género triunfante y, como tal, han contribuido ampliamente al pintoresquismo y al lirismo aldeanos buscados por los dramaturgos de la escuela lopesca.

* * *

El motivo de las fiestas aldeanas de homenaje y de bienvenida nos permite apreciar mejor que cualquier otro, en qué aspecto los cuadros populares de la comedia pueden tener un significado aristocrático y feudalo-agrario. Por sus orígenes y por muchos de sus desarrollos, el motivo expresa la adhesión de los vasallos «in hymnis et canticis», a la sociedad monárquico-señorial y a sus jefes. Esto se hace patente de modo particular en algunas piezas como *Las Batuecas del duque de Alba* en la que se enaltece líricamente nada menos que el tema de la entrada en el feudo señorial. El hecho aparece también con claridad cuando se trata de ensalzar la victoria de un capitán (*El Conde Fernán González*), saludar al hacendado (*Los Guzmanes de Toral*) o acoger triunfalmente a un rey, una reina o una infanta (*Los ramilletes de Madrid*). No se podía llevar de mejor manera al escenario la ideología imperante con ropaje aldeano; gracias a las danzas y los cantos de los rústicos, organizados en cuadros de «gran» espectáculo, aquella se engalanba con hermosos colores idílicos. Tales movimientos líricos de unanimidad que venían de lo más hondo del pueblo contribuían a reforzar en los espectadores aristocráticos y urbanos, dueños de feudos y de bienes raíces o que aspiraban a serlo, el sentimiento de la comunidad perfecta, la imagen favorable que se hacían del sistema dominado por ellos.[31] Estos movimientos de fervor vasálico les con-

---

«Nora buena vengáis, Abril.
Vengáis norabuena, que galán venís.
Abril, que galán venís.» (Col. 1196.)

[30] N.B.A.E., IX (II), p. 247 b. Vuelve a encontrarse la repetición del mismo verso por el coro.
[31] La perspectiva edénica bajo la que se presenta la señorialización en una pieza como *Las Batuecas del Duque de Alba* es un halago de Lope a uno de sus amos, pero también expresa la idea de toda una clase, que la sociedad «buena» es la monárquico-señorial, santificada por Dios. Esta es la verdad religiosa y política juntamente, revelada a los batuecos en esta comedia, y la canción de enhorabuena viene a rematar líricamente esta lección de catecismo político. Cf. Acad., XI, pp. 522 y sigs. Estamos convencidos de que esta pieza no carece de relaciones con el movimiento histórico de «señorialización» de la tierra (lo que llamó F. Braudel la «reacción señorial»), que se desarrolló muy particularmente a fines del siglo XVI y a principios del siglo XVII. A este respecto, véase nuestro estudio *La vida rural castellana en tiempos de Felipe II*, Barcelona, ed. Planeta, 1973, pp. 204-211.

ferían, por vía estética, una buena conciencia política, sin dejar de expresar además, la relación fundamental de los escritores con sus protectores nobles. Volvemos así al concepto de una comedia de ambiente rústico en armonía con los ideales de la sociedad, concepto que habíamos destacado al estudiar los temas del villano ejemplar.

CONCLUSION

Al terminar esta parte consagrada al estudio de los temas del villano lírico y pintoresco en la comedia en tiempos de Lope, acaso vemos mejor lo que hay que entender por «arte popular» y «arte culto» en el teatro. En realidad, este es un problema que, en el estado actual de nuestros conocimientos, no podemos sino aspirar a plantear correctamente mas no a solucionar. Este ha sido nuestro intento al recordar cómo los valores pintorescos y líricos fueron introducidos en el escenario y al clasificar los distintos motivos que permitieron trabajarlos escénicamente. Hemos logrado reunir y agrupar materiales que deben permitir llevar más adelante las investigaciones. Por lo menos alcanzamos a ver lo que fueron las principales escenas de género consagradas por el éxito que les dio el público (escenas de boda, de bautizo, de romería, fiestas de homenaje y de bienvenida, de la primavera o del verano, danzas de faenas del campo), cuál fue su ritmo de ejecución, su significado colectivo profundo. También sabemos cuáles fueron los aspectos plásticos (los trajes) o sonoros (los instrumentos musicales) de los cuadros aldeanos.

En especial, apreciamos cómo los poetas, al repetir el proceso de los creadores de siempre, se valieron de la lírica y de la danza populares —ya sea de olvidado origen aristocrático, ya sea de origen más rústico y lejano, como en el caso de las rituales danzas agrarias— y, obedeciendo a los modelos consagrados por la tradición, las enriquecieron con sus vibraciones personales. Los motivos que recibían de la vida, los amasaban o los esculpían según su genio; y al pasar por sus manos, la «materia» aldeana sin dejar de serlo, volvíase algo más: la obra de arte que despierta nuestra emoción estética. Este trabajo de elaboración artística fue al mismo tiempo tan libre y tan sometido a la materia sobre la que se ejercía, que a veces se nos hace difícil dirimir la frontera que media entre la materia prima folklórica en lo que ya tiene de poético, y el aporte personal estético del dramaturgo. Lope, más que ninguno, descolló en este maravilloso trabajo de fusión de lo «popular» y de lo «culto», y tenemos los más hermosos ejemplos de ellos en las escenas de boda de *San Isidro labrador de Madrid* y *Peribáñez y el Comendador de Ocaña*. La escena de bautizo de *La Santa Juana* también nos demuestra que Tirso sabía adaptarse a las sugerencias del terruño y conservar su colorido o su pintoresquismo.

Todo esto nos permite comprender mejor aún el proceso que, en la comedia de ambiente rústico, lleva de la poesía en acción, del pueblo, a la poesía elaborada, de los poetas. Pero, en resumidas cuentas, en presencia de estos logros líricos y coregoráficos como lo son las danzas o las canciones de algunas escenas de la comedia de ambiente rústico, acaso no será legítimo preguntarse si la clásica contradicción entre poesía popular y poesía de arte no se desvanece y se esfuma, en definitiva, en provecho de la unidad suprema de la poesía a secas? Porque, ¿qué son esas transformaciones y glosas de Lope o de Tirso, sino transformaciones y glosas que han modificado y refundido, una vez más, temas y motivos ya modificados y refundidos por otros poetas, cuyo único pecado, desde el punto de vista de la historia literaria, es el haberse quedado en el anonimato? Conocida es la definición que se da, por lo general, de la poesía «popular», oral y colectiva: es una canción improvisada por quienquiera, y perfeccionada al azar por millares de improvisadores; todos le agregan su palabra: el verdadero autor sería el pueblo que la canta, introduciéndole sucesivos cambios para que corresponda con mayor fidelidad a su espíritu. ¿Qué hicieron Lope y sus discípulos, aficionados con pasión a poesías popular, sino agregarles su palabra, a su vez, a viejas formas líricas y coreográficas? Si bien tuvo importancia esa palabra, por lo general supieron disimularla hasta el extremo de dejarle al poema refundido o fabricado el estilo no individual que necesita para seguir siendo poesía que exprese pensamientos y sentimientos de la masa anónima. Decíamos, al principio de este trabajo, que el genio consistía, en parte, en identificarse con lo que la conciencia social tiene de activo y creador. Lope, más que ningún otro, poseyó esta forma de genio.

En efecto, el gusto por los motivos «populares» estaba en lo más hondo de la actitud de los espectadores urbanos y aristocráticos, y, en algunos aspectos, la comedia de ambiente rústico no hizo más que tomarlo en cuenta, contribuyendo, a su vez, a reforzarlo. Existió una moda —en el noble sentido de la palabra— en cuyo seno discernimos una idea que se había propagado a lo largo del siglo XVI en los ambientes aristocráticos y artísticos: la de la Naturaleza. Existe en el fondo de la Naturaleza un saber escondido, creían ellos, que han de descubrir la inteligencia, el arte y la sensibilidad. Esta concepción fecundó realmente la génesis del arte «popular» de uso aristocrático en la comedia de tiempos de Lope.

Cuarta Parte

EL VILLANO DIGNO

EL VILLANO DIGNO

Las tres partes que hemos dedicado sucesivamente a los temas del villano cómico, del villano útil y ejemplar, y por fin al villano pintoresco y lírico, nos han revelado que, las categorías estéticas, los distintos significados del villano teatral, se relacionan entre sí a nivel de una estructura profunda y que existe entre ellos una unidad ideológica. En la mayoría de los casos, la figura del villano en el escenario es la de un villano hecho a medida, apto a satisfacer la risa, el solaz, los ensueños o el ideal económico o político de los espectadores aristocráticos o urbanos. Desde este punto de vista, considerado como tema de un público, el tema villano no ofrece contradicciones de cuantía. La renta de la tierra de tipo feudalo-agrario constituye una raíz histórica del idilio ético o estético así como de la imagen risible del rústico.

Mas, preguntarán, ¿acaso nunca irrumpió el campesino de la realidad en el escenario, echando abajo el decorado? En repetidas ocasiones, ya señalamos cómo pudieron emerger aquí y allí, en la interpretación teatral, elementos de la realidad, que contradecían en algún aspecto la estilización aristocrática y urbana (de signo positivo o negativo) de la figura del villano. Cabe preguntarse ahora mediante qué elementos ha sido expresado el campesino de la realidad en la comedia de ambiente rústico, no ya desde una perspectiva noble y aristocrática, sino desde la del villano. Cierto es que ningún autor de comedia, en tiempo de Lope, se situó totalmente en esta perspectiva, y esto por mil razones, hubiese resultado imposible. No obstante, en algunas piezas —una minoría— la interpretación teatral parece inspirarse en los motivos y móviles del villano auténtico. Esta vez, estamos frente a una estilización (en este caso también, hay una estilización, de otro modo, ya no habría teatro) operada desde un punto de vista más próximo del campesino de la realidad. Los rasgos elaborados en estas piezas pueden encontrarse así en relativa contradicción con los rasgos antes estudiados. En ellos hay como un reflejo del antagonismo histórico entre gente pechera del campo y nobles y gente de la ciudad en el seno de la sociedad. Esto resulta particularmente visible cuando los dramaturgos quieren exaltar en una pieza la dignidad del villano.

En muchos aspectos, escribíamos, la sociedad monárquico-señorial —de 1600-1640— perpetuaba en los tiempos modernos la sociedad «feudal» de la Edad media: pero ¿cómo había sido la sociedad «feudal» de Castilla y León? Algunos historiadores se niegan precisamente a calificarla de feudal, preocupados por restringir la palabra «feudal» a un sentido jurídico muy limitado.[1] Cuando recurrimos a este vocablo, designamos esencialmente (según la definición de K. Marx) un sistema de producción (situado históricamente entre el sistema esclavista y el sistema capitalista) y cuanto de él deriva. Por eso, a nuestro parecer, la organización señorial o monárquico-señorial de la sociedad castellana o leonesa no fue sino forma de transición de dicho sistema feudal. Desde esta perspectiva, nos es posible hablar de feudalismo castellano o leonés, sin dejar de lado —por el contrario— el carácter particular que tuvo este sistema en el plano jurídico y social. El villano de Castilla y León comparte, en efecto, con el villano de Noruega la originalidad de no haber conocido jamás la verdadera servidumbre. Las tierras de la Reconquista del Norte, del oeste y del centro de la península (Asturias, León y Castilla) no conocieron el sistema señorial absoluto del Occidente y los vínculos de dependencia sólo tuvieron una relativa y parcial vigencia.

Pronto los villanos cristianos se vieron casi exentos de taras realmente serviles. De esta condición específica de los vínculos sociales en Castilla, León y Asturias,[2] surgió en el villano de estas regiones el sentimiento de ser un hombre, mucho antes que sus hermanos de Aragón o de los del sur de Francia. A fines del siglo XV, el espíritu de libertad de los campesinos castellanos, leoneses o asturianos se fortaleció con la «revolución» de los Reyes Católicos que sustituyeron a la antigua nobleza medieval tiránica y guerrera, por otra nueva nobleza de corte, domesticada y amansada. Los villanos tendieron entonces cada vez más a escapar de la tutela señorial para pasar bajo el dominio de la Corona, donde ya vasallos del rey, se sentían más libres. Porque la monarquía, tal como la impusieron los Reyes católicos, significó desde este punto de vista un elemento de progreso, y el sistema monárquico-señorial constituyó, frente al sistema señorial, un paso adelante. Por lo tanto, con la cabeza erguida y con algún adelanto en la emancipación, el villano de Castilla y León entró en los tiempos modernos (ello no obsta para que la economía feudalo-agraria española, sin una burguesía nacional poderosa, representara, por otra parte, un anacronismo histórico).

En el siglo XVI el proceso de decaímiento de la antigua nobleza medieval se acentuó y la lucha del campesinado contra esta nobleza, superada históricamente (a menudo era una pequeña nobleza rural), a veces recibió el apoyo de la corona y la alta aristocracia, dueña de inmensos territorios pero fiel al Rey. El desarrollo del cultivo del trigo y de la vid contribuyó entonces al enriquecimiento de los villanos propietarios, y este ascenso económico, conjugado con las tradiciones ancestrales de libertad del villano castellano o leonés, avivó en algunos el sentido de los derechos de la persona y la reivindicación de dignidad.

Resulta imposible que no pasara al escenario algo de esta fuerte personalidad histórica del villano de Castilla y León, que algún rasgo de este «hombre libre», o que quería serlo, no diera inspiración a los dramaturgos que crea-

---

[1] Para dar una idea de las discusiones sobre este tema, bástenos con citar una frase del historiador inglés Robert S. Smith, que ilustra la complejidad del problema. Dice que hubo en Castilla: «... much feodalism bu not the feodal system» (*The Cambridge economic history of Europe*, Cambridge, University Press, 1942, I, p. 345).

[2] La situación fue muy distinta en Aragón, como ya tendremos ocasión de ver.

ban personajes rústicos. La intención cómica y la voluntad idealizadora que
—desde un punto de vista aristocrático y urbano— dominan la concepción
de tan numerosos temas en la comedia de ambiente rústico no agotan los significados contenidos en esta comedia, y tenemos que añadir a los significados
y definidos, el propiamente villano. De este modo tenemos que evocar en la
última parte, los principales motivos que han dado la ocasión de que se exprese teatralmente el punto de vista del villano real. Estos motivos son esencialmente los del villano rico, del ascenso social, de la dignidad del villano,
del conflicto entre nobles y villanos.

CAPITULO I

EL VILLANO RICO

El «labrador rico», tipo histórico. El mayoral en las comedias pastoriles. La riqueza del héroe aldeano en las comedias rústicas. El amo de las tierras. Riqueza agraria y consideración social.

Ya señalamos en varias ocasiones que la comedia dejó traslucir diferencias sociales entre los villanos puestos en escena. La división en clases de la sociedad rural en la realidad se refleja estéticamente en las tablas, mediante la distinción entre villanos cómicos y villanos trágicos, los primeros forman parte de las capas inferiores del campesinado, y los segundos, de las capas superiores. Por otra parte, no se han de situar necesariamente en el mismo escalón de la jerarquía social a todos los villanos dignos de la comedia. Unos son importantes ganaderos o poderosos terratenientes, otros representan a un campesinado medio. Es cierto sin embargo, que los dramaturgos han delineado con insistencia un tipo teatral de villano digno entre cuyos rasgos dominantes está el de la riqueza: el labrador rico. En otro momento ya señalamos que este tipo ostenta virtudes económicas particulares, que corresponden, sin lugar a dudas, a un ideal propio de los años 1580-1640; es el portavoz del pre-fisiocratismo de esos tiempos de crisis agraria y de propaganda de «retorno a la tierra». Sin embargo, el tipo del labrador rico no sólo fue ideal, también fue, en cierta medida, una realidad; tal como lo pintan de cuerpo entero, a veces, en el escenario, no salió totalmente de la imaginación de los dramaturgos o de los ideólogos, cual Minerva de la cabeza de Júpiter. El villano rico teatral tuvo, en la vida contemporánea, cuando no su modelo exacto por lo menos su homólogo. Al contrario de lo que a veces se ha escrito, para crear al «labrador rico» teatral, digno y celoso de su honor, los dramaturgos no se contentan con transponer en el plano villano las reacciones del héroe «caballero» de la comedia. En este punto, el mundo real intercepta el universo teatral y le aporta sugerencias. Queremos tratar en las páginas siguientes de determinar la relación entre un tipo teatral y un tipo histórico documentado.

* * *

Poseemos múltiples datos acerca de la existencia histórica del labrador rico en la sociedad rural española de fines del siglo XVI o de principios del XVII. Demostramos en otro trabajo, basándonos en las *Relaciones topográficas,* en qué consistieron las fortunas de algunos de estos labradores ricos en Castilla la Nueva a fines del siglo XVI, la ínfima proporción demográfica que representaban en la masa rural de esa región.[1] Pero otros muchos textos revelan la existencia de villanos adinerados en los pueblos de Aragón, Castilla o Andalucía. El embajador veneciano Leonardo Donato, en sus relaciones de 1583, nos habla de los labradores andaluces dueños de inmensos territorios que habían adquirido por su propio esfuerzo, y que se mostraban orgullosos de su independencia económica, libres de cualquier señor:

> Ma la contadinanza ha, per lo stato suo, da pochi luoghi in fuori, buonissima condizione di vivere; perciochè trovando abbondanza di terreni da lavorare e con larghi partiti dai loro padroni, vivono comodissimamente, e si avanzano quasi tutti in capo all'anno alcuna cosa di avvantaggio, di dove nasce che in alcune parti, e specialmente nell'Andalusia, si trovano molti lavoratori ricchi di propri terreni, di bestiami, di danari e di ogni altra mondana grazia di Dio.[2]

Casi por los misnos años, el flamenco E. Cock descubría en Vinaset, cerca de Monzón (Aragón), que la avaricia de algunos labradores aragoneses iba de par con la posesión de una alcancía nada despreciable. A este propósito, podía escribir las siguientes líneas en las que despunta la animosidad contra el campesino del soldado, al mismo tiempo que el contraste entre ambas mentalidades:

> Es Vinaset un pueblo de cien casas; tiene el campo abundante de pan, vino, miel y aceite, labradores muy rudos y muy ricos. Este en cuya casa yo posaba tiene de todas sus gananias más que mil ducados cada año, y cuasi tiene aun miedo de hartarse de pan negro: carne trae de la carnicería una vez al mes. Maravíllome en verdad de semejante casta de hombre tan inclinados a padescer falta que cuasi no osan gastar lo que naturaleza tiene menester: ¡qué cosa tan extraña! ¡qué mal empleada riqueza en hombres que no la saben emplear! ¡Oxalá algunos de nuestros compañeros fuesen sus tesoreros, para que saliese a luz la moneda que por tanto tiempo accarrearon!³

Unos cincuenta años más tarde la crisis agraria no había menguado la holgura de los más ricos labradores; por el contrario acrecentó su poderío económico con los despojos de pequeños propietarios y arrendatarios arruinados, y hasta en las páginas de las *Actas de Cortes*, podemos espigar alusiones a los labradores ricos. El procurador Alonso Sánchez Hurtado, por ejemplo, el 24 de enero de 1624, evoca a los poderosos labradores y ganaderos del priorato de San Juan de la Mancha:

---

[1] Cf. nuestro estudio *La vida rural castellana en tiempos de Felipe II,* Barcelona, Planeta, 1973, pp. 275-291.

[2] In Alberi *Relazione degli ambasciatori veneti al senato,* Firenze, 1839-1863, XIV, p. 396 (B.N. Madrid, 5-3906).

³ *Op. cit.,* p. 174. No cabe duda de que el Nordeste de la península, a partir de fines del siglo XV, vio desarrollarse una clase importante y sólida de labradores acomodados. Para ver cómo se fortaleció en Cataluña, a consecuencia de la revolución agraria que acabó en la Sentencia de Guadalupe, consúltese a Vicens Vives, *Historia de los remensas,* Barcelona, 1945, y en especial *El gran sindicato remensa 1488-1508,* Barcelona, 1954. La arqueología nos revela que en el siglo XVI lujosas «masías» fueron levantadas por esta clase social «casi propietaria»: Cf. P. Vilar, *La Catalogne dans l'Espagne moderne,* Paris, 1962, I, p. 577: «...la paix revenue inscrit la victoire du paysan dans l'architecture est dans l'ornement des grandes «masies». La «sentence de Guadalupe» a bien dressé l'acte de naissance de cette masia patriarcale que Francisco de Zamora informateur et conseiller de Jovellanos, donnera en modéle, au XVIII siècle, à la société castillane.»

El señor Alonso Sánchez Hurtado propuso y dijo que, como es notorio, los lugares que llaman de Mancha, que son los del Priorato de San Juan, sustentan con su labrança y criança mucha parte de estos Reinos, así por la fertilidad de las tierras como por los grandes y caudalosos labradores que hay en ellas...[4]

Insistamos en el hecho de que los villanos ricos a quienes aluden tales testimonios no constituían más que una reducida minoría de la sociedad rural del Siglo de Oro. Por contraste, el conjunto del campesinado era pobre. Esto explica, por los años 1600, el esfuerzo de los teóricos por suscitar el desarrollo de un campesinado próspero. Buscando el tipo social ideal, capaz de volver a dar vigor a la economía y sacar a España del marasmo, todos proponen como modelo al labrador adinerado o, por lo menos, acomodado. Al criticar los censos, Lope de Deza formulada retóricamente el voto de que los campesinos sean ricos y que los ricos sean campesinos, y resume perfectamente las ideas de los pre-fisiócratas de su época:

la cuarta causa de nuestras carestías y la falta de labradores, era la introducción de los cēsos, que dizen al quitar, y al quitar el pan, y atēto a lo que conviene que los labradores sean ricos, y los ricos labradores, y que en su posibilidad ayuden al natural modo de vivir que es la Agricultura, se puede afirmar que conviene en nuestra España quitallos totalmente, prohibiendo el no darse de nuevo...[5]

Un estudio de la figura del labrador rico en la comedia que dejara de lado esta realidad histórica pecaría de insuficiente. La aparición del tipo sobre los tablados es un reflejo de su existencia social y de la creciente importancia que fue cobrando conforme se iba acentuando la crisis económica.[6] Veremos que la «burguesía del campo» que constituyó, en varios aspectos, la clase de los labradores ricos, planteó algunos problemas a la sociedad monárquico-señorial, y entró en conflicto en varios puntos con las estructuras feudales en cuyo seno se había desarrollado. La comedia no podía dejar de hacerse eco de tal situación, y para comprenderlo, conviene definir al labrador rico teatral en su riqueza.[7]

---

[4] *Actas de Cortes*, XL, p. 298, sesión del 24 de enero de 1624.

[5] *Op. cit.*, fol. 109.

[6] Los dramaturgos, naturalmente, bien sabían de la existencia de estos labradores ricos. Agustín de Rojas hace alusión a ellos en un pasaje de *El viaje entretenido*. Cf. *El viaje entretenido* de Agustín de Rojas, natural de la villa de Madrid (reproducción de la edición completa de 1604 con un estudio crítico de Manuel Cañete), Madrid, 1901, lib. I, p. 138. A propósito del duque de Osuna, leemos:

«Rojas: ¿Tiene mucha renta de esta villa de Osuna?
«Ríos: Por fuerza, porque es una de las mejores de Andalucía, y tiene labradores muy
             ricos que cogen en ella mucha cantidad de trigo, cebada...»

[7] El «villano rico» como tipo literario aparece esencialmente en el teatro, pero no por ello puede afirmarse que está ausente del resto de las letras. Aparece como personaje episódico en numerosos textos, fuera del teatro. En el *Quijote* (I), aparece Juan Haldudo el rico, poseedor de un rebaño de ovejas lo bastante importante como para disponer de varios pastores. Pero este villano rico de Quintanar de la Orden no es el único manchego afortunado de la novela cervantina. También está Camacho. Ni hay que olvidar al padre de Dorotea; el noble Fernando está prendado de esta villana, de la cual escribe Cervantes: «... «... labradora, vasalla de su padre, y ella los tenía muy ricos...» (I, 24). Así también en *Guía y avisos de forasteros que vienen a la corte* (1626), el protagonista de la undécima novela es un labrador rico: «... Estaba ... en este lugar un labrador rico de Tierra de Campos; era hombre de gruesa hacienda y tratábase bien, así en la posada como en la calle» (ed. Aguilar, *Costumbristas españoles*, I, p. 105.). Su hijo estaba estudiando. Varias

Es de notar que en las obras de Juan del Encina, Lucas Fernández, Torres Naharro o Gil Vicente, en donde el villano es cómico, no sale el labrador rico. En esta fase del teatro primitivo, el villano siempre es un gañán. Para encontrar un esbozo del personaje teatral del labrador rico, hay que esperar los coloquios pastoriles de Lope de Rueda. En el *Coloquio de Camila* y el *Coloquio de Tymbria*, frente a los criados y a los gañanes cómicos, existen ganaderos ricos y propietarios adinerados: son Socrato, rico cabañero, en el *Coloquio de Camila* y Sulco en el *Coloquio de Tymbria*.

La comedia pastoril anterior a 1600 también nos ofrece, con distinto enfoque, un esbozo del personaje del villano rico, pero no lo presenta como pechero. Es el mayoral. Lo encontramos ya en la primera comedia de Lope: *El verdadero amante* (probablemente 1588-1595) encarnado por Menalca, el más holgado de los pastores que rodean a la coqueta Belarda. Todos hablan de esta riqueza que constituye, para los rivales amorosos de Menalca, un serio obstáculo. Coridón, por ejemplo, declara que no puede entrar en competencia con Menalca, a causa de esa misma fortuna agraria que él respeta como un valor superior:

> Belarda: Pues ¿por qué, di,
>   cuando Menalca está aquí
>   no me dices tu pasión?
>
> Coridón: Porque te quiere, y me excede
>   en riquezas; que ése es rey
>   a quien Dios se las concede,
>   y porque es del mundo ley
>   que muera el que poco puede.
>   Téngole, te certifico,
>   aquel respeto que al rico
>   tiene el pobre, cuando acierta
>   a tener nobleza muerta
>   debajo de su pellico.
>   Sé yo que te quiere bien:
>   ¿Tengo con mi mayoral
>   de ponerme ten con ten,
>   siendo un humilde zagal
>   que apenas se sabe quién[8]?

Aunque Menalca es generoso y tiene poco apego a sus riquezas materiales, confía sin embargo en que su poderío económico, aunado a su nobleza, le permita conseguir la victoria sobre sus rivales y vencer la resistencia de la coqueta Belarda; expresa esta confianza en el poder de la fortuna en un diálogo con Coridón:

> Menalca: ....
>   ¿Hay pastora en este valle
>   rica de hacienda y de talle
>   poderosa a despreciarme
>   pues no hay pastor que sea tal?

cifras indicadas en la novela permiten ver que su nivel de fortuna es elevado. Puede dar diez mil ducados en dote a su hija, El valor de su propiedad, confiesa, puede evaluarse en «treinta mil ducados de hacienda», p. 108 a.

[8] b. A. E., XXIV, p. 6 c.

Coridón:	Tu malicia te engañó;
	antes ninguno hallo yo
	para tu nobleza igual,
	y se tendrá por dichosa
	la que llegue a merecerte.
Menalca:	¿Es eso de aquesa suerte?
Coridón:	Sí.
Menalca:	Pues Belarda es mi esposa.[9]

En *Belardo el furioso* (1586-1595), también hay tipos de mayorales. En este drama con significado autobiográfico, Leridano, poderoso ganadero es quien expresa, el primero, la idea que la fortuna pastoril todo lo vence. Rico cual Midas, se queja en la primera escena de que sus bienes materiales no le basten para otorgarle el corazón de la hermosa Jacinta, quien al parecer se lo ha entregado a un pastor pobre:

> ¿De qué me sirve, pues, ser de este valle
> un rico mayoral, un nuevo Midas,
> ni acompañar un razonable talle,
> de galas por ventura nunca oídas,
> si un pastor que me enfado de nombralle,
> con unas antiparas mal vestidas,
> ha conquistado, pobre, roto, y solo,
> lo que no osaran Endimión ni Apolo?[10]

Por otra parte Leridano no es el único en atribuir virtud a las riquezas, y Pinardo, tío de Jacinta, le reprocha a su sobrina el desdeñar a otro poderoso mayoral, Nemoroso, por un pastor de cuatro o cinco cabras que no la paga más que «en versos y papeles»; Pinardo pondera ante Jacinta los méritos «en caudal» de este Nemoroso cuyos rebaños cubren el campo:

> Mira esos montes llenos de ganado,
> que desde aquí parece blanca nieve,
> huertas, sembrados, viñas, hierba y prado,
> y esas colmenas, que de nueve en nueve
> de ese cercado las paredes cubren;
> que hacerte dueño suyo amor le mueve.
> Por todo este horizonte no descubren
> los ojos tierra en que no tenga hacienda.[12]

La débil Jacinta acaba cediendo a las presiones y Nemoroso entrega a Pinardo un suntuoso regalo pastoril de cien ovejas y diez tinajas de miel. Al pensar en el matrimonio que consumará con Jacinta, enumera ante la joven, en un párrafo esplendente que ya analizamos,[13] la lista de rústicos bienes con los que la regalará; interesa señalar, desde el punto de vista que adoptamos ahora, el hincapié que se hace en el sentimiento de la propiedad:

[9] B. A. E., XXIV, p. 18.
[10] Acad., V, p. 668 a.
[11] *Ibid.*, p. 671.
[12] Acad., V, p. 671 a.
[13] *Vide supra*, pp. 295-296.

Poned los ojos, mi bien,
en ese campo extendido,
y veréis como habéis sido
señora de cuanto ven
...............................[14]

En *La pastoral de Jacinto* (1595-1600), Lope también pone en escena a un personaje de mayoral: es el pastor Frondelio, Este no le otorga a su fotuna la misma superioridad que los mayorales de las comedias anteriores. No obstante, el motivo ritual
de los obsequios rústicos (ritual desde Teócrito y Juan del Encina) le da ocasión de
evocar su riqueza; ante la dama a quien corteja, también él encomia sus rebaños «que
cubren los montes»,[15] las frutas de sus vergeles, sus vides, la caza e igualmente subraya
el goce que puede proporcionar la posesión de bienes campestres:

... que soy pastor famoso,
cuyo ganado esta montaña cubre
dos veces en el año provechoso,
por el bordado abril y seco octubre;
mira este bosque ameno y espacioso
cuanto del horizonte se descubre,
que todo es mío y tuyo, pues de un modo,
siéndolo el dueño mismo, tuyo es todo.[16]

¿Hemos de concluir a partir de estos ejemplos, sacados de *El verdadero amante Belardo el furioso* y *La pastoral de Jacinto,* que la comedia pastoril lopesca tiene por
doctrina la exaltación de la riqueza rústica? Nada de eso. Si bien el sentimiento de la
riqueza se inicia decisivamente en estas comedias, no puede afirmarse que adquiere el
sentido de un valor superior. Sería contrario a la moral de lo pastoril, según la cual
el amor (espiritual) es el valor supremo. Lo que Lope llama «amor verdadero» siempre debe prevalecer por encima del «interés». Y esta regla triunfa en el desenlace de
las tres comedias antecitadas: ¡ningún mayoral logra conquistar a su pastora con el
peso del dinero! Es más, cada uno de los tres dramas pastoriles expresa una como sorda y ardiente protesta del amor desinteresado contra las presines económicas y sociales
que tan a menudo lo coartan, y si se tienen en cuenta sus significados autobiográficos,
puede percibirse un grito personal y sincero que, pensamos, es el de Lope.

De este modo, trasponiendo amores urbanos y aristocráticos a un mundo ideal o
irreal, la comedia pastoril anterior a 1600 (aproximadamente) inicia en la forma el motivo del villano rico, pero no le otorga a la riqueza agraria el sentido de un valor ético
positivo. Algunas comedias de ambiente rústico, que desarrollan ampliamente los motivos convencionales de la riqueza rústica, aparentemente no deponen esta actitud de
hostilidad ética frente al poderío económico y le otorgan el primer puesto a la idea de
que hay valores espirituales superiores a la posesión de bienes materiales. En ellas una
moral ascética y estoica releva al neoplatonismo de las comedias pastoriles para afirmar la vanidad del mundo. Es el caso de *El galán de la Membrilla* de Lope, en donde

---

[14] Acad., V, p. 679 b.
[15] Acabamos de ver cómo esta hipérbole ya aparece en *Belardo el furioso;* veremos que vino a ser más
tarde hipérbole estereotipada.
[16] Acad., V, p. 635 b.

tenemos suntuosas tiradas de evocación de bienes rústicos que desembocan uniforme-mente en la idea de que la riqueza no hace la felicidad. En realidad, como ya lo se-ñalamos[17] con piezas como *El galán de la Membrilla*, la condena ética de falsos bienes encubre contradictoriamente una complacencia estética ante esos falsos bienes, descri-tos con minucia y opulencia; y detrás de la condena se esconde un amor secreto, algo epicúreo, por los alimentos terrestres. Con estas piezas, nos encontramos a medio ca-mino entre las comedias pastoriles, en las que la riqueza se ve relegada a un nivel pu-ramente material, y una serie de obras, de ambiente rústico, donde es elevada hasta la altura de un valor ético.

Porque la novedad en algunas comedias de ambiente rústico, estriba precisamente en el hecho de que la posesión de bienes rurales se vuelve valor moral positivo. Esta mutación de signo, ya la atisbamos al tratar la cuestión de las virtudes económicas del villano ejemplar y sabemos que no carece de relación con las urgencias económicas de la sociedad monárquico-señorial hacia 1600. Pero ahora tenemos que ahondar en todo ello si queremos determinar con alguna precisión los rasgos sociales del perso-naje teatral del labrador rico tal como aparece en las comedias, fechadas en su mayo-ría después de 1610. Estas piezas, son, en lo esencial, *Peribáñez y el comendador de Ocaña* (antes de diciembre de 1613 y probablemente después de 1608); *El villano en su rincón* (1614-1615?); *Con su pan se lo coma* (1612-1615); *La villana de la Sagra* (1612-1613); *La serrana de la Vera II* (1613); *La Santa Juana* (1613-1614); *Fuenteove-juna* (probablemente antes de 1613); *Los Tellos de Meneses* primera parte (1620-1628), segunda parte (1625-1630); *García del Castañar, el labrador más honrado; El alcalde de Zalamea* (de Calderón).

En este grupo de comedias no se puede afirmar que la riqueza agraria sea un rasgo secundario o accidental de los héroes campesinos, y no pocos detalles esparcidos por las escenas permiten situar económica y socialmente a este personaje, calificado por los propios dramaturgos de «labrador rico». Por lo general, los otros protagonistas de la pieza se encargan de contarnos las riquezas del héroe. En *Peribáñez y el Comenda-dor de Ocaña*, Leonardo, confidente del Comendador, le explica a este el rango que ocupa Peribáñez en Ocaña. Empieza por decirle que es un labrador adinerado:

> Es Peribáñez labrador de Ocaña,
> cristiano viejo y rico...[18]

Así mismo, gracias a otro personaje nos enteramos de la gran hacienda de Juan Labrador, el héroe de *El villano en su rincón:* el gañán Fileto le cuenta al Rey quien, al pasar por Miraflores, pregunta por la existencia del extraño labrador que tiene pre-parada su tumba en la iglesia parroquial:

> Rey: ¿Es rico?
> Fileto: Es espantosa su riqueza.[19]

El propio hijo de Juan Labrador confirma, más tarde, la fabulosa riqueza de su padre:

---

[17] *Vide supra*, p. 292.
[18] Ed. Aubrun y Montesinos, versos 1824-1825.
[19] Acad., XV, p. 284 b.

> Mi padre no tiene igual
> en riquezas, porque ha sido
> un hombre a quien ha subido
> la fortuna a gran caudal.[20]

De modo semejante, un villano al servicio de la familia de los Tellos de Meneses, en *Los Tellos de Meneses*, define a esta familia como la más rica de toda la comarca:

> ....
> pero de los que han quedado
> cuyos solares adornan
> paveses de antiguas casas,
> familias de gente goda,
> la de Tello de Meneses,
> serrana, es la más famosa,
> más rica, y por muchas causas
> más respetada de todos.[21]

Así también, en *García del Castañar, el labrador más honrado*, el conde de Orgaz inicia una tirada evocando las inmensas riquezas de García del Castañar:

> Baste deciros que siendo
> sus riquezas infinitas[22]
> ....

La serrana de la Vera, de Luis Vélez de Guevara, presenta al labrador Giraldo en cuya casa se aloja al capitán don Lucas, como el más rico de Gargantalaolla, y su casa, la mejor de la aldea toda:

> Que es la mejor; y sois vos
> el más rico del lugar.[23]

Con los mismos rasgos se define, de inmediato, a Pedro Crespo, el héroe de *El alcalde de Zalamea* de Calderón:

> *Capitán:* ¿Y dónde estoy alojado?
> *Sargento:* En la casa de un villano
> que el hombre más rico es
> del lugar...[24]

La convergencia de los ejemplos reunidos prueba que, en efecto, en el grupo de las piezas tratadas, los dramaturgos consideran la riqueza del héroe campesino como un rasgo distintivo. ¿Se contentan los autores con expresar globalmente, en forma abs-

---

[20] Acad., XV, p. 299 a.

[21] *Ibid.,* p. 396 b.

[22] Ed. Coll. Universal, Madrid, 1924, p. 18.

[23] Cf. ed. Teatro antiguo, A. I, versos 89-90. No carece de interés indicar que una acotación del manuscrito autógrafo, que encabeza el primer acto, defina la riqueza de Giraldo como un carácter del tipo teatral que encarna. Cf. ed. Teatro antiguo p. 3: «Giraldo, labrador viejo, rico...»

[24] B. A. E., XII, p. 681.

tracta, la fortuna rústica de su tipo teatral? No; la precisan mediante connotaciones que, con ser poéticas y extraídas a veces de una tradición literaria y convencional, no dejan de proporcionar a los espectadores una escala de medida concreta. Es preciso intentar señalar los puntos de referencia más evidentes, aunque no sea más que para indicar la libertad poética con que los manejaron los poetas.

El azar de las escenas nos suministra de vez en cuando indicaciones cifradas acerca de las sumas de dinero de que disponen eventualmente los héroes villanos. Con esos detalles, bien vemos que los personajes puestos en escena no tienen parecido más que con una ínfima minoría de campesinos de la realidad contemporánea; ¡no son alcancías, sino arcas, las necesarias, en algunos casos, para contener el oro y la plata! Juan Labrador, por ejemplo, en *El villano en su rincón* puede prestarle al Rey 100.000 escudos de coronas de oro fino,[25] y el mismo personaje puede ofrecerle de dote a la aldeana con la que se casa su hijo 30.000 ducados:

> Pláceme de tratar el casamiento
> y de dotarte en treinta mil ducados.[26]

Munificente, el viejo Tello de *Los Tellos de Meneses* entrega a su soberano 40.000 ducados cuando éste sólo le pedía 20.000; esto demuestra lo holgado de su tesorería:

> Tello: Pues ¿a qué quieres que vaya?
> Tello el V.: Besarás la mano al rey
>   y llevarásle una carta
>   con cuarenta mil ducados:
>   los veinte que el rey me manda,
>   y veinte que yo le doy.[27]

Si bien disponen de un numerario menos abundante que estos dos labradores, los héroes de *Con su pan se lo coma*, Fabio y Celio, poseen una fortuna cifrada en 400.000 ducados; al morir, su padre le declara:

> Tendréis los dos cuarenta mil ducados,
> partidos, bien podréis vivir con veinte.[28]

Cifras tales,[29] en los años en que fueron creadas estas piezas, eran superiores a las de las fortunas campesinas más asentadas de los reinos de Castilla y León. Para percatarse de ello basta recordar que, en 1575-1580, las *Relaciones Topográficas* estima-

---

[25] Acad., XV, pp. 301 b-303 a.
[26] *Ibid.*, p. 293 a.
[27] *Ibid.*, p. 405 a.
[28] Acad., N.?, IV, p. 295 b.
[29] Podrían multiplicarse los ejemplos. La hacienda de Tello, el rico labrador de *El galán de la Membrilla* (1615) está evaluada en más de treinta mil ducados:

> «Fabio: El padre aguarda
>   casarla (que al fin hereda
>   más de treinta mil ducados)
>   con un hombre noble y rico,
>   ....
>   (Acad., IX, p. 84 b.)

ban el haber de los más ricos labradores de Castilla la Nueva en unos 2.000 y 6.000 ducados;[30] unos treinta o cuarenta años más tarde, la devaluación no había multiplicado estas cifras más de cinco o seis veces.

Pero los labradores ricos se sitúan en el último escalón de la sociedad rural no sólo gracias al numerario sino también a los bienes que poseeen: ganados, cultivos, graneros, bodegas, etc... Los «morceaux de bravoure» sobre el tema de los bienes pastoriles o agrícolas poseen el consabido significado estético y edificante y en lo esencial hay que aprehenderlos en su masa lírica, como tiradas teatrales de éxito. No obstante, sin otorgar una credibilidad exagerada a los detalles concretos engarzados en tales fragmentos, quizás se puedan aislar algunos y situarlos en relación con el mundo real.

Así, vemos que la heredad de Juan Labrador, en *El villano en su rincón*, es inmensa: a su alrededor, sus trigos, sus viñedos y sus rebaños recubren la sierra aledaña; más de treinta tinajas en sus bodegas contienen en conserva los quesos en aceite de oliva; sus colmenas rebosan de miel, y al lado de los graneros colmados de trigo, están las eras en donde se amontonan las gavillas que, con el sol, semejan montañas de oro. Veinte gañanes labran la tierra, diez con bueyes y diez con mulas. Posee tantos pares de mulas que no podría contarlas:

> ... Dios loado,
> que tantos pares me ha dado
> pues aun contarlos no sé.[31]

En *Los Tellos de Meneses*, la tirada con la que el personaje secundario Mendo evoca la riqueza pastoril y agraria de Tello, también permite definir un estado de fortuna agrícola poco corriente. De dar crédito a Mendo, los trigales de Tello se extienden por diez leguas a la redonda; y para la labranza se movilizan no menos de cincuenta yuntas de bueyes:

> Cincuenta pares de bueyes
> aran la tierra, abundosa
> de rubio trigo, que apenas
> hay trojes que lo recojan.
> ....
> no hay dehesas, vegas, prados,
> adonde las vacas coman,
> con ser de Tello las mieses
> diez leguas a la redonda.
> ....

Para las vendimias Tello necesita treinta hombres para pisar la uva:

> En llegando la vendimia,
> de negras uvas rebosan
> los lagares, que las cepas
> por pardos sarmientos brotan,
> treinta y más hombres las pisan.[33]

---

[30] Véase nuestro estudio *La vida rural castellana en tiempos de Felipe II*, p.
[31] Acad., XV, p. 279 a.
[32] Acad., VII, p.p. 304 b-305 a.
[33] *Ibid.*

También en estos aspectos, basta con echar una mirada sobre el mundo rural de la época para apreciar la exageración hiperbólica de la riqueza agraria por la que se dedica Lope al esbozar el retrato de su labrador. En realidad, la posesión de una yunta de bueyes o de mulas, constituía ya una etapa social, y las *Relacions topográficas* mencionan a los dueños de cinco o seis yuntas de bueyes o mulas como labradores situados en lo más alto de la jerarquía aldeana. Tello es más rico, y con mucho, que los más acaudalados labradores de fines del siglo XVI.

En efecto, por lo general, la hipérbole reina en las tiradas que definen las bases económicas de la personalidad del héroe campesino. De una pieza a otra las imágenes pasan sin cambiar mucho. Se dice ritualmente que el ganado «cubre la montaña», que por su número las ovejas la cubren de nieve,[34] que las manchas oscuras de las cabras parecen salpicar sus faldas de rocas; suele decirse también que el ganado seca el arroyo al ir a beber;[35] por fin, es harto repetida la imagen de la era que, cubierta de gavillas, es asimilada a «montañas de oro».[36] «Copia rerum ac verborum!» Verbigracia, leemos en el monólogo en el que Juan Labrador de *El villano en su rincón* agradece a Dios su felicidad:

> ¡Gracias, immenso cielo,
> a tu bondad divina!
> ....

---

[34] Tal hipérbole era frecuente en poesía. Cf. el romance «De yerbas los altos montes», in Séptima parte de *Flor de varios romances nuevos recopilados por Francisco Enríquez*, Madrid, 1595, fol. 120 rº:

> «Los valles en el invierno
> las cumbres en el verano,
> como si fueran de nieve
> blanquean con tus rebaños.»

También se la encuentra bajo la pluma de Lope. Cf. *Egloga a la serenísima señora Infanta D.ª María por el Príncipe de Esquilache*, in «Colección de obras sueltas» Sancha, t. XIX, p. 42.:

> «Los prados, si de ovejas se cubrían,
> las canas del antiguo Guadarrama
> los cándidos vellones parecían.»

[35] Sabemos que la misma hipérbole figura en la octava 49 del *Polifemo* de Góngora:

> «Pastor soy; mas tan rico de ganados
> ....
> (que) los caudales seco de los ríos.»

Antonio Vilanova, in *Las fuentes y los temas del Polifemo de Góngora*, Madrid, 1957, II, pp. 525-526, le asigna como «fuente» unos versos de la *Vida y muerte del Patriarca San José*, de Valdivieso (Toledo, 1607):

> «De yerba y flores una y otra vega
> a los ganados, que en colmado exceso
> las dehesas talen y los ríos agoten.»

[36] Es frecuente la comparación de los granos de trigo con los granos de oro.
Cf. en el *Polifemo*, el verso 2 de la octava 19: «pues si en la una granos de oro llueve». Antonio Vilanova, *op. cit.*, p. 758 ss., muestra que está en Valdivieso y en Francisco de Medrano, versos 1600-1607.

No porque aquella sierra
cubra el ganado mío,
que allá parecen peñas,
ni porque con mis señas,
bebiendo de manera agota el río,
que en el tiempo que bebe,
a pie enjuto el pastor pasar se atreve;
....[33]

Con pocas diferencias volvemos a encontrar las mismas hipérboles en la tirada en que Mendo describe los rebaños de Tello en *Los Tellos de Meneses:*

Trepan estas altas peñas
fértiles, cabras golosas
en cantidad, que parece
que otro monte inculto forman.
Bajan a ese claro río,
de aquellas nevadas rocas,
a beber tantas ovejas,
que unas a otras se estorban;
que los cristales que encubren
las arenas por un hora,
los mismos peces enseñan
envueltos en verdes ovas.
Las rocas llamé nevadas
no por los hielos de Bóreas.
mas porque la blanca lana
hace que no se conozcan.[38]

Así también la brillante imagen del montón de gavillas que centellean con el sol cual oro, que encontramos en *El villano en su rincón*, pasa a *El alcalde de Zalamea* de Calderón. Lope pone las siguientes palabras en boca de Juan Labrador:

¡Gracias inmenso cielo,
a tu bondad divina!
....
ni porque están cargadas
de montes de oro en trigo
las eras que a las trojes
sin tempestad recoges

Con ocasión de la cosecha de Pedro Crespo, Calderón escribe:

Y están las parvas notables
de manojos y montones,
que parecen al mirarse
desde lejos montes de oro.[40]

[37] Acad., XV, pp. 297 b-280 a.
[38] Acad., VII, p. 305 a.
[39] Acad., XV, p. 279 b.
[40] B. A. E., XII, p. 70 a.

Esta repetición de los tópicos de la riqueza agraria bien demuestra cómo el tipo teatral del labrador rico contiene algo de puramente literario y que no es una copia pasiva sino una especie de amplificación retórica[41] de los elementos históricos que se puede extraer del villano rico contemporáneo.

Otros toques contribuyen a situar al labrador rico del teatro muy arriba en la escala económica. La mayoría de las veces recibe el título de «labrador» y no el de «villano». Ambos términos no siempre son intercambiables y, por lo que parece, los dramaturgos no los usron indiferentemente. En *El gran teatro del muno* (comedia) Calderón nos dice a las claras que denominarse labrador es situarse entre quienes poseen. Opone el pobre al labrador, al poner en boca del pobre:

> En la comedia de hoy
> yo el papel de pobre hago;
> no hago el de labrador.

En efecto, la lengua rural de la época nos confirma que la palabra labrador conservaba a menudo su sentido restringido y designaba, por oposición con el trabajador (el que trabaja con sus amos) al campesino que puede labrar y posee al menos una yunta.[42] Parece ser que esta distinción corriente familiar del mundo rural fue introducida a veces por los dramaturgos en sus acotaciones de reparto de papeles bajo la forma de la oposición «villano-labrador». Tenemos un ejemplo en el principio de *Los Tellos de Meneses* con una lista de los personajes en donde a unos se les dice «labrador» y a otros «villanos»:

> Tello el Viejo
> Tello su hijo
> Mendo, villano gracioso
> Sancho, villano
> Fortún, labrador
> Aibar, labrador

---

[41] Volvemos a encontrar las rituales hipérboles de la riqueza del villano en *El villano en su rincón* de Valdivieso, *op. cit.*, p. 6:

> «Si a contar mi hazienda vengo
> es tanta que no se cuenta
> ....
> Tengo heredades y viñas,
> verdes prados, gruesas reses,
> tengo brilladoras mieses
> de oro, con abiertas piñas,
> En almacenes guardados
> de aceite que se dilata
> tengo toneles de plata
> y en ella quesos ahogados.
> Como del ganado mío
> tengo este monte cubierto
> parece de nieve un puerto
> que me hace temblar de frío.
> Tengo cubas bullidoras
> donde el vino nuevo asesa.»

[42] Cf. nuestro estudio *La vida rural castellana en tiempos de Felipe II*, pp. 260-263.

> Don Ramiro
> Bato, villano
> Laura labradora
> Inés, villana.[43]

Esta oposición en las comedias no es sistemática, pero lo que si es cierto es la diferenciación social que introducen los dramaturgos entre gañanes y amos campesinos. Generalmente, el labrador rico de la comedia dispone de un grupo importante de criados y su situación recuerda la de los nobles rodeados de paniaguados. Juan Labrador de *El villano en su rincón* manda a más de cien hombres:

> Tiene de su labor más de cien hombres.

Tello el viejo de *Los Tellos de Meneses* dispone de tantas personas para su servicio que la presencia de una criada más en su casa pasaría desapercibida:

> ... el noble viejo
> trata de su hacienda sola,
> y aunque estéis aquí dos años,
> sin ser falta de memoria,
> no sabrá si le servís,
> porque hay doscientas personas.[44]

Cien, doscientos criados, repetimos no hay que tomarlos al pie de la letra, sino interpretarlas como exponente del poderío social de los labradores puestos en escena.[45]

Resulta innegable que las relaciones del labrador rico con sus gentes son efectivamente las de un amo. Incluso es una escena de «género» la del labrador que da trabajo a sus criados o vigila su realización. El primer ejemplo nos lo proporciona Lope de Rueda en el *Coloquio de Tymbria*, cuando el ganadero Sulco pregunta por el lugar

---

[43] Citamos por la edición de la *Parte XXI*. De que existe la distinción entre «villano» y «labrador», no cabe duda alguna: en *Con su pan se lo coma*, la dama de palacio, Elvira, quien de repente se siente ofendida por una palabra del aldeano Fabio, declara:

> «Sois hasta aquí labrador,
> y desde aquí sois villano.»
> (Acad., N., IV, p. 331 a)

La oposición entre ambos términos indica aquí una graduación semántica bien clara: «labrador» es un título, «villano» es despreciativo.

[44] Acad., VII, p. 305 b.

[45] Estas cifras son parecidas a las que da Lope para significar la riqueza del infanzón Don Tello en *El mejor alcalde el Rey*, calificado varias veces de poderoso señor en Galicia. El joven aldeano Sancho, pastor al servicio de Don Tello, declara:

> «... y en este oficio
> que os he dicho, cosa es clara
> que no me conoceréis,
> porque los criados pasan
> de ciento y treinta personas,
> que vuestra ración aguardan
> y vuestro salario esperan.»

donde se encuentran sus pastores, cuáles son sus ocupaciones, etc.[46] Asimismo en *El villano en su rincón* Juan Labrador trata por la mañana de los negocios de sus tierras con sus hijos:

> Si hay hijos ya levantados,
> trato de mi granjería
> hasta las once...[47]

Rápidamente distribuye el trabajo a los criados y comprueba su buen cumplimiento; mientras unos están en la labranza, manda a otros a los viñedos:

> *Juan:*   ¿Cuántos salieron a arar?
> *Salvano:*   Veinte mozos: diez con bueyes,
>   y diez con mulas.
> *Juan:*   ....
>   Ve tú, Salvano, a la viña
>   de la ermita con tu carro.[48]
>   ....

Una de las diarias ocupaciones de Juan Labrador es la de recorrer sus tierras en su yegua, y echar una mirada vigilante, mientras se dedica a los placeres de la caza.[49]

Del mismo modo Tello el viejo, en *Los Tellos de Meneses*, observa por la mañana si los pastores y los gañanes sacan el ganado como es debido:

> Miro con el cuidado
> que salen mis pastores;
> los ganados mayores
> ir retozando al prado,
> y humildes a sus leyes,
> a los barbechos conducir los bueyes.[50]

Amo vigilante y cuidadoso, nuestro patriarca no se deja engañar por los pastores que roban ovejas: si es preciso, resta de sus sueldos el precio de los animales, que, según ellos, han perdido; si alguno se muestra exageradamente falto de honradez, le amenaza con su bastón.[51]

En *El cuerdo en su casa*, el héroe Mendo no es un terrateniente poderoso como Juan Labrador o Tello el viejo, pero también recorre sus tierras a caballo y vigila atentamente sus bienes. Al principio de las pieza llega rodeado de sus pastores cabalgando una yegua y seguido por sus perros; les explica a los criados que ha sabido que algunos cortan leña fraudulentamente y cazan en sus tierras:

---

[46] Cf. ed. E. Cotarelo y Mori, II, p. 82, el pasaje que se inicia: «Está bien ¿qué orden se ha dado hoy, hija Tymbria, en la guarda del ganado?»

[47] Acad., XV, p. 295 b.

[48] *Ibid.*, p. 279 a.

[49] *Ibid.*, p. 296 a.

[50] Acad., VII, p. 308 a, b.

[51] *Ibid.*, p. 307 a.

Diéronme tarde un aviso
que del monte me cortaban
leña, y a vueltas cazaban
y con furor improviso
en la castaña subí,
que salta como el fuego.[52]

El galán de la Membrilla nos proporciona temas parecidos a los de las comedias ya citadas. Un cuadro nos presenta el despertar de la granja; el labrador da sus órdenes, incita a sus criados al trabajo: manda ensillar la yegua, encender el horno, sacar el ganado. El también se pasea por los campos para controlar el trabajo de sus obreros:

Tello: Quiero de camino ver
          la gente de mi labor.[53]

En *Ya anda la de Mazagatos,* se manifiestan idénticas situaciones y preocupaciones de villano rico. Con el cantar del gallo, Nuño decide que la noche se ha acabado y manda a sus gentes, sin demora, a múltiples trabajos:

Gilote saque las vacas;
Antón lleve el jumentillo
con el pan a los pastores,
y Teresa lo preziso
prebenga para la jente.
Y, pues que el güésped no quiso
que durmiéramos, prebén
unas migas, que haze frío
....[54]

El labrador rico teatral rodeado de sus criados es el homólogo estilizado de un tipo de terrateniente patriarcal que existía (con pocos ejemplos) en la realidad y cuya figura ideal esbozaban los economistas en los tratados contemporáneos. El conjunto de los criados que gravitan a su alrededor constituyen realmente una «familia», en el sentido latino de la palabra, y por eso suele ocurrir que este término intervenga en las comedias profanas de ambiente rústico así como en los autos sacramentales de inspiración evangélica. El «padre de familias» —así se le llama tanto en los tratados como en los autos sacramentales— es el amo de una finca, dedicado a administrar sus posesiones con esmerado cuidado y probidad en las cuentas. Detrás de su moral que hace coincidir la integridad de costumbres con el estricto cuidado en determinar lo que pertenece a cada uno, se perfila un régimen de propiedad. Este viene a sustituir con su realidad histórica el ideal arcádico de la edad de oro pastoril en la cual, según Cervantes, no hay «ni tuyo ni mío». Uno de los interlocutores del diálogo *Microcosmia y gobierno universal del hombre christiano* (1592), debido a la pluma del agustino Marcos Antonio Camos enseña las reglas de conducta del buen labrador. Este buen labrador que trae recuerdos del Evangelio así como de Columela, no es sino el jefe villano definido por la comedia: ha de ser liberal con sus criados sin excusar la vigilancia:

---

[52] B. A. E., XLI, p. 443 c.
[53] Acad., IX, p. 108 a, b.
[54] Ed. S. G. Morley, versos 945-952.

... del qual [el pecado] se ha de guardar principalmēte con que no se dexe venzer de la codicia haziēdo trabajar a sus moços y familia más de lo razonable: que como dize Columela (Colum., lib. I), el yr regateando el padre de familias con sus moços por cosas leves y menudencias mayor daño causa, molestia y poca utilidad porque más se alcança aliviándoles con algunas burlas a ratos de su trabajo: aunque no deve alexarse de su heredad, ni perderles mucho vista, que el ojo del dueño es el estiércol, q̄ más engrassa la tierra...[55]

Gutierrez de los Ríos, en su *Noticia general para estimacón de las artes* (1600) compara al buen labrador con un buen capitán. A semejanza de este, que ha de tener soldados siempre listos a obedecerle, el buen labrador tendrá obreros sometidos a sus órdenes; el capitán recompensa a los soldados valientes y castiga a los desertores; parecidamente, el labrador castiga o recompensa a sus criados:

El buen capitán ha de tener soldados que sean prestos en obedecerle: el buen labrador ha de tener sus peones de la misma manera. El capitán a los soldados que se hubieren fuertemente en la guerra, los ha de galardonar, y a los q̄ dexaren sus puestos, los ha de castigar: el labrador de la misma manera se se a de aver con los que le sirven, usando de castigos, dineros y admonestaciones.[56]

Está claro que cuando hablan del labrador, los economistas de fines del siglo XVI y principios del siglo XVII (asímismo podríamos citar a Arrieta Cellorigo, Lope de Deza) piensan sobre todo en el propietario de la heredad a quien le confieren el prestigioso papel de jefe, con poder de mando. Así era también el villano rico que llevaban los dramaturgos al escenario. Como el otro, tiene derecho a prerrogativas y homenajes que se estimaría reservados a los señores de feudos. Esto se ve, por ejemplo, en *El vaquero de Moraña* donde los segadores cantan los elogios de don Fernando, dueño de las tierras (mas no señor) y le dedican votos de prosperidad, como podrían hacerlo fieles vasallos:

> *Antón:*　Dadnos, nuesamo, los pies,
> 　　　　y dos mil años viváis,
> 　　　　y más, si más deseáis,
> 　　　　y si es poco, que sean tres.[57]

La idea de que con el labrador rico tenemos a un propietario noble en potencia, cobra vida por otra parte en algunas intrigas rústicas en las que el labrador adinerado —en *Los Tellos de Meneses*, verbigracia— es en realidad de ilustre cuna. En otros lugares una acotación escénica es la que nos orienta hacia esa asimilación del noble con el labrador rico. Así, en *La mejor espigadera* Tirso nos presenta, con ropaje bíblico, la escena clásica del propietario que inspecciona el trabajo de sus obreros. El amo es Booz: resulta revelador que para el vestuario Tirso haya previsto en este caso un atuendo de noble en el campo:

Dichos y Booz... con un gabán y montera como noble en el campo.

---

[55] *Op. cit.*, p. 217.
[56] *Op. cit.*, fol. 240.
[57] Acad., VII, p. 569 b.

Con la capacidad de mando, el sentimiento de la propiedad es otro de los rasgos fundamentales del personaje teatral del labrador rico. Se aquilata mediante la repetición de los pronombres o adjetivos posesivos de la primera persona en sus diversas formas: mío, mía, míos, mías, mi, mis, etc... Juan labrador, de *El villano en su rincón*, puede afirmar:

> Pues todo aqueste suelo
> y esta sierra vecina
> cubren *mis* trigos, viñas y ganado.[58]

y luego:

> Y dando vuelta a *mis* viñas,
> trigos, huertas, y heredades
> (porque éstas son *mis* ciudades)
> corro y mato en sus campiñas
> un par de liebres...[59]

En *Los Tellos de Meneses,* Tello también repite los posesivos aplicándolos ocasionalmente a sus criados. le proporcionan un placer innegable los signos palpables de su calidad de propietario, y especialmente la marca de su nombre en ancas del ganado. Evoca esta marca en dos oportunidades:

> Los toros al herradero,
> como el fuego los provoca
> del hierro abrasado, vienen
> novillos y salen onzas.[60]
> Aquí las yeguas blancas
> entre las rubias reses
> las emes de Meneses
> impresas en las ancas
> relinchan por los potros.[61]

Celio, el héroe de *Con su pan se lo coma*, siente gran alegría ante el espectáculo de los rebaños que le pertenecen, que, según la hipérbole ritual, cubren los prados y y agotan los ríos:

> Y ¿hay casa como ver tantos ganados
> subir los montes y cubrir los prados,
> agotando las aguas a los ríos,
> y que digan las aves que son *míos*
> desde que al alba gorjeando salen
> hasta la negra noche?[62]

---

[58] Acad., XV, p. 279 b.

[59] *Ibid.,* p. 296 a.

[60] *Ibid.,* p. 397 a.

[61] Acad., XV, p. 400. Este motivo de la marca del ganado con el nonbre del dueño también existe en *El villano en su rincón*, Acad., XV, p. 280.

[62] Acad., N., IV, p. 300 b.

Comparte también la mentalidad de un jefe aldeano y se siente feliz al disponer de criados obedientes que acuden a sus órdenes:

> ... ¿Hay cosa como agora
> tomaros a todos del ganado
> y que a un silbo bajéis del monte al prado?[63]

La riqueza del labrador teatral engendra la alegría de poseer y mandar, pero también es la base material sobre la que descansa la dignidad del personaje. Una estima social siempre derivó de la propiedad y del poderío económico. Es un hecho, admitido por todos los sociólogos de todas las escuelas, que el rico adquiere prestigio y que el pobre lo pierde.[64] El ámbito hispánico no deja de someterse a esta regla en las distintas etapas de su historia. No podría ponerse en duda, por ejemplo, la relación que existió originalmente entre la honra y la posesión de bienes concretos especialmente tierras. la palabra española honor, en la Edad Media, cobra como primer sentido un significado material. En las *Partidas* de Alfonso el Sabio, leemos, a propósito del rey y de los nobles:

> Honor es maravedís que les pone en cosas señaladas, que pertenecen tan solamente al señorío del Rey et dágelos él por les facer honra así como todas las rentas de alguna villa o castillo.[65]

Esto significa que allende los Pirineos el honor medieval es, entre otras cosas, posesión de rentas feudales y poder jurisdiccional sobre un feudo. De este significado deriva la expresión «tiene el honor de la villa» aplicada a tal o cual caballero propietario o usufructuador de rentas pagadas por dicha villa.[66] También se llamaba honor en la Edad Media a las cargas lucrativas con las que el Rey recompensaba los servicios prestados por sus vasallos.[67]

El mismo vínculo entre la riqueza o el poderío y la consideración social se transparenta en la etimología de las palabras clave de la sociedad medieval hispánica como son «hidalgo» o «rico hombre». «Ricus homo» lo es el noble rico y poderoso a la vez que goza del mayor prestigio entre los nobles. En Navarra, por ejemplo, según el *Fuero general de Navarra,* este posee toda una mesnada: caballeros, escuderos, labradores, vaqueros que le deben ovejas, cebada, dinero; y el Rey le otorga con el nombre de «honor» una jurisdicción extendida a todo un territorio.[68] En una escala inferior el hidalgo medieval también basa su nobleza en una propiedad. Dos orígenes fueron propuestos para este vocablo: uno latino, otro árabe.[69] No nos estimamos capacitados para

---

[63] *Ibid.*

[64] Cf. Gunnar Landtmann, *The origin of inequality of the social classes,* Chicago, The press of Chicago University, 1938.

[65] Cf. Ley 2, T. 26, Parte IV.

[66] Esta expresión es frecuente en los Fueros. Tiene su equivalente en latín. Cf. «Fuero de Logroño»: «et illo senior cui est illa honore».

[67] El valor que destacamos «honor» también figura en los textos literarios. Cf. *Poema de mio Cid,* en donde el autor recurre al plural «onores».

[68] Cf. *Fuero general de Navarra,* ed. Pamplona, 1869, ley V, tit. II, ch. v (B. N. Madrid, I-35365).

[69] Para «hijodalgo» e «hidalgo» véase a Fernando Lázaro, R. F. E., 1947, XXXI, p. 161. A. Castro, in *España en su historia: cristianos, moros y judíos,* Buenos Aires, 1948, pp. 71-78, 686-689, expone la teoría según la cual «fidalgo» deriva de la expresión árabe «banu e-akhmas», por intermedio de un doble singular «inn alkhumas», *ibn* traduciéndose por *fijo* y *alkhumas* transponiéndose en *al-go.* A. R. Nykl formuló unas

dirimir la cuestión y elegir entre ambas etimologías; no obstante nos permitiremos observar que en las raíces de una y otra etimología vuelve a encontrarse la idea de riqueza y posesión de bienes.

No pensamos que la relación entre la riqueza y la nobleza se haya borrado para los teóricos españoles de los siglos XVI y XVII. Una interpretación algo unilateralmente «senequista» del pensamiento del Siglo de Oro tiende a borrar tal relación ante nuestros ojos. Pero muchos autores formados en la escuela del aristotelismo y del tomismo la proclamaban en sus tratados. Según fray Benito de Peñalosa en su obra *De las cinco excelencias del español* (publicado en 1629), la riqueza constituye precisamente uno de los cinco medios para alcanzar la nobleza.[70] Escribe:

> Los ricos hazendados, tienen una calidad que les illustra, y perficiona sus noblezas: por las riquezas son más conocidos y estimados, y los hijosdalgo cobran epítetos, y renombres más altos, como es de cavalleros (según dize Pedro Mexía, (...) y los pobres apenas son llamados escuderos. No refiero las dignidades y títulos, q̃ los muy ricos consiguen de Condes, Marqueses, y Duques, illustrãdo sus apellidos, casas, y linajes, con vasallos y ricos mayorazgos. La nobleça se conserva, y creçe con la riqueça, como dize la ley de partida, y sin hazienda es como muerta, porque compelidos con la pobreça, vienen muchas vezes a hazer cosas viles (como el derecho lo presume) agenas de su calidad. Dize Salomón la pobreça en los nobles (... Ecclesiastés 9) es causa de que sean desestimados, y aunque seã buenos y virtuosos, no los estiman los hombres, ni les oyen, ni aplauden sus razones, por discretas que sean...[71]
>
> De tal manera han sido estimados los ricos, q̃ muchos hombres doctos, como son Alberico, Baldo, Guillelmo, Cesaneo, Tiraquelo, afirman que la Nobleza tuvo por origen de la riqueza, y que el ser rico, es ser noble, por obscuro que sea su linaje, porq̃ la baxeça se encubre y disimula con el esplandor de las riqueças. Theophilo Alexandrino dize, que las riqueças dan antiguo linage a los que lo tuvieron nuevo. Y con mayor elegãcia lo dixo Oracio, que las riquezas son señoras de todas las cosas, dã al que las posee muger con dote crecido, amigos, hermosura, y nobleça: porque a los dineros, obedecen todas las cosas.
>
> Otros huvo que dixeron, que para causar las riquezas nobleça aviã de ser antiguas de padres y abuelos heredades...
>
> No se puede negar sino q̃ las riquezas, por la mayor parte, dan causa de ennoblecer a los que las tienen por lo mucho que el dinero puede: y esto es por lo menos de hecho, por la buena opinión que los ricos han cobrado en el mundo: porque de ordinario vemos, que hombres plebeyos siendo ricos, y poderosos, usando de liberalidad con los vezinos que les podían ser contrarios, y tratãdose noblemente, vienen a tenerlos contentos, y con esto, no solo ganan opinión de Nobles, mas de illustres y dignos de grandes dignidades.[72]

---

objecciones, in *Studies of Philology* (Chapel Hill, N. C., July 1950, p. 384). A. Castro volvió a tomar su teoría en dos notas, *Antiguo español fijodalgo — ibn al khoms*, in *Romance Philology*, 1950, IV, i, pp. 47-53, y *Con motivo de fijodalgo,* in N. R. F. E., V, pp. 69-71.

Cl. Sánchez Albornoz atacó fuertemente la teoría de A. Castro. Cf. *De los banu al-ajmas a los fijosdalgo?*, in *Cuadernos de Historia*, Buenos Aires, 1951, XVI, pp. 130-145.

En conjunto los arabistas se muestran poco favorables a la teoría de A. Castro y los romanistas no aceptan la de F. Lázaro.

[70] En el siglo XVI, algunos autores desarrollan la teoría de que la «Nobleza» puede perderse por pobreza, mas no así la «Hidalguía». Cf. López Pinciano, *Philosophia antigua poética*, I.

[71] *Op. cit.,* fol. 74.: «Por las riquezas».

[72] *Ibid.,* fol. 87 verso.

La última afirmación de fray Benito de Peñalosa da fe de lo que ocurría ante él, en la realidad contemporánea. Plebeyos adinerados alcanzaban el prestigio a fuerza de riqueza y consagraban esta estima social con la adquisición de su título nobiliario.[73]

Amén de fray Benito, otros veían en la propiedad de los labradores ricos la base material de una nobleza. Martín González de Cellorigo, por ejemplo, en su *Memorial de la política necesaria y útil restauración a la República de España*... (1600), explica en qué consiste la manera noble de cultivar la tierra,[74] entendamos por ello el labrar y cultivar una tierra poseída y transmitida por herencia, o sea propia, y no dedicarse al cultivo en tierras ajenas como colono o rentero:

> Por estar confundidos los términos en quanto a la nobleza de los labradores, es necesario distinguir, en que dos suertes ay de ellos: unos que labran y cultivan sus tierras hereditarias; otros que siguen las colonias por conductión y arrendamiento. Los primeros son tan honrados y nobles en sí, que no ay officio ni trato en la república, que a él se yguale...[75]

Es esencial la distinción introducida en este caso. No se trata de la tradicional distinción entre noble y no-noble, sino de la distinción moderna entre propietario y no-propietario. Sin abandonar la idea aristotélica de la jerarquización social de las órdenes, Cellorigo aquilata también las clases en función de su riqueza y su actividad. Según él, la actividad agrícola es noble si quien la ejerce es dueño de la tierra cultivada. En esta ocasión, el empuñar los instrumentos de trabajo no está vedado:

> ... y assí es opinión asentada en derecho que el labrar las tierras y heredamientos, quando son propios, aunque sea con propias manos, no sólo no prejudica a la nobleza y pretensiō de qualquier dignidad y cargo hōroso: mas que es hecho de Reyes y grandes Principes, y de nobles señores, y el más loable trato de quātos la nobleza puede inventar...[76]

La restricción «cuando son propios» marca la nueva línea divisoria de aguas nobles y no-nobles hacia los años 1600. Poseer es una nobleza y por ello no la merecen los renteros, colonos y arrendatarios radicados en tierras ajenas: la frontera de la honra pasa por delante de su puerta.

> Los colonos que por conductión, o arrendamiento labran los arrendamientos de otros, no son avidos por tan nobles: y en este caso se han de entender las leyes, que en cierta manera parecen privar a los labradores de las dignidades de honra: poniéndoles por objeto el daño, que ocuparse en ellas, a los señores se les seguiría: y en ordē a

---

[73] El mismo proceso se dio en Indias. Una copla popular cantada en el noroeste argentino, en tiempos de la Colonia, rezaba así:

> «Nuestro Don, señor Hidalgo,
> es como él del algodón,
> que para tener el Don
> «necesita tener algo.»

Frías Bernardo, *Tradiciones históricas*, Buenos Aires, 1923-1930, 5 vol., P. 153 del vol. IV.

[74] *Op. cit.*, fol. 26, con el título: «Cómo se ha de entender el trato noble de la agricultura.»

[75] *Ibid.*

[76] *Ibid.*, fol. 27.

esto los tienen por poco necessarios, para las empressas de la guerra, ansí respecto a la gran miseria en que se crían: como porque tienen los ánimos muy semejantes al rústico trato en que se ocupaban: y de ordinario son tímidos, indiscretos, y poco expertos, abatidos, y subjectos a la miseria de su humilde estado.[77]

Cellorigo tenía puestas, sus miras en parte en el retorno a la tierra de los nobles desarraigados de las provincias. Mas, ya se ve, también contribuía a la exaltación social de la «burguesía rural» y justificaba su existencia como clase, con argumentos ideológicos de gran peso.[78]

El mismo año 1600, Gaspar Gutiérrez de los Ríos estableció distinciones semejantes a las de Cellorigo en su *Noticia para la estimación de las artes...* en donde se dedicaba a subrayar la dignidad de las artes y oficios. Partiendo del pensamiento aristotélico y de los ejemplos legados por la Antigüedad greco-latina, este autor demostraba que no hay que confundir el arte (actividad consciente e inteligente) con el oficio (actividad mecánica, es decir corporal). Ahora bien, esta distinción podía ser llevada al seno de la actividad agrícola. Por lo tanto, el amo de la heredad que domina totalmente las reglas de su profesión y que dirige los trabajos efectuados en los campos, practica un «arte». No así los messegueros, peones y otros jornaleros que no cumplen sino trabajos físicos, mecánicos, por ende serviles.

Al establecer así, hacia 1600, la teoría de una nobleza fundamentada sobre la propiedad agraria, los ideólogos no hacían sino justificar mediante un sistema de ideas un proceso histórico realizado, en la práctica, desde los siglos XIII y XIV aproximadamente, y acentuado muy particularmente desde fines del siglo XV. En efecto, la emancipación general del campesinado a lo largo de esos siglos permitió a los campesinos más ricos lograr una consideración social, y hasta en algunos casos, a fines del siglo XVI, se los vio sumarse a una nobleza cuyos títulos pudieron adquirir a base de dinero. Según el *Fuero general de Navarra*, la calidad de vecino, primera etapa hacia la honorabilidad, se otorgaba a los campesinos que vivían en una población y que, disponiéndo de una casa de dimensiones determinadas, de una era para trillar, de una huerta lo suficientemente amplia como para plantar trece coles, de un campo en el que se pudiesen sembrar seis arrobas de trigo.[79] Así también en el reino de Castilla y León, ya en el siglo XIII, el calificativo de «ombres buenos» fue otorgado por los reyes a los campesinos acomodados de las villas cuyo apoyo solicitó a veces la Corona, en su lucha contra los grandes señores feudales y las órdenes militares. Además, a partir de esta época, dentro de un retorno al derecho romano como forma jurídica de la propiedad privada hubo una evolución de los códigos e instituciones en pro de la propiedad rural.[80] En el siglo XVI, la idea de que la civilización está vinculada con el desarrollo de la propiedad individual se había reforzado hasta tal punto que intervino como argumento en la polémica de Ginés de Sepúlveda contra Las Casas. El autor de *Democrates alter sive de justis belli causis apud Indos* estima, en efecto, que la ausen-

---

[77] *Op. cit.*, fol. 27.

[78] Un aspecto esencial de la doctrina de Cellorigo es, en efecto, la medianía en la riqueza y la propiedad.

[79] *Fuero general de Navarra*, ed. cit., 1. V, tit. XII, cap. ii.

[80] Por ejemplo, hacia 1234, para defender sus bienes contra los maleantes o los soldados, los campesinos castellanos de la comarca toledana se agruparon en milicias de defensa rural: nació así la Santa Hermandad. El Rey confirmó mediante un privilegio el derecho de los ricos ganaderos y apicultores de Castilla la Nueva de organizarse en una guardia rural. Lope alude a esta acción de defensa de la propiedad campesina en su pieza *Las dos bandoleras y fundación de la Santa Hernandad*.

cia de propiedad privada en sus sociedades constituye un prueba de barbarie de los indios.[81] En resumidas cuentas, hacia 1600 hay una evolución histórica, tanto práctica como teórica, que contribuye a establecer la propiedad como valor y al propietario como un personaje principal. Prescindiendo de esta evolución de conjunto no es posible aquilatar en todos sus aspectos la dignidad y la honorabilidad del labrador rico ni en la comedia ni en el resto de la literatura.

La relación entre la propiedad y el orgullo social es, ciertamente, muy fuerte en los héroes villanos del Teatro. A lo largo de *Peribáñez y el comendador de Ocaña*, la dignidad de Peribáñez se apoya en los bienes, los cuales le crean, según una excelente fórmula de Aubrun y Montesinos, una como «responsabilidad moral». Hélo aquí volviendo de Toledo, triste, afligido por el peso de la afrenta que le ha hecho el Comendador de Ocaña afrenta que es ya objeto de un romance; el espectáculo de sus campos de trigo, la abundancia de sus bienes no hacen sino acentuar lo que él considera como la pérdida de su honra y expresa este sentimiento por medio de una serie de quintillas nostálgicas:

> Estos son mis trigos y eras
> ¡Con qué diversa alegría,
> oh campos pensé miraros
> cuando contento vivía!
> Porque viniendo a sembraros,
> otra esperanza tenía.
> Con alegre corazón
> pensé de vuestras espigas
> henchir mis trojes, que son
> ahora eternas fatigas
> de mi perdida opinión.[82]

Como puede verse, las posesiones de Peribáñez son como un libro en donde pueden leerse los signos visibles de su honor villano, de «hombre de bien» honrado entre sus pares, como reza otro pasaje.[83]

En *El villano en su rincón* también encontramos paralelismos reveladores entre la dignidad social, a la que pretende el labrador, y su riqueza. Al querer afirmar lo que llama el «honor» de su padre, Lisarda, hija de Juan Labrador, echa mano de una definición muy significativa:

> Mi padre es labrador, pero es honrado,
> no hay señor en París de tanta hacienda,
> de mi dote es mi honor calificado.[84]

---

[81] Cf. ed. Menéndez y Pelayo, in B. R. A. E., XXI, pp. 257-369.

[82] Versos 1886-1896.

[83] Versos 582-583:

> «Luján: Este, aunque es hombre de bien
> y honrado entre sus iguales...»

[84] Acad., XV, p. 290 b. La definición de Lisarda ofrece el mismo contenido ideológico (e histórico) que la declaración de Dorotea, la joven aldeana del *Quijote* (I, 28) también requebrada por un noble:

> Deste señor son vasallos mis padres, humildes en linaje pero tan ricos que si los bienes de su naturaleza igualaran a los de su fortuna ni ellos tuvieran más que desear ni yo temiera verme en

En sus personajes villanos Tirso de Molina relaciona,[85] como lo hace Lope, estima social con riqueza agraria. He aquí, por ejemplo, en *La Santa Juana I*, a Juan Vázquez, padre de la santa de la Sagra. También es un labrador rico, el más rico del pueblo de Hazañas, y, al mismo tiempo, el más querido del pueblo:

> Gil: Juan Vásquez, su padre, es Juan
>   que basta, y aquí en Hazaña,
>   nueso pruebro, es tan amado
>   del poderoso y del chico
>   que con ser hombre tan rico
>   de ninguno es envidiado.[86]

Ahora bien, este hombre, como su hija es un dechado de virtudes:

> Quien los conoce, los llama
> de toda esta Sagra espejos;
> él es dechado de viejos
> y ella de doncellas fama.[87]

El hidalgo de Illescas, Francisco de Loarte, que pide la mano de su hija Juana, al villano rico de Hazañas se vale en su demanda de expresiones deferentes que implican unánimemente el reconocimiento de la honorabilidad villana por el noble:

> Y aunque no sois hidalgo, poco menos
> es un honrado labrador. Leído
> he yo de mil señores que en las cepas
> de sus noblezas (sin perder su lustre)
> han injerto sarmientos labradores.

---

la desdicha en que me veo: porque quizá nace mi poca ventura de la que no tuvieron ellos en no haber nacido ilustres; bien es verdad que no son tan bajos que puedan afrentarse de su estado, ni tan altos que a mí me quiten la imaginación que tengo de que de su humildad viene mi desgracia. Ellos en fin son labradores, gente llana, sin mezcla de ninguna raza mal sonante y, como suele decirse, cristianos viejos rancios; pero tan ricos que su riqueza y magnífico trato les va poco a poco adquiriendo nombre de hidalgos, y aun de caballeros...

La idea de que la riqueza del labrador es base de su honorabilidad es reiterada con socarronería en no pocos pasajes del *Quijote*. Cf. I, cap. 51: «en la cual había un labrador muy honrado, y tanto que aunque es anexo al ser rico el ser honrado, más lo era por la virtud que tenía que por la riqueza que alcanzaba».

[85] Las dos clases villanas, la de los «labradores» y la de los «jornaleros», también existen en el teatro de Tirso. Corbato, en *El pretendiente al revés*, García, Fernández, de *La Gallega Mari-Hernández*, son labradores. En *La villana de la Sagra* encontramos un tipo de labrador rico, en el padre de Angélica, de quien dice uno de los personajes:

> Es Angélica heredera
> de Fulgencio, a quien venera
> toda esta fértil comarca,
> por ser suyo cuanto abarca
> lo más de aquesta ribera.
>   (B. A. E., V, p. 310 b.)

[86] N. A. A. E., IX (II), p. 239 a.
[87] *Ibid.*

> ¿Qué puedo yo perder, y qué no gano?
> Si sois el más honrado de la Sagra
> rico y de sangre limpia...?[88]

Calderón igualmente hace de la riqueza agraria una de las bases de la dignidad de su héroe villano en *El alcalde de Zalamea*. En la patética escena en la que suplica al noble don Alvaro que se case con su hija Isabel, a quien ha seducido, Pedro Crespo, símbolo de la honra villana, que se autodenomina «hombre de bien», esgrime su fortuna como un título:

> Tengo muy bastante hacienda
> porque no hay, gracias al cielo,
> otro labrador más rico
> en todos aquestos pueblos
> de la comarca ....[89]

Tal relación entre el prestigio social y la riqueza agraria fue subrayado con más insistencia aún en la refundición de *Peribáñez y el Comendador de Ocaña*, debida a tres ingenios, que lleva por título *La muger de Peribáñez*. En este caso el propio comendador de Ocaña proclama la consideración de la que goza el labrador en el pueblo:

> Esse rico labrador
> tan biem querido en Ocaña,
> que es más dueño de la villa
> que yo, pues con muestras raras
> de voluntad, todo el pueblo
> el padre común le llama.
> Y con mejor vasallaje,
> y más seguro, le manda,
> que si yo impero en los cuerpos,
> él tiene imperio en las almas.[90]

En suma, con el villano rico en la comedia aparece un nuevo aspecto del sentimiento de la riqueza en la literatura castellana. Tal como lo notó Pere Coromines en los textos medievales *(Poema del Mío Cid)* o de ambiente medieval (romances viejos o considerados como tales), el sentimiento de la riqueza está vinculado con la posesión de bienes muebles y de un cierto número de signos exteriores de opulencia (ropas, joyas, telas costosas), mas «la tierra no es riqueza»[91]. En el villano de la comedia (villano sedentario y apegado a su tierra), hay, por el contrario, una exaltación de la riqueza agraria y pastoril (las mieses, los rebaños) base sólida de un prestigio que no depende de los valores suntuarios. Desde este punto de vista, podemos afirmar que —al menos por el sentimiento de la riqueza— el villano rico de la comedia está más cerca del burgués moderno que del noble medieval.

* * *

---

[88] *Ibid.*, p. 245.
[89] B. a. E., XII, p. 82 c.
[90] Cf. «Suelta», sin año (B. N. Madrid, T. 19445, A. I, fol. A 1).
[91] Pedro Corominas, *El sentimiento de la riqueza en Castilla*, Madrid, 1917.

Vemos cómo el tipo teatral del labrador rico posee su especificidad entre los papeles acostumbrados de la comedia. Sería insuficiente afirmar que transpone al plano
rústico las reacciones clásicas del galán y del caballero. El personaje es teatral por su
lenguaje hiperbólico y la manera ritual de afirmar su riqueza. Pero por otra parte es
un personaje histórico atestiguado, cuya multiplicación anhelaban los reformadores
sociales. Rasgo característico del personaje es su riqueza. Amén de asentarle económicamente en la parte superior de la sociedad campesina, y situarle en una clase social
real, su propiedad fundamenta algunos aspectos esenciales de su personalidad moral.[92]
Coloca al labrador en una buena posición frente al noble y le permite compartir con
éste, si no es la nobleza, la estima social. «Labrador rico, caperuza tuerta; o villano
rico» reza el *Vocabulario de refranes* de G. Correas. El sentido de la expresión no ha
sido explicitado por el maestro, pero nos parece entrañar algo así como una desconfianza aristocrática para con el villano enriquecido. Esta desconfianza, que se deja traslucir a menudo en el teatro, es uno de los aspectos del conflicto de clases que enfrentó,
a fines del siglo XVI y principios del siglo XVII, a los villanos ricos con las capas inferiores de una nobleza que, por su insuficiencia económica y por su inadaptación a
los tiempos modernos, empezaba a declinar. Es lo que veremos al estudiar el tema del
ascenso social en la comedia de ambiente rústico.

---

[92] Tal vez por no haber tenido lo suficientemente en cuenta esta riqueza como rasgo distintivo; Menéndez y Pelayo creyó posible ver en la *Hespaña libertada,* de la portuguesa Bernarda Ferreira (cuya primera
parte fue impresa en Lisboa, en 1618) la fuente de *Los Tellos de Meneses* (Cf. *Estudios sobre el teatro de
Lope de Vega,* ed. cit., III, p. 216.)
    J. F. Montesinos, *La Fuente de Los Tellos de Meneses, R. F. E.,* 1921, VIII, p. 131-140, propone como
fuente un manuscrito de El Escorial, de la segunda mitad del siglo XV, debido probablemente a Diego Hernández de Mendoza, que lleva por título *Blasones de las armas de los nobles hijosdalgo* de los reyes de Castilla y de otros rreyes y príncipes que ay por el mundo. J. F. Montesinos da razones de peso en pro de esta
fuente. Nos permitiremos añadir una razón suplementaria a las que proporciona Montesinos; precisamente
la de la riqueza del labrador. Un abismo social separaba al Tello de Meneses de la poetisa portuguesa de
aquel manuscrito. En Bernarda Ferreira, el labrador en cuya casa se refugia la Infanta, no es más que un
pobre hombre, carente de bienes:

> Fue a dar en un casal que era morada
> de un pobre labrador llamado Tello...

Por el contrario el manuscrito nos habla «de un rico labrador»:
> «... E la fortuna la aportó a aquel lugar de Palacios de Meneses, y llegando a casa de un rrico
> labrador, do casy por Dios la acogieron...»

(Indiquemos también que la historia de *Los Tellos de Meneses,* existía en el folklore y que Lope la conocía por medio de esa fuente oral, ya que leemos en *El caballero de Illescas:*

> De una infanta de León
> en toda España se cuenta
> que Meneses labrador
> mereció casar con ella.)

CAPITULO II

EL ASCENSO SOCIAL

Deseo de promoción social de los plebeyos en los siglos XVI y XVII. Testimonio y discusión de este sentimiento en las comedias rústicas: la hija del villano rico casada con un noble. Oposición de las generaciones. Teoría de la «clase media» llevada al escenario.

En los siglos XVI y XVII, los villanos ricos de la realidad intentaban, en su mayoría, escapar de su condición villana, esto es, de pechero obligado a pagar los tributos y cargas tradicionales. Mal sufrían que unos nobles arruinados, hidalgos y otros descendientes venidos a menos de la nobleza medieval, se mantuvieran aún en una actitud de orgullo y mando en los pueblos, mientras que económicamente estos representantes del pasado significaban muy poca cosa. Pero el sistema monárquico-señorial seguía descansando prácticamente en la renta de la tierra, y si bien algunas capas de la nobleza habían perdido todo el poderío económico y el lustre social, otras capas nobles las habían sustituido (sabemos que en tiempos de los Reyes Católicos se había formado una nueva nobleza de grandes feudos, permitiendo que perdurara el sistema). En tales condiciones y en ausencia de una burguesía nacional española realmente activa y conquistadora, capaz de suscitar nuevos valores ideológicos positivos, no cabía otra salida histórica para los pocos plebeyos enriquecidos (mercaderes y labradores) que la de apoderarse de los valores de la clase superior. En otros términos, lejos de intentar echar abajo el sistema, los que ascendían socialmente intentaron insertarse en la nobleza. Por lo demás, el mismo fenómeno se producía, más o menos en el mismo momento, en otros países occidentales en los cuales, pese a la existencia de una burguesía fuerte y pujante, creadora de nuevas ideas religiosas y sociales, el sistema monárquico-señorial había relevado al sistema señorial absoluto. Aquí interviene un hecho bien conocido. Durante el largo periodo histórico en el que una clase ascendente se constituye como «clase para sí», no coincide totalmente con su esencia; no sólo la lucha de clases no destruye entonces el lazo constitutivo de la formación social (en el caso que nos ocupa, era el vínculo constitutivo de la sociedad monárquico-señorial), sino que sólo existe por él. En la España de 1600 la clase de los villanos ricos —burguesía campesina poco numerosa cuya fuerza no puede compararse con la de las poderosas burguesías urbanas de Francia, Italia, Renania o Inglaterra, en la misma época— presentaba rasgos medievales bastante nítidos, tanto en el plano del ser social como en el de la conciencia. no se situaba frente a la nobleza como su contraria, su «sepulturero». Compartía con ella el ser social que era fundamentalmente monárquico-señorial y existía sobre todo sobre la base de las relaciones de producción feudalo-agrarias. En resumen no podía concebir un ascenso social más que en el seno de las estructuras existentes y a través de la ideología propia de dichas estructuras.

Por lo tanto en España, con los primeros años del siglo XVII, en la capa superior del campesinado ocurrió como entre los labradores franceses, lo que expresaba Bernardo Palissy en la siguiente frase: «Le laboureur veut faire de son fils un monsieur». En las páginas siguientes intentaremos evocar este hecho histórico en su especificidad española para luego ver cómo fue expresado en el escenario como tema teatral con matices e inflexiones propias de la comedia.

* * *

Acerca del anhelo de nobleza de los labradores acomodados a principios del siglo XVI, poseemos múltiples testimonios. Uno de los más claros es el puje de la emigración hacia las Indias. Sabido es que, al Norte de la península (montañas asturianas de Santander o de Burgos) numerosos aldeanos eran hidalgos (hidalgos de abarcas) desde hacía varios siglos; pero más al sur, la enorme masa campesina era pechera. Las conquistas coloniales del siglo XVI le abrieron repentinamente un inmenso campo de acción. Desde el sur y el centro de la península, y porque las Indias podían significar liberación y promoción social (la liberación de la sujeción señorial, el acceso a la hidalguía), emigraron apretadas filas de villanos. No siempre era la miseria económica la que impulsaba a estos hombres «de tierra adentro» a abandonar su pueblo para ir a las Indias sino a menudo la sed de libertad, la necesidad de signidad y el deseo de adueñarse de valores nobiliarios. De tal deseo de ascenso social que animaba a veces a los labradores ricos tenemos un vivido ejemplo en un pasaje de la *Historia de las Indias* de Bartolomé de las Casas. El dominico cuenta cómo, en 1518, se dedicó a reclutar villanos para las colonias que proyectaba instituir en las Indias; se presentaron setenta hombres de Berlanga, cuatro de los cuales le confesaron en un pajar que la miseria no les impulsaba a marcharse ya que, según afirmaban, cada uno tenía la pequeña fotuna de 100.000 maravedís; y le explicaron que el aliciente del viaje era la esperanza de dejar a sus hijos en una tierra donde se viesen libres de cualquier sujeción señorial:

> ... Después de avisados e informados, poco tardaban en venirse a escribir para ir a poblar a las Indias, y en breves días allegó gran número de gente, mayormente de Berlanga, que sin entrar en ella, teniendo la villa 200 vecinos, se escribieron más de los 70 dellos y, para se escribir, entraron en cabildo secretamente, por miedo del Condestable, y enviaron cuatro regidores que lo buscasen por los pueblos donde andaba y le rogasen de parte de la villa se acercase más a ella, viniéndose una legua de allí adonde venían todos disimuladamente para ser de la demanda que traía informados; y entre los que vinieron fueron cuatro, los cuales lo subieron a un pajar, en lo más alto de la casa donde pasaban, cuasi temiendo que las paredes lo habían de decir al Condestable, y le dijeron: «Señor, cada uno de nosotros no quiere ir a las Indias por falta que tenga acá, porque cada uno tenemos 100.000 maravedís de hacienda u áun más (lo cual para entonces en aquella tierra era mucho caudal), sino vamos por dejar nuestros hijos en tierra libre y real.»[1]

---

[1] Bartolomé de Las Casas, *Historia de las Indias* (ed. Millares Carlo, México, 1951), cap. V, lib. III, pp. 191-192.

En el feudo del conde de la Coruña, en Rello, no era menor la aspiración a huir del domino señorial que en los pueblos del condestable de Castilla; Las Casas escribe:

> Anduuo el clérigo por aquellos lugares de Señorío, y cuasi todos se movían a la jornada; y en un lugar del Conde de Coruña, llamado Rello, que era de 30 casas, se escribieron 20 personas, y entre ellas dos vecinos, hermanos, viejos de setenta años, con 17 hijos; diciendo el clérigo al más viejo: «Vos padre ¿a qué queréis ir a las Indias siendo tan viejo y tan cansado?» Respondió el buen viejo: «A la mi fe, señor, dice él, a morirme luego y dejar mis hijos en tierra libre y bienaventurada.»[2]

La campaña de Las Casas despertó real interés entre los campesinos, de dar crédito a su propio testimonio, y se comprende que los grandes señores miraran con malos ojos sus actividades; el privarlos de sus vasallos les habría acarreado un perjuicio económico considerable; el padre dominico podía decir al obispo de Zaragoza:

> Señor, no sólo 300 labradores, a que yo me ofrecí, pero 10.000 podrá vuestra señoría enviar, si quiere, a poblar las Indias, que irán de muy buena gana; la muestra dello traigo, que son 200 vecinos y personas escriptas y a ir obligadas; y no traigo más por no escandalizar los grandes, hasta dello dar al rey parte.[3]

M. Bataillon demostró cómo el proyecto de Las Casas de establecer a pacíficos labradores como colonos en Tierra firme fue escarnecido por su enemigo Fernández de Oviedo y cómo este autor está en los orígenes de una tradición según la cual el plan del dominico conllevaba el ennoblecimiento de los villanos llegados de España para «poblar».[4] Estos caballeros pardos o «pardos milites» con su cruz roja en el pecho no existieron en la realidad, pero bastó con que Gomara, Juan de Castellanos y Gutiérrez de Santa Clara sucesivamente, repitieran la leyenda, adornándola y arreglándola cada uno a su manera, para que los historiadores se dejasen engañar. Llama la atención el hecho de que, después de haber sido lanzada la mentira por Oviedo, haya corrido con tanta facilidad a lo largo del siglo XVI. Si fue así, es que la caricatura ofrecía una cierta credibilidad y se apoyaba en una verdad psicológica. A nuestro parecer, independientemente de lo que pudieron ser exactamente las promesas de Las Casas a los labradores que reclutaba, lo que hizo credible la versión de Oviedo y de sus seguidores fue la existencia histórica de la sed de nobleza entre los villanos castellanos, sed ridiculizada por los nobles contrarios a este tipo de promoción.[5]

---

[2] *Ibid.*, p. 192.

[3] *Ibid.*, p. 193.

[4] M. Bataillon, *Cheminement d'une légende: les «caballeros pardos» de Las Casas.* in «Symposium», May 1952, vol. VI, núm. 1, pp. 1-21.

[5] Unos versos cómicos del licenciado Juan de Castellanos, de las *Elegías de Varones ilustres de Indias* (1589), in B. A. E., IV, p. 146-147. esbozan a los campesinos de Las Casas pavoneándose, antes de salir hacia las Indias:

> «No pocos huecos con el interés,
> por se considerar, de cavadores,
> caballeros armados e ya hechos
> con cruces rojas en los pechos.»

Tales versos (así como el desfile militar a lo gracioso que nos ofrece *Peribáñez y el Comendador de Ocaña*) entrañan justamente el punto de vista aristocrático de la incompatibilidad de la caballería y de lo rústico y la existencia histórica de un afán de posesión de valores nobles por parte de los villanos.

Pero no fueron las Indias el único ámbito en el que se manifestó el deseo de emancipación de los villanos españoles del siglo XVI. Hacia 1575-1580, las *Relaciones topográficas* demuestran que hijos de labradores acomodados se iban a la Universidad para ser más tarde letrados o clérigos. También ese era un medio certero de salir del estado villano («Iglesia, o mar o casa real») y de sustraerse a la tutela señorial en los sitios en donde era demasiado dura.[6] En 1575-1580, Santa María del Campo no es más que una pequeña villa de la provincia de Cuenca, pero se enorgullece de mencionar entonces la celebridad del lugar: Andrés Martínez de Campos, hijo de un labrador, quien con apenas treinta años, ostenta ya las borlas de doctor en Teología y una cátedra en la ilustre Universidad de Alcalá:

> En esta villa hay de presente un hombre, llamado por su nombre el dotor Andrés Martínez de Campos, dotor en santa Teología, catedrático en la insigne universidad de Alcalá, el cual está tenido por hombre de muchas letras, aunque mozo de edad de poco más de treinta años, hijo de un hombre particular, labrador de esta villa, e que en este capítulo no tienen más que decir.[7]

En un texto como éste, resulta imposible dejar de percibir la promoción social con la que se benefician algunos representantes de la capa superior del campesinado, a fines del siglo XVI. El acceso de las personas procedentes de una clase —considerada hasta ese momento como inferior— a los valores culturales dominantes constituye un signo bien certero de su ascenso histórico, de su marcha ascendente.

Según parece, los campesinos catalanes —cuyo movimiento de emancipación tenía que provocar las revueltas agrarias del siglo XV, — y luego terminaron en la sentencia de Guadalupe— fueron reclamando tempranamente prestigio. Ya en el siglo XIV, F. Eximenes, quien describe al «pagés» como grosero, también lo pinta como ambicioso, deseoso de ascensión social (Cf. *Del Cristiá*, I, III, in colección *El's nostres classics*, I, pp. 108-109). Hacia 1600, corrían en Castilla expresiones como «Mas soberbio que villano rico» «de pluma de Quevedo» o «Más soberbio que villano con caperuza» (in *Vocabulario de refranes*, de G. Correas).

[6] Leemos, al principio del canto IV del *El Crotalón*, un pasaje muy significativo en el cual, más allá de la fantasía lucianesca, el autor deja entrever un fragmento de realidad social cotidiana. El gallo cuenta que, en una de sus vidas anteriores, fue hijo de un pobre campesino, que vivía en la montaña, vasallo de un señor codicioso y despiadado con sus gentes:

> ... que los fatigaba ordinariamente con infinitos pedidos de pechos, alcabalas, y censos, y otras muchas imposiciones que la una alcanzaba a la contina al otro. En tanta manera que sólo el hidalgo se podía en esta tierra mantener, que el labrador pechero era necesario morir de hambre... *(El Crotalón*, «Austral». chant IV, pp. 58-59.)

El hijo del campesino y sus hermanos intentaron liberarse de su condición y así es como el gallo se hizo cura, ya que las gentes de iglesia están «por sobre las leyes»:

> «... y deste padre nacimos dos hijos varones, de los cuales yo fui el mayor, llamado por nombre Alejandro. Y como vimos tanta miseria como pasaban con el señor los labradores, pensábamos que si tomábamos que por entonces nos libertasen, se olvidaría nuestra vileza, y nuestros hijos serían tenidos y estimados por hidalgos, y vivirían en libertad; y ansí yo elegí ser sacerdote, que es gente sin ley. Y mi hermano fue herrero, que en aquella tierra son los herreros exentos de los pedidos, pechos y velas del lugar donde sirven la herrería» *(Ibid.)*.

El personaje de Tomás Rodaja, en *El licenciado Vidriera* de Cervantes, ilustra una aspiración social del mismo estilo, realizada mediante la instrucción. Tomás es hijo de un pobre campesino y estudia para alcanzar dignidad y honrar a sus padres.

[7] *Relaciones topográficas* (provincia de Cuenca), ed. del Padre Zarco, I, p. 237, núm. 33.

Se manifestó la pujanza de la capa superior del campesinado sobre todo después de 1600, durante la enorme crisis en la que entraba la sociedad española. Entonces, como todos los ricos pecheros, los labradores enriquecidos con la subida de los precios del trigo y del vino, pudieron adquirir a cambio de monedas contantes y sonantes, los títulos de hidalguía que empezó a subastar la Corona, presa de dificultades financieras apremiantes. Las *Actas de Cortes* nos informan sobre el proceso de hidalguización en marcha. En las actas de la sesión del 12 de julio de 1618, verbigracia, pueden leerse las siguientes líneas:

> Viose un condición que traen ordenada los caballeros comisarios de las condiciones, que es nueva y trata de que no se vendan privilegios de hidalguías ni en otra forma. que es como sigue: «que atento el daño que sienten los pobres labradores de la venta de hidalguía mediante la cual se exentan los ricos de la paga de los pechos y tributos y cae toda la carga de ellos sobre los pobres, S. M. no puede vender, donar, ni hacer merced por vía de declaración ni en otra manera alguna de privilegio de hidalguía para que la goce ninguna persona en estos reinos». Vista la dicha condición se votó lo que se hará, y salió por mayor parte del reino que como viene la condición se ponga en el servicio de millones.[8]

¿Quienes eran estos ricos que compraban de ese modo los privilegios de hidalguía? Personas como este Pedro Marcos de Getafe, por ejemplo, de quien se había hablado en la sesión del 1 de febrero del mismo año, y que quería salir de su condición pechera mediante el pago de 4.000 ducados:

> Leyóse una petición del lugar de Getafe, en que dice trata pleito en el Consejo, con Pedro Marcos, vecino del dicho lugar, en razón de que siendo pechero ha comprado una hidalguía en 4.000 ducados, y que por ser rico, si saliese con su pretensión, resultaría daño a los pobres y contribuyentes en el servicio ordinario y extraordinario y demás pechos, pues quedarán libres de pagarlos él y sus hijos y descendientes...[9]

Este Pedro Marcos de Getafe no era obligatoriamente un labrador rico, ya que no lo precisa el texto, pero como la base de la riqueza era agraria en la mayoría de los casos, sería extraño que no lo fuera. En efecto, hay a lo largo del siglo XVI, casos de venta de hidalguías a labradores acomodados. Las actas de las primeras Cortes reunidas en Valladolid en 1518 ya dan fe de esta práctica al lamentarse los procuradores de que:

> ... muchos labradores pecheros ganen privilegios y sean habidos por fidalgos y no pechen, lo que es muy gran daño de los pueblos, porque todo aquello que aquél no pague, que es el más rico del lugar, carga sobre los pobres.
>
> (*Cortes de los antiguos reinos de León y de Castilla*, ed. Acad., de la Historia, Madrid, 1882, IV. Cortes de Valladolid, 1518, petición 65).

En las encuestas de los pueblos de las *Relaciones topográficas* (1575-1580), también hallamos menciones de casos de «hidalguización» de familias villanas de pueblos de Castilla la Nueva. En Leganés (provincia de Madrid), la familia de los Muñoz no os-

---

[8] *Actas de las Cortes de Castilla*, Tomo XXXII, p. 52.
[9] *Ibid.*, T. XXXI, p. 247.

tenta su pergamino sino desde el 2 de junio de 1548. En cuanto a los Cáceres, del misma localidad, cuentan con menos de veinte años de nobleza.

Se mide la fiebre de hidalguización que invade la sociedad entera hacia 1600 por medio de los numerosos expedientes de solicitud de hidalguía en ese momento. Uno de los casos más significativos de la época es el de los descendientes, falsos o auténticos de Antona García. Hacía 1605-1620, innumerables personas pretendieron contar entre sus antepasados a aquella heroína villana de la región de Toro, a quien los Reyes Católicos habían otorgado un título de hidalguía por su proezas en la lucha contra los invasores portugueses. Por otra parte, gentes ricas trataban de contraer matrimonio con las hijas de los presuntos descendientes de la dicha Antona García, esperando beneficiarse con ello de los privilegios atenientes a esta unión. Un primer documento, fechado el 3 de abril de 1605, y conservado en el Archivo Histórico Nacional establece la demanda dirigida por algunas descendientes o pretendidos tales a la Cancillería de Valladolid; lo rechazaron por el crecido número de hidalguías que hubiese sido preciso otorgar:

> ... q̄ los interesados son tan gran número de personas y el que será los descendientes dellos y si a cada uno se hubiese de vender una nobleza de sangre y a este respecto por mayor se hiziese la cuenta sería la cuenta una suma de más de quatrocientos mill ducados lo qual manifiesta claramente la novedad y perjuyzio que causaría à la nobleza y al Reyno...[10]

Pero los aspirantes a la hidalguía no se conformaron con esta derrota y el 24 de diciembre de 1610, este asunto volvía a tratarse pero esta vez en las Cortes. Las pocas líneas del acta de la sesión nos permiten ver con claridad que el matrimonio era uno de los medios de los que se servían los ricos para ingresar en la nobleza:

> Por haberse entendido que muchos hombres poderosos pretenden probar y prueban ser de la generación y linaje de Antona García, de los injertos y otros muchos a quien los Reyes progenitores de V. M. dieron exempciones y privilegios para gozar de las inmunidades, franquezas y libertades que gozan los hijosdalgo de sangre y para no pagar alcabala, ha resultado y se ve cada día, que el patrimonio Real de V. M. va en gran menoscabo y disminución y en gran daño de los pobres y estados de los hombres buenos, porque personas muy ricas y de grandes caudales, de quien resulta el mayor beneficio a la hacienda de V. M., buscan con particular cuidado mujeres de semejantes privilegios y dan a sus padres cantidades de dineros porque se las den en casamientos, con que viene a ser el uso de los privilegios se extiende a poderse vender. Suplicamos a V. M. mande a todas y cualesquier justicias de estos reinos no admitan ni consientan hacer semejantes informaciones, y que si alguno pretendiere probar semejante calidad sea y esté obligado a probarla, citando los fiscales de las chancillerías y guardando la forma y orden que se observa y guarda y las diligencias y probanzas de las hidalguías de sangre, y que las probanzas, diligencias y testimonios que se hicieren y dieren en fraude de lo susodicho sean en sí ningunos y de ningún valor y efecto, y el que las hiciere y juez que las admitiere incurran en pena de 50.000 mrs para aumento de la alcabalas por mitad.[11]

---

[10] Extracto de la «Consulta de José Mansilla Lorenzana y Martín Blanco, sobre que se les declare a ellos y a sus descendientes por Hijosdalgo de sangre, por ser descendientes de Antona García, poniendo esta declaración en el privilegio de los Reyes Católicos», A. H. N. (Hidalguías), leg. 4417, núm. 56.

[11] *Actas de las Cortes de Castilla* (Cortes de Madrid de 1607 a 1611), XXVI, pp. 294-295.

Cinco años más tarde los «descendientes» de Antona García no habían cejado en su empeño y numerosos eran los ricos pecheros que, con la esperanza de ennoblecerse, buscaban una alianza matrimonial con ellos. Un documento fechado en Madrid el 15 de julio de 1615 establece una demanda (apoyada por el ducque de Peñaranda) que se vio rechazada prácticamente, así como las anteriores:

> Por el mes de Março pasado deste año, el duque de Peñaranda suplicó a V. M. en consideración de los grandes y señalados y particulares servicios que el Conde de Miranda su padre hizo, al Rey nstro Sor... y a V. M.... fuese servidor de hazer merçed a los descendientes de Antona García muger que fue de Ioan de Monrroy vezino de Toro, que el privilegio que los señores Reyes Cathólicos le concedieron para ella y sus hijos descendientes varones y hembras y los que con ellas casassen perpetuamente para siempre fuessen libres y exentos de todo género de pechos y servicios, alcabalas, y otras cosas en amplíssima forma por el señalado servicio que hizo en la ocasión de la entrada del Rey don Alfonso de Portugal en estos Reynos, que fue de Tanta importancia para la restauración dellos...
>
> Que de conceder V. M. esta gracia y merced resultarían muchos inconvenientes, primeramente por lo mucho que se aumentarían los que gozarían deste privilegio porque aun sin las preminencias que agora piden buscan los más ricos pecheros a las hembras descendientes de Antona García para casarse con ellas con solo este privilegio por dote de que resultan que todas se casan y dello ay una multiplicación increyble destos privilegiados en todos estos reynos hasta en el Andaluzía,y, a concederles estas preeminencias serían mucho más pretendidas las dichas hembras por los pecheros más ricos y se quitaría a V. M. interés muy grande...[12]

El conjunto de los textos citados basta ampliamente para aclarar la realidad del movimiento que, a lo largo del siglo XVI y luego a principios del siglo XVII, impulsó a los más ricos plebeyos a emanciparse de su condición y, a asegurarse, por distintos medios (compra de una ejecutoria, matrimonio, etc...) el prestigio y las ventajas de la nobleza. Ahora bien, estadísticamente, dada la estructura de la sociedad en los pueblos, resulta imposible que no haya existido entre ellos un número importante de labradores enriquecidos.

Nos interesa recoger ahora el eco de esta corriente histórica en la comedia de ambiente rústico. Es de suponer que el teatro lo refleja no sin algunas inflexiones de orden ideológico y transposiciones de orden estético. La mentalidad aristocrática y urbana que inspira esencialmente la concepción de las comedias no impide la expresión del ascenso social del campesinado adinerado, en cuanto hecho histórico objetivo, pero acarrea una discusión teórica a propósito de este ascenso y de los trastornos que supone. Este ascenso es aprobado y condenado a la vez. Al fin y al cabo, la mayoría de las comedias expresan, sobre este particular, una como vacilación ideológica, un compromiso contradictorio entre lo antiguo y lo nuevo.

El tema de la alianza matrimonial entre hijos de labradores acomodados e hidalgos empobrecidos, como medio de ascenso social, está ampliamente tratado en *El galán*

---

[12] Cf. «Consulta sobre lo que pide el Duque de Peñaranda de que se amplíe el privilegio de Antona García, declarando a todos sus descendientes hijosdalgo de sangre...», A. H. N. (Hidalguías) leg. 4420, núm. 74. La petición del duque, si bien rechazada en lo esencial, consiguió sin embargo cuatro hidalguías para Francisco López, vecino de Martos; García Gallego Mejía, vecino de Villanueva de los Infantes; Fernández González Gallego, vecino de Villanueva de los Infantes y Gregorio Ortiz López, vecino de Arroyo de San Arbán.

de la Membrilla de Lope. La intriga de la pieza está relacionada, en efecto, con el rapto de Leonor, hija de un rico viñador de Manzanares, por su enamorado, un hidalgo pobre del pueblo vecino de la Membrilla. la discusión ideológica de la alianza entre hidalgos y labradores es tratada con bastante profundidad a lo largo de la comedia y nos da una idea del desajuste existente entonces entre la práctica histórica y la teoría propuesta por la comedia. El hidalgo don Félix corteja a Leonor, pero Tello, el labrador rico, ¿podrá conseentir en casar a su hija con un hidalgo? En la realidad, la mayoría de los labradores enriquecidos lo consentían y suele ocurrir que la literatura se haga eco de ese «sí».[13] Pero el villano edificante de la comedia lleva, por lo general, una doctrina conservadora de respeto al compartimiento de clases y aquí se niega. En un primer tiempo otro personaje se encarga de expresar el punto de vista: explica que Tello como cristiano viejo que es no puede consentir en casar a su hija con un hidalgo (sabida es la acusación de impureza de sangre que les baldonaba a veces):

> *Fabio:*   Y ¿presumes tú que Tello,
> sobre ser rancio villano,
> dé su hija a un casquivano
> todo cadenita y cuello,
> por acercarse a hidalguía,
> siendo tan cristiano viejo
> como el que más?[14]

Cuando don Félix, el hidalgo, presenta su demanda ante el labrador alegando su condición de hidalgo honrado, el villano rechaza el pedido con un motivo que expresa exactamente —pero a la inversa, ya que la doctrina edificante exige esta inversión ideológica— una de las tendencias reales de los labradores adinerados contemporáneos: no quiere que crean —dice— que siendo villano y rico, aspira a subir socialmente, aprovechándose de la pobreza del hidalgo.

> *Tello:*   Puesto que vos merezcáis
> mujeres de más valor,
> como ya tan pobre estáis,
> pensarán que yo he querido
> honrarme, como villano,
> de un hombre tan bien nacido;

---

[13] Véase en el *Quijote*, II., cap. V, el diálogo entre Sancho y su esposa Teresa.

El folklore de la segunda mitad del siglo XVI parece haber sido muy rico en anécdotas con el tema de la boda de hidalgos empobrecidos con hijas de labradores. Se encontrarán algunas en la *Floresta de apotegmas*, de Melchor de Santa Cruz, Bruselas, 1598: Cf. fol. 98:

> Un hidalgo pobre que se avía casado con una hija de un labrador rico, porque le dieron gran dote, dezía que aquel casamiento era como morcilla, que él puso la sagre, y el suegro las cebollas»: fol. 144: «Un hidalgo casó con una hija de labrador. Y estando después descontento della, preguntóle, que ¿quántas cargas de paja enterraba su suegro cada año? Respondió, hasta que me casé, trezientas pero después acá, quatrocientas, porque se le acrecentó una bestia más, y muy tragona»: fol. 196: «Un labrador muy rico casó a su hija con un hidalgo pobre, y enfermo, el qual le pegó las búas. Y visitando el padre a su hija, y preguntándole cómo estava, respondió: ¿cómo quiere que esté, que, por adobarme la sangre, me dañó la carne?

[14] Acad., IX, p. 84 b.

> de suerte que lo que gano
> vengo a tener por perdido
> y os ruego me perdonéis.[15]

Aunque es el amor lo que impulsa al hidalgo don Félix a raptar a Leonor, será necesario que pase mucho tiempo para que los aldeanos reconozcan la autenticidad de un sentimiento sincero. El villano Benito no vacila en explicar el rapto invocando la codicia económica; el noble empobrecido ha sido tentado por la riqueza del labrador —pretende—, deseando volver a dar lustre a su blasón con la fortuna villana:

> *Benito:*　Si Don Félix la ha llevado,
> 　　　　　no será contra tu honor;
> 　　　　　tu hacienda ha sido la causa;
> 　　　　　que ilustres sus padres son;
> 　　　　　él la tendrá en la Membrilla.[16]

Tello participa de la misma idea, reveladora de lo que solía ocurrir a menudo en la realidad. Confesando al Rey su desagrado, explica el rapto de su hija por motivos económicos y sociales:

> *Tello:*　Sepa, señor, Vuestra Alteza,
> 　　　　　que yo tenía una hija
> 　　　　　hermosa, para quien eran
> 　　　　　estos campos, estos sotos,
> 　　　　　casas, viñas, y dehesas;
> 　　　　　y aunque era hermosa y gallarda,
> 　　　　　y aunque villana discreta,
> 　　　　　presumo que el codiciarla
> 　　　　　era por mi rica hacienda.[17]

En la comedia siempre acaba por triunfar el amor, y al final, como era de suponer, Félix y Leonor pueden casarse obteniendo el consentimiento de Tello el viejo. Pero ello no obsta para que, a lo largo de la pieza, como en una filigrana, aparezca el motivo real del mestizaje social hacia 1615. Además, Tello, personaje edificante, revela algo significativo cuando, al confesar su preocupación al Rey, le declara que hubiese preferido otro partido para su hija, un matrimonio con «un hombre de buenas letras»; ¿no resulta esclarecedor acaso que no diga que tenía reservado para su hija Leonor a otro labrador, de su misma condición?

> Entre muchos que quisieran
> casar con Leonor, mi hija,
> un hombre de buenas letras
> me aficionó, porque en casa
> de un labrador muy bien entran,
> pues en los hijos que dan
> quitan la antigua rudeza
> ....[18]

---

[15] Acad., IX, p. 92 b.
[16] *Ibid.*, p. 109 b.
[17] *Ibid.*, p. 115 a.
[18] Acad., IX, p. 115 a.

Los mismos hechos, las mismas prácticas, acompañados de consideraciones ideológicas bastante similares, se traslucen en *El villano en su rincón* de Lope. Aquí Lisarda, hija de Juan Labrador, es cortejada por un caballero cortesano, Otón, y acaba por unirse a él, entrando en el amor por la puerta principal, según reza una canción popular francesa, con el anillo al dedo. Este matrimonio se hace en nombre de la doctrina neoplatónica, cara a Lope, según la cual el amor puede igualar condiciones sociales y superar los obstáculos de clase.[19] Es interesante ver cómo el neoplatonismo, de orígenes aristocráticos, cobra en este caso un contenido igualitario, y, en definitiva, democrático. En realidad si el neoplatonismo funciona de ese modo en la pieza de Lope —como en otras muchas del Fénix— a la manera de una ideología igualitaria, es porque en la realidad práctica, se realizaban así las bases concretas de la mezcla social y del paso de una clase a otra mediante el matrimonio. En la realidad el ascenso de algunas capas sociales no nobles constituía esta base objetiva. La pieza de Lope lo demuestra claramente en una escena en la que Feliciano, hermano de la aldeana Lisarda, explica a Juan Labrador que él no piensa en otro partido posible para su hermana que no sea el noble. ¿Por qué concedió el Cielo dinero al villano rico si no es para ascender socialmente y «mejorar» su cuna?, pregunta Feliciano. Para Feliciano, la fortuna le permite a Juan Labrador esperar para su hija un marido que no sea villano y a poner sus miras mucho más allá de esos carboneros, pastores o mozos de labranza que ve en el pueblo. Lo significativo radica en que Juan Labrador, símbolo de las virtudes rurales del pasado, no puede sino indignarse de las pretensiones de su hijo y se queda sin argumentos:

> *Juan:* Elige algún labrador
> a quien tengas voluntad,
> y casemos a Lisarda;
> que siempre mal ha sufrido
> de sus padres el olvido,
> mujer hermosa y gallarda.

---

[19] En una escena muy bonita (Acad., XV, pp. 288 b-289 a), Lope compara el amor capaz de armonizar condiciones sociales muy diferentes con un músico que sabe aunar el bajo y el tenor en el canto a dos voces:

> *«Costanza:* Aunque alto y bajo estén, mira
> que aunque son tan desiguales
> como la noche y el día,
> aquella unión y armonía
> los hace en su acento iguales;
> que el alto en un punto suena
> con el bajo siempre igual,
> porque si sonaran mal,
> causaran notable pena
>
> *«Lisarda:* Música me persuades
> que el amor debe de ser
>
> *«Costanza:* El amor tiene poder
> de concertar voluntades.
>
> *«Lisarda:* No hay músico ni maestro
> como amor de altos y bajos;
> pero canta contrabajos
> en que siempre está más diestro.

Más adelante, en otra escena, Lisarda exclama: *(Ibid.,* p. 291 a):
«¡Oh , amor, gran juntador de desiguales!»

Feliciano: Yo, señor, tan altos veo
　　　　　　 sus pensamientos y galas,
　　　　　　 que no me atrevo a las alas
　　　　　　 de su atrevido deseo.
　　　　　　 No hallo en esta comarca
　　　　　　 digno labrador de ser
　　　　　　 marido desta mujer,
　　　　　　 ni en cuanto la sierra abarca,
　　　　　　 Uno está haciendo carbón,
　　　　　　 otro guarda su ganado,
　　　　　　 otro con el corvo arado
　　　　　　 rompe al barbecho el terrón.
　　　　　　 Aquél es rudo y grosero;
　　　　　　 el otro rústico y vil.
　　　　　　 Para moza tan gentil,
　　　　　　 mejor fuera un caballero.
　　　　　　 Hacienda tienes, repara
　　　　　　 en que Lisarda...
Juan: Detente;
　　　　　　 si no quieres que me cuente
　　　　　　 por muerto, la lengua para.
　　　　　　 ¡Yo señor! ¡Yo caballero!
　　　　　　 ¿Yo ilustre yerno?
Feliciano: Pues ¿no?
　　　　　　 ¿Para qué el cielo te dio
　　　　　　 tal cantidad de dinero?
　　　　　　 Carece de entendimiento
　　　　　　 (perdóname, padre, ahora)
　　　　　　 quien en algo no mejora
　　　　　　 su primero nacimiento.
　　　　　　 Mas vesla, señor, ahí;
　　　　　　 ella te dirá su gusto.
Juan: Mejor dirás mi disgusto,
　　　　　　 si tiene el que miro en ti.[20]

En realidad, desde el principio de *El villano en su rincón*, Lisarda deja entrever que no rechaza la eventualidad del casamiento con el caballero que la corteja, pasando por alto así la honda zanja social que separa a los nobles de los no-nobles. La conciencia que posee de su calidad no noble no le da a hija del villano rico ningún complejo de inferioridad social. Mientras el caballero llega a ofrecerle ricas joyas, ella declara a su amiga:

　　　　　　 Todo lo que éste me ha dado,
　　　　　　 de opinión he de perder,
　　　　　　 si agora viene a saber
　　　　　　 la calidad de mi estado;
　　　　　　 mas podrélo remediar
　　　　　　 con darle una prenda yo
　　　　　　 que valga más.[21]

---

[20] Acad., XV, p. 304 a, b.
[21] *Ibid.*, p. 276 a.

Asimismo, al descubrir Lisarda que quien la corteja podría ser un gran señor, emite simplemente el voto de que no esté situado muy alto en la escala social para que no sea realmente imposible el matrimonio; pero de ninguna manera ella podría aceptar ahora casarse con un labrador de su propia condición:

> Yo no nací, mi Belisa,
> para labrador por dueño:
> para mí su estilo es sueño,
> y su condición es risa.
> Yo me tengo de casar
> por mi gusto y por mi mano
> con un hombre cortesano,
> y no en mi propio lugar.[22]

Lo notable reside en que Lisarda basa sus esperanzas de alianza con un noble en la dote de 100.000 ducados que podrá dejarle su padre:

> *Belisa:*   No es imposible tu amor;
>   como título no sea.
> *Lisarda:*   Puédele mi padre dar
>   de dote cien mil ducados.
> *Belisa:*   Ducados hacen ducados;
>   con duque te has de casar.[23]

Con el ejemplo de *El villano en su rincón* puede apreciarse la diferencia entre las comedias pastoriles y las comedias de ambiente más netamente rústico. En las primeras, la idea de que no puede haber obstáculo contra el amor es una noción neoplatónica pura;[24] en las otras, más compenetradas de realidad contemporánea, una práctica social real se mezcla con la teoría del «amor por encima de las clases», y, al par del sentimiento, la riqueza rural constituye el puente entre clases.

Este tema del matrimonio entre la hija del labrador acomodado y el noble también aparece en Tirso de Molina. Cronológicamente, la primera pieza en donde el autor lo trata parece ser *La villana de la Sagra* (1606-1612?). Don Pedro, nada menos que un comendador, pide la mano de una villana. Los razonamientos del Comendador tanto como los del padre dicen mucho acerca de las ideas que podían tener los villanos ricos. Don Pedro cuenta su entrevista con el labrador de este modo:

> Agora se la pedí
> en su casa por mujer;
> y entrando en cuerdo consejo
> consigo, a poca distancia,
> reparando en la ganancia,
> (propia condición de viejo)
> y la mucha calidad
> con que sus nietos honraba,

---

[22] Acad., XV, p. 282 b.
[23] *Ibid.*
[24] En sus comedias pastoriles, Lope desarrolla el tema de «el verdadero amor», el cual, de atenernos a las definiciones que da por doquier en sus obras, es de tipo platónico.

pues con su hacienda juntaba
mis armas y calidad,
con palabra y juramento
me prometió que sería
Angélica esposa mía.
No es igual el casamiento;
pero tampoco seré
el primer noble que esposa
llame a una aldeana hermosa,
ni mi sangre afrentaré;
que al fin es cristiana vieja
de todos cuatro costados.[25]

Por su parte el padre incita a su hija a que se case con el caballero, movido por el deseo de tener nietos que sean nobles:

Ya ves que te quiere mucho:
ama a este caballero;
que amor, nobleza, y dinero
alcanzan y pueden mucho:
honrar tu casa desea;
pues con los nobles te igualas,
trueca en cortesanas galas
las toscas de aquesta aldea.
Un comendador te ama;
desde hoy no tienes de ser
hija, aldeana mujer,
sino cortesana dama.
Ea, toma mi consejo,
y haz lo que te mando yo,
que aunque caballero no,
soy, hija, cristiano viejo.
Entre la sangre española,
la mía, aunque labrador,
tiene limpieza y valor;
tu eres mi heredera sola,
y ansí en mis años postreros
honroso fin me darás,
si casándote me das,
hija, nietos caballeros.
¿Qué me respondes?[26]

En *La Santa Juana I,* un noble de Illescas pide la mano de Juana, cuyo padre es el más rico labrador de Hazaña.[27] Si bien este no da inmediatamente su respuesta —Juana no cuenta más que con trece años— no deja de sentirse halagado por la propuesta del caballero; el tío de la niña siente el mismo orgullo e insiste para que ella acepte el partido que le ofrecen:

---

[25] B. A. E., V, p. 314 a, b.
[26] B. A. E., V, p. 314 c.
[27] N. B. A. E., IX (1), p. 245 b.

Mateo: Sobrina: este casamiento
que os procuramos los dos
es de la mano de Dios,
y como mi hermano siento
las muestras deste pesar.
Francisco Loarte es hombre
con quien nos podéis honrar;
mozo, rico, gentilhombre,
y de su casa y solar
ha ennoblecido el valor
el César nuestro señor;
y pues con su sangre hidalga
quiere Dios que luzca y valga
vuestro estado labrador,
no me parecen discretos
esos extremos.

Juan: Verás
si te casas mil efectos
de gusto, y más si me das
hidalgos y nobles nietos
......................................[28]

También encontramos reflejos de la práctica real del matrimonio entre hijas de labradores ricos y nobles, en *La serrana de la Vera* de Luis Vélez de Guevara. Sin la existencia de la mezcla social, por vía matrimonial, sería inconcebible todo un movimiento escenográfico en esta pieza: es la escena en la que el capitán Carvajal, descendiente de una ilustre familia de Plasencia, le propone al rico Giraldo de Gargantalaolla casarse con su hija. Primero, Giraldo piensa que el noble se burla de él (y en efecto, de eso se trata), pero, ante la insistencia del capitán, acaba por consentir con alegría; mientras el noble insiste sobre el honor que le trae al labrador, éste pone por delante la comodidad y la holganza económicas de las que se beneficiará el noble por medio de esta alianza:

Giraldo: Ya fuera nezedad y grosería
no admitir la merced, señor Don Lucas,
que hazéys a Gila y a mi sangre. Digo
que quanto yo tubiere es vuestro todo,
y no será tan poco que no sea
para pasar muy bien en cualquier parte,
aunque colguéis la azada y los arados.[29]

El tema del matrimonio entre la hija del labrador, que trae el dinero, y el noble, que trae honra, no es el único tema con el que la comedia de ambiente rústico es eco de la promoción social de los ricos pecheros hacia 1600. La manera más clásica de que se vale este tipo de comedia para traducir el ascenso histórico de los pecheros acomodados en esta época es el conflicto entre generaciones. Bastante repetida es la situación dramática del padre ejemplar —labrador holgado según el ideal económico del tiem-

---

[28] *Ibid.*, p. 250 b.
[29] Ed. Teatro antiguo, hacia 1514-1520.

po— oponiéndose a un hijo ambicioso de nobleza, que quiere abandonar el pueblo, vestir ropas ciudadanas, comprar una ejecutoria de hidalguía. El personaje del hijo encarna en el escenario lo que era o tendría que ser en la realidad histórica, mientras que el personaje del padre significa (bajo el aspecto de un apoyo moral y poético dado al villano contento con su destino) lo que hubiera debido ser, conforme a los designios de una sociedad a la vez patriarcal y feudalo-agraria, deseosa de conservar la división medieval de las clases. Mediante el desdoblamiento escénico, los dramaturgos expresaron el movimiento real que impulsaba a una parte del campesinado, acompañándolo con la corrección edificante que tenía por misión la de expresar la comedia ante un público dominado por la ideología aristocrática.

Acabamos de ver que el tema de la oposición de las generaciones villanas ya aparece en *El villano en su rincón* de Lope, pieza que hay que situar probablemente hacia 1614-1615. En realidad, el tema se desarrolla con más amplitud en *Los Tellos de Meneses*. Tello el Viejo es confrontado constantemente con Tello el Joven . Al principio de la primera jornada, Tello el Joven se pavonea ataviado con oro y plumas a la moda cortesana; le declara a su prima Laura que la fortuna legitima el derecho a subir:

> Por dicha ¿en el mundo es nuevo
> que quien tiene hacienda emprenda
> ser algo más de lo que es?[30]

Pero el viejo Tello, portavoz de las ideas conservadoras, no comparte esta opinión; al ver a su hijo con el suntuoso traje de cortesano, finge no reconocerle; empieza una larga tirada en la que afirma ha necesidad de toda sociedad bien ordenada, de respetar los signos exteriores de los distintos estados: el paño para el villano, la seda pra el noble; para el uno, el carro con adrales ostentando los reposteros que tuvo a bien prestar el señor, para el otro, la carroza con aros dorados; según Tello el Viejo, la ruina de las repúblicas nace de la aspiración a la igualdad social, la ambición de todos los plebeyos enriquecidos de alcanzar el prestigio de la nobleza:

> ¿En qué está la diferencia
> de la nobleza heredada
> al oficial o al que cuida
> de su cuidado y labranza?
> En que el uno vista seda
> y el otro una jerga basta
> que basta para su estado,
> pues ella dice que basta.
> La carroza del señor,
> que cuando el techo levanta,
> descubre los arcos de oro
> con las cortinas de grana,
> ¿no ha de tener diferencia
> a un carro con seis estacas,
> cuatro mulas por frisones,
> su mismo pelo por franjas,
> que, cuando mucho, a una fiesta

---

[30] Acad., VII, pp. 294 b-295 a.

lleva en un cielo de caña
algún repostero viejo
con las armas de otra casa?
....

¡Ay Tello! la perdición
de las repúblicas causa
el querer hacer los hombres
de sus estados mudanza.
En teniendo el mercader
alguna hacienda, no para
hasta verde saballero,
y al más desigual se iguala;
....

De aquí nace aquella mezcla
de cosas altas y bajas,
que los matrimonios ligan,
con que sangres y honras andan
revueltas; de aquí los pleitos,
las quejas y las espadas.[31]

El contenido aristocrático de la lección de humildad social de Tello el Viejo es muy evidente ya que Tello, en realidad, es de noble cuna y podría tener derecho al prestigio que le niega al villano. Tello el Joven le contesta a su padre con otra gran tirada simétrica. Su «morceau de bravoure» refleja el pensamiento real de la sociedad tanto como en los tratados de determinados economistas preocupados por conciliar las doctrinas sociales antiguas con las nuevas realidades. Tello el joven distingue en el seno de la sociedad rural dos clases de hombres: los que trabajan con sus propias manos y los que hacen trabajar a los otros. El segundo grupo, al que pertenece él, le otorga el derecho al prestigio: la riqueza agraria y pastoril que heredará fundamentan su aspiración a ascender socialmente. Observemos que esta es exactamente la distinción establecida en este mismo momento entre actividades rurales no nobles por algunos economistas, tales como Martín González Cellorigo en su *Memorial de la política necesaria y útil restauración...* (1600):

Conozco que han sido exceso
de un labrador estas galas;
pero no de un hijo vuestro,
que sois rey destas montañas.
Si fuérades labrador
de aquellos que cavan y aran,
no pudiera a vuestra queja
satisfacer mi ignorancia;
pero si cuando del cielo
en copos la nieve baja,
no cubren más destos montes
que con las guedejas blancas
vuestro ganado menor;
y sí de ovejas y cabras
parecen los prados pueblos,

---

[31] Acad., VII, pp. 295 b-296 a.

> y yerba, y agua les falta;
> si tenéis de plata y oro
> tantos cofres, tantas arcas,
> y tiran cien hombres sueldo
> de vuestra familia y casa,
> ¿por qué os engañó la edad
> en decir que lo que acaba
> las ciudades es hacer
> los hombres tales mudanzas?
> El que su casa no aumenta,
> y la deja como estaba,
> no es hombre digno de honor,
> antes de perpetua infamia.[32]

Frente al inmovilismo conservador, respetuoso de las distinciones de clase, expresado por Tello el Viejo, Tello el Joven esgrime un punto de vista que evoca el ímpetu social de los villanos ricos. Pero es sorprendente que, a través de esta gran escena de confrontación de las generaciones campesinas, con su serie de «pro» y «contra», el debate no dé la impresión de llegar a una conclusión. Todo transcurre como si la simetría de las tiradas —que se equilibran oponiendo sus masas en romance— correspondiera estéticamente a una vacilación ideológica entre el pasado y el porvenir; hay elementos de aceptación y de rechazo en los argumentos de ambas generaciones villanas presentadas en el escenario, y Lope no parece decidirse por unos u otros; esta vacilación es reflejo del compromiso que, en este problema muy concreto, parece en efecto haber sido propuesto por los teóricos de la época.

El *Alcalde de Zalamea* de Calderón también nos presenta el tema de la contradicción entre las generaciones en cuanto expresión teatral de la contradicción histórica entre lo antiguo y lo nuevo. Su originalidad sobre este tema radica en el intento de superar armoniosamente la contradicción. Oímos a Pedro Crespo darle a su hijo Juan, como Tello el Viejo, consejos de mesura y humildad social, pero esta vez sin renuncias categóricas: no está vedado que un villano «cristiano viejo», dice (porque aquí sí se trata de un auténtico villano) aspire a subir, siempre y cuando tal aspiración quede dentro de límites convenientes:

> Por la gracia de Dios, Juan
> eres de linaje limpio
> más que el sol, pero villano;
> lo uno y lo otro te digo:
> aquello, porque no humilles
> tanto tu orgullo y tu brío
> que dejes, desconfiado,
> de aspirar con cuerdo arbitrio
> a ser más; lo otro, poque
> no vengas, desvanecido,
> a ser menos; igualmente
> usa de entrambos designios
> con humildad...[33]

---

[32] Acad., VII, p. 296 a, b.
[33] A. II, sc. II, in B. A. E., XII, p. 78 c.

La reiteración de este tipo de recomendación en el teatro delata la búsqueda ideológica de un equilibrio, de un término medio para armonizar con las viejas estructuras monárquico-señoriales, pacíficamente y sin violencias, el ascenso de los villanos ricos.

En efecto, por lo general, la comedia parece proponer la norma de una promoción social limitada al villano rico. Tal es la doctrina ideal (ideal desde el punto de vista feudalo-agrario) expuesta en varios pasajes de *El cuerdo en su casa* (1606-1612, probablemente 1606-1608). Mendo, el héroe, enriquecido por su trabajo y el de su padre, afirma que no se olvida de sus orígenes humildes y les recuerda a sus pastores que fue un humilde carbonero:

> O no sospechéis de mí,
> que me ha olvidado el dinero
> de cuando fui carbonero.
> Que, en fin, carbonero fui
> o a lo menos ayudé
> a mi padre, que me ha dado
> el oro, y este ganado
> que primero carbón fue.[34]

Al letrado-hidalgo Leonardo, que le ofrece su amistad y un estilo de vida menos rústico al tenor de su fortuna, Mendo siempre contesta arguyendo que un villano como él ha de saber quedarse en su sitio y no aspira a tener relaciones para las cuales no le preparó su condición original:

> vos letrado, yo ignorante,
> vos hidalgo, yo villano,
> será nuestro trato en vano,
> no hallaremos semejante.
> Yo hablaré de mis labores
> y vos de libros y leyes;
> vos de negocios de reyes,
> yo de humildes labradores.[35]

El ascenso social con que se benefició nuestro héroe en el seno de una sociedad rural, colma sus ambiciones: siendo humildes carboneros al principio, su padre y él se enriquecieron a fuerza de trabajo y voluntad. Entonces Mendo se casó con la hija de un labrador, ¿no es éste un logro social suficiente? El hidalgo Leonardo puede exhortar a Mendo a elevarse hasta el nivel de la hidalguía, lo hará en vano; Mendo aconseja la humildad social.

> *Leonardo:* .... yo querría
> que ya nuestra amistad fuese
> de provecho, y os hiciese
> hidalgo mi compañía.
> Vos subís a labrador
> de un padre ya carbonero;

---

[34] B. A. E., XLI, p. 444 a.
[35] B. A. E., XLI, p. 444 c.

> aspirad a caballero,
> subid a grado de honor.
> Yo os diré como seréis,
> Mendo, noble en pocos días.
> *Mendo:*   Tarde las costumbres mías
> Leonardo, mudar queréis.[36]

Hasta el final Mendo se resistirá en ser hidalgo a precio de oro, o por otro medio cualquiera, y proclamará su voluntad de morir labrador tal como nació:

> El que nació para humilde
> mal puede ser caballero.
> Mi padre quiere morir
> Leonardo, como nació:
> carbonero me engendró,
> labrador quiero morir,
> que al fin es un grado más.
> Haya quien are y cave,
> siempre el vaso al licor sabe.[37]

Con ello el protagonista villano de *El cuerdo en su casa* propone como modelo exactamene lo contrario de lo que solían hacer no pocos pecheros ricos en la realidad en ese mismo momento. No acepta la idea de la promoción social sino dentro de los límites de la condición villana, y esto en nombre de un sentimiento de humildad cristiana detrás del cual despunta el lugar común ascético de una muerte igualadora que termina nivelando a todas las clases. Además esta idea moral y religiosa (de inspiración horaciana y cristiana, como ya dijimos) tan característica de la «feudalidad en las ideas» se expresa unos pocos versos más adelante, cuando Mendo declara:

> Los cetros y los arados
> dicen que iguala la muerte.[38]

Pero en la realidad, los villanos acomodados no razonaban como el humilde Mendo, vocero de un pensamiento ciertamente tranquilizador para los nobles. Por ejemplo, ya lo vimos, algunos mandaban a sus hijos a la Universidad, lo cual era una manera de ascender y una etapa en la vía del ennoblecimiento posible por medio del dinero y de la posición.[39] Hechos como este tenían demasiada actualidad para no dejar rastros en las acciones rústicas de las comedias y suele ocurrir que aparezcan bajo el aspecto de detalles veristas introducidos por el dramaturgo para crear la ilusión de la vida aldeana. Tenemos un buenísimo ejemplo de esto en *Fuenteovejuna*. Varios críticos se extrañaron de la inserción de la escena que, a principios del segundo acto, hace intervenir entre los villanos a un tal Leonelo, estudiante en Salamanca; este Leonelo, que no sale en ningún otro momento en la comedia, hace pedantes declaraciones sobre el invento de la imprenta ante los villanos. Esta escena sólo se considera

---

[36] *Ibid.,* p. 446 c.

[37] B. A. E., XLI, p. 456 b.

[38] *Ibid.,* p. 456 c. A menudo Lope acerca los «cetros» y los «arados». En los *Hieroglyphica* este acercamiento tiene su origen según una referencia en margen del poema del *Isidro.*

[39] *Vide supra,* p. 784.

como una auténtica disgresión si se pasa por alto el hecho social de la ida a la Universidad de algunos hijos de labradores ricos, a fines del siglo XVI.[40] Leonelo es uno de esos futuros letrados o teólogos nacidos de campesinos acomodados, y su presencia en la plaza de Fuenteovejuna es un detalle verista, entre tantos, por medio de los cuales Lope quiso crear la ilusión de la vida real de la sociedad villana llevada a las tablas.

* * *

Así, no cabe duda de que algunas comedias de ambiente rústico encierran ecos de la promoción social del villano rico, ora por medio del matrimonio, ora gracias a la compra de una hidalguía, ora por otro medio, pero al mismo tiempo, suelen proponer límites a esta promoción. La doctrina de ascenso social que descubrimos en estas piezas es el resultado de una conciliación entre el proceso histórico real y las normas feudales de la distinción entre clases nobles y no-nobles. Está armonizada, en algunos aspectos, con la teoría de la «clase media» que elaboraban por los mismos años la mayoría de los economistas, hostiles a la idea de igualdad; opuestos a los sistemas igualitarios derivados de Tomás Moro, buscaban a la armonía de los extremos, tal como Martín González de Cellorigo, en su *Memorial de la política necesaria y útil restauración de República de España* (1600). Escribía este:

> ... y aunque no sería bien decir, que todos ayan de ser yguales, no sería fuera de razón, que estos dos extremos se compasasen: pues al quererlo todos ygualar es lo que los tiene más desconcertados y confundida la república de menores a medianos, y de medianos a mayores, saliendo todos de su compás y orden, que conforme a la calidad de sus haziendas, de sus oficios, y estado de cada uno devieran guardar.[41]

Palabras semejantes no difieren de las que oimos en boca de Mendo, el héroe de *El cuerdo en su casa.*

---

[40] Este hecho era tan corriente que se encuentra por doquier. Leemos, en la *Floresta de apotegmas* de Melchor de Santa Cruz, Bruselas, 1598, fol. 82, vº, una anécdota que inicia con las siguientes palabras: «En el examē de un doctor de Medicina, dixeron que su padre era un labrador rico, gran comedor de cabras. Yendo este Doctor de Salamanca a su tierra, halló que era muerto su padre..., etc.» Asimismo la comedia de Antonio Hurtado de Mendoza *El premio de la virtud y sucessos prodigiosos de Don Pedro Guerrero* (in «Suelta», sin año, B. N. Madrid, T. 20666), basa su intriga en la historia de Pedro Guerrero , hijo de labrador, quien aspira a estudiar. Deja bueyes y arado para seguir de criado a un estudiante noble. Alcanza el grado de doctor y el emperador le nombra arzobispo de Granada.

[41] *Op. cit., fol. 16.*

CAPITULO III

DIGNIFICACION DEL VILLANO

La reivindicación del honor por los villanos en los tratados y en las comedias. La igualdad sustancial de los hombres. Sentimiento de la pureza racial. Contenido moderno de honor y honra de los villanos en Peribáñez y el Comendador de Ocaña.

En el capítulo anterior, demostramos cómo la perspectiva aristocrática que domina por lo general la concepción de las comedias, dé lugar a una discusión ideológica a propósito del tema del ascenso social del villano enriquecido. La tendencia habitual de los dramaturgos es la de asignar límites a la promoción social. El respeto por la distinción de las clases feudales es la clave en el modo de tratar el tema. No obstante, no podemos afirmar que esté ausente totalmente el aliento igualitario en estas comedias de ambiente rústico. Es más, por la fuerza con la que afirman la dignidad, la honra del villano, hasta les parecieron revolucionarias y subversivas a algunos críticos: así ocurrió con *Fuenteovejuna, Peribáñez y el Comendador de Ocaña, El alcalde de Zalamea* (Calderón). A todas luces el tema del honor y de la honra del villano, repetido en un grupo de piezas célebres, plantea un delicado problema y ha llegado al momento de estudiarlo.

¿En qué se basa el sentimiento de la dignidad del villano que exaltan estas piezas? ¿Cuál es su naturaleza exacta? ¿Está en contradicción este sentimiento con el respeto del orden feudal que parece proponer, por otra parte, la comedia de ambiente rústico? Intentaremos esclarecer algo estas difíciles cuestiones.

* * *

Es un hecho: suele ocurrir que el villano de la comedia reivindique el derecho al honor o a la honra con sorprendente insistencia. Don Juan en *El burlador de Sevilla,* explica como se sirvió del honor de un villano, para embaucarlo mejor, ya que, dice, los villanos sienten intensamente esto:

> Don Juan: Con el honor le vencí,
> porque siempre los villanos
> tienen su honor en las manos,
> y siempre miran por sí,
> que por tantas falsedades,

es bien que se entienda y crea,
que el honor se fue al aldea
huyendo de las ciudades.[1]

Tal como lo notara Américo Castro,[2] en el teatro de Lope los personajes de alta cuna se maravillan por lo general ante las reivindicaciones de honor y honra del villano. Al final de *Peribáñez y el comendador de Ocaña*, el rey Enrique III extrañado por las palabras llenas de dignidad de Peribáñez, exclama:

¡Cosa estraña
que un labrador tan humilde
estime tanto su fama![3]

Al principio de la acción es el propio comendador de Ocaña quien evoca el honor, siempre dispuesto a manifestarse entre los villanos:

Si quiero, Luján, hacerme
amigo deste villano,
donde el honor menos duerme
que en el sutil cortesano,
¿qué medio puede valerme?[4]

Peribáñez, por fin, no se niega a considerarse como un «noble villano», aunando dos nociones que, según la ideología feudal, eran absolutamente contradictorias:

Tú serás flor de la villa,
y yo el más noble villano.[5]

El cosquilleo de la honra no es menos vivo entre los villanos de Vélez de Guevara. Antón le declara a la Reina, en *La luna de la sierra:*

Tenemos honra en la sierra
como en las granes ciudades
y en las Cortes....................[6]

Es de creer que este motivo de la honra llegó a ser lugar común teatral, ya que parece indicarlo una escena de la comedia de Montalbán, *El segundo Séneca de España, Don Felipe II*. Al principio de la acción, el rey Felipe II, calado por una tormenta se refugia de incógnito en la casa de un alcalde campesino, Juan Rana. El Rey se encuentra primero sólo con la sobrina de Juan Rana, la hermosa Bartola. Cuando ve

[1] Ed. Américo Castro, in «Clás. Castell.» (La Lectura), versos 101-108.
[2] Cf. Américo Castro, *Algunas observaciones acerca del concepto de honor en los siglos XVI y XVII*, in *R.F.E.*, 1916, III, p. 50.
[3] Ed. Aubrun y Montesinos, versos 3105-3107.
[4] *Ibid.*, versos 569-572.
[5] *Ibid.*, versos 446-447.
[6] In *Flor de las mejores doce comedias*, 1652, A. III, fol. 35.

llegar al villano, el Rey le pide excusas a Bartola por su presencia en esa casa y declara:

> *Rey:* Y dezidle como el agua ·
> nos ha traído aquí
> huyendo de la borrasca,
> que, aunque villano, tendrá
> honra en su rincón,[7] que basta
> para darle pesadumbre
> el hallarnos en su casa
> y es bueno salirle al passo,
> antes que sospeche nada
> ....[8]

Basta con echar una mirada sobre el teatro anterior a la comedia de la época lopesca para comprender que esta atribución de la honra al villano representa algo nuevo en las tablas. Como ya vimos, el villano inicia su carrera teatral a fines del siglo XV, con papeles cómicos en donde lo risible corresponde, en lo más hondo, a una óptica feudal antivillana, o, en el mejor de los casos, paternalista; después, por la ideología del «menosprecio de corte y alabanza de aldea», el villano se vuelve, en el escenario, ejemplar y moral al par que lírico y pintoresco; pero estas nuevas perspectivas siguen siendo aristocráticas. El motivo de la dignidad del villano no aparece realmente antes de 1608-1610 aproximadamente, en el momento en que surge el grupo constituido por piezas como *El cuerdo en su casa, Fuenteovejuna, Peribáñez y el Comendador de Ocaña, La Santa Juana, La dama del Olivar, La serrana de la Vera* (Luis Vélez de Guevara), *La luna de la sierra*. Aquí se sitúa una pequeña revolución teatral que tal vez haya que relacionar con los cambios de opinión efectuados en pro del villano, mediante la presión de los acontecimientos, hacia fines del siglo XVI. No cabe duda de que los labradores de la realidad, en el transcurso del siglo, fueron solicitando, cada vez más, el derecho al honor y a la honra. Después de 1600, la mayoría de los economistas que se dedican al problema de la crisis agraria se hacen eco de esta reivindicación y a veces la legitiman. En su *Gobierno político de agricultura...* (1618) Lope de Deza estima que uno de los medios para hacer atractiva la agricultura es otorgarle más lustre y más ventajas:

> ... atrayendo muchos ciudadanos a ella, con la honra, con el provecho, y exempciones...[9]

Por su parte, fray Benito Peñalosa de Mondragón opina que serán inútiles todas las ventajas concedidas a la agricultura para restaurarla si no se satisface primero la necesidad de honra y nobleza que sienten los labradores frente a los demás españoles. Los «arbitrios» de los innumerables autores dedicados a resolver la crisis de nada servirán. En su *Libro de las cinco excelencias del español que despueblan a España, para*

---

[7] Naturalmente estos dos versos recuerdan el título de la comedia lopesca *El villano en su rincón,* ¿Acaso la fórmula «el villano en su rincón» no era sencillamente proverbial? ¿O nació de una vulgarización de la creación lopesca? Es difícil escoger entre ambas explicaciones.

[8] Cf. *Comedias de Pérez de Montalbán*, 1638, II, fol. 25 verso.

[9] *Op. cit.*, fol. 116 verso.

su mayor potencia y dilatación (escrito hacia 1628 tal como lo atestiguan distintas licencias) dice:

> Pero todo cuanto ponderan todos, que se les favorezca a los dichos labradores, aunque se les concediesse (según hoy se halla de disminuido, arruinado y despreciado este estado) no llega a lo menor que pondera el generoso pecho del español y a lo que en saliendo de España, al punto halla, o en cualquer comodidad de la corte, y demás lugares tiene porque en no siendo honroso lo que se concediere es nada para él, y se advierta, que todo lo qu3 se quisiere exemplificar, y proporcionar con labradores de otras naciones jamás dice con el natural del español: porque todos los españoles son unos en apetecer lustre, nobleza, y honra.[10]

Para nuestro autor, existe un sólo medio para fijar al labrador a la tierra y es hacerle partícipe de algunos honores reservados a la nobleza:

> Mudáronse ya los tiempos y ocasiones de adquirir nobleza por las armas dentro de España. Y pues nunca ha cesado (porque siempre es necesaria) la labor del campo, haya para el labrador algunos premios de los muchos que gozan y gozarán los que no pelean, mas antes envueltos en ocio y regalo, muy a la sombra descansan a costa de las grandes inclemencias, sudores y fatigas, pérdidas y descomodidades que los labradores siempre pasan; participen algo de su honor, pues ellos gozan tanto de su trabajo, para que de esta suerte sea en todos tiempos igual la justicia...[11]

Creemos que han de buscarse los remotos orígenes de la dignidad del villano castellano hacia 1600, dentro del movimiento histórico real de la sociedad española en los primeros siglos de la Reconquista. Como ya vimos, el campesino de Castilla y León fue tempranamente un hombre relativamente libre y esta libertad social constituyó la raíz medieval de su sentimiento de dignidad. En el siglo XVI, y particularmente en la segunda mitad de la centuria, los problemas económicos que ya evocamos acabaron volviendo imprescindible el campesino para la buena marcha de la sociedad. El sentimiento de su utilidad contribuyó entonces a acentuar en él, y en especial en el villano enriquecido, la conciencia de sus derechos frente al noble. Ya indicamos de qué manera en la comedia el labrador holgado vincula su honra con sus bienes. Otra de las bases concretas de su dignidad es el sentimiento de su utilidad social y por ello el labrador teatral rechaza a veces el calificativo peyorativo de «villano». En *Los Benavides* (antes de 1602), el villano Sancho mantiene con el noble payo de Vivar, la siguiente discusión que da testimonio de esta relación entre dignidad y utilidad, y de la preocupación por evitar el menosprecio social:

> *Payo:* ¿Qué es lo que quieres, villano?
> *Sancho:* No soy villano, señor.
> *Payo:* Pues ¿qué eres?
> *Sancho:* Labrador,
> como vos sois cortesano.
> *Payo:* ¿Qué diferencia has hallado
> en el uno y otro nombre?
> *Sancho:* Que el que es villano es ruin hombre.

---

[10] *Op. cit.,* fol. 170.
[11] *Op. cit.,* fol. 176.

> Payo: ¿Y el labrador?
> Sancho: Hombre honrado.
>   El labrador, en su aldea,
>   siembra lo que coméis vos
> ....[12]

Pero no podemos contentarnos con señalar únicamente las bases históricas concretas del sentimiento de la dignidad del villano en la comedia; también hemos de intentar fijar con precisión las formas ideológicas de las que se valió para expresarse.

Digámoslo desde ya: la idea igualitaria que a veces yergue al villano frente al noble, no es, por su forma, la idea de igualdad política que la burguesía revolucionaria francesa iba a llevar al triunfo en 1789, sino una reivindicación cristiana que se halla a menudo en el pensamiento medieval: la nutre el dogma de la igualdad sustancial y metafísica de los hombres. Sin lugar a dudas, la más famosa expresión de este igualitarismo cristiano del villano teatral, la proporciona Pedro Crespo al proclamar, en *El alcalde de Zalamea* (Calderón):

> ....el honor
> es patrimonio del alma,
> y el alma sólo es de Dios.

En realidad, la idea de que la «nobleza del alma» es nobleza a secas ya existía en la Antigüedad precristiana[13] y, en algunos aspectos, el cristianismo no hizo sino heredarla de griegos y latinos. En el siglo VI, Boecio le dio relavado brillo y, probablemente merced a la difusión de este autor, se hizo verdadero lugar común del pensamiento medieval en Occidente.[14] Leemos bajo la pluma de Boecio, en el *Textus de philosophiae consolatione*, el siguiente párrafo:

> Omne humanu genus ī terris
> Simili surgit ab ortu.
> Unus enim rerum pater est...
> ....

---

[12] Acad., VII, p. 516 b.

[13] E. R. Curtius, *op. cit.*, I, pp. 259-260, menciona a Eurípides, Aristóteles, Menandro. También cita a Séneca («animus facit nobilem») (Epistola, XLIV, 5), Juvenal (VIII, 20) («nobilitas sola est atque unica virtus»), etc...

[14] El tema de la nobleza de sangre y de la nobleza de la virtud está tratado ya en Jean de Meung, in G. de Lorris y J. de Meung, *Le roman de la rose*, publicada por M. Langlois, París, 1914-1920, IV, p. 236:

> «E se nus contredire m'ose,
> Qui de gentillece s'alose,
> E die que li gentill ome,
> Si con li peuples les renome,
> Sont de meilleur condicion
> Par noblece de nacion
> Que cil que les terres coutivent
> Ou qui de leur labeur se vivent,
> Je respons que nus n'est gentis
> S'il n'est a vertuz ententis,
> Ne n'est vilains fors pour ses vices,
> Dont il pert outrageus e nices.

> Mortales igitur cunctos
> Edit nobile germen.
> Quid genus et avos strepitis
> Si primordia vestra
> Autorem q̄ deum spectes?
> Nullus degener extat,
> Ni vicijs peiora fovens.
> Propriū deserat ortum.[15]

Más tarde, de forma más teórica, Santo Tomás de Aquino debía desarrollar ideas semejantes. En la *Suma*, al tratar de la obediencia de los inferiores para con los superiores («Utrum subditi teneantur suis superioribus in omnibus obedire») el doctor proclama que el inferior no tiene la obligación de obedecer a su superior si éste le manda alguna cosa a la que no está realmente sujeto.[16] Así, según este teólogo deseoso de armonizar la idea cristiana y la política aristotélica con la realidad de las jerarquías feudales, el «servus» no era totalmente esclavo y seguía habiendo en él algo fundamentalmente inalienable.

La lectura de estos autores medievales permite comprender de inmediato qué huella ideológica siguen las proclamas igualitarias del villano de la comedia que afirma

---

[15] Cf. *Metru sextu libri tercij*, *Textus de philosophiae consolatione*, Nuremberg, 1476 (B. N. Madrid). En la versión de fray Alberto Aguayo (Sevilla, 1518, B. N. Madrid, R. 118) este pasaje es traducido por los siguientes versos:

> Es todo el linaje humano
> muy conforme en el nacer,
> tiene un padre soberano
> cuya poderosa mano
> da ser a quien tiene ser
> ....
> Pues dezid porq̄ os jactáys
> de uestros antepassados
> pues soys todos si miráys
> muy nobles: sino dañáys
> la nobleza con pecados,
> pues nadie de los humanos
> si mira a su hazedor
> viene de padres villanos
> si con pensamientos vanos
> no guía tras lo peor.

[16] Santo Tomás toma a Séneca (in *De Beneficiis*, III, 20): «... Errat, si quis existimat servitutem in totum hominem descendere; pars enim melior excepta est; corpora obnoxia sunt et adscripta dominis, mens quidem est sui juris.»

Y Santo Tomás añade, por su cuenta:

> Et ideo in his quae pertinent ad interiorem motum voluntatis, homo non tenetur homini obedire, sed solum Deo. Tenetur autem homo homini obedire in his quae exterius per corpus sunt agenda; in quibus tamen secundam ea quae ad naturam corporis pertinent, homo homini obedire non tenetur, sed solum Deo; quia omnes homines natura sunt pares, puta in his quae pertinent ad corporis sustentationem et prolis generationem. Unde non tenentur nec servi dominis, nec filii parentibus obedire de matrimonio contrahendo vel virginitate servanda, aut aliquo alio hujusmodi. Cf. *Petri Lombardi... Sententiarum libri quatuor... necnon divi Thomas Aquinatis... Summa Theologica* (secunda secundae, quaestio CIV, art. 5).

su orgullo de ser quien es. Son frecuentes tales afirmaciones y muy parecidas de una pieza a otra.

En *La villana de la Sagra* de Tirso (antes de 1612) la villana Angélica, instada por su padre a casarse con un caballero que solicita su mano, contesta con una afirmación de dignidad plebeya:

> ... que soy
> labradora, y pues soy tal,
> solamente con mi igual
> resuelta en casarme estoy.
> Harta honra el cielo me dio;
> que no pretendo yo aquí
> esposo que me honre a mí,
> sino esposo que honre yo.
> Labradores verdaderos
> somos, y en serlo me fundo;
> labradores tuvo el mundo
> primero que caballeros.
> ....
> De su nobleza el decoro
> con escudos de armas medra;
> mas son escudos de piedra,
> y tú los tienes de oro.[17]

Con este primer ejemplo queda patente cómo el lugar común medieval de la igualdad original de los hombres viene a encubrir un orgullo social que se apoya, entre otras cosas, en la riqueza; en otros términos, una idea antigua corresponde aquí a un contenido relativamente moderno.

Del mismo estilo que la declaración anterior son las proclamas igualitarias que se hallan en boca de los héroes villanos de Vélez de Guevara, Lope o Calderón. Resulta particularmente interesante el intento de revalorizar la palabra villano que aparece en varias piezas. El estudio que consagramos al villano cómico nos demostró detalladamente que, dentro de la perspectiva feudal, la palabra villano cobra un significado únicamente negativo. Por esencia, el villano es vil, capaz de las peores fechorías, de traición, de cobardía.[18] Ahora bien, en algunas de las comedias aparecidas a partir de 1613, el campesino discute a propósito del sentido de «villano» y desprende la palabra —al menos en parte— de su valor peyorativo. Todo ocurre como si se tratara, a este propósito, de un atisbo de revisión del concepto de villano. El primer ejemplo de este intento de rehabilitar el sentido de la palabra nos lo proporciona, al parecer, *La serrana de la Vera* (1613) de Luis Vélez de Guevara. Giraldo, labrador rico de Gargantalaolla, reivindica la calidad de villano como título , ya que para él el término vuelve a cobrar

---

[17] B. A. E., V, pp. 314 c-315 a.

[18] Recordemos la invectiva del escudero del *Lazarillo de Tormes:* «Vos, don villano ruin...» O citemos, entre mil ejemplos posibles, dos versos del portugués Antonio Prestes, in *Auto dos dous Irmãos* («Primeira parte dos autos e comedias portuguesas feitos por Antonio Prestes», Lisboa, 1587, fol. 76 verso, B. N. Madrid, R. 12766):

> «Não ha vilão sem roim
> nem roim sem ser vilão.»

su sentido etimológico, el de habitante de una villa. He aquí la discusión que entabla con un capitán noble:

> Capitán: ¿No soys villano?
> Giraldo: Honbre soy umilde y llano;
> mas villano, no por Dios,
> sino es porque vivo en villa;
> que villano es el que intenta
> a trayción muerte o afrenta;
> honbres buenos en Castilla
> sus reyes nos an llamado,
> y los que son honbres buenos,
> de ese nombre están ajenos.[19]

Con la lectura de este diálogo donde se enfrentan noble y villano se atisba que el desarrollo de las villas a fines del siglo XVI y el entusiasmo municipalista que encendió entonces el campo castellano[20] no dejan de presentar relación con el aserto de dignidad del labrador Giraldo. La definición honorable del villano que proporciona el labrador fue repetida sin duda por los años 1613-1615, ya que en *El villano en su rincón* de Lope, pieza que tendemos a situar en 1614-1615, volvemos a encontrarla casi con los mismos términos que bajo la pluma de Luis Vélez de Guevara. También Juan Labrador se precia como de un título de nobleza, de ser villano en el sentido etimológico y, aparentemente, hasta va más allá en la inversión de valores aceptados por lo general, ya que pretende insultar a sus gañanes, poco diligentes en el trabajo, tratándoles de «caballeros» y «cortesanos»:

> Juan: Creo que os he de reñir.
> ¡Con las hoces en las manos!
> Salid acá, cortesanos.
> Fileto: ¿Ya encopienzas a gruñir?
> Pero donaire has tenido,
> pues cortesanos nos llamas,
> pensando que nos infamas
> con ese honrado apellido.
> Juan: Fileto, el nombre villano,
> del que en la villa vivía
> se dijo, cual se diría
> de la corte el cortesano.
> El cortesano recibe
> por afrenta aqueste nombre,
> siendo villano aquel hombre
> bueno, que en la villa vive:
> yo, pues nos llama villanos
> el cortesano a nosotros,
> también os llamo a vosotros,
> por afrenta, cortesanos.[21]

---

[19] Ed. *Teatro antiguo*, p. 4.

[20] Cf. nuestro estudio *La vida rural castellana en tiempos de Felipe II*, Barcelona, Planeta, 1973, pp. 196-204.

[21] Acad., XV, pp. 278 b-279 a. La convergencia de las definiciones del «villano» («un hombre que vive en la villa») en *La serrana de la Vera* y *El villano en su rincón*, no implica, en nuestra opinión, la influen-

¿Reforzáronse las afirmaciones de dignidad plebeya a medida que pasaron los años en esta primera mitad del siglo XVII? Sea lo que fuere, la pieza en la que aparece la más nítida y la más categórica expresión de ello es *El alcalde de Zalamea* de Calderón, tal vez escrita hacia 1630, pero no antes. Una escena construida sobre la clásica oposición del padre y del hijo enfrenta a Pedro Crespo y a su hijo Juan. El representante de la nueva generación, Juan, se irrita porque su padre, aldeano rico y estimado por sus iguales, se ve obligado a alojar a un sargento en su casa: ¿no puede sustraerse a esa carga servil propia de villanos, consiguiendo con dinero una ejecutoria? Pero Pedro Crespo por su parte, no considera la dignidad según el pergamino: se siente digno en cuanto villano y se afirma como tal:

> Yo no quiero honor postizo,
> que el defecto ha de dejarme
> en casa. Villanos fueron
> mis abuelos y mus padres;
> sean villanos mis hijos.[22]

Esta afirmación de la dignidad de una cuna plebeya es más fuerte aún en el diálogo en que Juan se enfrenta espectacularmente con el capitán que ha deshonrado a su hermana, y, no podemos menos de observarlo, una vez más la idea de dignidad se apoya en el sentimiento de la utilidad social del villano:

> Capitán: ¿Qué opinión tiene un villano?
> Juan: Aquella misma que vos:
>   que no hubiera un capitán,
>   si no hubiera un labrador.[23]

Tal vez haya que situar la refundición de *Peribáñez y el Comendador de Ocaña* que lleva por título *La mujer de Peribáñez*, en el período en que fue escrito *El alcalde de Zalamea* de Calderón. Esta pieza ofrece la originalidad de llevar mucho más allá que cualquier otra las reivindicaciones de dignidad villana frente al noble. En una de las numerosas escenas en las que Peribáñez se enfrenta con el Comendador de Ocaña, oimos esta tirada en la que hay como un eco de las proclamas de *La villana de la Sagra* y de *El alcalde de Zalamea* (Calderón); es tenue su virtud poética pero presenta la ventaja de recalcar fuertemente las líneas de la teoría metafísica que sustentaba entonces el igualitarismo villano del teatro:

> Peribáñez: Suplico a V. señoría
>   me trate mejor, que el día
>   que Dios con severa mano
>   infunde el alma a lo humano,
>   la infunde con eminencia
>   a otro con igual essencia,

---

cía de una pieza sobre otra. El motivo debía de estar en el ambiente, probablemente bajo una forma proverbial. Leemos, in G. Correas, *Vocabulario...*, p. 506 b (ed. 1924): «Villano es el que hace la villanía, que no el de la villa.» Según L. Martínez Kleiser (p. 733 a) el refrán ya se halla en Hernán Núñez, o sea, es anterior a Lope.

[22] B. A. E., XII, p. 70 c.
[23] *Ibid.*, p. 72 c.

y con igual modo aquí,
si me maltratáis a mí,
maltratáis su providencia.
Nacemos, y con profundo
ser, como vamos creciendo,
vamos también conociendo
«estotro fuera del mundo,
con movimiento segundo;
lo conserva aquella mano,
y en lo político humano,
que fue necessario infiero,
para ser vos caballero
el que yo fuesse villano.[24]

Sin lugar a dudas es preciso remontar hasta la vieja idea medieval del origen común de todos los hombres, si se quiere llegar hasta las raíces de la proclamas igualitarias del villano en la comedia. Por consiguiente el topos que consiste en decir «todos somos descendientes del labrador Adán» parece haber preparado estas proclamas teatrales aparecidas en piezas que se sitúan después de 1608-1610 aproximadamente. Este lugar común es adoptado por la mayoría de los economistas que quieren exaltar entonces la agricultura después de 1600,[25] pero era muy anterior a esta época y se encuentran rastros por doquier, a partir del siglo XIV, en España y en otros sitios.[26] La lengua popular de los siglos XVI y XVII conocía expresiones estereotipadas en las que se había cristalizado esta idea. Juan de Mal Lara menciona, en su Filosofía vulgar: «Todos somos hijos de Adán y Eva, mas diferéncianos la seda»[27] Covarrubias nos indica bajo una forma apenas diferente: «Todos somos hijos de Adán y Eva, sino que nos diferencia la seda».[28] Por fin en el Vocabulario de G. Correas, leemos: «Todos somos hijos de Adán y de Adreva. Dicho por donaire».[29] el teatro de ambiente rústico se posesionó tempranamente de estas fórmulas de la sabiduría popular y ya en la Egloga o farsa del nascimiento de nuestro redemptor Jesucristo de Lucas Fernández oimos el siguiente diálogo entre dos pastores:

Gil: ¡A! ruin seas tú y tus parientes.
Bonifacio: ¿Tienes tú otros mijores?

---

[24] La muger de Peribáñez, in «Suelta» (B. N. Madrid, T. 19445), acto II, fol. B 2.
[25] Cf. Lope de Deza, Gobierno político de agricultura, 1618, fol. 1:

El solar antiguo de la Agricultura de adonde tuvo principio, y se derivara su antigua nobleza, es el Parayso terrenal en que Dios puso al primer hombre, obligado después de su cayda a cultivar la tierra para sustentarse, y pues quantas líneas de lynajes ha avido, ay, y avrá en el mundo se rematan en él: ¿quién podrá dezir que no deziende de un labrador?

[26] Las mil y una noches (noche 902), así como lo señaló Américo Castro, in Aspectos del vivir hispánico, Santiago de Chile, 1949, p. 31. Por nuestra parte, citemos la vieja canción inglesa de los Lollards del siglo XIV:

.When Adam dug and Eve span,
Where was then the gentleman?»

[27] Cf. ed. de Lérida, 1621.
[28] Tesoro..., pp. 41 a-35.
[29] Ed. cit., p. 483 b.

> Gil: Todos somos de un terruño
>   bajos, altos y mayores,
>   pobres, ricos y señores,
>   de Aldrán viene todo al cuño.[30]

En el siglo XVI las referencias a este lugar común igualitario fueron tratadas por las letras[31] y pasó muy naturalmente, después de 1600, a algunas comedias de ambiente rústico en las que se oye a un villano, ya sea cómico, ya sea trágico, afirmar la igualdad de los hombres en virtud de su origen común. Tenemos un ejemplo en *Los hidalgos de aldea* (1606-1615, probablemente 1608-1611) de Lope, que enfrenta en la escena al alcalde de villanos, Jofre, con el alcalde de hidalgos, Celedón, en una de esas cómicas peleas de alcaldes, de las que ya vimos que constituyeron un género muy usado. Volveremos a hablar más tarde del motivo del conflicto entre villanos e hidalgos en la comedia porque es uno de los reflejos teatrales de la lucha histórica de clases hacia 1600. Bástenos decir por el momento que a través de la transposición teatral de este conflicto y merced a las alusiones a unos muy discutidos ennoblecimientos contemporáneos, en *Los hidalgos de aldea*, también se esboza el motivo de la dignidad del villano, concebida con una actitud de igualitarismo cristiano. Al hidalgo Celedón, que se cree de esencia superior, Jofre le opone el lugar común de que por las venas de todos los hombres corre la sangre de Adán:

> Celedón: Yo soy alcalde hijodalgo
>   y tengo de hablar primero,
>   porque al fin soy caballero,
>   que por cien pecheros valgo.
> Jofre: Hablad como habéis de hablar
>   y dejadme hablar a mí,
>   que hombre como vos nací
>   y esto os lo puedo probar.
>   ....
>   Y esto de las hidalguías
>   bien sabéis que es invención,
>   porque los linajes son
>   las mudanzas de los días;
>   que ellos bajan o adelantan
>   donde quieren las personas:
>   tal vez humillan coronas,
>   tal vez arados levantan.
>   Que lo cierto se averigua
>   es que todos descendenos

---

[30] In *Farsas y églogas...*, ed. cit., p. 150.

[31] Citemos en especial a Antonio de Torquemada que lo desarrolla en uno de sus *Coloquios satíricos.* Cf. *Coloquio que trata de la vanidad de la honra del mundo...*, in Menéndez y Pelayo, *Orígenes de la novela* (N. B. A. E., II, p. 545):

> «*Antonio:* Lo que concluyo es que todos somos hijos de un padre y de una madre, todos sucesores de Adán, todos somos igualmente sus herederos en la tierra, pues no mejoró a ninguno ni hay escritura que dello dé testimonio; de lo que nos hemos de preciar es de la virtud, para que por ella merezcamos ser más estimados, y no poner delante de la virtud la antigüedad y nobleza del linaje...

de Adán; mirad si tenemos
sangre igual y sangre antigua.[32]

Por más trivial que sea bajo la pluma de Lope, la idea de la igualdad de las sangres, afirmada aquí por un alcalde de villanos en presencia del alcalde de hidalgos, merece ser subrayada como idea verdaderamente cristiana, que excluye la acusación de impureza racial con la que solían abrumar a los hidalgos los villanos en la comedia; en efecto, en *Los hidalgos de aldea*, pieza en la que el villano no trata con miramientos al hidalgo, no apunta ni una burla de antisemitismo.[33] En otras comedias unos personajes aldeanos repiten, como Jofre, que todos los hombres son descendientes de Adán, y para nosotros ello constituye otra prueba de que esta sentencia cristiana harto vulgarizada desde fines de la Edad Media, es una de las formas de expresión de la dignidad del villano en el teatro. Por ejemplo, Toribio, de *La Montañesa de Asturias* de Luis Vélez de Guevara, decidido a no dejarse humillar cuando viene a la corte, exclama en presencia del propio Rey:

Todos baxamos de Adán
que non fizieron, por Dios,
otro para nacer vos
ni los que con vos están.[34]

Pero este villano preocupado por afirmar su dignidad y su hontra, ¿proclamó siempre de manera tan categórica que el noble y él tienen la sangre del mismo color? Llega el momento de destacar este otro componente frecuente de la dignidad del villano de la comedia, el sentimiento aldeano de la limpieza de sangre. Como acabamos de indicarlo, esta noción racista se contradice bajo algunos aspectos, con la idea igualitaria cristiana del origen común. No obstante, aparece en varias piezas como constituyente de la honra villana. Desde el punto de vista de la evolución de los temas y de la ideología teatral, es interesante ver cómo este sentimiento de cristianismo viejo, captado primero por los dramaturgos como rasgo cómico y ridículo, cobró nobleza y dignidad en algunas comedias en las que el villano alcanza la grandeza trágica.

Ya evocamos la existencia histórica del sentimiento de orgullo racial en la masa villana en los siglos XVI y XVII para subrayar lo que en ello hay de negativo, y para explicar la ironía y el escepticismo que podía despertar en un público noble y urbano;[35] si queremos llegar a determinar de qué modo la creencia campesina en la limpieza de sangre podía servir de base positiva para el sentido plebeyo de la honra, hemos de intentar comprender desde la perspectiva villana, el contenido de clase, dis-

---

[32] Acad., VI, p. 290 b.

[33] Aubrun y Montesinos parecen haber elegido un ejemplo inadecuado para ilustrar una idea acertada, al escribir en una nota de su edición de *Peribáñez y el Comendador de Ocaña* (Cf. p. 138): «Il n'était pas rare de considérer ces hidalgos de village comme des descendants de juifs convertis. La «comedia» de Lope *Los hidalgos de aldea*, le laisse entendre.» Por el contrario, desde este punto de vista, la originalidad de *Los hidalgos de aldea*, estriba en el concepto de la igualdad de sangres, (excluyendo por ende cualquier superioridad racial) vinculada con el sentimiento de que los linajes pueden ser modificados según lo requieran las circunstancias.

[34] Cf. *La montañesa de Asturias*, A. III, in *Comed. escog. de los mej. ing. de España* (1652-1704), XXX, p. 70 (B. N. Madrid, R. 22683).

[35] *Vide supra*, pp. 56 y ss.

frazado, pero real, del prejuicio popular de la limpieza de sangre. Por su creencia racista, el campesinado español expresaba su conciencia de clase alienada por la sociedad monárquico-señorial; era parte integrante, como campesinado, de una formación
social feudalo-agraria que prolongaba la Edad Media en los tiempos modernos y traía
los estigmas de tal condición; el prejuicio popular de la raza no era más que la reacción de defensa ciega de unos rurales incapaces de conocer su propia situación histórica y de comprenderla teóricamente; estos transponían en luchas raciales o religiosas
la lucha de clases que proseguían casi a ciegas contra sus distintos opresores, y por
eso, frente a las otras categorías sociales, el sentimiento de limpieza de sangre vino a
alimentar la reivindicación de honra y de dignidad de los villanos. En los orígenes, a
fines del siglo XIV y en el XV, este sentimiento de intolerancia religiosa, y luego racial,
se había manifestado esencialmente con pogroms y motines contra la clase de mercaderes;[36] en el siglo XVI, (especialmente a partir de la segunda mitad del siglo) la novedad consistió en trasponer la hostilidad del cristianismo viejo contra algunas capas
de la nobleza (antiguas o recientes) acusadas de alianzas matrimoniales con familias
moras o judías; se comprende cuál fue el proceso de esta transferencia: dentro de la
sociedad monárquico-señorial española, que carecía de una burguesía poderosa, pujante y conquistadora, el hecho de verse privado de nobleza no engendraba de por sí
la conciencia de la necesidad de suprimir la nobleza, sino que engendraba meramente
el deseo de adquirirla de algún modo; por eso, frente a los hidalgos empobrecidos que
se jactaban de proceder de ilustre cuna («ser de los godos» era la expresión consagrada),[37] frente a los recién llegados a la clase «hidalga» a precio de oro, que habían adquirido feudos en el campo y exhibían pergaminos recientes, los villanos que reivin-
dicaban opusieron el mito que la propia sociedad feudalo-agraria había secretado en
su lucha reaccionaria contra mercaderes, financieros o intelectuales judíos, moros o
conversos. ¡Una de las tantas ironías de la historia! No pocos textos prueban que pronto algunos vieron en esta quimera a otra nobleza susceptible de ser preferida a la primera. Un documento de los primeros años del reinado de Felipe III que lleva por tí-

---

[36] Quedaría por hacer un estudio, apoyado en textos concretos, sobre la raíz económica de la intolerancia «cristiana vieja» en España; por ahora bástenos con decir que, de nuestra propia investigación se desprende que la causa social del antisemitismo español a fines de la Edad Media es la misma que la del antisemitismo de la Antigüedad: la oposición de toda sociedad basada principalmente en la producción de
«valores de uso» frente a los mercaderes y banqueros (productores de «valores de cambio»). Bernáldez, cura
de Los Palacios y cronista de los Reyes Católicos, resumía perfectamente el aspecto económico-social de la
situación, al escribir relatando las acusaciones formuladas por el pueblo contra judíos y conversos:» «... nunca quisieron tomar oficios de arar ni cavar, ni andar por los campos criando ganado...» (Cf. *Crónica de los
Reyes católicos*, B. A. E., LXX, p. 600 a). Un siglo después las mismas acusaciones marcadas con la impronta de un espíritu típicamente feudalo-agrario volvíase a esgrimir contra los moriscos. Un ejemplo entre
cien: «... que se mande que los moriscos que hay en el Reyno no traten ni contraten, ni tengan tiendas,
sino que se ocupen en labrar la tierra...» (*Actas de las Cortes de Castilla*, sesión del 15 de enero de 1599,
XVIII, p. 78).

[37] Cf. Barhélémy Joly, *op. cit.*, p. 563:

   ... Est à noter que la plus fine noblesse d'Espagne, appelée «de solar conocido», raporte son
   origine aux Gotz, détenteurs, longtemps a de l'Espagne, avant que les Mores d'Affrique les en
   chassassent. Auparavant eux, il semble que la noblesse ne s'y estimast par la descente d'un gé-
   néreux sang ny par la vertu, ains fust seulement mesurée aux grans biens et richesses, comme il
   se list aux Leyes, tiltre 25, ley X, partie 4: «Ricos homes segun costumbre de España son llamados los que en otras tierras dizen condes o barones.» C'est peult estre pourquoy ils referent tant
   qu'ils peuvent leur noblesse ausdictz Gotz.

tulo: *Papel que dio el Reyno de Castilla a uno de los Sres. Ministros de la Junta diputada para tratarse sobre el Memorial presentado por el Reyno a S. M. con el libro del Pdre. Mro. Salucio en punto a las Probanzas de Limpieza y Nobleza del referido y demás Reynos,* distingue dos clases de nobleza: la de la hidalguía y la de la limpieza:

> Porque en España ay dos géneros de noblezas. Una mayor que es hidalguía y otra menor, que es la Limpieza, que llamamos christianos viejos. Y aunque la primera es más honrrado de tenerla; pero muy más estimamos a un Hombre Pechero y limpio, que a un Hidalgo que no es limpio.[38]

La existencia de un prejuicio de limpieza de sangre que se explaya en un texto como este se ve confirmada por testimonios de fuente rural que podemos espigar, unos treinta años antes, en las encuestas de las *Relaciones topográficas.* En la relación de Pastrana (provincia de Guadalajara) leemos estas palabras reveladoras de la relación que se instituía entonces entre el orgullo racial del pueblo y la mentalidad antihidalga:

> Al cuarenta, decimos que en este pueblo hay hijosdalgos, cuyo número no se sabe, ni se conoce por no tener estado de oficios aparte y por la ocasión del privilegio del pecho que se impuso sobre el terrón que arriba quedó dicho, no se ha tenido tanta cuenta con esto, como con la limpieza de sangre que hasta el día de hoy dura, y se estima en mucho, de manera que han acostumbrado de que en su ayuntamiento no entrase por oficial ni diputado ningún converso ni con raza de moro.[39]

No cabe ninguna duda: en la lucha diaria y oscura del pueblo, la limpieza de sangre había llegado a ser criterio de dignidad, de honra.[40] Tal vez porque este tipo de nobleza, definida negativamente, fue siendo reconocida cada vez más por los labradores,[41] el teatro, que había empezado por presentarla bajo un cariz cómico y satírico, la exaltó de una manera más ambigua en algunas piezas, después de 1605-1610, aproximadamente. Quizás sea preciso establecer una relación entre esta transformación del tema con el recrudecimiento del racismo que se observa en los años de la expulsión de los moriscos, a partir de 1609. *San Diego de Alcalá,* que debe ser de 1613, comporta, como hemos visto,[42] recias afirmaciones villanas de orgullo racial. En la medida en

---

[38] Ms. 13043, fol. 117 vº (B. N. Madrid).

[39] *Relaciones topográficas de España,* ed. Juan Catalina García, III, p. 196, núm. 40.

[40] Por ejemplo se introdujo en el protocolo aldeano la distinción entre «cristiano viejo» y «cristiano nuevo». Un pasaje del *Voyage* de Barthélémy Joly atestigua un hecho de este tipo, al evocar la acogida del general de la Orden del Cister, en 1604, en el pueblo de Alcira, en la región de Valencia:

> ... A demye lieue de la dicte abbaye, vinrent au devant de nous près de deux cens hommes à pied, enseigne desployée et tambour battant, tous subjects de l'abbaye, marchans en tel ordre que les vieux chrestiens estoient jalousement plus près de la personne de Mgr; à l'entrée de leur village luy firent grand salves de petrinades *(op. cit.,* p. 520).

[41] Hasta un autor penetrado de prejuicios aristocráticos antialdeanos, tal como Alonso Remón en sus *Entretenimientos y juegos honestos...* (1623) (les arrostra no pocos defectos), les reconoce a los villanos la cualidad de «limpieza de sangre»:

> ... no quiero dezir... que sea malo el linaje de los que se ocupan en los oficios, y de los q̃ labran la tierra, que antes suelen ser sus linajes y castas (si bien a las vezes humildes) pero de mayor verdad la limpieza de la sangre, y de sus ocupaciones, y oficios, especialmente los labradores, y aldeanos, ningunos parecen de menos malicia, y engaño, y aũ se puede dezir seguríssimos para la conciencia: hablo del sembrar, arar, plantar y coger los frutos dello... (Fol. 74 recto)

que estas afirmaciones surgen en una pelea entre alcaldes y regidores villanos, resultan cómicas, pero no puede decirse que tienen el mismo tono ridículo que las fanáticas proclamas de rancia cristiandad de los villanos de *La elección de los alcaldes de Daganzo*, diez o quince años antes. En efecto, al contrario de los villanos del entremés cervantino, los villanos de la pieza lopesca no son el verdadero blanco de la sátira: *San Diego de Alcalá*, el único realmente ridículo es el alcalde de hidalgos, confrontado con los cristianos viejos: y, precisamente, uno de los motivos de las burlas populares que debe soportar este personaje es el de la falta de limpieza de sangre. Cuando el hidalgo le trata de puerco a un villano, y este le devuelve el insulto contestando que bien quisiera ser ese cerdo para que se lo comiera el hidalgo,[43] Lope da las de ganar a los villanos, jugando con una broma clásica —que suelen hacer a menudo los personajes rústicos de las comedias—[44] basada sobre una sobradamente conocida prohibición religiosa de musulmanes y judíos.[45] Y más allá de la estilización cómica del motivo, al mismo tiempo, se esboza en esta escena el tema teatral de la confrontación de dos conceptos de la dignidad y del honor y la honra. El sentimiento de la pureza racial cuando —recuérdese— un regidor villano exclama que el hidalgo tan orgulloso de su ejecutoria y de su escudo de armas, no podría compararse con el labrador acomodado y bien alimentado que, cada año, no tiene menos de diez jamones que colgar de las vigas para el día de San Lucas.[46]

Pero el sentimiento de la riqueza rústica y el de la pureza racial se conjugan más nítidamente para apoyar la honra del villano en obras tales como *Fuenteovejuna* o *Pe-*

---

[42] *Vide supra*, p. 122.

[43] Acad., III, p. 36 b.

[44] En *La Gallega Mari-Hernández* (1612?) de Tirso, unos aldeanos que están cazando animales dañinos, asocian esta actividad con la de cazar judíos. ¿Cómo se ha de reconocer a éstos? El rústico Otero contesta:

> ... à la nariz les llego
> un pedazo de jamón;
> y el que es cristiano echa el diente,
> y el que no, las tripas echa.
> (B. A. E., V, p. 112 a.)

[45] Era proverbial la repugnancia de los cristianos nuevos por el tocino (y por el vino) y de ello se encuentran ecos por doquier. Henrique Cock, in *Relación del viaje...*, *op. cit.*, p. 30, escribía a propósito de los «cristianos nuevos» del pueblo de Muel en Aragón:

> «... Estos moros, desde el tiempo que los sus antepasados ganaron a España, año del señor setecientos y catorce, siempre han quedado en sus leyes, no comen tocino ni beben vino, y esto vimos allá que todos los vasos de barro vidrio que habían tocado tocino o vino, luego después de nuestra partida los rumpían para que no sintiesen olor ni sabor dello.»

Barthélémy Joly, *op. cit.*, p. 523, también reflejaba las ideas en boga a propósito de los «hesterni christiani» escribiendo a propósito de los moriscos valencianos:

> «... on les appelle nouueaux chrestiens, «hesterni christiani», et eux se le disent de nom, mais en effet et au dedans sont tous mahometans, guardans en secret leurs sabbatz et neomenies, l'alcala et le jeusne de Romadan, ne discourans ensemble que des fables de leur Alcoran en langue arabe, qu'ils parlaient tous, femmes et enfants, bien qu'ils leur aye été deffendu. Vous les cognoissés en ce que les feriés plus tost mourir que manger chair de porc ou boire du vin, sinon à quelques desbauchés d'entre eux.»

[46] *Vide supra*, p. 123.

ribáñez y el Comendador de Ocaña, escritas en la misma época (1609-1613).[47] En ambas comedias tenemos críticas antisemíticas que tienden a crear un efecto cómico, como en *San Diego de Alcalá,* pero también encontramos el prejuicio racial desprendido de la acostumbrada intención satírica. El rasgo alcanza entonces el nivel de la nobleza elemental de la limpieza de sangre, considerada seriamente por el dramaturgo, con la posibilidad de oponerse dignamente a la hidalguía, como lo afirmaba el *Papel que dio el Reyno de Castilla a uno de los Sres. Ministros...* a principios del reinado de Felipe III.[48] Cabe preguntarse si en estas piezas, Lope, el amigo de grandes, no hace del labrador cristiano-viejo, rico y puro, que no aspira a la hidalguía, el vocero de su propia oposición, y de la de sus mecenas contra la nobleza comprada.

Los villanos de Fuenteovejuna, en la lucha que emprenden contra su Comendador cobran fuerzas y confianza en su sentimiento de cristianos viejos. Confiesan que no poseen la honra en el sentido estrictamente feudal de la palabra, valor de prestigio, que está vinculado, según parece, con el escalón ocupado en la jerarquía de las clases feudales. Esta honra es algo exterior y baja como los rayos del sol sobre la tierra, de arriba a abajo por el cuerpo social (del Rey al señor, del señor al vasallo), y únicamente el señor puede concederla al inferior. Cuando el Comendador llega ante sus villanos reunidos en la plaza de Fuenteovejuna, el alcalde Esteban le declara sencillamente que el señor puede honrar al villano mas no el villano al señor:

> Comendador: Por vida mía,
>   que se estén.
> Esteban: Vusiñoría
>   adonde suele se siente;
>   que en pie estaremos muy bien.
> Comendador: Digo que se han de sentar.
> Esteban: De los buenos es honrar;
>   que no es posible que den
>   honra los que no la tienen.[49]

Sin embargo, en la misma escena, nuestros villanos hablan de un honor indivisible, propiamente suyo, que aconseja vivir pacíficamente, al amparo del honor del señor; este honor villano que no viene de arriba, o del exterior, que poseen íntegramente, es el que les confiere su propia posición social (son «gente principal») y su calidad de cristianos viejos. En este plano, su dignidad se afirma categóricamente y, como en la realidad campesina de hacia 1610, hasta se vuelve agresiva para con el noble, sospechoso de tener sangre mora o judía en sus venas. A propósito de las esposas e hijas de los villanos, a quienes el Comendador considera como propias para su solaz, tenemos el siguiente diálogo entre los villanos por una parte, y el Comendador y los suyos, por la otra:

---

[47] La conjugación del espíritu de cristiano viejo y de la riqueza también es el fundamento de la dignidad del «labrador rico» de Liñán y Verdugo, in *Guía y aviso de forasteros que vienen a la Corte,* 1620 (ed. Aguilar. *Costumbristas españoles,* p. 108 a). Cuando un caballero le pide la mano de su hija, contesta: «Yo soy un hombre llano, pechero de Tierra de Campos, pero cristiano viejo y con treinta mil ducados de hacienda».

[48] *Vide supra,* pp. 820-821.

[49] Acad., X, p. 542 a.

Esteban:	Señor,
	debajo de vuestro honor
	vivir el pueblo desea.
	Mirad que en Fuenteovejuna
	hay gente muy principal
Leonelo:	¿Viose desvergüenza igual?
Comendador:	Pues ¿he dicho cosa alguna
	de que os pese, Regidor?
Regidor:	Lo que decís es injusto.
	No lo digáis; que no es justo
	que nos quitéis el honor.
Comendador:	¿Vosotros honor tenéis?
	¡Qué freiles de Calatrava!
Regidor:	Alguno acaso se alaba
	de la Cruz que le ponéis,
	que es de sangre tan limpia.[50]

La alusión de los villanos de Fuenteovejuna a las cruces del Comendador, atribuidas ilegítimamente a personas cuya limpieza de sangre no es patente, era reflejo de una preocupación propia de los años 1610-1615, mucho más que del año 1476, fecha en la que se sitúa históricamente la insurrección.[51] Desde fines del siglo XVI, era aquella una acusación muy común. El famoso *Tizón de la nobleza*, atribuido a don Francisco de Mendoza y Bovadilla, demostraba precisamente que más de un poseedor de hábito no tenía la limpieza de sangre exigida.[52] De una manera más precisa, tampoco resultaría imposible que la acusación de los villanos de Fuenteovejuna fuera una alusión a las cruces de Comendador, coleccionadas en 1612-1614 por la familia de Rodrigo Calderón.[53]

También es cierto que el motín histórico de Fuenteovejuna en 1476, no presentó el carácter fundamentalmente campesino que le otorga Lope en su transposición dramática. Varios documentos mencionan los nombres de los principales cabecillas de la insurrección y proporcionan algunas indicacions acerca de los oficios que desempeñaban; encontramos mercaderes, artesanos o letrados, o incluso clérigos, pero no se menciona el título de labrador.[54] Por otra parte, parece que la revuelta fue fomentada

---

[50] *Ibid.*, p. 542 b.

[51] Los principales documentos que atañen a la histórica sublevación de Fuenteovejuna fueron reproducidos por R. Ramírez de Arellano, *Rebelión de Fuenteovejuna contra el Comendador Mayor de Calatrava*, in *Boletín Acad. Hist.*, XXXIX, p. 446 y ss. No se encuentra en ellos rasgo alguno de antisemitismo.

[52] Cf. *Catálogo de la Biblioteca de Salvá*, II, núm. 3577 in «Miscelánea genealógica o sea Colección de algunos papeles manuscritos relativos al origen e historia de varias familias 4».

Copia de una relación que el Cardenal de burgos D. Francisco de Mendoza y Bovadilla dio al Rey D. Felipe 2º en Razón de los linajes de los Señores de españa, por averle denegado dos ávitos para dos sobrinos suyos hijos del Marqués de Cañete su hermano por sólo decir de oidas que no eran limpios por un abolengo. En la qual copia le quisso significar quantos linajes muy ylustres de España tenían y tienen cosas semejantes, y no por eso se les an ynpedido el darles ávitos militares y otras dignidades.

[53] *Vide infra*, p. 891, y nuestro estudio *Toujours la date de «Peribáñez y el comendador de Ocaña»*, in *Mélanges offerts à M. Bataillon*, Bordeaux, 1962, pp. 613-643.

[54] Cf. Archivo del Ayuntamiento de Córdoba, leg. 70, *señorío de la ciudad de Córdoba*, documento publicado por Ramírez de Arellano in *Boletín Acad., Hist.* XXXIX, apéndice núm. 4, p. 489. Al amanecer del

en lo esencial por emisarios de la ciudad de Córdoba, que tenía la intención de sustraer a la orden de Calatrava la tutela de Fuenteovejuna. En resumidas cuentas, el carácter «urbano» y en algunos aspectos, «burgués», del motín histórico es innegable, y esta es una razón más para pensar que el antisemitismo popular (ya vimos que este, en el siglo XV, fue sobre todo una reacción feudalo-agraria «antiburguesa») no desempeñó ningún papel. Todo nos invita a pensar que Lope, intérprete de los sentimientos propios de su época, es, en esencia, el responsable de la inflexión cristiano-vieja y rústica[55] a la vez de su drama.

Peribáñez y el Comendador de Ocaña nos ofrece la misma oposición entre el concepto de un honor villano basado en parte en el sentimiento de ser cristiano viejo y el de un honor feudal vinculado con la jerarquía de las clases medievales. Cuando Peribáñez descubre en Toledo, en el taller de un pintor, que el Comendador de Ocaña quiere a su mujer y ha encargado su retrato, tiene entonces palabras significativas:

> Basta que el Comendador
> a mi mujer solicita;
> basta que el honor me quita
> debiéndome dar honor.
> Soy vasallo, es mi señor,
> vivo en su amparo y defensa,
> si en quitarme el honor piensa
> quitaréle yo la vida.[56]

---

martes 30 de abril de 1476, después de la sublevación (que tuvo lugar en la noche del 23 de abril), los notables de Fuenteovejuna (población que contaba entonces con 900 a 1000 hogares) se reúnen en la iglesia de Santa María con los representantes del concejo de Córdoba:

> ... e estaban ende presentes ayuntados en su cabildo e ayuntamiento los dichos concejo, alcalde e alguacil, jurados, oficiales e omes buenos de la dicha villa de Fuente bexuna e otra mucha gente e personas vecinos e moradores de la dicha villa de Fuente bexuna que aquí diré en esta guisa. El dicho alfón García Agredano alcalde mayor de la dicha villa e Pedro Fernández, mercendero, alcalde ordinario en la dicha villa, y Martín Blásquez, alguacil, Barrera, jurado, e Alfón Fernández de Morales, escribano del dicho concejo, e de los vecinos e moradores de la dicha villa Juan Díaz, fijo de Martín Alfón alcalde, e Pedro Fernández de la Coronada e Antón Gómez Doñero e Alfón Muñoz, obrero, e Antón Gómez Leal, e Juan Alfón, abad, e Antón Martínez, molero, e Fernando Blázquez Lovatón fijo de Alfón Ruiz e Juan Martínez, molero, e Alfón Martínez de Toledo, e Martín García Casebes, e Juan Mathos Doñoro e Gonzalo Muñoz, mercendero e Fernando Muñoz, obrero...

Entre los demás testigos citados, cuyas profesiones se indican, vemos a los siguientes: «... el bachiller Juan Ruiz, beneficiado hijo de Pedro González, cirujano... García Fernández, fijo de Juan García, sastre...»
[55] Menéndez y Pelayo indicó la fuente directa en la que se inspiró Lope para escribir su drama. Es la:

> *Chrónica de las tres Ordenes y Caballerías de Santiago, Calatrava y Alcántara; en la qual se trata de su origen y sucesso, y notables hechos en armas de los Maestres; y de muchos señores de titulo y otros Nobles que descienden de loa Maestres; y de muchos otros Linajes de España Compuesta por el licenciado Frey Francisco de Rades y Andrada, Capellán de su Magestad de la Orden de Calatrava... En casa de Juan de Avila; año 1572.*

El pasaje que habla de la sublevación se encuentra en los folios 79 y 80.
La Crónica de Rades y Andrada representa un estadio muy avanzado (y dramatizado) de la leyenda de Fuenteovejuna, pero el cronista no le otorga ningún carácter campesino a la sublevación.
[56] Ed. Aubrun y Montesinos, versos 1746-1753.

Queda claro que tal declaración implica la existencia de dos tipos de honor para el villano; el que le puede conceder el señor desde el exterior, y el que posee el villano por sí mismo en cuanto persona humana. Ahora bien, el hecho de ser cristiano de largo ascendiente —o el creérselo— refuerza en Peribáñez el sentimiento de un honor personal y que los villanos «puros» se reconocen mutuamente. Recordemos que ya al principio de la pieza, un criado del Comendador declara:

> Es Peribáñez labrador de Ocaña,
> cristiano viejo y rico, hombre tenido
> en gran veneración de sus iguales,
> y que si se quisiese alzar ahora
> en esta villa, seguirán su nombre
> cuantos salen al campo con su arado,
> porque es, aunque villano, muy honrado.[57]

Después de haber muerto al Comendador, cuando el héroe villano se presenta ante el Rey, también invocará esa nobleza elemental que le confiere su limpieza de sangre y evocará, a su vez, el respeto otorgado al cristiano viejo por su pares:

> *Peribáñez:*   Yo soy un hombre
> aunque de villana casta
> limpio de sangre, y jamás
> de hebrea o mora manchada.[58]
> Fui el mejor de mis iguales,
> y en cuantas cosas trataban
> me dieron primero voto,
> y truje seis años vara.[59]

No menos «noble» por la limpieza de su sangre es la mujer con la cual se casó y Peribáñez no deja de subrayarlo:

> Caséme con la que ves,
> también limpia, aunque villana
> virtuosa si se ha visto.[60]

---

[57] Ed. Aubrun y Montesinos, versos 824-830.

[58] Las palabras de Peribáñez cobran un sentido bien preciso si se tiene en cuenta que es un aldeano de Castilla la Nueva: escasos eran los pueblos del antiguo reino musulmán de Toledo que no habían contado, en los siglos XIV y XV, con sus colonias de moros y judíos. En Ocaña, por ejemplo, en donde Lope sitúa a su protagonista «cristiano viejo», en el siglo XIV, había una floreciente aljama judía (se hallarán datos económicos sobre esta aljama en el Archivo Histórico Nacional). Cf. Santiago, Arch. Uclès, caj. 243, núm. 21 (4 de agosto de 1313); Sección sellos, caj. 5, núm. 8 (6 de diciembre de 1325); art. Uclès, caj. 205, núm. 5 (21 de diciembre de 1386). La morería de Ocaña, cuya existencia está documentada en el siglo XIV (véase en el Archivo Histórico Nacional, Arch. Uclès, caj. 338, núm. 26 (2 de abril de 1373); Arch. Uclès, caj. 338, núm. 27 (15 de agosto de 1379), aún subsistía a fines del siglo XVI y probablemente vivía sus últimos tiempos cuando Lope creó su figura de campesino «cristiano viejo».

[59] Ed. Aubrun y Montesinos, versos 333-339: ya vimos antes cómo demostraban su vigilancia «cristiano vieja» los habitantes de Castilla la Nueva (por ejemplo, Pastrana, conforme al testimonio de las *Relaciones topográficas)* al elegir a sus autoridades municipales. *Vide supra,* p. 821.

[60] Ed. Aubrun y Montesinos, versos 3040-3042.

No cabe duda: al proclamar así, en un momento trágico de la acción, la pureza cristiana de su esposa y la suya, Peribáñez plantea seria y dignamente, ante el Rey, que uno y otro poseen, pese a ser villanos, la condición «sine qua non» del derecho a la consideración. Por lo demás acaso, no se exigía teórica y oficialmente, esta pureza de sangre a quienes aspiraban a entrar en una Orden militar, como la del Comendador a quien acaba de matar Pedro? Jofre Loaisa Laso de la Vega, no personaje teatral sino hombre de carne y hueso, vecino de Ocaña, que obtuvo en 1542 un hábito de la Orden de Santiago, había dado pruebas de que él tampoco tenía ningún antepasado moro o judío;[61] así también otro habitante de Ocaña, llamado Gerónimo de Loaisa y Megía, que solicitó en 1622 el hábito de caballero de Santiago, presentó un expediente completo de su genealogía de cristiano viejo.[62] El Peribáñez teatral de Ocaña, que, hacia 1608-1613, afirma la nítida limpieza de su linaje villano, proclama así que en su persona existe algo inalienable que hace de él el Código. A través de la alienación de la ideología feudal y a través de la alienación de la ideología racista «de cristiano viejo», se expresa en este caso una honda aspiración democrática, incapaz de reconocerse como tal.

En el mismo periodo que *Fuenteovejuna*, y *Peribáñez y el Comendador de Ocaña*, *La Serrana de la Vera* de L. Vélez de Guevara, también propone la limpieza de sangre, junto con la riqueza rústica, como uno de los criterios de la dignidad del villano frente al noble. Giraldo no puede presentar ninguna ejecutoria de hidalguía que lo exima del servicio que debe al capitán que quiere alojarse en su casa, mas le opone esa otra «nobleza» que es la de un cristiano viejo, honrado como tal:

> Capitán:	¿Soys hidalgo?
> Giraldo:			No señor,
> pero soy un labrador
> christiano viejo y honrado,
> que nosotros no pudimos
> escoxer quando nacimos
> la nobleza ni el estado.[63]

Este rasgo de la limpieza de sangre debió llegar a ser característico del villano teatral honorable y honrado en el período 1608-1615, ya que en esos años hallamos el mayor número de ejemplos. Todas las piezas de ambiente rústico de ese tiempo tienen, todas, por uno u otro aspecto, ecos de la mentalidad de cristiano viejo. Es corriente entonces que los mozos de labranza, estrechamente unidos por la ideología a su amo labrador, baldonen a nobles y cortesanos con el clásico insulto de judíos[64] mien-

---

[61] Cf. Archivo Histórico Nacional, leg. 4507.

[62] *Ibid.*, leg. 4508.

[63] Ed. Teatro Antiguo, p. 4. En la misma pieza la heroína Gila, al pelearse con el capitán noble que quiere alojarse en casa de su padre, le echa el clásico insulto de judío:

> «Capitán:	¡O! ¡qué cansada villana!
> «Gila:	¡O! ¡qué fanfarrón judío!
>			(Versos 375-376)

[64] Citemos de ejemplo: *Peribáñez y el comendador de Ocaña* (ed. Aubrun y Montesinos, versos 2459-2460). Belardo, humillado porque la compañía de los hidalgos pasa delante de la de los villanos por la plaza de Ocaña, exclama:

tras que, en alguna otra declaración, se afirma la dignidad de cristiano viejo del labrador rico. Quizás sea Tirso de Molina el primero en presentar claramente hacia 1608-1609 esto como rasgo noble. todo depende de la fecha de *La villana de la Sagra*. En efecto, en esta obra (anterior de todos modos, según parece, a 1612) el rico Fulgencio que incita a su hija a aceptar el brillante partido que le ofrece un Comendador, afirma que si él, villano, no es caballero por lo menos posee la nobleza esencial de la limpieza de sangre:

> Que aunque caballero no,
> soy, hija, cristiano viejo;
> entre la sangre española,
> la mía, aunque labrador,
> tiene limpieza y valor.[65]

Del mismo Tirso, tenemos una afirmación del sentimiento de la honorabilidad del villano rico vinculada con un abolengo de cristianos viejos, en *La Santa Juana I*. En este caso, el hermano de Juan Vázquez declara a propósito de este:

> ... un hermano tengo,
> labrador es en Hazaña,
> honrado y cristiano viejo.[66]

> «¿Qué piensan estos judíos
> que nos mean la pajuela?»

El villano en su rincón (Lope) (Acad., XV, p. 301 a). Los cortesanos que llegan a la aldea son recibidos con la exclamación de Bruno: «¿Adonde van los jodíos?»

Los Hijos de la Barbuda (L. Vélez de Guevara). El aldeano Sancho, viendo unos cazadores cortesanos sobre sus tierras, grita: «¡Lleve el diabro, amén, tanto jodío!»
(In 3.ª *Parte de las comedias de Lope de Vega y otros*, Madrid, 1613, fol. A1).

Ya se sabe que tratar a alguien de judío era lanzar uno de los peores insultos. En un *Memorial...*, Martín de González de Cellorigo (sobre el asunto de los moriscos) B. N. Madrid, R. 13027, fol. 6) explica en 1600 a propósito de este nombre de judío:

«... se tiene en España por palabra más injuriosa y afrentosa que a uno se puede dezir; y tal que aunque no es comprehēdido en las palabras que la ley del fuero antigua por V. M. mandada recopilar el año sesenta y seys, con tanto rigor castiga, por ser avida por semejāte a ellas, y aū por más grave e injúriosa, se impone pena de dezdezir, segun opinión de los que de nuestra España, han comentado esta ley y palabras de ella, como por las demás en la dicha ley expressadas, con cuyo rigor los que con semejantes palabras han sido injuriados, pretenden cada dia ser satisfechos, de que están las audiencias llenas...»

Barthélémy Joly indicaba en 1604 que esta palabra judío era el sexto insulto de Castilla:

«... Ilz tirent de quelque autre sorte raison de leurs querelles, tortz et iniures desquelles cinq entre autres, appelés «las cinco palabras de Castilla», touchent à tout et sont plus particulièrement du point d'honneur, pouvans estre vengés par armes et voyes de faict, sans qu'ilz en soient recherchés, s'ilz tuent à la chaude celuy qui leur aura dict l'une de des cinq: «cuernudo», «traydor», «hereje», «gafo», «puto», à quoy la pratique ordinaire adiouste «judío»...» (*Op. cit.*, p. 572)

---

[65] B. A. E., V, p. 314 c.
[66] N. B. A. E., IX (II), p. 245 a.

Aproximadamente a partir de 1614-1615, parece que el rasgo se hizo imprescindible para la definición teatral del labrador honrado, ya que lo encontramos en cada una de las piezas en la que interviene este tipo.[67] En *El galán de la Membrilla* (1615), Fabio supone que el rico Tello no le entregará la mano de su hija a un hidalgo porque su calidad de cristiano viejo le exime de buscar una alianza con la hidalguía:

> *Fabio:* Y ¿presumes tú que Tello,
> sobre ser rancio villano,
> dé su hija a un casquivano
> todo cadenita y cuello,
> por acercarse a hidalguía,
> siendo tan cristiano viejo
> como el que más?[68]

En *Los Tellos de Meneses*, esa característica aparece de manera indirecta pero revela bien los orígenes sociales y económicos del racismo popular de la limpieza de sangre: el joven Tello vuelve de la corte de León adonde fue a llevar al Rey el socorro monetario que este solicitó. Anuncia a su padre que el Rey ha nombrado a Tello el Viejo tesorero del reino. Es cosa de admirar subraya, ya que en el reino de Castilla y León es costumbre nombrar al tesorero regio entre miembros de la comunidad judía:

> *Tello:* Informóle un caballero
> de ti por discreto modo,
> y sabiendo que eras godo,
> te hizo su tesorero,
> en muestra de sus deseos.
> Y no es poca maravilla;
> porque en León y en Castilla
> se usa tenerlos hebreos,
> por ser en esta ocasión
> los más poderosos hombres,
> y dar diferentes nombres
> a oficios de estimación.[69]

Un labrador nombrado tesorero del reino en lugar de un judío, naturalmene es un juego de la intriga, pero también es reposición teatral, por boca de un villano del siglo IX, de la vieja recriminación del pueblo contra los judíos en el siglo XIV, Sabido es que se le reprochó a Pedro el Cruel el tener a su lado al célebre Samuel Halévy y el haber nombrado a numerosos judíos en cargos de la administración real.

Como ya se adivinará, *El Alcalde de Zalamea*, de Calderón, que en muchos aspectos, es apoteosis de las comedias en las que se afirma con orgullo la honra del villano rico, también comporta el rasgo del sentimiento de cristiano viejo. Antes de que salga su hijo con una compañía, Pedro Crespo le alecciona y dictándole su código moral

---

[67] No obstante ha de añadirse una excepción y merece que nos detengamos en ella: la de la refundición que lleva por título *La muger de Peribáñez*. Allí desaparece el sentimiento de cristiano viejo, importante en la pieza lopesca.

[69] Acad., IX, p. 84 b.

[69] Acad., VII, p. 316 b.

de hombre de pro, mesurado, no se olvida de recordarle, como un título, que su linaje es puro:

> ....de linaje limpio
> más que el sol......[70]

Del conjunto de referencias que hemos reunido, con respcto a la dignidad del villano en la comedia de Lope, se desprende que la honra del villano teatral posee un contenido específico. En determinados aspectos, y pese al uso alternado de los términos de honor y honra, para hablar de la dignidad tanto de los villanos como de los caballeros, sería preferible hablar de «honorabilidad» (valor relativamente moderno) más que de honor u honra en el sentido estrictamente medieval (valor que estriba en el recuerdo de hazañas militares de los antepasados, o rango ocupado en la jerarquía feudal). En el labrador rico, el soporte material del honor no es tanto la espada de los antepasados como la riqueza rústica transmitida por herencia.[71] Por otra parte, en él la idea igualitaria cristiana medieval envuelve un contenido humano que ya es el de la dignidad moderna. Por fin, la idea de «cristiano viejo» que a menudo aguza la honra del villano en la comedia, es la expresión de una conciencia de clase desviada de su verdadero significado. En resumidas cuentas, en el abra de un horizonte aún feudal, esta aspiración del villano a salir al mar libre de la dignidad es ya un destello del remoto resplandor de la igualdad de tipo burgués.

---

[70] B. A. E., XII, p. 78 c.

[71] Por ejemplo el concepto de honorabilidad percibido como distinto del de la honra noble, queda patente en la primera escena de *La serrana de la Vera* de L. Vélez de Guevara. El capitán Lucas de Carvajal insiste en la importancia de la sangre y las hazañas de los antepasados como fundamento de la nobleza de la gente:

> «Los que nobles an nazido,
> servicios no an menester
> con los reyes, para ser
> lo que otros an merezido
> quando muchos les an hecho.
> Que en empressas semejantes
> sirbieron por ellos antes
> con más que invencible pecho
> sus nobles antepasados.»
>
> (Ed. Teatro antiguo, versos 45-53.)

Por oposición, en la misma escena, al aceptar el aldeano la idea de que no es «hidalgo» mas «villano» (término cuya dignidad restablece), se define reiteradas veces como honrado: «A fe de ombre honrrado», exclama por ejemplo. Ahora bien, como ya vimos, su honra estriba en la riqueza, el sentimiento de cristiano viejo, la calidad de vecino de una villa. Por fin el villano ve una consagración de esta honorabilidad de los labradores ricos en el título «ombres buenos» que les otorgaron los Reyes. En resumidas cuentas, las mismas palabras «honra», «honor», «honrado», adquieren significados bastante disitntos según la categoría social del personaje al que se aplican. Queda claro que detrás de tales oposiciones teatrales, atisbamos como tela de fondo, la discusión ideológica sobre la noción de hidalguía. La auténtica hidalguía ¿es linaje o virtud? preguntaban diálogos y tratados. «La hidalguía es juntamente virtud y linaje» era la definicón propuesta. Véase, por ejemplo, en 1592, el diálogo XIV de la «Parte segunda» de *Microcosmia y gobierno universal del hombre christiano* del agustino Marcos Antonio Camos («De los caballeros y gente militar»). Cf. p. 171: «... perfecta hidalguía cōprehende virtud y linage...» La originalidad del honor y de la honra de los villanos en el escenario estriba en que se apoya en la virtud y otros valores que hacen las veces de linaje: riqueza rústica, limpieza de sangre...

A nuestro parecer, el más significativo ejemplo de esta promoción humana moderna, arropada en formas ideológicas antiguas, es la que nos ofrece el personaje de Peribáñez en *Peribáñez y el Comendador de Ocaña*. Aparentemente, la honra de Peribáñez se afirma dentro del respeto de la institución nobiliaria y de sus valores, y pueden multiplicarse los ejemplos que prueban el acatamiento teórico del orden feudal. La sumisión se muda bruscamente en rebeldía cuando Pedro descubre que el Comendador corteja a su mujer, pero, a pesar de ello, Pedro sigue respetando aparentemente los valores feudales. Decide vengarse en nombre del código feudal teórico: el señor protector de sus vasallos, cuando es digno de ese nombre, otorga honor pero no los «deshonra».[72] Esto se lleva a cabo con todas las apariencias de una venganza de caballero, ya que Pedro se hace armar caballero antes de salir para la guerra de Granada adonde le ha mandado el Comendador para actuar más libremente con su mujer. El propio Comendador es quien, renovando el gesto ritual, da el espaldarazo a Pedro con su espada. De inmediato, Pedro se estima autorizado a darle una lección de recta caballería a su señor, puesto que, dice, ahora ya entiende de honor:

> Vos me ceñistes espada,
> con que ya entiendo de honor,
> que antes yo pienso, señor,
> que entendiera poco o nada;
> y pues iguales los dos
> con este honor nos dejáis,
> mirad cómo le guardáis
> o quejaréme de vos.[73]

Por fin, herido de muerte por la espada de Pedro, el Comendador que había tomado a la ligera y en son de broma, el armar caballero a su vasallo, se arrepiente «in articulo mortis» y en la venganza de su rival, reconoce su carácter noble y caballeresco:

> Yo le abono.
> No es villano, es caballero;
> que pues le ceñí la espada
> con la guarnición dorada,
> no ha empleado mal su acero.[74]

¿Pero tendremos que arribar a la conclusión de un auténtico triunfo de la institución nobiliaria y de sus valores en *Peribáñez y el Comendador de Ocaña*? En realidad, en la pieza, a través de una ideología aristocrática dominante, aflora la contradicción naciente entre el desarrollo de la personalidad de los villanos (su plenitud amorosa y

---

[72] En un pasaje de *La estrella de Sevilla* (la cual no parece ser de Lope) (ed. Fouché Delbosc, *R. Hi.*, 1920, XLVIII, p. 497), encontramos la misma teoría del honor monárquico-señorial que baja desde el Superior hasta el Inferior. Si el Superior deshonra al Inferior, quiebra de algún modo el pacto social. Busto le da a entender al Rey que no actúa conforme a su calidad de rey, diciéndole:

> «Es el Rey el que da honor,
> tú buscas mi deshonor.»

[73] Ed. Aubrun y Montesinos, versos 2282-2289.
[74] *Ibid.*, versos 2879-2883.

conyugal, por ejemplo) y la práctica (no la teoría) de las relaciones feudales. Las formas caballerescas dentro de las cuales se afirma el honor de Peribáñez no caracterizan al honor en su esencia y resulta imposible no captar la parodia del ritual caballeresco a la que se dedica Lope en su tragicomedia. Primeramente, no se puede tomar en serio la ceremonia de armas que Pedro, campesino astuto, aparenta tomar en serio.[75] El héroe villano no cree una palabra de lo que está diciendo cuando exclama:

> Vos me ceñistes espada
> con que ya entiendo de honor,
> que antes yo pienso, señor
> que entendiera poco o nada.

Adopta un mero papel que le permite proclamar abiertamente unas cuantas verdades que, de otro modo, sin dejar de pensarlas, no podría expresar abiertamente.[76]

---

[75] La parodia es patente si tenemos en cuenta los divertidos comentarios de los villanos-soldados, durante la ceremonia de armas. Cf. Aubrun y Montesinos, versos 2250 y siguientes:

> «Blas: Belardo, vos que sois viejo,
> ¿hanle de dar con la espada?
> «Belardo: Yo de mi burra manchada
> de su albarda y aparejo
> entiendo más que de armar
> caballeros de Castilla.»

Es muy posible que Belardo exprese aquí un resentimiento personal de Lope contra una caballería que anhelaba sin conseguirla. M. Bataillon, in *La desdicha por la honra*, *génesis y sentido de una novela de Lope* (N. R. F. H., 1947, I, p. 25) atrajo nuestra atención sobre este problema psicológico y autobiográfico a propósito de *La villana de Getafe*. Pensamos que una obra como *Peribáñez y el Comendador de Ocaña* (del mismo periodo) tal vez no carezca de relaciones con este asunto personal. Pero ya volveremos a tratar este tema.

Tampoco el Derecho invita a tomar en serio este armar caballero a Peribáñez... Por lo general, en los siglos XII y XIII, en Europa occidental, quedaba vedado a los villanos e hijos de villanos el hacerse armar caballero (Cf. Marc Bloch, *La société féodale: les classes et le gouvernement des hommes*, Paris, 1940, pp. 58-60). En España, idéntico concepto fundamenta un pasaje de las *Siete Partidas* de Alfonso el Sabio. El derecho a la caballería era entonces algo así como un privilegio hereditario, reservado a los hidalgos de cuarta generación. Cf. tit. XXI, I, ley 2. Con el título de «Como deven ser escogidos los caballeros» leemos: «... E por ende Fijosdalgo deven ser escogidos, que vengan de derecho linaje de padre, e de abuelo, fasta en el quarto grado, a que llaman bisabuelos...» A principios del siglo XVII, las constituciones de las Ordenes seguían prohibiendo a los campesinos no nobles (y a todas gentes de oficios, artesanos y mercaderes) el acceso a las Ordenes militares, ya que Martín González de Cellorigo in *Memorial de la política necesaria...*, ed. cit. fol. 25 rº-vº, pide que sea suprimida esta prohibición.

[76] Además queda claro que Peribáñez no cree en sus propias palabras, cuando declara confiar al Comendador la custodia de su mujer:

> «Gusto que vos la guardéis,
> y corra por vos a efeto
> de que, como tan discreto,
> lo que es el honor sabéis.»
>
> (Versos 2274-2277.)

Aquí la picardía que tanto autores anti-villanos (y tantas obras de teatro) atribuyen tradicionalmente al rústico, alcanza en la comedia el nivel de un tipo de astucia con apariencia de ingenuidad. Por lo demás, este papel aparentemente tomado en serio es un procedimiento bastante frecuente de defensa del villano. Este desdoblamiento (caso particular del doble sentido recomendador en el *Arte Nuevo*) le gustaba al pú-

Porque resulta bien evidente de que algo hondamente personal se subleva en él, algo que le animaba mucho antes de recibir las armas. Además, abandonado a sus únicas fuerzas, Pedro no hace mención alguna de este honor caballeresco que ha recibido del exterior y formalmente. Al volver de noche a Ocaña para sorprender al Comendador recita precisamente un monólogo sobre el tema de su honor y lo define como anterior a la ceremonia de armas. Está íntimamente unido a su ser, su propia vida (un bien nacido con él) y viene de su terruño, de la misma manera que asciende la savia por los tallos:

> Aquí naciste en Ocaña
> conmigo al viento ligero.
> Yo te cortaré primero
> que te quiebres, débil caña.[77]

Cuando entra en el aposento en donde el Comendador intenta violentar a Casilda, Pedro tampoco piensa en que es caballero[78] y, si empuña su espada, es por habersela dado su función de capitán de una compañía villana, y no por haber recibido el grado de caballero.[79] Por fin, cuando se presente ante el Rey, asumirá la responsabilidad de

---

blico, a juzgar por la reiteración de este medio intensamente teatral. Tenemos otro ejemplo en *Peribáñez y el Comendador de Ocaña:* se trata del romance donde Casilda, al reconocer perfectamente al Comendador que ha venido a seducirla con ropas de segador, aparente hablar con un segador de verdad. Así logra echar en cara al Comendador unas cuantas verdades. Asimismo en *Ya anda la de Mazagatos,* los campesinos Nuño y Pascual le espetan crueles verdades al señor de la Anguilla, quien para raptar a una aldeana de Mazagatos, se disfrazó de moro con sus criados. En realidad los aldeanos bien saben que no están tratando con auténticos moros; pero entran en el juego, fingen no reconocer al señor de la Anguilla porque el pretexto del disfraz moro les permite expresar sus protestas anti feudales y recordar algunos principios al noble que los está olvidando.

[77] Ed. Aubrun y Montesinos, versos 2638-2641.

[78] Cf. versos 2843-2846:

> «*Peribáñez:*   ¡Ay honra! ¿qué aguardo aquí?
> Mas soy pobre labrador,
> bien será llegar y hablalle;
> pero mejor es matalle.»

[79] Cf. ed. Aubrun y Montesinos, p. 124. La acotación escénica: «Entra una compañía de labradores, armados graciosamente y detrás Peribáñez con espada y daga.» Esta acotación es anterior a la ceremonia de armas.

Desde luego, la espada había simbolizado en los orígenes las cuatro virtudes exigidas al caballero: «Cordura, Fortaleza, Mesura, Justicia.» En el siglo XIII, este antiguo significado era expresado en un pasaje de las *Siete partidas.* Cf. II Parte, tit. XXI, ley iv:

> «... E por todas estas razones establecieron los Antiguos, que la traxiessen siempre consigo los nobles Defensores; e que con ella reçibiessen honrra de Cavallería, e con otra arma non: porque siempre les viniesse emiente destas quatro virtudes, que deven aver en sí. Ca sin ellas non podrían complidamente mantener el estado del defendimiento, para que son puestos.» Mais au début du XVIIe siècle, qu'en

Pero al principio del siglo XVII, ¿qué quedaba de ello en la práctica? Es significativa la glosa que Gregorio López añade a este pasaje del Código, en su edición de las *Partidas* de 1611. Escribe: «... Hodie tamen in his regnis, omnibus permittitur delatio ensis, juxta id quod habet in curiis Valladolid, anno Domini 1523, petitione 55, et in curiis Toleti, penult. fol. anno domini 1525.»

Fuimos a consultar la petición 55 de las Cortes de Valladolid de 1523, a la que alude Gregorio López. Nos revela que en esa época se les permitía llevar espada, prácticamente, a todos los españoles, excepto a

la venganza de su honra sólo como simple villano, vestido simbólicamente con su capa pardilla. Todo esto prueba hasta qué punto el posesionarse el héroe villano del honor y de la honra no es en este caso un acontecimiento fortuito relacionado con el hecho de que el Comendador haya distinguido a Peribáñez con el grado de caballero. En realidad, es el derecho a la dignidad de todos los villanos de Castilla lo que Peribáñez inscribe con letras de sangre en esta tragedia.

Pero esta tragedia también es una comedia. Lope, como lo subrayamos, le pone el título de tragicomedia. Precisamente es la mezcla teatral de los colores lo que, en esta pieza, le otorga a la promoción humana su grandeza conmovedora. Peribáñez, como si resumiera toda la carrera teatral del villano, alcanza lo trágico pasando por lo cómico; su reivindicación de honor nos emociona tanto más cuanto que no está totalmente desprovista de esa ingenuidad graciosa que tienen tantos villanos en las come-

---

los cristianos nuevos del reino de Granada. Cf. *Cuadernos de las Cortes que en Valladolid tuvo su magestad del Emperador y rey nuestro señor el año 1523...*, Burgos, Iuan de Iunta, 1535 (B. N. Madrid, R. 3152)

> «Otro sí: sabra vra alteza q̄ sobre el traer de las armas y quitallas, ay muy grandes debates y rebueltas en las ciudades cō los alguaziles y iusticias y porq̄ a unos la quitan q̄ no sería razón y a otros las dexan traer por dineros y otros cohechos q̄ da a los alguaziles: y por esto proveyó V. alteza q̄ en la ciudad de Granada en la villa de Valladolid: pudiesse traer cada uno espada y que no se la quitassen supĺicamos a V. alteza lo mãde assí proveer en todo el reyno porque se quitarán grandes cohechos y questiones y grandes inconvenientes.
>
> «A esto respondemos: que cada uno pueda traer una espada excepto los nuevamente convertidos del reyno de Granada: con tanto que los que assí la truxeron no puedan traer acompañamiento con armas de más de dos o tres personas: ni trayan·las dichas armas en la mancebía; y que en la corte no trayan ningunas armas hombres de pie ni moços despuelas como está mandado.» A la fin du XVIᵉ siècle dans son

A fines del siglo XVI en su tratado *Política para Corregidores y señores de vasallos...* (1597), ed. cit., el letrado Castillo de Bovadilla, apoyándose en juristas antiguos o latinos, reconoce que de derecho, los campesinos no deberían llevar espada, pero que en realidad esa prohibición de antaño no es siempre respetada. Cf. lib. I, cap. XIII, p. 300, núm. 96:

> «... Lo mismo es de derecho que se puedã quitar las armas a los labradores, y en Lombardía les puede la justicia quitar la espada, laça, o cuchillo, o por ello veinte sueldos, porque han de andar seguros y amparados entre todos... porq̄ solo han de atender a sus rusticales haziendas y agrestes exercicios: pero no veo que esto se pratique, ni se les quiten las armas permitidas traer a otros plebeyos.» Barthélemy Joly, dans son

Barthélémy Joly, en su *Voyage* de 1604, confirma el hecho y permite ver en varias oportunidades que los plebeyos ya llevaban la espada. Cf. ed. cit., p. 616:

> «Quand aux petits et gens de mestier, ne pouvans autrement faire que de travailler à gaigner leur vie, ilz le font par une manière d'acquist, ayans d'ordinaire le manteau sur l'espaule tant que le mestier le peult permettre, comme par exemple les orfevres en toute platerie de Valladolid; et si la plus part du temps ilz sont dedaigneusement assis pres leur boutique des les deux on trois heures de l'apres dinee, pour se promener avec l'espée au coté...»

El ceñir la espada por parte del villano, en *Peribáñez y el Comendador de Ocaña*, ha de considerarse, a nuestro parecer, en función de la evolución que acabamos de esbozar, y esto aunque la acción de la pieza transcurre en el siglo XV. El anacronismo ideológico, como sabemos, es constante en Lope. Esto explica algunos movimientos escénicos (cuando se ve a un villano desenvainar la espada) que, sin este uso corriente, hubieran podido parecer inverosímiles al público. Por ejemplo en *El alcalde de Zalamea*, de Calderón, I.ª jornada, verso 673, vemos al hijo de Pedro Crespo, Juan, irrumpir en el escenario con una espada. Cf. acotación escénica: «... y sale Juan con espada y Pedro Crespo».

dias. Es más cuanto que no está totalmente desprovista de esa ingenuidad graciosa que tienen tantos villanos en las comedias. Es más, en ciertos aspectos, ¿no será acaso como ser burlado, escarnecido, tomado en son de mofa por el noble, que Peribáñez se porta como un hombre de honor contra toda previsión del Comendador?[80]

Si nos detenemos un instante en el significado folklórico del nombre mismo de Peribáñez, apreciamos mejor cómo Lope eleva humanamente a su villano. En el siglo XVI, se acostumbraba a crear personajes con nombre folklórico,[81] y Lope, en sus comedias, siguió esta costumbre, al escribir, verbigracia *El cordobés valeroso, Pedro Carbonero*. Igualmente, al escribir *Peribáñez y el Comendador de Ocaña*, Lope tomó una de las figuras familiares del folklore español. La enriqueció con no pocos rasgos novedosos, hasta hacer de ella un héroe trágico y cómico juntamente. Ya indicamos que antes de la obra lopesca existían por lo menos unos versos de un romance de la «muger de Peribáñez» y que Lope los conocía.[82] Evidentemente estos versos encierran el

---

[80] Por estimarse muy por encima de Pedro, el Comendador acepta fácilmente, demasiado fácilmente, armar caballero a Pedro, como en son de burla. Es cierto, se extraña de la insistencia y la seriedad con que Pedro, tras el espaldarazo, evoca los deberes del caballero. Bien sospecha que bajo las palabras del villano se esconde alguna malicia típicamente aldeana, pero el sentimiento de su superioridad social pronto le reconforta y de todas maneras se cree más fuerte que el villano:

> «Y cuando pudiera ser
> malicia lo que entendí,
> ¿dónde ha de haber contra mí
> en un villano poder?»
>
> (Versos 2302 et sq.)

La venganza inesperada de Peribáñez —inesperada para el Comendador, cegado tanto por el sentimiento de superioridad social como por la pasión— tiene por principal efecto el llevarlo a conferir, «in artículo mortis», un sentido grave a la ceremonia de armas que hasta ese momento había considerado sin mayor importancia. Tal vez sea ésta la lección de la obra, el demostrar que en el villano —aunque en ciertos aspectos, divertido y cómico— también hay un hombre. A nuestro parecer, la frase más fuerte del drama es aquella que pronuncia el Comendador inmediatamente después de haber sido herido:

> «Señor, tu sangre sagrada
> se duela agora de mí.
> pues me ha dejado la herida
> pedir perdón a un vasallo.»
>
> (Versos 2854-2857.)

Frase conforme a las exigencias de una conciencia cristiana, pero que se destaca en letras de grana en el final ejemplar, si se piensa en la práctica concreta de las relaciones entre señores y vasallos. Mal se ve a un auténtico señor del siglo XVII —y menos aún a un señor del siglo XV— pedirle perdón a un vasallo por el daño que le habría causado.

Se observará que en la refundición que lleva por título *La muger de Peribáñez* la muerte del Comendador dista de ser tan edificante. El noble muere rabiando:

> «*Peribáñez:*   Assí un honrado se venga,
>   muere.
> «*Comendador:*   Yo muero rabiando.

Este final, así como toda la pieza, es de algún modo más subversivo que el de Lope.

[81] Sobre Juan de Voto a Dios, Pedro de Urdemalas, Matalascallando, véase a M. Bataillon in *Lazarillo de Tormes*, ed. bilingüe, Paris. Aubier, 1958. Del mismo autor y con el mismo tema; *Le docteur Laguna, auteur du Voyage en Turquia*, Paris, Librairie des ed. esp., 1958.

[82] *Vide supra*, p. 383, n. 66.

germen del conflicto y del drama del honor inventados por Lope. Pero existen posibilidades de que el Peribáñez folklórico no haya tenido nada de trágico. En efecto, el personaje como figura folklórica dejó rastros en un refrán. Se trata de: «Cuando Peribáñez no tiene qué comer, convida huéspedes». Lo menciona el docto Gonzalo Correas en su *Vocabulario*...[83] Es de lamentar que este autor no proporcione ningún comentario capaz de descubrir el significado que cobra el personaje en tal caso. Nos queda, no obstante, alguna posibilidad de comprenderlo ya que existe un homólogo del proverbio cuyo sentido queda atestiguado; es el siguiente: «Aja no tiene qué comer y convida huéspedes»,[84] mencionado por Iñigo López de Mendoza, marqués de Santillana, en *Refranes que dizen las viejas tras el huego*, Sevilla, 1508, y repetido por Covarrubias en su *Tesoro* de 1611. Este último autor nos da la clave de la expresión:

> Proverbio: «Aja no tiene qué comer y combida huéspedes», de los que estando necessitados para lo que es passar su vida pie con bola, hazen gastos con sus amigos y con los estraños escusados, en que se ponen en mayor pobreza, pudiendo dexar de hazerlos.[85]

El refrán referente a Aja no es pues laudatorio y más bien encierra crítica. Existen otras formas tradicionales en donde interviene el nombre de «Aja», y todas coinciden en hacer del personaje un tipo popular de condición humilde, imprevisor, derrochador y según parece con deseos de presumir o elevarse.[86] No se puede, claro está, situar al Peribáñez folklórico como hermano de Aja en todos los planos pero puede pensarse con razón, que la expresión: «Cuando Peribáñez no tiene qué comer, convida huéspedes» implica, también un juicio matizado de reconvención. Y lo menos que puede decirse es que no presenta a Peribáñez con rasgos de un héroe trágico.[87]

* * *

[83] Ed. 1934, p. 140 b. Aubrun y Montesinos en su edición de *Peribáñez y el Comendador de Ocaña*, Introducción, p. XVI-XVII, tienden a rechazar la idea de un romance anterior a la pieza pero con gran intuición presintieron la existencia folklórica del nombre de Peribáñez: «Mais pourquoi supposer ce romance inconnu? Il ne s'agit peut-etre que d'une vieille légende dont il ne restait, dans l'esprit du peuple, qu'un nom et une situation, un nom surtout qui personnifiait certain comportement dans un certain conflit.» El nombre «Peribáñez» bien podría encarnar la pretensión del villano (Cf. la expresión «La soberbia de un villano rico»), pretensión que se había trasmutado gracias a Lope en cualidad positiva de reivindicación de dignidad. Este es el sentido que descubrimos, al principio, en los refranes antiguos de estructura similar, en donde el nombre de Aja está en el mismo lugar que el de Periibáñez.

[84] Este refrán aparece por primera vez en un refranero del siglo XV, en la colección llamada *Seniloquium* (ms. 19343, B. N. Madrid, publicado por Francisco Navarro Santín, in R. A. B. M. X (1904), pp. 434-447.

[85] *Op. cit.*, art. «Axa», p. 171 a.

[86] Luis Montoto y Rautenstrauch, *Personajes, personas...*, op. cit., I, menciona:

> «Fázelo Aja, e azotan a Mazote.»
> «Aja la enlodada ni viuda ni casada.»
> «Aja la enlodada que ni bien vivió viuda, ni casada.»
> «Por eso perdió Aja su casa, por ser luenga y ancha.»
> «¿De dónde Aja con albanega?»

Juan de Malara explicita esta última fórmula: «... ayer era estudiante, y por dos meses que se huyó a estudiar, vuelve a mula y con sedas y anillos. Dirémosle: ¿De dónde Aja con albanega?» (según Luis Montoto y Rautenstrauch).

[87] Ha de señalarse que la figura de Peribáñez, elevada a un nivel trágico en la pieza lopesca, vuelve al registro cómico en una comedia burlesca del siglo XVII que lleva por título *Comedia nueba en chanza, El*

El tema de la dignidad del villano abordado en algunas comedias de ambiente rústico es el exponente teatral a una promoción humana del plebeyo que plantea delicados problemas ideológicos. Frente al conjunto de la producción teatral en tiempos de Lope, estas pocas comedias constituyen, en cierto modo, una excepción. Lo más corriente es que la dignidad sea privilegio exclusivo de la clase noble y sea denegada a

---

comendador de Ocaña. El manuscrito de esta obra se encuentra en la Biblioteca Menéndez y Pelayo de Santander, y su texto fue publicado por M. Artigas, in *Boletín de la Biblioteca Menéndez y Pelayo,* año VIII, 1926, núm. 1, pp 59-83. M. Artigas escribía en la introducción de su edición :«... se trata de una pieza dramática basada en una de las mejores comedias de Lope; es decir se trata de algo que se relaciona con el Fénix; y esta circunstancia no sólo autoriza, sino que reclama la publicación».

Pero M. Artigas incurría en un error. El análisis demuestra que proporciona las bases a la parodia la refundición titulada *La muger de Peribáñez,* y no la obra maestra de Lope (los nombres de los personajes son los de la refundición: Gilote, Benita, el lacayo del Comendador, Hernandillo, D. Pedro, padre del Comendador) Si, como piensa Artigas, se apuntó a un autor, fue al de la refundición y no a Lope.

La parodia del tema del honor de Peribáñez cobra en esta comedia visos satíricos y parece que el autor anónimo quiso burlarse de la idea de la venganza trágica del villano. Bástenos con citar un pasaje que es preludio de la muerte del Comendador:

> *«Hern.:* Ya, señor, Peribáñez
> se fue.
> *«Com.:* ¡Qué linda nueba
> ¿De suerte que Perico
> se ha ido por más señas?
> *«Hern.:* Buenas pascua le venga
> que no es poco partirse
> con gran paz a la guerra.
> Dixo que volvería
> aun antes que anochezca
> a mirar por su honor.
> *«Com.:* Honrrado es en conçiencia.
> ¿Casilda estará en casa?
> *«Hern.:* Yo imagino de veras
> según es recogida
> que estará en casa o fuera.
> *«Com.:* Pues vamos a buscarla.
> *«Hern.:* ¿Por qué señor?
> *«Com.:* Es fuerça
> que en su casa me tope
> Perico, quando buelba.
> *«Hern.:* ¿Para qué?
> *«Com.:* Ha de matarme.
> *«Hern.:* Matarte, y ¿no te ausentas?
> *«Com.:* Gran bobo eres Hernando
> por no decir gran bestia;
> ¿porqué me he de ausentar
> si es preciso que muera?
> *«Hern.:* ¿Preciso?
> Com.: Claro está,
> poco sabes de quentas
> ¿no es fuerça morir si
> lo dice la comedia?
> *«Hern.:* Naçiste desgraciado.
> *«Com.:* Hijo Hernando paçiencia
> que yo muero con gusto
> por mandarlo el poeta.»

(Ed. M. Artigas, pp. 79 b-80 a.)

los villanos. En este sentido, piezas como *Fuenteovejuna*, *Peribáñez y el comendador de ocaña*, *La serrana de la Vera* (L. Vélez de Guevara), *El alcalde de Zalamea* (Calderón) representan una novedad bajo un antiguo ropaje ideológico (el respeto teórico del código feudal ideal, el igualitarismo cristiano, el sentimiento de cristiano viejo) y estético (lo cómico que persiste dentro de lo trágico). En este grupo de comedias, la superioridad del noble —y sobre todo su superioridad ética— se pone en tela de juicio. El villano honrado no reconoce la existencia de una diferencia de nivel moral y humano determinada por la situación dentro de la jerarquía de las clases feudales; no acepta la acostumbrada escala de valores en el teatro, según la cual la palabra «villano» es sinónimo de miedo y alevosía, mientras que «noble» significa nobleza y generosidad; incluso la acción trágica llega a probar lo contrario; en fin, en estas obras, la nobleza como clase ya no es la única fuente de valentía y riqueza humana.

Nos parece que aquí, sin habérselo propuesto de manera especial, los dramaturgos se hicieron del ascenso histórico del campesinado castellano desde hacía ya varios fines del siglo XVI y principios del siglo XVII. Por este camino, sin haberlo buscado sin duda, y mientras escribían para un público cortesano y urbano, en el seno de una sociedad monárquico-señorial dominada por la ideología aristocrática,[88] crearon tipos teatrales de villano portadores de un «futuro» y que han podido parecer revolucionarios a ojos de la crítica y del los públicos de los siglos XIX y XX.[89] Aquí alcanzamos el complejo fenómeno del significado de la obra a través de las épocas. El escritor no sólo expresa el público real y actual a quien dedica su obra. También suele ocurrir que exprese (a sabiendas o no) lo que Gaetan Picon llama con mucho acierto «la songe tenace d'homme inconnus qui, un jour, découvriront son oeuvre».[90] Es peculiar de algunas creaciones estéticas inspiradas en la vida el superar a su creador y expresar el

---

[88] Acerca del estreno de una obra como *Peribáñez y el Comendador de Ocaña* nada sabemos, pero lo cierto es que la parte IV, en la que fue impresa, 1614, fue dedicada al mecenas de Lope: el duque de Sessa. Todos los títulos feudales del duque iban enumerados en la dedicatoria, como se acostumbraba. El patronazgo del duque explayado tal como lo está en esta parte IV, bastaría para probar, de ser necesario, que la pieza no va dirigida contra el sistema feudal «en sí» ni contra los señores feudales en general. Va dedicada a «Don Luis Fernández de Córdoua Cardona y Aragó, Duque de Sessa, Duque de Soma, Duque de Vaena, Marqués de Poya, Conde de Cabra, Conde de Palamos, Conde de Olivito, Vizconde de Yznajar, señor de las Baronías de Velpuche, Liñola y Calonge, gran almirante de Nápoles.» Por el contrario, como lo demostraremos, la pieza contiene indirectas contra un Comendador de Ocaña histórico, de quien se burlaban Lope y su mecenas. Condenar a un mal señor en nombre del ideal mismo de la caballería por medio de un villano, también es un punto de vista villano el que vino a expresar el Fénix, aunque no fuera más que para respetar la verosimilitud. Por este rodeo se deslizó en la obra lo que llamamos «el eco receptor de la presión histórica de los villanos en Castilla».

[89] Es hecho conocido que la representación de Fuenteovejuna despertaba el entusiasmo del público de la Rusia zarista a principios del siglo XX, así como que esta comedia *Peribáñez y el Comendador de Ocaña* y *El alcalde de Zalamea* son piezas representadas comúnmente por elencos de la Unión Soviética. Poco conocemos de los estudios realizados por los hispanistas soviéticos, pero lo que sabemos nos permite apreciar que algunos trabajos sitúan estas piezas villanas de Lope y su escuela en la del teatro de oposición». Cf. F. K. Keylin, *Tirso de Molina i yevo vremya* (Tirso de Molina y su tiempo), Moscú-Leningrado, 1935. Aunque la idea de teatro de oposición no nos parezca exacta en España (Doña Blanca de los Ríos también la usa, de otro modo, a propósito de Tirso de Molina) tratándose de un teatro controlado y vigilado por la censura religiosa y política como lo estaba la comedia española, compartimos la opinión de que estas obras expresaron corrientes históricas populares que no presenta el conjunto de la producción dramática de la época.

[90] El persistente sueño de desconocidos que, un día, descubrirán su obra» Cf. *Panorama de la nouvelle littérature française*, 1950; *L'écrivain et son oeuvre*, 1953. Sobre la misma cuestión de los públicos posibles, virtuales, de una obra, véase también a Sartre *Qu'est-ce-que la littérature?*

porvenir gracias a una extraordinaria intuición.[91] Es lo que ha ocurrido, creemos, con los autores del grupo de comedias de las que estamos tratando. Resumiremos nuestro pensamiento diciendo que son el exponente, en este tema de la dignidad del villano, «del antifeudalismo en el seno del feudalismo».

---

[91] Sobre la cuestión de la poesía portadora de la idea del mañana y del poeta vidente sin saberlo, véanse los ricos análisis de B. Croce, *La philosophie et la pratique. Economie et éthique*, trad. Beuriot-Jankélévitch, Paris, 1911, pp. 165 y ss.

Bajo la República española, antes de 1936, la conocida compañía «La Barraca» organizada por F. García Lorca, montó representaciones de *Fuenteovejuna*. Se trataba de una interpretación de las más modernas con decorados de Benjamín y Alberto Sánchez. Según el primer secretario general de «La Barraca» que asistió y participó en el montaje de *Fuenteovejuna*, tuvo lugar una discusión preliminar para saber si habría de procederse a una reconstitución arqueológica o a una transposición de la pieza en estilo moderno. Por el propio Lorca sabemos que se dejó de lado todo el «drama político» y que se siguió únicamente el «drama social» (declaraciones reproducidas por María Laffranque, in *B.i.*, LVIII, núm. 3, 1956, pp. 336-338).

Según las declaraciones de numerosos espectadores de entonces, consistió especialmente en suprimir todas las escenas en las que intervienen los Reyes. Nuestro amigo E. Canito y M. González Quijano, que asistieron a las representaciones en 1933, describieron así a Marie Laffranque dichas representaciones:

«Les personnages portaient des costumes conçus par Alberto Sánchez, inspirés par l'habillement contemporain. Le Commandeur était habillé en «cacique» de village et portait un costume en velours côtelé très raide, symbole de la rigidité de son pouvoir; les personnages de sa suite portaient l'uniforme des «gardes jurés», gardes armés controlés par les autorités publiques, mais payés par les grands propriétaires fonciers contre le maraudage sur leurs domaines» (Cf. Marie Laffranque, *B. Hi.*, LX, núm. 4, 1958, p. 513).

Merced a este ejemplo célebre se ve en qué aspecto Fuenteovejuna es obra que contenía «futuro». Se comprende que la preocupación por actualizar la pieza haya impulsado a F. García Lorca a incurrir en anacronismos arriba citados. En la medida en que la puesta en escena es en sí una creación estética autónoma, el escenógrafo tenía derecho a tomarse libertades que no alteraban la honda lección de la obra: el derecho a la insurrección de los oprimidos. Sin embargo, ¿era necesario suprimir los pasajes en donde salían los Reyes Católicos? ¿Sería sectarismo republicano? No, en la medida en que la obra quedaba modernizada y porque la aparición de un Rey en el siglo XX español tomando partido contra el cacique en favor de los campesinos, hubiese resultado en aquel momento una contra-verdad histórica. En cambio queda bien evidente que una representación no modernizada no puede suprimir las salidas reales sin atentar contra su verdadero significado revolucionario, en relación con los siglos XV y XVI. No fue un monárquico sino un marxista, F. Engels, quien subrayó el papel progresista y liberador (anti-feudal) de la monarquía en el siglo XV (Cf. Anti-Dürhing, Paris, Ed. sociales, 1950, p. 471-479, «La decadencia de la feudalidad...»).

CAPITULO IV

LOS CONFLICTOS DEL NOBLE Y EL VILLANO

La disputa del villano y del hidalgo. Enfrentamiento del vasallo y del señor en Fuenteovejuna *primero, y luego en* La Santa Juana II *y* La dama del Olivar. *Rechazo del derecho de pernada como tema teatral. ¿Cómo explicar el antiseñorialismo que se desprende de una minoría de piezas? Antagonismo entre villanos y militares en la realidad y en el teatro.*

De lo dicho en el capítulo anterior se desprende que la perspectiva aristocrática o urbana (favorable a la nobleza) que domina en la comedia no fue obstáculo para que pasaran teatralizadas al escenario algunos aspectos de la lucha histórica del villano contra el noble. Es cierto, esta lucha histórica se expresa en el teatro no sin límites ni restricciones, y es presentada a través del prisma deformante de la ideología dominante. Siempre ocurre esto cuando una clase aún no se ha impuesto como «clase para sí»: todavía no desarrolla ante sí, por así decirlo, más que ideas en ciernes, nebulosas: mucho más que un sistema ideológico coherente, y realmente propio, el conjunto de sus exigencias echa raíces en la actividad concreta de las clases que se confrontan, y en la crítica de la práctica social. Sólo después viene el derrumbamiento teórico de los principios, ya que la ideología a menudo está atrasada con respecto al movimiento real de la historia. Pero en la primera fase de la lucha, la posibilidad de gritar: «¡En nombre del Derecho!» es una de las armas más eficaces que una clase puede arrebatarle a otra y bien parece que algunos personajes villanos de la comedia esgrimieron esta arma, frente a una nobleza que ya no se mantenía fiel a sus principios y a sus reglas.

Esta crítica práctica (no teórica) de la nobleza en algunas comedias de ambiente rústico es ilustrada especialmente por tres tipos de conflicto organizados en temas: el conflicto entre el villano y el hidalgo, el del vasallo y del señor, y por fin el del villano y del militar. Los evocaremos sucesivamente, intentando destacar cómo la manera de tratarlos podía encerrar el germen de nuevas ideas. Ello no se hará correctamente sino a condición de buscar puntos de referencia históricos exteriores a las obras: por esa razón recurriremos, una vez más, a testimonios sacados del mundo real.

* * *

La disputa del villano y del hidalgo en la comedia es situación bastante repetida y en una perspectiva de mera morfología literaria, cabe colocarla como motivo literario en la línea de una tradición elaborada en el siglo XVI: la del hidalgo ridículo, que ya se ve en el teatro de Gil Vicente y que se encuentra a veces en el *Lazarillo de Tormes*, el *Crotalón*, algunos romances,[1] el *Quijote*, los *Sueños*, el *Buscón*, etc. Los sarcasmos que le echa el villano al hidalgo de aldea en divertidas escenas de género, provienen de un arsenal de acusaciones común a toda una literatura que expresaba la decadencia histórica real de la pequeña nobleza, de antiguo origen rural, al par que del rápido ennoblecimiento de los advenedizos. Empobrecida por la revolución de precios y la devaluación de las rentas, mirando nostálgicamente hacia un pasado irremediablemente caduco desde fines del siglo XV, la clase de los hidalgos tradicionales se estaba volviendo anacrónica por su estilo y sus ideas, mientras que los nuevos hidalgos —a precio de oro— irritaban con sus pretensiones: las letras tomaron como tema el anacronismo de aquéllos, la pretensión de éstos. La sátira de los hidalgos en la comedia de ambiente rústico ofrece a veces las ventajas de una confrontación con labradores enriquecidos que le disputan al hidalgo (venido a menos o advenedizo) la supremacia en el pueblo, y, en este sentido, puede afirmarse que la comedia más que cualquier otro género, da cuenta del terreno histórico en el que echó raíces esta sátira (pronto plasmada como procedimiento). El movimiento doble y contradictorio de la sociedad rural en los siglos XVI y XVII se expresó así por mediación del diálogo escénico.

No cabe duda alguna acerca de la lucha de clases real, entre labradores ricos e hidalgos, empobrecidos o advenedizos, en los pueblos de los siglos XVI y XVII. Entre ambos estados se entabló una lucha sorda y continua de la que dan fe numerosos datos. Incluso algunos textos aluden al odio que se tenían el uno al otro. Un acta de la sesión de las Cortes del 30 de agosto de 1618[2] habla de lo que se llama «el odio que tiene un estado con otro», y la misma acta señala que el procurador don Martín de Castrejo propuso en esta sesión un cierto número de medidas adecuadas —según se creía— para establecer más concordia. El motivo de la lucha era a menudo la elección a cargos municipales (cargos de alcaldes) y la combatividad de los villanos ricos llegaba a tal extremo que a veces lograban eliminar a los hidalgos de los cargos que les correspondían por derecho; también a menudo maniobraban para situar a alcaldes de hidalgos que les fuesen adictos. En el acta de la sesión de las Cortes de Madrid, de la tarde del 30 de agosto de 1618, leemos:

> ... que en los lugares donde se hacen las dichas elecciones en común por la mayor parte de votos del un estado y del otro, se siguen muchos y muy grandes escándalos y pleitos, discordias, y diferencias dignas de remedio para que haya conformidad en ambos estados, porque con la mano que tienen los labradores para hacer a su modo las dichas elecciones, por ser siempre la mayor parte, procuran elexir a los hidalgos más pobres y miserables y de menos talento y capacidad, así por aniquilar el dicho estado como porque por este camino reducen a los tales a todo lo que quieren aunque sea contra su mismo estado, de que no sólo se sigue la mala administración de la justicia y quedar los hidalgos sin defensa para los casos que se les ofrecen...[3]

---

[1] Cf. in *Flor de varios romances nuevos primera y segunda parte*, Barcelona, 1591, fol. 98: «Mal hubiesse el cavallero.»

[2] *Actas de las Cortes de Castilla* (Cortes de Madrid), XXXII, pp. 292-296.

[3] *Ibid.* La hostilidad de los villanos a los hidalgos se refleja (con una perspectiva aristocrática) en La *Pícara Justina*. Justina oculta a sus hermanos que está enamorada de un hidalgo porque estos no consentirían este amor. Cf. ed. 1605, Barcelona, p. 274, in cap. IV («de las obligaciones de amor»):

> «... que ya se sabe que es natural la enemiga que tienen los villanos a los hijos de algo... Ansí el villano, con recibir de un hidalgo hombre de armas, honra y provecho, siempre le aborrece y

Más adelante, otro párrafo de esta acta explica el tipo de maniobra antihidalga a la que se dedicaban estos villanos:

> ... Y asimismo cuando el dicho estado de los labradores no puede reducir a su voluntad a los que ha de nombrar por el de los hidalgos de los que hay en los tales lugares, los traen de otros y les dan vecindad y sin que conste que son hidalgos, y por sola la dicha pretensión de tener el dominio en los oficios del estado de hidalgos, siendo esto con perjuicio de la nobleza y de los hidalgos notorios de sangre y solar, pues debiendo por serlo ser estimados u honrados, vienen a ser los inferiores en sus repúblicas y a quitarles por este camino lo que conforme a leyes y fueros de estos reinos se les debe, de más del servicio de S. M.[4]

Así es cómo los hidalgos rurales se veían amenazados en sus prerrogativas por el monopolio plebeyo que pretendían imponer los villanos ricos en las aldeas. La ofensiva era general y no se limitaba a algunos casos particulares. He aquí,en el acta de la sesión de Cortes del 29 de mayo de 1619, una larga alusión a la petición de don Pedro Alvarez de Baraona y don Francisco de Sardeneta y los demás hidalgos de la villa de Torrejón de Ardoz. Los nobles se quejan de que los villanos del lugar les disputen a los hidalgos su derecho tradicional de detentar la mitad de los cargos municipales. A trueque de monedas contantes y sonantes que consintieron entregar al servicio de Su Majestad, los hombres honrados de Torrejón de Ardoz exigen que las elecciones a los cargos se lleven a cabo en adelante sin distinguir estados. Aceptar esto —explican los hidalgos— sería atentar gravemente contra los derechos tradicionales de la nobleza rural, crear un precedente en el que no dejarían de inspirarse otras villas y lugares del reino. En el fondo lo que persiguen los hombres honrados de Torrejón de Ardoz —siguen explicando los hidalgos— es llegar a excluir a los nobles de los cargos, y consentir a tales pretensiones significa, a corto plazo, consentir la exclusión de todos los hidalgos de España de los cargos que ocupan en los pueblos.[5]

La actitud de los hombres honrados de Torrejón de Ardoz correspondía probablemente a un reflejo de autodefensa de la comunidad aldeana. En lo esencial, los plebeyos les reprochaban a los hidalgos (y en particular a los hidalgos de ejecutoria), a la nobleza reciente), el no pagar las cargas y por ende, hacer más gravosas las contribuciones para los otros hombres del campo. Las *Relaciones topográficas* bien demuestran que, por doquier, cuando podían, los villanos pecheros atacaban a los hidalgos por el aspecto fiscal. En Barchín del Hoyo (provincia de Cuenca) en 1576, atacan a hidalgos notorios:

---

persigue. Y allá fingió la fábula que riñieron los hidalgos y villanos animales y publicaron sangrienta guerra. Mas salió de concierto que dos por ambos campos la hubiesen. En nombre de los hidalgos fue nõbrada el águila, y de los villano el dragón, salieron al campo: el dragón anduvo en todo como villano. Lo primero dixo al águila, que para pelear con armas yguales, avía de ser la batalla en el suelo, y que le avía de prestar unas alas. Todas estas ventajas le dio el águila. Y en entrando en batalla, al segundo encuentro se retiró el dragón diziendo que no quería pelear más. Preguntando el águila que por qué causa, lo diré: O me vences o te venço. Si me vences muy bien es dexarlo, si te venço y te mato, ya sé que es condición de águilas venir cada día muchas a ver el cuerpo muerto de su especie, hasta que del todo se corrompe, y aborrézcoos tanto que más quiero no ser vencedor que veros tan a menudo. Mira hasta donde llega el odio de villanos e hidalgos.»

Op. cit.
[5] *Actas de las Cortes de Castilla,* XXXIII, pp. 280-281.

Al capítulo cuarenta dixeron que en esta villa hay una docena de casas de hijos-dalgo notorios, sin embargo de lo cual los labradores les han puesto pleito en la chancillería de Granada...

(B. Escorial, ms. J. I, 14, fol. 651, núm. 40.)

En el mismo momento, en Villarejo de Salvanés (provincia de Madrid), la situación es idéntica:

... dixeron que comunmente la dicha villa es de labradores y que habrá en ella trece hombres hidalgos, que los tres dellos tienen executorias de la real chancillería de Valladolid y uno trae pleito en Granada y otro goza por razón de un privilegio de los Reyes Católicos, y secutoria sobre él, y agora trae pleito en la chancillería de Valladolid y los otros ocho gozan por razón de una executoria de la chancillería, e agora traen pleito con el concejo sobre la dicha executoria...

(J. J, 13, fol. 57, núm. 40)

Hay que admitir por lo tanto que los hidalgos (en Castilla la Nueva, al menos) en el transcurso del siglo XVI y a principios del XVII fueron sometidos a una considerable presión por parte de las clases campesinas que les rodeaban. El conflicto no alcanzaba violencia que presentó en Cataluña en el momento de la insurrección agraria a fines del siglo XV, cuando algunos «pagenses de remensa» gritaban su odio: «Muyren, muyren gentilshomens» (Cf. Vicens Vives, *Historia de los remensas*, Barcelona, 1945, pp. 312-316). Sin embargo puede hablarse de un auténtico estado de guerra jurídica, reflejo de una auténtica lucha social sorda y obstinada.

Una vez esbozado este cuadro histórico, se comprenderá mejor lo que podía haber de serio detrás del motivo divertido de la disputa de alcaldes de ambos estados en algunas comedias dadas a luz, al parecer, después de 1608, aproximadamente;[6] se comprenderá mejor, y también de modo más amplio, el significado del tema hidalgo (sea éste o no alcalde) objeto de los sarcasmos del villano, sobre todo si este es labrador acomodado, «hombre honrado». Ya señalamos que el sentimiento de cristiano viejo nutre a menudo la agresividad del villano ante el hidalgo pueblerino; pero hay otros rasgos rituales en este género de escenas: el villano le reprocha al noble empobrecido su miseria económica, su cobardía, su hambre, su tacañería, su vanidad nobiliaria y a menudo —bajo la pluma de Lope llega a ser un rasgo característico— resume sus reproches al hablar de «cansados hidalgos» o «cansada hidalguía». la fórmula rural contra una categoría social pueblerina considerada como parásita, inútil e inoportuna,[7] y por añadidura, tachada de conversa. En *Los hidalgos de aldea*, tenemos un pri-

---

[6] La primera parece ser *Los hidalgos de aldea*, de Lope, que Morley y Bruerton sitúan en 1606-1615, probablemente 1608-1615.

[7] Si esta recriminación pasó al escenario, es que merecía la aprobación de la aristocracia palaciega, de los hijos de campesinos en las ciudades y del conjunto del público urbano. Desde este punto de vista, una obra como *Los hidalgos de aldea* es muy reveladora. Las bromas aldeanas contra el hidalgo son aprobadas implícitamente por un conde y una condesa que se han pasado al bando aldeano para reirse del hidalgo. El alcalde aldeano, Jofre, tiene buen cuidado en precisar, ante ellos, que los ataques van dirigidos únicamente a la hidalguía, y no a la alta nobleza:

«Jofre: En los príncipes es clara
la nobleza verdadera.
Yo sólo de hidalgos trato.»

(Cf. Acad. N., XII, p. 291 a.)

mer ejemplo del uso de esta expresión en una escena en la que Jofre, alcalde villano, se enfada con Celedón, alcalde de hidalgos, que siempre anda anteponiendo por delante su título nobiliario y echa en cara a los villanos su falta de respeto hacia los nobles:

> Jofre: De los hidalgos querría
>   que un día sólo pasase
>   sin que se hablase y tratase
>   de su cansada hidalguía
>   ....
>
> Celedón: También yo de los villanos
>   pecheros y gente vil
>   querría un trato servil,
>   pues que viven de sus manos
>   y que tuviese respeto
>   a los nobles ....[8]

De la misma manera en *San Diego de Alcalá* dos regidores villanos recurren sucesivamente a esta fórmula durante la larga pelea de concejo aldeano en la que el alcalde de hidalgos —como en la realidad por lo que sabemos— es blanco de las pullas villanas.

El segundo regidor suelta que los hidalgos consideran a los plebeyos como sus criados:

> Regidor 2.º: Estos hidalgos cansados
>   nos tienen por sus criados
>   ....[9]

El primer regidor repite la expresión consagrada para reprocharles a los hidalgos pueblerinos la ridícula importancia que otorgan a su honra:

> Regidor 1.º: Hidalgos! Gente cansada,
>   toda en su honrilla fundada.[10]

Por fin, en *Peribáñez y el Comendador de Ocaña* (pieza de la misma época que las anteriores), la hostilidad villana hacia los hidalgos pueblerinos se expresa con los mismos términos rituales en una escena en la que una compañía de hidalgos desfila por la plaza de Ocaña antes de salir para la guerra de Granada. También participa en esta parada militar un grupo de villanos dirigidos por Peribáñez, nombrado capitán. Asomadas al balcón, unas aldeanas comentan el desfile de ambas compañías. Es una situación de la realidad pueblerina, pero también es exigencia de la arquitectura de los corrales de representación con dos pisos, así como tópico literario estereotipado de tantos romances de fines del siglo XVI. Las aldeanas contraponen el aire marcial y vigoroso de los villanos al de los hidalgos, mejor trajeados quizás, pero con aires menos marciales; en este momento, sale el consagrado topos de los «hidalgos cansados»:

---

[8] Acad., N., XII, p. 309 a.
[9] Acad., V, p. 35 b.
[10] Acad., V, p. 37 a.

Inés:	¿Qué es esto?
Costanza:	La compañía de los hidalgos cansados.
Inés:	Más lucidos han salido nuestros fuertes labradores.
Costanza:	Si son las galas mejores, los ánimos no lo han sido.[11]

Merecía la pena efectuar estos acercamientos entre el nivel histórico y el nivel literario de los textos porque permite entrever la estereotipia teatral a la que se vio sometido tempranamente el tema del conflicto entre villanos e hidalgos en la comedia. Pero no basta con comprobar este aspecto técnico. También hay que considerar que el hacerse «figura cómica»[12] en la comedia de ambiente rústico —al lado de villanos

---

[11] Ed. Aubrun y Montesinos, versos 2452-2457. H. Mérimée, in «Casados» ou «Cansados» (note sur un passage de Lope de Vega), in R.F.E., L919, VI, pp.61-63, indicó con acierto que, al contrario de lo que se desprende de la edición Hartzenbuch, hay que leer «cansado» y no «casados» en este pasaje. La Parte IV dice, en efecto, «cansados». De ser necesario, la repetición del clisé lopesco de los «hidalgos cansados» nos probaría lo fundado de la lección restablecida por H. Mérimée.

Pero el hecho de que «hidalgos cansados» sea una expresión consagrada en la que «cansado» cobra el sentido ritual de importuno, que cansa, nos obliga a discutir en parte el sentido que destacó H. Mérimée. Teniendo en cuenta el contexto que ofrece el pasaje de Peribáñez y el Comendador de Ocaña, tradujo «hidalgos harassés»;

«... Costanza remarque à première vue que les gentilhommes ont l'air «fatigués», «harassés» (cansados) et Inés confirme cette observation en ajoutant que la compagnie des paysans s'est présentée plus gaillardement.»

No es nada imposible aquí que Lope se haya valido de los dos sentidos del adjetivo cansado, pero pensamos que el sentido del topos prevaleció en el autor.

Además, aparece el mismo significado de cansado, pero aplicado a unos aldeanos, cuando exclama el Comendador de Fuenteovejuna:

«¡Qué cansado villanaje!
¡Ah! ¡Bien ayan las ciudades
que a hombres de calidades
no hay quien sus gustos ataje!»

(Acad., X, p. 542)

Tratándose de hidalgos a quienes en otro momento se tacha de judíos, es posible, por fin, que intervenga un tercer sentido. En efecto, la expresión «ley cansada» se opone ritualmente a la de «ley cristiana». Cf. el romance «Tanta Cayda y Adalifa», in Ramillete de Flores. Quarta parte de flor de romances, recopilados por Pedro Flores, Lisboa, 1593, fol. 52 vº:

«Tomad otro estilo
poetas de ley cansada,
y vended el pan por pan,
y el agua clara por agua,
y con esto se verá
vuestra discreción y gracia
y sabremos quién es moro,
o quién vive en ley christiana.»

[12] Usamos aquí «figura» en el sentido estrictamente teatral. Se sabe que la palabra implica un matiz caricaturesco (el personaje del «hidalgo» llegará s ser por otra parte un papel clásico de la «comedia de fi-

que se ríen de él o aún con villanos que se dicen «honrados»— el personaje del hidalgo corresponde a una evolución de la ideología teatral, a su vez relacionada con un cambio de la ideología social. No es insignificante el hecho de que en algunas comedias el personaje serio sea un villano y un hidalgo el personaje ridículo. En tiempos de Encina, tal situación era impensable, y, como ya sabemos, el villano quedaba relegado entonces a un papel cómico, mientras le tocaba al noble —aunque fuese simple escudero— reir a expensas del rústico. La inversión en el reparto de los papeles interpreta una modificación en la escala de valores que ganó los votos del público porque era conforme con la evolución económica y social de la sociedad.

Quizás Calderón fue quien expresó más acertadamente este acceso a la independencia y a la dignidad social de la clase de los villanos ricos frente al empeoramiento, desmejoramiento y a la decadencia histórica de los hidalgos empobrecidos, al introducir en *El alcalde de Zalamea* junto al personaje grave y serio de Pedro Crespo, a la figura ridícula de don Mendo. Apenas sale al escenario el hidalgo don Mendo —bajo la estilización estética propia del personaje, del «vejete» al que remite— se revela por su contraste con los aldeanos de Zalamea, como un tipo social atrasado, inadaptado, condenado por la marcha de la historia. Nuestro hidalgo es miserable y su fortuna desmantelada ya no le permite satisfacer las necesidades de su estómago. Tiene hambre. Sus criados, su cabalgadura, sus lebreles tienen hambre. Calderón adopta en este caso, después de otros muchos, un antiguo rasgo del personaje del hidalgo de una tradición que se remonta hasta el *Lazarillo de Tormes*,[13] pero que dentro de un ambiente de labradores acomodados y bien alimentados, adquiere un significado bien preciso en relación con la realidad aldeana. Este hidalgo podría remediar su pobreza. Pretendiente de Isabel, la hija de Pedro Crespo, con su boda daría nuevo lustre a su escudo que alcanzan a distinguirse aún, medio borrados, encima de su puerta. Pero tal solución es incompatible con el orgullo de un hidalgo convencido de su superioridad sobre los pecheros y que le explica a su criado que no todos los hombres son de la misma hechura («que no somos todos unos»). En realidad, si don Mendo se precia de demasiado noble como para desposar a la hija de Crespo, este y su familia tampoco se consideran honrados por los galanteos del «hidalgote». El hijo del labrador amenaza nada menos que con darle palos cuando le ve rondar la casa. La joven Isabel da de calabazas al galán cerrándole la ventana en las narices cuando quiere cortejarla con un énfasis poético poco adecuado con su silueta. En fin, puede afirmarse que, en la pieza de Calderón, el conflicto histórico de los hidalgos y de los labradores ricos se expresa desde una perspectiva muy favorable al villano, y el dramaturgo se dedicó a un ver-

---

gurón» en tiempos de Calderón y más tarde). observemos que ya el hidalgo de *Los hidalgos de aldea* es calificado de «figura graciosa»

> «*Feniso:* Verás una figura bien vestida
>   pero por lo discreto y caballero,
>   pero ha de ser honrándole primero
>   ....
> «*Feniso:* Tu verás la figura más graciosa
>   que de los hombres fue vista ni impresa.»

(Cf. Acad., N., XII, p. 294.)

[13] Calderón indica por lo menos uno de los numerosos antecedentes de la tradición del personaje del hidalgo. En efecto, nos presenta a su hidalgo con parecido físico a Don Quijote.

dadero juego de masacre antihidalgo, para complacencia de un público, que por ser villano, no debía de contar con una mayoría de hidalgos rurales.

Como se ve, ninguna tonalidad trágica viene a colorear la interpretación teatral del conflicto entre hidalgos y villanos ricos. Tal vez se deba esto al hecho de que tal conflicto no planteaba problemas decisivos que amenazaran las relaciones sociales fundamentales. Ya lo dijimos, la pequeña nobleza rural de origen medieval se había visto suplantada por una aristocracia terrateniente, fiel a la monarquía, en tiempos de los Reyes Católicos, y esta alta aristocracia había participado, al par que los villanos, en la eliminación histórica de los hidalgos pueblerinos. Por otra parte, en el transcurso del siglo XVI, y luego especialmente a principios del siglo XVII, vecinos de las ciudades (mercaderes o letrados enriquecidos), señores ya de tierras pagadas a precio de oro, sin por ello ser condes o duques, también habían contribuido a esta eliminación. Pero, si los nobles habían cambiado, el sistema feudal español de explotación de la tierra y del villano no había desaparecido en lo esencial y perduraba dentro de las estructuras renovadas del régimen monárquico-señorial. Los conflictos entre villanos y señores, que habían empezado a estallar a partir del siglo VII, y que se habían manifestado durante todo el período medieval, subsistían y cobraban, a veces, formas por extremo violentas.[14] En esas condiciones, el tema de esos conflictos no podía menos de salir al escenario bajo las perspectivas de tensión y lucha, o sea de drama. Así es como en alguna pieza como *Fuenteovejuna, Peribáñez y el Comendador de Ocaña, La Santa Juana, La Dama del Olivar, El mejor alcalde el Rey.* el antagonismo entre el vasallo y el señor toma ya visos de tragedia.

A propósito del tema de la dignidad del villano, subrayamos en qué medida el drama,.en una pieza como *Peribáñez y el comendador de Ocaña*, nace de la discordancia entre la teoría y la práctica señorial; a propósito de esta obra, demostramos que la rebelión del villano resulta de que el noble quiebra el orden ideal del sistema monárquico-señorial, y por consiguiente, la institución nobiliaria no es condenada en apariencia, pero demostramos también que este respeto formal de la ideología feudal entraña un antifeudalismo de hecho. De la misma manera puede considerarse el conflicto entre el señor y el vasallo en *Fuenteovejuna, La Santa Juana, La Dama del Olivar* y *El mejor alcalde el Rey*, piezas a las que dedicaremos muy especialmente los análisis que siguen. No obstante, como veremos, comparadas con las de Lope, las obras de Tirso trasuntan la preocupación de borrar el conflicto del vasallo y del señor, que determina bien los límites, más allá de los cuales no podía manifestarse el antifeudalismo de hecho en obras concebidas principalmente para públicos aristocráticos y por autores vinculados estrechamente con los señores.[15]

---

[14] Cf. *España sagrada*, XIII, p. 452 C. 54 (crón. Abeld) y p. 486 C. 17 (crón. Sebastián), donde se mencionan las rebeliones de «servi» y de «libertini» contra sus señores en el reino cristiano del Norte. En los siglos XIV y XV, en Cataluña, se produjeron las sublevaciones de los «pagenses de remensa». La historia de Aragón está jalonada de disturbios antiseñoriales hasta principios del siglo XVII. En Castilla la revolución de las comunidades de Castilla, en los primeros años del siglo XVI, fue motivo de un reguero de insurrecciones de vasallos contra sus señores en muchos sitios: contra el conde de Chinchón, contra el condestable de Castilla, contra el conde de Buendía. Cuando no destruyeron activamente los símbolos del poderío señorial, demostraron a las claras que estaban dispuestos a hacerle (en Tierra de Campos y en el reino de Toledo por ejemplo). Sobre estos aspectos del movimiento comunero —hasta ahora poco estudiados— Joseph Pérez ha reunido una información concreta y precisa y ha echado nuevas luces sobre las comunidades.

[15] Insistimos ya sobre los vínculos entre Lope y los diferentes señores de vasallos que fueron mecenas suyos. Los vínculos de Tirso con el ambiente señorial son también muy nítidos. Por ejemplo, bajo el nom-

Como el Peribáñez de *Peribáñez y el comendador de Ocaña,* los villanos de la aldea de Fuenteovejuna, tales como los presenta Lope, no aspiran más que a seguir siendo buenos y leales vasallos bajo la vara de su comendador, Fernán Gómez. Al tratar el tema de los festejos de bienvenida, pudimos ver que reciben a su jefe con coros y bailes, conforme a la antigua costumbre feudal, cuando éste vuelve de una expedición militar contra Ciudad-Real.[16] Se habla entonces del amor que existe entre el señor y los vasallos,[17] y el alcalde de Fuenteovejuna, Esteban, encabeza el concejo de la villa para agasajar al amo con toda clase de presentes traídos en una carreta.[18]

Sin embargo, este clima de buenas relaciones desaparecerá rápidamente por culpa del señor. Una primera fase termina cuando el Comendador intenta forzar a la aldeana Laurencia, creyendo hallarla sola en el campo; su novio, escondido detrás de un árbol, aparece, coge la ballesta del señor y le amenaza con ella. La violencia a la que ha querido recurrir Fernando Gómez con Laurencia contribuye al meollo de los comentarios del pueblo. Pronto un labrador anónimo —una como «vox populi»— emite el voto nada menos que de ver al señor colgado de un olivo.[19] Sin embargo los aldeanos reprimen sus sentimientos en presencia del amo; basta con que este llegue a la plaza para que los villanos se muestran deferentes.[20] Pero pronto el señor le obliga a abandonar esa actitud de sometimiento al llevar él mismo la conversación hacia el tema candente: la joven Laurencia a quien reprocha su esquivez. El alcalde Esteban, padre de Laurencia, no puede soportar las palabras de Fernán Gómez. El sobresalto de dignidad acarrea una contestación desdeñosa por parte del señor para con los villanos:

> *Comendador:*   ¡Reñidla, Alcalde, por Dios!
> *Esteban:*   ¿Cómo?
> *Comendador:*   Ha dado en darme pena.

---

bre de su sobrino, dedica, en 1636, la *Quinta parte* de sus comedias a su mecenas D. Martín Artal de Alagón: «A D. Martín Artal de Alagón, conde de Sástago, Marqués de Aguilar, señor de la casa de Espís...» No deja de ser interesante el observar que en esta Quinta Parte, figuran las dos primeras comedias de *Santa Juana* y *La Dama del Olivar.*

[16] Esta acogida triunfal del señor puede parecer contradictoria con los sentimientos monárquicos manifestados posteriormente en la obra por los aldeanos de *Fuenteovejuna.* La expedición del señor Fernán Gómez se realizó contra una ciudad fiel a los reyes legítimos. Este atentado a la lógica interna de la ideología de nuestros aldeanos halla su explicación, tal vez, en el hecho de que Lope inserta aquí una escena de género lírico y pintoresco «prefabricada». La canción de bienvenida evoca, recordémoslo, una convencional victoria sobre moros, cuando en realidad la expedición se hizo contra cristianos leales al Rey.

[17] Acad., X, p. 537 a:

> «*Comendador:*   Villa, yo os agradezco justamente
> el amor que me habéis aquí mostrado.
> «*Alonso:*   Aun no muestra una parte del que siente,
> pero, ¿qué mucho que seáis amado,
> mereciéndolo vos?»

[18] *Ibid.*
[19] Acad., X, p. 542 a:

> «*Labrador:*   ¿Quién fue cual él tan barbaro y lascivo?
> ¡Colgado le vea yo de aquel olivo!»

[20] *Ibid.*

Mujer hay, y principal,
de alguno que está en la plaza,
que dio, a la primera traza,
traza de verme.

Esteban: Hizo mal;
y vos, señor, no andáis bien
en hablar tan libremente.

Comendador: ¡Oh qué villano elocuente!
¡Ah, Flores! haz que le den
la «Política», en que lea,
de Aristóteles.[21]

Tras estas palabras, el señor no tarda en echar a los villanos del lugar en donde estaban platicando, y las palabras que dirige a sus criados hacen resaltar que, desde el punto de vista señorial, el comportamiento de los villanos tiene algo de igualitario[22] y de contrario al «orden del mundo».[23] A partir de este instante Fernán Gómez multiplica las provocaciones anti-villanas: manda azotar a Mengo que clamaba piedad por Jacinta, llevada como barragana del ejército señorial. La indignación llega a su colmo

---

[21] *Ibid.*, p. 542 a, b. Cabe plantearse la pregunta de cuál era exactamente el significado de esa alusión irónica a Aristóteles. Ya se sabe que la *Política* expone la idea de que existen *por naturaleza*, amos y esclavos, y esto sirvió de justificación para no pocos teóricos defensores del mantenimiento de las estructuras feudales. Las ideas de la *Política* habían conocido gran difusión en España en el siglo XVI, en especial a través de traducciones en lengua vulgar o latina. En 1509, una versión anónima castellana de la *Política* (según el texto latino de Leonardo de Arezzo) había sido impresa junto con la *Etica* del príncipe de Viana. También puede citarse la traducción latina realizada por Juan Ginés de Sepúlveda, *Aristotelis de Republica libri VII. Interprete et enarratore Io. Genesio Sepulveda*, Cordubensi, Parisiis M. D. XLVIII (versión fiel con glosas muy eruditas).

En la segunda mitad del siglo, Pedro Simón Abril también tradujo la *Política* con el título de *Los ocho libros de república del filósofo Aristóteles, traduzidos originalmēte de lengua griega en castellana por Pedro Simón Abril, natural de Alcaraz*, Zaragoça, 1584 (B. N. Madrid, R. 11904). Véase en el «libro primero», cap. III, el pasaje que a menudo sirvió de justificación a los defensores de la servidumbre y a los partidarios de la esclavitud de los indios:

«De aquí pues se collige claramente cuál es la naturaleza i facultad del siervo. Porque aquél, que es hombre i naturalmente no es suio mismo sino de otro, éste tal es naturalmente siervo. Ni tampoco se ha de contar por hombre el que fuere alhaja, o possesión de otro hombre... Porque el regir y el ser regidos, no solamente es cosa, que la necesidad la requiere, pero también cosa conveniente; i ia desde el nacimiento de cada uno salen unos para ser mandados i otros para mandar...»

Los aldeanos de Fuenteovejuna piden precisamente ser tratados como vasallos leales (gozando de los derechos fundamentales garantizados por la monarquía) y no como esclavos o siervos.

[22] Acad., XV, p. 543 a:

«Comendador: ¿Estos se igualan conmigo?»

[23] *Ibid.*, p. 543 a, b:

«Comendador: ¡Qué a un capitán cuya espada
tiemblan Córdoba y Granada,
un labrador, un mozuelo,
ponga una ballesta al pecho!
El mundo se acaba, Flores.«

cuando el comendador aparece en los festejos, preludio a la boda de Frondoso y Laurencia, interrumpe la fiesta y manda a sus soldados que arresten a los novios. Al intentar interponerse, el anciano alcalde Esteban es injuriado y vapuleado por los sol-
dedos señoriales con su propia vara de alcalde. Esta vez el conflicto entre el Comendador y sus vasallos es violento, y no puede menos que desembocar en un motín
villano.[24]

En una sesión del concejo de Fuenteovejuna, un regidor propone que se levanten
en armas contra el tirano,[25] pero tal propuesta sigue apareciendo como sacrílega a ojos
de algunos vasallos acostumbrados a la idea de que se debe obedecer al jefe.[26] Entonces
es cuando aparece Laurencia, presa de indignación: arenga a los hombres del concejo,
los invita a vengar su honra de mujer, a salvar a su novio encarcelado por los secuaces
del Comendador. Su tirada que trata de cobardes y de gallinas a los hombres tiene su
efecto decisivo. De un palo cuelgan un trapo para hacer de bandera de la insurrección.
Se valen de cualquier arma: picos, espadas, lanzas, ballestas y palos; el pueblo está decidido a vencer o morir.[27] Bajo las órdenes de Laurencia, la mujeres organizan un ba-

---

[24] Acad., XV, p. 550 a. Para el Comendador no cabe duda de que la resistencia de los villanos tiene significado antifeudal, y que la rebelión atentará contra la Orden militar, si no se pone coto dando un castigo
ejemplar:

> «*Comendador:*   No es cosa,
> Pascuala, en que soy parte.
> Es esto contra el maestre
> Téllez Girón, que Dios guarde;
> es contra toda su Orden
> y su honor, y es importante
> para el ejemplo el castigo;
> que habrá otro día quien trate
> de alzar pendón contra él,
> pues ya sabéis que una tarde
> al Comendador mayor
> (¡qué vasallos tan leales!)
> puso una ballesta al pecho.»

[25] Acad., XV, p. 551 b:

> «*J. Rojo:*   ¿Qué es lo que quieres tú que el pueblo intente?
> «*Reg.:*   Morir, o dar la muerte a los tiranos,
> pues somos muchos, y ellos poca gente.»

En principio el derecho de sublevación contra el tirano estaba reconocido en la ideología feudal y mo-
nárquicoseñorial. Santa Tomás lo reconoce expresamente. Y no pocos juristas del siglo de Oro español desarrollaron la teoría: la teoría de este derecho, especialmente Francisco de Vitoria, Francisco Suárez y Juan
de Mariana,. Pero, en la práctica, como ya lo veremos, la sublevación de hecho de súbditos , o vasallos, no
recibía la consagración que le otorgaba la teoría.
[26]*Ibid.*

> «*Barrildo:*   ¡Contra el señor las armas en las manos!»

[27] La exaltada intervención de Laurencia fue acogida con gran éxito por los públicos de Unión Soviética, que poseen en *La madre* del novelista Maxime Gorki, un personaje femenino de dinamismo parecido
e idéntica pasión al servicio de la «toma de conciencia» popular (tema repetido en la literatura de inspiración socialista). Esta escena de *Fuenteovejuna*, como las que siguen, también presenta analogías con la fórmula llamada «de teatro de masas» que fue cultivada por algunos autores soviéticos.

tallón.[28] el Comendador es muerto, y prontamente, su cuerpo defenestrado es paseado por la plaza en las puntas de las picas, ultrajado con mil crueldades inútiles; la mansión del señor es saqueada y sus bienes repartidos en medio del regocijo popular;[29] por fin un tal Juan Rojo troca el escudo de la Orden de Calatrava por el real en la fachada de la alcaldía.[30]

Desde el punto de vista de la práctica concreta de las relaciones entre vasallos y señores en la sociedad monárquico-señorial, y pese a la responsabilidad agobiante del «mal señor», son gravísimos los acontecimientos acaecidos en Fuenteovejuna y tal es, en efecto, la opinión del rey (guardián supremo de la ley), al saber de la pelea por un criado del Comendador, que ha logrado escapar de la masacre. Por eso, a pesar de su enemistad con el Comendador (están en guerra) y a pesar de la lealtad monárquica de los aldeanos, manda a Fuenteovejuna a un pesquisidor encargado de descubrir a los culpables sometiendo los villanos a la tortura. Finalmente el Rey otorga su perdón pero lo hace obligado ya que los habitantes de Fuenteovejuna —mujeres, niños, etc.—

---

[28] Basta comparar el papel de las mujeres en la «fuente» de Lope (la crónica de Rades y Andrada) y en la pieza, para captar cómo el genio creador del Fénix desarrollaba a partir de un simple detalle —tal vez inventado por el cronista— un amplio fresco dramático, un personaje. En la crónica las mujeres (anónimo) solo intervienen después del asalto al castillo, y eso para apoderarse del cuerpo del Comendador, defenestrado y agonizante. Su papel sólo es secundario: «... Estando en esto, y antes que acabasse de espirar, acudieron las mugeres de la villa, con panderos y sonajas, a regozijar la muerte de su señor; y avían hecho para esto vandera, y nombrado capitana y Alférez.» El personaje de Laurencia, creado totalmente por Lope, quizás a partir de la sugerencia de las pocas líneas que acabamos de citar, se sitúa en el primer plano de la acción; se transforma en el elemento activo y determinante de la sublevación, que no habría tenido lugar sin el dinamismo de la heroína.

[29] Acad., XV, p. 555 b:

> «Saqueáronle su casa,
> cual si de enemigos fuese,
> y gozosos, entre todos
> han repartido sus bienes.»

A propósito de estos versos Menéndez y Pelayó escribe: «... Como se ve, ni siquiera falta en el cuadro su toque colectivista...» Nos parece afirmación excesiva. Mas bien se trata de la reacción instintiva de villanos oprimidos durante largo tiempo (una «jacquerie») y cuyos bienes habían sido saqueados por el Comendador y sus soldados.

Es interesante notar que la crónica de Rades y Andrada proporcionaba a Lope el rasgo, pero el dramaturgo la estilizó en un sentido mucho más favorable a los villanos. El cronista, escribe en efecto: «... demás desto dieron sacomano a su casa, y le robaron su hazienda...»

[30] Esta sustitución de armas y escudos, objeto de una escena completa en la pieza lopesca, no es mencionada en la crónica de Rades y Andrada. En cambio en los documentos de archivo, publicados por Ramírez Arellano, op. cit., se habla de un tal Martín de Caicedo, emisario de Córdoba al parecer, quien echa por tierra la picota levantada en la plaza y destruye las armas del Comendador:

> «... tomó en sus manos una lanza, e derribó e derrocó la corteza de la pared de encima de la dicha puerta que dicen de la cal Maestra de parte de dentro de la villa que estaban ende pintadas ciertas figuras e armas que diz que eran las armas del dicho comendador mayor...

Cabe preguntarse si Lope no conoció otro relato del asunto de Fuenteovejuna distinto del de Rades y Andrada. En ese caso sería evidente la estilización en el sentido de la fidelidad monárquica de los aldeanos, ya que el documento publicado por Ramírez Arellano no habla más que de la destrucción de las armas del Comendador, y es posible que en la realidad, si se enarbolaron otras armas, fueron éstas las cordobesas. Pero Lope posiblemente no hizo más que traducir escénicamente una actitud familiar a los villanos de los siglos XVI y XVII cuando pasaban del régimen señorial a la condición realenga, a la que aspiraban (Cf. nuestro estudio La vida rural castellana en tiempos de Felipe II, pp. 196-211).

quieren ser colectivamente responsables, solidarios hasta la muerte, y en las torturas,[31] a la pregunta: ¿Quién mató al Comendador?», contestan incansablemente ora: «Fuenteovejuna lo hizo», ora «Fuenteovejuna, señor». El propio soberano lo ratifica, en una declaración final, no sin repetir que el delito es grave y anunciar que posiblemente encomiende Fuenteovejuna a otro señor.

----

[31] Acad., XV, p. 556 a:

> «*Rey:*   Estar puedes confiado
> que sin castigo no queden.
> El triste suceso ha sido
> tal, que admirado me tiene,
> y que vaya luego un juez
> que lo averigüe conviene.
> y castigue los culpados
> para ejemplo de las gentes.
> Vaya un capitan con él,
> porque seguridad lleve;
> que tan grande atrevimiento
> castigo ejemplar requiere.

[32] Con Lope este rasgo de solidaridad y unanimidad aldeanas fue vigorosamente estilizado hasta la heroicidad. La crónica de Rades y Andrada ya había elaborado el tema en un sentido dramático pero sin hacerlo propiamente aldeano, y se comprende que Lope lo haya tomado para extraer las escenas más espectaculares de *Fuenteovejuna*. El nombre de Fuenteovejuna se repite como leitmotiv ya en el relato de Rades y Andrada, y este autor subraya lo admirable de la solidaridad entre vecinos.

> «... Preguntávales el Juez «¿quién «mató al Comendador mayor?» Respondieron «todos los vezinos desta villa.» Finalmente todas sus respuestaa fueron a este tono, porque estavan conjurados que aunque los matassen a tormentos no avían de responder otra cosa. Y lo que más es de admirar que el Juez hizo dar tormento a muchas mujeres y mancebos de poca edad, y tuvieron la misma constancia y ánimo que los varones muy fuertes...»

El movimiento del diálogo de escena de las torturas también se lo sugirió a Lope la tradición oral, plasmada bajo forma de un refrán que indica y explica Covarrubias:

> «Y para que conste el origen que tuvo un proverbio trillado: «Fuente «Ovejuna lo hizo», es de saber que en el año de mil y quatrocientos y setenta y seis, en el qual se dio la batalla de Toro, como toda Castilla estuviese rebuelta con parcialidades, los de Fuente Ovejuna, una noche del mes de abril, se apellidaron para dar la muerte a Hernán Pérez de Guzmán, Comendador mayor de Calatrava, por los muchos agravios que pretendían averles hecho. Y entrando en su misma casa le mataron a pedradas, y aunque sobre el caso fueron embiados juezes pesquisidores, que atormentaron a muchos dellos, assí hombres como mugeres, no les pudieron sacar otra palabra más désta: Fuente Ovejuna lo hizo» (*Tesoro...*, p. 612 b).

G. Correas también menciona, in *Vocabulario...* (ed. 1924, p. . 422 b) el segundo refrán que sale en el diálogo de Lope: «¿Quién mató al Comendador? / Fuenteovejuna señor» (la cronología incita a pensar que el creador de este estribillo sea tal vez Lope).

El genio creador de Lope estriba en utilizar todos estos elementos tradicionales, escritos u orales, para elaborar una escena dramática, con un ritmo excepcional, marcado por las legendarias respuestas de los habitantes de Fuenteovejuna y con variaciones, cómica una de ellas, sobre el motivo de la unanimidad heroica de los aldeanos.

Ramírez de Arellano, *op. cit.*, p. 449, indica que, en los documentos contemporáneos de la sublevación histórica, no aparece mención alguna de la presencia de un pesquisidor, y este historiador estima que la tradición de la altiva respuesta de los habitantes de Fuenteovejuna, torturados tal como lo cuenta Rades y Andrada, presenta todos los aspectos de una leyenda simpática pero falsa: «... Si los Reyes enviaron el pes-

> *Rey:* Pues no puede averiguarse
> el suceso por escrito
> aunque fue grave delito,
> por fuerzas ha de perdonarse.
> Y la villa es bien se quede
> en mí, pues de mí se vale,
> hasta ver si acaso sale
> Comendador que la herede.[33]

quisidor sería pura fórmula y no apretaría mucho los cordeles, pues de otro modo, por lo menos las mujeres y los mancebos hubieron hablado, si no todos, la mayor parte.» En efecto, parece que la narración de «Rades y Andrada corresponde a un avanzado grado de leyenda, cuya elaboración llevó más adelante aún la pieza de Lope en el sentido de la unanimidad aldeana. Sabemos que el motín histórico fue fomentado por emisarios cordobeses (Lope al estilizar el carácter aldeano del motín, naturalmente suprimió ese aspecto al que todavía aludía en 1572 Rades y Andrada: «... Los de Córdoba recibieron a Fuenteovejuna por aldea de su ciudad, y de hecho despojaron a la Orden del señorío de ella y pusieron justicia a su mano»). Por otra parte, la unanimidad de la villa no fue tan perfecta como la presentan sucesivamente Rades y Andrada y Lope. Una contradicción en la crónica de Rades y Andrada permite verlo. Escribe al principio de su relato: «... determinaron todos de un consentimiento y voluntad alzarse contra él y matarle. Con esta determinación y furor del pueblo ayrado con voz de Fuenteovejuna se juntaron una noche del mes de abril del año, mill y quatrocientos y setenta y seys, los alcaldes, Regidores, Justicia y regimiento, con los otrso vecinos, y con mano armada entraron por fuerza en las casa de la Encomienda mayor...» Pero tras haber narrado la insurrección, Rades y Andrada dice:

> «... Los de Fuenteovejuna después de aver muerto al comendador mayor quitaron las varas y cargos de justicia a los que estavan puestos por esta Orden cuya era la jurisdicción y diéronlas a quien quisieron.»

Lope naturalmente pasó por alto la segunda indicación del cronista y de la primera sacó la idea municipalista vigorosamente desarrollada en su tragedia. El viejo alcalde Estaban (quien por condensación dramática es también padre de Laurencia) se encuentra situado con el concejo, en el meollo del drama. Al hacerlo, Lope transpuso en el plano aldeano y rústico, una solidaridad municipal que parece haberse dado sobre todo en comunidades urbanas a fines de la Edad Media (Cf. el «serment mutuel» de los burgueses franceses) y cuyo vivo recuerdo conservaban los historiadores del siglo XVII. Puede leerse de la pluma de Colmenares, in *Historia de la insigne ciudad de Segovia y compendio de la historia de Castilla. Autor Diego de Colmares, hijo y cura de San Juan de la misma ciudad y su coronista*, Segovia, 1637, el relato de acontecimientos acaecidos en Segovia, en 1480, en los que el sentimiento de solidaridad urbana se expresa de una manera casi tan fuerte y colorida como en el asunto de Fuenteovejuna, narrado por Rades y Andrada y escenificado por Lope. Este historiador cuenta que con motivo de la cesión de 1.200 vasallos «realengos» de Valdemoro y de una parte del distrito de Casarrubias, tuvo lugar una manifestación de duelo en Segovia. Se levantaron tres cadalsos «cubiertos de luto» y un escribano proclamó solemnemente delante de toda la población:

> «... Sepan todos los desta Ciudad y tierra y toda Castilla como se dan mil y doziendos vassallos desta jurisdicción al mayordomo Cabrera, contra el juramento de no enajenar cosa alguna de la corona real. Y la ciudad ni tierra no consienten en tal enagenación; antes protestan la injusticia y nulidad ante Dios y el Papa.»

Los niños fueron abofeteados para que recordaran el acontecimiento («para que conservassen la memoria desta reclamación»). Por fin, cuando llegó un pesquisidor para hacer una encuesta sobre esta manifestación a fin de descubrir quienes la habían organizado, una muchedumbre se agolpó delante de su residencia para proclamar la responsabilidad colectiva: «... Confessando a vozes el hecho en tan pública conformidad que sin poder averiguar autor particular de la assión y tumulto, dio avisso y tuvo orden de que se bolbiesse...»

[33] Acad., XVV, p. 561 b.

Esta advertencia regia en las últimas escenas de Fuenteovejuna pone de relieve en qué aspecto los actos de los villanos rebelados contra su señor podían aparecer —pese a todas las excusas, pese a su justificación monárquica, pese a lo que llama Menéndez y Pelayo «la feliz inconciencia política en la que vivían el poeta y sus espectadores» como peligrosos para el orden monárquico-señorial. No reciben realmente como colofón la consagración regia, sino sencillamente un perdón otorgado por la fuerza. Tal ausencia de aprobación regia de la rebelión violenta es, a nuestro parecer, la confesión de que los actos de los villanos de Fuenteovejuna —aunque se inspiraran en los principios de un feudalismo ideal— contenían, confusamente, en germen nuevas ideas: lo que llamamos el «antifeudalismo en el seno del feudalismo».[34]

Para medir mejor el alcance antifeudal concreto de Fuenteovejuna, a pesar de las afirmaciones de sometimiento al señor que jalonan el principio de la pieza, no hay sino echar una ojeada a la realidad histórica del siglo XVI. Tenemos ejemplos de cual podía ser entonces la reacción del poder real cuando unos vasallos, impulsados por un ideal monárquico —que, en relación con la época, presentaba un contenido progresista— se rebelaban contra su señor y lo mataban. El rey no legitimaba tal homicidio, sino que lo castigaba. Son significativos diferentes episodios de la lucha entre vasallos y señor del feudo de Ariza (Aragón), que duró prácticamente todo el siglo XVI. Los vasallos de este feudo, que no admitían el haber sido entregados a un señor, en tiempos de Pedro IV y de los Reyes Católicos, empezaron a expresar su disconformidad pidiendo ser realengos. Bajo el reinado de Carlos I mataron con ballesta a Juan Palafox, su señor, en el pueblo de Monreal. La respuesta del rey fue enviar una fuerza armada, mandada por el gobernador de Aragón, al pueblo de Monreal, que fue incendiado y quedó casi totalmente arrasado, mientras que algunos habitantes recibían un castigo ejemplar.[35] Bajo el reinado de Felipe II, los vasallos de Ariza reincidieron a pe-

---

[34] No cabe duda de que el homicidio de un señor por el vasallo representaba algo así como un monstruoso sacrilegio para el derecho feudal. Por ejemplo, pese a su gran liberalidad para con los vasallos, el *Fuero de Zorita de los Canes*, otorgado por Fernando III, y aún vigente, al parecer, en el siglo XVI no aceptaba la idea de tal homicidio, y preveía para el homicida un castigo ejemplar:

> «Tod aquel que el sennor de la villa firiere o matare / o castiello perdiere / sea espedaçado por miembros» (Cf. *Memorial Histórico español*, XLIV, «Del que matare al sennor»).

Así a principios del siglo XVIII, la puesta en espectáculo del homicidio de un señor o de un noble por parte de los villanos correspondía a algo poco común. Toda una tradición de moral aristocrática consideraba en Castilla la muerte de un noble a golpes —sean justificados o no— a manos de villanos como la última desgracia, algo así como una infamia, una condena, social. Covarrubias, in *Tesoro* (p. 1009) recuerda el sentido de la maldición eterna que iba unida a tal muerte:

> «Villanos te maten, Alfonso; estas palabras quedaron en proverbio por las que dixo el Cid Rui Díaz al rey don Alonso, en la jura que le tomó en Santa Gadea de Burgos, con otras maldiciones que le cayessen y sucediessen quebrantándola. Los villanos matan de ordinario a palos o a pedradas sin ninguna piedad, y ultra de la muerte, es gran desdicha morir un hombre de prendas y hidalgo a manos de tan ruin gente. De villanos se dixo villanía, por el hecho descortés y grosero.»

La ideología de la comedia sigue siendo conforme a la idea de que es infamante morir bajo los golpes de los villanos (Tirso hace caer simbólicamente al ermitaño réprobo de *El condenado por desconfiado* bajo los cuchillos de las campesinas indignadas). El desenlace de *Fuenteovejuna* era pues una tremenda lección dirigida contra los abusos de los amos.

[35] Acerca de esto, véanse las memorias del Gran Justicia de Aragón, Martín Bautista Lanuza, *Memorias sobre las turbaciones de Aragón en 1591*, Madrid, 1832, II, p. 132.

sar del escarmiento. Esta vez, intentaron un juicio a su señor en nombre del príncipe Felipe, hijo de Felipe II, cuyos derechos pretendían verse perjudicados por la sentencia que separaba a Ariza de la Corona. Una nueva toma de armas los llevó a sitiar al castillo señorial y pronto, a nombrar a su propia policia, sus propias autoridades, ¿Qué hizo Felipe II? Mandó que los culpables fuesen castigados, el señor indemnizado, etc... Carlos I había reaccionado de la misma manera ante los disturbios de la baronía de Monclus, en los montes de Sobrarbe, en Navarra. Allí también, los vasallos querían la integración a las tierras realengas; atacaron con furia el castillo y lo destruyeron piedra a piedra. Después de años de motín, en 1537, el Emperador ordenaba a Juan Vager, caballero aragonés, maestre de campo en Navarra, que reprimiera el motín monárquico con 600 hombres de guerra.[36]

Estas referencias al ámbito aragonés pueden completarse con referencias al ámbito castellano que también nos permiten ver cuán violentas fueron las luchas del campesinado español contra los señores en los siglos XV y XVI. En la *Crónica de Don Fernando e Doña Isabel* de Hernando del Pulgar, tenemos un pasaje que nos muestra otra vez el vínculo existente entre el espíritu monárquico y el espíritu antiseñorial de los villanos, en el momento de la confiscación del marquesado de Villena por los reyes:

> ... Los vecinos de Villena, como vieron capitán por el Rey e por la Reyna puesto en la comarca que le pudiese favorecer, rebelaron contra el Marqués, e mataron e robaron algunos de la villa, e quitaron los oficiales que tenía puestos el Marqués, e pusieron justicia por el Rey e por la Reyna, e cercaron la fortaleza... Otrosí los vecinos de las villas de Utiel, e Almansa, e Iniesta, y Hellia, e Tovara, e todas las más de las otras villas del marquesado de Villena, algunas por su voluntad e otras por temor, visto lo que los de la villa de Villena ficieron, luego rebelaron contra el Marqués, e se pudieron en obediencia del Rey e de la Reyna...
>
> (B. A. E., LXX, p. 275 a.)

Algo más tarde, durante la revuelta de las Comunidades de Castilla, la coartada monárquica de esta auténtica lucha de clases villanas (luchas de clases que a veces acabaron en la violencia) se borró y aparecieron nítidamente los motivos antiseñoriales de los villanos. En este momento existen varios ejemplos de un asalto sistemático de los villanos contra la nobleza y contra el símbolo del poderío señorial: el castillo. El 1.º de setiembre de 1520, los vasallos de Dueñas se rebelan contra el conde de Buendía; los del conde de Chinchón siguen rápidamente su ejemplo, y en el feudo del condestable de Castilla, en las Merindades, fermenta la propaganda comunera. Al paso del obispo de Acuña, en Tierra de Campos y en el reino de Toledo, por doquier sopla la brisa del motín. Se cercan fortalezas —como la de Villamuriel—, las incendian o las destruyen y los jefes comuneros se ven desbordados.

Esta rápida referencia a la historia nos demuestra que la representación de una pieza como *Fuenteovejuna*, hacia 1610-1615, ante espectadores aristocráticos que probablemente no debían de ser tan ingenuos políticamente —sea cual fuere su buena con-

---

[36] Cf. Lanuza, *Memorias...*, II, p. 51. Sobre todos estos acontecimientos, también puede consultarse a Lupercio Leonardo de Argensola, *Información de los sucesos de Aragón en ... 1590 y 1591, en que se advierte los yerros de algunos autores*, Madrid, 1808, y Gonzalo de Céspedes y Meneses, *Historia apologética en lo successos del reyno de Aragón ... año de 1591 y 1592...*, Zaragoza, 1622.

ciencia— como lo afirmaba Menéndez y Pelayo, resulta un problema.[37] ¿Cómo y por qué Lope escribió tal pieza? No basta con afirmar que adoptó y amplió elementos dramáticos ya elaborados por la crónica de Rades y Andrada. El verdadero problema estriba en que eligió este tema histórico de la revuelta de los vasallos y en que lo trató en una perspectiva favorable a los villanos y desfavorable para los señores y comendadores (este problema planteado por *Fuenteovejuna* es también el que nos ofrece *Peribáñez y el Comendador de Ocaña*). Veremos cómo tal vez se pueda hallar una explicación en algunas circunstancias contemporáneas. Pero también debe de haber un motivo de orden general. Creemos que el desprestigio que sufría, cada vez más, el título de comendador[38] es una de las razones que hacen plausibles las «piezas de comendador» de Lope, imitadas, según se verá, por Tirso. Las Ordenes militares a principios del siglo XVII, ya no eran sino robles secos y casi desarraigados. Estimamos también que una ideología relativamente novedosa, difundida durante el siglo XVI, que podríamos calificar de propia de señores «modernos» nutrió estas piezas con su doctrina relativamente liberal. A fines del siglo XVI y después de 1600, aparecen obras jurídicas políticas en donde la teoría y la práctica de las relaciones entre señor y vasallo son examinadas con un espíritu paternalista, es verdad, pero liberal y abierto en su tendencia general: se les recomienda a los señores —a base de argumentos sacados ya sea

---

[37] Nada sabemos del estreno de Fuenteovejuna. Lo único cierto es que ya en 1619, la pieza debió ser presentada en América. Cf.«Archivo de la Casa de la Moneda», Potosí, Sección de Protocolos, Legajo 52, año 1619. El 9 de agosto de 1619, Gabriel del Río, célebre autor de comedias, que vivía en Potosí, reconocía haber recibido del mercader Lorenzo Remón, una copia de treinta y un comedias entre las que figuraba *Fuenteovejuna*.

Prueba de que la sublevación del pueblo puesta en escena por Lope representaba algo excepcional en el teatro, es el hecho de que, unos años más tarde, en una refundición de *Fuenteovejuna*, Cristóbal de Monroy suprimió este motivo del motín popular. El comendador aparece tan lascivo y odioso y merece la muerte. Pero según la ideología aristocrática, el noble no debe morir bajo los golpes de los villanos y por ello es muerto por otros nobles.

[38] La decadencia y el desprestigio de título de caballero o comendador de una Orden se patentizan por doquier a principios del siglo XVII.

Después de haber esbozado la historia de las Ordenes e indicado que desde principios del siglo XVI, los caballeros ya no guardan los votos de celibato, Barthélémy Joly, en 1603-1604, escribe las siguientes líneas que dicen no poco a propósito de tales caballeros de la Orden:

> «... A présent, ce ne sont plus que de gros messierus mariés, engraissant leur marmite du revenu de leurs commanderies, comme le parlement de... des bénéfices de l'indult, sans servir ou mettre la main à la besogne, contre l'intention des fondateurs; aussi en ont-ils faict deux proverbes de risée: «Con la cruz en los pechos y el diablo en los hechos»; l'autre: «el diablo no huye de todas cruzes»; cf. *op. cit.*, p. 589.

Un relato del año 1637, que puede leerse in *La Corte y Monarquía de España en los años de 1636 y 1637. Colección de cartas inéditas*, ed. con notas e ilustraciones..., por Antonio Rodríguez Villa, Madrid, 1886 (in *Curiosidades de la Historia de España*), recalca hasta qué punto se desmonetizaba el antiguo valor que había encarnado el pertenecer a una Orden militar: el martes de Carnaval de ese año había podido verse en Madrid, un desfile de carros entre los cuales salía una máscara en traje de caballero, bordado con la Cruz y las insignias de la nobleza, con la divisa «se vende». Era una manera de decir que esos títulos de caballero en adelante se ponían a remate, que podían, en lo sucesivo adquirirse a cambio de oro, sin hechos de armas.

[39] Decimos «señor moderno» como se dice hoy «empresario moderno», reformista y progresista. Con esa expresión no queremos designar necesariamente a los nobles pertenecientes a la capa social de los nuevos nobles que consiguieron feudos a cambio de dinero. Los teólogos y los letrados contribuyeron con sus tratados a reforzar esa nueva mentalidad.

de la teoría aristotélica,[40] ya sea de la práctica concreta— que emancipen a los vasallos dentro de límites razonables. La paz social no puede existir en el señorío, explica por ejemplo Castillo de Bobadilla, en su *Política para Corregidores y señores de vasallos* (1596), si al vasallo no se le escucha, respeta, trata con humanidad; y nuestro autor cita como ejemplo a los grandes señores feudales, como el duque de Oropesa, que saben ganarse el afecto de sus villanos mediante medidas liberales.

El hecho de que la discusión teórica de los derechos del señor —discusión de actualidad por los años 1580-1640, repitámoslo— no está ausente de las piezas de comendador, nos parece confirmarse por los estudios de *La Santa Juana II* y *La Dama del Olivar* de Tirso.

En la *Santa Juana II*, vuelve a encontrarse, en efecto, el tema del conflicto entre los vasallos y un señor malo, quien, por añadidura, es un comendador. Algunas situaciones, algunos pasajes de esta pieza se parecen tanto a situaciones y pasajes análogos de *Fuenteovejuna* que es menester pensar en la influencia de una comedia sobre otra. De este paralelismo evidente de los temas, Robles Pazos ha concluido que Lope había sido imitado por Tirso y del tal imitación dedujo una cronología relativa: ya que se conoce la fecha de *La Santa Juana* (1613-1614),[41] *Fuenteovejuna* habría sido creada antes de 1613.[42] S. Griswold Morley, al estudiar también este problema, ha estimado por su parte, que caben tantas posibilidades de una imitación de Tirso por parte de Lope como la inversa, y no ha querido sacar ningún elemento de fecha apoyándose en la semejanza de ambas piezas.[43] Montesinos y Aubrun, por fin, se han decidido por la prioridad de Lope,[44] y parece que es argumento decisivo el análisis literario en el

---

[40] Si bien la *Política* de Aristóteles parte del principio de que hay hombres nacidos para mandar y otros para servir, no por ello deja de estudiar los medios de impedir los motines en los distintos tipos de gobierno. Sobre este particular, la *Política* se hacía eco de la preocupación que surgió en la segunda mitad del siglo IV cuando empezaron a resquebrajarse las estructuras de la polis, quebrantadas por el gran choque de la guerra del Peloponeso. (véase M. Rostovtzeff, *The social an economic history of the hellenistic world*, Oxford, 1941). El pensamiento aristotélico está constantemente animado por la preocupación de afianzar la seguridad de un régimen puesto en tela de juicio por el recrudecimiento de la lucha de clases (proletarización de las masas, escasez de libertad, etc.). Así escribe Aristóteles que en cierta medida es «útil» «cierta libertad de los esclavos». Cf. Trad. de Pedro Simón Abril, *op. cit.*, lib. IV, cap. 4, fol. 194 r⁰: «... porque esta (la libertad de los siervos) algún término será útil...»
Pedro Simón Abril comenta esta idea de la siguiente manera, in fol. 195 r⁰:

«... lo q̄ dize q̄ dar algo de mas libertad a los siervos será hasta cierto término útil, dízelo por la rebeliõ; la qual menos buscan los siervos siendo bien tratados...»

Idea paternalista es ésta, repetida a menudo por los comentaristas aristotélicos del siglo XVI y por los señores cuyo buen sentido comprendía que todo no era ya posible y que vasallo no era sinónimo de siervo. En Cataluña a fines del siglo XV, los señores tuvieron que comprender antes que los de otras regiones que «todo ya no era posible». Con sus motines del siglo XV, los «pagenses de remensa» obligaron a la monarquía a imponer a los señores el compromiso que implicaba la proclama de *Sentencia de Guadalupe*.

[41] El manuscrito autógrafo de la primera parte está firmado en mayo de 1613 y el de la tercera en agosto de 1614.

[42] J. Robles Pazos, *Sobre la fecha de «Fuenteovejuna»*, Modern Language Notes, 1935, L, pp. 179-182.

[43] E. G. Morley, *Fuenteovejuna and its theme parallels*, H. R., 1936, IV, pp. 303-311.

[44] C. E. Aníbal, in *The historical elements of Lope de Vega's Fuenteovejuna*, Publ. of the Mod. Languages Assoc. of America, 1934, XLIX, p. 666, ve en *Fuenteovejuna* un halago al duque de Osuna (en el elogio de los Gironeses en la obra) ya que las relaciones de Lope con el Duque fueron muy íntimas en 1616 y 1620, sugiere implícitamente que la pieza podría ser de este período (o sea de 1616-1618, puesto que *Fuenteovejuna* sale en la segunda lista del *Peregrino*). Pero Aníbal no excluye la posibilidad de otra fecha, puesto que las relaciones de Lope con el duque de Osuna se iniciaron por lo menos en 1598:

que se basan (subrayan el carácter de episódico del tema comendador-villano en la pieza tirsiana): el carácter de misceláneas y la acumulacón de temas variados que se observa en *La Santa Juana* permiten pensar que el imitador es Tirso y no Lope.[45] Desde el punto de vista que nos preocupa, lo que interesa precisamente es ver cómo el antifeudalismo de hecho que alienta la pieza de Lope (sugerido por una tradición bien precisa, surgida a su vez de acontecimientos históricos) se da atenuado, castrado, en la pieza tirsiana, porque Tirso no hace del conflicto entre el señor y los vasallos el tema central. La tradición es la que se inspiró, le dictó a Lope situaciones dramáticas en las que se expresó ampliamente y con fuerza el antifeudalismo de hecho de los villanos de la realidad mediante los discursos y los actos de los personajes. Por el contrario, Tirso, libre de las sugerencias de una tradición bien concreta, interpretó el mismo tema con menos vigor y sometiéndose en mayor grado a la ideología feudal dominante. Todo ocurre como si las condiciones de elaboración de su obra hubiesen suscitado un punto de vista más conciliador para con los señores.

Ya en la primera parte de *La Santa Juana* (mayo de 1613) los villanos de la Sagra (en   Hazaña), puestos en escena, recuerdan los de *Fuenteovejuna*. Tampoco intentan poner en tela de juicio el respeto que estiman deberles a los nobles, por poco que estos nobles merezcan su estima. En pos de su lebrel, el virtuoso y santo Francisco de Loarte, un hidalgo de Illescas, llega a un boda de villanos: estos se levantan con respeto[46] y no se vuelven a sentar sino cuando el noble toma asiento al lado de la joven madrina; escena esta conforme a la realidad, tal vez, pero que también recuerda a través de algunas palabras del diálogo el pasaje de *Fuenteovejuna* en que el Comendador llega a la plaza donde están los villanos.[47] En la segunda parte de la trilogía —donde interviene propiamente el tema del conflicto entre Comendador y vasallos— nuestros aldeanos vuelven a dar pruebas de su lealtad feudal. Con una fiesta de homenaje y un coro de bienvenida que analizamos en la tercera parte, reciben al nuevo Comendador

---

«... Lope's relations with the Duque de Osuna date from at least 1598, but from 1616 to 1620 repeatedly inspire the dramatist with eulogistic expression...»

[45] Cf. Aubrun y Montesinos, in ed. *Peribáñez y el Comendador de Ocaña*, París 1943, p. XVII. La demostración de Aubrun y Montesinos se aplica juntamente a *La Santa Juana* y a *La Dama del Olivar* También es válida para esta segunda pieza aunque —ya lo veremos— el argumento presentado como de más peso no lo sea tal vez en lo que la concierne.

[46] Cf. N. B. A. E., IX (II), p. 241 b. También en *Fuenteovejuna* el comendador sigue a un lebrel (Cf. Acad., X, p. 542 a).

[47] *Op. cit.*, p. 242 b. La heroína Juana, sentada al lado de la novia, se declara honrada por la presencia del noble que viene a acompañarlas:

> «*Juana:*   Como sois noble, señor,
> honráisnos a mi y a ella.»

Puede compararse con las palabras de Esteban in *Fuenteovejuna* (Cf. Acad., X, p. 542 a):

> «De los buenos es honrar;
> que no es posible que den
> honra los que no la tienen.»

La diferencia entre Lope y Tirso, aquí, estriba en el carácter del noble, que en Tirso es un hidalgo cortés y honrado, y no un amo abusivo, como en Lope. Sea lo que fuere, el parecido entre ambos pasajes de *Fuenteovejuna* y *La Santa Juana I* queda patente, e implica una relación de influencias.

de Cubas: es don Jorge a quien el emperador Carlos acaba de otorgar la encomienda.[48] La canción, según ya vimos, presenta puntos comunes con la canción de bienvenida de los villanos de *Fuenteovejuna*. Y, como en *Fuenteovejuna*, el Comendador de *La Santa Juana* será responsable del conflicto con los vasallos. Don Jorge, disoluto, somete a un violento asedio a las mujeres de su feudo, y, en una fiesta de bautizo, irrumpe con sus hombres para raptar a la joven madrina Mari-Pascuala. Salta a la vista el paralelismo entre esta escena y la de la boda perturbada de *Fuenteovejuna*, y queda claro que Lope y Tirso usaron ambos —en el mismo punto de la trayectoria dramática, al final de un acto (el segundo acto)— la misma técnica teatral de la irrupción desvastadora del señor, que trunca en seco el regocijo popular. El cinismo del señor que se cree con derecho a todo por ser señor es casi el mismo en ambas piezas; su desprecio aristocrático de los villanos provoca, del mismo modo, la indignación de estos, su sed de justicia, su deseo de venganza.[49] En este punto de la acción, más allá de las semejanzas patentes, las diferencias entre la pieza de Lope y la de Tirso se acentúan y permiten atisbar que el imitador es Tirso y no Lope; novelesca, menos condensada dramáticamente, *La Santa Juana II* acumula en ese momento las peripecias; esos meandros y esos complicados enredos de la acción debilitan la pieza, a pesar de una doctrina de los derechos y los deberes de vasallos y señores más desarrollada y más insistente que en *Fuenteovejuna*. Primer episodio novelesco: los villanos consiguen sacar a Mari-Pascuala de manos del señor y, para protegerla, la llevan al convento de la Cruz. Este acto enardece la ira del Comendador, que lo interpreta como una resistencia ilegítima por parte de sus vasallos. Don Jorge se declara decidido a arrasar el pueblo que le hace frente. Se entabla entonces un enconado diálogo sobre los respectivos derechos de señor y de los vasallos entre don Jorge y los aldeanos y, en él quedan reminiscencias, sin lugar a dudas, de *Fuenteovejuna;* igualmente resuenan los ecos de

---

[48] *Ibid.*, p. 280.
[49] N. B. A. E., IX (II), p. 286. He aquí el diálogo entre el novio Crespo y el Comendador en el momento en que sus gentes acaban de raptar a Mari Pascuala:

«Crespo:	....
	Que es Marí Pascuala, señor.
	Segura va, sosegaos.
«Jorge:	¿Con quién?
«Jorge:	Con vuestro señor.
«Crespo:	¿Con vos?
Jorge:	Conmigo.
Crespo:	¿A qué va?
«Jorge:	Eso adivinaldo vos.
«Crespo:	¿Y mi honra?
«Jorge:	¿Qué más honra
	que amarla el Comendador?
«Crespo:	¿Esa es justicia?
«Jorge:	Villanos:
	no me enojéis que yo soy
	señor de Cubas, y ansí
	todo es mío.»

El padre de la joven, Berrueco, grita luego:

«¿Estas mañas tenéis, Jorge?
Yo me vengaré de vos.»

discusiones teóricas acerca de la «política justa» del señor de vasallos a fines del siglo XVI y a principios del siglo XVII; también hay que ver en ello un reflejo de una protesta auténticamente aldeana contra los desaguisados de los soldados en los pueblos. Tal acumulación de temas, a nuestro parecer, es señal de que Tirso escribió después de Lope:

> Jorge: Pegad a todo el lugar
> fuego, sin que dejéis casa
> que no convirtáis en brasa.
> Villanos: no ha de quedar
> piedra en Cubas sobre piedra.
>
> Mingo: Señor: por amor de Dios;
> por nuestra hacienda y por vos,
> con cuya presencia medra,
> que mandéis a los soldados
> que en Cubas habéis metido
> salir dél; basta el roido,
> los dineros y ganados
> que nos roban, sin que intenten
> robar también nueso honor;
> que no es honra del señor
> que sus vasallos afrenten,
> claro está.
>
> Jorge: ¿Y es justo
> que se opongan los vasallos
> a su señor?
>
> Mingo: Si afrentallos
> quiere su travieso gusto,
> ¿qué mucho que se defienda[50]
> quien ve que ese honor se pierde?

Como el Comendador de *Fuenteovejuna*, el de *Santa Juana II* pretende que el señor honra a sus vasallos cuando viola a sus mujeres y a sus hijas;[51] de dar crédito a

---

[50] N. B. A. E., IX (II), p. 286 b. J. Robles Pazos, in *Sobre la fecha de Fuenteovejuna...* ha observado que este verso es común a *La Santa Juana I* y a *Fuenteovejuna*.

[51] J. Robles Pazos, *op. cit.*, y S. G. Morley han puesto en paralelo *Fuenteovejuna*, II, 4:

> «¿Y ensúciola la sangre yo, juntando
> la mía a la vuestra?
> ....
> De cualquier suerte que sea
> vuestra mujeres se honran.»

y *La Santa Juana II*, I, 21:

> «¿Qué más honra
> que amarla el comendador?

Ibid., II, 1:

> «Sois toscos y groseros
> y pretendo ennobleceros,
> pues lo quedaréis si yo
> mezclo con vuestro sayal
> un jirón de mi nobleza.»

lo que dice, el señor es dueño absoluto en su feudo y goza de derechos sobre todo, incluso casas y mujeres:

> Jorge: Señor soy de vuestra hacienda,
> vuestras casas y mujeres;
> todo me ha de dar tributo
> pues que vuestro dueño soy.[52]

Efectivamente, el Comendador de Cubas no sólo pretende apoderarse de las mujeres que le gustan; se adueña de los bienes y las rentas municipales: rentas de los propios, reservas de granero para los pobres, etc. En este caso aparece ampliamente desarrollado un motivo apenas mencionado en *Fuenteovejuna*, el del conflicto económico entre el señor y la comunidad rural, conflicto muy agudo, a fines del siglo XVI y principios del siglo XVII, a raíz de un recrudecimiento de la «señorialización».[53] No obstante, pese a esta multiplicación de temas laterales, como en *Fuenteovejuna*, el problema del honor de la mujer sigue siendo el centro dramático del conflicto entre señores y vasallos en *La Santa Juana II*. Gracias a una nueva peripecia, Tirso vuelve a presentar al personaje de Mari-Pascuala, quien creyéndose capaz de vencer la tentación sale del convento donde se había refugiado y se deja conquistar fácilmente por don Jorge. Olvidando enseguida sus promesas, el seductor rechazará a la imprudente con asco[54] y el lacayo Lillo —vuelve a aprecer un motivo presente en *Fuenteovejuna*—

---

[52] N. B. A. E., IX (II), p. 288 b.

[53] En *Fuenteovejuna* se alude al motivo económico de manera fugaz en el verso: «Las haciendas nos robaba» (Acad., XV, p. 561 a) al final de la pieza, cuando Esteban, el alcalde, evoca ante los Reyes Católicos los desmanes del Comendador. El dramaturgo en este caso repite una acusación de la crónica de Rades y Andrada: «Ultra desto, el mismo comendador avia hecho grandes agravios y deshonras a los de la villa, tomándoles por fuerza sus hijas y mujeres y robándoles sus haziendas para sustentar aquellos soldados que tenía.» En realidad, tal acusación es la que se encuentra tradicionalmente a lo largo del siglo XVI, en boca de aldeanos que se quejan del estacionamiento de soldados en las aldeas (véase a este respecto numerosos textos en las *Actas de las Cortes de Castilla*). Es característico de Tirso conferir mayor espacio a los motivos económicos del conflicto entre vasallos y señores. En *La Santa Juana II*, le dedica toda una escena:

> «Don Jorge: Los propios del lugar y renta aplico
> a mi hacienda.
> «Crespo: ¿No basta su encomienda?
> Don Jorge: No repliquéis, villano.
> «Crespo: No replico:
> mas ¿por qué nos despoja de la hacienda?
> don Jorge: Estoy yo pobre y el concejo rico,
> no habrá quien de vosotros me defienda,
> que entre villanos mal podrá enfrenallos
> si el dueño es pobre y ricos los vasallos.
> «Mingo: Cien fanegas de pan queda cada año
> a pobres del lugar
> Don Jorge: ¡Lindo aparejo
> para holgazanes!
> «Mingo: No teme ese daño;
> porque solo se da al enfermo viejo
> y a la mísera viuda»

(N. B. A. E., IX (II), p. 292.)

[54] S. G. Morley, in *Fuenteovejuna and this theme-parallels*, indica que este motivo de la aldeana repudiada con asco después de poseerla es común a *Fuenteovejuna*, II, 5, *La Santa Juana II*, II, 12; *La Dama*

querrá aprovecharse de las sobras de su amo..[55] Mari-Pascuala, presa de desesperación, con sus llamadas y sus preguntas, subrayará con fuerza cuán opuesta resulta la conducta del Comendador a la moral caballeresca.[56] A partir de este momento, la acción villana de *La Santa Juana II*, difiere sensiblemente de la de *Fuenteovejuna*. Tirso no desencadena el motín popular al que asistimos en la pieza de Lope, y que escenificó algo más tarde en *La Dama del Olivar*: Mari-Pascuala, en vez de incitar al pueblo a la insurrección, como lo hace Laurencia, se arrepiente simplemente de su debilidad y vuelve al convento para tomar los hábitos. Fracasará la tentativa de don Jorge de profanar la clausura y seducir una vez más a Mari-Pascuala y el propio señor, conmovido por las piadosas amonestaciones de sor Juana de la Cruz, se arrepiente; muere de manera ejemplar, al día siguiente, implorando a Dios perdón por sus pecados.

En otros términos, Tirso ha suprimido en su pieza el cuadro de la acción de masas,[57] que le otorga a *Fuenteovejuna* un carácter dramático tan particular con su «crescendo» de motín.[58] Pero esto tiene una explicación; en *La Santa Juana II*, la acción campesina sólo es secundaria en relación con el tema principal que viene a ser la pintura de las virtudes y méritos de sor Juana de la Cruz; gracias a la irradiación espiritual de la santa, Mari-Pascuala evita una recaída en el pecado y don Jorge es repentinamente afectado por el arrepentimiento. Impregnados de este ambiente devoto, los aldeanos de Hazaña no podrían llegar hasta la rebelión sangrienta. Por eso, después de la seducción de Mari-Pascuala, no volvemos a verlos más que una vez en el escenario; en el desenlace, cuando don Jorge ha muerto, el Emperador llega a Cubas para decir que la muerte se ha adelantado a su justicia: Mingo, en nombre de los aldeanos, contesta que todo ha terminado bien y que se estiman vengados. La venganza divina ha sustituido, en cierto modo, a la venganza popular. Al conflicto social, surgido de la mala conducta señorial, Tirso da una solución religiosa.

La Dama del Olivar que conviene situar cronológicamente después de *La Santa Juana*[59] nos ofrece a propósito del conflicto del señor y de los vasallos otro ejemplo de la influencia ejercida por *Fuenteovejuna* en la creación tirsiana, al par que del éxito de las comedias de comendador hacia 1613-1616. En esta pieza, así como en *La Santa Juana II*, la acumulación de motivos y de peripecias le resta fuerza dramática a la acción, y, como en *La Santa Juana II*, tenemos la impresión de que lo novelesco, en el

---

del *Olivar*, II, 7; *La serrana de la Vera* (Vélez de Guevara), II, versos 2031-2033; *El Infanzón de Illescas*, II, 23.

[55] S. G. Morley, *Ibid.*, observa que el motivo es común en *Fuenteovejuna*, II, 11; *La Santa Juana* (2), 11, 13, y *La Dama del Olivar*, II, 3.

[56] N. B. A. E., IX (II), p. 214 b.

> «¿Aquesto es ser caballero?
> ¿En esta nobleza estriba?
> el valor que España ensalza
> y estimaron mis desdichas?»

[57] Observemos también que Tirso no puso en escena la acción de los campesinos cuando logran rescatar a Mari-Pascuala de manos del Comendador por primera vez. Esta acción ni siquiera es descrita: sólo se nos informa de ello.

[58] Menéndez y Pelayo decía en su estudio de *Fuenteovejuna*, que la representación de la obra, en la época en que el escribía, provocaría disturbios.

[59] La reminiscencia de *La serrana de la Vera*, de Vélez de Guevara (1613) que puede encontrarse en esta pieza, nos porporciona un primer «terminus a quo».

que se ha complacido Tirso, se suma a una ideología paternalista (de actualidad en algunos ambientes señoriales), liberal pero relativamente conservadora en lo que atañe a la cuestión histórica de las relaciones entre vasallos y señores. Aquí también, la ausencia de una tradición definida (legendaria, pero nacida de algún acontecimiento real) como fuente de la pieza parece haber acarreado como consecuencia la atenuación del antifeudalismo de hecho de los personajes villanos.

En efecto, es preciso decirlo, si bien *La Dama del Olivar* pone en escena al estilo de Fuenteovejuna, a un «señor malo», también presenta a su antítesis: el «buen señor». Es más, primero vemos a éste. Se llama don Gastón de Bardají y ejerce un poder paternal y bienhechor sobre el pueblo de Estercuel,[60] en Aragón. La primera imagen que tenemos de este personaje ideal nos la proporciona su vasallo y criado, el pastor Maroto. Don Gastón, dice el villano, es un señor modelo; por lo tanto es justo que a este señor perfecto le corresponda armoniosamente un vasallo fiel y abnegado.[61] Todo el pueblo de Estercuel tiene sentimientos de admiración y de estima hacia el buen señor y cuando este vuelve de las guerras valencianas (la acción se sitúa en tiempos de

---

[60] Los nombres de *Bardají* y *Estercuel* no son gratuitos. Estercuel es un pueblo aragonés y el convento de Nuestra Señora del Olivar se encuentra muy cerca. En realidad Estercuel pertenecía a Gil de Atrosillo, en los tiempos de Jaime el Conquistador, cuando Tirso sitúa su intriga. Según varios textos, fue ese Gil de Atrosillo quien le habría dejado a la Orden de la Merced el terreno y el olivar de Nuestra Señora del Olivar (Cf. Pedro de Luna, *Breve relación historial, panegírica y doctrinal de la aparición de Nuestra Señora del Olivar, fundación y aumento de su convento, con un compendio de sus prodigios y Dos Novenarios a favor de sus devotos.* Zaragoza, 1723).

Por el contrario Estercuel formaba parte del feudo de los Bardajíes cuando, hacia 1614-1616, Tirso escribió su obra. Blasco de Lanuza, in *Historia de Aragón*, Zaragoza, 1622, I, p. 229, afirmaba: «Era Gil de Atrosillo rico hombre de Aragón, muy principal y poderoso en los tiempos del Rey don Jaime el conquistador y señor de la Baronía de Estercuel que ahora es de los Bardajíes, caballeros principales de este reino...»

Un caballero del nombre de Don Luis Bardají, fue el mantenedor de las justas organizadas en Zaragoza, cuando Felipe II residió allí en 1585 (Cf. H. Cock, *Relación del viaje...*, p. 73: «... primero vino al campo el mantenedor de la justa Don Luis Bardaxí, con mucho triunfo...»); el mismo cronista habla de un caballero de Zaragoza llamado Don Juan de Bardaxi, señor de vasallos en Aragón (Cf. *op. cit.*, p. 75: «... a mano izquierda está un castillo muy viejo de Don Juan de Bardaxi, caballero çaragoçano, que allí tiene imperio entre estos villanos salvajes») (se trata del pueblo de Saidín).

Otros testimonios de fines del siglo XVI confirman la notoriedad de la familia de los Bardajíes y el reconocimiento que les expresaba la Orden de la Merced. Cf. Felipe de Guimerán, *Breve historia de la Orden de Nuestra Señora...*, Valencia 1591, (B. N. Madrid, R. 28046), p. 66:

«... nuestra Señora del Olivar, casa puesta en un desierto y soledad, en la baronía que allí llaman de Estercuel. Que la posseyeron de antiguo los caballeros de la casa de Atrogillo y son oy otros señores della de la casa de Bardaxí, principales, y de mucha estima en aquel reyno...»

Posiblemente la Orden gozaba de la protección del señor del lugar. Y por ello Tirso elogia a uno de los representantes de la familia. Habría que hacer un estudio sobre las posibles relaciones de Tirso con esta casa noble.

[61] N. B. A. E., IX, p. 209 a:

«*Maroto:*   Bueno me le ha dado Dios.
«*Ardenio:*   Medra su hacienda por vos.
«*Niso:*   A buen amo buen criado.
«*Maroto:*   Don Gastón de Bardají,
             noble señor de Estercuel,
             ni es soberbio ni es cruel;
             desde que su pan comí
             mil mercedes Dios me hace.»

Jaime I) el pueblo se dispone a homenajearle.[62] Por medio de un mecanismo poético análogo al que se desencadena cuando la Amada aparece ante el Amado, el campo que rodea a Estercuel se metamorfosea con la presencia señorial: los prados ríen, la naturaleza resplandece y es como si un rayo de sol pasara por sobre todas las cosas.[63]

---

[62] Parece que la figura del buen señor Gastón de Bardají no deja de tener relación con el recuerdo que se conservaba hacia 1600-1615, del antiguo señor de Estercuel, Don Gil de Atrosillo (hacia 1250). A principios del siglo XVIII, en 1723, fray Pedro de Luna in *Breve relación historial, panegyrica y doctrinal de la Aparición de Nuestra Señora del Olivar*, Zaragoza, 1723 (B. N. Madrid 3-69758), se hace eco de este recuerdo. Después de guerrear Don Gil de Atrosillo habría pasado los últimos años de su vida en Estercuel, rodeado de sus vasallos «governándolos en paz y justicia, con amor y santo zelo»; Cf. p. 9: «Portávase con ellos severo, pero sin ceño, afable, pero sin hazerse vulgar: assi todos le amaban y veneraban Padre y le obsequiaban, y servían como a Señor y dueño.»

[63] *Ibid.*, p. 210 b:

«*Maroto:*	No en balde el monte le goza
	ya está riendo el prado,
	que no hay señor que le iguale.
	....
	«*Sale Don Gastón, bizarro de camino. Dichos.*»
«*Gastón:*	¡Oh, mis zagales: Alcalde.
	Corbato. Ardenio. Maroto!
«*Niso:*	Llegad, las manos besalde.
«*Maroto:*	No en balde se alegra el soto
	ni está verde el prado en balde,
	viéndoos, señor, con salud
	en vuestra tierra y vasallos.
«*Gastón:*	Huélgome con su quietud
	que no puedo deseallos
	mejores......................................
«*Maroto:*	Nuesa tierra
	estaba triste sin vos.
«*Gastón:*	Es, en fin, mi estado y tierra.
«*Maroto:*	El ganado que apaciento,
	y por ser vuestro es dichoso,
	sin vos dejara el sustento;
	el cordero temeroso,
	que da los brincos ciento,
	balada por don Gastón;
	las ovejas os llamaban
	y con ronco y triste son
	por suspirar, rebuznaban
	los borricos, con perdón.
	Secábase el prado ameno
	donde el hato flores pace,
	de luto y tristeza lleno,
	porque todo este mal hace
	la ausencia de un señor bueno.»

Tirso desarrolla aquí una hipérbole que es procedimiento corriente en la pluma de Lope, usado a menudo para expresar la alegría del enamorado por la llegada de la amada. (véase el principio de *Los prados de León*). Un diálogo de *La serrana de Vera*, de Luis Vélez de Guevara, indica que ese es un mero clisé (Cf. Ed. *Teatro antiguo*, p. 96):

«*D. Garz:*	Con el agua
	de ese arroiuelo la razón haremos,
	que conbida al sediento y caluroso
	en búcaros de juncia bulliciosso.

Sin embargo tal Arcadia feudal es aniquilada en *La Dama del Olivar*. La culpa la tiene el «mal señor». En efecto, al lado de Estercuel, se encuentra Montalbán donde reside un Comendador de Santiago,[64] don Guillén.[65] Tiene este un alma negra, típicamente tirsiana por su cinismo y su gusto por la profanación. Como desea con lujuria a una joven aldeana de Estercuel, Laurencia —quien, es cierto, no es muy arisca— la rapta a ojos vistas de varios villanos y en presencia de la dama noble con quien proyecta casarse. Su acto y las palabras que lo acompañan son como un desafío a la moral y a los sentimientos, en donde aparece una necesidad satánica de macular y profanar.

> *«Andrés:*   No dijera un poeta de romanzes
>   eso mexor, pintado un verde prado
>   y más quando su dama lo a pisado.»

No obstante conviene subrayar la originalidad de su uso en Tirso. En la poesía de amor cortés de fines de la Edad Media, la subordinación del amante a su dama se expresaba a menudo mediante términos de homenaje vasálico. Aquí, bajo la pluma de Tirso, el mecanismo retórico es exactamente a la inversa. El poeta transpone una hipérbole reservada a la expresión de las relaciones amorosas al plano de las relaciones sociales, y precisamente para expresar el homenaje vasálico. Tal transposición, en la que el jefe social es asimilado al ser amado, refuerza la idea de una posible Arcadia feudal que quiso sugerir Tirso.

[64] Montalbán está a unos diez kilómetros aproximadamente de Estercuel. Podría creerse que Tirso distorsiona la verdad histórica al introducir a un Comendador de Santiago, orden esencialmente castellana en Aragón. Esto es lo que parecen haber opinado Aubrun y Montesinos al tratar el problema de lo novelesco en *La Dama del Olivar* cotejándola con *Fuenteovejuna*, en su introducción a la edición de *Peribáñez y el Comendador de Ocaña*, p. XXVII. Insistiendo con razón en los hechos sacados del análisis literario que, en *La Santa Juana II* y *La Dama del Olivar*, revelan la imitación de Lope por Tirso, fueron llevados a avalar una idea de conjunto muy buena —y es más, de gran agudeza— con un argumento que si bien parece decisivo, no lo es:

> «Davantage: si *La Santa Juana* se déroule dans le royaume de Tolède, pays d'ordres militaires où il n'est pas du tout invraisemblable que meme au temps de Charles-Quint, époque du drame, un commandeur tyrannique ait vécu une vie anachronique, par contre *La Dama del Olivar*, qui se passe en Aragon, nous présente, nous ne savons pourquoi, un Don Guillén, commandeur de Saint-Jacques, ordre castillan, et cela, au temps de Jacques 1º.»

En realidad, la Orden de Santiago poseía una encomienda en Montalbán, en Aragón, bajo los reinados de Jaime I y Jaime II; fue Pedro II de Aragón quien donó el castillo y la villa de Montalban a la Orden de Santiago, el 13 de junio de 1310 (Cf. Archivo Histórico Nacional, Arch. Uclés, caj. 207, núm. 102, y caj. 207, núm. 6).

Jaime I, el 23 de octubre de 1228, hizo don a la Orden del «montazgo» de Montalbán (Cf. Archivo Histórico Nacional, arch. Uclés, caj. 207, núm. 106). En el Archivo Histórico Nacional numerosos documentos de tiempos de Jaime I y Jaime II prueban la continua presencia de la Orden de Santiago en Montalbán: Cf. 29 de junio de 1258 (Arch. Uclés, caj. 324, núm. 12); 10 de agosto de 1260 (arch. Uclés, caj. 207, núm. 41); 1 de julio de 1270 (Arch. Uclés, caj. 207, núm. 45); 20 de enero de 1295 (Arch. Uclés caj. 207, núm. 57); 8 de noviembre de 1300 (Arch. Uclés, caj. 207, núm. 63); 2 y 3 de setiembre de 1303 (Arch. Uclés, caj. 207, núms. 66 y 67); 18 de setiembre de 1320 (caj. 207, núm. 77); 9 de octubre 1331 (Sección sellos, caj. 33, núm. 4).

En los alrededores de Montalbán todavía existe actualmente un lugar llamado Casa de la Orden.

[65] El nombre de don Guillén nada tiene de particular en sí, por ser muy corriente. Sin embargo podía cobrar resonancias señoriales específicas, referido a la historia de los movimientos agrarios en Aragón a lo largo del siglo XVI. En tiempo de los Reyes Católicos, el señor del feudo de Ariza, que en sus orígenes fue el responsable de los motines aldeanos que iban a durar varias generaciones y cuyos episodios resuminos antes, se llamaba Don Guillén de Palafox (Cf. *Semanario erudito*, XXXIII, p. 271). A la voluntad de emancipación de los vasallos, que llegaron hasta sitiar el castillo, este Don Guillén histórico replicó por la fuerza mandando azotar y ahorcar a algunos rebeldes. La ira de los vasallos de Ariza no hizo más que acrecentarse, y como ya lo vimos antes, se manifestaría aún contra don Juan de Palafox, hijo de Don Guillén.

A partir de este momento de la acción sentimos que la sombra de *Fuenteovejuna* se proyecta sobre *La Dama del Olivar*,[66] hasta el punto de dictar a Tirso tiradas y escenas idénticas. No obstante, la escritura dramática tirsiana carece de la tensión que tiene la escritura dramática de Lope, y de ahí que por encima de esas semejanzas evidentes surja una honda diferencia en la concepción teatral.

Vencida la estupefacción, los villanos quieren tomar armas para castigar al responsable del escandaloso rapto de una de sus mujeres. El alcalde Niso incita a la acción; el villano Corbato llama a los aldeanos a unirse contra el Comendador; volvemos a hallar en este diálogo las palabras de «alférez» o de «capitán» que el propio Lope había sacado de la Crónica de Rades y Andrada; en fin, la escena ofrece la misma idea de unanimidad villana y de llamada al motín antiseñorial que Fuenteovejuna:

> *Niso:*   ¿Hay tan gran bellaquería?
> ¿Qué esto suframos, serranos?
> ¿Para qué nos dieron manos
> los cielos?
>
> *Corbato:*   No sufriría
> tal afrenta aunque muriese.
> Juntemos todo el lugar
> ....
> *Maroto:*   ¡Todo Estercuel salga armado!
> ¡Y muera aqueste traidor!
> Niso será el capitán
> pues es alcalde.
>
> *Niso:*   Eso intento:
> vos alférez, vos sargento;
> abrasaré a Montalbán
> si aquesto adelante pasa.
>
> *Todos:*   Vamos.[67]

Pero no cuaja este primer movimiento de insurrección popular. Como en *La Santa Juana II*, vuelve a darse esta manera tirsiana, sinuosa y complicada, de llevar la acción. La intervención de don Gastón, el señor bueno, permite, en efecto, desviar la rebelión de su cauce. Al estimarse ofendido en la persona de sus vasallos, don Gastón también quiere vengarse de don Jorge, pero pronto dominará este impulso e intentará aplacar la ira de sus campesinos así como la suya propia. A la acción de los villanos que toman en manos sus intereses (como en Fuenteovejuna) sustituye la suya propia, más conforme al código feudal. Tirso parece adoptar la idea medieval de que los vasallos no tienen que saldar por sí solos un desacuerdo con un señor vecino, y según el derecho tradicional, deja la intervención al protector legal. Observamos cómo —comparando con *Fuenteovejuna*— Tirso le imprime al tema de la rebelión popular una primera inflexión ideológica conforme con las teorías paternalistas de la sociedad monárquico-señorial. Uno de los villanos, Montano, nos explica cómo don Gastón ha impedido el amotinamiento de toda la población de Estercuel, preparada para la expedición punitiva proyectada contra el feudo de Montalbán:

---

[66] Antes, los únicos puntos comunes son los nombres de Laurencia para designar a la aldeana deseada por don Jorge, y la escena del rapto por este que, como Fernández Gómez, es Comendador (de Santiago y no de Calatrava).

[67] N. B. A.E., IX (I), p. 221 a.

Montano:	No ha querido don Gastón
	dejarnos salir contra él.
	Como es señor de Estercuel,
	obedecelle es razón.
	Dice que este agravio se hizo
	a él solo, y que así le toca
	castigar la furia loca
	de quien tan mal satisfizo
	al honor que con su hermana
	pensaba en Aragón dalle,
	y así va a desafialle;
	que si no, a son de campana
	habíamos convocado
	todo el lugar.[68]

Aparece en este caso la tentativa de conciliar las exigencias populares de justicia con el respeto del orden señorial: la contradicción entre un determinado tipo de violencia señorial y los derechos de los villanos es superada hasta ese momento sin atentar contra los principios jurídicamente y remiten su causa a un tutor de derecho divino. Pero los acontecimientos cambian de cariz por un momento cuando Laurencia —como la Laurencia de *Fuenteovejuna*— aparece para incitar a los villanos de Estercuel a la hombría y a la acción. Ante los hombres mudos, espeta una tirada de invectivas en romance tratándolos, a su vez, de afeminados, gallinas, mujerzuelas. Las reminiscencias de *Fuenteovejuna* son evidentes en este fragmento oratorio y vehemente compuesto de interrogaciones, exclamaciones, comparaciones despectivas (incita a los hombres, con hiriente ironía, a hilar, a jugar con trompos o muñecas). Acaba su discurso anunciando que se va de bandolera por los montes de Aragón donde se vengará, de todos los hombres, empezando por los de su pueblo, por la deshonra de la que fue víctima; aquí, al parecer, surge una situación de *La serrana de la Vera* de Luis Vélez de Guevara.[69]

Acuciados por esta llamada a la venganza y al amotinamiento, nuestros villanos reaccionan y se inicia un segundo movimiento de motín popular. Esta vez, llegará en parte a su término, pero sólo en parte, si se compara otra vez con *Fuenteovejuna*, ya que don Guillén no sufrirá la triste suerte de Fernán Gómez. Tocan a rebato, se llama al incendio de Montalbán y suena el grito de ¡muera el Comendador!:

Corbato:	Vamos, aunque mos lo estorbe
	don Gastón, y el fuego encienda
	a Montalbán y a su dueño,
	que si no es de esta manera
	corre peligro Estercuel.
Todos:	¡Al arma! ¡Don Guillén muera!
Ardenio:	Muera; porque antes de un año
	no ha de haber en esta tierra
	una virgen por un ojo.

---

[68] N. B. A. E., IX (II), p. 222 b.
[69] Las últimas palabras de Laurencia son:

«El que hombre fuere, mis agravios sienta.
¡Al arma! ¡Don Guillén, serranos, muera!»

> *Montano:* Si el fuego de amor le quema
> un clavo saca otro clavo,
> con un fuego otro se venga.
>
> *Corbato:* La campana de Concejo
> tocad, porque todos vengan
> a vengar nuestras injurias.
>
> *Ardenio:* ¡Al arma, serranos!
> *Todos:* ¡Guerra![70]

Pronto, un criado de don Guillén saldrá al escenario para contar cómo los villanos de Estercuel prendieron fuego a Montalbán[71] y oimos, entre bastidores —pero sólo entre bastidores— los gritos de los amotinados. Este incendio constituirá el punto culminante del motín de los villanos. Como el azar de la intriga lleva a don Guillén y a su criado a manos de los aldeanos armados, mientras éstos estaban persiguiendo a unos bandidos por el monte, lo lógico y lo verosímil sería que los villanos hiciesen pasar un mal rato a su enemigo. Pero Tirso vuelve a desviar la acción de su cauce revolucionario y ofrece al espectador una solución que salvaguarde el orden feudal. Afortunadamente para don Guillén, Don Gastón de Bardají está presente cuando los villanos se apoderan de él. La solidaridad entre señores —buenos o malos— entra de inmediato en juego. Don Gastón, sin dejar de reprocharle sus crímenes a don Guillén, se olvida del pasado y propone al culpable una solución honorable que tiene la ventaja de sustraerlo a la venganza popular: que don Guillén acepte ser el prisionero de doña Petronila, hermana de don Gastón, con quién había prometido casarse. Prisión bien galante, según vemos. El diálogo que se entabla ahora entre el señor bueno y el señor malo es harto revelador de la corriente de pensamiento feudal paternalista que anima a Tirso cuando escribe esta escena: son dos modos de concebir las relacions entre vasallos los que encarnan aquí don Gastón y don Guillén, y claro está, Tirso habla aquí por boca de don Gastón. Don Gastón le explica a don Guillén que no ha podido impedir que sus villanos incendiaran Montalbán, que si pudiese le devolvería caballerosamente su libertad, pero que tal liberación enardecería más aún la ira de los vasallos y los llevaría a nuevos excesos, que es preciso contemporizar hasta que se calme la tormenta popular:

> ... Sin mi gusto a Montalbán
> os quemaron mis vasallos,
> que no pude refrenallos,
> porque ofendidos están.
> ....
> agora yo libre os dejara,
> si en daño no resultara,
> como sabéis, de tercero.
> Pero haciéndolo, provoco
> todo el lugar de Estercuel,
> y ya sabéis cuán cruel
> es un pueblo y vulgo loco.
> Mientra Laurencia parece
> y se aplaca tanto exceso,

---

[70] N. B. A. E., IX (II), p. 224 a.
[71] *Ibid.*, p. 224 b.

será razón que estéis preso,
y el alcaide que os ofrece
mi nobleza es a mi hermana,
que en regalo y cortesía,
dará muestras que lo es mía.[72]

En otros términos, el señor bueno, sin dejar de reconoer que la queja de sus vasallos es justa, condena el motín y sus desórdenes y casi pide disculpas al «señor malo» por retenerlo prisionero para su propio bien. Pero don Guillén representa aquí la antigua manera de tratar a los vasallos: la mano dura.[73] Entre ambos señores se entabla el siguiente diálogo en el que se enfrentan dos concepciones de las relaciones entre el señor y sus vasallos:

Guillén: Libertad mi suerte gana
con ser yo su prisionero;
y aunque estimo este favor,
sois caballero mayor
y en Aragón el primero:
bien pudiérades mostrar
vuestro poder por mil modos,
que vuestros vasallos todos,
son de bien y mal pasar
y a vuestro gusto obedientes.
Cuando libertad me deis
han de aprobar lo que hacéis
sin mirar inconvenientes;
....

Gastón: Su señor soy,
mas el valor que adquirí
quiere, por más que le amen
si bien y mal pasar
son, que los de este lugar
no de mal pasar se llamen,
mas solo de pasar bien,
que cuando a regillos vengo,
los viejos por padres tengo
y por hermanos también
los mozos, porque es mejor,
para podellos gobernar
hacer hijos de vasallos
y convertir en amor

---

[72] *Ibid.*, p. 231 a.
[73] En Castilla la manera dura había sido condenada terminantemente por el *Ordenamiento de Montalvo* (1.ª ed., 1424), Cf. in Hugo de Celso, *Las leyes de Todos los reynos de Castilla abreviadas y reducidas en forma de Repertorio, Valladolid*, 1538 (B. N. Madrid, R. 15403), art. «vasallos»:

«Los señores de los lugares no hagan fuerça a sus vasallos ni injurias o sinjusticia: ni los encarcelen contra derecho, ni lleven cosa alguna que no devan, ni hagan casar a sus vasallas biudas o donzellas contra sus voluntades (ley última en el dicho título III).»

> el poder, que no han de dar
> como encima el fruto a palos,
> pues, por fuerza, saldrán malos
> vasallos de mal pasar.[74]

Vemos que el diálogo gira en torno a la expresión «vasallos de bien y mal pasar», expresión consagrada del mundo señorial y objeto de debates jurídicos, políticos y teológicos a la vez, que tuvieron lugar en Aragón por los años de 1600-1620. Hay razones para pensar que la discusión entablada entre ambos señores tenía actualidad, referida a la situación aragonesa del momento. Es necesario tener presente el fuerte sometimiento en el que los señores aragoneses habían mantenido tradicionalmente a sus vasallos, mucho más siervos que jamás lo habían sido los villanos de Castilla y León. A fines del siglo XIV, mientras el villano castellano había llegado a ser hombre libre, Pedro IV, en las Cortes de Zaragoza, en 1380, reconocía que los señores de vasallos de Aragón tenían el poder absoluto de matarlos de hambre, sed o frío.[75] A principios del siglo XVII, en muchos aspectos, la situación de hecho del villano aragonés no había mejorado mucho, y es más, la teoría del «poder absoluto» del señor la justificaban por entonces algunos «intelectuales» aragoneses. El más célebre es el jurisconsulto Pedro Calixto Ramírez, autor de *Analyticus tractatus de lege regia, qua in Principes suprema et absoluta potestas fuit* (Zaragoza, 1616), que se publicó al mismo tiempo que fue creada *La Dama del Olivar*. En esta obra el autor se erige en defensor del despotismo señorial: para él, no caben límites al derecho del amor sobre el vasallo vivo; únicamente la muerte lo libera, y los únicos derechos que posee atañen a su cadáver y a su sepultura.[76] En el siglo XVI, algunos eclesiásticos intentaron, es cierto, intervenir en favor de los desgraciados villanos aragoneses: véase por ejemplo la recuesta dirigida a Felipe II, en 1570, por el arzobispo de Zaragoza, don Hernando de Aragón, y la de don Martín de Salvatierra, en 1590[77]. Pero tales intervenciones nada cambiaron en algunas

---

[74] *Op. cit.*, p. 231 a.

[75] Sobre estos derechos exorbitantes de los señores aragoneses, puede consultarse a Jerónimo Zurita, *Anales de la Corona de Aragón*, (Ed. Juan de Lanaja y Quartanet, Zaragoza, 1610), II (B. N. Madrid, R. 22452) Leemos a propósito de las Cortes, de Zaragoza, durante el reinado de Pedro IV, en 1381:

> «En estas cortes se trató de la pretensión q̄ los nobles y cavalleros, y qualesquiera q̄ eran señores de vasallos teníā de poder tratar bien o mal a sus vasallos, porq̄ los vezinos de Ançanego, lugar de las montañas de Iaca, que era de un caballero de la casa del Rey, q̄ se llamava Pero Sachez de Latras, obtuvieron cierta inhibición contra su señor, para que no los maltratasse; y los del braço de los nobles propusieron, q̄ aquella inhibición, que se avía hecho por el Rey, o por su canceller en su nōbre, era contra fuero, atendido que ni el Rey ni sus officiales se podían entrometer a conocer de semejāte caso: antes qualquiera noble, o cavallero, y qualquiera señor de vasallos del reyno de Aragón podía tratar biē o mal a sus vasallos: y si necessario era matarlos de habrē o sed, o en prisiones: y suplicaron al Rey, que mandasse revocarlo que contra su preeminencia se avía atentado: y después de averse altercado este negocio, y muy discutido, el Rey mandó revocar aquella inhibición que se avía proveydo.»

[76] Ejemplar en la Bibl. Facultad de Filosofía y Letras, Zaragoza, D. 23-42, Cf. p. 402:

> «... Unde nostra observatiā que permittit dominis, vassallos suos bene, vel male tractare, applicare nequit ad vasallos iam mortuos, cum iam per mortem decesserint esse vassalli servitutis, cum morte solvatur servitus vassallorum...»

[77] Cf. Muñoz, *Discurso leído ante la Real Academia de la Historia... el día 5 de Febrero 1860*, Madrid, 1860, p. 52.

costumbres, y esto explica en parte que los vasallos aragoneses hayan tomado varias veces las armas contra sus señores a lo largo del siglo XVI.

Así es como la discusión entre don Gastón y don Guillén tiene implicaciones contemporáneas si la aquilatamos con referencia a los debates aragoneses sobre la cuestión de las relaciones señor-vasallos, y también a la situación histórica real[78]. Tirso propone algo así como un reformismo cristiano liberal pero paternalista que no menoscaba los fundamentos mismos del régimen señorial, de acuerdo con los teólogos y la legislación codificada en Castilla.

El tratamiento infligido a Gallardo, el lacayo de don Guillén, recalca que, en lo más profundo, el punto de vista de esta pieza sigue siendo el feudal, pese a la doctrina liberal que en ella se expone. Este Gallardo ha sido el brazo derecho del Comendador en sus fechorías antivillanas. Pero no es noble y no puede hacerse acreedor de la protección que impone la solidaridad señorial. Don Gastón deja a Gallardo en manos de los villanos que pueden vengarse libremente en su persona, con la única condición que no lo maten y no corra sangre.[78] El castigo imaginado por los villanos consistirá

---

[78] No cabe duda de que en Aragón los motines agrarios del siglo XVI habían provocado una situación de hecho que despertaba las preocupaciones de algunos nobles y miembros del clero aragonés, lo que podría denominarse un auténtico «miedo de clase». Hay un reflejo significativo de estos sentimientos, nacidos ante el espectáculo de la amenaza revolucionaria del campesinado aragonés,en el diálogo del prior del monasterio de San Agustín, Barcelona, Marcos Antonio Camos (Cf. *Microcosmia y Gobierno universal del hombre christiano...*, i.ª ed., Barcelona, 1592, 2.ª ed. Madrid, 1595), donde por intermedio de tres personajes, el autor intenta definir la condición justa de los distintos estamentos de una sociedad cristiana. En el diálogo consagrado al campesino («parte Segunda. Diálogo décimo octavo, del estado de los labradores y de aquellos que se dan a la agricultura», fol. 208-218), Turritano, uno de los personajes, tras haber recalcado la gran distancia que separa a los campesinos idílicos según los antiguos (Varron) o los Doctores de la Ley (Tertuliano) de los campesinos de hoy esboza el cuadro nada reconfortante de un campesino hostil y agresivo ante los nobles, presto a tomar armas, a transformar su morada en fortaleza o a echarse al monte:

«*Turritano*: Una cosa no callaré, y es, que no sé, si essos Doctores que dan essa interpretacion a las Sagradas letras en este lugar, ni Tertuliano con ellos... si vinieren en nuestros tiempos, tuvieran ocasion de no comparar beneficios tā grandes y partes tā excellentes, como son paz y abundancia, a gente que vemos tan destrayda de essa misma paz y de essa llaneza y bondad, que antiguamēte, en los que exercitavan las cosas del campo se descubría. Porque van los tiempos tan trocados, que aunque muchos años antes prophetizara alguno al revés de la verdadera prophecía no saldría del todo mentiroso. Pues vemos, que en muchas partes no las espadas y las armas en rejas, como el Spíritu Sancto dize, pero las rejas y los arados, las hoçes y las açadas lo convierten los labradores en armas; en espadas y arcabuzes y en escopetas de rueda: de tal suerte que si se perdiera la milicia, en los labradores de algunas provincias se hallaría, y si encontráys cō alguno de ellos por el cāpo, más le jusgaréys para, según va arcado y a punto, soldado que exercita la guerra que labrador amigo de la paz: más recelo tendréys que no sea saltador de caminos, que sale a offenderos (como suelen algunos ser más amigos de seguir este officio, que de encurvarse tras el arado) q̄ buen agricultor. Y si vays a sus casas, más parescen casas fuertes, donde viven soldados de guarnición que humilde suelo lleno de los frutos, que por su trabajo les dio el señor con su liberal mano y bendición.»

[79] N. B. A. E., IX (II), p. 231 a:

«Este queda en vuestra mano
....
....................................vengad
en él vuestra voluntad
para que a enmendarse acierte.»

en una purga administrada con los consabidos comentarios y efectos cómicos.[80] Tal dualidad de tratamiento resulta conforme a la estética aristocrática de la comedia que exige que amos y criados evolucionen en dos planos bien diferenciados; pero esa dualidad, respetada como en este caso hasta en el modo de aplicar el castigo de los crímenes, nos permite observar de nuevo en qué medida *Fuenteovejuna* y *Peribáñez y el Comendador de Ocaña* prescinden de la norma acostumbrada: son las únicas piezas —con *El alcalde de Zalamea* —en las que el villano se hace justicia por sus propias manos en la persona de un noble.

¿Ha percibido Tirso la incoherencia que había en hacer subir dramáticamente el oleaje de una insurrección popular y en hacerlo refluir bruscamente? Parece que sí, porque los villanos de *La Dama del Olivar* no se calman enseguida. Una escena los presenta afirmando que no se declararán satisfechos si don Gastón, su señor, no ajusticia a su enemigo el Comendador. Presienten una avenencia por parte de su tutor legal, pero sin embargo no pueden pensar que puede «traicionarles». Se suelta la palabra en el diálogo, como una confesión de Tirso, de que efectivamente ha habido una traición de los vasallos por parte del señor bueno.[81] En el momento en que los villanos esperan ver castigado al criminal, su atención es desviada por una invocación a la Virgen, hecha principalmente por Maroto, don Gastón, Petronila y el propio don Guillén. ¡Nuestra Señora se aparece milagrosamente! Dentro de lo sobrenatural celestial de la oración mariana, se anega, se olvida el conflicto social. Nuestros villanos ya no abren la boca, y todo transcurre como si hubiesen perdido la memoria. Unicamente Niso, el padre de Laurencia, pronunciará unas pocas palabras, pero será un grito de cariño paterno provocado por la llegada inesperada —segundo milagro de Laurencia, atraída también por una voz misteriosa.

En esta atmósfera que irradia amor y extrañamiento, el señor malo no corre peligro de que le maten o maltraten los villanos, mansos cual corderos. Además, el propio señor se vuelve bueno y se convierte al bien: ya nada impide un «happy end» de lo más tradicional, al solicitar don Guillén la mano de doña Petronila y al prometer una enmienda. ¿Se contentan los villanos con esta conclusión? Jamás lo sabremos ya que cae el telón sobre la promesa de un desposorio noble, fundida con una nueva aparición de la Virgen que pide que le levanten un santuario.

Si cotejamos esta pieza con la tragedia de *Fuenteovejuna*, cuya influencia recibió, no podemos deshacernos de una impresión de debilidad dramática ante un final demasiado acomodaticio bien pensante, impregnado de conformismo religioso y político. El escamoteo de la venganza popular gracias a la intervención de la Virgen —Dea ex machina— trunca la trayectoria trágica, pero esta ruptura se explica por el hecho de que Tirso ha querido escribir juntamente una «pieza de comendador» y un «Milagro de Nuestra Señora». La dualidad de inspiración ha dado como consecuencia la falta de concentración y de vigor dramático. Lope, que ha seguido (con total libertad crea-

---

[80] El mismo castigo, notémoslo, es el que sufre Lillo, criado del Comendador, en *La Santa Juana II*. La escena está más desarrollada en *La Dama del Olivar*.

[81] N. B. A. E., IX (II), p. 236 a:

> «*Ardenio:*   Don Gastón de Bardají
>   es noble y cuerdo, y así
>   pues de traiciones no gusta,
>   cumplirá con vuestra queja
>   como en fin, nuestro señor.»

tiva) una tradición bien definida y se ha mostrado menos preocupado por quedar acorde con los valores feudales, se mantiene más cerca de la realidad histórica de las luchas populares; ha proporcionado, por ello, una auténtica tragedia capaz, aún hoy, de conmover la conciencia trágica de los públicos.

El estudio comparativo que acabamos de hacer a propósito de las comedias de Comendador de Lope y Tirso nos permite distinguir con mayor nitidez cómo y en qué medida cabe hablar de «antifeudalismo en el seno del feudalismo» a propósito de estas obras. No obstante, queda un punto por concretar. Ha podido observarse, que, en las comedias tratadas, el meollo de la lucha entre el señor y los villanos es una mujer (novia o recién casada) a quien el señor pretende poseer sexualmente. Era este un tema que con certeza impactaba al público ya que los dramaturgos, en especial Lope, los erigieron en motivo central del conflicto entre vasallo y señor. Si este motivo conmocionaba a tal punto la conciencia trágica del público, es que correspondía a un sentimiento colectivo surgido de las luchas del pueblo y, de hecho, es la oposición resuelta y categórica al derecho de pernada por parte del campesino español de la Edad Media, la que parece haber proporcionado el terreno histórico de donde brotaba este sentimiento colectivo.

Sabido es que algunos señores de Occidente (en el sur de Francia, en el Piamonte) usaron de este «jus primae noctis», que concedía al señor el desflorar a las muchachas antes que su marido villano, la noche de boda.[82] Mas, precisamente, este privilegio jamás fue reconocido expresamente por los textos, hay muchas posibilidades de que fuera ya practicado, como costumbre de hecho en Aragón y Cataluña (más marcados por la impronta feudal, según vimos) tal vez hasta fines del siglo XV. Tal cosa puede deducirse de la sentencia arbitral contra los malos usos dictaminada por Fernando el Católico en Guadalupe en 1486, y repetida un siglo más tarde en las cortes de Monzón en 1585. He aquí el texto:

> Item, sententiam arbitram, e declaram que les dits senyors non pugan prendre per didas per so fills o altres qualsevols creatures les mullers dels dits pageses de remença ab paga ni sens paga, menys de lur voluntat, ni tampoc pugan la primera nit que lo pages prend muller dormir ab ella, o en senyal de senyoria, la nit de las bodas, apres que la muller sera colgada en lo lit pasar sobre aquell, sobre la dita muller.[83]

Historiadores como Brutails, y luego E. de Hinojosa, indicaron a propósito de este pasaje que, de derecho, el «jus primae noctis» no existió en Cataluña sino como ex-

---

[82] Sobre el «derecho del señor», citemos los siguientes trabajos:

A. de Foras, *Le droit du seigneur au Moyen Age, étude critique et historique*, Chambéry, 1886; Karl Schmidt, *Jus primae noctis, eine geschichtliche Untersuchung*, Freiburg, 1881; Picot, *Le droit du seigneur en Béarn*, in *Bull. Soc. scien.*, Pau, 1884-1885; Dan Touzaud, *Les impôs sous l'Ancien Régime et le droit du seigneur*, in *Bull. mém. Soc archéol. hist. Charente*, 1894-1895; H. L. Bordier. *Le droit du seigneur*, in *Bull. Soc. hist. France*, 1857-1858; Cárdenas, *Del derecho de Señor en la antigua Cataluña*, in *Rev. univers.*, Madrid, 1874.

[83] *Pragmáticas y altres drets de Catalunya compilats en virtud del cap. de cort. 24 de las Cortes per la S. C. y regal majestad del rey don Philip nostre senyor celebradas en la vila de Montso, any 1585*, lib. 4, tit. 13.

cepción, engendrada y mantenida por la violencia de algunos «señores malos».[84] Ante la ausencia de otros textos, resulta difícil, en efecto, admitir la existencia jurídica del privilegio antes de la fecha de la sentencia arbitral; pero también es muy probable que dicha sentencia no hubiera tenido razón de ser si el abuso mencionado hubiese sido absolutamente excepcional.

Conviene examinar el motivo teatral de la honra conyugal del villano en conflicto con el señor, tal como lo vemos desarrollado en *Fuenteovejuna, Peribáñez y el Comendador de Ocaña, La Santa Juana II, La Dama del Olivar* y también *El mejor alcalde el Rey*. Si en esas piezas los campesinos se defienden con indomable energía contra las transgresiones de los señores, lo es especialmente porque el señor se apodera de las mujeres y, para los villanos españoles así como para los teólogos del siglo XVI, en ello hay algo más sagrado que en todo lo demás.

En efecto, en *Fuenteovejuna*, Laurencia y Pascuala expresan el criterio de los villanos libres que le niegan al señor el derecho de pernada; ofrecen resistencia al señor y le dan a conocer el límite de los tributos a exigirles:

> Comendador: ¿Mías no sois?
> Pascuala: Sí, señor
>   mas no para cosas tales.[85]

Así mismo, en *Peribáñez y el Comendador de Ocaña* flota el recuerdo del motivo de la boda aldeana perturbada por el señor; llevado a casa de Peribáñez después de haberse caído del caballo, el Comendador vuelve en sí en presencia de la recién casada, Casilda; de inmediato el deseo de poseer a esta mujer se adueña de él y en sus palabras puede percibirse una como desilusión al enterarse de que Casilda ya está casada:

> Comendador: ¿Sois la novia, por ventura?
> Casilda: No por ventura, si dura
>   y crece este mal después
>   venido por mi ocasión.
> Comendador: ¿Que vos estáis ya casada?
> Casilda: Casada y bien empleada.[86]

Más adelante, en la pieza, en el momento en que el Comendador penetra en la habitación de Casilda para violentarla, sólo se le ocurre una palabra inspiradora en la mentalidad feudal para justificar su acto: «Soy tu señor» le dice. A lo cual Casilda replica con la negativa de hacer extensivo el derecho del señor hasta donde bien quisiera el Comendador.[87]

---

[84] Cf. E. Hinojosa, *Le «jus primae noctis» a-t-il existé en Catalogne.*, *Annales internationales d'histoire*, II, Paris, 1902, pp. 224-226. Hinojosa se vale principalmente de las respuestas de los señores, para asentar su opinión:

> «Responen los dits senyors que no saben ne crehen que tal servitut sia en lo present Principat, ni sia may per algun senyor exhigida. Si axi es veritat com es lo dit capitol es contengut, com sia cosa molt iniusta e desonesta...»

[85] Acad., XV, pp. 527 b-538 a.
[86] Ed. Aubrun y Montesinos, versos 333-338.
[87] *Ibid.*, versos 2814-2818:

> «Comendador: Yo soy el comendador,
>   yo soy tu señor.

En *La Santa Juana,* un diálogo entre Lillo, lacayo del Comendador, y Crespo, novio villano, deja aflorar el recuerdo de la resistencia villana al «jus primae noctis». Una imagen predomina en este diálogo, y es significativo ya que consiste en decir que el señor que desflora a la novia cobra al hacerlo una especie de tributo eclesiástico que le quedaría reservado en prioridad:

> *Crespo:* ¿Quién será?
> *Lillo:* María.
> *Crespo:* ¿Marí Pascuala?
> *Lillo:* Esa ofrece,
> pues que sabello codicias,
> primicias de su hermosura
> a don Jorge.
> *Crespo:* Pues ¿es cura
> para llevar las primicias?[88]

La idea de un tributo pagado por las mujeres al señor vuelve a encontrarse en *La Dama del Olivar* en donde los villanos Ardenio y Montano consideran las exigencias amorosas del Comendador de Montalbán pecho tan infamante como el debido a los reyes moros según la leyenda de las famosas asturianas:

> *Ardenio:* De las malicias
> todas las mochachas marca.
> *Montano:* Aunque fuera el Moro entre ellas
> y Córdoba Montalbán,
> pues el pecho que le dan
> es cual el de cien doncellas...[89]

Otra pieza, en fin, en la que la negativa villana al derecho del señor de disponer de las recién casadas o las novias es transmutada en tragedia áspera y feroz, es *El mejor alcalde el Rey* (1620-1623, por la métrica). Lo significativo estriba en que Lope ha convertido este motivo en tema fundamental de su comedia mientras que su «fuente», la *Crónica general,* atribuida a Alfonso el Sabio y publicada por Ocampo, no lo mencionaba. La crónica en la que se inspiró el dramaturgo evoca sólamente una disensión entre un villano y un poderoso señor, por un asunto de tierras robadas.[90] Pero Lope

---

> «*Casilda:* No tengo
> señor más que a Pedro.»

[88] N. B. A. E., IX (II) p. 293 b. Recordemos también esta declaración de Don Jorge ante citada:

> «*Don Jorge:* Señor soy de vuestra hacienda,
> vuestras casas y mujeres,
> todo me ha de dar tributo,
> pues que vuestro dueño soy.»
>
> (*Ibíd.,* p. 288 b.)

[89] N. B. A. E., IX p. 222 b.

[90] El texto de Ocampo (citado por Menéndez y Pelayo, in *Estudios sobre el teatro de Lope de Vega,* IV, ed. cit., pp. 8-9) dice:

transpone el conflicto a un plano afectivo y amoroso haciéndolo más pasional: en lugar de tierras el señor roba la novia del villano; la lucha entre el señor y el vasallo resulta mucho más áspera y violenta.[91] En el momento en que ha de llegar el cura para consagrar el matrimonio de Elvira y Sancho, el señor, don Tello, interrumpe el festejo y manda que se deje para el día siguiente. Don Tello quiere ser el primero en gozar de la belleza de la novia; lo dice cínicamente, antes de que sus gentes rapten a Elvira, en una declaración en la que el desprecio por el vasallo se suma al desprecio por la mujer:

> *Tello:* Que era infamia de mis celos
> dejar gozar a un villano
> la hermosura que deseo.
> Después que della me canse,
> podrá ese rústico necio
> casarse; que yo daré
> ganado, hacienda y dinero
> con que viva, que es arbitrio
> de muchos, como lo vemos
> en el mundo. Finalmente,
> yo soy poderoso, y quiero,
> pues este hombre no es casado
> valerme de lo que puedo.[92]

Por ser inconcebible, por tradición, el derecho de pernada para un villano libre español, Sancho puede presentarse ante su señor y darle una lección de comportamiento noble fingiendo no dar crédito a las acusaciones que corren por la aldea:

> Dicen en el lugar (pero es mentira,
> siendo quien eres tú), que, ciego amante
> de mi mujer, autor del robo fuiste,
> y que en tu misma casa la escondiste.

«... Un Infanzón que morava en Galizia, e avía nombre Don Ferrando tomó por fuerça a un labrador su heredad, e el labrador fuesse querellar al Emperador, que era en Toledo, de la fuerza que le fazie aquel Infanzón... E el Emperador mandó luego enfocar ante su puerta e mandó que tornasse al labrador todo su heredamiento con los esquilmos.»

[91] Del mismo modo, en *Fuenteovejuna*, Lope hace motivo principal del conflicto a las aldeanas perseguidas por el señor, mientras que su fuente sólo mencionaba este motivo entre otros, siendo los más importantes los económicos y políticos:

«Había hecho aquel caballero mal tratamiento a sus vasallos, teniendo en la villa muchos soldados para sustentar en ella la voz del Rey de Portugal, que pretendía ser Rey de Castilla: y consentía que aquella descomedida gente hiziese grandes agravios y afrentas a los de Fuenteovejuna sobre comérselos sus haziendas. Ultra desto el mismo Comendador avía hecho grandes agravios y deshonras a los de la villa, tomándolos por fuerza sus hijas y mugeres, y robandoles sus haziendas para sustentar aquellos soldados que tenía, con título y color que el Maestre don Rodrigo Téllz Girón su señor los mandaba, porque entonces seguía aquel partido del Rey de Portugal.»

Anibal, in *The historical elements of Lope de Vega's Fuenteovejuna*, P. M. L., in A-1934, p. 660, escribe muy atinadamente: «The sexual element and his derivative, an eventually collective «concepto de honor», are not only amplified but capitalized.»

[92] Acad., VIII, p. 307 a.

¡Villanos! dije yo, tened respeto.
Don Tello, mi señor, es gloria y honra
de la casa de Neira, y en efeto
es mi padrino y quien mis bodas honra.[93]

La conclusión del drama es de las más enérgicas: don Tello, que se ha excedido en sus derechos legítimos de señor, será condenado por el Rey al castigo máximo y él mismo reconocerá que merece la pena de muerte:

Don Tello: Cuando hubiera mayor pena,
invictísimo señor,
que la muerte que me espera,
confieso que la merezco.[94]

Es verdad que don Tello será castigado de manera ejemplar por haber faltado a las órdenes reales, pero también por haber perpetrado un desmán condenado como exorbitante por la conciencia colectiva española: la violación a una vasalla.

En estas obras en las que interviene el motivo de la boda aldeana perturbada por el señor, interesa ver cómo, gracias a la inserción de sentimientos surgidos de las luchas históricas del campesinado español, los dramaturgos han enriquecido el contenido del tema. Recordemos que: en los orígenes fue un motivo de mascarada cómica para gente de la ciudad; también pudo ser pretexto de cuadros de opereta lírica y pintoresca; la irrupción señorial en la boda aldeana añade una nueva nota a las anteriores: a la «escena de género» divertida o colorista, más o menos prefabricada, hace suceder un conflicto y un combate históricos, y merced a ello, eleva a los personajes villanos al nivel de la tragedia.[95]

---

[93] Acad., VIII, p. 311 a.

[94] Ibid., 328 a.

[95] En El Burlador de Sevilla (fin del acto II y principios del acto III), Don Juan seduce a una novia aldeana en el momento de su boda. En esta ocasión interviene la exclamación del novio aldeano Batricio, al ver llegar al caballero:

«En mis bodas
caballero,
¡mal agüero!»

(Ed. Américo Castro, «La Lectura», ac. II, versos 748-749.)

La exclamación tiene un alcance que va mucho más allá de la situación teatral inventada por Tirso. La boda rústica (o el bautizo rústico) interrumpida por el noble, antes de ser motivo teatral, fue hecho histórico, todavía durante el siglo XVI, independientemente de cualquier derecho de pernada. De ello, tenemos ecos muy significativos en documentos referentes al pueblo de Laciana (Asturias). A lo largo del siglo XVI, este pueblo estuvo en conflicto con los poderosos condes de Laciana. Ahora bien, uno de los puntos de litigio atañe precisamente al derecho aldeano de celebrar colectivamente bodas y bautizos, de organizar festejos. El 17 de setiembre de 1527, García Buelta, en nombre del concejo de Laciana, al denunciar los atentados a las libertades del pueblo perpetradas por el conde (don Francisco de Quiñones), declaraba:

«... se avía acostumbrado en el dicho concejo de hazer bodas y bautizos e regocijarse en ellos e ofrecerse los parientes a los parientes e amigos... el conde les avía quitado e quitava las dichas bodas e bautizos...»

Una sentencia regia de 1528, que daba la razón en lo esencial a la recuesta de García Buelta, decretaba,

Ha llegado el momento de proponer una explicación de la existencia de esas obras excepcionales —una minoría, ya dijimos—, en las que se manifiesta así «el antifeudalismo en el seno del feudalismo». Independientemente de la realidad histórica de conjunto que constituyó la posibilidad para el villano castellano y leonés de ser un hombre mucho antes que sus hermanos de Occidente, ¿acaso no hubo otras causas más concretas en la creación de tales comedias? Ya hemos dicho muchas veces que el público para quien los dramaturgos imaginaban sus comedias era esencialmente aristocrático y urbano, dominado por la ideología aristocrática y feudal. Dentro de esta perspectiva, la aparición de la mentalidad de «señor moderno» a fines del siglo XVI y la influencia de los teólogos que definían las reglas de la moral social pueden explicar ciertas inflexiones teóricas o prácticas, propias de las piezas estudiadas. Pero ¿no habrá que seguir buscando más adelante? ¿No podría pensarse en una ampliación del público y, por ejemplo, en obras de encargo villano? Durante mucho tiempo hemos trabajado siguiendo esta hipótesis. Resultaba tentador, por ejemplo, pensar que la tragicomedia de *Peribáñez y el Comendador de Ocaña* había sido escrita con vistas a una representación en Ocaña, para el día de San Roque.[96] El encargo campesino (festejos del Corpus, de San Roque, de la Virgen de setiembre) existió efectivamente, y especialmente después de 1600. Fue más importante de lo que se piensa.[97] No obstante, es preciso decir que no hallamos rastro alguno de estreno aldeano, y el hecho que se destaca de nuestra encuesta es que los aldeanos siempre deseaban ver representar en sus pueblos las piezas consagradas por el éxito en las ciudades (Toledo, Madrid). Al fin y al cabo parece que la demanda aldeana se ha ido efectivamente a la zaga de los pedidos urbanos. Hasta tanto algún nuevo documento venga a probar lo contrario, nos veremos obligados a dejar de lado nuestra primera hipótesis.

En realidad, quizás sean razones autobiográficas de segundo plano, relacionadas con una intención satírica las que podrían constituir la causa ocasional de algunas «piezas de comendador» de Lope, que, como ya sabemos, fue el iniciador de esta moda. Indicamos antes que no obtuvo sino muy tardíamente el hábito al cual aspiraba.[98] En un estudio sobre *La desdicha por la honra*,[99] y teniendo en cuenta algunos pasajes de *La villana de Getafe* y un detalle de la intriga de *El galán de la Membrilla*, M. Bataillon sugirió que el Fénix debió sentir una viva amargura ante este fracaso; no es imposible, agrega M. Bataillon, que una sospecha en cuanto a la limpieza de su sangre haya sido origen del rechazo del hábito en los años 1610-1615. De confirmarse todos

---

entre otros puntos: «... que los vecinos puedan pescar libremente... que no se turben las bodas...». Debió de seguir el debate, ya que el 19 de noviembre de 1546 la Real Chancillería de Valladolid volvía a decretar:

> «... que los vezinos del dicho concejo pudiessen hacer las fiestas e regocijos que quisieran según costumbre en las bodas e bautismos, sin que el conde ni otra persona en su nombre no se los perturbasen...» (Cf. *Real carta ejecutoria expedida en Valladolid el 4 de julio de 1549 comprensiva de los pleitos del concejo de Laciana con los condes de Luna sobre jurisdicción de montes...*, Archivo del ayuntamiento de Villablino (Asturias).

(Esta «Real Carta» está reproducida en el trabajo de Melle Corrihon, *La vallée de Laciana*).

[96] Tenemos la prueba que había representaciones de comedias en Ocaña entre 1600 y 1640. Incluso se construyó un teatro hacia 1620.

[97] Véase nuestro artículo (con mapa): *Sur les représentations théatrales dans les «pueblos» des provinces de Madrid et Tolède (1580-1640)*, in B. Hi., 1960, LXII, pp. 398-427.

[98] Sólo en 1627 Lope recibió un hábito de San Juan. Cf. Rennert y Castro, *Vida de Lope de Vega*, Madrid, 1919, p. 311, n. 4.

[99] *La desdicha por la honra: génesis y sentido de una novela de Lope*, N. R. F. H., I, 1947, pp. 13-42.

estos hechos, entonces sí podrían ponerse en relación con las palabras de *Fuenteove-juna* y de *Peribáñez y el comendador de Ocaña* en donde unos villanos espetan que algunos Comendadores que ostentan una cruz en el pecho no tienen sangre tan lim-pia como la de los villanos. Detrás de las insinuaciones del villano, que clama su pu-reza nítida de cristiano viejo, estaría el resentimiento lopesco, expresado bajo el disfraz de una acusación muy difundida en la masa.[100]

Pero también es preciso señalar, amén de los hechos que acabamos de indicar, un último elemento que, a nuestro parecer, contribuye a explicar la aparición —problé-mática de por sí— de las «Piezas de Comendador» tanto en Tirso como en Lope. Nos planteábamos la pregunta de saber quién era el beneficiario con el título de Comen-dador de Ocaña por los años 1611-1613, en que muchos estudiosos sitúan la fecha de *Peribáñez y el Comendador de Ocaña*. La respuesta a nuesttro interrogante despierta el interés de quienes conozcan las malas relaciones que existían entre el duque de Ses-sa (amo de Lope) y Rodrigo Calderón por esos años; fue el propio Calderón.[101] Este personaje, como ya se sabe, se valía de su situación en el poder para acumular títulos y prebendas, y fue muy criticado por la opinión pública en esos años. Recibió la en-comienda de Ocaña en noviembre de 1611[102] y fue armado caballero por el propio du-

---

[100] Dejando de lado las declaraciones cristiano-viejas de Peribáñez, la reflexión que hace Belardo (Lope), en el momento en que el Comendador arma caballero al héroe villano no deja de intrigar por el doble sen-tido que la palabra «manchada» puede cobrar:

«Yo de mi burra manchada,
de su albarda y aparejo
entiendo más que de armar
caballeros de Castilla.»

(Versos 2252-2255)

Ya recordaremos que, al final de la pieza, Peribáñez declara al Rey:

«Yo soy un hombre,
aunque de villana casta,
limpio de sangre y jamás
de hebrea o mora manchada.»

(Versos 3032-3035.)

[101] Véase, a este respecto, *Epistolario...*, ed. Amezúa *passim*.

[102] Cf. Luis Cabrera, *Relaciones de las cosas sucedidas en la corte de España desde 1599 hasta 1614*, Ma-drid, 1857, p. 456: «De Madrid 22 de noviembre 1611»: «A don Rodrigo Calderón se ha dado la licencia que pedía,para dejar a Palacio y la ocupación de los papeles que tenía, los cuales entregó al duque de Ler-ma en el Pardo, y le han hecho merced de embajador de Venecia, por lo cual ha besado las manos a S. M., y con esto le han dado dos encomiendas, una de Santiago, que tenía el Secretario de Prada, que vale 2.500 ducados; y otra para su hijo segundo, de Calatrava, que vale otro tanto, y 8.000 ducados de ayuda de costa en un título de Marqués en Italia...»

Se encuentra confirmado in *Libros de genealogías de la orden de Santiago*, II (años 1600-1628), fol. 74 vº. La encomienda de Andrés de Prada era efectivamente la de Ocaña, ya que leemos, in ms. 12-4-3 - 1-31 (Colección Salazar Biblioteca de la Academia de la Historia, fol. 27 vº, año 1609: «En madrid a quince de abril del dicho año se despachó título de la encomienda de Ocaña al secretario Andrés de Prada por falle-cimiento de Don Fernando Luxán». Por la relación de Luis Cabrera, de 2 de julio de 1611, sabemos que Andrés de Prada falleció a finales de junio 1611, y que ya en ese momento se hablaba de dar esta encomien-da a Rodrigo Calderón.

que de Uceda en diciembre 1611;[103] ¿*Peribáñez y el Comendador de Ocaña* había sido escrita después de esa fecha, y especialmente en el período en que Rodrigo Calderón cayó en desgracia, en 1612, alejándose provisionalmente de España? ¿Acaso no habrá que suponer una intención denigrante para con el nuevo comendador de Ocaña, cuya limpieza de sangre era dudosa? Estamos cada vez más convencidos de que en esta intención malévola de un dramaturgo —relacionado con la vida de corte y muy adicto a su mecenas— hay que buscar la clave de una alusión ambigua de la famosa tragicomedia. En otros términos, una contradicción en el círculo de la nobleza (el mundo de los cortesanos dividido en bandos rivales) podría aclarar algunas de las extrañas declaraciones del villano de Ocaña. Sus proclamas «democráticas» no serían más que el envoltorio —la coartada— del desprecio aristocrático de algunos Grandes que veían con malos ojos las abusivas promociones del ambicioso Rodrigo Calderón, hijo de un oscuro hidalgo vallisoletano y de una dama oriunda de Amberes, de sangre poco limpia.[104] Gracias a esa contradicción anecdótica en el mundo de la nobleza, habrían pasado al escenario sentimientos auténticamente populares, que el recuerdo de las históricas luchas del campesinado español han insuflado al héroe villano.

Lo que sí es seguro —y esto no puede ser producto del azar— es que una interrogante similar, planteada a propósito de *La Dama del Olivar,* nos lleva también a Rodrigo Calderón y a sus parientes, a quienes gratificaba con prebendas. Ya vimos cómo la idea de una encomienda de Santiago en Montalbán (Aragón) no era invención novelesca de Tirso: allí se encontraba la Encomienda mayor de Aragón. Ahora bien, se le otorgó esta encomienda a partir del sábado de Quasimodo de 1613, a Francisco Calderón, padre del poderoso personaje.

Este hecho prueba que existe una relación entre algunas de las piezas de comendador y la conocida actitud de Rodrigo Calderón y sus familiares de acaparar cuantos beneficios y títulos podían. La convergencia de las respuestas a nuestros interrogantes es significativa y constituye un problema que no se puede dejar de lado.

Pero el conflicto del noble y del villano en la comedia, no es únicamente el del vasallo y del señor, y hemos de abordar el tercer aspecto bajo el cual se presenta: el de la oposición entre el villano y el militar noble. Ya se sabe que una de las actividades de la nobleza española, incapaz de adaptarse al mundo moderno, y, salvo contadas excepciones, poco inclinada al comercio (paso que había dado la nobleza inglesa en el mismo momento), fue la de los campos de batalla. Con las Indias, los tercios del Rey

---

[103] Cf. Luis Cabrera, *Op. ct.:* Madrid 18 de diciembre 1611»: «En complimiento de las mercedes que S. M. hizo a don Rodrigo Calderón cuando le proveyó para la embajada de Venecia, le ha dado el duque de Lerma el hábito de Santiago,y fue su padrino el de Uceda, y concurrió toda la corte en la iglesia de Santiago, donde le recibió; y después en presencia de todos le dio el Duque muy apretados abrazos.»

[104] Véase nuestro artículo, *Toujours la date de «Peribáñez y el Comendador de Ocaña», tragicomedia de Lope de Vega,* in *Mélanges offerts à Marcel Bataillon par les Hispanistes français,* Bordeaux, 1962, pp. 613-643.

[105] Cf. Luis Cabrera, *op. cit.,* «De Madrid 4 de mayo 1613»: «El mesmo día se publicaron nueve encomiendas, una al marqués de Tabara de 3.000 ducados, y la que él tenía de 2.000 a su hijo, y al de don Alonso de Córdoba otra de 2.000, y al del conde de Barajas otra de 1.500, y a don Diego, hermano del duque de Pastrana, de otro tanto y al nuevo marqués de Astorga, la de su padre de 4.000, y al hijo de Alonso de Benavides, que fue del consejo real, una de 500, y a don Juan de la Cueva otra de lo mismo, y al capitán Francisco Calderón, padre del conde de la Oliva, la encomienda mayor de Aragón, de la Orden de Santiago, que aunque no vale sino 600 escudos, se le da señoría por la premática...»

La relación anterior es del 6 de abril de 1613. De un pasaje que precede al que acabamos de citar, puede deducirse que el nombramiento tuvo lugar el sábado de Quasimodo de 1613 (en abril).

eran una solución para el hidalgo venido a menos. Se comprende que toda una corriente de la literatura y de las artes, especialmente después de 1600, haya tendido a la exaltación humana del guerrero: no puede negarse la admiración de Cervantes (¡el soldado de Lepanto!) por el militar ideal; Velázquez glorifica suntuosamente uno de los valores de la sociedad española de Felipe IV al pintar su extraordinaria *Rendición de Breda*. A esta consideración de la que parece haber gozado por lo general el militar en la literatura y las artes, hay que oponer los sentimientos más complejos que presenta la comedia de ambiente rústico. No está ausente la admiración por el ejército español, pero se yuxtapone, contradictoriamente y casi victoriosamente, a un sentimiento villano de hostilidad antimilitar innegable. Sobre este particular, parece que efectivamente irrumpió sobre las tablas la mentalidad rural de la realidad gracias al cuidado de los autores de no falsificar exageradamene sus tipos y escribir una «historia verdadera». La imagen idílica del perfecto militar correspondía, unilateralmente, al punto de vista de la clase aristocrática. En la medida en que los dramaturgos querían que sus villanos vivieran sobre el escenario, con verosimilitud, se veían obligados a respetar, por lo menos parcialmente, los sentimientos que en la realidad experimentaba el campesinado español del momento ante la mayoría de los militares (fueran estos nobles o no).

Ahora bien, la desconfianza y la hostilidad constituyen el aspecto más aparente de la mentalidad aldeana del momento, en lo que atañe al ejército. Desde hacía varios siglos ya, en Castilla, se acechaban mutuamente la gente de pueblos y gente de armas. Las gentes de armas se caracterizan por la violencia, la brutalidad, que llega hasta una barbarie despiadada. Acerca de todo esto, ¡cuántas quejas llegan, si bien tamizadas, a las Cortes de los antiguos reinos de León y Castilla, desde el siglo XIV! A fines del siglo XVI y a principios del siglo XVII, en el momento en que se sitúan nuestras comedias, la hostilidad de los aldeanos hacia los militares acantonados en sus pueblos alcanza límites extremos y si quisiéramos dar pruebas de esta actitud, podríamos citar numerosos textos.

Vayamos al *Memorial sobre el acrecentamiento de la labranza y crianza* de resume las quejas villanas expresadas ante las Cortes de 1598. ¿Qué leemos? Que los gastos, derivados del alojamiento de las tropas, son una de las causas de la miseria que azotó las aldeas de Castilla y León a fines del siglo XVI. Demasiados tercios han pasado por los pueblos, sin interrupción, desde hace varios años. Demasiadas requisiciones de víveres, ropas o vehículos, han asaltado a los aldeanos, a veces de modo brutal y excesivo. Demasiadas levas de conscriptos han diezmado las comarcas:

> ... la continuación que ha habido de hospedar y dar de comer opulentamente a los soldados qué de paso o por alojamiento han tenido en sus casas, tantos años ha que esto se usa, y con tan desaforados medios como algunas veces hay, y los que se han quintado para las guerras, y los vestidos con exceso, con el hábito que han hecho y lo que han dado a otros, porque vayan en lugar del a quien cupo la suerte, y la toma de bastimentos para las provisiones de exércitos y armadas que han continuado en estos, y las vexaciones de los comisarios y lo que ellos han sacado para su trato, ganancia y aprovechamiento, demás de lo que era necesario, y la lleva y acarreo de estas cosas, y los cohechos que han dado para que moderen su servicio, en tanto, que esto bastaba para ser mayor...[106]

---

[106] *Actas de las Cortes*, XVI, p. 751.

Este no es más que un fragmento de texto entre tantos. Los *Capítulos generales* redactados al terminar las Cortes del mismo año de 1598, describen las desastrosas consecuencias del paso de unas tropas por los campos. Los tercios dejan tras sí el desorden y la quiebra.[107] Los villanos tuvieron que abastecer la intendencia de trigo, carne ahumada, vino y otros víveres. Para satisfacer las exigencias de los soldados, se vieron en la necesidad de pedir préstamos, hipotecar las haciendas, vender sus bienes. hasta algunos tuvieron que dejar sus campos y trabajos para escoltar con carros y yuntas a los batallones. En resumidas cuentas, son tales los daños sufridos por los súbditos del Rey, que bien podría su Majestad mandar que se indemnizara de inmediato a los desdichados villanos despojados y esquilmados. Puede medirse la importancia dramática de los hechos que se evocan por la insistencia con la que «El Reino» evoca este mismo problema. El 21 de enero de 1599, se dirije otra vez a Su Majestad para llamar su atención sobre el desastrado caso de los villanos saqueados:

> ... que para la provisión de las armas y ejércitos de vuestra Magestad se han tomado muchos bastimentos, y de ellos y de las lievas y de lo que se ha dado para sustento de los hombres de armas, se deben muchas sumas de maravedís a concejos y personas muy necessitadas, a quien hacen gran falta, sin lo mucho que han gastado y gastan en su cobranza y ausencia, que hacen de sus casas, y haberlo dado a precios que los proveedores quieren que vuestra Magestad lo mande pagar con toda brevedad, pues es tan justo.[108]

¿Llegará esto a oídos del Rey? Seis meses más tarde, la cuestión sigue pendiente ya que interviene Hernando de Quiñones, procurador de León, capital de una región que parece haber sufrido de manera muy especial las exacciones militares bajo el reinado de Felipe III.[109] También él subraya los graves inconvenientes que, para los campesinos, se derivan de la obligación de hospedar a los militares. No es poca cosa tener en casa a un hombre de armas con su cabalgadura, su acémila y su criado. El intruso ocupa la mitad de la casa, la más cómoda, claro está. ¡Le corresponde la cama, el fuego, la luz, el aceite, el vinagre, la sal, el agua, amén de la paja y el pienso para los animales! También hay que lavar la ropa del militar e incluso prestar dinero que, naturalmente, jamás será devuelto al incauto villano. Ni qué decir tiene que el villano recela ir al trabajo, temiendo dejar al extraño dueño y señor de su hogar. Estos son los inconvenientes que recaen sobre los particulares, explica el procurador Hernando de Quiñones. Pero los hay más generales, que afectan al pueblo como colectividad. Los concejos de villas y lugares se empeñan también para cubrir los gastos generales que ocasiona la presencia del militar.[110]

El mal parece haber sido crónico, sin remedio. Unos diez años más tarde, por las *Actas de Cortes* del período 1612-1615, sigue alzándose, como un estribillo monótono y sin esperanza, la queja del villano: habría que aliviar a los pobres labradores arruinados por las gentes de armas, y sería necesario indemnizar sin demora a las víctimas de las requisas. La súplica es formulada el 12 de diciembre de 1611.[111] Vuelve a

---

[107] *Ibid.*, XVI, p. 628.
[108] *Actas de las Cortes*, XVIII, p. 95.
[109] Sesión del 14 de junio de 1600, tomo XIX, p. 377.
[110] Actas de las Cortes, XIX, p. 377.
[111] *Ibid.*, XXVII, p. 44.

aparecer un mes más tarde, el 17 de enero de 1612,[112] y otra vez el 25 de enero:

> ... que son muy vejados no siendo puntual la paga...[113]

¡Todo en vano! En la sesión del 24 de febrero, el Reino presenta a su Majestad un memorial para subrayar las tensiones existentes entre gentes de armas y labradores.[114] El Reino se ha informado detalladamente acerca de los inconvenientes ocasionados por la estancia de infantería y caballería en los lugares. Conoce los grandes gastos y los vejámenes sufridos por los labradores y las gentes sencillas, sabe que los rurales sufren de esta carga más que de cualquier otra imposición.[115] Los aldeanos hacen lo imposible para evitar el tener en casa a la importuna trilogía del hombre de armas, su caballo y su criado; algunos hasta prefieren pagar su tranquilidad a un precio que jamás podrán cancelar.[116] El mismo Memorial repite que el parásito militar sale de los pueblos en los que ha vivido sin satisfacer las deudas, sin pagar los carros que ha requisado. Por parte de los soldados, es corriente el subterfugio que consiste en no consignar en las «cartas cuentas» los múltiples gastos que ha ocasionado. Lo que tampoco arregla nada, son las frecuentes ausencias de los capitanes, de tenientes y oficiales contadores, que dejan a la tropa abandonada, sin mando ni vigilancia. Por eso porpone el Memorial que en adelante las guarniciones se instalen en los grandes centros, bajo control permanente de los oficiales.

Este Memorial, lo suficientemente elocuente, no parece haber provocado, como tampoco los anteriores, las medidas prácticas solicitadas al poder. Tres años después de haber sido expuestas, en la sesión del 24 de marzo de 1615,[117] debía abordarse una vez más el trágico tema de las «molestias y vejaciones» padecidas por las aldeas por donde pasaban los tercios. Al inconveniente del alojamiento, se sumaba el de los estragos de la leva. El campesinado castellano era una reserva de reclutas para el ejército real. Varios autores de los años 1600 atestiguan este hecho. Escribe Gutiérrez de los Ríos:

> «... ¿no sabemos finalmente que en nuestra Eapaña salen de los mejores y más valiētes soldados, de adōde reyna y se exercita la agricultura?»[118]

Lo que calla este autor es la manera frecuente de efectuar el reclutamiento. La sesión de las Cortes del 24 de marzo de 1615 permite conocer algo de ello en su Acta, al

---

[112] *Ibid.*, XXVII, p. 102.

[113] *Ibid.*, XXVII, p. 116.

[114] *Actas de las Cortes*, XXVII, pp. 205 a 207.

[115]   «... los grandes gastos que se hacen y vejaciones que reciben los labradores y gente mísera; que lo sienten mucho más que otra cualquier imposición y gravamen...»

[116]   «... y por vivir con alguna quietud la compran a peso de lo que pueden pagar, buscando con cualquier daño el dinero en que se conciertan para redimir sus vejaciones y excusar de no tener un hombre de armas y su caballo y criado en su casa...»

[117] *Actas de las Cortes*, XXXVIII, p. 152.

[118] Gutiérrez de los Ríos, *op. cit.*, fol. 248.

aludir a procedimientos condenables.[119] ¡Fácil es adivinar cuáles eran esos procedimientos! De que esta confrontación entre el mundo villano y el mundo militar haya degenerado a veces en disensiones y riñas, no podemos ponerlo en duda ya que más adelante, la relación habla de «las pesadumbres y muertes que suceden». Este no es un texto aislado. Un Memorial del 9 de abril de 1915 confirma que, en la primavera del mismo año operábase un reclutamiento por el campo y que, en numerosos lugares del reino, un batallón de la milicia se encontraba alojado en perjuicio del bien público.[120] A este respecto, parece que León sufrió de manera muy especial en este momento las exacciones militares. El 29 de abril de 1615 la ciudad de León escribía, en efecto, a las Cortes de Madrid, para informarle de los «delitos atroces» que estaban cometiendo los soldados acuartelados en llanos y montes leoneses. La carta es un verdadero llamado de auxilio, y pide al Rey su autorización para que el corregidor de León castigue a los culpables. Pero, una vez más, hay que comprobarlo, la queja no fue recibida; el propio Reino, favorable habitualmente a tal tipo de recuesta no consideró oportuno proceder rápidamente.[121]

Pero ¿para qué acumular los testimonios? Basten estos, ya que nuestro propósito era mostrar cómo los campesinos españoles de la realidad, hacia 1600, estaban hartos de los soldados y sus botas, y que las piezas teatrales en las que se ve al villano en pugna con el militar expresan, estilizándole, un rasgo típico de la mentalidad rural. No son numerosas, es cierto, las obras en las que el motivo fue plenamente desarrollado: *El alcalde de Zalamea* (anónimo), *La serrana de la Vera* (Luis Vélez de Guevara), *El alcalde de Zalamea* (Calderón). No obstante, no hay que olvidar que el tema está presente en muchas otras comedias de ambiente rústico como motivo secundario y pasajero.

El temor que inspiraban los agentes de la leva a los apacibles villanos aparece tempranamente en la pluma de Lope. En la *Comedia de Bamba* (1597-1598), Sancha toma

---

[119] El texto alude en forma velada a «las molestias y vejaciones que reciben los lugares de estos reinos y vecinos de ellos en la forma que se tiene de levantar las compañías de infantería...»
[120] *Actas de las Cortes*, XXVIII, p. 240:

> «... en muchas ciudades y villas de estos reinos hay un batallón de la milicia, y con tenerle, se ha visto y experimentado es de mucho daño para la república de los lugares...»

[121]*Ibid.*, XXVIII, p. 292, sesión del 7 de mayo de 1615:

> «... y tratado de lo que sería bien hacer, no pareció que en nombre del reino por ahora se haga diligencia en este negocio...»

[122] Acad., VII, p. 53. Cuando Lope trata teatralmente el tema del conflicto del soldado con el aldeano, no innova. Tenemos antecedentes de este motivo en el teatro primitivo. Ya en la *Farsa o cuasi comedia* (ed. M. Cañete, pp. 106-108) de Lucas Fernández, unos aldeanos tratan de parásito a un soldado que está acaparando los bienes del desgraciado campesino:

> «Andáis de aldea en aldea
> comiendo de guadrimaña:
> quien más puede, más apaña.
> Vivís de garabatea.
> ....
> Gallinas, pollos, ni pollas
> ni las ollas
> ño escapan de vuestras manos.

a los visigodos que han venido a ofrecerle a su marido la corona, por militares de leva. Teme que le saquen a su marido y destruyan su hogar. Es tal su sentimiento que para defenderse, se dispone a empuñar una lanza rústica y le aconseja a su marido que huya. El descrédito de los reclutadores es expresado igualmente en *El vaquero de Moraña* (1599-1603) en donde se ve a un capitán recorrer la sierra de Avila para reforzar los efectivos de su compañía. Cuando el capitán le pide al labrador de la Moraña que le entregue a sus gañanes, este le contesta que los villanos tiemblan al son del tambor como un gusano al estruendo del trueno.[123] Pronto se ve en el escenario a la recua lamentable de los reclutados por fuerza, maltratados por el alférez; el seudo-villano Antón protesta por las brutalidades de las que son víctimas los infelices:

> *«Antón:*   No habléis con tanta cólera
> que, aunque pobres, gente somos.»[124]

Entre él y el capitán se inicia un diálogo denso de hostilidad que hace presentir el enfrentamiento espectacular del villano y del militar, desarrollado más tarde en algunas comedias.[124] La hostilidad villana para con el ejército que ocupa el campo despunta también en *El príncipe perfecto* (1612-1618)[125] y en *La corona de Hungría y la injusta venganza* (1623), pese a las transposiciones novelescas. En esta última comedia los aldeanos apedrean a los militares.[126] Tampoco falta el tema en Tirso de Molina, aunque no se le conozcan comedias que lo tengan de tema principal. *Todo es dar en una cosa,*[127] que constituye la primera parte de una trilogía dedicada a los hermanos Pizarro, pone en escena a un soldado que, con un vale de alojamiento, se instala en

> Tocino, vino, cebollas,
> bollos, bollas,
> los huevos güeros y sanos...
> ....
> Sois milanera y langosta
> por las tierras donde vais.»

También les reprochan a los soldados el perseguir a las mujeres:

> «No se os escapa zagala
> por toda esta serranía.»

Algo más tarde, Torres Naharro, en la *Comedia Soldadesca,* presenta a unos soldados españoles hospedados en casa de campesinos italianos. Uno de estos intenta rebelarse contra los groseros que saquean sus reservas; pero naturalmente es incapaz de hacerlo (in *Propalladia,* ed. J. E. Gillet, vol. II, p. 169).

[123] *Ibid.,* p. 582 a.

[124] *Ibid.,* Esta es una fórmula de defensa de la persona humana contra las brutalidades de los soldados que le gustó a Lope. La encontramos casi al pie de la letra en *El poder vencido y amor premiado* (1610-1615, probablemente 1614). Belardo, villano, le espeta a un soldado:

> «Quedito, señor soldado,
> gente son los labradores.»
>
> (Acad. N., VIII).

[125] Acad., X, p. 517 a.

[126] Acad., N., p. 48. Cf. en especial la acotación: «Vanse los soldados y detrás los labradores tirándoles piedras.»

[127] Impresa por primera vez en la *Parte IV* (1635).

casa de una villana, exigiendo buena comida, reclamendo aves, criticando la comodidad del lecho rústico, y acaba molestando a la villana y queriendo abusar de ella.[128] La conducta del militar es castigada por su jefe, nada menos que Francisco Pizarro, cuyo retrato es idealizado por Tirso en un sentimiento de justicia y humanidad. *La mujer que manda en casa*[129] (fechada en 1612 por doña Blanca de los Ríos) cuya atmósfera es bíblica, pero que con ropajes del antiguo Israel reviste no pocos rasgos de historia contemporánea, presenta el mismo motivo, transpuesto en gama cómica: Coriolín que acaba de ser reclutado como soldado, evoca en una larga narración las comodidades que se ofrecen al militar cuando se instala en casa de una aldeana, viuda y pobre.[130]

Las tres piezas en las que realmente se desarrolla el motivo, *El alcalde de Zalamea* (anónimo), *La serrana de la Vera* (Luis Vélez de Guevara) y *El alcalde de Zalamea* (Calderón), han extraído de él, una gran fuerza dramática y la última es, con razón, una de las más célebres del repertorio español. Desgraciadamente, resulta imposible tener una idea precisa acerca de la fecha de *El alcalde de Zalamea I*, atribuida durante mucho tiempo a Lope. Bajo la forma en que conocemos esta obra, con seguridad no es del Fénix y lo único que puede afirmarse es su anterioridad a la obra maestra del mismo título debida a Calderón.[131] También es indudable que presenta semejanzas de tema y situaciones con *La serrana de la Vera* (1613), de Luis Vélez de Guevara. Tal vez nos permitiría llegar a una deducción cronológica el minucioso cotejo de ambas piezas. Como no poseemos certeza alguna actualmente sobre el particular, permítasenos empezar, por motivos de comodidad, por *La serrana de la Vera,* pese, tal vez, a la cronología.

En cuanto se levanta el telón el problema que enfrenta el viejo Giraldo, villano, al capitán Lucas de Caravajal, en *La serrana de la Vera* es el mismo que en los pueblos provocaba tantos disturbios y conflictos: el del alojamiento en casa de un vecino. Giraldo se niega a aceptar en su casa la presencia del capitán que quiere alojarse, porque está exento de tal carga por el concejo de Gargantalaolla:

> Pero en mi casa jamás
> se aloxó nadie, y sospecho
> que el concexo no lo ha hecho,
> ni el alcalde.[132]

El tono va subiendo poco a poco, ya que cada cual quiere ganar terreno sobre el adversario; la teatralidad —anuncio en más de un aspecto de la de Calderón— condensa indudablemente los rasgos reales de un conflicto vivido a diario:

> Capitán: Si he de llegar a enfadarme,
>   escusaldo vos.
> Giraldo: A mí
>   nunca me echaron soldados,
>   y no los he de tener.

[128] N. B. A. E., IX (II), p. 543 y ss.
[129] Impresa por primera vez en la *Parte IV* (1635).
[130] N. B. A.E., IX (II), p. 483 a.
[131] Esto se desprende de la comparación de los temas.
[135] Ed. Teatro Antiguo, p. 3.

Capitán:	Esto esta vez ha de ser,
	¡por vida del rey!
Giraldo:	Criados
	y vasallos suyos somos,
	pero no pienso serbiros
	en eso.
Capitán:	Yo sí mediros
	con la gineta los lomos,
	y hazer a palos aquí
	lo que por bien no queréys;
	que como encinas daréys
	el fruto mexor así.
Giraldo:	Idos, señor capitán,
	más a la mano; ¡por Dios!
	que ni enzina soy, ni vos
	soys el paladín Roldán
	para mostraros tan fiero
	conmigo en mi casa.[133]

Cuando Gila, la hija de Giraldo, vuelve de caza, apoya a su padre; el tránsito hacia los temas de serrana no es óbice para el desarrollo del motivo villano-militar: es más, la inserción del tema de la serrana le otorga mayor volumen al conflicto. La serrana Gila, más imperativa que su padre, le ordena al capitán que se vaya en el acto, se burla de él, lo injuria, acaba por apuntarle con la escopeta. Al capitán no le queda otra alternativa sino huir bajo las pullas y maldiciones de los villanos Vicente, Llorente, Mingo, Bras y Pascual, que acompañan a la serrana. Sus exclamaciones traducen sentimientos auténticamene populares:

Vizente:	Mala Pascua y mal San Juan
	le dé Dios, y nunca halle
	en toda la Vera apenas
	un soldado que le siga!
Llorente:	Todo el cielo le maldiga!
Mingo:	Pardiobre, que me dan venas
	de atordille desde aquí,
	Giraldo, con un guijarro.[134]
Bras:	Y si coxo de un chaparro
	una estaca yo.[134]

Si bien el capitán decide provisionalmente renunciar a su empeño y desistir de buscar reclutas en Gargantalaolla, abandonando el pueblo, es porque piensa volver con una compañía completa, incendiar las casas y violar a la villana que supo resistirle.[135] Lo que aquí es interpretado psicológicamente como el deseo masculino de vengarse y domar a una mujer huraña, no es más que la transposición de las violencias militares que solían producirse a menudo.

Luego sale la niña Madalena para relatar la ocupación de Gargantalaolla que acaba de hacer por la fuerza el capitán, acompañado esta vez de doscientos hombres; el

---

133 Ed. Teatro Antiguo, versos 100-118.
134 *Ibid.*, 403-412.
135 *Ibid.*, versos 474-481.

relato en romance contiene rasgos bien reales de actualidad: para intentar conmover a los militares, el concejo municipal les ha mandado traer para su abastecimiento, toda clase de víveres sacados de cuadras y graneros de los desgraciados villanos, becerros, ovejas, vacas, fanegas de trigo, gallinas, jamones de la sierra, cabritos, gansos, odres de vino; sin hablar de la gratificación de cien escudos entregada al capitán para que haga pasar a sus gentes por los pueblos vecinos de Cuacos, Valdeflor y la Venta.[136] El capitán logra entonces, con una promesa de matrimonio, ablandar a Giraldo y a su hija Gila. Giraldo, ingenuamente, acepta al oficial en su casa. El capitán pasa una noche con Gila y la abandona al amanecer.[137] Entonces esta, cruelmente desengañada, jura vengarse matando a cuantos hombres vengan a sus manos. A partir de ese momento de la acción, se impone definitivamente el tema de la serrana, pero hasta entonces puede decirse que el motivo de la oposición del militar y del villano se ha equilibrado con el otro.

De manera más nítida aún, *El alcalde de Zalamea I* suministra un desarrollo muy vivo del tema del conflicto histórico del villano y del militar, tan vivo que Menéndez y Pelayo llegó a pensar que el autor —Lope, según él—[138] había escrito una «historia verdadera» inspirándose de un hecho muy preciso. Conocido es el tema de *El Alcalde de Zalamea I:* dos capitanes seducen a dos muchachas del pueblo de Zalamea y las abandonan después, como lo hace el capitán de *La serrana de la Vera* de Vélez de Guevara. Pero las jóvenes no se vengan por sí mismas. Su padre, alcalde del pueblo, se vale de sus prerrogativas jurídicas para condenar a muerte a todos los culpables que logró apresar y los manda ejecutar. En esto llegó el rey Felipe II y le da la razón al alcalde. A propósito de esta intriga, Menéndea y Pelayo afirmaba, en sus *Estudios:*

> ... en cuanto a Lope, no tengo duda de que las cosas pasaron tal y como él las representa, y que hubo en Zalamea de la Serena un alcalde como el suyo (llamárase o no Pedro Crespo), que hizo en vindicación de su honor lo que en la comedia se contiene, acaeciendo esta memorable justicia en los meses que corrieron desde marzo de 1580 hasta febrero de 1581, durante la jornada de Felipe II a Extremadura para estar atento a las operaciones del ejército que a las órdenes del Duque de Alba invadió y conquistó Portugal. Es claro que ni los documentos oficiales ni los historiadores consignan un hecho que les parecería de poca importancia y de interés puramente doméstico; pero hablan en general, de los desafueros y tropelías de los soldados y de la dureza con que fueron reprimidos, y éste sería uno de tantos casos.[139]

Y para demostrar que su afirmación no carecía de fundamento, agregaba en nota:

> Basta fijarse en el bando severísimo publicado por Felipe II, en el Campo de Cantillana, el 28 de Junio 1580, en cuyo art. 3.º se lee: «Que ningún soldado, ni otra persona de cualquier grado ni condición que sea, ose ni se atreva de hacer violencia ninguna de mujeres, de cualquier calidad que sea, so pena de la vida.»[140]

---

[136] *Ibid.*, versos 1253-1383.

[137] Esta situación también la trata Lope en *Las dos bandoleras.* Aquí dos muchachas de Yébanes han sido seducidas por dos capitanes; los oficiales las abandonan, de modo parecido, al alba y se percatan del cruel engaño al oir el redoble del tambor.

[138] Esta atribución deriva del catálogo de Huerta (1785). El estudio de la versificacón sólo permite una conclusión para Morley y Bruerton: que la obra no es de Lope *(Chronology,* pp. 251-252).

[139] Ed. cit., VI, p. 175.

[140] Ed. cit., VI, p. 176.

Siguiendo la opinión del autor de los *Estudios* pensamos que, efectivamente, la obra pudo fundamentarse en una anécdota histórica y que su fuente esencial es más la realidad que los recuerdos literarios.[141] Nos limitaremos a ser menos categóricos que él cuando sitúa necesariamente dicha anécdota durante la campaña contra Portugal, desde mayo de 1580 hasta febrero de 1581, cuando Felipe II fue a Extremadura. Anécdotas como la que constituye el fondo de la comedia —excepto la condena del alcalde aldeano— las hubo por millares en la realidad. Es cierto, que el célebre maestre de campo don Lope de Figueroa, que es una de los personajes históricos de la pieza, figuró en efecto en el séquito de Felipe II, cuando este entró en Portugal para posesionarse de su nuevo reino, el 28 de febrero de 1581, pero este es el único punto preciso de historia «acontecimiental» que se puede sacar de la comedia. Por el contrario, por todo lo que sabemos del Felipe II de la realidad, nada nos permite pensar un instante que haya podido actuar, en determinado momento, camino de Portugal, como lo hace el Felipe II de la pieza: ¡darle la razón a un alcalde de pueblo que ha ejecutado a un capitán de su ejército! En este caso para el dramaturgo ha predominado la idea teatral del «rey para villanos», en contra de toda realidad histórica vivida. Si bien la fuente de *El alcalde de Zalamea,* ha de hallarse, según creemos, en la Historia, lo será de manera menos concreta y más diluida, dentro del conflicto general —y no sólo en Zalamea— entre villanos y militares, de una punta a otra de la península. La pieza es histórica en la medida en que expresa una mentalidad o una situación extendidas a toda una categoría social.

Max Krenkel[142] señaló, hace ya mucho tiempo, un cuento de Masuccio Salernitano (fines del siglo XV) que narra la historia de la violación de dos muchachas nobles de Valladolid por dos caballeros aragoneses pertenecientes al ejército de quien había de ser más tarde Fernando el Católico.[143] El rey obliga a ambos caballeros a casarse con las muchachas, a dotarlas y luego manda que les corten la cabeza. Menéndez y Pelayo tiene sobrada razón para rechazar el cuento de Masuccio Salernitano como fuente de *El alcalde de Zalamea;* las situaciones expuestas en el *Novelino* y la comedia no tienen en común más que un dato muy general: la violación de las jóvenes y el castigo de los capitanes. Pero la idea dramática fundamental de la pieza no aparece en la narración de Masuccio, a saber: la hostilidad de los villanos para con los militares, teñida por un conflicto de clases (no olvidemos que el capitán es noble, y como tal desprecia a los villanos) la idea de una justicia ejercida por el propio magistrado aldeano. En el cuento de Masuccio todo ocurre en el mundo cerrado de la nobleza, entre gentes de

---

[141] Las letras del tiempo evocan bastante a menudo el motivo de la muchacha aldeana enamorada del capitán que se aloja en casa de sus padres, y que huye disfrazada de hombre, para seguirle. Sin hablar de las comedias, citemos el romance: «En una aldea de Corte / que haze a la Corte aldea / alojóse un Capitán», in *Flor de varios romances nuevos y canciones, recopilados por Pedro de Moncayo,* Huesca, 1589, fol. 18. Pero el tema del enfrentamiento violento de aldeanos y militares no ha sido elaborado previamente por una larga tradición literaria.

[142] *Klassiche Bühnedichtungen der Spanièr herausgegeben und erklärt von Max Krenkel III. Calderón. Der Richter von Zalamea nebst dem gleichnamigen Stücke des Lope de Vega,* Leipzig. Johann Ambrosius Barth, 1887.

[143] *Il Novellino di Masuccio Salernitano restituito alla sua antica lezione da Luigi Settembrini,* Napoli, presso Antonio Morano..., 1874. Cf. p. 488: «Novella XLVII. Argomento. Lo signore Re di Sicilia in casa de uno cavaliero castigliano alloggiato. Doi de soi piu privati cavalieri con violenza togliono la virginitate a due figliole de l'oste cavaliero: il signor Re con grandissimo rincrescimento sentito, le fa loro per mogli sposare, e l'onore reparato, vole a la giustizia satisfare,e a doi soi cavalieri fa subito la testa tagliare.» El pasaje que interesa fue traducido por Menéndez y Pelayo, in *Estudios,* ed. cit., VI, p. 177.

la misma clase. En *El alcalde de Zalamea*, dos mundos con preocupaciones bien distintas chocan entre sí. El drama tiene como resorte esencial el sentimiento de la honra familiar, pero la oposición histórica de los militares y de los villanos es la que nutre este sentimiento.

En efecto, lo importante es que Pedro Crespo, el personaje principal de *El alcalde de Zalamea*, así como de la comedia de Calderón, sea una autoridad jurídica del pueblo. Es verdad que el Pedro Crespo de la primera pieza recuerda aún, a través de no pocos rasgos graciosos, a los alcaldes cómicos cuyos caracteres estereotipados fijamos ya al estudiar al «villano cómico»; aún no posee, como magistrado municipal, la gravedad, la dignidad y la grandeza humanas del Pedro Crespo calderoniano. Pero a otros aspectos ya es «trágico» y no cabe confundirle con los simples títeres dotados de palabra que vienen a ser los mecanizados alcaldes de tantas comedias. Su figura está a medio camino entre estos personajes y el héroe calderoniano y, en no pocos aspectos, este Pedro Crespo de la primera pieza vive ya, aunque menos densamente, el drama del Pedro Crespo de la segunda.

A los soldados que acaban de ocupar el pueblo de Zalamea, hace saber que está decidido a hacer reinar el orden. Pero ciertos capitanes nobles no quieren en tener en cuenta los avisos de un magistrado de aldea a quien desprecian como a todos los de su casta, e intentarán raptar a las dos hijas del propio alcalde, en el momento en que su compañía abandone el pueblo, camino de Portugal. Las muchachas, es cierto, son casquivanas y se prestan a ello. No obstante el rapto fracasa gracias a la vigilancia del alcalde y un sargento que había ayudado a los capitanes queda en manos de la policía aldeana. El tema del conflicto entre la justicia municipal y los militares se impone de manera decisiva en la pieza a partir de este momento. El sargento, apresado, es encarcelado de inmediato en el calabozo municipal y su detención es motivo para una escena muy teatral en la que se oponen —como posteriormente en Calderón— Pedro Crespo y el histórico e ilustre maestre de Campo, Lope de Figueroa. El general le pide al alcalde cuentas sobre el arresto del militar, pregunta por el lugar donde se encuentra. La ira de don Lope no logra turbar la calma del alcalde aldeano, seguro de estar en su derecho; como el general quiere que le informen del delito que llevó a su sargento al calabozo municipal, surge la respuesta, espectacularmente, bajo la forma de un bando proclamado a voces por las calles del pueblo:

> Esta es la justicia... que manda hacer el Rey nuestro señor, y su alcalde Pedro Crespo en su nombre... A este hombre, por infamador de doncellas, mándanle dar doscientos azotes: quien tal hace que tal pague.[144]

El sargento es paseado en burro por las calles del pueblo, rodeado de villanos armados con palos. El general don Lope se enfurece, otra vez, al ver que un magistrado de aldea trata de tal modo a uno de sus subordinados, pero se calma cuando sabe por boca de Pedro Crespo cuál es el delito castigado de esa manera. El general decide entonces consignar a sus tropas para evitar cualquier conflicto con los villanos: tal reacción dejará satisfecho a Pedro Crespo que pronuncia palabras de las que hay que decir que, si bien son un encomio de las virtudes militares españolas encarnadas en el ilustre don Lope de Figueroa, también son la clara confesión de la ausencia de tales virtudes en otros militares de la época:

---

[144] Acad., XII, p. 578 a.

Agora, señor, confieso
que hay entre soldados honra,
vergüenza y comedimiento.[145]

Pero los dos capitanes no han abandonado el proyecto de raptar a las hijas de Pedro Crespo en cuanto el general se ausente de Zalamea, y lo llevan a cabo con el consentimiento gozoso de las insensatas. Luego se burlan de las jóvenes, como lo hicieron los infantes de Carrión con las hijas del Cid.[146] Reprochándoles el ser villanas y bobas, les dicen que han querido vengarse en sus cuerpos del villano de su padre, quien les afrentara como militares en la persona del sargento. Y luego abandonan a las desgraciadas en el monte. Pedro Crespo, que salió en busca de sus dos hijas,[147] se encuentra de pronto frente a los dos ofensores: estos le atan a un roble para que pueda —dicen— contemplar el espectáculo de sus hijas vilmente prostituidas.[148] Puede observarse que la imagen de los militares presentada en la pieza, a pesar de los matices aportados por la presencia del gran Lope de Figueroa, no es nada halagüeña. Sin embargo, no basta con esto. Un humilde villano viene a quejarse ante el alcalde Pedro Crespo —liberado mientras tanto por uno de los suyos— de las depredaciones cometidas en sus escasos bienes por seis soldados alojados en su casa desde la noche anterior: no le dejaron ni pollo, ni gallinas, han matado a los becerros; nuestro hombre comprende la reacción de los aldeanos, cuando exasperados, bajo la dirección de Pedro Crespo, deciden armarse y tomar por sorpresa a los seis soldados durante la noche siguiente. La operación es jurídicamente legítima ya que estos seis soldados han entrado en la jurisdicción de Zalamea. Llegada la noche los soldados no están tranquilos, entre aldeanos a quienes presienten cada vez más hostiles. ¿Acaso los villanos no son enemigos del ejército —confiesa uno de ellos— por naturaleza y por principio?[150] Por suerte para los villanos, y en especial para Pedro Crespo, los capitanes raptores se encuentran entre los militares rezagados en Zalamea. Por lo tanto, al apresarlos Pedro Crespo con su tropa aldeana, no dejará de aplicar una venganza que coincidirá con la ejecución de una justicia rigurosa. Primero se las arregla para que los capitanes desposen a sus hijas; para salir del mal paso éstos fingen estar enamorados y tienden las manos a las muchachas en señal de aceptación. El matrimonio es debidamente tomado en acta por el escribano. Después informado de la llegada del rey Felipe II en persona, Pedro Cres-

---

[145] *Ibid.*, p. 579 b.

[146] No está ausente en el autor el recuerdo de esta situación, como lo prueba una palabra de Leonor, una de las hijas de Pedro Crespo. Cf. Acad., XII, pp. 584 b.

[147] Idéntica situación vuelve a encontrarse en *La serrana de la Vera* de Luis Vélez de Guevara, y en *La Dama del Olivar*, con la diferencia de que, en el primer caso es una serrana, y en el segundo, unos bandidos, quienes atan a la víctima. Al parecer, hubo en ello un recurso dramático de moda por los años 1610-1620. ¿Habrá que colegir de ello un dato aproximado para fechar *El alcalde de Zalamea*?

[148] Cf. Acad., XII, p. 584 a.

[149] *Ibid.*, p. 587 a, b.

[150] *Ibid.*, p. 589 b:

«*Alférez:* ....
quede el cortijo cerrado,
porque el hombre recatado
es señor de los que vienen.

«*Soldado:* Y más villanos, que tienen
siempre por razón de estado
querernos mal.»

po antes de ir a recibir al soberano, da órdenes para el suplicio de los dos recién casados, sus yernos. Cuando el rey quiere ver a los oficiales prisioneros le presentan una visión goyesca anticipada: ambos capitanes han sido estrangulados al garrote. Entonces se inicia un diálogo entre Pedro Crespo y el Rey, en donde se afirma la seriedad con la que asume aquél su función de alcalde. El Rey no puede por menos que dar la razón a cada respuesta de Pedro Crespo, ya que no ha hecho más que aplicar la ley. Así por ejemplo, el Rey pregunta por qué los capitanes, que son nobles, no fueron degollados,[151] Pedro Crespo le contesta imperturbable:

> Señor, como por acá
> viven los hidalgos bien;
> no ha aprendido a degollar
> el verdugo.[152]

El Rey no puede sino reconocer la dignidad de un alcalde que, en el ejercicio de sus funciones, ha sabido portarse con valentía.[153]

Como se ve, *El alcalde de Zalamea I* expresa los sentimientos antimilitaristas de los villanos tales como los conocemos, por otra parte, gracias a los domumentos históricos. El interés que presenta en relación con *La serrana de la Vera* de L. Vélez de Guevara consiste en trocar el motivo de la venganza de la serrana por el de la justicia de un alcalde aldeano, y de ese modo, oponer a los excesos de los militares una resistencia aldeana apoyada en el Derecho y el sentimiento monárquico.

Pedro Crespo, en efecto, ejerce justicia pero no pretende mas en nombre del Rey de quien emana todo poder legal. Esta confianza en el Derecho y en el Rey (es todo uno) corresponde a un estado de ánimo indudablemente histórico y más de un texto nos prueba el caráter pleitista de los campesinos españoles a fines del siglo XVI,[155] al

---

[151] *Ibid.*, p. 595 b.

[152] *Ibid.*, En este detalle del ajusticiamiento, puede medirse lo poco común del tratamiento aplicado a ambos capitanes nobles. A propósito de los privilegios de hidalgos en materia de justicia, F. Benito de Peñalosa y Mondragón dice in *Libro de las cinco excelencias de los españoles...*, Pamplona, 1629 , fol. 88:

> «La cárcel de los hijosdalgo ha de ser distinta de los demás y por esso se le suelen señalar sus propias casas guardas, o pleyto omenage, o las del Regimiento, o toda la Ciudad, o lugar donde viven. Y en algunos casos y a grandes caballeros, les dan por cárcel los castillos, o casas fuertes.
> «Por los delitos devē de ser cō menos rigor castigados. Y no se les deve dar penas ignominiosas, como son vergüenza, açotes, y galeras al remo. Ni tampoco pueden ser ahorcados, sino degollados sino es en los crímenes de lesae maiestatis divina, y humana.»

[153] *Ibid.*, p. 595 b:

> «*Rey:*   Valor es
> más que simpleza, el que tiene.»

Tal apreciación subraya de qué modo el Pedro Crespo de *El Alcalde de Zalamea I* se eleva ya por encima de los acostumbrados alcaldes, simplemente ridículos.

[154] También es esta la idea ímplicita en el desenlace de *El mejor alcalde el Rey*.

[155] Véase por ejemplo, Lope de Deza, *Gobierno político de agricultura*, fol. 37:

> «... y por la mayor parte de todos sus agravios no intentan otra venganza, ni les parece que ay con que hazer fieros, y satisfazerse, sino con el pleyto...»

par que su confianza en el poder regio. Para ellos frente a los señores y a los nobles, la realeza representaba la libertad y la justicia.[156]

El alcalde de Zalamea de Calderón, coloca en un lugar más elevado aún la dignidad de la justicia aldeana unida al sentimiento monárquico de los villanos. Pero también puede afirmarse que encumbra los valores militares mucho más que la primera pieza. En esta, son puestos en escena más bien los aspectos negativos del ejército, vistos así por los villanos en la realidad (el acuartelamiento en los pueblos). En la obra calderoniana, al contrario, hallamos bonitos cuadros, coloridos y pintorescos, de la vida militar y esta visión encomiástica del ejército ejerce una atracción sobre los propios aldeanos: el hijo de Pedro Crespo se alista y se siente orgulloso de lucir el uniforme por las calles aldeanas. Asimismo, mucho mas que el autor de la primera pieza, Calderón expresa el ideal militar de su tiempo, dándole más relieve aún a la figura legendaria de don Lope de Figueroa, quien, bajo una apariencia ruda, disimula un alma llena de grandeza y hondo sentido humano. Unicamente a través del oficial odioso, seductor de la hija de Pedro Crespo (Calderón concentra su intriga y su alcalde no tiene más que una hija, nada frívola al contrario de las dos descocadas de la primera pieza), aparece el ejército bajo un ángulo desfavorable. En este plano, en la comedia calderoniana se han desdibujado en cierto modo los sentimientos antimilitaristas de los villanos españoles. Es el problema de la honra personal y familiar de Pedro Crespo y el ejercicio de la justicia municipal (ya que el jefe de familia ofendido es al mismo tiempo el alcalde) lo que constituye el verdadero tema de la pieza. Sabido es que Calderón lo trató con excepcional dimensión y que, gracias a él, el personaje ridículo de tantas piezas se vuelve un héroe humilde, pero majestuoso, con un significado moral y social inmenso, al par que de una gran fuerza dramática. Por medio de este símbolo pensamos, siguiendo los pasos de Menéndez y Pelayo, que se expresó magníficamente el sentimiento municipalista castellano. El final de la pieza, en la comedia calderoniana, es tan trágico —pero más grandioso— como en *El alcalde de Zalamea I*, y es difícil no ver aquí el germen de ideas nuevas como ocurre en *Fuenteovejuna*. En ambos casos, el poder regio se encuentra ante un hecho consumado. Al llegar a Zalamea, el Rey estima que Pedro Crespo ha obrado acertadamente pero le niega a un villano la competencia requerida para sentenciar a muerte a un noble. Pide pues que el prisionero le sea entregado. Se levanta entonces una cortina y se ve al capitán supliciado, atado al garrote.[157]

---

[156] En nuestro estudio *La vida rural castellana en tiempos de Felipe II*, que mostramos que aproximadamente un cincuenta por ciento de los campesinos de Castilla la Nueva se habían librado de toda sujeción señorial, laica o eclesiástica, para pasar a ser realengos, ya sea por el canal de las Ordenes militares, ya sea directamente. Los demás aspiraban por lo general a la condición realenga.

[157] Se aquilata la teatralización de este final, y agreguemos, su carácter audaz, si se recuerda que los alcaldes ordinarios no podían juzgar sino causas menores. Hasta el propio Lope de Deza, quien, en 1618, solicita que los alcaldes ordinarios puedan extender su jurisdicción a varias causas civiles que no eran reconocidas de su competencia (los aldeanos, la mayoría de las veces, debían ir a las cabezas de jurisdicción), reconoce que las «causas criminales» no han de ser de su competencia. Con mayor razón no lo eran cuando el delincuente era noble. Cf. *Gobierno político de agricultura...*, fol. 119 r°:

> «... Que en las causas criminales fuesse lo mismo hasta prender, y recibir información, sin que se pudiessen yr a pedir executores, ni recetores, y sino fuesse el delito grave, como de muerte o mutilación de miembro, o otro ansí en que estuviessen obligados a remitir los presos, en los demás pudiessen los dichos Alcaldes ordinarios sentenciar, arbitrar, y componer sin que en esto interviniessen los de fuera.»

El hecho nuevo, el hecho decisivo en *El alcalde de Zalamea* calderoniano (como en algunas otras piezas estudiadas a propósito del conflicto de un noble y de un villano) estriba en que el villano es capaz de concebir el sentimiento de la honra. Como no es noble, no se venga con la espada —a la manera de los nobles— sino con el arma de la ley. Este hecho de la venganza de la honra del villano es tan insólito, tan poco común, que es preciso, así como en las demás comedias en las que el villano se venga de un noble, que la presencia del Rey ratifique dicha venganza al final del drama.

* * *

Así es que el tema del conflicto entre el villano y el noble puede aparecernos bajo tres aspectos: el del villano y el hidalgo ridículo, el del vasallo y el señor, el del aldeano y el militar. Si bien en el teatro, en el primer tipo de conflicto no se alcanza una tensión dramática, no ocurre lo mismo con los otros dos: la oposición cobra entonces el aspecto de un antagonismo moral o sentimental, y la honra reivindicada por el villano llega a ser el resorte de la tragedia. Desde este punto de vista, y en la medida en que la mujer constituye el meollo del drama, podría pensarse que la comedia de ambiente rústico adopta el esquema tradicional de la confrontación del noble y del villano, ya elaborada por la pastorela medieval. Ya se sabe, en ese género, suele ocurrir que el noble sea rechazado por la villana en provecho del villano. En realidad, los dramas de la honra villana ponen en juego sentimientos e ideas harto más complejos que en la pastorela medieval y, sin una referencia al trasfondo de las luchas históricas del campesinado español, no sería posible captar la riqueza de estas acciones teatrales. Pese a que las tragedias de la honra villana no se situan en un terreno claramente social o político (un enamorado que defiende su amor, un padre que proteje a su hija, etc...) expresan en el plano estético situaciones vividas históricamente. El lenguaje monárquico con el que son formuladas permite la expresión de sentimientos auténticamente villanos en estas piezas —aunque las impregna la ideología aristocrática y a pesar de que están escritas para un público dominado por dicho ideal. Conforme a los sentimientos reales de un campesinado que recordaba el papel antiseñorial desempeñado por la monarquía a fines del siglo XV, nuestros campesinos llevan a cabo la lucha en nombre del Rey contra los opresores nobles. La aparición del soberano, en el desenlace de la pieza con este tema de conflicto, simboliza por otra parte, la solución ideal que el estado monárquico pretendía aportar a los antagonismos de clase de que el Estado existe para mantener dentro del orden y de la buena voluntad recíproca, la dominación de los nobles, sin por ello aplastar a los villanos bajo la violencia señorial. El Rey —demostraban los teorizantes— es el árbitro y el protector de todos, a condición de que las relaciones sociales no sean puestas en tela de juicio en lo que tienen de fundamental. En otras palabras, el Rey era ese Estado a propósito del cual escribe Hegel que es un «Individuo» (en el sentido etimológico) queriendo decir con ello que en una sociedad determinada no hay un elemento que puede abtraerse de la unidad esencial. ¿Cuál es en definitiva el contenido histórico de estas comedias del honor y de la honra villanas? Son una tentativa de «comprender» (abarcar) algunos de los conflictos internos de la sociedad monárquico-señorial y para dominar el enmarañamiento de sus contradicciones mediante un como milagro ideológico. Gracias al sentimiento monárquico y a la aparición de la figura regia en el desenlace, los problemas acumulados desaparecen en una ausencia de problemas o, mejor, parece que recibieran solución y no quedan abiertos sino cancelados como un decreto. En definitiva, la unanimidad en torno al Rey que emergía de esas comedias permitía esfumar los desacuerdos existentes en el seno de la sociedad monárquico señorial y daba a los espectadores la ilusión de que era coherente, acabada, definitiva.

CONCLUSION

Al llegar al término de este largo estudio —demasiado extenso, tal vez— es oportuno detenernos a contemplar los resultados que hemos obtenido. Al seguir cronológicamente los diferentes motivos que podían clasificarse de alguna manera dentro de las rúbricas de «villano cómico», «villano útil y ejemplar», «villano pintoresco y lírico» y «villano digno», hemos visto aparecer los distintos niveles de significado del tema villano. Un tema en efecto, en literatura como en música, es, por esencia, proteiforme, variado, cambiante. Pocas veces presenta una sola cara y un sentido único. Posee varios seres a la vez. Intentamos, precisamente, demostrar cómo algunos temas villanos se fueron formando y deformando desde los orígenes del teatro castellano, a finales del siglo XV, hasta los tiempos de la comedia nueva, hacia 1580-1640, cuando todos sufrieron la influencia determinante del Fénix de los ingenios. Vimos, a propósito de algunos personajes cómo se elevaron desde lo cómico hasta el nivel superior de lo trágico, sin olvidar por ello sus orígenes cómicos. Determinado motivo rústico puede entrañar juntamente lo cómico y lo ejemplar, lo lírico y lo cómico, lo ejemplar y lo trágico, etc... Por eso nos fue posible encontrarlo sucesivamente en algunas de las varias categorías que instituimos mediante un análisis que tendía a reconstituir las líneas rectoras del tema villano considerado en su conjunto. Esto ocurre, por ejemplo, con la «boda aldeana», que puede, alternada o simultáneamente, presentar resonancias cómicas, líricas, pintorescas y hasta trágicas. De una inflexión a otra el paso se da mediante simples modulaciones de acento, leves diferencias de tono. En la manera de acentuar un texto consiste precisamente, cuando ya está escrita la obra, la escenificación y el juego de los actores. Por ejemplo es fácil imaginar la representación de una comedia como *Peribáñez y el Comendador de Ocaña* bajo enfoques muy distintos, unos llevándonos al mundo de la parodia cómica, otros, por el contrario, proporcionándonos las emociones de la poesía o los estremecimientos de la tragedia. La pluralidad virtual de significados de los motivos villanos en la comedia, ese es el primer concepto que quisiéramos ver destacado nítidamente, al final de una investigación en la que el escalpelo del análisis, por las muchas disecciones, quizás destruyera algo de vida en los tejidos de la obra. Unicamente una historia literaria total, que diera cuenta de todos los aspectos de las obras *a un mismo tiempo* podría abarcar la riqueza de su contenido estético e ideológico. Hemos intentado aislar algunos de los elementos por considerar, procediendo así a un esclarecimiento que posiblemente permita a otros realizar la necesaria síntesis.

Una de nuestras mayores preocupaciones ha consistido también en buscar la parte que le compete a la idealización y la que le corresponde a la realidad en los temas esenciales de la comedia de ambiente rústico. De resultas de ello queda claro que la comedia —según la escuela de Lope— es un teatro poético, pero esta poesía tiene bases de realidad. Esta comedia proporciona simultáneamente un reflejo, una negación y una idealización de la realidad. Incluso la idealización misma obedece a las exigencias ideológicas del momento en que fueron escritas las piezas (propaganda de retorno a la tierra, propaganda monárquica, modas del disfraz rústico, gusto por las canciones tradicionales, etc...) En el fondo, nos encontramos aquí con el problema de la verdad poética según Aristóteles —la «mimesis»— (la «historia verdadera» dicen algunos poetas, al final de la obra, recordando al parecer a los comentaristas aristotélicos).[1] Mas la comedia no es una imagen más o menos fiel de la vida en el sentido que le daba el «naturalismo» de la escuela de Medan a la expresión «un trozo de vida». Sí, lo es, pero de manera muy distinta y nada más erróneo que la tendencia a usar como documentos de historia social textos cuya característica primera es la de ser eminentemente poéticos. Conviene hacer lo contrario y lo intentamos partiendo de los testimonios históricos, exteriores a las obras, para aclarar estas en su coincidencia o no-coincidencia con la realidad. Así es como se va descubriendo la vida de una sociedad pero no sólo bajo forma de un reflejo simple y directo; está presente la realidad, en su totalidad doble y contradictoria, con sus elementos psicológicos (el ensueño, la sensibilidad, los mitos, los ideales) y no únicamente en sus aspectos materiales. Unicamente la referencia a documentos objetivos, que tuvieran relaciones bien claras con la sociedad de la que emanan, podía permitirnos precisar los complejos vínculos que unen a la literatura con su medio ambiente. pero tampoco hay que interpretar como realidad la ilusión realista que querían lograr autores cuyo juego poético tenía por misión divertir a un público aristocrático y urbano, afanoso de huir de su mundo por medio de la imaginación. Mediante abundantes y sabrosas alusiones a la vida rural concreta (alusiones escogidas sistemáticamente, organizadas y repartidas con maestría), los dramaturgos creaban en el escenario esa verdad «esencial» (en sentido etimológico) y no particular o anecdótico, que recomendaban los teóricos aristotélicos hacia 1600, como por

---

[1] Para los contemporáneos la comedia lopesca constituía, sin duda alguna, un hermoso ejemplo de «imitación» aristotélica. Cf. León Pinelo en el poema panegírico publicado en 1636, con la *Fama Posthuma* de Montalbán:

«Nuevos preceptos a su nueva forma
dio con ingenio y arte, y por él solas
viven hoy las comedias españolas;
su musa las informa
desde su ser primero
tan ajustadas moralmente al trato
que son de las costumbres fiel retrato;
al gusto lisonjero,
y si no es otra cosa la poesía
que imitación en verso ¿quién acusa
que procure su Musa
nuevas imitaciones
de modernas acciones?»

Se ha subrayado con acierto los aspectos antiaristotélicos de la «comedia nueva», pero no se ha insistido lo suficiente en el hecho de que superar y dejar atrás las reglas clásicas integraba en sí una parte de la lección aristotélica, la que atañe a la definicón de la verosimilitud.

ejemplo López Pinciano. Para Aristóteles, la «imitación» («mimesis») consistía en mantenerse fiel al objeto expresado, sin copiarlo servilmente. Por su parte, el *Arte Nuevo de hacer comedias* recomendaba ponerse al unísono con los sentimientos del público, para hacerle vibrar y provocar su «simpatía». Mas cómo hacerle vibrar si no es interpretando estéticamente sus propias tendencias y sentimientos? Lope y los dramaturgos de su época lo lograron muy bien en las piezas en las que trataban el tema villano.

Hemos insistido reiteradamente en la idea de que este tema lo fue primero de un público: el público aristocrático y urbano, dominado por la ideología monárquico-señorial. Unicamente dentro de esta perspectiva puede atisbarse la unidad profunda de los motivos más allá de su diversidad. Sin embargo hemos visto que la «estética realista» (la búsqueda de la verosimilitud) en que se inspiraba la creación de los dramaturgos, les llevó a expresar a través de la ideología aristocrática dominante las luchas históricas de los campesinos españoles. Los aspectos de la vida rural que podían ser objeto de representación cómica o poética —cuando aparecen las grandes obras del género — ya están seleccionados y elaborados por una tradición literaria establecida. Pero lo maravilloso de algunas piezas —una minoría de obras que aparecen después de 1608-1610 aproximadamente— estriba en renovar esos temas dando cabida a sentimientos por donde corre el hálito de la historia popular. Entonces la comedia de ambiente rústico no sólo presenta a los villanos españoles bajo las apariencias de un ballet, divertido, edificante o pintoresco; ahora alcanza una verdad superiormente humana y por ende, universal, capaz de conmover a públicos muy diferentes del primero, para el cual había sido creada, más allá de los siglos y de las fronteras. Los héroes villanos que entonces salen al escenario llegan a ser símbolos, entran en la categoría de lo que Aristóteles llamaba el «mito», categoría en la que la historia colectiva se lee en las líneas de un destino individual. Así es como para muchos hombres de hoy y de mañana, obras como *Fuenteovejuna, Peribáñez y el Comendador de Ocaña, El alcalde de Zalamea* siguen y seguirán significando la lucha heroica del pueblo español contra sus opresores. Esta lucha fue la que nos invitó, hace ya casi cuarenta años, a dedicarnos a los estudios hispánicos. Del éxito de esa lucha estamos tan seguros como de la victoria final de los villanos de *Fuenteovejuna,* de Peribáñez o de Pedro Crespo, y en homenaje a todos sus mártires, ilustres o desconocidos, hemos escrito este trabajo, en el que la erudición sólo ha sido un medio para volver a encontrar el movimiento de la vida y sus conquistas.

ABREVIATURAS EMPLEADAS

Acad. = *Obras de Lope de Vega*, publicadas por la Real Academia Española, Madrid, 1890-1913, 15 vol.

Acad. N. = *Obras de Lope de Vega*, publicadas por la Real Academia Española (nueva edición), 1916-1930, 13 vol.

Aguilar = Lope de Vega Carpio, *Obras escogidas. Teatro*, Madrid, Aguilar, 1946.

Aguilar, I, II = Tirso de Molina, *Obras dramáticas completas* (ed. crítica por Blanca de los Ríos), Madrid, Aguilar, 1946-1958, 3 vol.

Aguilar, O. L. de V. = Lope de Vega Carpio, *Obras escogidas. Teatro*, Madrid, Aguilar, 1946 (oeuvres attribuées à Lope de Vega, mais non de lui, comprises dans ce volume).

A. H. N. = Archivo Histórico Nacional, Madrid.

B. A. E. = Biblioteca de Autores Españoles de Rivadeneyra, Madrid, 1846-1880.

B. hi. = *Bulletin hispanique*, Bordeaux.

Bibl. Romanica = Bibliotheca Romanica.

B. N. Madrid = Biblioteca Nacional, Madrid.

B. N. Paris = Bibliothèque Nationale, Paris.

B. R. A. E. = Boletín de la Real Academia Española, Madrid.

B. R. A. H. = Boletín de la Real Academia de la Historia, Madrid.

Clás. castell. = Colección de clásicos castellanos de *La Lectura*, Madrid.

Clás. Sá da Costa = Colecçao de Clássicos Sá da Costa (Gil Vicente, *Obras completas*, ed. Marques Braga, Lisboa, 1942, 6 vol.).

Comed. escog. de los mej. ing. de Esp. = Comedias escogidas de los mejores ingenios de España, 1652-1704 (B. N. Madrid).

C. S. I. C. = Consejo Superior de Investigaciones Científicas, Madrid.

Hom. a M. Pidal = *Homenaje ofrecido a Menéndez Pidal*, Madrid, Librería y casa Editorial Hernando, 1925.

H. R. = *Hispanic Review*, Philadelphia.

Memorial Hist. Esp. = *Memorial Histórico Español*, Madrid (Acad. de la Hist.).

N. B. A. E. = Nueva Biblioteca de Autores Españoles (Comedias de Tirso de Molina, ed. Cotarelo y Mori), Madrid, 1906-1907.

N. R. F. H. = *Nueva Revista de Filología Hispánica*, México.

Publ. of the Mod. Languages Assoc. of America = *Publications of the Modern Languages Association of America*, Baltimore.

R. A. B. M. = *Revista de Archivos, Bibliotecas y Museos*, Madrid.

R. A. E. = *Real Academia Española*, Madrid.

R. F. E. = *Reviasta de Filología Española*, Madrid.

R. Hi. = *Revue hispanique*, Paris-New-York.

R. y F. = Razón y Fe, Madrid.

Z. Rph. = *Zeischrift für Romanische Philologie*, Halle.

FUENTES Y BIBLIOGRAFIA

Nota Bene.— Consignamos aquí los documentos y estudios (impresos) que nos han ayudado a aclarar el tema en su conjunto. Para algunos puntos preciso, tratados en el curso del trabajo, hemos insertado en nota datos bibliográficos complementarios que nos parecían útiles. Los manuscritos utilizados, que sólo atañen a aspectos particulares de una cuestión, están indicados en su momento oportuno.

Actas de las Cortes de Castilla (ed. R. A. E.), Madrid, 1862-1918, 41 vol.

AGUILAR, Gaspar de: *Comedias,* in B. A. E., XIII.

ALONSO CORTÉS, Narciso: *Cantares populares de Castilla, R. Hi.,* 1914, XXXII.

AMEZÚA, Agustín de: *Una colección manuscrita y desconocida de comedias de Lope de Vega Carpio,* Madrid, 1945.

Anales de Madrid de León Pinelo (reinado de Felipe III, años 1598 a 1621), ed. R. Martorell Téllez Girón, Madrid, 1931.

ANGULO, Juan de: *Relación de las fiestas de la conversión de Inglaterra (Toledo)* (ed. Alvarez Gamero, Santiago), *R. Hi.,* 1914, XXXI.

ANIBAL, C. E.: *The historical elements of Lope de Vega's Fuenteovejuna* (Publ. of the Mod. Languages Assoc. of America), Baltimore, 1934, XLIX, p. 657-718.

ARCO Y GARAY, Ricardo del: *La sociedad española en las obras dramáticas de Lope de Vega,* Madrid, 1942.

ARRIETA, Juan de Valverde: *Despertador que trata de la gran fertilidad, riquezas, baratos, armas y caballos que España solía tener: y la causa de los daños y falta con el remedio suficiente,compuesto por el Bachiller Juan de Valverde Arrieta estante en la Corte.* Madrid, casa de Guillermo Drouy, impressor de libros. Año de 1581 (B. N. Madrid).

BACON, George U.: *The comedias of Montalbán, R. Hi.,* 1907, XVII.

BAL Y GAY, Jesús: *Treinta canciones de Lope de Vega* (Residencia de Estudiantes), Madrid, 1935.

BARBIERI, Francisco Asenjo: *Danzas y bailes en España en los siglos XVI y XVII,* in *La Ilustración española y americana,* 1877, XXI, p. 330 sq., 396 (B.N. Madrid).

BATAILLON, Marcel: *Annuaire du Collège de France, 46ᵉ année,* Paris, 1946 et 1947-1948, XLVII.

— *Los «caballeros pardos» de Las Casas, Symposium,* Syracuse-New York, May 1952, p. 1-22.

— *Le «clérigo Las Casas» ci-devant Colon, réformateur de la colonisation, B. Hi.,* 1952, LIV, n.º 3-4, p. 245-276.

— *«La desdicha por la honra»: génesis y sentido de una novela de Lope, N. R. F. H.,* México, 1947, I, p. 13-42.

— *Érasme et l'Espagne,* Paris, 1937.

BATAILLON, Marcel: *La nouvelle chronologie de la «comedia» lopesque: de la métrique à l'histoire*, B. Hi., 1946, XLVIII, núm. 3, pp. 227-237.

— *«El villano en su rincón»*, B. Hi., 1949, LI, núm. 1, pp. 5-39.

— Encore *«El villano en su rincón»*, B. Hi., 1950, LII, núm. 4, p. 397.

BLECUA, José M. (y ALONSO, Dámaso): *Antología de la poesía española, poesía de tipo tradicional*, Madrid, 1956.

BOAYSTEAU, Pierre: *Le théatre du Monde*, traducción española en 1569 por Baltasar Pérez de Castillo (B. N. Madrid, 4717).

CABRERA, Luis: *Relaciones de las cosas sucedidas en la corte de España desde 1599 hasta 1614* (ed. Madrid, 1857) (Bibl. Acad. de la Hist.).

CAJA DE LERUELA, Miguel: *Restauración de la abundancia de España, o prestantísimo, único y fácil reparo de la carestía general*, Nápoles, 1631 (B. N. Madrid).

CALDERÓN DE LA BARCA, Pedro: *Comedias y entremeses*, in B. A. E., VII, IX, XII, XIV.

— *Autos sacramentales* (ed. Pando y Mier), Madrid, 1717 (B. N. Madrid).

CAMOS, Marcos Antonio de: *Microcosmia y gobierno universal del hombre christiano*, Barcelona, 1592 (B. N. Madrid).

Cancionero musical y poético del siglo XVII recogido por Claudio de la Sablonara, y transcrito en notación moderna por... Jesús Aroca, 1916 (B. N. Madrid, M. 4332).

Cancionero musical de Palacio de los siglos XV y XVI, édité par F. A. Barbieri, Madrid, 1890.

Cancionero de romances en que están recopilados la mayor parte de los romances castellanos que fasta agora se an compuesto, Amberes, Martín Nucio, sin año (B. N. Madrid, R. 8415).

Cancionero de Upsala, !556, publicado por R. Mitjana, Upsala- Málaga, 1909.

CARO, Rodrigo: *Dias geniales o lúdricos (1626 ?)*, in *Obras de R. Caro* (2 vol.), ed. Bibliófilos andaluces, Sevilla, 1883-1884.

CÁSAS GASPAR, Enrique: *Ritos agrarios. Folklore campesino español*, Madrid, 1950.

CASTILLO DE BOBADILLA, Jerónimo: *Política para corregidores y señores de vasallos, en tiempo de paz y de guerra*, Madrid, Luis Sánchez, 1597, 2 vol. (B. N. Madrid).

CASTRO, Américo: *Algunas observaciones acerca del concepto del honor en los siglos XVI y XVII, R. F. E.*, III, 1916.

— *España en su historia: cristianos, moros y judíos*, Buenos Aires, 1948.

— *Lope de Vega y La casa de Alba, R. F. E.*, 1918, V.

(Véase también RENNERT Y CASTRO.)

CEJADOR Y FRAUCA, Julio: *La verdadera poesía castellana. Floresta de la antigua lírica popular*, Madrid, 1921-..., 10 vol. (B. N. Madrid).

CERVANTES SAAVEDRA, Miguel de: *El Ingenioso Hidalgo Don Quijote de la Mancha* (ed. Francisco Rodríguez Marín), Madrid, 1947-1948.

— *La Galatea*, ed. Luis Carlos Viada y Lluch (Biblioteca de grandes maestros), Barcelona, 1926.

COCK, Henrique: *Relación del viaje hecho por Felipe II en 1585 a Zaragoza, Barcelona y Valencia* (publicado por A. Morel-Fatio et Antonio Rodríguez Villa), Madrid, 1876 (B. N. Madrid).

Colcción de autos, farsas y coloquios del siglo XVI (ed. L. Rouanet), Barcelona, 1904, 4 vol.

Coleccion de entremeses, loas, bailes, jácaras y mojigangas desde fines del siglo XVI a mediados del XVIII (ed. Cotarelo y Mori), in N. B. A. E., XVII-XVIII, Madrid, 1911.

COMBA, Juan: *La Indumentaria del reinado de Felipe IV en los cuadros de Velázquez en el Museo del Prado* (in *Revista de la sociedad de amigos del Arte*), 1922-1923.

Comedias escogidas de los mejores ingenios de España, 1652-1704 (B. N. Madrid).

CORREAS, Gonzalo: *Arte grande de la lengua castellana*, 1626 (ed. Viñaza, 1903).

— *Vocabulario de refranes y frases proverbiales y otras fórmulas comunes a la lengua castellana* (ed. R. A. E., 2.ª ed., 1924).

Cortes de los antiguos Reinos de León y Castilla (ed. Real Acad. de la Hist.), Madrid, 1861-1903, 7 vol.

COTARELO Y MORI, Emilio: *Bibliografía de las controversias sobre la licitud del teatro en España*, Madrid, 1904.

COTARELO Y MORI, Emilio: *Vida y obras de Tirso de Molina*, N. B. A. E., IV, IX, Madrid, 1935.

—*Bibliografía de Lope de Vega*, Boletín de la Real Academia Española, XXII, 1935, pp. 649-656.

COVARRUBIAS, Sebastián de: *Tesoro de la lengua castellana o española*, Madrid, 1611.

CRAWFORD, J. P. W.: *The pastor and the bobo in the spanish religious drama of the six-teenth century*, R. R., 1911.

— *The spanish drama before Lope de Vega*, Philadelphia, 1922.

— *The spanish pastoral drama* (publication of the University of Pensylvania, extraseries, Romanic Languages and Literatures, 1915, núm. 4 (Bibl. C. S. I. C., Madrid).

CRUZ, Jerónimo de la: *Defensa de los estatutos y nobleza española. Destierro de los abusos y rigor de los informantes*, Zaragoza, 1637.

CRUZ, Ramón de la: *Colección de Colección de sainetes tanto impresos como inéditos*, Madrid, sin año (B. N. Madrid).

CUBILLO DE ARAGÓN, Alvaro: *Comedias escogidas de Cubillo de Aragón*, 1826 (B. N. Madrid, T. 135).

CURTIUS, Ernst R.: *Literatura europea y edad media latina* (trad. de M. Frenk Alatorre y Antonio Alatorre), México, 1955, 2 vol.

DAZA, Fr. Antonio: *Historia, vida y milagros, éxtasis y revelaciones de la Bienaventurada Virgen Santa Juana de la Cruz*, Madrid, 1610 (B. N. Madrid, 2-46171).

DELEITO Y PIÑUELA, José: *La mujer, la casa y la moda*, Madrid, 1946.

DEZA, Lope de: *Gobierno político de agricultura*, Madrid, 1618 (B. N. Madrid).

ECHEVERRIA, Pedro: *Cancionero musical manchego*, C. S. I. C., Madrid, 1951.

ENCINA, Juan del: *Sieben Spanische dramatische Eklogen mit einer Einleitung über die Anfänge des spanischen Dramas*, Dresden, 1911 (E. Kolher).

— *Representaciones de Juan del Encina*, Bibliotheca romanica, Strasburgo, sin año (E. Kolher).

Entremeses nuevos de diversos autores (colección Pedro Lanaja), Zaragoza, 1640 (B. N. Madrid).

Epistolario de Lope de Vega Carpio (ed. Agustín G. de Amezúa), Madrid, 1941, 4 vol.

ESQUIVEL NAVARRO, Juan de: *Discursos sobre el arte del dançado y sus excelencias*, Sevilla, 1642 (B. N. Madrid).

FERNÁNDEZ, Lucas: *Farsas y églogas al modo y estilo pastoril castellano fechas por Lucas Fernández* (ed. R. A. E., Manuel Cañete), Madrid, 1867.

FERNÁNDEZ DE NAVARRETE, Pedro: *Conservación de las monarquías*, Madrid, 1623 (B. N. Madrid, R. 16633).

FERNÁNDEZ DE OVIEDO Y VALDÉS, Gonzalo: *Las quinquagenas de la nobleza de España* (ed. V. de la Fuente), I, Madrid, 1880.

FLECNIAKOSKA, Jean-Louis: *Les fêtes du Corpus à Ségovie (1594-1636). Documents inédits*, B. Hi., 1954,pp. 14-38 et pp. 225-249.

Flor de entremeses y sainetes de diferentes autores, Madrid, 1657 (B. N. Madrid).

Flor de las doze mejores comedias de los mayores ingenios de España, 1652 (B. N. Madrid, R. 18040).

Flos Sanctorum tercera parte y historia general, Toledo, 1589, Iuan y Pedro Rodríguez Hermanos (B. N. Madrid).

FRENK, Margarita: *La lírica popular en los siglos de oro*, México, 1946.

GALLARDO, Bartolomé José: *Ensayo de una biblioteca española de libros raros y curiosos*, Madrid, 1863-1889, 4 vol.

GALLEGOS (secrétaire du duc de Feria): *Coplas en vituperio de la vida de palacio y alavanza de aldea* (in *Cancionero de Usoz*) (éd. crit. et étude de Morel-Fatio), B. Hi., 1901, III, 17-34.

GARCÍA MATOS, M.: *Cancionero popular de la provincia de Madrid*, Madrid, 1951, 2 vol.

GARCÍA VILLADA, Z.: *San Isidro en la historia y la literatura*, Razón y Fe, 1922, t. 62.

GARCILASO DE LA VEGA: *Las églogas* (con anotaciones de Herrera) (Clás. Bouret), Paris, 1939.

GIL, Bonifacio: *Romances populares de Extremadura*, Badajoz, 1944.

GILLET, J. E.: *Notes on the language of the rustics in the drama of the sixteenth century* (in *Hom. a M. Pidal*), I.

— *Propalladia and other works of B. de Torres Naharro*, Pensylvania, 1951, 3 vol.

Glossa de las coplas de Mingo Revulgo para el conde de Haro, condestable de Castilla, in *Coplas de Jorge Manrique por la muerte de su padre*, Madrid, Juan de la Cuesta (B. N. Madrid, R. 6978).

GÓNGORA, Luis de: *Las Soledades* (ed. Dámaso Alonso), Madrid, 1935-1936.

GONZÁLEZ DE CELLORIGO, Martín de: *Memorial de la política necessaria y útil restauración de la República de España y Estados de ella y del desempeño universal de estos Reinos*, Valladolid, 1600 (B. N. Madrid).

GONZÁLEZ DE SALAS, Jusepe Antonio: *Nueva idea de la tragedia antigua*, Madrid, 1633 (B. N. Madrid).

GUEVARA, Antonio de: *Epístolas familiares*, B. A. E., XIII.

— *Menosprecio de corte y alabanza de aldea*, Buenos Aires («Austral»), 1947.

GUTIERRE DE CETINA: *Obras de Gutierre de Cetina* (ed. Joaquín Hazañas y la Rúa), Sevilla, 1896.

GUTIÉRREZ DE LOS RÍOS, Gaspar L.: *Noticia general para la estimacón de las artes y de la manera en que se conocen las liberales de las que son mecánicas y serviles, con una exortación a la honra de la virtud y del trabajo, y otras particulares para las personas de otros estados...*, En Madrid, por Pedro Madrigal, año 1600 (B. N. Madrid).

HENRÍQUEZ UREÑA, P.: *La versificación irregular en la poesía española*, 2.ª ed., Madrid, 1933.

HERRERO GARCÍA, Miguel: *Estudios de Indumentaria española en la época de los Austrias*, in *Hispania*, LI, 1953.

— *Génesis de la figura del donaire*, R. F. E., 1941, XXV.

— *Ideas de los españoles del siglo XVII*, Madrid, 1928 (B. N. Madrid).

HORACE: *Odes et Épodes* (éd. F. Villeneuve, Collection des Universités de France, G. Budé), Paris, 1954.

HOROZCO, Sebastián de: *Relación de las fiestas de la «conversión de Inglaterra»* (Toledo, 1555) (publiée par Alvarez Gamero, Santiago), *R. Hi.*, 1914, XXXI, p. 415.

ISAZA Y CALDERÓN: *El retorno a la naturaleza. Los orígenes del tema y sus direccioes fundamentales en la literatura española*, Tesis doctoral, Madrid, 1933.

JAIME DE HUETE: *Comedia intitulada Tesorina* (ed. V. Cronam),in *Teatro español del siglo XVI*, Madrid, 1913.

JOLY, Barthélemy: *Voyage en Espagne (1603-1604)* (publié par L. Barrau-Dihigo), *R. Hi.*, 1909, XX.

JOVELLANOS, Gaspar Melchor de: *Sobre las romerías de Asturias*, in B. A. E., L.

— *Memoria sobre las diversiones públicas (11 de julio 1796)*, Madrid, 1812 (B. N. Madrid).

KENNEDY, Ruth L.: *Studies for the Chronology of Tirso's Theatre*, H. R., 1943, XI, pp. 17-46.

LANUZA, Martín Bautista: *Memoria sobre las turbaciones de Aragón en 1591*, Madrid, 1832.

LARREA PALACÍN, Arcadio de: *Canciones rituales hispano-judías*, Madrid, 1954. (Instituto de estudios africanos.)

LAS CASAS, Bartolomé: *Historia de las Indias* (ed. Millares Carlo), México, 1951.

LEDESMA, Alonso de: *Juegos de buenas noches*, Barcelona, 1605, Sebastián Cormellas, (B. N. Madrid).

— *Poesías*, in B. A. E., XXXV.

LEÓN, Fray Luis de: *Cantar de los cantares* (ed. Jorge Guillén), «Cruz del Sur», Santiago de Chile, 1947.

— *Obras de Fray Luis de León*, B. A. E., XXXVII.

Libro nuevo extravagante de comedias escogidas de diferentes autores, Toledo, 1667 (B. N. Madrid, R. 11781).

LOPEZ BRAVO: *De rege et regendi ratione*, 1629 (B. N. Madrid, 3-41725).

LOPEZ PINCIANO: *Philosophia antigua poética*, Madrid, 1596 (B. N. Madrid, R. 4451) et ed. A. Carballo Picazo, Madrid, 1953.

MADOZ, Pascual: *Diccionario geográfico-estadístico-histórico de España y sus posesiones de ultramar*, Madrid, 1845-1850, 16 vol.

MADRID, Francisco de: *Egloga* (ed. Gillet J.) *H. R.*, XI, Filadelfia, 1943.

MALKIEL, María Rosa Lida de: *Horacio en la literatura mundial*, *R. F. H.*, 1940, núm. 4.

MAL LARA, Juan de (ou MALARA): *La Philosophia vulgar de Juan de Mal Lara, vezino de Sevilla. A la C. R. M. del Rey Don Philippe nuestro señor dirigida. Primera parte que contiene mil refranes glosados. En la calle de la Sierpe. En casa de Hernando Díaz*, año 1568 (B. N. Madrid, R 2489).

MANUEL, Juan: *Libro de estados*, B. A. E., LI, I.

MARIANA, Juan de: *Joannis Marianae hispani, e soc. Jesu, de rege et regis institutione libri III. Ad Philippum III Hispaniae Regem Catholicum*, Toledo, 1599 (B. N. Madrid). (Trad. española in B. A. E., XXXI, p. 463).

MARTÍN DE ANDÚXAR: *Geometría y trazas pertenecientes al oficio de sastre. Donde se contiene el modo y orden de cortar todo género de vestidos. Tiene trecientas y veinte trazas, Españolas, Francesas, Ungaras, y de otras naciones, como de las que aora se usan. Escritas por Martín de Andúxar, Maestro Sastre*. Madrid, 1640 (B. N. Madrid, R. 2493).

MATOS FRAGOSO: *Comedias*, in B. A. E., XLVIII.

MAYÁNS Y SISCAR, Gregorio: *Vida de Publio Virgilio Marón, con la noticia de sus obras traducidas en castellano*, Valencia, 1778 (B. N. Madrid).

MENDOZA, Iñigo de: *Vita christi fecho por coplas* (ed. Zamora, 1482) réimprimé par Foulché-Delbosc, in *Cancionero castellano del siglo XV, N. B. A. E., XIX*.

MENDOZA BOVADILLA, Francisco de: *Tizón de la nobleza de España*, ed. Madrid, 1827.

MENÉNDEZ Y PELAYO, Marcelino: *Bibliografía hispano-latina clásica*, C. S. I. C., Madrid, 1951-52, 6 vol.

— *Estudios sobre el teatro de Lope de Vega* (ed. Sánchez Reyes), C. S. I. C., Santander, 1949, 6 vol.

— *Orígenes de la novela*, N. B. A. E. I, VII, XIV, XXI, 4 vol., Madrid, 1907-15.

— *Traductores de las Eglogas y Geórgicas de Virgilio*, Madrid, 1880.

MENÉNDEZ PIDAL, Ramón: *De primitiva lírica española y antigua épica*, Buenos Aires, «Austral», 1951.

— *Del honor en el teatro español* (Conferencia dada en La Habana, Marzo 1937), in *De Cervantes y Lope de Vega*, Buenos Aires, México (ed. Espasa-Calpe, 1943).

— *Flor nueva de romances viejos*, Buenos Aires (ed. Espasa-Calpe), 1943.

— *Lope de Vega, el arte nuevo y la nueva biografía*, *R. F. E.*, 1935, XXII.

— *Poesía juglaresca y juglares*, Madrid, 1924.

— *Romancero hispánico (hispano-portugués, americano y sefardí)*, Madrid, 1953, I. II.

— *Los romances de América y otros estudios*, Buenos Aires, Espasa Calpe, 1939.

MICHAELIS DE VASCONCELLOS, Carolina: *Cancionero da Ajuda*, Halle, 1904.

MIRA DE AMESCUA: *Comedias*, in B. A. E., XLV.

MITJANA, R.: *Comentarios y apostillas al cancionero poético y musical del siglo XVII recogido por Claudio de la Sablonara y publicado por D. J. Aroca R. F. E., VI*.

MOLINA, Juan de: *Cancionero*, Salamanca, 1527.

MONCADA, Sancho de: *Restauración política de España y deseos públicos... por Sancho de Moncada, catedrático de Sagrada Escritura en la Universidad de Toledo*, Luis Sánchez, Madrid, 1619 (B. N. Madrid, R. 15522).

MONTANER, Joaquín: *La colección teatral de Don Arturo Sedó*, Barcelona, 1951.

MONTESINOS, José F.: *Algunas observaciones sobre la figura del donaire en el teatro de Lope de Vega*, Hom. a M. Pidal, 1925, I.

— *Estudios sobre Lope de Vega*, Colegio de México, 1951.

— *La fuente de Los Tellos de Meneses*, *R. F. E.*, 1921, VIII, pp. 131-140.

— *Poesías líricas de Lope de Vega*, «La Lectura» (Clás. Castell.), Madrid, 1951.

MONTOTO Y RAUTENSTRAUCH, Luis: *Personajes, personas y personillas que corren por las tierras de ambas Castillas*, 2.ª ed., Sevilla, 1921, 2 vol.

MOREL-FATIO, A.: *Etudes sur l'Espagne,* Paris, 1888, 1904, 3 vol.

MOREL-FATIO, A.: *Notes sur la langue des «Farsas y Eglogas» de Lucas Fernández,* Romania, X.

MORETO: *Comedias* (ed. L. F. Guerra), in B. A. E., XXXIX.

MORLEY, S. G.: *«Fuenteovejuna» and its theme-parallels,* in *H. R.,* IV, Philadelfia, 1936, pp. 303-311.

— *The pseudonyms and literary disguises of Lope de Vega, Modern Philology,* vol. 33, Berkeley, Los Angeles, 1951.

MORLEY, S. G., BRUERTON, Courtney: *The chronology of Lope de Vega's «comedias»,* New York, 1940.

— *Addenda to chronology of Lope de Vega's «comedias», H. R.,* 1947, XV, pp. 49-71.

NAVARRO, Tomás: *Métrica española, reseña histórica y descriptiva,* Syracuse-New-York, 1956.

OLMEDA, F.: *Folklore de Castilla o Cancionero popular de Burgos,* Sevilla, 1903.

OUDIN, C.: *Tesoro de las lenguas españolas y francesa,* ed. 1675.

PAZ Y MELIA, Antonio: *Catálogo abreviado de papeles de Inquisición,* Madrid, 1914.

— *Catálogo de las piezas de teatro que se conservan en el departamento de manuscritos de la Biblioteca Nacional,* Madrid, 1899.

PEDRAZA, Juan de: *Dança de la muerte...* (1551), in B. A. E., LVIII.

PEDRAZA, Juan Rodrigo Alonso de (Barrera estime qu'il s'agit du même personnage que le précédent): *Comedia de Sancta Susana (1558), R. Hi.,* 1912.

PEDRELL, Felipe: *Cancionero musical popular español* (Casa editorial Boileau), Barcelona sin año, 3 vol.

PELLICER, Juan Antonio: *Ensayo de una biblioteca de traductores españoles,* Madrid, 1778.

PEÑALOSA Y MONDRAGÓN, F. Benito de: *Libro de las Cinco Excelencias del español que despueblan a España para su mayor potencia y dilatación... por el M. Fr. Benito de Peñalosa y Mondragón, Monge Benito...,* Año 1629... en Pamplona, por Carlos de Labayans, Impressor del Reyno de Navarra (B. N. Madrid).

PÉREZ DE MONTALBÁN: *Comedias,* in B. A. E., XLV.

PÉREZ PASTOR, Cristóbal: *Bibliografía madrileña o descripción de las obras impresas en Madrid (1556-1625),* Madrid, 1907, 3 vol.

— *Nuevos datos acerca del histrionismo español en los siglos XVI y XVII,* Madrid, 1901, (1.ª série), Bordeaux, 1914 (2e série).

— *Proceso de Lope de Vega por libelos contra unos cómicos* (ed. y notas de A. Tomillo y C. Pérez Pastor), Madrid, 1901.

QUEVEDO VILLEGAS, Francisco: Edición de las obras y traducciones de Fray Luis de León, *Obras poéticas,* 1631.

QUIÑONES DE BENAVENTE: *Entremeses, bailes...* (ed. Cotarelo y Mori), in N. B. A. E., XVII, XVIII.

Relación de las fiestas que se han hecho en esa Corte por la canonización de cinco Santos, copiada de una carta que escribió Manuel Ponce en 28 de Junio 1622, R. Hi., 1919.

Relaciones histórico-geográfico-estadísticas de los pueblos de España hechas por iniciativa de Felipe II (Provincia de Madrid) (ed. Carmelo Viñas y Mey y Ramón Paz), C. S. I. C., Madrid, 1949.

Relaciones de pueblos que pertenecen hoy a la provincia de Guadalajara (con notas y aumentos de J. Catalina García), in *Memorial Hist. Esp.,* tomos XLI a XLVII, Madrid, 1903-1915.

Relaciones de los pueblos de la provincia de Cuenca (ed. Zarco Cuevas, Julián, 2 vol.).

RAMÍREZ DE ARELLANO, R.: *Rebelión de Fuenteovejuna contra el comendador mayor de Calatrava Fernán Gómez de Guzmán, Bol. Acad. Hist.,* XXXIX, Madrid, 1901, pp. 446-512.

REMÓN, Alonso: *Entretenimientos y juegos honestos y recreaciones cristianas para que en todo género de estados se recreen los sentidos sin que se estrague el alma,* Madrid, 1623 (B. N. Madrid).

RENNERT, Hugo Albert: *The Spanish stage in the time of Lope de Vega,* New York, 1909.

RENNERT Y CASTRO: *Vida de Lope de Vega* (comprende una *Bibliografía de las Obras de Lope de Vega),* Madrid, 1919.

ROBLES PAZOS, J.: *Sobre la fecha de Fuenteovejuna*, in *Modern Language, Notes*, Baltimore, 1935, p. 179-182.

RODRIGUEZ MOÑINO: *Un traductor extremeño de Virgilio* (Curiosidades bibliográficas), Madrid, 1946.

— *Las fuentes del Romancero General (Madrid, 1600)*. Ed. notas e índices por A. Rodríguez Moñino, Madrid, R. A. E., 1957, 12 vols.

RODRÍGUEZ VILLA, Antonio: *Corte y monarquía de España en los años de 1636 y 1637* (Colección de cartas inéditas, ed. con notas e ilustraciones), Madrid, 1886.

ROJAS, Agustín de: *El viaje entretenido de Agustín de Rojas natural de la villa de Madrid*, Reproducción de la ed. completa de 1604, con un estudio crítico de Manuel Cañete, 1901.

ROJAS ZORRILLA: *Comedias*, in B. A. E., XIV, XLV, LIV.

ROJO ORCAJO, Timoteo: *El pajarillo en la enramada o algo inédito y desconocido de Lope de Vega*, Madrid, Tipografía Católica, 1935.

Romancero general en que se contiene todos los romances que andan impresos... aora nuevamente añadido y enmendado, Madrid, Juan de la Cuesta, 1604.

Romancero y Cancionero Sagrado, B. A. E., XXXV.

RUEDA, Lope de: *Obras de Lope de Rueda*, ed. R. A. E., Madrid, 1908, 2 vol.

RUIZ DE ALARCÓN: *Comedias*, ed. Hartzenbusch, in B. A. E., XX.

SAINZ DE ROBLES, Federico Carlos: *Bibliografía de Lope de Vega*, in *Obras escogidas*, Madrid, Aguilar, 1946, pp. 291-308.

SALAZAR, Adolfo: *Música, instrumentos y danzas en las obras de Cervantes, N. R. F. H.*, 1948, II.

SALAZAR, Eugenio: *Cartas de Eugenio de Salazar, vecino y natural de Madrid, escritas a muy particulares suyos* (ed. Sociedad de Bibliófilos españoles), Madrid, 1866 (B. N. Madrid).

SALAZAR, P.: *Corónica y historia de la fundación y progreso de la provincia de Castilla, de la Orden del bienaventurado padre Francisco*, Madrid, 1612 (B. N. Madrid).

SALINAS, F.: *De música septem... 1577*.

SALUCIO, Fray Agustín: *Discurso acerca de la justicia y buen gobierno de España en los estatutos de limpieza de sangre; y si conviene o no alguna limitación en ellos* (publié par Antonio Valladares de Sotomayor in *Semanario erudito*, Madrid, 1788-1795, XV).

SALVÁ Y MALLÉN, Pedro (y SALVÁ, Vicente): *Catálogo de la biblioteca de Salvá...*, Valencia, 1872, 2 vol. (índice alfabético de los títulos de obras dramáticas).

SÁNCHEZ ARJONA, José: *Noticias referentes a los anales del teatro en Sevilla desde Lope de Rueda hasta fines del siglo XVII*, Sevilla, 1898.

SÁNCHEZ DE BADAJOZ: *Recopilación en metro del bachiller...*, Sevilla, 1554.

— *Farsas*, in *Obras dramáticas del siglo XVI*, ed. Bonilla San Martín, Madrid, 1914.

SAN ROMÁN, Francisco de B.: *Lope de Vega. Los cómicos toledanos y el poeta sastre. Serie de documentos inéditos de los años de 1590 à 1615*, Madrid, 1935.

SANTA CRUZ, Melchor: *Floresta española de apotegmas y sentencias*, Bruselas, 1598 (B. N. Madrid).

SCHINDLER, Kurt: *Folk music and poetry of Spain y Portugal*, New York, 1931.

SERRANO Y SANZ, Manuel: *Antología de poesías líricas*, Madrid, 1915.

SHERGOLD, N-D — J. E. VAREY: *Los Autos sacramentales en Madrid en la época de Calderón, 1637-1681. Estudio y documentos*, Madrid, 1961.

SIMÓN DÍAZ, José: *Bibliografía de la literatura hispánica*, Madrid, 1950-1951, 6 tomes parus.

SIMÓN DÍAZ (Y JOSÉ PRADES, Juana): *Ensayo de una bibliografía de las obras y artículos sobre la vida y escritos de Lope de Vega Carpio*, Madrid, 1955.

SIRICH, Edward H.: *Lope de Vega and the Praise of simple life*, R. R., Lancaster, VIII, pp. 279 sq.

TÁRREGA, Francisco: *Comedias*, in B. A. E., XIII.

Teatro poético repartido en veintiún entremeses nuevos escogidos de los mejores ingenios de España, Zaragoza, enero 1658.

TEÓCRITO: *Idilios*, Nueva versión, noticias y notas de Antonio González Laso, Aguilar, 1963.

TIMONEDA, Juan: *Epístola de Juan Timoneda al Lector,* in *Dos Colloquios pastoriles de muy agraciada y apazible prossa, compuestos por el excellente Poeta y gracioso representante Lope de Rueda. Sacados a luz por Ioā Timoneda,* Valencia, 1567.

TIRSO DE MOLINA (Gabriel Téllez): *Comedias escogidas de Fray Gabriel Téllez (El Maestro Tirso de Molina)* (ed. Hartzenbusch), in B. A. E., V.

— *Comedias* (ed. Cotarelo y Mori), in N. B. A. E., IV, IX.

— *Obras dramáticas completas* (ed. crítica por Blanca de los Ríos), Madrid, Aguilar, 1946, 3 vol.

— *El Vergonzoso en palacio* (ed. Américo Castro, «Clás. Castell.»), 1910.

TORNER, E. M.: *Cancionero musical de la lírica antigua y la moderna,* in *Symposium,* May 1948.

TORQUEMADA, Antonio de: *Colloquios satíricos hechos por Antonio de Torquemada secretario del Yllustríssimo señor don Antonio Alfonso Pimentel, conde de Benavente,* Agustín Paz, Mondoñedo, 1553 (in Menéndez y Pelayo, *Orígenes de la novela,* II, N. B. A. E., Madrid, 1907).

VALDIVIELSO, José de: *Romancero* (ed. M. Mir), Madrid, 1880.

— *Autos sacramentales,* in B. A. E., LXIII.

— *Doze autos sacramentales y dos comedias divinas,* Toledo, Juan Ruiz, 1622 (B. N. Madrid).

VEGA CARPIO, Lope de: *La Arcadia* (roman), in B. A. E., XXXVIII, pp. 45-136.

— *Autos sacramentales,* B. A. E., LVIII.

— *Isidro,* Poema castellano de Lope de Vega Carpio, Secretario del Marqués de Sarria. En que se escrive la vida del bienaventurado Isidro, labrador de Madrid y su Patrón divino, dirigida a la muy insigne villa de Madrid. En Madrid, por Luis Sánchez— Año 1599 (B. N. Madrid) *Justa poética y Alabanzas que hizo la insigne villa de Madrid al bienaventurado San Isidro en las fiestas de Su Beatificación recopiladas por Lope de Vega...* En Madrid, viuda de Alonso Martín, 1620 (B. N. Madrid).

— *Partes (I à XXV) de las comedías de Lope Vega Carpio* (B. N. Madrid, à partir de R. 14094).

— *Comedias escogidas de Frey Félix de Vega Carpio* (ed. Harzenbusch), B. A. E., XXXIV, XLI, LII.

— *Obras de Lope de Vega,* publicadas por la *R. A. E.,* Madrid, 1890-1913, 15 vol.

— *Obras de Lope de Vega,* publicadas por la *R. A. E.* (nueva edición), Madrid, 1916-1930, 13 vol.

— *Obras escogidas-Teatro,* Madrid, Aguilar, 1946.

— *Obras no dramáticas de Lope de Vega,* B. A. E., XXXVIII.

— *La corona merecida* (ed. J. F. Montesinos), *Teatro antiguo español,* Madrid, 1929.

— *El cordobés más valeroso. Pedro Carbonero* (ed. J. F. Montesinos), *Teatro antiguo español,* Madrid, 1929.

— *Peribáñez y el comendador de Ocaña* (ed. Ch-V. Aubrun et J. F. Montesinos) (avec introduction et notes), Paris, Hachette, 1943.

VEGA CARPIO, Lope de: *Relación de las fiestas que la insigne villa de Madrid hizo en la canonización de... San Isidro,* por Lope de Vega, Madrid, viuda de Alonso Martín, 1625.

VÉLEZ DE GUEVARA, Luis: *Comedias,* in B.A. E., XLV, XIV, LIV.

— *La Serrana de la Vera* (ed. M. Pidal, Mª Goyri), in *Teatro antiguo español,* Madrid, 1916.

VICENTE, Gil: *Obras completas,* ed. Marqués Braga, Lisbonne, 1942, 6 vol.

VICO, Enea: *Dessins des habillements de différentes parties de l'Espagne* (B. N. Paris, Cabinet des Estampes).

VIRGILE: *Bucoliques,* ed. E. de Saint-Denis (collection des Universités de France, G. Budé), Paris, 1942.

— *Les Géorgiques,* éd. et trad. H. Goelzer (collection des Universités de France, G. Budé), Paris, sans date.

VIÑAS Y MEY, Carmelo: *El problema de la tierra en los siglos XVI y XVII,* Madrid, 1941.

VOSSLER, Karl: *La antigüedad clásica y la poesía dramática de los pueblos románicos,* Buenos Aires, «Austral», 1928.

WILSON, E. M.: *Images et structures dans Peribáñez,* B. Hi., 1949, LI, pp. 125-150.

ESTE LIBRO
SE TERMINÓ DE IMPRIMIR
EL DÍA 22 DE ABRIL DE 1985